SECRETUM

MONALDI & SORTI BIJ DE BEZIGE BIJ

Imprimatur

Monaldi & Sorti

SECRETUM

Vertaling Jan van der Haar

CARGO

2004
DE BEZIGE BIJ
AMSTERDAM

Cargo is een imprint van uitgeverij De Bezige Bij, Amsterdam

Oorspronkelijke titel *Secretum*
Omslagontwerp Studio Jan de Boer
Omslagillustratie *Ritratto di Maddalena Doni*, Galleria Palatina
Foto auteur Philippe Matsas
Vormgeving binnenwerk Peter Verwey
Druk Hooiberg, Epe
ISBN 90 234 1579 5
NUR 305

www.debezigebij.nl

Alles op deze aarde is een maskerade, maar God heeft bepaald dat de komedie nu eenmaal zo gespeeld moet worden.

Erasmus, *Lof der zotheid*

Constanta, 14 februari 2041

Aan Zijne Exc. Mgr.
Alessio Tanari
Secretaris van de Congregatie voor Zalig- en Heiligverklaringen
Vaticaanstad

Waarde Alessio,

Er is inmiddels een jaar verstreken sinds ik U voor het laatst schreef. U hebt mij nooit geantwoord.

Een paar maanden geleden ben ik onverwachts overgeplaatst naar Roemenië (maar misschien weet u dat al). Ik ben een van de weinige priesters die een onderkomen vinden in Constanta, een klein stadje aan de Zwarte Zee.

Hier neemt het woord 'armoede' de meedogenloze, definitieve betekenis aan die het vroeger ook bij ons had. Vale, bouwvallige huizen, slecht geklede kinderen die in de vuile, troosteloze straten spelen, vrouwen met een vermoeid gelaat die wantrouwend uit de ramen kijken van gruwelijke woonkazernes, de overblijfselen van het zakelijke socialisme, kaal en haveloos, grauwheid en ellende alom.

Dit is de stad, dit is de streek waartoe ik een paar maanden geleden ben bestemd. Hier ben ik geroepen om mijn pastorale missie te vervullen, en ik zal mijn plichten niet verzaken. De ellende van dit land noch de treurigheid die overal te vinden is zal me dat in de weg staan.

Het stukje land waar ik vandaan kwam was, zoals U al weet, geheel anders. Tot een paar maanden geleden was ik bisschop van Como, het vriendelijke stadje aan het meer, dat Manzoni tot onsterfelijke bladzijden heeft geïnspireerd: de oude parel van het welvarende Lombardije, rijk aan nobele herinneringen, waarvan de karakteristieke oude binnenstad tegenwoordig zakenlieden, modeondernemers, voetballers en bemiddelde zijdefabrikanten huisvest.

Mijn missie zal zich echter niets aantrekken van die abrupte, onverwachte ommezwaai. Mij is gezegd dat men mij hier in Constanta nodig had, dat mijn roeping bij uitstek zou beantwoorden aan de geestelijke noden van deze landstreek, dat de verhuizing uit Italië (met maar twee weken opzegtermijn) niet moest worden opgevat als een degradatie en nog minder als een straf.

Zodra mij het nieuws uiteen was gezet, heb ik nogal wat twijfels geuit (en evenzeer verbazing moet ik zeggen), aangezien ik in het verleden nooit mijn pastorale activiteiten buiten Italië had verricht, met uitzondering van de paar maanden vorming in Frankrijk tijdens mijn jonge jaren in een inmiddels ver verleden.

Ofschoon ik de positie van bisschop beschouwde als de best mogelijke bekroning van mijn carrière, had ik ondanks mijn gevorderde leeftijd met plezier een nieuwe bestemming aanvaard: in Frankrijk, Spanje (landen waar ik niet onbekend ben met de taal), of zelfs in Latijns-Amerika.

Het zou dan wel om iets ongewoons zijn gegaan, want maar zelden maakt men van vandaag op morgen een overplaatsing van een bisschop mee naar verre landen, als er geen ernstige smetten aan zijn carrière kleven. Hetgeen zich in mijn geval, zoals U weet, niet heeft voorgedaan, maar niettemin – juist vanwege het onverwachte, nieuwe van de overplaatsing – is er bij een paar trouwe inwoners van Como niet ten onrechte argwaan daaromtrent gerezen.

Hoe dan ook had ik een dergelijke beslissing opgevat zoals men Gods wil opvat, zonder voorbehoud en zonder gevoel van droefheid. Maar er is besloten mij naar Roemenië te sturen, een land waar ik totaal onbekend mee ben, van de taal tot de tradities, van de geschiedenis tot de dagelijkse benodigdheden. Op de speelplaats bij de kerk zie ik me ineens mijn vermoeide ledematen afbeulen in de poging te voetballen met de plaatselijke kinderen, van wie ik de haastige manier van spreken tevergeefs tracht te verstaan.

Er huist in mijn ziel, vergeeft U mij de bekentenis, voortdurend een zeurende kwelling. Die echter niet zozeer voortkomt uit mijn lot (dat de Heer heeft gewild en als zodanig rustig in dank aanvaard moet worden), als wel uit de geheimzinnige omstandigheden die het hebben bepaald. Omstandigheden waarvan ik het belangrijk vind ze U te verhelderen.

Een jaar geleden schreef ik U voor het laatst en ik bracht toen een uiterst delicaat geval onder Uw aandacht. Destijds was het proces voor de heiligverklaring van de zalige Innocentius XI Odescalchi, roemrijker nagedachtenis paus van 1676 tot 1689, promotor en aanhanger van de strijd der christelijke legers tegen de Turken in 1683 in Wenen, die de volgelingen van Mohammed voorgoed uit Europa verjoeg. Omdat die paus afkomstig was uit Como, was mij de eer te beurt gevallen om het proces, dat de Heilige Vader na aan het hart lag, te instrueren: de klinkende, historische nederlaag van de islam had plaatsgehad in de vroege ochtend van 12 september 1683, toen het, als men rekening houdt met het tijdsverschil, in New York nog 11 september was... Nu, veertig jaar na de tragische islamitische aanslag op de Twin Towers van 11 september 2001 in New York, was het samenvallen van die twee data onze geliefde paus niet ontgaan. Hij wilde dus Innocentius XI – de anti-islampaus – heilig verklaren op precies de herdenkingsdag van die twee gebeurtenissen, als gebaar van herbevestiging van de christelijke waarden en de kloof die Europa en het hele Westen scheidt van de idealen van de koran.

Aan het eind van het vooronderzoek stuurde ik U toen dat ongepubliceerde werk. Weet U het nog? Het was het typoscript van twee oude vrienden van mij, Rita en Francesco, die ik al jaren uit het oog was verloren. Het onthulde een lange reeks onterende omstandigheden aan het adres van de zalige Innocentius. Tijdens zijn hele pontificaat had dit heerschap uit lage persoonlijke belangen gehandeld. En al was hij ongetwijfeld het instrument van de Heer geworden door de christelijke vorsten aan te vuren om zich tegen de Turk te wapenen, bij andere gelegenheden had hij door zijn geldzucht ernstige kwetsuren aan de christelijke moraal toegebracht, alsmede onherstelbare schade aan de katholieke godsdienst in Europa.

Op dat punt vroeg ik U, zoals U nog zult weten, de zaak aan het oordeel van Zijne Heiligheid voor te leggen, zodat hij kon besluiten te zwijgen of – naar ik hoopte – het *imprimatur* geven en publicatie bevelen, zodat de waarheid voor iedereen toegankelijk werd.

Ik had, eerlijk gezegd, op zijn minst een reactie verwacht. Ik had gedacht dat U het, los van de ernstige feiten die mij ertoe brachten U te schrijven, op prijs zou stellen iets te horen van iemand die per slot van rekening op het seminarie Uw docent is geweest. Ik wist wel dat het antwoord op mijn vragen lang op zich zou laten wachten, misschien wel heel lang, gezien de ernst van de onthullingen waarvan ik Zijne Heiligheid op de hoogte bracht. Maar ik stelde me zo voor dat U, zoals in dergelijke gevallen gebeurt, op zijn minst van U zou laten horen met een antwoordkaartje.

Maar nee. Maandenlang hoorde ik niets per post of telefoon, hoewel de uitkomst van het proces afhing van het antwoord dat ik verwachtte. Ik stelde me de behoefte van Zijne Heiligheid voor om na te denken, te wikken, te wegen. Misschien om strikt vertrouwelijk experts voor een opinie te raadplegen. Ik legde me geduldig bij het wachten neer; mede omdat ik, gedwongen als ik was tot geheimhouding en bescherming van de naam van de zalige, aan niemand anders dan aan U en de Heilige Vader kon onthullen wat ik had ontdekt.

Totdat ik het op een dag in een boekhandel in Milaan tussen talloze andere zag liggen: het boek dat de namen van mijn twee vrienden vermeldde.

Toen ik het eindelijk opensloeg, kreeg ik de bevestiging: het was uitgerekend *dat* boek. Hoe was dat mogelijk? Wie had het laten drukken? Algauw luidde mijn antwoord: het kon niemand anders zijn geweest dan onze paus in eigen persoon die opdracht had gegeven tot publicatie. Misschien was het *imprimatur* dat ik van de paus verwachtte uiteindelijk gekomen, definitief en krachtig, met direct de opdracht om het werk van Rita en Francesco te laten drukken.

Het was duidelijk dat het proces van heiligverklaring van paus Innocentius XI nu voorgoed was tegengehouden. Maar waarom was ik niet op de hoogte gesteld? Waarom had ik helemaal niets gehoord, zelfs niet na de publicatie en nog minder van U, Alessio?

Ik wilde U bijna opnieuw gaan schrijven toen ik op een dag, 's ochtends vroeg, een bericht ontving.

Ik herinner het me nog ongewoon scherp, als de dag van vandaag. Terwijl ik mijn werkkamer binnen wilde gaan, kwam mijn secretaris bij me met een envelop. Hij gaf hem aan mij. Terwijl ik hem openmaakte, zag ik in de schemer van de gang nog net de pauselijke sleutels die op de omslag stonden gedrukt, en het kaartje dat erin zat was al in mijn hand gegleden.

Ik werd uitgenodigd voor een gesprek. Bovenal trof me de dringende termijn op het kaartje: twee dagen later, en bovendien op een zondag. Maar dat was nog niets vergeleken bij het tijdstip (zes uur in de ochtend) en bij de identiteit van de man die me voor het onderhoud uitnodigde: monseigneur Jaime Rubellas, de Vaticaanse staatssecretaris.

De ontmoeting met kardinaal Rubellas was allerbeleefdst. Hij vroeg allereerst naar mijn gezondheid, naar de behoeften van mijn bisdom, naar de staat van de roepingen. Vervolgens informeerde hij discreet naar het proces van heiligverklaring van Innocentius XI. Verbaasd vroeg ik of hij niet op de hoogte was van de publicatie van het boek. Hij gaf geen antwoord, maar keek mij aan alsof ik hem had uitgedaagd.

En toen bracht hij me op de hoogte van de grote behoefte die men hier in Constanta aan mij had, van de nieuwe grenzen van de Kerk van vandaag, van het gebrek aan zielzorg in Roemenië.

Door de vriendelijkheid waarmee de staatssecretaris mijn overplaatsing ontvouwde, verloor ik tijdens de ontmoeting bijna uit het oog dat het helemaal niet duidelijk was waarom hij zelf die aankondiging deed en waarom ik op die ongebruikelijke manier was ontboden, alsof het buiten bereik van indiscrete ogen moest gebeuren; en tot slot hoe lang mijn verblijf buiten Italië kon duren.

Aan het eind vroeg monseigneur Rubellas me geheel onverwachts de grootst mogelijke discretie omtrent ons onderhoud en het besprokene te bewaren.

De vragen die ik me die ochtend in Rome niet stelde, komen hier in Constanta steeds vaker bij me op, 's avonds, terwijl ik in mijn kamertje geduldig Roemeens zit te oefenen, een wonderlijke taal waarin de zefstandige naamwoorden voor de lidwoorden staan.

Toen ik net aangekomen was, hoorde ik dat Constanta tijdens het Romeinse Rijk, waaraan het geruime tijd onderworpen is geweest, Tomi heette. Toen ik vervolgens een blik wierp op het kaartje van het gebied, zag ik dat er bij ons in de buurt een plaats ligt met de eigenaardige naam Ovidiu.

En toen ging er bij mij een lichtje branden. Een snelle blik op het handboek Latijnse literatuur: mijn herinnering bedroog me niet. Toen Constanta nog Tomi heette, liet keizer Caesar Augustus de beroemde dichter Ovidius daarnaartoe verbannen, met de officiële reden dat hij zedeloze gedichten had geschreven, maar in werkelijkheid omdat hij het vermoeden had dat hij te veel geheimen rond de keizerlijke familie aan de weet was gekomen. Twee hele lustra lang sloeg Augustus zijn smeekbeden in de wind, totdat Ovidius stierf. Zonder ooit Rome te hebben teruggezien.

Nu weet ik, waarde Alessio, hoe het vertrouwen dat ik een jaar geleden in U stelde is beloond. Dat heeft mijn verbanning hier in Tomi, het ballingsoord voor 'literaire vergrijpen', duidelijk gemaakt. Niet alleen was de uitgave van het werk van mijn twee vrienden geen initiatief van de Heilige Stoel, die publicatie is jullie allemaal rauw op je dak gevallen. En jullie dachten dat ik erachter zat, dat ik het heb laten drukken. Daarom hebben jullie mij hiernaartoe verbannen.

Maar jullie hebben je vergist. Ik ben net als jullie totaal onbekend met de aanleiding voor publicatie van dat boek: de Heer, *quem nullum latet secretum*, 'die alle geheimen kent' – zoals in de orthodoxe kerken hier wordt opgezegd – bedient zich voor Zijn doeleinden ook van degene die tegen Hem handelt.

Als U een blik op de bijgaande verzegelde envelop hebt geworpen, zult U al begrepen hebben waar het om gaat: opnieuw een typoscript van Rita en Francesco. Ook ditmaal misschien een historisch document, mogelijk een roman, wie weet. U mag U erin vermeien, het persoonlijk ontdekken en, als U wilt, de gedocumenteerde bewijzen die ik erbij heb gekregen en die ik U overdraag, natrekken.

Uiteraard zult U zich afvragen wanneer ik het typoscript heb gekregen, waarvandaan het is opgestuurd, en ten slotte of ik mijn twee oude vrienden heb teruggevonden. Allemaal vragen die ik U ditmaal niet zal kunnen helpen oplossen. Ik weet zeker dat U het zult begrijpen.

Ik stel me ten slotte voor dat U zich zult afvragen waarom ik het U toezend. Ik kan me Uw verbazing al indenken, en de twijfel of ondergetekende naïef is of gek, of dat hij beantwoordt aan een logica die U ontgaat. Een van deze drie is het antwoord dat U zoekt.

Moge God U andermaal inspireren bij hetgeen U gaat lezen. En moge hij U nogmaals tot instrument van Zijn wil maken.

Lorenzo dell'Agio, *pulvis et cinis*

WAARACHTIGE EN NAUWKEURIGE HISTORIE
van de Glorieuze Gebeurtenissen
die plaatsvonden tijdens het pontificaat van
INNOCENTIUS XII
te Rome in het jaar 1700
opgedragen aan de Uitnemende
en Eerbiedwaardige heer
Abt Atto Melani
Met privilege
Te Rome, bij Michel'Ercole
MDCCII

Weledelgeboren hoogeerwaarde heer,

Telker ure overtuig ik mij meer dat een beknopte samenvatting omtrent de buitengewone gebeurtenissen die zich voordeden in juli van het jaar 1700 te Rome Uedele hoogst aangenaam zal zijn, en deze kenden als verheven, hooggeachte hoofdpersoon een trouw onderdaan van Zijne Majesteit de allerchristelijkste koning Lodewijk van Frankrijk, over wiens successen U hier een grote overdaad aan beschrijvingen en geduplicerde parafrasen kunt genieten.

Dit is de vrucht van het werk eens eenvoudigen landmans, maar ik heb de vaste hoop dat de voortbrengselen van mijn primitieve Muze niet door het lichtende vernuft van Uedele zullen worden verafschuwd. Zo het geschenk pover is, de wil is rijk.

Zult U mij vergeven als ik in de volgende pagina's niet voldoende lofprijzingen heb geuit? De Zon bleef, al prezen anderen hem nooit, toch altijd de Zon. Als beloning verwacht ik niets anders dan wat U reeds beloofd hebt, en ik herhaal het niet, in de wetenschap dat zo'n grootmoedige ziel als van Uedele niet van zichzelf kan vervreemden.

Ik wens Uwe Excellentie een lange levensduur toe, om mij een langdurige hoop toe te wensen: en ootmoedig betuig ik mijn diepste eerbied.

Den 7den juli 1700, eerste dag

Op het middaguur van de zevende juli van het jaar 1700 stond de zon gloeiend heet hoog aan de hemel van Rome; het was de dag waarop God de Heer zo goed was mij hard te laten werken (maar wel tegen een behoorlijk loon) in de tuinen van Villa Spada.

Als ik opkeek van de grond en mijn blik naar de horizon richtte, voorbij de verre traliewerken van de ingang die voor de gelegenheid openstonden, zag ik wellicht als eerste na de pages die het erehek bewaakten, de witte stofwolk van de weg die de kop aankondigde van de lange slang, bestaande uit het trage opeenvolgen van de rijtuigen der gasten.

Bij die aanblik, die ik weldra deelde met de andere bedienden van de villa, die zoals altijd ten prooi aan nieuwsgierigheid waren toegesneld, werd de vrolijke vaart van voorbereidingen nog koortsachtiger: snel weer druk doende achter het Zomerverblijf van de villa verloren de intendanten, die al dagen bevelen tegen de bedienden schreeuwden, hun ongeduld, de horden pages die de laatste gerechten uit de kelder opstapelden, liepen door elkaar en botsten tegen elkaar op, terwijl de boeren die kisten fruit en groente aan het uitladen waren, haastig weer op de bij de leveranciersingang geparkeerde karren stapten en hun vrouwen terugriepen die werden opgehouden terwijl ze onder de dienstmeiden naar handen zochten waaraan ze zorgvuldig hun majestueuze slingers konden overdragen van bloemen, fluweelzacht en rood als hun wangen.

Bleke borduursters kwamen intussen damasten lakens, gordijnen en ivoorwitte, opengewerkte tafelkleden brengen, waarvan de aanblik alleen al verblindend was in de gloeiende zon; de timmerlieden legden de laatste hand aan het schaven en vastspijkeren van podia, zitplaatsen en grondvlakken, in wonderlijk contrapunt met de rommelige oefeningen van de muzikanten, die de akoestiek van de natuurtheaters kwamen uittesten; de architecten gluurden met kierende ogen naar het begin van een laan, op hun knieën met hun pruik slordig in de hand en puffend van de hitte, spiedend en speurend naar de uiteindelijke indruk van hun toneelmachinerieën.

Al die drukte was niet zonder reden. Kardinaal Fabrizio Spada zou amper twee dagen later het huwelijk vieren van zijn eenentwintigjarige neef Clemente, de erfgenaam van zijn reusachtige fortuin, met Maria Pulcheria Rocci, het nichtje van een hoogeerwaardig lid van het Heilige Kardinalencollege.

Om de gebeurtenis waardig te vieren zou kardinaal Spada meerdere dagen een menigte van prelaten, edelen en hoge heren vergasten op allerhande tijdpasseringen in de schitterende tuinen rond de familievilla, gelegen op de Janiculus-heuvel bij de bron van de Acqua Paola, waar je het mooiste en weidste uitzicht hebt over de daken van de stad.

Wegens de zomerhitte had Spada de voorkeur gegeven aan de villa boven het weliswaar grootse en gevierde familiepaleis in de stad, aan het Capo di Ferro-plein, waar de gasten niet van de landelijke geneugten zouden kunnen genieten.

De feestelijke ontvangst begon eigenlijk al officieel diezelfde dag, toen zich rond het middaguur, zoals voorzien, aan de horizon de rijtuigen van de vlotste gasten aftekenden. Een grote toevloed van adellijke geslachten en geestelijken uit alle windrichtingen werd verwacht: de diplomatieke vertegenwoordigers van de mogendheden, de leden van het Heilige College, telgen en bejaarde leden van de belangrijke families. De eerste officiële programmaonderdelen waren voorzien vanaf de huwelijksdag, wanneer alles in gereedheid was om verbazing te wekken met de natuurlijke en kunstmatige toneeleffecten, met de inheemse vegetatie, gemengd met de exotische bloemen en het papier-maché, dat ieder uitdaagde om het uit duizenden te herkennen, rijker dan het goud van Salomo, ongrijpbaarder dan het kwikzilver uit Idria.

De stofwolk van de rijtuigen, die nog overstemd werden door het overmatige geroezemoes van de voorbereidselen, kwam steeds dichterbij, en ter hoogte van de grote bocht voor de hekken van Villa Spada vielen reeds de eerste flikkeringen van de luisterrijke versieringen van de wagens in het oog.

Als eersten zouden, was ons gezegd, de gasten van buiten Rome aankomen, zodat ze na de vermoeienissen van de reis een welverdiende rust konden genieten en zich een paar avonden konden koesteren in de zachte luwte van het buitenverblijf. Ze zouden zo fris, uitgerust en ook al ietsje vermaakt op de huwelijksvoltrekking komen. Hetgeen zeker zou bijdragen aan de algemene goede stemming en het volledig welslagen van de gebeurtenis.

De Romeinse gasten konden echter kiezen of ze eveneens in Villa Spada wilden logeren of, in het geval ze te druk waren met verplichtingen en zaken, elke dag op het middaguur met hun rijtuig wilden aankomen en 's avonds weer huiswaarts keren.

Na het huwelijk waren er nog diverse dagen en avonden met het meest spectaculaire en uiteenlopende vermaak te verwachten: behalve picknicks in het gras ook jachtpartijen, muziek, theater, verschillende gezelschapsspelen en zelfs een Academie. Om te besluiten met vuurwerk. Het geheel voorzag, vanaf de huwelijksdag gerekend, in een hele week van festiviteiten, tot aan donderdag 15 juli, wanneer de gasten, alvorens afscheid te nemen, de speciale gunst zouden genieten naar de stad te worden begeleid voor een bezoek aan het weelderige, verheven Palazzo Spada aan het Capo di Ferro-plein, waar de oudooms van kardinaal Fabrizio, kardinaal Bernardino en zijn broer Virgilio zaliger, een halve eeuw eerder een rijke collectie schilderijen, boeken, antiquiteiten en kostbaarheden hadden verzameld, om maar te zwijgen van de muurschilderingen, de trompe l'oeils en de meest uiteenlopende architectonische snufjes die ik nog nooit had gezien, maar waarvan ik wist dat ze eenieder verbaasden.

Inmiddels ging de aanblik van de rijtuigen aan de horizon vergezeld van het vage geraas van de wielen op de kinderhoofdjes, en toen ik beter keek, merkte ik dat er eigenlijk maar één rijtuig aankwam: natuurlijk, zei ik bij mezelf, de heren letten er altijd op afstand te bewaren tussen hun respectieve stoeten, opdat elk van hen de vereiste ontvangst kreeg en de risico's van een onbedoelde onwellevendheid vermeden werden, die niet zelden ontaardde in tweedracht, jarenlang voortslepende vijandschappen en, God verhoede het, bloedige duels.

In het onderhavige geval werd het risico eigenlijk beperkt door de scherpzinnigheid van de ceremoniemeester en de hofmeester, de onberispelijke don Paschatio Melchiorri: zij zouden de ontvangst van de gasten op zich nemen, aangezien kardinaal Fabrizio, zoals reeds bekend was, erg druk was met zijn ambt van staatssecretaris.

Terwijl ik trachtte het wapen van het naderende voertuig te raden en reeds het verre stof van de volgende rijtuigen zag, prees ik in stilte andermaal de wijsheid van de keuze van Villa Spada als toneel van de gebeurtenis: na zonsondergang was er in de tuinen op de Janiculus gegarandeerd koelte. Ik wist dat goed omdat ik al geruime tijd in Villa Spada kwam. Mijn bescheiden boerderij bevond zich niet ver buiten de Sint-Pancratiuspoort. Mijn vrouw Cloridia en ik hadden het geluk dat we verse kruiden en vers fruit van ons stukje grond konden verkopen aan het personeel van Villa Spada. En af en toe werd ik geroepen voor een uitzonderlijk karweitje, vooral wanneer er op moeilijke plaatsen geklommen moest worden, zoals op daken of dakkapellen, operaties waarin ik door mijn beperkte postuur heel behendig was. Maar ik werd ook gevraagd wanneer men personeel te kort kwam, zoals ter gelegenheid van het feest was gebeurd, toen zelfs alle bedienden uit Palazzo Spada werden overgeplaatst om in de villa te werken. De kardinaal had van het leeglopen van het paleis gebruikgemaakt om diverse verfraaiingswerkzaamheden te laten uitvoeren, zoals de muurschildering van een alkoof voor het bruidspaar.

Sinds een paar maanden was ik dus in dienst van de meester tuinman en ijverig aan het werk met ploegen, planten, snoeien en verzorgen. Het was geen geringe bezigheid. Villa Spada zou zijn meesters geen slecht figuur laten slaan. De ruimte voor de hekken van de villa was gevuld met zuilenrijen die van boven tot onder versierd waren met groen: in weelderige windingen slingerde het zich zachtjes geurend rond zuilen, pilaartjes, kapiteeltjes en werd geleidelijk aan dunner, totdat het opging in de kleine borduursels van de bogen. De oprijlaan, waar in gewone tijden simpele rijen wijnranken langsliepen, werd nu geflankeerd door twee schitterende bloemperken. Overal waren de muren groen geschilderd, met blinde ramen erop afgebeeld; de tedere gazons, op aanwijzing van de meester tuinman tot in de perfectie geschoren, smeekten erom barrevoets betreden te worden.

Eenmaal voor het Zomerverblijf van de villa, dat wil zeggen het gebouw dat voor bewoning bestemd was, werd je ontvangen door de aangename schaduw en door de bedwelmende geur van een grote pergola van blauweregen, gedragen door gewelven van tijdelijke bouwsels die schitterend bedekt waren met groen.

Naast het Zomerverblijf bevond zich, en het was geheel nieuw ingericht, de tuin op zijn Italiaans. Het was een geheime tuin, oftewel omsloten door muren. Op de wanden die hem aan het oog onttrokken, waren schilderingen van landschappen en mythologische onderwerpen te bewonderen: overal vandaan doken goden, amortjes en saters op, terwijl binnen in de tuin, in de koelte van de schemering, iemand die zich in rust en overpeinzing ver van indiscrete blikken wilde terugtrekken, ongestoord olmen en populieren uit Capocotta kon bewonderen, alsmede morellenbomen en pruimenbomen, zibibbo-wijnstokken en andere volle wijnranken, bomen uit Bologna en Napels, kastanjebomen, wilde stammen, kweeappelbomen, platanen, granaatappelbomen en witte moerbeibomen, en dan weer fonteintjes, kleine waterwerken, perspectiefgrapjes, terrassen en duizend andere attracties.

Vervolgens kwam de moestuin der eenvoudigen, ook in zijn geheel pas van top tot teen opnieuw beplant, waar verse, heilzame kruiden gekweekt werden voor kruidentheeën, cataplasma's, brijomslagen en ieder gebruik van de heelkunde. De geneeskrachtige planten werden omsloten door in strakke geometrische figuren gesnoeide hagen van salie en rozemarijn waarvan de geur de lucht doordrong en de zintuigen van de bezoeker in verwarring bracht. Aan de achterzijde van het gebouw leidde een laan langs een schaduwrijk bosschage naar de privé-kapel van de Spada's, waar het huwelijk zou worden voltrokken. Volgde je het aflopen van de heuvel in de richting van de stad, dan liepen daarvandaan in een driesprong drie laantjes, waarvan er één naar een openluchttheater leidde (speciaal voor het feest aangelegd en bijna voltooid), het tweede naar een boerderij (gebruikt als slaapverblijf voor de wachters, komedianten, fonteinverzorgers enzovoort) en het derde naar de achteruitgang.

Maar was je weer aan de voorkant van de villa, te midden van de landelijke omlijsting van de wijngaard, dan leidde een lange laan (parallel aan die van de ingang, maar meer naar binnen toe) naar het plein van de fontein met de nimf en verder tot aan een goed onderhouden gazonnetje, waarop ten behoeve van de picknicks tafeltjes en bankjes waren geplaatst die rijk versierd waren met snij- en inlegwerk en beschaduwd door een luxueuze overkapping van gestreept linnen.

De nietsvermoedende bezoeker bleef er met grote ogen voor staan, totdat hij zag dat deze voorziening niets anders was dan de omlijsting en de uitnodiging voor een spectaculairder aanblik van de hele wijngaard: zijn verbaasde ogen werden dan naar een flitsende rij Romeinse bastions en gekanteelde muren getrokken die zich aan de rechterkant naar de horizon toe uitstrekten, plotseling opduikend uit de diepte van hun oeroude, onzichtbare, slaperige fundamenten. De oogleden knipperden snel bij die onverwachte, verheven aanblik, en het hart klopte hevig. Van al die geneugten, rijk aan geuren en betovering, leek elk ding voor het genoegen ontstaan, en alles was poëzie.

Villa Spada kwam zo uit de bus als het grote toneel van die festiviteiten, en leek niet meer hetzelfde kleine, zij het verrukkelijke, zomerhuisje op het land, dat bijna in het niet viel tegenover de rijkdom en de grootheid van het veel luxueuzere Palazzo Spada aan het Capo di Ferro-plein.

De villa kon inmiddels zonder blikken of blozen wedijveren met de beroemdste lusthuisjes van twee eeuwen eerder, toen Giuliano da Sangallo en Baldassare Peruzzi met hun diensten Rome vereerden, de eerste gecontracteerd voor Villa Chigi, de andere aangenomen door kardinaal Alidosi voor zijn huisje in Magliana, terwijl Giulio Romano aan de villa van Datario Turini op de Janiculus begon en Bramante en Rafaël met geniaal inzicht respectievelijk het Vaticaanse Belvedere en Villa Madama aanlegden.

Eigenlijk was het in de Eeuwige Stad sinds mensenheugenis bij de hoge heren gebruik om in de nabijheid van groen rijke onderkomens te laten bouwen, waar ze, al kwamen ze er ook maar een paar keer per jaar, de zorgen en dagelijkse beslommeringen konden vergeten. Ook zonder terug te gaan tot de rijke woonsteden op het land die de Romeinen al lieten optrekken (en die door vele uitzonderlijke dichters, van Horatius tot Catullus, zijn bezongen), wist ik wel uit boeken of uit gesprekken met een belezen boekhandelaar (maar meer nog met oude boeren die beter dan enig ander de wijngaarden en moestuinen van de stad kennen) dat vooral in de laatste honderdvijftig jaar de grote heren van Rome de mode hadden ontwikkeld om een buitenhuis te laten bouwen in de omgeving van de stad. Binnen de Aureliaanse Muren of in hun directe nabijheid hadden op de plek van kale open ruimten en vochtige veldjes de wijngaard en zijn Zomerverblijf, dat wil zeggen de tuin en de villa, langzaamaan de overhand gekregen.

En hadden de eerste villa's kantelen en torentjes (nog zichtbaar bij de ingang van de verder onverdedigde Vigna Capponi), als schitterende erfenis uit de donkere Middeleeuwen, toen de huizen van de heren ook hun forten waren, in de loop van een paar decennia werd de stijl rustiger en luchtiger, en inmiddels wilde iedere voorname edelman een onderkomen met uitzicht op wijngaarden, moestuinen, boomgaarden, loof- of naaldbossen hebben, dat bij hem zachtjes de illusie wekte de eigenaar te zijn van alles wat hij zag zonder van zijn stoel op te staan, en erover te heersen.

Bij alle bedrijvige voorbereidingen binnen de groene afrastering van de villa kwam de vrolijke sfeer die in de Heilige Stad heerste. Het jaar onzes Heeren 1700 waarin we leefden, was dan ook een Jubeljaar. Van overal ter wereld stroomden eindeloze horden pelgrims toe om vergeving voor hun zonden en het voordeel van de aflaat te vragen. Zodra ze van de Via Romea bij de heuvelrug van de omliggende heuvels kwamen en de koepel van de Sint-Pieter in het oog kregen, hieven de gelovigen (daarom juist 'Romegangers' genoemd) een hymne aan voor de uitzonderlijkste aller steden, rood van het purperen bloed der martelaren en blank van de witte lelies der maagden van Christus. Logementen, kloosterherbergen en zelfs particuliere woningen, onderworpen aan de plicht van gastvrijheid, puilden uit van de pelgrims; stegen en pleinen wemelden dag en nacht van een wirwar van vrome lieden die alom hun litanieën verspreidden. De nacht werd verlicht door de fakkeloptochten van de broederschappen, die zonder ophouden de wegen van de wijken in het centrum verlevendigden. Bij zo veel vuur boezemde zelfs het wrede schouwspel van de flagellanten geen afschuw meer in: het klappen van de zweep waarmee de asceten zich uitleefden op hun bezwete, opengehaalde rug, vormde een contrapunt met de zedige liederen die de novices aanhieven in de koelte van de kloosters. Eenmaal aangekomen in de stad van de Stedehouder van Christus begaven de pelgrims zich, ook al waren ze uitgeput van de lange tocht, meteen naar de Sint-Pieter, en pas na lange tijd op het graf van de Apostel gebeden te hebben, gunden zij zich een paar uur rust. 's Anderendaags bogen ze alvorens hun onderkomen te verlaten, hun knieën, verhieven hun ziel tot God, maakten het heilige kruisteken, overpeinsden de mysteriën van het leven van Christus en de heilige Maagd, dreunden de rozenkrans op en begonnen de ronde van de Vier Jubeljaarkerken, en verder het Veertigurengebed of de beklimming van de Heilige Trap, waarmee de totale en algehele vergeving van zonden verkregen zou worden.

Alles leek kortom volmaakt in harmonie te verlopen met het vijfentwintigste feest dat sinds de tijden van Bonifatius VIII honderdduizenden Romegangers naar Rome heeft gevoerd. Maar niet echt alles. Onder de massa's gelovigen en Romeinen leefde stilletjes een angstige bezorgdheid: Zijne Heiligheid was ernstig ziek.

Al twee jaar eerder was paus Innocentius XII, oftewel Antonio Pignatelli, getroffen door een ernstige vorm van voetjicht, die geleidelijk aan erger was geworden totdat het hem onmogelijk werd normaal zijn zaken te behartigen. In januari van het Jubeljaar was er een lichte verbetering opgetreden, en in februari had hij consistorie kunnen houden. Door de ouderdom en de kwaaltjes was hij echter niet in staat geweest de Heilige Deuren te openen.

Naarmate het Heilige Jaar vorderde, kwamen er meer gelovigen op Rome af.

En de paus betreurde het dat hij niet de daden van devotie kon verrichten, die de bisschoppen en kardinalen van hem moesten overnemen. Degene die in de Sint-Pieter de biecht afnam van de gelovigen, die zich elke dag bij duizenden aandienden, was de kardinaal-penitentiaris.

In de laatste week van februari was de paus opnieuw achteruitgegaan. In april had hij de kracht gevonden om vanaf het balkon van het pauselijk paleis in Monte Cavallo de menigten gelovigen te zegenen. In mei had hij zelfs persoonlijk de vier basilieken bezocht en tegen het einde van de maand had hij de groothertog van Toscane ontvangen. Half juni leek hij bijna weer hersteld: hij had talrijke kerken alsmede de fontein van San Pietro in Montorio bezocht, op een steenworp afstand van Villa Spada.

Maar iedereen wist dat de gezondheid van Zijne Heiligheid kwetsbaarder was dan een sneeuwvlokje bij het klimmen van het voorjaar; en de hitte van de zomermaanden beloofde weinig goeds. Mensen uit de omgeving van de paus vertelden fluisterend van regelmatige crisissen van asthenie, van nachten vol lijden, van onverwachte, gruwelijke darmkrampen. Per slot van rekening, hielden de kardinalen elkaar voor, was de Heilige Vader vijfentachtig.

Het Jubeljaar 1700, feestelijk ingewijd door Innocentius XII, dreigde kortom te worden afgesloten door een nieuwe paus: zijn opvolger. Een ongehoorde zaak, zo redeneerde men in Rome, maar daarom niet onmogelijk. Er waren er die al een conclaaf voor november voorspelden, anderen zelfs al voor augustus. De zomerhitte, zwoeren de ergste pessimisten, zou de laatste weerstand van de paus breken.

De stemming van de curie (en die van iedere Romein) werd dus heen en weer geslingerd tussen de kalme sfeer van het Jubeljaar en de slechte berichten omtrent de gezondheid van de paus. Zelfs ik had een persoonlijk belang bij de zaak: zolang de Heilige Vader leefde, zou ik de eer hebben om, zij het bij toerbeurt, hem te dienen die in heel Rome meer dan enig ander werd gevreesd en gerespecteerd: de hoogeerwaardige kardinaal Fabrizio Spada, die door Zijne Heiligheid als zijn staatssecretaris was gekozen.

Ik kon zeker niet beweren dat ik de hooggeachte, zeer welwillende kardinaal Spada kende. Maar ik had horen verluiden dat hij zeer rechtschapen en oprecht was en ook zeer bedachtzaam en scherpzinnig. Niet toevallig had Zijne Heiligheid Innocentius XII hem aan zijn zijde gewild. Daarom vermoedde ik dat het feest dat stond te beginnen niet een gewoon banket van hoogstaande geesten zou zijn, maar een voorname vergadering van kardinalen, ambassadeurs, bisschoppen, vorsten en andere verheven personen. En iedereen zou grote ogen opzetten van verbazing bij de optredens van muzikanten en komedianten, bij de voordrachten van dichters, de redenaarskunsten en de rijke feestmaaltijden in de groene mises-en-scène en de bordkartonnen theaters van de tuinen van Villa Spada, zoals men in Rome sedert de tijd van de Barberini's niet had meegemaakt.

Intussen had ik het wapen van het eerste rijtuig kunnen vaststellen: dat was van de familie Rospigliosi. Maar onderaan hing een opzichtig kwastje in de familiekleuren, wat betekende dat het rijtuig een gewaardeerde gast en beschermeling van dat talrijke geslacht vervoerde, geen telg.

Het voertuig was nu vlak voor het erehek. Maar inmiddels was ik niet nieuwsgierig meer naar het voorrijden van de koetsen bij de villa, het opengaan van de deurtjes en heel het ontvangstritueel onder deftige mensen dat eruit voortvloeide. De eerste tijd wel, toen stelde ik me op de hoek van het Zomerverblijf op om te gluren naar de stoet pages, de steuntjes om uit te stappen, de dienstmeiden met hun manden fruit, de eerste huldeblijken van de heer des huizes, de woorden van de ceremoniemeester die altijd weer halverwege bleven steken door de vermoeidheid van de nieuwaangekomenen, enzovoort.

Ik liep weg om de aankomst van die hoge heren niet met mijn obscure aanwezigheid te verstoren en toog weer aan de arbeid.

Terwijl ik bezig was stukjes grond om te ploegen, heesters te snoeien, heggen bij te knippen en onkruid uit te trekken, keek ik af en toe op om me te verheugen in de aanblik van de zevenheuvelige stad, terwijl de fijne zomerbries me de bekoorlijke noten van de orkestrepetities ten geschenke bracht. Met mijn hand mijn ogen beschermend tegen de felle zon zag ik uiterst links de grootse koepel van de Sint-Pieter, rechts de eenvoudiger maar niet minder schitterende koepel van de Sant'Andrea della Valle, in het midden het vermetel torenen van de Sant'Ivo alla Sapienza vlak naast de gedweeë heidense koepel van het Pantheon en ten slotte op de achtergrond, krachtig en rustig, het pauselijk paleis van het Quirinaal in Monte Cavallo.

Na een van die korte pauzes bukte ik om weer bij een paar struiken met het snoeimes aan de gang te gaan, toen ik ineens een schaduw naast de mijne zag opdoemen.

Ik keek er lang naar: hij bewoog zich niet. Maar mijn hand, die het snoeimes omklemde, bewoog zich vanzelf. De punt van het lemmet tekende de contouren van de schaduw achter mij in het zand van de laan. De soutane, de pruik en het manteltje van een abt... en toen, als om toe te geven aan de inspectie van mijn hand, draaide de schim zich langzaam om naar de zon en toonde hem zijn profiel: in de teelaarde kon ik zo een haakneus, een wijkende kin, een brutale lip schetsen... mijn hand, die inmiddels die trekken haast eerder streelde dan overtrok, beefde. Ik twijfelde niet meer.

Atto Melani. Terwijl ik mijn ogen niet kon losmaken van de schim die ik in het zand had gegrift, verduisterde een kluwen aan gedachten mijn zien en horen. Signor abt Atto Melani... signor Atto voor mij. Atto, uitgerekend Atto...

De schaduw wachtte welwillend.

Hoeveel jaren waren er verstreken? Zestien; nee, zeventien, berekende ik, terwijl ik de moed verzamelde om me om te draaien. En met verachting voor de wetten van de tijd namen in die luttele seconden talloze gedachten en herinneringen hun loop. Bijna zeventien jaar zonder enig levensteken van abt Melani. En nu dook hij weer op, zijn schaduw was daar, achter mij, om boven de mijne uit te steken, herhaalde ik mechanisch bij mezelf, terwijl ik ten slotte van de grond opstond en me heel langzaam omdraaide.

En eindelijk konden mijn ogen tegen de zon op.

Hij stond op een stok geleund, ietwat kleiner en krommer dan ik hem voor het laatst had gezien. Bijna als een geest uit de vorige eeuw was hij gehuld in een abtenmanteltje en een grijslinnen soutane, net als de eerste keer dat we elkaar hadden ontmoet, onverschillig of die kleding inmiddels uit de mode was. Tegenover mijn glazige, verbijsterde blik begon hij met de meest laconieke en ontwapenende natuurlijkheid te spreken.

'Ik ga maar uitrusten: ik ben er net. We zien elkaar nog wel. Ik zal je laten roepen.'

Hij verdween, een spook welhaast, in het verblindende licht van de zon richting het Zomerverblijf.

Ik was versteend. Ik weet niet hoe lang ik zo roerloos midden in de tuin ben blijven staan. Zoals bij het witte, kille marmer van Galatea verwarmde de levensadem pas geleidelijk aan mijn borst. Toen werd ik overmand door de overlopende stroom van liefde en verdriet die overwachts opborrelde in mijn hart en die me al jaren aan de herinnering aan abt Melani gekluisterd hield.

De brieven die ik hem in Parijs had gestuurd waren door een kolk van donker stilzwijgen opgeslokt. Jaar na jaar had ik tevergeefs het station van de post uit Frankrijk bestookt in afwachting van een antwoord. Om mijn spanning aan banden te leggen zou ik uiteindelijk berusten in een treurig definieve boodschap die ik me talloze malen had voorgesteld:

Het is mijn droeve plicht u kennis te geven van het overlijden van signor abt Atto Melani...

Maar nee, niets. Tot nu toe, toen zijn onverwachte verschijning mijn adem deed stokken. Ik kon het amper geloven: het eerste wat hij, de vermaarde gast van de Rospigliosi's, met alle eerbewijzen uitgenodigd in Villa Spada, had gedaan toen hij er net was, was naar mij toe komen, een boer die gebogen over een schoffel staat. De vriendschap en trouw van abt Atto Melani hadden de afstand en de jaren overbrugd.

Toen ik in alle haast een deel van mijn werk had afgerond, spoedde ik me op de rug van mijn muildier huiswaarts. Ik popelde om het aan Cloridia te vertellen!

Tijdens het traject zei ik onophoudelijk vertederd bij mezelf 'Waarom zou ik er van staan te kijken?', dat zomaar weer opduiken was net iets voor hem. Wat een bewogenheid en ontroering toen ik als in een droom de stroom aan onderwijzingen en liefde voor kennis herbeleefde die abt Melani destijds voor me had ontsloten en waardoor ik me ineens in zijn riskante gevolg gestort zag...

Allengs echter voegde zich naast de emotie en dankbaarheid een probleem. Hoe had Atto mij in Villa Spada kunnen opsporen? Het was logischer geweest als hij me in de Via dell'Orso had gezocht, in het pand dat vroeger herberg De Schildknaap huisvestte, waar ik had bediend en waar we elkaar hadden leren kennen. Maar Atto, die kennelijk door kardinaal Spada voor het aanstaande huwelijk van zijn neef was uitgenodigd, was na aankomst direct naar mij toe gekomen, alsof hij heel goed wist waar hij me kon aantreffen.

Van wie had hij dat gehoord? Zeker niet van iemand uit Villa Spada: niemand was van onze oude omgang op de hoogte, nog daargelaten dat mijn persoontje nimmer in de belangstelling stond. Voor de rest hadden we geen enkele kennis gemeenschappelijk: alleen het avontuur van zeventien jaar geleden in De Schildknaap. Van die buitengewone verwikkelingen had ik aanvankelijk een beknopt dagboek bijgehouden dat ik had uitgewerkt tot een gedetailleerde memorie, waar ik erg trots op was. Ik had er zelfs over gesproken met Atto, uitgerekend in de laatste brief die ik hem een paar maanden geleden had gestuurd, de laatste poging om wat van hem te horen.

Terwijl ik in draf de velden overstak, liet ik mijn herinneringen de vrije loop, en even herbeleefde ik dromerig die wonderbaarlijke gebeurtenissen van lang geleden: de pest, de vergiftigingen, de achtervolgingen in de onderaardse gangen, de slag bij Wenen, de samenzweringen van de vorsten van Europa...

Hoe glansrijk, bedacht ik, was ik er in geslaagd alles in mijn memorie te vertellen, zodat ik het de eerste tijd nog leuk vond om het tijdens slapeloze nachten terug te lezen. En het verontrustte me niet meer om zelfs alle laagheden van Atto, zijn misstappen, zijn diepste ellende en blasfemieën weer voor ogen te krijgen. Ik hoefde maar aan het einde van mijn geschrift te komen om me opgebeurd en zelfs blij te voelen: de liefde van mijn Cloridia, die me *Deo gratias* nog steeds vergezelde; daarnaast de eerlijkheid van het werk op de akkers, en ten slotte de korte vermelding van mijn kersverse eindpunt in Villa Spada, als onbekende, miskende boer van wie niemand zich het wonderbaarlijk beleefde kon voorstellen. Ja natuurlijk, Villa Spada...

Alsof ik door duizend schorpioenen werd aangevallen, gaf ik mijn muildier met de zweep en snelde naar huis.

Helaas had ik het al begrepen.

Cloridia was er niet. Ik stortte me met gierende ademhaling op de koffers waarin ik al mijn boeken bewaarde. Ik maakte ze driftig leeg, rommelde onderin: de memorie was verdwenen.

'Dief, schurk, bedrieger,' gromde ik zachtjes, 'en ik, idioot, sukkel, stommeling.'

Wat een vergissing om Atto over mijn memorie te schrijven! Die bladzijden bevatten te veel geheimen, te veel bewijzen van de ontrouw en het bedrog waartoe abt Melani in staat was. Zodra hij het bestaan ervan had vernomen – helaas begreep ik dat nu pas – had hij een of andere bandiet van hem in Rome losgelaten en het geschrift laten ontvreemden. Mijn weerloze huisje binnen gaan en doorsnuffelen moest kinderspel geweest zijn.

Ik vloekte tegen Atto, tegen mezelf en tegen wie hij maar had gestuurd om mijn fraaie memorie te stelen. Wat had ik ook kunnen verwachten van abt Melani? Ik hoefde maar even terug te denken aan zijn duistere misstappen.

Castraatzanger en spion van de Fransen: dat alleen al zei alles over hem. Zijn zangcarrière was nu allang voorbij. Als jongeman echter was hij een beroemde sopraan geweest, en onder de dekmantel van zijn concerten had hij aan de hoven van half Europa jarenlang voor spion gespeeld.

List, leugen en bedrog waren zijn dagelijks brood; hinderlaag, complot en moord zijn huurlingen. Hij was in staat om een pijp te trekken en die door te laten gaan voor een pistool; om de waarheid voor je verborgen te houden zonder echt te liegen, om ontroerd te raken (en te ontroeren) uit pure berekening; hij verstond en beoefende de kunst van het schaduwen en stelen.

Anderzijds was zijn intellect bliksemsnel en vlijmscherp. Zijn kennis van staatszaken reikte, voorzover ik mij herinnerde, tot in de diepste geheimen van gekroonde hoofden en koninklijke families. Bovendien ontleedde zijn levendige, scherpe geest de menselijke ziel zoals een mes gewillig spek. Zijn glinsterende blik leverde hem sympathie op, en met zijn welbespraaktheid kreeg hij gemakkelijk de achting van zijn naaste.

Maar al zijn beste eigenschappen stonden ten dienste van de smerigste doeleinden. Als hij je een onthulling deed, was dat alleen maar om je instemming te krijgen. Als hij zei dat hij op dienstreis was, liet hij zeker geen lage persoonlijke doeleinden liggen. Als hij ten slotte zijn vriendschap beloofde, bedacht ik nijdig, was dat om de gunsten af te dwingen die hem voordeel opleverden.

Het bewijs van alles? Zijn onverschilligheid jegens zijn oude vrienden. Zeventien jaar lang had hij niets van zich laten horen. En nu riep hij me dringend te hulp, alsof er niets aan de hand was...

'Nee, signor Atto, ik ben niet meer de jongen van zeventien jaar geleden,' zou ik hem met een borende blik willen zeggen. Ik zou laten zien dat ik inmiddels een man met levenservaring was, niet verlegen meer tegenover hoge heren, maar alleen respectvol, in staat op alles bedacht te zijn en zijn voordeel te zien. En al noemde iedereen me door mijn geringe postuur nog jongen, ik was en voelde me een ander mens dan het knechtje dat Atto jaren geleden had leren kennen.

Nee, ik kon het gedrag van abt Melani niet accepteren. En *vooral* kon ik de diefstal van mijn memorie niet tolereren.

Ik wierp me op bed om uit te rusten en me los te maken van het gezelschap van deze en andere sombere overdenkingen, maar bleef aan één stuk door woelen in de lakens. Pas toen herinnerde ik me dat Cloridia me had laten waarschuwen dat ze niet terug zou komen: zoals iedere goede vroedvrouw of accoucheur, *obstetrikè* of verloskundige zo u wilt (wat ze na de lange praktijk van de laatste jaren geworden was) bracht ze de laatste dagen voor de baring oftewel de bevalling bij de kraamvrouwen thuis door. Mijn aanbeden meiskes oftewel onze twee kleintjes, al zijn ze dat niet meer: met tien en zes jaar zijn ze inmiddels wat groter, waren voltijds in het gevolg van hun moeder getreden (op wie ze dol waren), niet alleen als leerlingen, om goed onderricht te worden in deze belangrijke onderneming, maar ook opdat ze bij voorkomende gelegenheden gereed waren haar te helpen overeenkomstig de behoefte, zoals bij het aanreiken van warme oliën en zalven, handdoeken, schaar en draad om de navelstreng af te knippen; ofwel bij het behendig verwijderen van de nageboorte, dat wil zeggen de moederkoek, en bij dergelijke dingen meer.

Ik wijdde enige gedachten aan hen: begiftigd met een verstand dat in het openbaar alleen gelijk was aan hun levendigheid tussen de muren thuis, volgde het tweetal meiskes hun moeder als een schaduw. Door hun afwezigheid leek me het huis nu nog leger en somberder, wat me herinnerde aan mijn weemoedige jeugd als vondeling.

Geholpen door de eenzaamheid hadden de ernstige gedachten dus weer de overhand gekregen. De slapeloosheid nam me in een kille omarming en ik leerde hoe bitter de echtelijke legerstede is zonder de troost van de liefde.

Na een uurtje, ik had uit gebrek aan eetlust de maaltijd overgeslagen, besloot ik weer naar Villa Spada te gaan om mijn verplichtingen voort te zetten. De weliswaar geringe rust had het gewenste effect gesorteerd: de aanhoudende gedachte aan abt Melani en zijn onverwachte terugkeer, waarvan ik zelf niet meer wist of die me nu aangenaam of ongelegen was, had me eindelijk verlaten. Abt Melani, bedacht ik, was gekomen als een onaangename drieklank om het rustige contrapunt van mijn bestaan te verstoren. Het was terecht dat ik nu probeerde niet aan hem te denken.

Hij zou me laten roepen, had hij gezegd: tot dan toe kon ik me dus aan andere dingen wijden. Ik had veel af te wikkelen en ik zette me aan een van de klussen die me het meest afleidden: de volières schoonmaken. De knecht die zich daar doorgaans mee bezighield, was steeds vaker gedwongen het bed te houden door een lelijke wond aan zijn voet die maar niet dichtging. Het was dus niet voor het eerst dat ik die taak waarnam; ik ging het voer halen en toog op weg.

De lezer moet er niet van staan te kijken dat Villa Spada zo'n exotische attractie als een volière rijk was. In de Romeinse villa's waren aanleidingen tot vertier altijd al veelgevraagd. Kardinaal de' Medici hield bij zijn villa op de Pincioheuvel beren, leeuwen en struisvogels; bij de Villa Borghese en Villa Pamphili leefden herten en damherten in alle vrijheid. Ten tijde van paus Leo x liep er zelfs een olifant met de naam Annone in de tuinen van het Vaticaan. Nog afgezien van dieren ontbraken er om de gasten te verbazen en te verstrooien ook geen ludieke vermaken als het kolfspel of het maliespel zo u wilt (dat werd gespeeld in Villa Pamphili), of een tafelspel dat door sommigen ook wel biljart genoemd wordt en dat gespeeld werd in de Villa van de Maltezer ridders, of in Villa Costaguti, op een met zeep ingesmeerd terrein of op een met stof overdekte tafel, of het biljart in de openlucht, zoals in Villa Mattei, om de weemoedige stemming van de zomeravonden te boven te komen.

De volière stond op een achterafhoekje van de villa, tussen de kapel en de moestuin, aan het oog onttrokken door een rij bomen en een hoge, dichte heg. Hij was zo aangelegd dat hij in de winter zon had en in de zomer schaduw om de vogels niet aan weer en wind bloot te stellen. Hij zag eruit als een klein landhuis op een vierkant grondvlak met zijn vier hoektorens, het middengedeelte was overdekt door koepels in kippengaas en daarbovenop stonden weer fraaie pinakels met ijzeren weerhanen. Vanbinnen was de volière beschilderd met luchtgezichten en vage landschappen om het gevogelte de indruk van meer ruimte te geven. Er waren planten van de steeneik en de laurier neergezet, die altijd groen zijn, potten met struikgewassen om in te nestelen en vier grote drinkbakken. De gasten (waarvan sommige groepjes in aparte kooien zaten) waren talrijk en zeer aangenaam voor zowel oog als oor: nachtegalen, kieviten, veldhoenen, steenpatrijzen, frankolijnen, tortelduiven, appelvinken, en nog andere.

Ik ging schroomvallig de volière binnen, waarmee ik direct een druk geklapwiek teweegbracht. Vogels moeten altijd, was mij verteld, worden gevoerd en verzorgd door dezelfde persoon, met wie ze mettertijd bekend en vertrouwd raken. Mijn aanwezigheid in plaats van hun vaste man had de nodige onrust gezaaid. Ik ging voorzichtig verder, terwijl enkele kieviten mij nerveus schaduwden en een groepje kleine vogeltjes vijandig om mij heen zweefde. Ik kreeg een huivering toen een merel vrijpostig op mijn schouder neerstreek en hard met zijn vleugels in mijn nek waaierde, en wonderwel kwam ik niet in botsing met een frankolijn die me brutaal tegemoet fladderde.

'Als jullie niet ophouden, ben ik meteen vertrokken, en niks geen eten!' dreigde ik.

Ik kreeg echter een nog harder en snerpender golf gekwaak, gefluit en gesnater ten antwoord, en nieuwe gevaarlijke luchtaanvallen op een handbreed van mijn hoofd vandaan.

Geïntimideerd verschool ik me in een hoek totdat de storm was geluwd. Het beheer van vogels en volières, bedacht ik, was niets voor mij.

Toen eindelijk ook de brutaalste vliegers weer waren gekalmeerd, begon ik de drinkbakken schoon te maken en te verversen evenals de voederbakken, waar ik ruim vers water, suikerij, biet, murik, sla, weegbreezaad, graan, gierst en mosterdzaad in deed. Daarna voorzag ik de volière weer van aspergeloof dat goed is om nesten van te bouwen. Terwijl ik door elkaar wat stukken brood uitdeelde, sprong een jonge, uitgehongerde frankolijn op mijn arm om de buit van het lekkerste brood van zijn makkers af te pikken.

Toen de roeden gereinigd en de uitwerpselen van de vloer geveegd waren, ging ik eindelijk de uitgang door, blij dat ik de stank en chaos van de volière achter me kon laten. Ik wilde de deur weer dichtdoen toen ik plotseling een hartverzakking kreeg.

Een pistoolschot. Een vlakbij fluitende kogel. Iemand schoot op mij. Toen hoorde ik een nare, harde stem duidelijk tot mij gericht: 'Arresteer hem! Hij is een dief.'

Intuïtief deed ik mijn handen omhoog, alsof ik me over wilde geven. Ik draaide me om maar zag niemand. Ik sloeg me op mijn voorhoofd en lachte, teleurgesteld door mijn korte geheugen. Ten slotte keek ik langzaam op en zag hem daar op zijn vaste stekje.

'Heel grappig,' antwoordde ik, terwijl ik de deur van de volière dichtdeed en probeerde mijn schrik te verhullen.

'Ik zei arresteer hem, hij is een dief. Pang!'

Met een tweede pistoolschot dat nog echter leek dan het eerste had zich definitief het wonderlijkste schepsel van heel Villa Spada aangekondigd: Caesar Augustus, de papegaai.

Het komt op dit punt goed uit om aard en gedrag te verklaren van die merkwaardige vogel die in de gebeurtenissen die ik ga vertellen geen gering aandeel zou krijgen.

Ik wist dat de papegaai door enkele schrijvers om zijn kwaliteiten 'Licht der vogels', 'Heerser over Oost-Indië' of dergelijke werd genoemd, want de eerste exemplaren werden van het eiland Taprobana naar Alexander de Grote gebracht, en vervolgens zijn er in West-Indië veel andere soorten ontdekt, vooral op Cuba en Manacapan. Iedereen weet ook dat de papegaai (waarvan volgens sommigen wel meer dan honderd soorten bestaan) de opvallende eigenschap heeft om de menselijke stem te imiteren, en niet alleen die, maar ook allerhande geluiden enzovoort. Dat vermogen was jaren terug vertoond door de papegaai van de hoogeerwaardige kardinaal Madruzzo en die van cavalier Cassiano Dal Pozzo, die de menselijke stem belabberd maar het geluid van honden en katten heel goed nadeed. Er waren er verder een paar die heel duidelijk de geluiden van andere vogels wisten te imiteren, zelfs van meer dan één soort. Buiten de Kerkelijke Staat bewaarde men nog een herinnering aan de papegaai van Zijne Doorluchtige Hoogheid van Savoye, die naar veler zeggen een vlotte en losse manier van spreken had. De papegaai van kardinaal Colonna scheen uit zijn hoofd het hele Credo op te kunnen zeggen. Ten slotte was er sinds kort op het landgoed Barberini, naast Villa Spada, een papegaai van dezelfde soort aangekomen als Caesar Augustus, wit met geel, die goed scheen te kunnen praten.

Caesar Augustus overtrof echter veruit al zijn medebroeders. Hij bootste tot in de perfectie de menselijke stem na, ook van mensen die hij nog maar kort kende en van wie hij nauwelijks de manier van praten had gehoord; hij reproduceerde hun toon, cadans, tongval en zelfs de kleine uitspraakfouten. Hij reproduceerde natuurgeluiden als donderslagen, brongeklater, het geruis van bladergroen, de jankende wind en zelfs het klotsen van de golven van de zee. Even bedreven was hij bij de geluiden van honden, katten, koeien, ezels, paarden, natuurlijk iedere vogelsoort en misschien ook wel andere geluiden waaraan ik hem zich misschien nog niet had horen wagen. Hij deed heel getrouw het gepiep na van de hengsels van een poort, naderende voetstappen, vurende pistolen en haakbussen, gebel, dravende paardenhoeven, een hard slaande deur, geschreeuw van marskramers, het huilen van een kind, het gekletter van elkaar kruisende degens bij een duel, alle nuances van gelach en gejammer, het getinkel van bestek, borden en glazen enzovoort.

De hele kosmos leek voor Caesar Augustus één reusachtige palaestra waarin hij dag na dag zijn buitengewone, onbeschrijflijke, onovertrefbare gaven van imitator kon verfijnen. Begiftigd met een wonderbaarlijk geheugen was hij in staat om weken nadat hij ze gehoord had met stemmen en gefluister voor de dag te komen, zodoende iedere menselijk vermogen overtreffend.

Niemand wist hoe oud hij was: sommigen zeiden vijftig, anderen zelfs zeventig. Alles was eigenlijk mogelijk, gezien de bekende lange levensduur van papegaaien, die niet zelden ouder worden dan een eeuw en hun baasjes overleven.

Zijn weergaloze talent, dat Caesar Augustus tot de beroemdste papegaai aller tijden had kunnen maken, kende helaas een grens. De papegaai van Villa Spada weigerde al tijden zijn kunsten te vertonen. Kort gezegd, hij deed alsof hij niet kon praten.

Verzoeken, vleierijen, bevelen en zelfs een wreed vasten waaraan hij op bevel van kardinaal Spada in hoogste eigen persoon was onderworpen om hem tot optreden te dwingen hadden niets uitgehaald. Caesar Augustus had zich al jaren en jaren (niemand wist precies hoeveel) in een allerkoppigst stilzwijgen gehuld.

Natuurlijk kende niemand de reden. Er waren er die zich herinnerden dat Caesar Augustus oorspronkelijk van pater Virgilio Spada was geweest, de oom van kardinaal Fabrizio die al veertig jaar geleden gestorven was. Virgilio, een liefhebber van de oudheid en de klassieke wereld, had de papegaai de naam van de beroemdste Romeinse keizer gegeven. Het moest om een soort teken van liefde zijn gegaan: men zei dan ook dat Virgilio veel van zijn gevederde vriendje hield, en onder de bedienden werd gefluisterd dat de dood van zijn baasje Caesar Augustus in de diepste treurnis had gedompeld. Had het gewicht van de rouw de papegaai de snavel gesnoerd? Het was inderdaad alsof hij een zwijgbelofte had afgelegd, in weemoedige, dwaze afwachting tot zijn oude baasje weer tot leven kwam.

Maar ik wist dat het zo niet lag. Caesar Augustus praatte, nou en of, en ik was er getuige van: de enige om precies te zijn. Alleen in mijn aanwezigheid deed de papegaai zijn snavel open. Ik kon zelf ook niet zeggen waarom: ik vermoedde dat hij me extra aardig vond. Ik was de enige die netjes met hem omsprong; ik vermeed het hem te plagen en lastig te vallen met takjes en stenen om hem aan de praat te krijgen, zoals het personeel van de villa wel deed.

Ik had in bijzijn van anderen ook geprobeerd hem tot praten te bewegen, met de bezwering dat hij het een paar minuten eerder, toen we alleen waren, probleemloos had gedaan. Maar hij was stil gebleven en had iedereen met lege blik aangekeken. Hij had mij een modderfiguur laten slaan, en na een paar pogingen had niemand me meer geloofd: de papegaai praat niet meer, had iedereen met een klap op mijn schouder gezegd, en misschien heeft hij wel nooit gepraat.

Naarmate de oude bedienden van huize Spada stierven, ging de herinnering aan de vroegere wapenfeiten van Caesar Augustus verloren. Ik was inmiddels de enige misschien die wist waartoe die grote witte vogel met de gele kuif in staat was.

Juist die dag had het dier me er voor de verandering aan herinnerd. De geïmiteerde pistoolschoten en de stem van een smeris (een van de vele die Caesar Augustus her en der in Rome moest hebben gehoord) hadden me overrompeld, echter dan echt. Onmogelijk uit te vinden waar hij de oorspronkelijke geluiden had opgedaan. Caesar Augustus genoot altijd al een exclusief voorrecht: hij was niet met de andere vogels opgesloten en had zijn eigen kleine volière, met stok en voederbakje. Daarvandaan vloog hij dikwijls uit naar god mag weten waar, soms verkende hij simpelweg de villa, dan weer bleef hij hele weken weg. Rondvliegend door de stad voedde hij zijn repertoire aan imitaties met steeds weer nieuwe nummers, waarvan ik uiteindelijk de enige, verbaasde toeschouwer was.

'*Dona nobis hodie panem cotidianum*,' deed Caesar Augustus neuriënd drie of vier keer het Pater Noster na.

'Ik heb je al duizend keer gezegd niet te vloeken,' waarschuwde ik hem, 'anders... Ach, ik snap al wat je wilt. Je hebt gelijk.'

Ik had voor alle andere vogels water en voer ververst en de papegaai tot het laatst laten wachten. Zijn trots was gekwetst, en niet alleen dat. Caesar Augustus had altijd een uitstekende eetlust en at van alles: brood, ricotta, soep (vooral als die met wijn was aangemaakt), kastanjes, noten, appels, peren, kersen en nog veel meer. Maar zijn ware hartstocht, die niet een vogel maar een heer waardig was, was chocolade. Af en toe, als er na een banket in Villa Spada wat van die drank over was, mocht hij zijn snavel en zwartige tong in het dure, exotische vocht steken. Hij was er zo verzot op dat hij in staat was me hele dagen te vleien (gezien zijn karakter iets uitzonderlijks), totdat ik hem een lepeltje gaf.

Ik was bezig water voor hem te verversen en zijn kleine voorraadkastje met fruit en zaden te vullen toen ik voetstappen hoorde naderen.

'Jongen, ben je nog hier?' wees een van de intendanten me terecht. 'Iemand is naar je op zoek. Hij wacht op je onder aan de trap aan de achterkant.'

‘Vooruit, vooruit, niet huilen, jij wist ook wel dat we elkaar vroeg of laat weer zouden zien. Atto Melani is een ouwe taaie!’ riep Atto toen hij me bij de arm genomen had en me broederlijk door elkaar schudde.

‘Maar ik huil helemaal niet, ik...’

‘Stil maar, stil maar, zeg maar niets, ik heb net naar je geïnformeerd, je hebt twee leuke dochtertjes, hoe heten ze? Wat aangrijpend!’ fluisterde hij in mijn oor, terwijl hij mijn hoofd streelde en me met gênante tederheid heen en weer wiegde.

Een paar boerinnetjes zagen het tafereel verbluft aan.

‘Wat een verrassing, je bent vader geworden!’ ging de abt verder alsof er niets aan de hand was, ‘en dan te bedenken dat je dat, als je je zo ziet, niet zou zeggen: je lijkt nog dezelfde van toen...’

Bij die opmerking, waarvan ik niet wist of het een compliment of een belediging was, wist ik me uiteindelijk met grote moeite aan Atto’s greep te ontworstelen en deed ik een pas achteruit. Ik was even uitgeput als wanneer ik me tegen een aanval had moeten verdedigen.

Het was niet te geloven: hij leek wel gebeten door een tarantula. In werkelijkheid had ik gemerkt dat de driehoekige oogjes van de abt, toen hij me zag aankomen, me aandachtig hadden opgenomen, en tegenover de frons die onwillekeurig op mijn voorhoofd verscheen, was Atto onverwacht omgeslagen en veranderd in dat kwebbelige oudje dat me nu overlaadde met kussen en omhelzingen.

Hij deed alsof hij mijn koelheid niet in de gaten had en nam me bij de arm voor een wandeling in de tuinen van de villa.

‘En vertel eens, jongen, vertel eens wat er van je geworden is,’ zei hij zachtjes en familiair, terwijl we moeizaam het laantje van de witte acacia’s insloegen waar het een komen en gaan was van tuinlieden die de finishing touch aanbrachten.

‘Eigenlijk, signor Atto, zou u dat al wel moeten weten...’ probeerde ik tegen te werpen bij de gedachte aan de diefstal van de memorie, waarin ik zelfs mijn recente lotgevallen uit de doeken deed.

‘Dat weet ik, dat weet ik,’ onderbrak hij me meteen op vaderlijke toon, terwijl hij bewonderend bleef staan voor het fonteintje van Villa Spada dat ter gelegenheid van het feest door middel van een stellage in een schitterend bouwsel was veranderd.

Waar anders het water uit een grote stenen dennenappel in een eenvoudig bekken stroomde, verhief zich nu een schitterende, slangachtige Triton die, met zijn staart tegen een piramidevormige rots, vol vuur in een stenen kruik blies en een grillige straal omhoogspoot, die zich opende als een paraplu en uiteindelijk met muzikale trots weer neerviel aan de voeten van zijn schepper. Eromheen bood de waterspiegel van het nymfaeum het kwijnende schouwspel van waterplanten, versierd door fraaie, halfgeloken en lui dobberende witte bloemen.

Atto sloeg met bewonderende belangstelling de Triton en het fraaie waterspel gade.

'Mooie fontein,' oordeelde hij, 'goed gedaan, die Triton, en ook de namaakrotsen zijn uitstekend vervaardigd. Ik weet dat er in Villa d'Este in Tivoli een waterorgel was, dat toen werd nagemaakt in de tuin van het Quirinaal en in Villa Aldobrandini in Frascati, maar ook in Frankrijk, in opdracht van Frans I. Dat reproduceerde het geluid van trompetten, of zelfs vogelgezang, als je op een paar van de dunne metalen pijpen blies die in aarden potten halfvol met water staken, verborgen in de fontein.'

Hij liep om de fontein heen. Ik ging niet achter hem aan. Hij bleef aan de overkant staan, terwijl hij tussen de stralen door naar me gluurde; vervolgens kwam hij weer terug.

'Onverwachts een oude vriend terugzien van wie je vreesde dat hij dood was, kan niet alleen verwarring in het hart opleveren maar ook in het hoofd,' hervatte hij, 'je zult zien dat we mettertijd de oude draad weer oppakken.'

'Mettertijd? Hoe lang denkt u in Rome te blijven?' vroeg ik, vaag bezorgd door de gedachte dat ik bij een van zijn louche zaakjes betrokken kon raken.

Hij bleef staan. Hij keek me met halfgesloten ogen aan, en richtte ze toen eerst op de fontein en vervolgens op de horizon, alsof hij daar het antwoord uit te voorschijn kon toveren.

Voor het eerst had ik daardoor de tijd om hem te observeren. Ik zag zo het slappe, hangende vlees van zijn wangen, het rimpelige vel van zijn neus en voorhoofd, de plooien die zijn lippen en mondhoeken plaagden, de blauwige aderen die over zijn slapen liepen, de nog levendige maar kleine, holle ogen, het oogwit dat gelig was geworden en zijn nek, die het meest door de wrede tand des tijds was aangetast. De dikke laag wit poeder op zijn gezicht veranderde Atto bijna in een treurig spookbeeld in plaats van de gevolgen van zijn leeftijd te verzachten. Ten slotte waren zijn handen, die ten dele aan het oog onttrokken werden door de wolken kant van de mouwen, inmiddels stijf, vlekkerig en krom geworden.

Zeventien jaar eerder had ik weliswaar een man op leeftijd, maar een krachtige man leren kennen. Nu zag ik een oudje terug.

Alsof hij mijn blik, die onverzoenlijk zijn aftakeling peilde, niet in de gaten had, zweeg hij even en bleef met een hand op mijn schouder leunend, verloren naar de blauwe lucht staren. Plotseling leek hij ontzettend moe.

'Hoe lang ik in Rome blijf?' herhaalde hij de vraag afwezig bij zichzelf. 'Het is waar, drommels, ik moet besluiten hoe lang ik zal blijven...'

Hij leek wel kinds.

We waren intussen onder de blauweregenpergola gekomen. Het koele windje dat in de schaduw waaide, beurde ons op. Het was al een warme juli; de nachten boden haast geen verlichting meer van de hitte overdag.

'Godzijdank een beetje schaduw,' verzuchtte Atto, terwijl hij op een bank ging zitten en zich het zweet afwiste met een wit kanten zakdoekje dat hij in zijn hand had. Vervolgens stond hij op, strekte zich uit naar de blauwe regen, plukte een takje af, ging toen weer zitten en snoof diep de zoete geur in. Plotseling gaf hij mij een tikje en barstte in lachen uit:

'Wat heerlijk, je stelt weer dezelfde domme vragen als vroeger! Ach, het is fantastisch om vrienden terug te vinden die net zo zijn als jij, dat is echt geweldig. Hoe lang ik in Rome blijf? Wel jongen, het antwoord ligt voor de hand: ik blijf hier de hele week van de festiviteiten in Villa Spada, zoals je je kunt voorstellen. Bovendien blijf ik in Rome tot na het conclaaf! Kom nu maar mee en geen vragen meer,' zei hij, terwijl hij als een jonge kerel overeind kwam en me vrolijk bij de arm nam.

Die duivel van een Melani, dacht ik geërgerd en geamuseerd tegelijkertijd, zo-even leek hij nog versuft en nu flitste hij weg als een aal: met hem weet je nooit waar je aan toe bent.

'Signor Atto,' hervatte ik iets luider, 'ik zou u nooit tekort willen doen in respect. Maar gisteren heb ik een van de ergste krenkingen van mijn leven moeten meemaken, en dus...'

'O, wat vervelend. Ja en?' zei hij, terwijl hij opnieuw een bloem van de blauweregen berook en lichtjes met de andere hand op de knop van zijn stok trommelde.

'Ik heb een diefstal meegemaakt. Begrijpt u wel? Ik ben be-roofd,' articuleerde ik, terwijl ik mijn woede probeerde te onderdrukken, die weer de kop opstak.

'O, nou, troost je,' zei hij verwaten, 'dat is mij ook overkomen. Ik weet nog dat er in het kapucijnerklooster in Monte Cavallo, het zal dertig jaar terug zijn, drie gouden ringen met edelstenen, een hartvormige diamant, een in goud gebonden boek van lapis lazuli, versierd met robijnen en turkooizen, een mantel van kamelot uit Frankrijk, handschoenen, waaiers, pastilles en wierooktabletten, Spaanse was...'

Toen barstte ik uit: 'Hou op, signor Atto. Doe niet alsof u het niet begrijpt: u hebt mijn memorie ingepikt, het verhaal van de feiten die ons zeventien jaar geleden zijn overkomen toen we elkaar hebben leren kennen. Alleen u heb ik in vertrouwen genomen, alleen u wist van het bestaan ervan, en wat hebt u gedaan? U hebt het van me laten stelen!'

Atto raakte niet van zijn stuk. Hij legde met overdreven voorzichtigheid de bloem van de blauweregen op een heg, bleef met zijn vingers op de zilveren knop van de stok trommelen en liet me verder stoom afblazen:

'Geen moment hebt u aan mij gedacht! Ik, die u met hete tranen betreurde, die u zonder ophouden schreef en smeekte om een antwoord! U maakte u alleen zorgen of iemand de memorie zou kunnen lezen en zo zou kunnen ontdekken dat u een intrigant bent, dat u eerlijke mensen hun geheimen aftroggelt, dat u uw eigen vrienden verraadt, dat u tot alles bereid zou zijn en dat u, ja, kortom... dus nergens voor terugschrikt.'

Met de palm van mijn hand wiste ik het zweet van mijn voorhoofd, hijgend van emotie. Atto reikte me tussen twee vingertoppen zijn kanten zakdoekje aan, dat ik maar aannam. Ik voelde me leeg.

'Ben je klaar?' vroeg hij uiteindelijk op afstandelijke toon.

'Ik... ik ben dus verontwaardigd over u. Ik wil mijn memorie terug,' stamelde ik, mezelf vervloekend dat ik de abt niets beters wist te laten zien dan hetzelfde vrijpostige knechtje van zeventien jaar geleden; en dat terwijl mijn leeftijd zeker niet meer zo pril was.

'O, geen denken aan. Nu is je geschrift veilig opgeborgen. Ik heb het netjes verstopt in Parijs, voordat iemand er het *imprimatur* op zou zetten.'

'Dus u geeft het toe: u bent een dief.'

'Een dief, een dief...' zong hij, 'je houdt te veel van grote woorden. Met de pen daarentegen doe je het niet slecht: ik heb me vermaakt bij het lezen van je verhaaltje. Ook al heb je hier en daar wat overdreven en heb je iets geschreven dat mij in de weg kon staan. Bovendien ben je echt een naïeveling geweest: die dingen over abt Melani schrijven en het hem nog vertellen ook...'

'Ja, ik heb het ook door,' gaf ik toe.

'Zoals ik je al zei, het stond me niet tegen je tekst te lezen. Integendeel, soms vond ik die vrij doeltreffend. Je schrijft gemakkelijk, soms wat naïef, maar nooit saai. Wie weet kan het je weer van pas komen. Jammer dat je verzuimd hebt te vermelden dat je vader was geworden, het had me plezier gedaan dat te vernemen... maar ik kan je wel begrijpen: de stralende ochtendstond van de nieuwe dag die kinderen voor iedere vader vormen, kon geen plekje vinden in die oude, sombere geschiedenis.'

Ik hulde me in een vijandig stilzwijgen om hem duidelijk te maken dat ik het ook nu niet met hem over mijn meiskes wilde hebben.

'Ik denk zo dat je in deze jaren boeken, couranten, wat gedichten gelezen zult hebben...' zei hij van onderwerp veranderend, alsof hij me tot praten wilde bewegen.

'Inderdaad, signor Atto,' bevestigde ik, 'koop en lees ik graag boeken over geschiedenis, politiek, theologie, heiligenlevens. Van de dichters houd ik van Chiabrera, Achillini, Filicaia... Couranten niet, die lees ik niet.'

'Perfect. Jou heb ik nodig.'

'Waarvoor?'

'Heb je ooit je memorie aan iemand laten zien?'

'Nee.'

'Bestaan er nog meer exemplaren van?'

'Nee, ik heb niet de tijd gehad om alles over te schrijven. Waarom vraagt u dat?'

'Is duizend goed?' antwoordde hij kort.

'Ik begrijp niet wat u bedoelt,' zei ik, terwijl ik het wel begon te begrijpen.

'Goed dan. Twaalfhonderd scudo's, Romeins geld. Maar geen cent meer. En het moeten twee memories worden.'

Zo kocht abt Melani de lange memorie waarin ik onze eerste ontmoeting had beschreven met alle avonturen die eruit waren voortgevloeid.

In de tweede plaats kocht hij voor dat bedrag op voorhand nog een memorie, of liever nog een dagboek: de beschrijving van zijn verblijf in Villa Spada.

'In Villa Spada?' riep ik ongelovig uit, terwijl we de wandeling hervatten.

'Precies. Je baas is staatssecretaris en het conclaaf staat voor de deur: denk je dat de fine fleur van de Romeinse adel en de kerkadel, om maar te zwijgen van de ambassadeurs, hier alleen voor de lol bij elkaar komen? Het schaakspel van het conclaaf is al begonnen, jongen. En in Villa Spada zullen belangrijke pionnen worden uitgespeeld, daar kun je gif op innemen.'

'En u zult, denk ik zo, geen pion willen verliezen.'

'Het conclaaf is mijn vak,' antwoordde hij zonder een spoor van bescheidenheid. 'Vergeet niet dat het roemruchte Pistoiese geslacht Rospigliosi, waarvan ik me de gast mag noemen, aan mij de eer te danken heeft een paus in de familie te hebben gekregen.'

Ik had zeventien jaar geleden al gehoord dat Atto er prat op ging de verkiezing van paus Clemens IX Rospigliosi te hebben begunstigd.

'Dus, mijn zoon,' besloot Melani, 'jij stelt voor mij een kroniek op waarin je met overleg verslag zult doen van alles wat je de komende dagen gaat zien en horen, en je zult eraan toevoegen wat ik je aan wenselijks en noodzakelijks aan de hand zal doen. Vervolgens geef je mij het manuscript zonder er een kopie van te bewaren of daarna de inhoud ervan op te tekenen. Dat zijn dus de voorwaarden. Voorlopig is dit alles.'

Ik was verbijsterd.

'Ben je niet tevreden? Waren er geen schrijvers, dan zouden de mensen en hun faam allemaal op een en dezelfde dag sterven en zouden de deugden met hen begraven worden: maar de memorie die in de boeken van hen geschreven is kan nooit sterven!' sprak de abt plechtig met een honingzoet stemmetje om me te vleien.

Hij had niet helemaal ongelijk, bedacht ik, terwijl Atto zijn preek voortzette.

'Volgens Anaxarchus, de geleerde wijsgeer, is bekendheid in de wereld om de kunde in je beroep een van de waardigste dingen die je in dit leven kunt bereiken. Al waren er miljoenen mensen geleerd en ervaren in hetzelfde vak, alleen degenen die hun best doen om bekendheid te verkrijgen, zullen lof waardig geacht worden, en hun faam zal in eeuwigheid niet sterven.'

Abt Melani wilde, als ik het goed begrepen had, een soort biograaf die zijn daden van die dagen prees. Een teken dat hij heel wat daden wilde verrichten, dacht ik bezorgd, me de drieste ondernemingszin van de abt wel herinnerend.

'... Dus, dit in aanmerking nemend,' vervolgde Atto intussen hoogdravend en kras, 'heb ik in mijn jeugd mijn best gedaan om kennis op te doen, en als volwassene om die in praktijk te brengen; en nu doe ik mijn best opdat de wereld mij leert kennen. Dus omdat ik veel uiteenlopende vorsten en grote heren met raad en daad heb bijgestaan, en omdat ik talrijke verloren gegane verslagen in de kunst van de diplomatie voor hen heb opgetekend, hebben velen zich van mij bediend en doen dat nog.'

'Maar niet voor iedereen pakte dat goed uit,' plaatste ik ironisch bij mezelf een kanttekening bij de herinnering aan het gemak waarmee Atto zijn trouw van de ene opdrachtgever naar de andere verlegde.

'En als getuigenis van wat ik je vertel,' vervolgde de abt nadrukkelijk, alof hij mijn bezwaren rook, 'zal ik je in je memorie een grote hoeveelheid voorbeelden dicteren, die alle zullen dienen ter bevestiging van die waarheid. En deze zullen zeer nuttig zijn voor degenen die ze lezen: zij zullen er fraaie gevallen in te weten komen.'

Met twee meiskes om groot te brengen was al dat geld voor Cloridia en mij een enorme zegen. Ik ging dus zonder aarzelen in op Atto's aanbod om van mij te krijgen wat hij had gestolen, wel wetend dat ik mijn memorie nooit terug zou krijgen. 'Eén ding nog, signor Atto,' zei ik ten slotte, 'ik denk niet dat mijn pen het aankan om uw chroniqueur te worden.'

Eigenlijk huiverde ik bij het idee dat horden heren en notabelen op een dag misschien mijn geschrift in handen zouden krijgen. Atto begreep het.

'Je bent bang voor de lezer. En door die angst zou je je liever tot het boerenbedrijf beperken, nietwaar?' vroeg hij, terwijl hij stil bleef staan om een pruim te plukken.

Ik antwoordde met een instemmende blik.

'Dan moet je je in je woord vooraf richten "tot de kwaadwillende lezer" in plaats van "tot de welwillende lezer".'

'Oftewel?'

Melani haalde adem en in belerende taal en met een wijsneuzige grijns op zijn gezicht doceerde hij, terwijl hij met zijn kanten zakdoekje de pruim opwreef: 'Je moet weten dat ik, toen ik jaren geleden enkele werken liet drukken, eveneens het algemene, veelvoorkomende gebruik volgde om mij bij de welwillende lezer te verontschuldigen voor de fouten die door mijn tekortkomingen in het werk waren geslopen. Maar nu, na de opgedane ervaringen, denk ik dat de welwillende lezer, die andermans werken behoedzaam leest, als het ware vol goedheid het goede oogst wanneer het erin zit, en wanneer hij het er niet in aantreft, genoegen pleegt te nemen met de goede wil van de auteur. Ik heb me er zodoende van overtuigd dat het veel beter is het woord vooraf in boeken te wijden aan de kwaadwillende en kwaadsprekende lezer die zulke teergevoelige oren heeft dat hij zelfs al aanstoot aan een geringe fout neemt.'

Na een hap van de pruim bleef hij staan om mijn afwezige blik te peilen:

'Tegen die *nasuti* (om het Latijnse woord te gebruiken), tegen die lasteraars en kwaadsprekers, voor wie ieder boek overtollig, ieder werk onvolmaakt, ieder idee krom en iedere inspanning ijdel is, zeg ik dat, hoe weinig het hun bevalt, des te meer het anderen aan zal staan. Weet je wat ik zeg, wanneer een van die halzen me met zijn zure opmerkingen lastigvalt?'

Ik antwoordde met een vragende blik.

'Ik zeg: "Als de Heren mijn boek dik toeschijnt, moet u de helft ervan maar lezen; als het dun lijkt, moet u er maar wat bij doen; als het te helder lijkt, troost u zich er dan mee dat het minder moeite kost om het te begrijpen; als het te duister lijkt, zet u er maar commentaar in de kantlijn bij; als het te laagbijdegronds van stof en stijl lijkt, des te beter, dan zal het minder lijden als het valt dan het zou doen bij grote hoogte".'

De abt parafeerde zijn preek door met een scherp geluid de pit van de pruim weg te spuwen alsof het de pen van een lasteraar was. Ik bewonderde de wijsheid van de abt: van Atto Melani, bedacht ik, raak je nooit uitgeleerd.

'Ik heb uw werken nooit gelezen, signor Atto, maar men zal er hooguit van kunnen zeggen,' vleide ik hem, 'dat ze te geleerd zijn...'

'Rustig maar,' antwoordde hij losjes met volle mond, 'dat ze te geleerd zijn zullen ze niet zeggen: dat is ook een loftuiting, en de aard van die raven is te vijandig om loftuitingen te doen, al was het maar per abuis. Ze zullen bovendien zeggen: "Die heeft werken van andere schrijvers gebruikt." Dat zeggen ze dan goed en naar waarheid. Maar ik heb ze altijd met bescheidenheid gebruikt, ze naar behoren noemend en prijzend: daarom kan ik Aristoteles ook niet vergeven dat hij wel de werken van Hippocrates heeft gebruikt, maar hem niet één keer heeft genoemd.'

'Als ik zo vrij mag zijn,' kwam ik bescheiden tussenbeide, maar vol verlangen om Atto te laten zien dat ik niet meer het onwetende knechtje van vroeger was en intussen de nodige belezenheid had opgedaan, 'dergelijke kwaadsprekers zou geantwoord moeten worden wat de heilige Hiëronymus tegen zijn lasteraars antwoordde in het voorwoord bij Mattheus en in het vierde deel bij Jeremia: omdat hij zich wilde verontschuldigen dat hij bij het schrijven van zijn boeken werken van Origines had gebruikt, zei hij dat hem dat geen afkeuring kon bezorgen maar juist lof, aangezien alle Ouden ditzelfde gebruik in acht namen. En als het diefstal was om andere auteurs te gebruiken, wat zouden we dan zeggen van Ennius, Cecilius, Plautus, Cicero en Vergilius? Ja, wat zouden we zeggen van Hilarius, die achtduizend versregels uit het oosten haalde en ze in zijn boeken overnam?'

De abt glimlachte met een zweem van bewondering en verbazing, vaderlijk ingenomen met mijn gepronk, en bukte om bij een fonteintje zijn dorst te lessen.

'En welbeschouwd,' vervolgde ik hoogdravend, 'zou uw verhaal aan de kwaadwillende lezer niet eens nodig zijn want volgens het stokoude orakel is het het grootste ongeluk dat een mens kan overkomen om bemind en geprezen te worden door de kwaden, en de grootste gunst om door dezelfde lui te worden gehaat en bekritiseerd.'

'O, ik houd met heel mijn hart van verbeteringen,' haastte de abt zich te verduidelijken, terwijl hij een kersenboom vlakbij in het oog kreeg, 'maar laster haat ik dodelijk. Wanneer ik gewaarschuwd word voor mijn vergissingen, ontvang ik als filosoof de vermanende persoon als een meester, zoals ik mijn broer als christen beschouw, omdat hij zo wellevend met mij werken van naastenliefde beoefent. Maar denk eraan, jongen, tolereer nooit die lichtzinnige lui, die weliswaar amper andermans werken kunnen lezen, maar nog nauwelijks de titel gelezen en de illustraties ervan bewonderd hebben, of hun haakneus er al voor ophalen en er de woorden van minachting aan toekennen die hun door hun hevige onwetendheid worden ingegeven. En als een van hen kan schrijven, lees je in zijn geschriften niet anders dan de opgeheven vinger tegen deze of kritiek tegen gene. Zodat je,' besloot hij grinnikend, 'hem bijna mag vragen van welke vorst hij het privilege van algemene censuur heeft gekregen. Pardon, wil je wat van die mooie kersen daar voor me plukken?'

'U hebt helemaal gelijk,' vervolgde ik, terwijl ik, bewonderd door de scherpe blik van de abt, langs de stam van de boom omhoogklauterde. 'Twijfelachtige zaken verdienen wel discussie en naar de waarheid ervan moet worden gezocht: maar dan met de bescheidenheid die je leert in het wezen van de filosofie en in de predikingen van het christendom.'

'Verstandige, gematigde correctie is heilig,' preciseerde de abt opgewonden, 'geen enkele literator, hoe groot ook, mag die ooit weigeren, want er bestaat geen man zo uitzonderlijk dat hij niet door zijn eigen kennis kan worden bedrogen. De evangelisten, de apostelen, de profeten en de Heilige Vaders schreven door God geïnspireerd en daarom schreven ze zo goed; maar hoeveel er in de wereld na hen ook schreven, ze dwaalden allemaal, de een meer, de ander minder. Toch oefent iemand die de zieke slaat in plaats van geneest misschien sneller de taak van beul dan van arts uit.'

Terwijl ik me uit de kersenboom liet zakken, wilde ik de abt weer van repliek dienen om opnieuw mijn aandeel te nemen in de bizarre, retorische strijd die we in de boomgaard waren aangegaan, toen hij me de mond snoerde.

‘Zo is het wel genoeg, mijn jongen, want de gedachte wordt al gauw aanmatigend. Nederigheid moeten wij betrachten, geen hautainiteit. Mensenwerk is onvolmaakt door de tekortkoming van ons arme vernuft en door het ongelukkige tijdsgewricht vindt dat kwaadsprekers. Laat wat ik je nu geleerd heb je van pas komen opdat wat je op een dag zult schrijven in de handen van lasteraars niet helemaal aan zijn lot overgelaten en zonder verdediging blijft. Moge Onze-Lieve-Heer ons de genade bewijzen dat wij onze fouten kennen om ze te verbeteren, en mogen de anderen niet bekritiseren wat tot een goed einde werd gevoerd; opdat de goddelijke Majesteit niet zowel door onze als door andermans fouten worde gekrenkt.’

Na deze woorden maakte hij een uitnodigend gebaar om met hem de kersen te proeven. Ik at berouwvol en tegelijkertijd dankbaar dat ik door de abt was herinnerd aan het gebod van nederigheid van geest, juist terwijl ik hard op weg was naar vruchteloze arrogantie. Zegt het evangelie ook niet ‘Gelukkig die arm van geest zijn want hun behoort het koninkrijk der hemelen’?

Even later keek Melani me tevreden aan en zonder nog iets te zeggen overhandigde hij me een wisselbrief, uit te betalen bij een geldlener uit het getto. Traag nam ik hem aan. Het was gebeurd: ik had me aan Atto verkocht, zogezegd voor een literaire dienstverlening bij de prijs waarvan evenwel (zoals dikwijls gebeurt wanneer de pen een middel van gewin wordt) mijn gehele beschikbaarheid was inbegrepen. Terwijl de bitterzoete smaak van de kersen nog vervaagde in mijn mond, stond ik, verscheurd tussen liefde, afkeer en belang, al in zijn dienst.

Intussen waren we weer teruggelopen in de richting van het Zomerverblijf, waarvoor we een gedrang van andere rijtuigen met gasten zagen die in de tussentijd waren aangekomen. Uiteindelijk was gebeurd wat werd gevreesd: ook de gasten uit Rome waren twee dagen te vroeg op het feest gearriveerd. Aangezien de banketten al vanaf die avond zouden plaatsvinden, had niemand (ook Atto niet) het geduld en de goede smaak gehad om het officiële begin van de festiviteiten af te wachten.

Atto leek aandachtig de wapens die op de voertuigen prijkten te bestuderen, misschien om te raden wie de luisterrijke gastvrijheid van de Spada’s in die week van festiviteiten met hem zou delen.

'Ik heb een bediende van je baas horen zeggen dat don Livio Odescalchi en markiezin Serlupi eraan komen. Wacht even...' zei hij, terwijl hij mij tegenhield en op voldoende afstand om te herkennen zonder herkend te worden naar de koetsen keek: 'Dat is een bekend gezicht; volgens mij... Ja, kijk, dat is monseigneur D'Aste,' zei Atto, terwijl we in de verte een uitgeteerd mannetje met wit haar zagen uitstappen dat bijna verzoop in de kardinaalsgewaden, 'hij is zo klein, onbevallig en bleek dat Zijne Heiligheid hem monseigneur Vodje noemt,' grijnsde hij ongedwongen om te laten zien dat hij op de hoogte was van de kletspraatjes in Rome.

'Ik zie een enorm bedrijf van lakeien daarginds,' vervolgde hij, 'er komt een van de Barberini's of Colonna's aan die een hoop poeha wil maken; ze denken altijd dat de wereld om hen draait. Het rijtuig erachter lijkt me het wapen van de Durazzo's te dragen, dat zal kardinaal Marcello zijn; vanuit Faenza, waar hij bisschop is, is het wel een lekkere reis: hij zal wel even moeten bijkomen als hij zich wil amuseren. Hé, kardinaal Bichi is er ook,' commentarieerde hij, steeds meer turend, 'ik had niet gedacht dat die het zo goed kon vinden met kardinaal Fabrizio.'

'Tussen twee haakjes, signor Atto, ik wist ook niet dat u kardinaal Spada kende,' zei ik, bewust zijn vertoon van herkenning op afstand onderbrekend.

'O, maar hij is jarenlang nuntius in Frankrijk geweest, wist je dat niet? Vroeger waren onze contacten in Parijs heel frequent. Hij is een, hoe moet ik het zeggen, heel meegaand iemand; zijn eerste zorg is geen vijanden te maken. En daar doet hij goed aan, want in Rome is dat de beste manier om hoog te eindigen. Ik wed dat hij zich de Parijse tijd nog heel goed herinnert, want toen kreeg hij de kardinaalshoed toegekend; als ik het wel heb in 1676. Eerst was hij al nuntius in Savoye geweest en hij had dus een zekere ervaring. Hij heeft drie conclaven meegemaakt: dat van Innocentius XI in 1676, dat van Alexander VIII in 1689 en dat van de huidige paus in 1691. De komende verkiezing zal de vierde zijn waar hij aan deelneemt. Niet gek voor een kardinaal van amper zevenenvijftig, wel?'

De jaren vergleden, maar Atto's gewoonte om met uiterste zorg alle details in de carrière van tientallen pausen en kardinalen bij te houden was er niet minder op geworden. Zijn allerchristelijkste majesteit kon zich verlaten op een misschien niet meer atletische agent, maar wel een met een nog uitstekend geheugen.

'Denkt u dat hij ditmaal tot paus gekozen kan worden?' vroeg ik heimelijk hopend op een dag tot de bediendenstaf van een paus te kunnen behoren.

'Absoluut niet. Te jong. Dan zou hij wel twintig of dertig jaar kunnen regeren; bij de gedachte alleen al gaan de andere purperdragers met koorts naar bed,' grinnikte Melani. 'Nu zal hij tegenover mij een beetje hooghartig doen, want als hij ondergetekende groet is hij bang voor een vazal van de Franse koning te worden aangezien. Arme stakkers, je moet die kardinalen begrijpen!' besloot hij met een spottende grijns.

❧

Op dat moment slenterden we wat rond het hek van de ingang, tot van de weg voor de villa een gebocheld, beverig mannetje opdook, met amper haar op zijn hoofd en een grote draagkorf vol papieren op zijn bochel. Nederig en met zijn hoed in de hand bleef hij staan om iets aan de lakeien te vragen, die bot reageerden en hem probeerden weg te jagen. Wie hij ook was, hij had zich moeten vervoegen bij de dienstingang waar de kleine luiden geen gevaar lopen om met hun persoon de minachting van de buiten verblijvende heren, de edele gasten van de villa, te wekken

De abt kwam naderbij en beduidde me hem te volgen. Het oudje droeg mouwophouders, terwijl zijn schoot schuilging achter een zwart geworden schort: kennelijk een handwerksman, misschien een typograaf.

'U bent toch Haver, de boekbinder uit de Via dei Coronari?' vroeg Atto, terwijl hij het hek uit liep en midden op de weg bleef staan. 'Ik heb u laten roepen. Ik heb werk voor u', en hij haalde een bundeltje vellen te voorschijn.

'Hoe wilt u de omslag?'

'Van perkament.'

'Teksten of iets anders op de rug?'

'Niets van dat al.'

De twee maakten vervolgens snel verdere afspraken en Atto stopte het oudje bij wijze van voorschot een handvol munten in de hand.

Plotseling hoorden we vanuit het groen langs de weg links van ons een luid rumoer komen.

'Houd de man, houd de man!' riep een stentorstem.

Er kwam een bliksemsnelle schim te voorschijn die tussen ons door schoot, daarbij hard tegen de boekbinder en abt Melani opbotste en de laatste in een blinde schreeuw van woede en pijn op het grind liet tuimelen.

Alle papieren die Atto in zijn hand hield vlogen met een ongelukkige, chaotische werveling de lucht in, en hetzelfde lot was de draagkorf met papieren van de boekbinder beschoren, terwijl de schim die tegen hen op geknald was, ter aarde stortte en dramatisch over de grond rolde.

Toen hij eindelijk uitgerold was, zag ik dat het om een vieze, broodmagere jongeman ging: zijn hemd was aan flarden, hij had een baard van dagen en een onzekere, verwezen blik door het treurige ongeluk. Hij droeg een armoedig zakje van inferieure stof over de schouder waaruit diverse smerige spullen waren gevallen, zo te zien een leren zakje, een paar oude kousen en enkele smoezelige papiertjes, misschien het povere resultaat van een verblijf op een of andere vuilnisbelt op zoek naar iets te eten of iets nuttigs om te overleven.

Ik had echter niet de tijd om beter te kijken of Atto en de onbekende mijn hulp aan te bieden, want allengs werd het rumoer dat ik in het begin hoorde steeds harder en heviger.

'Grijp hem, grijp hem, alle donderbussen nog an toe!' schreeuwde intussen luidkeels de krachtige stem van zo-even.

Uit de boerderij waar de smerissen verbleven die de villa bewaakten hoorde ik een razend geschreeuw en gevloek komen. De jongeman stond toen op, zette het weer op een lopen en verdween opnieuw tussen de takken.

Atto daarentegen was gaan zitten en probeerde tevergeefs overeind te komen. Ik wilde hem te hulp schieten terwijl de boekbinder onderdanig de papieren in zijn draagkorf begon te verzamelen, toen voor ons een paar smerissen van de villa voorbijstoven die zich met luid geschreeuw bij de achtervolger aansloten. Deze botste helaas weer tegen de arme Atto op, zodat die opnieuw op de grond viel. De achtervolger klapte op zijn beurt tegen de keien, nadat hij op wonderbaarlijke wijze de lakeien, twee nonnen, die ik vaak kleine handwerkjes ten geschenke aan de kardinaal zag brengen, en een stel honden had vermeden. Met het nonnengegil en het geblaf van de dieren was de weg één en al kabaal.

Ik haastte me om abt Melani bij te staan, die mismoedig kreunde.

'Au, eerst die gek, en nu deze vent weer... Vervloekt, mijn arm.'

De rechtermouw van Atto's jas, die al doordrenkt leek te raken van een zwartig vocht, was ernstig gescheurd door een snee: waarschijnlijk een messteek. Ik bevrijdde hem van het kledingstuk. Een lelijke wond waar rijkelijk bloed uit stroomde, ontsierde de slappe, bleke arm van de abt.

Een tweetal vrome maagden die in het Zomerverblijf woonden en er taken verrichtten als garderobejuffrouw, hadden het voorval meegemaakt en gaven ons verbandgaas met wat medicinale zalf die, zo garandeerden ze, Atto's wond verlichting en een stellige genezing zou brengen.

'Mijn arme arm, dat mij dat weer moet gebeuren,' jammerde Atto, terwijl ik het gaas om de wond wikkelde. 'Elf jaar geleden viel ik al in een sloot in Parijs: ik deed mijn arm en schouder lelijk pijn en het scheelde weinig of ik was er geweest. Door dat ongeluk kon ik ook niet met hertog de Chaulnes naar Rome komen voor het conclaaf na de dood van Innocentius XI.'

'Het lijkt wel of de conclaven slecht voor uw gezondheid zijn,' meende ik instinctief, waarmee ik een vuile blik van de abt oogstte.

Intussen had er zich om ons heen een kleine menigte nieuwsgierigen verzameld van kinderen en een paar boeren uit de buurt.

'Die twee naarlingen ook,' mopperde de abt, 'de eerste was te snel, de tweede te zwaar.'

'Wel duizend bommen nog an toe!' riep de stentorstem uit. 'Hoe zwaar? Ik had hem bijna te pakken, die cerretaan.'

De kring week bliksemsnel uiteen, bevreesd geworden door die ruwe, heftige taal.

De spreker was een drie keer zo lange kolos als ik, twee keer zo breed en misschien wel vier keer zo zwaar. Ik draaide me naar hem om en zag hem scherp aan: blond was hij, en van mannelijk aanzien, maar een oude houw die een van zijn wenkbrauwen had gespleten, verleende hem een weemoedige gezichtsuitdrukking, waarmee zijn jeugdige, onbehouwen manier van doen in tegenspraak was.

'In elk geval, en dat zweer ik bij de piek van alle hellebaarden van Silezië, was ik niet van plan u aan te vallen,' vervolgde de woesteling, terwijl hij naar voren kwam.

Zonder toestemming te vragen tilde hij Atto van de grond en zette hem zonder enige inspanning weer op de been, als betrof het een dennennaald. Het kluitje omstanders drong om ons heen, brandend van nieuwsgierigheid, maar werd prompt uiteengejaagd door de lakeien en de pages van de villa die intussen in groten getale waren toegesneld. De boekbinder was in de tussentijd medelijdend Atto's papieren aan het oprapen, die her en der aan weerszijden van het hek lagen.

'Je bent een smeris,' constateerde Atto, zich fatsoenerend en het stof van zijn kleren kloppend, 'wie zat je achterna?'

'Een cerretaan, zei ik al: een schooier, een klaploper, of hoe voor de duivel noemt u dat tuig. Misschien wilde hij u beroven, honderd mortieren nog an toe.'

'Ah, u bedoelt een bedelaar,' vertaalde ik.

'Hoe heet je?' vroeg Atto.

'Sfasciamonti.'*

Ondanks de pijn nam Atto hem van top tot teen op.

'Dat is een mooie naam, heel geschikt voor je. Waar werk je?' vroeg hij want hij had niet gezien waar Sfasciamonti vandaan was gekomen.

'Meestal in de buurt van de Via di Panìco. Maar sinds gister daarzo,' zei hij, op Villa Spada wijzend.

En hij legde uit dat hij een van de smerissen was die door de kardinaal waren aangenomen om het ongestoorde verloop van het feest te garanderen. De boekbinder kwam met een paniekerig gezicht aangelopen:

'Excellentie, ik heb het wapen gevonden dat u heeft verwond,' zei hij, Atto een soort glimmend dolkje met een vierkant heft aanreikend.

Sfasciamonti greep echter als eerste het lemmet vast en stak het in zijn zak.

'Hé, moment,' protesteerde Atto, 'dat is het mes dat mij heeft getroffen.'

'Precies. Dat is het corpus delicti, dat ter beschikking van de gouverneur en de Openbare Orde blijft. Ik ben hier om toezicht te houden op de veiligheid van de villa en ik doe alleen mijn plicht.'

'Smeris, je hebt gezien wat me is gebeurd. Godzijdank heeft het lemmet van die ellendeling mijn arm geschampt, en niet mijn rug. Als je collega's hem in de kraag vatten, wil ik dat hij daar ook voor boet.'

'Dat beloof en zweer ik u, bij de patroontas van Wallenstein!' brulde Sfasciamonti, waarmee hij bij de omstanders een bevreesd geroezemoes opwekte.

De wond was niet gering, en het bloeden was nog niet opgehouden. Er kwamen twee dienstmeisjes met nog meer verbandgaas aangesneld die de arm zodanig verbonden dat de stroom werd gestelpt. Ik kreeg de gelegenheid om te bewonderen hoe abt Melani stoïcijns de pijn verdroeg: een eigenschap die ik niet van hem kende. Hij beheerste zich dan ook nog even om afspraken te maken met de boekbinder, die intussen al Atto's vellen papier van de grond had opgeraapt, waaraan hij dus de vorm en waardigheid van een boek zou verlenen.

We begaven ons naar het Zomerverblijf, waar Atto van plan was een dokter of chirurgijn te laten komen om de lelijke snee te onderzoeken.

* Hetgeen zoiets betekent als de Grote Sloper (vert.)

'Voorlopig doet het niet zo'n pijn, laten we hopen dat het niet erger wordt. Sukkel die ik ben om bij het hek met die boekbinder af te spreken. Maar ik hechtte te veel aan mijn boekje.'

'Tussen twee haakjes, wat hebt u hem gegeven om in te binden?'

'O, niets bijzonders,' antwoordde hij met opgetrokken wenkbrauwen en een pruimenmondje.

Zonder nog iets te zeggen waren we het Zomerverblijf weer in gegaan. De geaffecteerde nonchalance waarmee abt Melani op mijn vraag had geantwoord, of liever, niet had geantwoord, verbaasde me. Die twaalfhonderd scudo's dwongen me heel wat dagen de lotgevallen van de abt te delen om zijn verblijf in Villa Spada te kunnen boekstaven. En het was me nog niet gegeven te weten wat me precies te wachten stond.

Ik vroeg de abt toestemming om te gaan met als smoes een paar heel dringende verplichtingen die zich intussen hadden opgestapeld. Eigenlijk had ik die dag niet veel meer te doen: ik was geen bediende in vaste dienst, en bovendien waren de voorbereidingen voor het begin van de festiviteiten nagenoeg voltooid. Maar ik verlangde naar wat eenzaamheid om over de laatste voorvallen na te kunnen denken. De abt verzocht me echter hem in afwachting van de chirurgijn gezelschap te houden.

'Doe de zwachtels om mijn arm wat strakker, alsjeblieft: door het verband van die vrouwtjes zal ik nog leegbloeden,' verzocht hij met een zweem van ongeduld.

Ik droeg er zorg voor en voorzag het verband van nog meer gaas dat de kamerdienaar zo goed was geweest voor ons te halen.

'Een Frans boekje, signor Atto?' besloot ik ten slotte te vragen, met verwijzing naar zijn eerdere toespeling.

'Ja en nee,' antwoordde hij laconiek.

'Ah, misschien circuleert het in Frankrijk, maar is het gedrukt in Amsterdam, zoals meestal...' waagde ik, in de hoop er iets meer uit te krijgen.

'Welnee,' kapte hij met een zucht van vermoeidheid af, 'het is eigenlijk niet eens een boek.'

'Een anoniem geschrift dan...' kwam ik weer tussenbeide, ik kon mijn groeiende nieuwsgierigheid slecht verhullen.

Ik werd onderbroken door de komst van de chirurgijn. Terwijl deze druk doende was rond Atto's arm en de kamerdienaar bevelen gaf, kreeg ik de gelegenheid om na te denken.

Het was duidelijk geen toeval als Atto Melani na zeventien jaar stilzwijgen weer voor mijn neus stond en alsof er niets aan de hand was aan me vroeg een dagboek van hem bij te houden. En nog minder toeval was het dat hij een van de gasten was op de bruiloft van de neef van kardinaal Fabrizio Spada. De laatste was staatssecretaris onder paus Innocentius XII, geboren in het koninkrijk Napels, dus op de hand van Spanje. Paus Innocentius lag op sterven en al maanden maakte Rome zich op voor het conclaaf. Melani was een Franse agent: de wolf in het hol van de schaapjes, zeg maar.

Ik kende de abt, en er was inmiddels niet veel voor nodig om mijn ideeën over hem helder te stellen. Je hoefde maar één elementair regeltje te volgen: je moest het slechte denken. Dan zat je altijd goed. Nadat hij uit mijn memorie vernomen had dat ik in dienst was bij de kardinaal-staatssecretaris, had Atto zich waarschijnlijk bewust, zo concludeerde ik, laten uitnodigen op het feest van de Spada's, wellicht profiterend van de oude kennismaking met de kardinaal waar hij het met mij over gehad had. En nu wilde hij van mij gebruikmaken, maar al te blij met het gelukkige toeval dat mij ergens had geplaatst waar ik hem het meest van pas kwam. Misschien wilde hij nog wel iets meer van me dan een simpel baantje als memorieschrijver van zijn handelingen in het zicht van het conclaaf. Maar wat had hij ditmaal in zijn hoofd? Dat was minder gemakkelijk te raden. Eén ding had ik wel duidelijk voor ogen: ik zou, voorzover het in mijn geringe vermogen lag, niet toestaan dat de intriges van abt Melani op enigerlei wijze schade zouden doen aan mijn baas kardinaal Spada. Wat dat betreft was het wel een voordeel dat Atto mij die taak had toegedacht: ik kon hem controleren.

De chirurgijn had intussen zijn klus geklaard, niet zonder Atto enige rauwe protesten van pijn en een aardig sommetje muntgeld te hebben ontlokt voor de rekening, die door de tijdelijke afwezigheid van de hofmeester op de zakken van de gewonde drukte.

'Mooie gastvrijheid,' schamperde Atto, 'ze steken de gasten neer en laten ze zelf voor de behandeling opdraaien.'

De ambassadesecretaris van Villa Spada die in afwezigheid van don Paschatio, de hofmeester, in de tussentijd naar het ziekbed van Melani was komen snellen, beval dat hem meteen het middagmaal werd geserveerd, waarbij twee pages hem zouden assisteren ter vervanging van zijn gewonde arm en aan iedere wens van hem zonder meer zou worden voldaan; hij putte zich uit in verzoeken om verschoning, vervloekte op verschillende uiterst beschaafde manieren de criminaliteit en de bedelarij die Rome zoals gewoonlijk bij een Jubeljaar tot het niveau van een lazaret verlaagden, en verzekerde hem dat hij zo snel mogelijk met de vereiste rente zou worden terugbetaald en zeker ruimschoots schadeloos zou worden gesteld voor de ernstige krenking die hij had moeten ondergaan, en gelukkig maar dat ze ook een smeris in dienst hadden genomen om in die dagen van festiviteiten te waken over de veiligheid van de villa, maar nu zou de hofmeester hem wel rekenschap vragen. Hij ging zo nog ruim een kwartier door zonder te merken dat Atto in slaap sukkelde. Ik maakte daarvan gebruik door weg te gaan.

Die merkwaardige agressie tegen Atto had nog iets van ontzetting gemengd met nieuwsgierigheid bij me achtergelaten. En met het excuus dat ik de randen van de heggen aan de ingang moest overdoen, die mij niet zo volmaakt leken, pakte ik de scharen die ik in mijn schort had en liep weer op het hek af.

'Had je nog niet genoeg aan het ongeluk van daarnet, jongen?'

Ik keerde me om of liever, hief mijn hoofd op.

'Het bos hieromheen moet vol cerretanen zitten. Moet je weer in moeilijkheden komen?'

Het was Sfasciamonti, die de wacht installeerde.

'O, bent u toezicht aan het houden?'

'Toezicht houden, ja, toezicht houden. Die cerretanen zijn een vloek. God beware ons ervoor, alle sterren van de ochtend nog an toe,' zei hij, bezorgd om zich heen kijkend.

Cerretanen: de nadruk op dat woord met die louche klank, waarvan ik eigenlijk niet de precieze betekenis kon zeggen, leek me haast een aansporing om uitleg te vragen.

'Wat is een cerretaan?'

'Sssst! Vervloekt, moet iedereen je horen?' siste Sfasciamonti; hij greep me op een gewelddadige manier bij een arm en trok me bij de heggen vandaan alsof er achter de twijgen een cerretaan kon zitten.

Hij duwde me tegen de muur en speurde overdreven gealarmeerd afwisselend naar rechts en naar links, alsof hij een hinderlaag vreesde.

'Het zijn... Hoe moet ik het zeggen? Het zijn hongerlijders, bedelmannen, landlopers, zwervelingen... vagebonden, zeg maar.'

Ver weg, uit het park, hoorde je hoe de noten van de orkestleden die voor het huwelijk waren ingehuurd zich mengden met de laatste hamerslagen op de spijkers van de plankiers en het toneel.

'Bedoelt u dat het bedelaars zijn, net als zigeuners?'

'Krek ja. Of nee!' schrok hij bijna verontwaardigd. 'Wat maak je me nou? Cerretanen zijn veel meer, of nee, veel minder. Cerretanen sluiten een pact met de duivel,' fluisterde hij, en hij sloeg een kruis.

'Met de duivel?' riep ik ongelovig uit. 'Worden ze soms gezocht door het Heilig Officie?'

Sfasciamonti schudde zijn hoofd en sloeg moedeloos zijn ogen ten hemel, alsof hij de ernst van het onderwerp wilde benadrukken.

'Als je eens wist, jongen, als je eens wist.'

'Wat halen ze nou uit?'

'Ze vragen om liefdadigheid.'

'Is dat alles?' antwoordde ik teleurgesteld. 'Bedelen is helemaal niet verkeerd. Wat kunnen zij eraan doen als ze arm zijn?'

'Wie zegt dat ze arm zijn?'

'Had u het er net niet over dat ze bedelen?'

'Ja, maar dat kun je ook uit vrije keuze doen, niet alleen uit noodzaak.'

'Uit vrije keuze?' herhaalde ik lachend, terwijl ik het vermoeden kreeg dat over die berg spieren van Sfasciamonti niet meer dan een half ons hersenen de regie voerde.

'Of liever: uit gewin. Bedelen is een van de lonendste beroepen ter wereld, of je het gelooft of niet. In drie uur tijd verdienen ze meer dan jij in een maand.'

Ik zweeg verbijsterd.

'Zijn het er veel?'

'Zeker. Ze zijn overal.'

Even was ik getroffen door de zekerheid waarmee hij op de laatste vraag had geantwoord. Ik zag hem om zich heen kijken en de laan die wemelde van de koetsen en het bezige personeel afturen, alsof hij bang was dat hij te veel had gepraat.

'Ik heb alles al verteld aan de gouverneur van Rome, monseigneur Pallavicini,' hervatte hij, 'maar niemand wil er wat van weten. Ze zeggen: Sfasciamonti, hou je rustig. Sfasciamonti, drink een glas. Maar ik weet het: Rome zit vol cerretanen, en niemand ziet ze. Als er iets akeligs gebeurt, komt het door hen.'

'Bedoelt u dat ook daarnet, toen u die jongeman achternazat en abt Melani gewond raakte...'

'O ja. De cerretaan heeft hem verwond.'

'Hoe weet u dat het een cerretaan was?'

'Ik was bij de Sint-Pancratiuspoort toen ik hem herkende. Al tijden zit de politie hem op de hielen. Die cerretanen zijn maar niet in de kraag te vatten. Ik begreep meteen dat hij iets te doen had, hij had een missie te vervullen. Dat hij zo dicht bij Villa Spada was, beviel me niks en daarom ben ik hem gevolgd.'

'Een missie? Hoe weet u dat zo zeker?' vroeg ik met een zweem van scepsis.

'Een cerretaan gaat nooit over straat zonder links en rechts te kijken, op zoek naar andermans beurzen of andere schurkerige oplichterspraktijken. Ze zijn altijd aan het stelen, aan het luibakken, hun lusten aan het botvieren. Leer ze mij kennen: die o zo sluwe ogen, die verdorven blik, die hebben zij alleen. Een cerretaan die al lopend voor zich uit kijkt zoals gewone mensen, gaat ongetwijfeld iets belangrijks doen. Ik schreeuwde tot de andere smerissen van de villa me hoorden. Jammer dat hij gevlucht is, anders zouden we er meer van weten.'

Ik bedacht hoe Atto Melani zich in mijn plaats zou hebben opgesteld.

'Ik wed dat u zich wel op de hoogte weet te stellen,' waagde ik vervolgens, 'om erachter te komen waar die cerretaan is gebleven. Abt Melani, die hier in Villa Spada logeert, zal u zeker erkentelijk zijn,' zei ik in de hoop de hebzucht van de smeris te prikkelen.

'Ik kan me zeker wel op de hoogte stellen. Sfasciamonti weet altijd aan wie hij wat moet vragen,' antwoordde hij, terwijl ik in plaats van zijn geldzucht zijn trots in de ogen van de smeris zag glinsteren.

Sfasciamonti had zijn ronde weer opgepakt en ik stond nog te kijken hoe zijn massieve gestalte om de bocht van de muur in de verte verdween, toen ik een wonderlijke jongeman op me af zag komen, stakerig en krom als een ooievaar.

'Neem me niet kwalijk,' zei hij vriendschappelijk, 'ik ben de secretaris van abt Melani, ik ben vanmorgen met hem aangekomen. Ik moest een paar uur terug naar de stad en nu word ik er geen wijs meer uit: waar voor de drommel moet je hier naar binnen? Was er geen glazen deur hier aan de voorkant?'

Ik legde uit dat de ruit waar hij op doelde er wel was, maar dan aan de achterkant van het Zomerverblijf.

'Begrijp ik het goed, zei u dat u de secretaris van abt Melani was?' vroeg ik verbaasd; Atto had verzwegen dat hij ditmaal niet alleen was.

'Ja, ken je hem?'

'Dat werd tijd! Waar zaten jullie?' viel abt Melani met de deur in huis toen ik zijn secretaris naar hem toe had gebracht.

Terwijl ik met hem naar Atto liep, was het me vergund hem beter te observeren. Hij had een grote haviksneus tussen twee blauwe ogen die schuilgingen achter een bril met ongewoon dikke, smoezelige glazen, bekroond door twee borstelige, naar blond neigende wenkbrauwen. Op zijn hoofd probeerde een toefje haar tevergeefs de aandacht af te leiden van de lange dunne hals waarop een fraaie brutale, puntige adamsappel prijkte.

'Ik... ik was bezig mijn eer te bewijzen aan kardinaal Casanate,' rechtvaardigde hij zich, 'en ik heb het wat laat gemaakt.'

'Laat me eens raden,' zei Atto half geamuseerd, half ongeduldig, 'ze hebben u een aardig tijdje laten antichambreren, ze hebben drieduizend keer gevraagd wie u was en wie u had gestuurd. En uiteindelijk hebben ze u na nog een halfuur wachten gezegd dat Casanate dood is.'

'Wel, inderdaad...' stamelde de ander.

'Hoe vaak moet ik nog zeggen dat u me altijd moet vertellen waar je heen gaat als je wegblijft? Kardinaal Casanate is al een halfjaar dood: ik wist het en had u dat modderfiguur kunnen besparen. Jongen,' zei Atto zich tot mij wendend, 'dit is Buvat. Jean Buvat. Hij is klerk op de Koninklijke Bibliotheek van Parijs, en het is een brave man. Hij is wat verstrooid en een te groot liefhebber van wijn. Maar hij heeft soms de eer tot mijn gevolg te behoren, zoals nu.'

Ik herinnerde me inderdaad dat hij een medewerker van Atto was, zoals de abt me bij onze eerste ontmoeting had verteld, en dat hij een buitengewoon getalenteerd kopiist was.

We groetten elkaar verlegen. De manier waarop zijn overhemd in zijn broek gepropt was en de veters van zijn mouwen zonder strik vastgeknoopt zaten waren verdere getuigen van de achteloze inborst van de jongeman.

'U spreekt onze taal uitstekend,' voegde ik hem minzaam toe om de hardheid van de abt goed te maken.

'O, talen spreken vormt niet zijn enige talent,' repliceerde Atto in zijn plaats, 'Buvat is op zijn best met de pen in de hand. Maar niet zoals jij: jij creëert. Hij neemt over. En dat doet hij als geen ander. Maar daar hebben we het een andere keer wel over. Gaat u zich maar verkleden, Buvat, opdat u er toonbaar uitziet.'

Buvat trok zich zonder een woord te zeggen terug in het belendende kamertje, waar zijn legerstede was geïnstalleerd en waar de reiskoffers stonden.

Nu ik er toch was, vertelde ik Atto van het onderhoud met Sfasciamonti.

'Cerretanen, zeg je. Geheime sekten. Volgens jouw smeris zou die schooier dus toevallig gekomen zijn, met zijn dolk in de aanslag om het lemmet op mijn arm uit te proberen. Interessant.'

'Hebt u een ander idee?' vroeg ik, gezien zijn scepsis.

'O nee, helemaal niet. Ik zei het zomaar,' antwoordde hij enkel in gedachten verzonken. 'Bovendien heb je in Frankrijk iets soortgelijks onder bedelaars. Al heeft iedereen dit soort zaken alleen van horen zeggen, en weten ze het nooit precies.'

De abt had me nu ontvangen met de ramen open op de tuin, en zat in kamerjas op een fraaie roodfluwelen fauteuil naast een tafeltje met de restanten van de overvloedige maaltijd: de graten van een grote zeebaars, nog geurend naar mirrekervel. Ik herinnerde me dat ik vanaf die ochtend niet meer gegeten had en bespeurde een flauw gevoel in mijn maag.

'Ik weet van een paar oude tradities,' vervolgde Atto, over zijn gewonde arm wrijvend, 'maar die zijn tegenwoordig een beetje verdwenen. Vroeger had je in Parijs de grote Caesar, of de Koning van Thule, de vorst der schooiers en vagebonden. Hij ging de stad door op een armzalig karretje met honden ervoor, als om de echte vorst na te doen. Men zegt dat hij in iedere provincie zijn hof, zijn pages, zijn vazallen had. Hij riep zelfs de Staten-Generaal bijeen.'

'Bedoelt u een volksvergadering?'

'Precies. In plaats van edelen, priesters en dames verzamelde hij uiteraard bij duizenden mankepoten, dieven, bedelaars, oplichters, hoeren en dwergen... ja, ik bedoel, zo'n beetje van alles zeg maar,' haastte hij zich te corrigeren, 'maar doe die schort met gereedschap maar af, want die zal aardig wat wegen, denk ik zo,' zei hij om zich eruit te redden.

Ik trok me de weinig gelukkige uitlating van abt Melani niet aan: ik wist hoeveel onfortuinlijke soortgenoten van mij de duistere krochten van de onderwereld bevolkten. En ik wist ook dat ik door het gunstige lot was omhelsd.

Terwijl ik met genoegen op Atto's aansporing inging en de zware tuiniersvoorschoot uittrok, vroeg een page toestemming om binnen te komen en de abt een brief te brengen.

'Maar zelfs in Duitsland,' vervolgde Atto toen de page weg was, 'is er volgens mij iets van dien aard geweest. Het heet de Broederschap van de valse bedelaars, of daaromtrent. Naar mij verteld is bestaan er in Spanje verschillende van die groepen. Maar ze zijn geheim, en ik denk niet dat het gemakkelijk is er meer van aan de weet te komen.'

'Ik begrijp het niet. Vanwaar al die geheimzinnigheid? Juist hooggeplaatste personen zouden de dingen in het geheim moeten doen.'

'Je vergist je,' antwoordde Atto met een poeslieve glimlach, terwijl hij afwezig de zegellak van de brief verwijderde, alweer te druk met zijn uiteenzetting aan mij, 'iedereen houdt van geheimen. De halve mensheid wil ze voor eigen doeleinden bewaren. De andere helft wil erachter komen, eveneens om er voordeel bij te hebben.'

'En de bedelaars?'

'Zoals je hebt begrepen gaat het vaak om valse bedelaars. Oplichters. En dat is al een geheim.'

'Maar is er om straatoplichter te worden echt een geheime sekte nodig? Met een pact met de duivel en al, zoals Sfasciamonti beweert? Ik zie heel wat bedelaars hier in Rome, vooral nu in het Jubeljaar. Als je ze goed aankijkt, lijken het soms inderdaad eerder killers dan mensen met de bedelnap. Maar om dan een sekte te vormen, en dan ook nog verboden...'

'En uw schoenen?' onderbrak Atto me plotseling, achter mij kijkend, 'u wilt u toch niet zo met zulk schoeisel naast mij vertonen?'

Buvat was er weer, gewassen, gekamd en met schone kleren aan, maar het laagje satijn van zijn donkergroene schoenen was opvallend versleten, en zelfs op meerdere plaatsen gescheurd, een van de eikenhouten hakken was gebroken en de gespen bungelden bijna helemaal los van het leer.

'Ik ben mijn nieuwe schoenen vergeten in Palazzo Rospigliosi,' vond hij uiteindelijk de moed om te zeggen, 'maar ik beloof u dat ik ze voor de avond nog ga halen.'

'Pas dan maar op dat u daar uw hoofd niet vergeet,' antwoordde de abt met een berusting die misprijzen verried, 'en verdoe geen tijd met rondslenteren, zoals gewoonlijk.'

'Hoe gaat het met uw arm?' vroeg ik.

'Geweldig, ik ben er gek op als ze me met een scherp mes aan plakjes snijden,' antwoordde hij, dan eindelijk bedacht hij toen de hem overhandigde brief te lezen.

Terwijl hij die gauw en in een snelle opeenvolging van tegenstrijdige gevoelens doorkeek, fronste hij eerst zijn wenkbrauwen, waarna zijn gezicht even oplichtte in een vlezige, ontroerde glimlach waardoor het kuiltje in zijn kin trilde. Ten slotte richtte hij bedachtzaam zijn blik in de verte, door het raam naar de lucht. Hij was bleek geworden.

'Slecht nieuws?' vroeg ik bedeesd, terwijl ik zijn secretaris vragend aankeek.

Uit de lege blik van de abt begrepen we dat hij me niet had gehoord.

'Maria...' meende ik hem te horen mompelen voordat hij de brief slordig opgerold in de zak van zijn kamerjas stak.

Hoewel hij in de fauteuil zat, had hij op zijn wandelstok geleund, als om het gewicht te dragen van een zeer ernstig bericht. Opeens leek hij weer een oude, vermoeide Atto Melani.

'Ga nu maar. U ook alstublieft, Buvat. Laat mij alleen.'

'Maar... weet u zeker dat u niets nodig hebt?' vroeg ik aarzelend.

'Nu niet. Kom vanavond maar terug, bij zonsondergang.'

Nu we de vertrekken van de abt achter ons lieten en de diensttrap af gingen, proefden mijn voorhoofd en dat van Buvat binnen een paar seconden weer de kwelling van de gloeiend hete middag.

Ik was verbijsterd: waarom was Atto in die ernstige uitputting vervallen? Wie was die geheimzinnige Maria van wie de naam zo lief op zijn lippen was verschenen? Ging het om een vrouw van vlees en bloed? Of was het misschien een aanroeping van de heilige Maagd?

In elk geval, redeneerde ik, terwijl ik in gezwinde pas naast Buvat voortliep, ging het om een onverklaarbaar feit. Atto was zeker geen vurig gelovige: voorzover ik me herinnerde had ik hem op momenten van het grootste gevaar niet eens de hulp van boven horen inroepen. Maar nog vreemder was het als die Maria een vrouw uit deze wereld was. De zucht en de bleekheid waarmee Atto die naam had gefluisterd, deden denken aan een gemiste belofte, een oude, onbevredigde hartstocht, een kwelling des harten. Kort en goed, een liefde.

Liefde voor een vrouw: de enige proef, bedacht ik, die de castraat Atto Melani nooit zou kunnen doorstaan.

'U wacht een lekker ritje te paard in de zon naar Palazzo Rospigliosi, als u uw schoenen wilt terugkrijgen,' zei ik tegen Buvat, terwijl ik in de richting van de stallen naar de rijknecht speurde.

'Helaas,' antwoordde hij met een grimas van ongenoegen, 'en ik heb nog niet eens gegeten.'

Ik greep de kans onmiddellijk aan.

'Als u wilt, zal ik in de keuken iets snels voor u bereiden. Als u het niet erg vindt tenminste...'

De secretaris van abt Melani liet het zich geen tweemaal zeggen. We maakten snel rechtsomkeert en eenmaal voorbij de deur aan de achterkant van het Zomerverblijf gekomen, waren we weldra in de drukte van de keukens van Villa Spada beland.

Daar, in het gedrang van de schoonmakende keukenhulpen en de hulpkoks die zich al opmaakten voor de bereiding van de avonddis, scharrelde ik wat restjes bij elkaar: drie ontgrate en ontzoute gijpen, reeds gegarneerd met schijfjes citroen en krullen boter, twee ongedesemde puntjes en een fraaie blauwwitte chinoiserie in de vorm van een schaaltje boordevol groene olijven met uien. Ik zorgde ook voor een achtste muskadel. Voor mezelf, want ik stierf inmiddels van de honger, sneed ik een paar ruwe hompen van een groot stuk met honing aangezette graskaas af en legde ze op struikjes salaad, die ik nog goed tussen het afval van de garneringen vandaan had gevist. Het was stellig niet voldoende om mijn honger te stillen na een dag arbeid: maar het zou me ten minste in staat stellen om levend en wel en met een matige trek het etensuur te halen.

In het gejaagde redderen van de keukens was evenwel niet eenvoudig een hoekje te vinden om onze uitgestelde maaltijd te verorberen. Bovendien zocht ik een achterafhoekje om de kennismaking met dat merkwaardige, lange, zwijgzame heerschap dat de secretaris van Attò Melani was, enigszins te verdiepen. Zo zou ik misschien een beter inzicht krijgen in de ideeën over die zogenaamde Maria en in het opmerkelijke gedrag van de abt, alsmede in de plannen die de laatste koesterde omtrent zijn toekomst en vooral de mijne.

Daarom stelde ik Buvat, die het zich geen tweemaal liet zeggen, voor om op het gazon van het park te gaan zitten in de schaduw van een mispel- of een perzikboom, waar we ook het voordeel zouden hebben om na het eten direct van de boom een smakelijke vrucht te kunnen plukken. We pakten zonder verder dralen een mand en een dubbele juten lap en begaven ons over het gloeiend hete grind naar de kapel van Villa Spada. De dichtbegroeide lusthof die zich erachter uitstrekte was de ideale plaats voor onze geïmproviseerde picknick. Toen we tot in de geurige schaduw van de ondergroei waren doorgedrongen, bood de zachte koelte van de grond onze voetzoelen onverwachte verlichting. We zouden al bij het begin van het bos naar de kapel zijn gaan zitten, als niet een gedempt en regelmatig snurken ons had gewezen op de ineengedoken, weggesukkelde aanwezigheid van de kapelaan, don Tibaldutio Lucidi, die kennelijk had gedacht even bij te kunnen komen van de vermoeienissen van het getijdenboek. Met de vereiste afstand tussen de kapelaan en ons kozen we ten slotte als ons dak de gastvrije parasol van een fraaie pruimenboom vol rijpe vruchten, waarnaast op de grond wilde bosaardbeitjes groeiden.

'Dus u bent klerk op de Koninklijke Bibliotheek van Parijs,' zei ik om het gesprek te openen, terwijl we de brede lap jute op het gras uitspreidden.

'Klerk voor Zijne Majesteit en schrijver voor mezelf,' antwoordde hij half serieus, gretig in de mand met levensmiddelen graaiend. 'Wat abt Melani vandaag over mij zei klopt niet. Ik neem niet alleen over, maar creëer eveneens.'

Buvat had zich door Atto's waardering beledigd gevoeld, en toch zweemde er een bleek spoortje zelfironie in zijn stem, volgens het gelaten voorschrift waarbij het – voor hoogstaande geesten die tot een ondergeschikt leven gedoemd zijn – onmogelijk is zelfs door zichzelf au sérieux genomen te worden.

'En waar schrijft u over?'

'Vooral filologie, zij het anoniem. Ter gelegenheid van mijn pelgrimage naar Onze-Lieve-Vrouwe van Loreto in de Mark van Ancona, heb ik de editie van enkele oude Latijnse geschriften laten drukken die ik jaren geleden heb opgespoord.'

'In de Mark van Ancona, zei u?'

'Inderdaad,' antwoordde hij bitter, terwijl hij zich op de grond liet vallen en zijn vingers in het schaaltje olijven begroef. '*Nemo propheta in patria*, zegt de evangelist. In Parijs heb ik nooit iets gepubliceerd: ik kan niet eens goed aan de kost komen. Gelukkig heeft abt Melani af en toe een klusje voor me, anders zou die ouwe jaloerse vrek van een opzichter van de bibliotheek... Maar nu even over jou: jij schrijft ook, volgens de abt.'

'Hm, niet echt, ik heb nooit iets laten drukken; ik zou het leuk vinden, maar ik heb nog geen kans gezien,' antwoordde ik verlegen; wegkijkend deed ik net alsof het opdienen van de stukjes gijp met boter al mijn aandacht vroeg.

Ik verzweeg dat mijn enige geschrift, de omvangrijke memorie van de feiten die de abt en mij jaren geleden in herberg De Schildknaap waren overkomen, door Atto van mij gestolen was.

'Ik begrijp het. Maar als ik me niet vergis, heeft de abt je nu opgedragen een verslag van deze dagen bij te houden,' antwoordde hij, terwijl hij een ongedesemd broodje pakte en het met zijn vingers uitholde om plaats te maken voor de vulling.

'Ja, ook al is me nog niet goed duidelijk wat ik nou zou moeten...'

'Hij heeft me dat plan van hem voorgelegd: hij zei dat je lang niet slecht schreef. Je boft, Melani betaalt heel riant,' vervolgde hij, en hij liet een paar stukjes vis in het brood glijden.

'Zeker waar,' erkende ik, maar al te blij dat het gesprek eindelijk op Atto terechtkwam. 'Tussen twee haakjes, zei u dat vooral abt Melani klusjes voor u heeft?'

Maar Buvat leek het niet gehoord te hebben. Hij hield een denkpauze waarin hij enkel citroen over het gevulde broodje uitperste en vroeg toen: 'Waarom laat je me niet zien wat je hebt geschreven, misschien kan ik helpen een drukker te vinden...'

'Mm, dat zou de moeite niet waard zijn, signor Buvat, het is maar een dagboek, en het is in de volkstaal geschreven...' wierp ik met mijn neus boven mijn hompen graskaas tegen, bij mezelf de zwakte van de smoes betreurend.

'Wat zegt dat nou?' Buvat sprong op in protest, zwaaiend met het puntje. 'We zitten toch niet meer in de zestiende eeuw! En ben je nou vrij geboren of niet? Daarom kun je op je eigen manier te werk gaan; net zoals je aan niemand rekenschap zou hoeven afleggen als je in het Diets of het Hebreeuws had geschreven, hoeft dat ook niet als je in de volkstaal hebt geschreven.'

Hij onderbrak zichzelf om te eten, terwijl hij me met zijn andere hand beduidde om hem de wijn aan te geven.

'En is de majesteit van de volkstaal niet zo groot dat ze ieder voortreffelijk onderwerp aankan?' sprak hij met pathos en volle mond. 'De eerwaarde monseigneur Panigarola heeft er de grootste mysteriën van de theologie in opgesteld, en voor hem de twee hoogst opmerkelijke geesten monseigneur Cornelio Muso en Fiamma. De hoogeerwaardige signor Alessandro Piccolimini bracht er bijna de hele filosofie in onder; Mattioli bewerkte er niet minder dan heel de geneeskunde in en Valve heel de anatomie. Zul jij er niet wat luchtige dagboekpraatjes in mogen zetten? Waar de koningin, de theologie, comfortabel kan verblijven, kan met haar ook de hofdame, de filosofie, naar binnen, en met nog meer gemak de huisvrouw, de geneeskunde: dus zeker het dienstmeisje, dat het dagboek is.'

'Maar mijn volkstaal is niet eens het Toscaans, als wel het Romeins,' weerlegde ik, eveneens kauwend.

'O jij, je hebt niet in het Toscaans geschreven! zal meester Aristarchus hier zeggen. En ik zeg je dat je niet in het Toscaans hebt geschreven, zoals je niet in het Diets hebt geschreven, omdat je Romein bent, en wie van Toscaanse woorden en uitdrukkingen houdt, moet Boccaccio en Bembo maar lezen, dat zal ze leren,' weerlegde mijn gesprekspartner kort en bondig, met een grappige houding en een snerpende stem, en hij besloot zijn woorden met een stevige slok muskadel.

Een knappe, scherpe kop, die Buvat, bedacht ik, terwijl ik een flink stuk sla afbeet. Ondanks de zachte frisheid van die krop bespeurde ik een scheut jaloezie in mijn maag: had ik maar net zo'n snelheid van geest. En als Fransman sprak hij nu niet eens zijn moedertaal. De bofferd.

'Ik moet evenwel zeggen,' stelde hij op prijs te preciseren, terwijl hij de uien opmaakte, 'dat een dergelijke vervelende gewoonte typerend is voor jullie Italianen: een volk van afgunstige vaklieden. Wat is dat nu voor barbaars gebruik? Wat is er onmenselijker dan de aartsvijand van andermans lof te zijn? Zodra onder jullie een knappe kop opstaat en naam maakt, krijgt hij meteen de kletskousen op zijn dak die hem teisteren en tegen hem tekeergaan en zijn pad bezaaien met scheldkanonnades en lasterpraatjes, zodat er van zijn waarde maar al te vaak weinig overblijft.'

Hij had vast gelijk, bedacht ik met de toegeeflijkheid die ontstaat als je honger is gestild, maar ik was er niet geheel en al zeker van dat die slechte gewoonte uitsluitend Italiaans was: had hij zich zo-even niet beklaagd over de kwellingen die hij te verduren had door de afgunst van zijn chef-bibliothecaris, die hem zonder een cent liet sterven van de honger? En had hij me niet zo-even bekend dat ze hem in Parijs nog geen regel lieten publiceren, terwijl hij in Italië literair onderdak had gevonden? Maar ik verzuimde hem daar op te wijzen: een zwakheid die alle volkeren, behalve het Italiaanse, eigen is, is nationale trots. En ik had er geen enkel belang bij om die van Jean Buvat te kwetsen, allesbehalve.

Onze picknick liep inmiddels ten einde. Ik was er niet in geslaagd Buvat iets over abt Melani te ontlokken, het gesprek was gevaarlijk genoeg juist op mijn memorie terechtgekomen: niet dat de abt het niet verdiende dat ik de diefstal aan zijn klerk bekendmaakte, maar dat zou zeker de aanzet hebben gegeven tot een reeks vragen over Atto van Buvat – die onder het spreken onvermoeibaar met zijn hand in de mand met etenswaren bleef rommelen. Inmiddels hadden we de hele maaltijd soldaat gemaakt en resteerde ons niets anders dan een paar lekkere vruchten te plukken uit de kruinen van de pruimenboom die ons zo'n aangename schaduw bood. Het was om voor de hand liggende redenen Buvat die die taak op zich nam, terwijl ik met de jute zorgvuldig de rijpe pruimen oppoetste en in de lege mand legde. Toen het gesprek vanzelf was doodgebloed, werkten we in eerbiedig stilzwijgen een flinke korf weg, uitsluitend onderbroken door de scherpe bogen van de pitten die door onze malende monden werden uitgespuwd. Het zal die ritmische pittenregen op het koele gazonnetje van de ondergroei zijn geweest, of misschien het lieflijke ruisen van het lommer in het zoele zomeravondwindje, of misschien de wilde bosaardbeitjes die we – met ons inmiddels uitgeputte lichaam op de moederlijke vochtigheid van de grond – direct met onze lippen plukten, of misschien dit alles tegelijk, enfin, hoe het ook zij, we dommelden in. En bijna in harmonie – terwijl ik Buvats geronk hoorde en bij mezelf zei dat ik hem moest wekken want hij moest naar de stad om zijn schoenen op te halen, anders was hij niet op tijd terug voor vanavond – hoorde ik een ander geluid aanzwellen en het eerdere overstemmen, en dit nieuwe klonk me veel dichterbij en vertrouwder: ik was zelf ook ingedommeld en gelukzalig aan het snurken.

Den 7den juli 1700, eerste avond

Toen we wakker werden, ging de zon inmiddels onder. Het park van Villa Spada begon tot leven te komen door de wandelingen en gesprekken van de gasten die al rondslenterend vol bewondering de toneelbouwsels bezagen die twee avonden later een waardige omlijsting van het huwelijk Rocci-Spada zouden vormen. En de echo van de stemmen bereikte ons in ons bosje.

'Eminentie, laat mij u de handen kussen.'

'Mijn beste monseigneur, wat een aangename ontmoeting!' luidde het antwoord.

'En wat een genoegen is het mij, eminentie!' zei een derde stem.

'U ook hier?' hervatte de tweede. 'Mijn dierbare markies, woorden schieten mij bijna tekort van vreugde. Maar wacht, u hebt mij niet de tijd gegeven om de markiezin te begroeten!'

'Eminentie, ik wil u ook graag de handen kussen,' echode een vrouwenstem.

Zoals ik later zonder aarzeling zou kunnen zeggen (na hen die dagen op het feest meermalen te hebben gezien), waren het kardinaal Durazzo, de bisschop van Faenza, waar hij net vandaan was gekomen, monseigneur Grimaldi, de president van de voedselvoorziening, en markies en markiezin Serlupi die deze plichtplegingen uitwisselden.

'Hoe was de reis, eminentie?'

'Ach, ach, een beetje vermoeiend, de hitte, u kunt het zich indenken. Maar godzijdank zijn we er. Ik ben alleen gekomen uit liefde voor de staatssecretaris, laat dat duidelijk zijn. Ik heb niet meer de leeftijd voor dit soort tijdverdrijf. Te warm voor een oudje als ik.'

'Het is inderdaad warm...' knikte monseigneur Grimaldi toegeeflijk.

'Het lijkt Spanje wel, dat moet heel warm en bijna gloeiend heet zijn,' zei markies Serlupi.

'O nee, in Spanje is het goed toeven, ik bewaar er goede herinneringen aan. Heel mooie herinneringen, dat verzeker ik u. O! Neemt u mij niet kwalijk, ik zag een oude vriend. Markiezin, mijn welgemeende eerbied!'

Ik zag hoe kardinaal Durazzo, gevolgd door een bediende, het amper begonnen gesprek een beetje bruusk afbrak en het drietal opzijschoof om zich naar een andere eminentie te begeven van wie ik later zou horen dat het kardinaal Barberini was.

'Nou ja zeg, die toespeling...' hoorde ik markiezin Serlupi haar gemaal verwijten.

'Welke toespeling? Ik wilde niets...'

'Ziet u markies,' zei monseigneur Grimaldi, 'Uwe Goedgunstigheid sta mij toe te verklaren dat kardinaal Durazzo voor hij de kardinaalshoed ontving nuntius was in Spanje.'

'Wel?'

'Nu schijnt het, maar, alstublieft, het zijn maar geruchten, dat Zijne Eminentie niet geheel gewaardeerd werd door de Spaanse koning en dat, maar dat is een heel zeker gerucht, de verwanten die hij had meegebracht door onbekenden zijn aangevallen, en dat een van hen aan de verwondingen is overleden. Dus, u begrijpt, met de tijd die vliegt...'

'Wat bedoelt u?'

Monseigneur Grimaldi wierp een welwillende blik op de markiezin.

'Hij bedoelt, mijn beste man,' kwam zij ongeduldig tussenbeide, 'dat Zijne Eminentie, aangezien hij tot de pauskandidaten van het aanstaande conclaaf behoort, niet graag ook maar de geringste verwijzing hoort naar de Spanjaarden, die hem voor zijn verkiezing zouden kunnen uitsluiten. Iets waar we het amper twee dagen geleden thuis nog over hebben gehad, als je je wel herinnert.'

'Ik kan me toch niet alles herinneren,' bromde markies Serlupi ongemakkelijk toen hij zijn verkeerde zet besefte tegenover een mogelijke volgende paus, terwijl zijn vrouw met een glimlach van welwillende verstandhouding afscheid nam van monseigneur Grimaldi en deze laatste al een andere gast welkom heette.

Dat was de eerste gelegenheid waarbij ik ten volle besefte welk karakter het te beginnen feest eigenlijk had. Abt Melani had gelijk. Leek alles in de villa op het eerste gezicht toegerust voor het genoegen en de afleiding van de geest van ernstiger zaken, hart en hoofd van de deelnemers waren juist gericht op wat er die dagen speelde: om te beginnen het ophanden zijnde conclaaf. Ieder gesprek, iedere zin, iedere afzonderlijke lettergreep dreigde als een scherpe priem de eminenties en de vorsten te laten opspringen van hun stoel. Ze deden wel alsof ze vermaak wilden, maar waren naar de villa van de kardinaal-staatssecretaris gekomen om ofwel hun eigen verheffing te zoeken, ofwel die van de mogendheden waarvan ze in dienst waren.

Juist op dat moment zag ik dat de gast die monseigneur Grimaldi tegemoet was gegaan niemand anders was dan kardinaal Spada zelf, die na Grimaldi naar behoren gegroet te hebben een verkenningsronde maakte in gezelschap van zijn hofmeester, don Paschatio Melchiorri.

Ondanks zijn purperen kardinaalshoed had ik Fabrizio Spada haast niet herkend, zo ontstemd leek hij; hij zag er gespannen en afwezig uit.

'En het theater? Waarom is het theater nog niet in orde?' vroeg de staatssecretaris puffend van de hitte, terwijl hij vanuit het bosje op het Zomerverblijf af liep.

'We zijn bijna op het optimale punt, eminentie, dat wil zeggen, we hebben grote vorderingen gemaakt en zijn praktisch tot een oplossing gekomen van het probleem van de...'

'Mijnheer de hofmeester, ik wil geen vorderingen, ik wil resultaten. Morgen moet het theater klaar zijn. De gasten zijn in aantocht, dat weet u toch?'

'Ja, eminentie, natuurlijk, maar in elk geval...'

'Ik kan me niet overal mee bezighouden, don Paschatio! Ik heb wel meer aan mijn hoofd!' barstte de kardinaal geërgerd en tegelijkertijd moedeloos uit.

De hofmeester knikte en maakte ten prooi aan opwinding een buiging, zonder evenwel een woord te kunnen uitbrengen.

'En de kussens? Zijn de kussens genaaid?'

'Bijna, of bijna helemaal, eminentie, enfin, het scheelt heel wei...'

'Ik begrijp het al, ze zijn niet klaar. Moet ik de bejaarde leden van het Heilige College op de kale grond laten zitten?'

Na die woorden liet kardinaal Spada, gevolgd door een stoet dienaren en knechten, de arme don Paschatio pontificaal in de steek. Deze bleef roerloos midden op het laantje staan, zich er niet van bewust dat hij door mij werd gadegeslagen toen hij zijn geheel bestofte schoenen afklopte.

'Duvekaters, mijn schoenen!' bromde Buvat, die opschrok bij de aanblik van don Paschatio's handeling. 'Die moest ik gaan ophalen.'

Maar inmiddels was het te laat om nog naar Palazzo Rospigliosi te gaan en daarom stelde ik, weer snel op de been, hem voor om met mijn hulp via binnenweggetjes naar de zolderkamer van het Zomerverblijf te sluipen, waar we vast wel een bediende bereid zouden vinden om hem een paar minder versleten schoenen te lenen.

'De schoenen van een lakei,' mopperde Buvat met iets van schaamte terwijl we in alle haast de restanten van de picknick weer in de mand deden, 'maar natuurlijk altijd beter dan de mijne.'

Toen ik de jute opgerold onder mijn arm had genomen, maakten we ons stiekem uit de voeten in de tegengestelde richting van de stemmen. We letten erop steeds aan de rand van het park te blijven, ver van de lichtjes van het feest, langs de rand van de donkere helling die naar de wijngaarden van de villa leidde. Met de schemer als medeplichtige bereikten we zonder veel problemen de dienstingang van het Zomerverblijf.

Toen Buvat tegen een schappelijke beloning een fraai paar zwarte lakschoenen met strikken aan zijn voeten had, begaven we ons naar de afspraak met Atto Melani. We hoefden niet eens te kloppen: bepruikt, bestrikt en gepoederd, gekleed in galakledij van geborduurd satijn, zijn karmijnrood glimmende wangen volgens de Franse mode bezaaid met mouches (en dan geen kleintjes, maar belachelijk grote), stond de abt ons op de drempel op te wachten, nerveus tikkend met zijn wandelstok. Ik merkte op dat hij witte kousen had aangetrokken in plaats van de gebruikelijke rode.

'Waar voor de duivel zat u, Buvat? Ik wacht al meer dan een uur! U wilt me toch niet als een plebejer alleen naar beneden laten gaan? Alle andere gasten zijn al in de tuin: leg me eens uit wat ik hier zou moeten doen? Voor het raam markies Serlupi bewonderen, die lekker staat te kletsen met kardinaal Durazzo, terwijl ik hierbinnen weg zit te rotten?'

De blik van de abt viel meteen op de flikkering die in het schijnsel van de kandelaars van de lakschoenen van zijn secretaris uitging.

'Stil. Ik wil het niet weten,' was hij hem met een zucht voor, zijn ogen ten hemel slaand, terwijl Buvat zich er ongaarne bij neerlegde om hem het gebeurde te vertellen.

Ze verwijderden zich daarom, zonder dat Melani ook maar in het minst notitie nam van mijn aanwezigheid. Terwijl Buvat mij een droef teken ten afscheid gaf, draaide Atto zich zonder stil te staan om en beduidde me hem te volgen:

'Jongen, ogen openhouden: kardinaal Spada is staatssecretaris, en als er iets belangrijks gaande is, weet ik zeker dat je het zult aanvoelen. We zijn in elk geval niet geïnteresseerd in zijn ruzies met de hofmeester.'

'Eigenlijk heb ik u nooit beloofd om voor u te spioneren.'

'Je hoeft helegaar niet te spioneren: dat zou je niet eens kunnen. Je moet alleen je ogen, oren en hersens laten werken. Om de wereld te kennen is dat meer dan genoeg. Dat is al: morgenochtend voor dag en dauw bij mij.'

Wat had de abt een haast, merkte ik op, om deel te nemen aan de gesprekken met de andere illustere gasten van de Spada's: en zeker niet uit zucht naar vertier... Hoe dan ook was het duidelijk dat hij vanuit het raam ook de uitbrander had meegemaakt die kardinaal Fabrizio aan don Paschatio had uitgedeeld, hij had dus ook de opmerkelijke staat van bezorgdheid van de staatssecretaris gezien: daarom had hij mij misschien dat laatste advies gegeven: ogen goed openhouden bij de heer des huizes.

Voor die nacht, bedacht ik, was het beter om in het Zomerverblijf te blijven, aangezien ik de volgende dag op zo'n vroeg tijdstip de afspraak met Atto had. Bovendien was mijn Cloridia er ook niet. Het was voor mij een van de ergste kwellingen om in ons lege bed te slapen. Dus kon ik maar beter in mijn geïmproviseerde bedje kruipen dat in de grote personeelsruimte op zolder op mij wachtte.

Op weg naar beneden om de hofmeester vóór de korte avondmaaltijd mijn laatste diensten aan te bieden herinnerde ik mij dat ik mijn tuinschort met tuinspullen op Atto's kamer had laten liggen. De abt zou het mij niet kwalijk nemen, bedacht ik, als ik even bij hem binnenging om die op te halen. Van een van de kameradjudanten kreeg ik toestemming om de sleutels van Melani's appartement te pakken. Ik behoorde inmiddels allang tot het personeel van de villa, al was ik niet in vaste dienst, en ze vertrouwden me blindelings.

Toen ik binnen was en de schort weer had, wilde ik net weer weggaan toen mijn oog op Atto's schrijftafel viel: een aardig bergje vochtopnemende stof en wat verderop twee gebroken ganzenveren. De abt moest tijdens onze afwezigheid die middag veel geschreven hebben en ook met veel opwinding: alleen een gejaagde hand kon wel twee keer de pen breken. Had dat te maken met de brief die hij had gekregen en die hem zo had verontrust?

Ik keek even uit het raam. Abt Melani en Buvat liepen op een van de tuinpaden. Ik verloor hen bijna uit het oog toen ik me herinnerde zo-even op Atto's kamer een instrument te hebben gezien, zonder het echt met zekerheid te hebben herkend. Ik keek even om me heen: waar had ik het gezien? Op het ontbijtstoeltje, ziedaar. Ik had me niet vergist. Het was een kijker. Hoewel ik er nooit een in mijn handen had gehad, wist ik hoe ze eruitzagen en hoe ze werkten, aangezien het van de beroemde Vanvitelli bekend was dat hij dergelijke instrumenten gebruikte om zijn befaamde schitterende stadsgezichten scherp te stellen.

Ik nam de kijker dus ter hand en bracht hem onmiddellijk naar mijn gezicht, mijn blik op de inmiddels verre gestalten van Atto en zijn secretaris richtend. Ik was verbaasd en verrukt door de wonderbaarlijke kracht van het werktuig dat verre dingen zo dichtbij en minuscule dingen zo groot kon maken, net zoals, om pater Tesauro te citeren, scherpzinnigheid saaie dingen interessant en treurige vrolijk kan maken. Rood aangelopen van opwinding en met mijn nog weerspannige ooglid tegen het harde metaal van het apparaat kreeg ik eerst per vergissing het blauw van de hemel en vervolgens het groen van de vegetatie in het zicht, waardoor ik me haast adelaar onder de mensen en roofvogel onder de zoogdieren voelde, maar ten slotte wist ik de krachtige blik in de juiste richting te krijgen.

Ik zag Atto stil blijven staan en diepe buigingen maken voor een paar kardinalen, vervolgens voor een edelvrouwe die was vergezeld van twee jongedames. Buvat, die al een glas van zijn geliefde wijn in de hand hield, struikelde over een houten plank en het scheelde weinig of hij had de dame ondergeknoeid; Melani putte zich tegenover de drie dames uit in verontschuldigingen en voer prompt discreet maar scherp uit tegen Buvat, terwijl de laatste, het glas terzijde, onhandig de aarde van zijn zwarte kousen sloeg. Vooruitkomen op de lanen was overigens niet eenvoudig; rondom bleef het bekende drukke bedrijf gaande van lakeien, bedienden en werkpaarden die in de weg stonden en nog niet de materialen en andere spullen hadden weggehaald voor de aanleg van het theater, de tijdelijke bouwsels, de tafel in de openlucht, alsmede de tuinierswerkzaamheden en de beregeningsinstallaties.

Zodra ik Atto en Buvat een ander stel heren zag ontmoeten en begroeten, nam ik een besluit. De goede gelegenheid was daar. Nu de Franse wolf in het hol van de Spaanse schaapjes was binnengedrongen, had ik de gelegenheid om in het hol van de wolf te spioneren.

Eigenlijk schaamde ik me een beetje voor mijn plan. De abt had me in dienst genomen en betaalde daar riant voor. Daarom kende ik enige aarzeling. Maar, zei ik toen bij mezelf, misschien kan ik van groter nut zijn als ik de eisen van mijn tijdelijke baas beter ken: met inbegrip van die welke hij me om onbekende redenen nog niet had onthuld.

Ik begon daarom omzichtig het onderkomen te verkennen op zoek naar brieven, of waarschijnlijker *een* brief die de abt met veel hartstocht in onze afwezigheid moest hebben geschreven. Ik wist zeker dat hij hem nog niet had laten versturen: Buvat, die zoals de abt me had verteld, zijn brievenkopiist was, was te laat teruggekomen om er volgens het algemene gebruik onder hoge heren een kopie van te maken voor Atto's archief. Het bewijs daarvoor was dat ik op de schrijftafel geen sporen aantrof van druppels zegellak, en dat de tafelkaars (waarboven Atto de zegellak had moeten smelten om de brief te verzegelen) nog op lengte was.

Ik zocht tevergeefs. In Atto's koffer en tussen de spullen in de twee kasten die zijn appartement rijk was, bleek op het eerste gezicht geen spoor van brieven te bekennen. Naast een landkaart en het manuscript van enkele cantates ontdekte ik een stapeltje knipsels. Het was een geheel van Berichten en Vlugschriften uit couranten, dicht beschreven en van aantekeningen voorzien door de abt. Ze gingen vooral over gebeurtenissen in verband met het Heilige Kardinaalscollege, en sommige aantekeningen van Atto deden zelfs denken aan voorvallen van lang geleden. Het was in wezen een geheel van roddels over de betrekkingen tussen de verschillende eminenties, hun rivaliteit, het beentje lichten ten tijde van een conclaaf, enzovoort. Ik vermaakte me wel bij het doorlopen ervan, al moest dat ook snel gebeuren.

Achtervolgd door de weinige tijd ging ik weldra over op meer. Ik opende een laatje met geneesmiddelen dat echter alleen zalven en smeersels, een pruikenparfum en een flesje *eau de la reine d'Hongrie* bevatte; vervolgens een tweede laatje met een spiegel, een gesp, veters met metalen uiteinden, een ceintuur en twee wijzerplaten van horloges. Ik vond niemendal. Met een hevige schok vond ik, toen ik een wollen lap afwikkelde, een pistool. Met welke bedoelingen was Atto naar Villa Spada gekomen? Je gaat nooit gewapend naar een huwelijk, bedacht ik. Zeventien jaar geleden had hij om van onze tegenstanders gelijk te krijgen een pijp laten doorgaan voor een pistool, waarbij hij de vijand volmaakt om de tuin wist te leiden. Maar als hij besloten had op reis een wapen te dragen, moest hij nu echt bang zijn voor zijn veiligheid, zei ik bij mezelf.

Na een blik op schoenen en laarsjes begon ik node in de kleren te snuffelen: zoals gewoonlijk had de abt wel voor tien jaar genoeg bij zich. Ik liep voorzichtig langs de lange rij jassen, kragen, roupilles, hongrelines, Brandenburger kazakken, kappen en kapjes, sjerpen en jabots in Venetië-steek met bladermotief, een bohemer, broeken, manchetten, pelerinemantels en hele kousen. Mijn ruwe handen streken over kostbare zijde, glanzend satijn, dunne serge, gemsleer, amberkleurig leer, damast, tabijn, zijden ottoman, gestreept linnen, armoisins met een dessin of op zijn Florentijns, ferrandines, bombazijn, glad of harig voerkatoen, geglaceerd of gestreept satijn in plooien of gladvallend, Milanese satijn en Genuese zijde. Mijn ogen bewogen zich tussen de verfijndste kleuren, van muizen, parels, vuur, mos, verwelkte rozen, tot die van karmozijn, roet, duiven, jujubes, as, paarlemoer, taan, melk, changeant en *gris castor* en tot geplet zilver en goud.

Te midden van die weelderige kleding viel de grijslinnen soutane waarin abt Melani na al die jaren van stilzwijgen weer voor mijn oog was verschenen nogal uit de toon. Tot mijn verrassing zag ik dat verder niets in die rijke garderobe uit de mode was, allesbehalve.

Weldra begreep ik het: Atto had die soutane opzettelijk voor mij gedragen, opdat zich niet de eeuwige verandering van de mode zou voegen bij de langzame tand des tijds op gezichten, zodat zijn gelaat van tegenwoordig zoveel mogelijk met mijn herinnering overeen zou stemmen. Kortom, hij wist hoezeer ik om hem had getreurd en wilde indruk maken.

Nog onzeker of ik daar dankbaar of rancuneus om moest zijn (het hing er maar van af hoe je het wilde bekijken), onderzocht ik de soutane die, dat geef ik toe, niet zonder kostbare, verre jeugdherinneringen was.

Op de borst voelde ik iets waarvan ik in eerste instantie dacht dat het een sieraad was. Maar het was aan de binnenkant opgespeld. Ik keerde de soutane dus binnenstebuiten en ontdekte niet zonder verbazing een kleine scapulier van Onze-Lieve-Vrouwe van de Karmel, het wonderbaarlijke kleedje waarmee de heilige Maagd de drager beloofde hem de gevraagde gunst te bewijzen om hem de eerste zaterdag na zijn dood te bevrijden uit de pijnen van het vagevuur. Wat de aandacht van mijn vingers had getrokken waren echter drie kleine bobbeltjes: in een op de scapulier genaaid zakje, precies ter hoogte van het hart, zaten drie pareltjes.

Ik herkende ze meteen: het waren de drie margarieten, de drie Venetiaanse parels die zo'n rol hadden gespeeld in het laatste onstuimige onderhoud tussen Atto en mij, zeventien jaar geleden in herberg De Schildknaap, voordat we elkaar uit het oog verloren.

Pas nu begreep ik dat Atto ze liefdevol had opgeraapt van de vloer waar ik ze in woede op had gesmeten, en had bewaard. En al die jaren had hij ze op zijn hart gedragen, misschien in een stil gebed tot de heilige Maagd...

Ik bedacht steels dat Atto de scapulier met mijn pareltjes niet elke dag kon hebben gedragen, want nu was hij hem vergeten, opgehangen aan de soutane in de kast. Maar het was anderzijds ook zo dat hij me nu had teruggevonden en zich misschien van zijn gelofte ontslagen achtte.

Ach, aap van een abt, protesteerde ik bij mezelf, terwijl ik toegaf aan de ontroering dat ik hem zo dierbaar was: ondanks al het oud zeer hield ik ook zielsveel van hem, het was zinloos dat nu te ontkennen. En als mijn sentiment – waarmee ik bijna twee decennia lang in spanning had geleefd – zelfs na zijn meest recente dwalingen niet over was, wel, dan zou ik mij misschien mijns ondanks moeten neerleggen bij die liefde.

Ik maakte mezelf scherpe verwijten dat ik hem had willen bespioneren, maar terwijl ik vol schaamte weg wilde gaan, bleef ik aarzelend op de drempel staan: ik was geen kind meer, gevoelsaandoeningen stonden mijn verstand niet meer in de weg. En mijn verstand fluisterde me nu in dat Atto in elk geval bar weinig te vertrouwen was.

Zo veranderde mijn stemming opnieuw. Had ik alleen voor mezelf moeten instaan, begon ik te redeneren, dan had ik het privé-leven van de abt nooit durven schenden. Maar Atto's diepe genegenheid voor mij, evenals de mijne voor hem, hoefde me niet te verhullen dat er achter de opdracht die ik had aanvaard, dat wil zeggen het dagboek van zijn doen en laten van die dagen opstellen, waarschijnlijk (ik wist het wel zeker) allerlei gevaren en hinderlagen schuil konden gaan. En als iemand hem ervan zou beschuldigen dat hij in Rome kwam spioneren om het verloop van het toekomstige conclaaf te bezoedelen? Iets wat trouwens niet ver weg lag, aangezien hij zelf niet onder stoelen of banken had gestoken in het zicht van de verkiezing van de volgende paus de belangen te willen behartigen van de allerchristelijkste koning van Frankrijk. Misschien zouden zelfs mijn baas en zijn van niets wetende gastheer kardinaal Spada er de dupe van zijn. Het was dus niet alleen mijn recht, concludeerde ik, maar ook mijn plicht, mede tegenover mijn geliefde gezin, om te weten welke en hoeveel gevaren ik tegemoet ging.

Toen mijn gewetensbezwaren zo tot zwijgen waren gebracht, ging ik dus weer op onderzoek uit. Een nadere inspectie onder en achter het bed, boven op de kasten, onder de kussens van de fauteuils en de kleine sofa van brocatel versierd met gouden veren leidde niet tot resultaten. Achter de schilderijen, niets: het leek ook niet dat iemand ze had losgemaakt om iets tussen het doek en de lijst te verbergen. Nadere onderzoeken in de resterende krochten van de ruimte leverden op hun beurt niets op. De weinige persoonlijke bezittingen van

Buvat in het bescheiden kamertje ernaast, verhulden nog minder.

Niettemin wist ik het: Atto reisde, zoals ik nog van onze eerste ontmoeting wist, met een flinke hoeveelheid papieren. De tijden waren veranderd, en ikzelf ook. Maar Atto niet: tenminste niet in de gewoonten die voortkwamen uit zijn aard van onstuimige intrigant. Om te kunnen handelen moest hij weten. Om te weten moest hij zich herinneren; en daartoe dienden de brieven, de memoires, de aantekeningen die hij bij zich had, het reizende archief van een heel spionnenleven.

En toen, toen ik de zinloze excercitie van ogen en vingertoppen op zoek naar verborgen papieren onderbrak en in plaats daarvan mijn herinnering de ruimte gaf, kreeg ik het lumineuze idee. Een reminiscentie aan zeventien jaar geleden. Een vage, maar nog levendige herinnering aan de nacht toen Atto en ik de sleutel van het mysterie hadden opgespoord dat ons gevangen hield. Die bestond uit papieren, en we hadden ze gevonden op de plaats waar intuïtie en logica (en goede smaak) iemand aanvankelijk niet zouden leiden: een vuile onderbroek.

'Je hebt me onderschat, abt Melani,' fluisterde ik bij mezelf, terwijl ik voor de tweede keer de mand met vuile kleren openmaakte en er niet meer tussen rommelde maar erin. 'Bepaald onvoorzichtig van je, signor Atto,' zei ik met een voldaan lachje, en terwijl ik de voering van een onderbroek afging, voelde ik onder mijn vingers een bundel papieren kraken. Ik pakte de onderbroek; de voering was niet genaaid, maar met een serie minuscule haakjes aan het kledingstuk vastgemaakt. Als de haakjes open waren, kon je met je handen in de tussenruimte tussen twee lagen stof. Zo vond ik op de tast met mijn vingertoppen een plat, breed voorwerp. Ik haalde het eruit. Het was een perkamenten hoes die met een lintje was dichtgeknoopt. Hij was zo gemaakt dat er enkele papieren in konden, en wel alleen als ze zo plat waren als een platvis. In stille triomf draaide ik het rond tussen mijn vingers.

Er was niet zo heel veel tijd. Atto was er vast op uit om zowel de villa te verkennen als de andere gasten te ontmoeten die net als hij eerder naar het huwelijksfeest waren gekomen. Het minste of geringste kon zich voordoen om naar zijn vertrekken te gaan, en dan zou de abt me kunnen betrappen. Ik was een spion aan het bespioneren: ik moest snel zijn.

Ik maakte het strikje los. Voor ik hem opensloeg, zag ik op de voorkant van de hoes onderaan een minuscuul opschrift staan, zo moeilijk te onderscheiden dat het bestemd leek om alleen te worden opgespoord door het oog dat het al kende:

Opvolging van Spanje – Maria

Ik maakte het bundeltje open. Een reeks brieven, allemaal aan Melani gericht; maar allemaal zonder afzender. Een onrustig, onregelmatig handschrift dat niet in staat leek alle emoties te beteugelen, deed zich aan mijn ogen voor. De regels legden zich zogezegd niet neer bij de kantlijn van het vel; de toevoegingen die de schrijvende hand bij enkele zinnen had gezet zaten op naburige regels gepropt. Afgezien daarvan leek het handschrift ontegenzeggelijk toe te behoren aan een vrouw. Het leek onmiskenbaar om die mysterieuze Maria te gaan: dezelfde naam die ik Atto had horen verzuchten.

Wat daarentegen de opvolging van Spanje was zou ik weldra heel precies uit die papieren vernemen. De eerste brief, waarvan je aanvoelde dat hij bewust onduidelijk was om niet de identiteit van de afzender te onthullen noch berichten die vreemde ogen gretig zouden lezen, begon ongeveer met de volgende strekking:

Mijn dierbare vriend,

Hier ben ik dan aangekomen in de buurt van Rome. Een en ander verloopt haastig. Ik heb tijdens een reisonderbreking iets vernomen wat U reeds zult weten: een paar dagen geleden heeft de Spaanse ambassadeur, hertog d'Uzeda, een dubbele audiëntie bij de paus gekregen. De volgende dag heeft hij zich bij de Heilige Vader aangediend om hem te bedanken voor de toekenning van de kardinaalshoed aan zijn landgenoot monseigneur Borgia. Uzeda heeft via een speciale koerier een dringend bericht uit Madrid gekregen dat voor de hertog aanleiding was opnieuw door Zijne Heiligheid te worden gehoord. Hij heeft hem een brief van de Spaanse koning overhandigd met daarin een smeekbede. El Rey vraagt Innocentius XII om bemiddeling omtrent de opvolgingskwestie!

Dezelfde dag zag men hoe de staatssecretaris en onze gemeenschappelijke vriend kardinaal Fabrizio Spada zich naar hertog d'Uzeda begaven in de ambassade aan de Piazza di Spagna. De kwestie moet op een keerpunt zijn.

Omdat ik gewoonlijk geen couranten lees, was het onderwerp van de Spaanse opvolging mij maar vagelijk bekend. De geheimzinnige afzender echter leek zeer goed op de hoogte.

Ik stel me voor dat heel Rome erover praat. Onze jonge katholieke koning van Spanje Karel II *ligt op sterven zonder kinderen. El Rey gaat heen, mijn vriend, steeds meer vervagen de voetsporen van zijn korte en smartelijke doortocht op deze aarde: alleen weet niemand naar wie zijn uitgestrekte koninkrijk zal gaan.*

Ik herinnerde me dat Spanje Castilië behelsde, Aragon en de overzeese bezittingen, de koloniën, verder had je ook nog Napels en Sicilië. Kortom: een hoop grondgebied.

Zullen wij allen opgewassen zijn tegen de zware taak die ons wacht? Ach, Silvio, Silvio! Uw lot vond ge rijp in een zeer bittere zomer. Maar opgepast! Wie het verstand onrijp gebruikt, heeft altijd een rijpe vrucht van onwetendheid.

Ik stond er nogal van te kijken: waarom werd Atto in de brief met de naam Silvio aangesproken? En wat mochten die uitdrukkingen betekenen die abt Melani leken te beschuldigen van onwetendheid en onrijpheid van geest?

De brief eindigde verder met een even cryptische kanttekening:

Zeg tegen Lidio dat ik hem nog niet vertel wat hij mij heeft gevraagd. Hij weet wel waarom.

Ik ging verder met lezen. Aan de brief zat een soort aanhangsel vast, een beknopt maar nauwkeurig verslag:

SAMENVATTING VAN DE HUIDIGE STAND VAN ZAKEN

Het bevatte een mengeling van informatie en recapituleerde in wezen de moeizame weg van de Spaanse troonopvolging de laatste tijd.

Spanje is in verval en niemand denkt tegenwoordig aan de katholieke koning met dezelfde terechte angst als waarmee hij zijn geest richt op de allerchristelijkste koning van Frankrijk, Lodewijk XIV, *de eerstgeboren zoon van de Kerk. Maar de vorst van Spanje is bij de gratie Gods koning van Castilië, Aragon, Toledo, Galicië, Sevilla, Granada, Cordoba, Nursia, Jaén, Algarvië en Algeciras, Gibraltar, de Canarische Eilanden, Indië, alsmede de Eilanden en het Vasteland van de Oceaan, het Noorden, het Zuiden, de Filippijnen, en alle andere Eilanden of ontdekte of nog te ontdekken Landstreken. En door de kroon van Aragon zal de opvolger op de troon komen van Valencia, Catalonië, Napels, Sicilië, Majorca, Minorca en Sardinië. En daarbij komen tevens de Staat van Milaan, het Hertogdom Brabant, Limburg, Luxemburg, Gelre, Vlaanderen en alle andere Landstreken die in de Nederlanden toebehoren of kunnen toebehoren aan* el Rey. *Wie op de troon van Spanje komt zal waarachtig heer en meester van de Wereld zijn.*

De koning van Spanje dus, *el Rey*, zoals hij door de geheimzinnige afzender werd genoemd, lag op sterven zonder directe nakomelingschap, en dat maakte het tot een moeilijk probleem wie de erfgenaam zou zijn van al die enorme bezittingen her en der over de wereld, waardoor de Spaanse kroon het grootste koninkrijk op aarde is. Tot voor kort, zoals ik uit het vervolg van de brief vernam, was er wel een opvolger voor de Spaanse troon aangewezen: de jonge keurvorst van Beieren, Jozef Ferdinand, die qua verwantschap zonder meer het meeste recht had op de Spaanse troon. Maar meer dan een jaar geleden was Jozef Ferdinand plotseling gestorven. Zijn dood was onverwacht en kende vele gevolgen want aan de hoven van half Europa was meteen het vermoeden van vergiftiging gerezen.

Nu waren er nog twee mogelijkheden over: de stervende koning van Spanje, Karel II, zou een neef van de Franse koning, Lodewijk XIV, kunnen benoemen; of een onderdaan van de keizer van Oostenrijk, Leopold I.

De twee oplossingen waren echter beide vol risico's en onzekerheden. In het eerste geval zou Frankrijk, dat de meest gevreesde Europese militaire mogendheid was, ook de grootste monarchie van Europa en de wereld worden, wanneer het daadwerkelijk de bezittingen van de Spaanse kroon bij de eigen overzeese gebieden zou voegen.

In het tweede geval echter, dat wil zeggen als Karel een onderdaan van Wenen benoemde, zou het Keizerrijk herrijzen dat alleen de roemruchte Karel V in staat was onder zich te verenigen: van Wenen tot Madrid, van Milaan tot Sicilië, van Napels tot aan het verre Amerika.

Deze tweede mogelijkheid was de waarschijnlijkste, omdat Karel II van

Spanje een Habsburger was, evenals Leopold van Oostenrijk.

Tot op dat moment, verklaarde de brief bovendien, was Frankrijk erin geslaagd het evenwicht met zijn vijanden (zeg maar bijna alle andere Europese staten) te handhaven. De vrede met Spanje duurde al een aardige tijd. En met de vijanden Engeland en Holland was een verdrag gesloten om in de toekomst de enorme Spaanse bezittingen te verdelen, aangezien al lang was geconstateerd dat Karel II niet in staat was kinderen te verwekken.

Toen echter het verdrag van verdeling ongeveer een maand geleden openbaar was gemaakt, waren de Spanjaarden razend geworden: de Spaanse koning mocht niet accepteren dat de andere staten de verdeling van zijn rijk voorbereidden zoals de centurio's deden met de klederen van Onze-Lieve-Heer aan het kruis.

Het verslag besloot aldus:

Als el Rey nu overlijdt, dreigt de situatie uit de hand te lopen. Het is te gevaarlijk geworden om het verdelingsverdrag toe te passen. Anderzijds is het voor Frankrijk onaanvaardbaar om uiteindelijk omringd te worden door het keizerrijk van Wenen. Evenmin kunnen de anderen, van keizer Leopold I tot de koning van Engeland en de Hollandse ketter Willem van Oranje, het toestaan dat Frankrijk Spanje in één hap verslindt.

Ik las verder een kanttekening:

Ik weet dat u mij voor vandaag verwachtte, maar enkele onvoorziene zaken dwingen mij om althans voor even het moment waarop wij elkander eindelijk weer kunnen omhelzen uit te stellen. Verwacht mij morgen, kort na de vesper. Duid het mij niet euvel.

Het volgende papier was in een ander handschrift: het was Atto's antwoord, waar ik zo lang naar had gezocht. Zoals ik al dacht, was het nog niet verzegeld, eerst moest Buvat er nog een kopie van makeen voor het archief van de abt:

Genadige vrouwe,

Zoals U wel weet zijn de ambassadeurs van alle mogendheden en hun heren de vorsten deze maanden in alle staten vanwege de Spaanse troonopvolging. Alle oren en ogen liggen voortdurend op de loer, belust op nieuwtjes en geheimen die ze andere mogendheden wellicht kunnen ontfutselen. Alles draait om de ambassadeurs van Spanje, Frankrijk en het Keizerrijk; oftewel Penelope en de twee vrijers. Alle drie de rijken wachten op de mening van de paus omtrent de troonopvolging: Frankrijk of het Keizerrijk? Wat zal het advies van Zijne Heiligheid aan de katholieke koning zijn? De hertog van Anjou kiezen of liever aartshertog Karel?

Nu was het mij duidelijk: in Rome zou over het lot van het Spaanse Imperium besloten worden. Kennelijk waren alle drie de mogendheden bereid om zich aan het oordeel van de Heilige Vader te onderwerpen.

De brief van de edelvrouwe had het eigenlijk over een bemiddeling door de paus, niet over een mening van hem.

Hier in Rome is de lucht zwanger van talloze turbulentiën. Om alles nog ingewikkelder te maken komt daar bij, zoals u weet, het feit dat de drie ambassadeurs van de grootste mogendheden, Spanje, Frankrijk en het Keizerrijk, allemaal nieuw zijn. Een halfjaar geleden is graaf Leopold Jozef von Lamberg aangekomen, de ambassadeur van Zijne Keizerlijke Majesteit Leopold I van Habsburg, de Keizer van het Heilige Roomse Rijk.

Hertog d'Uzeda, een Spanjaard met een fijnzinnig verstand, is ongeveer een jaar geleden aangekomen.

Hetzelfde zij gezegd van de Franse diplomatieke vertegenwoordiger, Louis Grimaldi, hertog de Valentinois en prins van Monaco, een grote herrieschopper die vooral brokken maakt en al met half Rome ruzie heeft gemaakt over stupide etikettekwesties. Zodat Zijne Majesteit hem aan zijn oor heeft moeten trekken en hem eraan heeft moeten herinneren vooral vruchtbare betrekkingen te onderhouden met het gastland.

Die man zal maar weinig tot stand kunnen brengen voor Frankrijk. Gelukkig hoeft de allerchristelijkste koning zich niet alleen op hem te verlaten.

Maar laten we het over ons hebben. Ik hoop dat U in volmaakte gezondheid verkeert, nu en voorgoed. Helaas kan ik dat over mijzelf niet zeggen. Bij mijn aankomst vandaag in Villa Spada is mij een wonderlijk ongeval overkomen: ik ben door een onbekende in mijn rechterarm gestoken.

En daar weidde de abt, in werkelijkheid een beetje overdrijvend, uit over het bloed op zijn witte overhemd, over de operaties van de chirurgijn die hij heldhaftig zou hebben doorstaan, en zo voort en zo verder in een steeds opklimmende lijn van heftigheid.

Ai, wrede punt die mij doorboorde! Welk een leed! Zodra ik mij staande kan houden, ocharm! op deze gekwetste heup. Deert mij nog de snijdende pijn.

Wilde Atto indruk maken op die Maria? De toon van de brief leek bijna een verleidingsplan te verhullen.

Abt Melani schreef verder dat hij, Atto, hoewel de in de villa aangestelde smeris er zeker van was dat het om niet meer dan een bedelaar ging, vreesde niet zozeer het slachtoffer van het toeval te zijn geweest, als wel het mikpunt van een aanslag die door het vijandige kamp was beraamd, en daarom overwoog hij ambassadeur Von Lamberg om een vertrouwelijk onderhoud te vragen, zodra deze – eveneens uitgenodigd voor het huwelijk van de neef van kardinaal Fabrizio – in Villa Spada was aangekomen.

Maar, mijn vriendin, ik zal de verwonding koesteren doch niet de krenking, want wraak heeft nimmer een wond genezen.

Die onthullingen verbaasden mij. Ik had Atto's scepsis wel opgemerkt toen ik hem van het gesprek met Sfasciamonti had verteld; maar nu ontdekte ik dat hij welomlijnde vermoedens had. Waarom had hij daar niet van gerept? Buvat moest hij wel kunnen vertrouwen: die liet hij al zijn brieven kopiëren. Vertrouwde hij mij soms niet? Die laatste mogelijkheid was evenwel zeer onwaarschijnlijk: hij had me betaald om in die dagen zijn chroniqueur te zijn. Anderzijds, wierp ik zelf tegen, met abt Melani wist je het nooit...

De brief eindigde op een aanstellerige toon, zoals ik me bij Atto Melani moeilijk kon voorstellen:

U weet niet welk een bitter lijden het mij heeft toegebracht te lezen dat U nog voor de poorten van Rome zult worden opgehouden.

O, wrede ziel! Als U ook op mij Uw pijlen afschiet, schiet U Uw pijlen af op wat Uwer is, en verwondt U het doelwit dat Uw pijl toebehoort. Uw brief heeft de stijl Uwer fraaien ogen nagevolgd om te verwonden.

Mijn arm is weer gaan bloeden en zal dat blijven doen, todat ik het genoegen en de eer heb de Uwe te ondersteunen. Haast U derhalve naar Villa Spada en naar mij, mijn innig geliefde vriendin, anders zult U mij op Uw geweten hebben.

Na de onverdraaglijke klefheid van die regels las ik vervolgens een kanttekening:

Ook nu dus vindt u het geluk van Lidio niets waard?

Daar had je die Lidio weer. Ik vroeg me niet eens af wie die onbekende met die gekke naam was: ik had maar weinig mogelijkheden om iets te ontrafelen als ik er niet eerst achter kwam wie de geheimzinnige correspondente van abt Melani was.

Dus, vatte ik bij mezelf samen, die Maria werd eveneens onder de gasten van Villa Spada verwacht. En ze was te laat: dat verklaarde de bezorgdheid die op abt Melani's gelaat was verschenen toen hij haar brief las.

Ik bedacht dat het een adellijke dame van middelbare leeftijd moest zijn, aangezien Atto zich tot haar richtte als tot een oude vriendin. In de twee brieven werd bovendien geen enkele zinspeling gemaakt op haar gezin: het leek of ze alleen op reis was. Het moest bepaald een personage van groot gewicht zijn, niet alleen van hoge status, bedacht ik, als men het had aangedurfd haar alleen uit te nodigen voor het huwelijk: eenzame adellijke dames op leeftijd, of ze nu weduwen of anderszins zijn, sluiten zich gewoonlijk op in het isolement van het gebed, zo niet regelrecht in het klooster. Ze trekken zich terug uit de samenleving en behalve voor godvruchtige werken durft niemand hen nog lastig te vallen. En het leek eveneens een waarachtig opvallend temperament, die dame, om op de uitnodiging in te gaan!

Bij mij rees het verlangen om haar te leren kennen dan wel te weten wie ze was. Ik wierp een snelle blik op de andere brieven uit de hoes: ze waren van haar en gingen over de aangelegenheden van Spanje. Ze moest Spaanse zijn. Of een Italiaanse (omdat ze zo goed in mijn taal schreef) die daar woonde of er minstens grote belangen had. Helaas was het geheim van de identiteit van de afzender in alle epistels goed bewaard gebleven. Ik zou dus gelaten haar komst naar de villa, wie weet wanneer, moeten afwachten. Of Buvat discreet moeten uithoren.

Ik stelde het lezen van de resterende brieven uit tot een andere keer: nu had ik haast al te veel gebruikgemaakt van de afwezigheid van de abt en zijn secretaris. Ik kon niet verder riskeren te worden gesnapt.

Zoals ik vóór mijn bliksemactie in Atto's vertrekken van plan was, ging ik vervolgens naar beneden om iets voor het avondeten bij elkaar te scharrelen en me dan ter beschikking van de hofmeester te stellen.

Nadat ik de sleutels van het appartement van de abt weer had teruggelegd, maakte ik me op om de keukens in te gaan toen ik de koetsier die in het pauselijk paleis aan kardinaal Fabrizio was toegevoegd hoogrood en buiten adem naar buiten zag lopen. Aan een Venetiaanse melkverkoopster die regelmatig de villa aandeed en net aanstalten maakte om weg te gaan, vroeg ik of er toevallig iets was gebeurd.

'Welnee, niks. Kardinoal Spoadoa heb deze doagen altijd een ontiegelijke hoast, want op het pauselijk paleis is het schijnboar een drukte van belang. En het mot wel iets lekker belangrijks weze dat hem zo veel kopzorge geef, joa: zijne eminensie is de hele tijd in een pesthumeur en de koetsier is bekant uit z'n vel gespronge door al dat op en neer rijde van de boas van een ambassadeur naar een kardinoal en omgekeerd, vanwege iets over een pauselijk breve, of weet ik veel, en door zijn kregeligheid.'

Ik was verbijsterd. De macht der vrouwen: die bescheiden melkverkoopster had aan de paar minuten van haar gebruikelijke verblijf in de keukens van de villa genoeg gehad om zich op de hoogte te stellen van iets waar ik een hele dag voor nodig zou hebben gehad plus veel geluk om ergens achter te kunnen komen. Dat had ik beseft sinds mijn Cloridia een van de meest gerespecteerde en gevraagde vroedvrouwen was geworden van de Romeinse adellijke dames (en hun dienstmeiden): met al het nieuws dat zij dagelijks thuisbracht zou ik regelmatig een courant kunnen vullen.

'Ach, en de groete aan mevrouw uw echtgenote en een kus voor de meskes,' vervolgde de melkverkoopster, alsof ze mijn gedachte had gelezen. 'U weet: de zwangerschap van mijn zus loop op rolletjes sinds Cloridia die smeerpijp van een zwoager van me tot rede heb gebracht. Uw vrouw is echt geweldig, weet u dat?'

Ik wist wel dat Cloridia inmiddels niet alleen een vroedvrouw maar ook een echte vertrouwenspersoon was: een gezaghebbende, hulpvaardige raadgeefster, bij wie de vrouwen, al dan niet van het volk, hun toevlucht zochten om licht en bijstand te krijgen in de meest intieme, gevoelige zaken.

Van de man die tijdens de zwangerschap van zijn vrouw moest worden opgevoed tot het te spenen kindje: voor elk had mijn bruid een glimlach en een goed woord. Ze was zo kundig dat ze soms zelfs door de befaamde arts en chirurgijn Baiocco te hulp werd geroepen bij bevallingen tussen de eeuwenoude muren van het hospitaal Fatebenefratelli op het Tibereiland. Vriendelijk, vrolijk, charmant, geestig, dapper sprak Cloridia de zwangere vrouwen altijd moed in door te beloven dat ze zeker zonder veel pijn zouden bevallen en dat zij dat wist door allerlei signalen waarvan ze zwoer die ook bij andere vrouwen te hebben gezien. Hetgeen, hoezeer het ook een leugen was, zelfs door Plato in de *Staat* werd aanbevolen om de zieken te troosten.

Kortom, na vijftien jaar ervaring als vroedvrouw werd Cloridia door haar vrouwen als een familierechter beschouwd.

Na het afscheid van de melkverkoopster zocht ik een plek aan een hoekje van de tafel waar het personeel het avondmaal aan het verslinden was. Terwijl ik zwijgend mijn eten verorberde, overpeinsde ik toevallig Atto's woorden: om de wereld te leren kennen hoef je alleen maar je ogen, oren en hersens te laten werken. Was dat soms ook niet wat mijn Cloridia deed? Maar mij lukte het niet en ik was het me volkomen bewust: daarin was ik geen stap vooruitgegaan sinds ik, onschuldig en jong, als knechtje in herberg De Schildknaap werkte. Toen speelde mijn onervarenheid me parten, nu werd ik – integendeel – geremd door de te veel opgedane ervaring, waardoor ik me met afkeer van de lage dagelijkse strijd van de mensen had teruggetrokken.

Misschien had mijn vrouw gelijk dat ze me verweet een nieuwe Cincinnatus te zijn. Het was waar: gebogen over de hak of zondags boven mijn boeken zag ik niet, voelde ik niet, stelde ik nooit vragen. Zelfs met de buren had ik zorgvuldig geen vriendschapsbanden aangeknoopt, en hooguit kennisgemaakt. Zodat ik, als ik toevallig een bericht opving en het 's avonds thuis aan Cloridia vertelde, steevast het antwoord kreeg: 'En verbaast je dat? Dat is ouwe koek: inmiddels weet iedereen het!'

Bij mij was het minachting voor de wereld, ja, maar – ik geef het toe – ook angst, voor het Kwaad dat ik erin had gezien.

Alleen was er nu iets veranderd. Het onverwachts weer opduiken van abt Melani had de opschudding in mijn leven teruggebracht. Cloridia, dat wist ik zo al, zou de spot met me drijven omdat ik me weer door Atto in de val had laten lokken: maar wat kon het schelen? Ik hield veel van hem, zelfs wanneer hij me lachend en pedant als een klein kind de les las. Bovendien zou ze niet lachen bij de twaalfhonderd scudo's die mijn memorie ons had opgebracht...

Ja, er was iets veranderd: ik voelde me – en bleef – naar lichaam en geest nog wel een dwerg, maar misschien werd het tijd om de weinige talenten die me door de goddelijke barmhartigheid waren geschonken op te delven en ten volle te benutten. Met Atto wist je wel waar je begon, maar niet waar je uitkwam. Anderzijds, zoals ik door zijn scapulier had weten te ontdekken, was de vreze Gods bij de abt met de ouderdom sterk toegenomen.

Hoeveel had ik in wezen aan Atto Melani te danken? Ik had aan hem niet alleen de desillusie te danken die wantrouwen had voortgebracht, maar misschien ook wat er in mijn armzalige leven aan goeds was gebeurd: allereerst Cloridia. Als de abt niet zeventien jaar geleden mijn dagen en die van de gasten van herberg De Schildknaap op hun kop was komen zetten, was ik mijn aanbeden vrouw nooit nader gekomen; en zijzelf was voorgoed blijven steken in de maalstroom van het schunnige gesjacher waarin ik haar had leren kennen.

Evenmin had ik anders de wetenschap van het menselijk denken kunnen verwerven, zoals de kennis van de dingen der wereld, waarmee ik nu die wereld zelf beoordeelde. Een ongetwijfeld bittere wetenschap, maar een die van het beverige knechtje een man had gemaakt.

Na het eten liet ik die overpeinzingen rusten en terwijl ik van tafel opstond, dacht ik weer na over de laatste noviteit. Stilstaand bij de informatie die ik van de melkverkoopster had gekregen, moest ik het erkennen: abt Melani had gelijk. Op de bovenverdiepingen van het pauselijk paleis van Monte Cavallo waren zwaarwichtige intriges aan de gang.

Ik had nog net de tijd om vriendschappelijk afscheid te nemen van de chefkok en om de keukens uit te lopen, toen een stem me weer tot mijn plichten riep:

'Meester Vogelaar!'

Degene die me terechtwees met een titel die ik eigenlijk niet verdiende, was juist degene die ik zocht: don Paschatio Melchiorri, de hofmeester.

Don Paschatio eerbiedigde boven alles de bevoegdheden van de mensen voor wie hij met veel omhaal en vormelijkheid het werk leidde. En omdat het eerste te respecteren kenmerk voor don Paschatio de titel was, had hij elk van zijn ondergeschikten voorzien van een bijnaam die paste bij de luister van het huis Spada, dat wij allen nederig en trouw dienden. En zodoende was ik, die inmiddels steeds vaker de volières van water en voer voorzag, de Meester Vogelaar geworden. Een boer uit de buurt die van tijd tot tijd de bloemperken snoeide, ploegde en bemestte, heette voor don Paschatio niet meer Giuseppe (zijn ware naam) maar Meester Snoeier. De wijnboer Lorenzo, die aan Villa Spada gulden trossen en strogele wijn sleet, werd beloond met de titel Meester Wijnbouwer. Soortgelijke bijnamen waren door don Paschatio in de loop der tijden aan alle bedienden van Villa Spada uitgedeeld, tot de onbeduidendste knechten zoals ik. Wanneer don Paschatio op inspectie was, was het vervolgens één grote werveling van pedante titels als 'Meester Opperstalmeester, goedemorgen!' 'Meester Vice-Spijsmeester, goedenavond!' 'Meester Assistent-Voorsnijder, laat mij de eettafel eens zien!' terwijl het gewoonweg om een stalknecht, een bediende die de keuken bevoorraadde en een kokshulpje ging. En dat deed hij niet uit liefde voor grote woorden, maar uit opperst respect voor de dienstverlening aan de Baas. Je kon zonder don Paschatio zonder enige waarschuwing vragen zich een vinger af te snijden en hij zou hoe dan ook nadenken alvorens te weigeren. Maar niemand zou hem ooit kunnen vragen zich het genoegen en de eer te ontzeggen om toegewijd en trouw de edele, roemruchte familie Spada te dienen.

Zo geviel het die avond dat mijn afscheidsgroet aan de chef-kok 'Tot morgen, chef!' door don Paschatio was gehoord, die de uitdrukking te familiair en te losjes had gevonden.

'Ziet u, Meester Vogelaar,' onderrichtte hij met wellevende ernst, alsof hij me wilde waarschuwen voor een gevaar, 'de Keukenmeester heeft de leiding over de Kok, de Voorsnijder, de Bordenwassers en de Keukenhulpen, alsmede uiteraard de Spijsmeesters.'

'Don Paschatio, ik weet het, ik...'

'Laat mij uitspreken, laat mij uitspreken, Meester Vogelaar. Een goede Keukenmeester moet de lijst van boodschappen voor de Spijsmeester voorbereiden en erop toezien dat het aangeschafte overeenkomt met wat hij heeft onderschreven, en dat het van de voorraadkamer rechtstreeks in de handen van de Kok overgaat. De opstelling van de gerechten: die moeten...'

'Gelooft u mij, ik wilde alleen maar...' kwam ik tevergeefs tussenbeide.

'...Van de gerechten, zei ik: die moeten op zowel de gewone dis als op de banketten tiptop voor de dag komen, dat hangt helemaal van het goede inzicht en de waarde van de Keukenmeester af, die, omdat hij zijn vak perfect verstaat, weinig veel laat lijken en met een gemiddeld budget even goede sier maakt met zijn gerechten als een ander met minder ervaring en het dubbele budget. Terwijl Keukenmeesters die niet volmaakt kunnen bestellen en met geld omgaan voor de gek gehouden worden, tot schade van hun goede naam en die van de heer des huizes. Volgt u mij, Meester Vogelaar?'

'Ja, don Paschatio,' knikte ik gelaten.

'De Keukenmeester moet er verder voor zorgen dat de gerechten goed bewaard blijven, dat ze tijdig aan bod komen, dat ze in een geringe hoeveelheid en op het juiste moment ter tafel komen opdat ze niet koud worden, dat ze tegemoetkomen aan de smaak van de heer des huizes, en dat er in de buffetkast en de geheime keuken waar hij de leiding heeft geen vreemde pottenkijkers komen, en soms niet eens de mensen uit het huis. Hij moet er bij het controleren op bedacht zijn dat de spijzen die de mond van zijn heer bereiken van uitstekende kwaliteit zijn en door zo min mogelijk handen gaan om te vermijden dat er met de gerechten geknoeid wordt of dat ze zelfs vergiftigd worden. Kortom, Meester Vogelaar, de Keukenmeester heeft het leven van zijn baas in de hand.'

'Ik begrijp wat u bedoelt, maar ik heb alleen maar gedag gezegd...'

'Meester Vogelaar, op grond van wat ik u zo-even heb gememoreerd, verzoek ik u gedag te zeggen zoals de regel van huize Spada wil, en mijnheer de Keukenmeester respectvol te bejegenen,' sprak hij met droeve stem alsof ik een zware belediging had uitgesproken tegen de betrokkene, die op dat moment echter aan heel andere dingen dacht.

'Nou, ik beloof het u, mijnheer de Hofmeester,' antwoordde ik, aangestoken door het misbruik van de bijnamen, en ik vergat dat ik don Paschatio altijd bij zijn naam noemde.

Die natuurlijke hang van don Paschatio was in die dagen door de grote voorbereiding voor het huwelijk uiteraard nog sterker geworden.

'Meester Vogelaar,' zei hij ten slotte, 'naar mij is geboodschapt, heeft een vreemde Cavaliere, die wij de eer hebben onder de gasten van Zijne Eminentie kardinaal Spada te rekenen, dezer dagen om uw diensten gevraagd. Ik weet dat dit een man van aanzien is en wil mij er niet in mengen, maar ik hoop dat u uw taak even vlot wilt vervullen wanneer dat niet tegen de behoeften van de Cavaliere in kwestie indruist.'

'Neemt u me niet kwalijk, maar hoe weet u dat?' vroeg ik verbaasd.

'Zo is mij dat gewoon overgebracht en... ja, kijk, ik hoop op uw welwillende begrip en verantwoordelijkheidsgevoel,' antwoordde don Paschatio.

Het was duidelijk dat Atto een fikse fooi moest hebben betaald om in die dagen in Villa Spada ongestoord van mijn diensten gebruik te kunnen maken, misschien wel aan de hofmeester zelf, waarmee hij zich de slechte naam van een heerschap dat, als hij wil, heel royaal kan zijn op de hals haalde.

Ik deelde don Paschatio vervolgens mee dat ik voor het moment, als hij dat wilde, tot zijn beschikking stond.

'Maar natuurlijk, Meester Vogelaar,' antwoordde hij met slecht verholen tevredenheid, 'er zijn wel een paar klusjes die u zou kunnen afhandelen, aangezien sommigen hier het, hoe heet het, hebben laten afweten.'

Hij legde uit dat enkele bedienden die middag op onverklaarbare wijze waren verdwenen en hadden verzuimd de planken van de trappen van het theater vast te spijkeren; zo hadden ze verhinderd dat het werk op tijd af kwam, zoals nu al weken geleden duidelijk door kardinaal Spada was bevolen. Ik kende de (eigenlijk nogal futiele) reden van die afvalligheid: ze hadden een groep boerinnetjes aangesproken en hen meegenomen om hen het hof te maken in de wijngaarden buiten de Sint-Pancratiuspoort achter huize Corsini in de Quattro Venti; een omstandigheid die ik niet zozeer verzweeg om geen verklikker te spelen, als wel om don Paschatio's gemoed niet te belasten. Het gezicht van de hofmeester stond al donker: wederom was hij door zijn ondergeschikten in de steek gelaten, en de schrobbering van kardinaal Spada was hard aangekomen.

'Ik heb Zijne Eminentie een lijst van te straffen figuren voorgesteld,' zei hij liegend, zonder te weten dat ik zijn gesprek met de heer des huizes had afgeluisterd. 'In de tussentijd zijn er echter dringend arbeidskrachten nodig. Het zou geweldig zijn als u, Meester Vogelaar, met een beroep op uw veelzijdigheid in het dienen van dit verheven huis Spada, een passend kostuum kon dragen, om precies te zijn een livrei, en kon helpen bij het serveren van spijs en drank aan tafel, overeenkomstig de behoeften van de gasten van Zijne Excellentie. Nu zijn ze allemaal buiten bij de fontein, en staan op het punt om te gaan eten. Ik zal in de buurt zijn. Gaat u maar, alstublieft.'

Op het moment dat ik de livrei aan ging doen schrok ik even: ik kreeg een tulband aangereikt, een kromzwaard, een paar muilen, een pofbroek, een tuniek, een met arabesken versierde gordel om op mijn borst te dragen. Het geheel was me, dat spreekt, drie maten te groot.

Ach ja, dat was ik vergeten: er was besloten dat het decor voor de maaltijden een oosters tintje had; en daarom moesten de livreien ook zo zijn. De lange, drieste veer die op mijn hoofddeksel prijkte gaf zonder enige twijfel aan dat dit een janitsarenpak was, naar de oppermachtige wacht van de Grote Turk. En dat was nog niets vergeleken bij wat ik daarna zou zien.

Nadat ik dus dat Turkse uniform had aangetrokken, werd ik voorzien van twee grote zilveren bladen om de eerste koude gang te brengen: verse vijgen, opgediend op eigen bladeren en met eigen bloemen versierd, met bovenop sneeuw; en op het andere blad een moot tonijn opgediend in mooi opgemaakte rondjes. Anderen droegen pasteitjes van poutargue, taarten op zijn Genuees, pimpernootstaven met plakken sukade, vetgemeste kapoenen, allerhande zeebanket, schollen in een driekleurige garnering, koninklijke salades en witte ijstaarten.

Onder de grote pergola door lopend sloeg ik de laan in die van het Zomerverblijf naar de fontein leidde en vervolgens daarvandaan naar de tafels. Onderweg werd ik verleid door de geur van de Indische narcissen, de belladonna's, de net uitgekomen herfsttijlozen, die van de bloemperken in de parallelle laan van de ingang van de villa kwam, en door het frisse windje dat opsteeg van de zachte, vochtige wijngaardgrond. Eindelijk vervloeide de hitte van de dag in de lieflijke omhelzing van de avondschemer.

Eenmaal ter plaatse stond ik verbaasd van de gulle overdaad van de aankleding. Onder de sterrenhemel op het zachte grastapijt wekten de Turkse paviljoens de illusie van een waar oosters paleis, terwijl ze in werkelijkheid bestonden uit vliesdun, felgekleurd Armeens gaas aan soepele houten stellages met boven op elk paviljoen een vergulde halvemaan. Overal rondom waren de nachtelijke vuurpotten aangestoken, van waaruit geuren omhoog kringelden die het denken milder stemden en het gevoel streelden. Op korte afstand, maar wel door een kunstmatige haag aan het oog onttrokken, was de bescheidenste tafel ingericht van de secretarissen (van wie Buvat bezig was ruime glazen wijn in te schenken), assistenten en begeleiders van de eminenties en vorsten. Veel van die personages waren op gevorderde leeftijd of leden aan jicht en moesten daarom altijd een hulp bij de hand hebben.

Terwijl wij, het bedienend personeel, serveerden aan de hoofdtafel, die op grote oosterse kamelotkleurige tapijten stond, hielden andere janitsaren, bezweet maar onbewogen, grote fakkels op die de tafel ruim verlichtten.

Te midden van zo'n luister begon dus de maaltijd, die uitgerekend geopend werd met de gangen die ikzelf samen met anderen aandroeg. Bijna verdoofd door de pracht en praal van dat grote Theater van het Genot kwam ik aangelopen en maakte me op om de disgenoten te bedienen volgens de aanwijzingen van de keukenmeester, die zich op het juiste moment achter een fakkel had opgesteld om het vreedzame leger bedienden te leiden, als een dirigent een orkest. De laatste gast had net de wijn geserveerd gekregen en ik rekte me dus naar de tafel uit. Ik merkte dat ik een belangrijke persoon aan het bedienen was, aangezien don Paschatio's ogen, samen met die van de keukenmeester, me met vurige bezorgdheid volgden.

'... En ik vroeg hem dus wederom: Heiligheid, hoe denkt u het probleem op te lossen? De Heilige Vader was net uit gegeten en op dat moment zijn handen aan het wassen. En hij antwoordde: Enfin, monseigneur, ziet u dat niet? Als Pontius Pilatus.'

De hele tafel barstte in groot gelach uit. Ik was zo opgewonden door mijn hachelijke, onverwachte taak dat die plotselinge uitbarsting van hilariteit, die ik van die vergadering van hoge prelaten en personen van hoogadelijke afkomst nooit zou verwachten, me bijna verlamde. Het goede humeur van het gezelschap was ontketend door kardinaal Durazzo die met spitse schalksheid de woorden van een van de niet weinige pausen vertelde die hij in zijn lange carrière had gekend. Slechts één gezicht had ik aan het andere hoofd van de tafel merkwaardig genoeg onbewogen en bijna ijzig zien blijven; later zou ik erachter komen waarom.

'Hoe dan ook was het een vrome paus, een van de deugdzaamste aller tijden,' vervolgde Durazzo, tewijl sommige gasten net weer bedaard waren en nog wat tranen van het lachen wegveegden.

'Vroom, echt vroom,' echode een andere eminentie, terwijl hij met zijn servet snel de wijn die hij op zijn kin had gemorst, wegboende.

'In heel Europa willen ze hem zalig laten verklaren,' vervolgden ze van het andere einde van de tafel.

Ik sloeg mijn ogen op en zag dat de keukenmeester en don Paschatio wanhopig probeerden mijn aandacht te trekken, uit alle macht met hun armen zwaaiend en naar iets onder mijn neus wijzend. Ik keek: kardinaal Durazzo staarde mij aan en wachtte. Half versuft door het algemene gelach van zo-even was ik vergeten hem te bedienen.

'Wel, jongen, heb je liever dat ik niet doe als Pontius Pilatus maar als Onze-Lieve-Heer in de woestijn?' zei hij, daarmee een nieuw lachsalvo ontketenend.

In een beklagenswaardige staat van geestelijke verwarring serveerde ik de kardinaal en zijn buren haastig de vijgen. Ik wist dat ik een onvergeeflijke fout had gemaakt en een blunder had begaan in huize Spada, en bovendien was ik, al was het maar voor even, het mikpunt van de gasten geworden. Ik had vlammende wangen en vervloekte het moment waarop ik don Paschatio mijn hulp had aangeboden. Ik durfde niet eens op te kijken: ik wist dat ik de ogen van de hofmeester, vol bezorgdheid, en die van de keukenmeester, vol vurige toorn, op me gericht zou vinden. Gelukkig ging het die avond niet om het echte feest. Kardinaal Spada zelf was afwezig en zou zich pas twee dagen later, aan het officiële begin van de festiviteiten, laten zien.

'... Maar men heeft gelijk te denken dat hij snel zal opknappen. Dat is althans te hopen,' zei iemand op weemoedige toon, terwijl ik doorging met bedienen.

'Te hopen, ja,' echode monseigneur Aldrovandi, een naam die ik eigenlijk nog nooit had gehoord. 'In Bologna, vanwaar ik vandaag ben aangekomen, wordt mij aanhoudend, elke dag, elk uur om nieuws over zijn gezondheid gevraagd. Iedereen is zeer bezorgd.'

Ik voelde aan dat ze het over de gezondheid van de paus hadden, en iedereen deed een duit in het zakje.

'Laten we het hopen, laten we het hopen. En laten we bidden; het gebed kan alles oplossen,' sprak een andere prelaat met weemoedige en eigenlijk weinig overtuigde stem, waarna hij ten slotte een kruisteken maakte.

'Wat heeft hij een goeds voor Rome betekend!'

'Het armenhuis van San Michele in Ripa Grande, en dan nog eens honderdveertigduizend scudo's per jaar voor de armen...'

'Jammer dat hij de Pontijnse moerassen niet heeft kunnen droogleggen...' zei prinses Farnese.

'Ik mag uedele er wel aan herinneren dat de armzalige huidige staat van het gebied om Rome en de ongezonde stank ervan die Rome benauwt, niet zozeer het gevolg zijn van de natuur als wel van de weinig verstandige ontbossing die in gang is gezet door pausen uit het verleden, met Julius II en Leo X voorop,' antwoordde monseigneur Aldrovandi in een poging om de geringste toespeling op gemankeerde successen van de huidige paus meteen het zwijgen op te leggen, 'en ook paus Paulus III.'

De toevoeging aan het slot doelde wellevend op het feit dat de prinses een nakomeling was van paus Paulus III oftewel Alexander Farnese.

'Het Baccano-bos,' wierp zij tegen, 'werd geveld omdat moordenaars en dieven er zich in schuilhielden.'

'Zoals nu gebeurt in de bossen van Sermoneta en Cisterna!' wond een disgenoot die ik later zou leren kennen als prins Caetani zich op. 'Je zou ze alleen maar moeten omhakken. Voor de openbare orde, bedoel ik,' vervolgde hij verlegen tegenover de kilheid van zijn gehoor.

De prinsen Caetani, zoals zelfs ik tijden geleden had vernomen, vroegen iedere nieuwe paus toestemming om die bossen, die hun eigendom waren, te kappen om redenen van gewin.

'Laten we liever de goede God vragen die bossen nog lang te behouden, zoals ook dat in de buurt van Albano Laziale,' weerlegde monseigneur Aldrovandi met een glimlach om zijn lippen, 'want als de dag komt dat ze die echt kappen, is er geen beschutting meer tegen de ongezonde winden, de austro, de sirocco, de libeccio! Rome en de volksgezondheid houden geen bescherming meer over.'

Caetani incasseerde zonder een spier te vertrekken.

'Ten tijde van het antieke Rome was er nog geen spoor van een moeras in de buurt,' ging Aldrovandi onverstoorbaar verder. 'Het Zeebos, dat bescherming bood tegen de zuidenwinden, werd gekapt door Gregorius XIII om de voedselvoorziening aan te vullen, maar zo werd er nogal bijgedragen aan de ongezonde lucht rond de stad.'

'Ik kan alleen wel zeggen dat Paulus V,' kwam prinses Di Rossano tussenbeide, die getrouwd was met een Borghese en dus van dezelfde familie was als die grote paus, 'van alles deed om de Orsini's te verhinderen de bossen van Palo en Cerveteri te kappen.'

'Zijne Heiligheid Innocentius XII vaardigt al jaren verordeningen uit ter bescherming van de bossen, vooral die van Neptunus, Terracina en Conca,' antwoordde monseigneur Aldrovandi rustig. 'Ook in Rome zou hij erin geslaagd zijn het water te regelen, als Bolognese en Ferraresi niet onderling in conflict waren geraakt. En zelfs de nieuwe haven van Anzio heeft hij niet ten einde kunnen brengen want de financiën ontbraken en hij heeft het volk nooit bovenmatig willen uitpersen. Ondanks de problemen heeft hij evenwel altijd oog gehad voor de grote kwesties. Heeft híj ook niet besloten dat het jaar op 1 januari begint in plaats van op 25 maart?'

Een gegons van instemming verspreidde zich over de tafel, of althans onder degenen die niet druk in gesprek waren met hun buurman.

'Jammer dat hij het Tor di Nona-theater heeft laten afbreken,' zei dezelfde cavaliere die niet om de grap van kardinaal Durazzo had gelachen.

Monseigneur Aldrovandi, die niet merkte dat al zijn loftuitingen aan het adres van de paus al op een necrologie leken, had de eerste versluierde kritiek op de paus tot zwijgen weten te brengen, maar bij de tweede (het impopulaire besluit om een van de schitterendste theaters van Rome af te breken) deed hij net alsof hij het niet had gehoord; hij wendde zich tot zijn buurman en keerde de spreker zijn rug toe.

Terwijl ik hen bediende, had ik het geluk om twee dames te horen fluisteren:

'Hebt u kardinaal Spinola van Santa Cecilia gezien?'

'O, en of ik hem heb gezien!' giechelde de ander. 'Sinds het conclaaf naderbij komt wil hij doen geloven dat hij geen voetjicht meer heeft. Om niet buiten de boot te vallen doet hij overal alsof hij nog piepjong is. En dan vanavond hier eten en drinken en lachen, op zijn leeftijd...'

'Hij is een dikke vriend van Spada, al proberen ze dat allebei te verbergen.'

'Ik weet het, ik weet het...'

'Laat kardinaal Albani zich niet zien?'

'Hij komt overmorgen voor het huwelijk; ze zeggen dat hij zich met een heel dringend pauselijk schrijven moet bezighouden.'

De eettafel was in een hoefijzervorm. Bijna aan het einde van de tweede arm van de tafel gekomen stond ik een gast te bedienen die er bekend uitzag en die ik even later zou herkennen, toen ik een droge maar krachtige tik op de arm voelde waarmee ik het blad ophield. Het was een ramp, de vijgen schoten met de bladeren, de bloemen en de sneeuw naar links en belandden op het gezicht en de kleding van de bejaarde die ik daarvoor had bediend. Het blad kletterde met het oorverdovende geluid van een gebroken klok op de grond. Een half geamuseerd half afkeurend gesmiespel steeg van de rest van de tafel op. Terwijl de ongelukkige edelman zich waardig van de vijgen ontdeed, keek ik ten prooi aan paniek om me heen. Hoe moest ik don Paschatio en de keukenmeester en alle gasten duidelijk maken dat het niet mijn schuld was, en dat het blad was omgegooid door de gast die ik aan het bedienen was? Ik keek hem vol stille wrok aan, wel wetend dat ik niets tegen hem kon beginnen omdat een knecht altijd ongelijk heeft. En ik herkende hem. Het was Atto.

De straf kwam snel en onopvallend. Vijf minuten later hield ik geen blad meer in de hand maar een van de enorme, loodzware gloeiende fakkels die de maaltijd bijna in daglicht zetten. Ik barstte van woede jegens abt Melani, en ik peinsde me suf waarom hij me zo wreed voor de gek had gehouden, me daardoor deze straf had bezorgd en mijn huidige en toekomstige werk in Villa Spada in gevaar had gebracht. Terwijl het diner doorging, zocht ik tevergeefs zijn blik, want ik stond achter hem en kon alleen zijn nek zien.

In een nieuwe Pier delle Vigne veranderd moest ik de moed er maar in houden: het diner was nog pas aan het begin, ik kon me beter wapenen met geduld. De eerste helft van de eerste warme gang was geserveerd: verse eieren apart in melk met soep, buter, plakken sukade, suker en kaneel; de kop van een gekookte steur, opgediend met bloemen, kruiden, citroensap, peper, met zijn witte saus en amandelen (een moot per persoon).

Door de fakkel kreeg ik het onverdraaglijk warm en ik zweette peentjes onder de Turkse tulband. De deserterende bedienden, zei ik bij mezelf, hadden er goed aan gedaan Villa Spada te ontvluchten om te gaan minnekozen met de boerinnetjes. Maar in mijn hart wist ik dat ik don Paschatio nooit zou durven bedriegen en hem in die moeilijke dagen in de steek laten.

De enige opluchting in die martelende, gloeiend hete roerloosheid was het feit dat ik die inspanning deelde met zeven andere kameraden die net als ik de fakkels ophielden, en vooral het feit dat ik toeschouwer kon zijn bij de bijeenkomst van al die eminenties en edellieden. De plaats die me rond de tafel te beurt gevallen was, was bovendien nogal opmerkelijk, zoals ik hierna kan uitleggen.

Ik had me net bij de straf neergelegd toen ik plotseling door Atto werd aangesproken.

'Zeg, jongen, hier op mijn plaats is het zo donker dat het wel lijkt of ik in een kelder zit; wil je wat dichterbij komen met die toorts of hoe zit dat?' vroeg hij nadrukkelijk en luid en met een lelijk gezicht, alsof ik zomaar een anoniem knechtje voor hem was.

Ik kon niets anders doen dan gehoorzamen; ik posteerde me vlak achter hem en lichtte zo goed mogelijk zijn deel van de tafel bij, dat trouwens al uitstekend verlicht was.

Wat had Atto in 's hemelsnaam in zijn hoofd? Waarom had hij me eerst dwarsgezeten en kwelde hij me nu?

Intussen had het gesprek tussen de disgenoten, dat er heel vrij aan toeging, zich op frivole onderwerpen geconcentreerd. Helaas was ik niet altijd in staat uit te maken wie er aan het woord was, want vanuit mijn gezichtshoek, waar ik roerloos moest blijven staan, kon ik een goed deel van de gasten maar niet iedereen zien. Bovendien was het merendeel van de gezichten en stemmen me die avond nog onbekend (terwijl ik ze de dagen daarna bijna allemaal zou leren kennen, en vrij goed ook).

'... Neemt u me niet kwalijk, monseigneur, maar alleen een drijver mag een haakbus dragen.'

'Ja, excellentie, maar laat mij u vertellen, als ik zo vrij mag zijn, dat hij hem aan een lijfwacht mag geven.'

'Goed, en?'

'Zoals ik zei, als een zwijn laf is en niet in het open veld durft te vechten, wordt het afgemaakt met de haakbus. Zoals vroeger gebeurde in de landstreken van de Caetani's, die het best zijn voor de jacht.'

'Welnee! Wat zou u dan zeggen van die van prins Peretti?'

'Vergeeft u mij allen en voelt u zich niet beledigd maar die zijn niets vergeleken bij die van de hertog van Bracciano,' corrigeerde prinses Orsini, de weduwe van genoemde hertog.

'Uedele bedoelt die van prins Odescalchi,' zei een zachte, ijzige stem. Ik keek de spreker aan: het was de edelman die de grap van kardinaal Durazzo over de paus die zichzelf met Pontius Pilatus vergeleek niet had kunnen waarderen.

Even daalde een kilte over de tafel neer. In haar drift om de goede herinnering aan de familiebezittingen te verdedigen had prinses Orsini te gemakkelijk over het hoofd gezien dat de Orsini's ter vermijding van een bankroet het ene grondgebied na het andere aan prins Livio Odescalchi hadden verkocht, en dat die gebieden en de bijbehorende leengoederen met de eigenaar ook van naam waren veranderd.

'U hebt gelijk, beste neef,' sprak de prinses toegeeflijk, de ander aansprekend zoals verwante of bevriende edellieden gewoon zijn te doen, 'en het is iets heerlijks dat ze nu de naam van uw huis dragen.'

Wie de prinses had tegengesproken was dus don Livio Odescalchi, de neef van wijlen paus Innocentius XI. Dat moest dan de paus zijn naar wie kardinaal Durazzo's kostelijke anekdote van zo-even verwees, waarmee hij weinig instemming had gevonden bij prins Odescalchi, die aan zijn oom zaliger zijn hele enorme rijkdom te danken had. Eindelijk zag ik nu persoonlijk de neef van die paus, over wie ik zeventien jaar eerder in herberg De Schildknaap dingen had gehoord waarvan de haren je te berge rijzen. Ik verjoeg die herinneringen, die mijn vrouw en mijn schoonvader zaliger zo veel verdriet hadden berokkend.

Die avond vernam ik dat don Livio zelfs een loge in het Tor di Nona-theater had gehad, waar hij nu niet meer terecht kon, aangezien de huidige paus het had laten afbreken. Daarom had monseigneur Aldrovandi dus dat onderwerp aangeroerd.

'Bij de smederij van Hephaestus, jongen, je bent mijn nek aan het roosteren. Wil je wat verderop gaan staan?'

Atto had zich opnieuw omgedraaid en me weer nadrukkelijk aangesproken; hij duwde me haast met zijn hand naar een nieuwe plek, verder van hem vandaan. Met de twee uitbranders had hij me zo meer dan vijf roeden van mijn eerste plekje verwijderd en me bijna van het ene uiteinde van die zijde van de tafel naar het andere laten opschuiven.

Het diner verliep met een opvallende vrijheid van doen en spreken, iets wat zelfs iemand die net als ik onbekend was met de hoogste kringen niet kon ontgaan. Alleen bij tijd en wijle doken onherroepelijk de krijgshaftige trots van de voorname families en het subtiele maar venijnige eergevoel van de hoge kerkhiërarchiën op. Maar het stijve protocol dat die eminenties en vorsten zouden moeten eerbiedigen als ze elkaar onder vier ogen hadden ontmoet, was als bij toverslag verdwenen, misschien door de bekoorlijke en aangename keuze en inrichting van de plaats van het diner. 'Vergeef mij allemaal, een moment stilte! Ik wil graag klinken op de gezondheid van kardinaal Spada, die hier, zoals Uedelen en Uwe Excellenties weten, niet aanwezig kan zijn wegens dringende regeringsverplichtingen,' sprak op een gegeven moment monseigneur Pallavicini, de gouverneur van Rome. 'Hij heeft mij op het hart gedrukt vanavond zo niet een vader, dan toch een oom voor zijn gasten te zijn.'

Een gedempt lachje van instemming steeg op uit zijn gehoor.

'Zodra ik hem zie,' ging monseigneur Pallavicini verder, 'zal ik hem mijn dankbaarheid voor zijn politieke gaven betuigen, met name voor het feit dat hij ons niet vergast heeft op een Spaans of Frans gedekte tafel, maar een met Osmanen eromheen.'

Er klonk weer een geamuseerd gesmoezel op.

'Dit laatste herinnert ons aan ons gemeenschappelijke lot als christenen,' vervolgde Pallavicini minzaam, maar met een blik op kardinaal d'Estrées, de buitenwoon gezant *a latere* van de allerchristelijkste koning, die altijd zeer bevriend was met de Osmaanse Porte.

'En als vijanden van ketterij,' antwoordde D'Estrées prompt, zinspelend op het feit dat de Weense keizer, een katholiek, de Hollandse en Engelse ketters als bondgenoten had gehad.

'Begin tegenover hem niet te veel over de Porte, anders staat D'Estrées op en gaat hij weg,' hoorde ik iemand hard sissen.

'Rustig aan, rustig aan met die verhalen,' sprak kardinaal Durazzo, wie niets was ontgaan, 'want eerst wilde een janitsaar me geen vijgen serveren, en nu hij over ketters hoort komt hij misschien op het idee om de toorts op me los te laten en me in brand te steken.'

Toen de toespeling op mijn ongelukje met kardinaal Durazzo aan het begin van de maaltijd duidelijk was, barstte de tafel opnieuw in een vette lach uit en ik moest treurig genoeg onbewogen blijven en de toorts mooi recht houden.

Het was juist met het oog op dergelijke politieke woordenwisselingen dat kardinaal Spada, zoals ik van don Paschatio had vernomen, als zeer verstandig man een reeks tegenmaatregelen had genomen. Om bijvoorbeeld te verhinderen dat iemand het fruit volgens de Franse of juist de Spaanse mode schilde, werd het fruit al helemaal geschild geserveerd.

Al enkele jaren liep men natuurlijk niet meer het risico om hoge heren gekleed te zien volgens de Spaanse of Franse mode, want dankzij de schitteringen van Versailles was het inmiddels mode om zich helemaal op de manier van de allerchristelijkste koning te kleden. Maar juist daarom was het bon ton om met een overvloed aan kleine dingen te tonen voor welke partij je was: van de kazakken zakdoek (voor Spanje als je hem rechts droeg, voor Frankrijk als je hem links droeg) tot de kousen (wit voor Frankrijk, rood voor Spanje), die abt Melani die avond niet toevallig droeg in de witte in plaats van de gebruikelijke rode kleur van abt.

Evenmin kon verhinderd worden dat de dames zich opdoften met een corsage op de rechterborst als ze Welf waren (oftewel van de Spaanse partij), of op de linkerborst als ze Ghibellijn waren (oftewel voor Frankrijk). Maar om het ernstigste incident te vermijden, namelijk dat de tafel waaraan gegeten moest worden te veel gedekt leek volgens de traditie van het ene of het andere land, met name door de plaatsing van het servieswerk, die zoals bekend beslissend is in de politieke duiding van de gasten, was uiteindelijk besloten om van de canon af te wijken en iets ongehoords te doen: messen, vorken en lepels waren verticaal ten opzichte van de glazen gelegd, iets wat de gasten nogal had bevreemd, maar zinloze discussies had voorkomen.

'... Maar met jachthonden ligt dat heel anders,' verzekerde intussen een andere kardinaal, die een opzichtige pruik op zijn Frans droeg.

'U zegt?'

'Ik zeg alleen maar dat prins Peretti vroeger zestig jachthonden hield; als de jachtpartijen voorbij waren, liet hij ze de zomer elders doorbrengen, want jachthonden kunnen niet tegen de hitte, en zo bezuinigde hij.'

Het was kardinaal Santa Croce, die in de schaduw van zijn in de weg zittende pruik de verdiensten van de jacht met jachthonden propageerde.

'Zo hoefde hij niet iedereen eraan te herinneren dat hij geldproblemen had,' hoorde ik vlakbij een jonge kanunnik tegen zijn buurman fluisteren, terwijl hij er zo gebruik van maakte dat het gesprek rommelig in allerlei kleine groepjes was opgesplitst.

'Tja, Santa Croce is aan het kruis geëindigd,' antwoordde de ander grinnikend, 'van de honger hangt de tong uit zijn mond en de woorden die erbinnen zouden moeten blijven vallen op de grond.'

Het was een andere kardinaal die zo had gesproken, maar zijn naam kende ik nog niet; ik merkte op dat hij er lijdend uitzag, maar hij at en dronk voor twee en toonde een sanguinisch humeur.

Het lot (of liever een ander element waar ik het nog over zal hebben) was mij vriendschappelijk gezind want op dat moment kwam er op de laatste kardinaal een bediende met een briefje af:

'Eminentie, ik heb een briefje voor Zijne Eminentie Spinola...'

'Voor Spinola van Santa Cecilia, of voor mijn neef Spinola van San Cesareo? Of voor Spinola, de president van Ripetta? Vanavond zijn we er alledrie.'

De bediende zweeg verbijsterd.

'De hofmeester heeft me alleen gezegd dat het voor Zijne Eminentie kardinaal Spinola is,' zei hij vervolgens bedeesd met een stem die in het vrolijke tafelrumoer bijna onhoorbaar was.

'Dan zou ik het kunnen zijn. Geef maar hier.'

Hij maakte het briefje open en vouwde het meteen weer dicht.

'Geef het onmiddellijk aan kardinaal Spinola van San Cesareo, hij zit aan de andere kant. Zie je hem? Daarginds.'

Zijn buurman had zich intussen uit elementaire descretie tot zijn bord gewend en was weer gaan eten. Spinola van Santa Cecilia (want toen was duidelijk dat het om hem ging) riep hem er meteen weer bij.

'Weet je dat? Die idioot van een hofmeester heeft mij een briefje van Spada voor mijn neef Spinola van San Cesareo doen toekomen.'

'O ja?' zegt de ander, met een felle blik van nieuwsgierigheid.

'Er stond in: Morgenochtend vroeg alledrie aan boord. Ik waarschuw A. wel.'

'A.? Wie is dat dan?'

'Weet ik veel. Hij vindt het kennelijk leuk om te varen, laten we dus maar hopen dat hij niet zinkt,' concludeerde Spinola grinnikend.

De gasten werden op een zeer laat tijdstip uitgezwaaid. Ik was uitgeput; door de vlam van de fakkel die ik urenlang had getorst gloeide de ene helft van mijn gezicht en had heel mijn lichaam gebaad in het zweet. Wij toortshouders moesten nederig wachten tot ook de laatste disgenoot van tafel was opgestaan. Daarom had ik, ook al brandde ik van verlangen om hem om uitleg te vragen, geen enkele kans om op Atto af te gaan. Ik moest hem zien vertrekken in gezelschap van Buvat, terwijl de bedienden inmiddels de kaarsen op de tafelkandelaars doofden. Hij had me geen blik waardig gekeurd.

Boven op zolder in de grote personeelszaal was ik zo uitgeteld dat ik bijna niet kon denken. In het donkere gezoem van mijn snurkende kameraden voelde ik me beklemd: de abt had me slechter behandeld dan nooit eerder was gebeurd. En ik begreep er niets meer van. Ik was in de war, ja, wanhopig.

Ik begon te vrezen dat ik een onvergeeflijke fout had begaan door me weer met Melani in te laten. Ik had me door de gebeurtenissen laten meeslepen, terwijl ik alleen maar de tijd had moeten nemen om na te denken. En misschien ook wel – waarom niet? – om de abt op de proef te stellen. Binnen niet meer dan één dag had de abt nu opnieuw mijn leven kunnen binnen vallen alsof het niets was. Maar de verleiding van de beloning was onweerstaanbaar geweest...

Ik kleedde me uit, dook in een van de nog vrije legersteden en viel snel in een diepe, droomloze slaap.

'... Ze hebben hem lelijk toegetakeld.'

'Waar was het?'

'In de Via dei Coronari. Ze hebben hem met zijn vieren of vijven tegengehouden en alles gestolen.'

Een druk gefluister, niet ver van mij vandaan, had me uit mijn sluimering gehaald. Twee knechten waren duidelijk een lelijk staaltje van geweld aan het bespreken.

'Wat deed-ie van beroep?'

'Boekbinder.'

Dat ik het na dat bericht buiten adem op een rennen zette had eigenlijk niet zo veel zin als ik had gedacht.

Toen ik de diensttrap was af gesneld en bij het vertrek van abt Melani kwam aankloppen, verkeerde hij al in staat van oorlog. In plaats van in bed, zoals ik had verwacht, trof ik hem gebogen over een stapel papieren aan, zijn handen onder de inkt. Hij had blijkbaar net een paar brieven af geschreven. Hij groette me met een ontdaan gezicht vol sombere gedachten.

'Ik kom u iets heel ernstigs mededelen.'

'Ik weet het. Haver de boekbinder is dood.'

'Hoe hebt u dat gehoord?' vroeg ik verwonderd.

'En hoe kun jij het weten?'

'Ik heb het net gehoord, boven, van twee pages.'

'Dan heb ik betere bronnen dan jij. Die smeris, Sfasciamonti, was hier. Die heeft het me verteld.'

'Op dit tijdstip?' vroeg ik verbaasd.

'Ik wilde net Buvat sturen om je te laten roepen,' zei de abt zonder antwoord te geven. 'We hebben hier beneden met de smeris afgesproken, in de schuur.'

'Bent u bang dat het te maken heeft met de agressie waar u vandaag het slachtoffer van was?'

'Jij denkt hetzelfde. Anders zou je hier niet in het holst van de nacht aan zijn komen zetten,' zei Atto bij wijze van antwoord.

Zonder nog een woord te wisselen gingen we alledrie naar beneden, naar de schuur, waar Sfasciamonti ons opwachtte in een oude dienstkales met koetsier en een tweespan, gereed voor vertrek.

'Duizend bommen nog an toe,' begon de smeris zichtbaar opgewonden, terwijl de koetsier de paarden de schuur uit leidde en het hek weer achter ons dichtdeed, 'het lijkt erop dat het zo gegaan is. De arme Haver had zijn bed in het bovendeel van de winkel. Vannacht zijn ze met zijn drieën of vieren naar binnen gegaan, iemand zegt dat het er meer waren; het is niet duidelijk hoe ze binnen konden komen. De deur was niet geforceerd. Ze hebben de stakker vastgebonden en de mond gesnoerd door een stuk wol in zijn mond te proppen, en vervolgens hebben ze alles doorzocht. Ze hebben al het geld dat hij had meegenomen en zijn hem gesmeerd. Na ik weet niet hoe lang wist de boekbinder de prop uit zijn mond te krijgen en heeft hij geroepen. Hij is diep geschokt aangetroffen. Hij was erg geschrokken. Terwijl hij de buren zijn verhaal deed, werd hij ineens beroerd. Toen de dokter kwam was hij al dood.'

'Was hij gewond?' vroeg ik.

'Ik heb het lijk niet gezien, er waren eerst andere smerissen ter plekke. Nu zijn mijn mannen informatie aan het inwinnen.'

'Gaan we erheen?' vroeg ik weer.

'Bijna,' antwoordde de abt, 'we komen er dicht in de buurt.'

We hielden stil op de Piazza Fiammetta, vlak bij het begin van de Via dei Coronari. De nacht werd amper beschenen door een stukje maan. De lucht was lekker fris. Sfasciamonti stapte uit en zei ons daar te wachten. We keken om ons heen maar zagen geen kip. Vervolgens ontdekten we een groenteboer met zijn wagen. Na niet al te lange tijd schrokken we van een fluitje.

Het was Sfasciamonti, half verscholen in een portiek, maar zijn ronde buik stak eruit naar voren. Met een armgebaar wenkte hij ons. We liepen op hem af.

'Hé, rustig aan,' protesteerden we alledrie toen we binnen handbereik waren en hij ons hard de donkere, vochtige gang in trok.

'Sssst!' wierp de smeris tegen, terwijl hij zich achter het gesloten deurtje van de ingang platdrukte tegen de wand.

'Twee cerretanen. Ze hadden het op jullie gemunt. Toen ze mij zagen hebben ze zich verstopt, misschien zijn ze weggegaan. Ik moet het controleren.'

'Hielden ze ons in de gaten?' vroeg Atto bezorgd.

'Stil! Daar heb je ze,' fluisterde Sfasciamonti, en hij spoorde ons aan om door de nog open spleet tussen de deurtjes van de ingang te gluren.

We hielden onze adem in. Voorzichtig onze hals rekkend zagen we twee oude, broodmagere, in vodden gehulde schooiers de weg oversteken.

'Je bent een idioot, Sfasciamonti,' siste Atto, met een zucht van verlichting. 'Denk je dat die twee halve lijken iemand kunnen schaduwen?'

'Cerretanen controleren je zonder op te vallen. Ze zijn geheim,' weerlegde de smeris zonder een spier te vertrekken.

'Goed,' kapte abt Melani hem af. 'Heb je gesproken met de persoon die ik je noemde?'

'Helemaal voor de bakker, honderd mortieren nog an toe!' verzekerde de smeris meteen met zijn eigenaardige manier van vloeken.

De plek was in een zijstraat van de Via dei Coronari, net een blok verder dan de werkplaats van de boekbinder. We kwamen er via nogal wat kronkelwegen, aangezien zowel Atto als Sfasciamonti tot iedere prijs de plaats van de misdaad wilde vermijden, waar de smerissen konden zijn aan wie de zaak was toevertrouwd. Het donker werkte gelukkig in ons voordeel.

'Waarom verstoppen we ons, signor Atto? Wij hebben niets met de dood van de boekbinder uit te staan,' zei ik.

Melani gaf geen antwoord.

'De misdaadrechter heeft twee nieuwe smerissen aangesteld. Ik ken ze niet,' liet Sfasciamonti weten, terwijl we de Piazza Fiammetta verlieten aan de kant van de Piazza San Salvatore in Lauro.

We trokken door de steegjes van de wijk Ponte, waar Buvat struikelde over een slapende bende schooierbroeders en ternauwernood een bergje kistjes en mandjes ontweek van marskramers die in afwachting van zonsopgang en de eerste klanten waren weggedommeld. Onder de doeken en afdekplaten vermoedde je door de geur Franse sla, zoete wolfsbonen, verse wafels en kaas.

De afspraak was buiten bereik van indiscrete ogen in de werkplaats van een rozenkranser, dat wil zeggen iemand die rozenkransen maakte.

We werden ontvangen door de handwerksman, een bejaarde met een doorgroefd gelaat die Melani met veel eerbied begroette alsof hij hem al lang kende, en ons voorging naar de ruimte achter de werkplaats. We baanden ons een weg in de koelte van de plek, een minuscule krocht boordevol houten en benen rozenkransen in allerlei modellen en kleuren, braaf gevlochten en aan de muren opgehangen of her en der op tafeltjes gelegd. De rozenkranser opende een lade.

'Dit is voor u, mijnheer,' sprak hij vol respect, terwijl hij de abt een pakje van blauw fluweel aanreikte, naar me voorkwam in de vorm van een schilderijtje.

Na die woorden verdween de rozenkranser met Sfasciamonti in de winkelruimte. Atto beduidde Buvat naar hen toe te gaan.

Ik begreep het niet. Waarom had de dood van de boekbinder ons met zo veel haast naar die werkplaats van religieuze voorwerpen gebracht, om iets op te halen waarvan ik dacht dat het het portret van een of andere heilige was om aan de muur te hangen? Ik kon die twee dingen niet met elkaar in verband brengen.

Atto raadde mijn gedachten en terwijl hij me bij een arm tegenhield, achtte hij het moment gekomen om me de eerste uitleg te verschaffen:

'Ik heb vanmorgen met de boekbinder afgesproken dat hij het boekje hier zou achterlaten, bij deze brave man.'

Het was dus geen schilderijtje wat de rozenkranser aan Melani had gegeven, maar het geheimzinnige boekje waar de abt zo met tegenzin over had gesproken.

'Ik ken die rozenkranser goed, hij is me van dienst zodra ik hem nodig heb en ik weet dat ik van hem op aan kan,' voegde hij eraan toe zonder overigens op te helderen wat hij met de diensten van een rozenkranser moest of licht te werpen op de aard van dat boekje.

'Aangezien de boekbinder vaak niet in de werkplaats was, bedacht ik dat het gemakkelijker was het hier af te halen,' vervolgde de abt intussen, 'ik had de nieuwe band toch al vooruit betaald. En dat is maar goed ook! Anders zou ik me nu, om mijn boekje terug te krijgen, tegenover een of andere smeris bevinden die te veel vragen stelt: of ik de boekbinder kende, wat mijn betrekkingen met hem waren... Ga die maar eens uitleggen dat ik, toen ik met de arme Haver in gesprek was, van een onbekende een messteek in mijn arm kreeg. Dat zou hij nooit geloven; ik stel me de vragen al voor: waarom juist op dat moment, er moet vast een verband zijn, wat doet u in Rome, enzovoort. Enfin, jongen, laat maar rusten.'

Vervolgens beduidde Atto me met hem mee te gaan. Hij begaf zich niet naar de uitgang, maar spoorde me aan met hem mee te lopen naar de winkelruimte, waar Sfasciamonti, de rozenkranser en Buvat een paar minuten eerder waren binnengegaan.

In de winkelruimte wachtte een vrouwtje van tegen de vijftig, gezeten op een oud tafeltje, zeer bescheiden en zedig. Ze sprak met Sfasciamonti en met de rozenkranser, terwijl Buvat slaperig toeluisterde. Bij Atto's binnenkomst stond de vrouw meteen uit respect op want ze had begrepen dat het om een heer ging.

'Zijn jullie klaar?' vroeg Melani.

De smeris en Buvat knikten.

'Die vrouw is een buurvrouw van de arme Haver,' begon Sfasciamonti de samenvatting, terwijl we wegliepen van de werkplaats en de Piazza San Salvatore in Lauro achter ons lieten. 'Ze heeft alles vanuit een raam gezien. Ze hoorde iemand jammeren en bij de boekbinder aan de deur kloppen. Deze was naar het schijnt een zeer vroom man, hij doet open, maar kan de deur niet bijtijds weer sluiten zonder dat er nog twee figuren binnendringen. Na een halfuurtje zijn ze weggegaan met medeneming van een hoop papieren en een paar al ingebonden boeken.'

'Arme Haver. Arme sufferd ook,' luidde Atto's commentaar.

'Maar waarom ze die papieren hebben meegenomen is niet duidelijk,' zei ik met een blik op Atto.

'Wanneer er cerretanen in het spel zijn, is er nooit iets duidelijk,' bracht Sfasciamonti met een donker gezicht in het midden.

'Hoe kunt u zo zeker weten dat het juist uw bedelaars zijn geweest?' vroeg Atto een tikje ongeduldig.

'Ervaring. Wanneer er een opduikt, dus die vent die er aan kwam rennen en u heeft verwond, komen er altijd anderen achteraan,' sprak de smeris ernstig.

Atto bleef op slag stilstaan, waardoor ons hele drietal tot stilstand kwam.

'Nou ja, zeg, waar heb je het over? Sfasciamonti, met die halve uitleg van jou kunnen we niet verder. Leg nu eens goed uit wat die bedelaars, die cerrisanen, zoals je ze noemt, doen.'

'Cerretanen,' corrigeerde Sfasciamonti onderdanig.

Ik wist het zeker. Hij zou het nooit toegeven, maar toen al voelde Atto Melani de slang van de angst van zijn enkels tot in zijn buik kruipen.

Hij kon er niet omheen dat hij fysiek in botsing was gekomen met een van die merkwaardige individuen over wie Sfasciamonti het had, dat hij er een messteek aan had overgehouden die nog pijn deed en hem in de weg stond, en dat vervolgens de boekbinder, in wiens bijzijn dat allemaal was gebeurd, die nacht in zijn werkplaats was aangevallen en gestorven. En door die ongelukkige had hij ook het bewuste boekje laten inbinden. Een samenloop van omstandigheden die niemand leuk zou vinden.

'Allereerst wil ik weten,' beval de abt bruusk, en zijn ongeduld van geest wedijverde met de vermoeidheid van zijn oude ledematen, 'handelen ze uit zichzelf of in opdracht van iemand, en zo ja van wie?'

'Denkt u dat het zo eenvoudig is om daar achter te komen? Met cerretanen gebeuren altijd gekke dingen. Of nee, gebeuren *alleen* gekke dingen.'

De smeris begon te beschrijven wat naar hij had vernomen de oorsprong was van de cerretanen, alsmede de ware aard van die geheimzinnige broederschap.

'Cerretanen. Rapalje. Ze komen uit Cerreto, in Umbrië, waar ze zich na hun vlucht uit Rome teruggetrokken hadden. Het waren priesters, en de voornaamste priesters waren verjaagd.'

In Cerreto, vervolgde hij zijn uitleg, kozen de cerretanen een nieuwe overpriester die hen naar hun verstand indeelde in groepen, soorten en sekten: Dalfenoren, Velsen, Monniken, Dutseren, Loseneren, Snijvels, Grantneren, Dekmantels, Vopperen, Cagnabalden, Mutuatoren, Bevers, Mirakelsprekers, Debisseren, Getaranteerden, Stabulieren, Blikslaren, Schlepperen, Veranieren, Vilters, Meelverzamelaars, Oliesnaaiers, Relikwiehouders, Paulianen, Alacerbanten, Kelkhouders, Lotoren, Galgebrokken, Medevaders, Rakkers, Bregeren, Aanzeggers, Testamentmakers enzovoort.

'Hoe kunt u al die namen onthouden?'

'Met het werk dat ik doe...'

Hij ging verder dat de Dalfenoren, ook wel Bedelmannen geheten, de bullen van pausen of prelaten vervalsen, ze overal laten zien en pochen dat ze toestemming hebben gekregen om een aflaat te geven en te redden van hel en vagevuur en iedere zonde kwijt te schelden, waarvoor ze zich door naïevelingen pittig laten betalen.

'De Velsen heten zo omdat ze vals zijn, ze doen zich voor als waarzeggers en bedriegen de simpele dorpsbewoners, en voor geld doen ze net alsof ze de toekomst voorspellen en vol van Gods geest zijn. De Monniken zijn valse monniken of valse priesters, die nooit de lagere of de hogere wijdingen ontvangen hebben; ze trekken de dorpen rond en dragen de heilige mis op, ze incasseren aalmoezen en als penitentie leggen ze nog meer aalmoezen op, die allemaal in hun zakken verdwijnen. De Dutseren zijn valse pelgrims die aalmoezen vragen met de smoes dat ze naar het Heilige Land moeten of naar Rome of naar Santiago de la Compostela of naar Onze-Lieve-Vrouwe van Loreto. De Loseneren beweren dat verwanten of broeders van hen in handen van de Turken zijn en bedelen om ze vrij te kunnen kopen, maar dat is niet waar. De Snijvels daarentegen...'

'Moment: als de cerretanen al die dingen doen, waarom houdt niemand ze dan tegen?' bracht Atto ertegen in.

'Omdat ze geheim zijn. Ze zijn verdeeld in sekten, niemand weet met hoeveel ze zijn of waar ze zijn.'

'Maar zijn het sekten, zoals u zegt, of simpele groepen schavuiten?'

'Allebei. Het zijn allereerst schavuiten; maar ze hebben geheime rituelen om trouw te zweren en broederschap te sluiten. Als er dan een van hen wordt opgepakt, weten de anderen zeker dat hij nooit zijn mond open zal doen. Anders zou hij het slachtoffer van een vervloeking kunnen worden. Dat geloven ze althans.'

'Wat voor rituelen hebben ze?'

'Ach, als we dat eens wisten. Zwarte missen, offers, bloedbroederschappen en dat soort dingen meer waarschijnlijk. Maar niemand heeft ze ooit gezien. Ze worden gehouden op het land op afgelegen plaatsen: ontwijde kerkjes, verlaten dorpen...'

'Zijn er veel hier in Rome?'

'Ze zijn *vooral* in Rome.'

'Waarom?'

'Omdat de paus hier zit. En waar pausen zijn is geld. Verder zijn er pelgrims die ze op kunnen lichten. En nu is het een Jubeljaar: meer geld en meer pelgrims.'

'Heeft er nooit een paus een kerkelijke verordening tegen die sekten uitgevaardigd?' vroeg Atto zich af.

'Je kunt een sekte – of een groep misdadigers – pas verbieden als je duidelijk weet wat je verbiedt,' antwoordde Sfasciamonti. 'Er moeten hun welomlijnde feiten worden toegeschreven en de leden moeten een naam en een identiteit hebben. Hoe kun je een onduidelijke kliek dak- en naamloze voddenbalen verbieden?'

Atto knikte zwijgend, in gedachten krabbend aan het kuiltje in zijn kin.

We keerden terug naar de kales toen het al licht werd. Sfasciamonti nam afscheid van ons.

'Ik kom later naar Villa Spada. Ik moet thuis langs. Mijn moeder wacht op me. Vandaag is de dag dat ik haar de voorraden moet brengen. Als ik niet precies op tijd ben maakt ze zich zorgen.'

'Nu is er iets dat jullie tweeën voor mij moeten doen.'

'Samen?' vroeg ik verbaasd, terwijl Buvat en ik elkaar eenstemmig aankeken.

We hadden net Sfasciamonti gedag gezegd. Abt Melani was al in de kales gaan zitten om terug te gaan naar Villa Spada toen hij in plaats van op te schuiven voor ons het deurtje achter zich dichtdeed.

'Jullie blijven voorlopig hier,' zei hij laconiek bij wijze van antwoord.

Vervolgens reikte hij mij een brief aan die al gesloten en verzegeld was. Ik herkende hem meteen: het was *die* brief, het antwoord aan zijn geheimzinnige Maria.

'Maar, signor Atto,' probeerden Buvat en ik zwakjes te protesteren, want we haakten eigenlijk naar enige rust alvorens de nieuwe werkdag aan te gaan.

'Straks. Ga nu maar. Buvat zal de brief overhandigen. Maar wel alleen: jij,' zei hij tegen mij, 'bent niet gekleed zoals het hoort. Ik zal je vroeg of laat een nieuw pak schenken. Ik leg jou wel uit hoe jullie moeten gaan: bij Buvat zou dat verspilde moeite zijn.'

'Staat u mij toe aan te dringen,' ging ik ertegen in.

Meteen daarop las ik de geadresseerde:

MADAME LA CONNÉTABLESSE COLONNA

De gedachten verdrongen zich in mijn hoofd en ik wist niet welke ik voorrang moest geven: ik popelde om thuis uit te rusten (en de laatste verontrustende voorvallen te overdenken), maar tegelijkertijd werd me nu onverwachts de identiteit van de geheimzinnige Maria onthuld, die in het verborgene brieven wisselde met Atto en die op Villa Spada werd verwacht.

La Connétablesse Colonna: ik kende die naam. Wie had in Rome niet gehoord van de Grand Connétable en Romeinse prins Lorenzo Onofrio Colonna, afstammeling van een van de oudste en adelijkste geslachten van Europa? Hij was zo'n tien jaar terug overleden en zij moest zijn weduwe zijn...

'Goed dan, laat maar horen,' snoof Atto, mijn gedachtestroom onderbrekend, 'wat wil je?'

Op dat moment zag ik het gezicht van de abt veranderen van ongeduldig naar verbaasd, zoals bij een onverwachte inval of herinnering.

'Sufkont die ik ben! Kom, neem plaats, jongen,' riep hij uit, terwijl hij het deurtje voor me openhield en me aanspoorde te gaan zitten. 'Natuurlijk moeten we praten. Kom, vertel het maar. Of nee, ik denk zo dat je in de loop van de nacht wel de goede smaak hebt gehad om een paar minuten van je terechte rust te stelen teneinde me een gedetailleerd verslag te doen van wat je hebt gehoord,' zei hij met het vanzelfsprekendste gezicht van de wereld, zonder ook maar te bedenken dat we die nacht net samen in Rome hadden rondgehangen.

'Gehoord? Waar?'

'Dat ligt toch voor de hand: tijdens het diner van gisteravond, toen ik je met de smoes van de fakkel die hele menuetronde om de tafel heen heb laten maken om je achter kardinaal Spinola te krijgen. Kom op, vertel, wat hebben ze gezegd?'

Ik was sprakeloos. Atto zat daar te bekennen dat hij me voor de vorm had afgeblaft toen hij me de vorige avond had opgedragen dichter bij hem te komen omdat ik hem naar zijn zeggen niet genoeg bijlichtte; en vervolgens had hij me onverwachts naar het andere einde van de tafel gestuurd met de smoes dat het vuur te heet was in zijn nek. Niet alleen dat: de abt had dat allemaal op touw gezet om mij de gesprekken van de disgenoten af te laten luisteren!

'Nou ja, signor Atto, ik zie niet welk van die gesprekken u ook maar iets zou kunnen interesseren. Ik bedoel, het ging om onbeduidende dingen zonder verplichtingen...'

'Zonder verplichtingen? In wat een kardinaal van de Heilige Roomse Kerk zegt, jongen, is er geen lettergreep zonder betekenis. Je kunt wel zeggen dat het allemaal smeerpijpen zijn, en daar zou ik je op mijn beurt geen ongelijk in geven, maar wat uit hun mond komt is altijd interessant.'

'Dat zal wel zo zijn, maar ik... Misschien dat één ding me een beetje eigenaardig leek.'

Ik vertelde hem van het misverstand tussen de twee kardinalen Spinola, van de brief van kardinaal Spada voor een van de twee die bij de andere terechtkwam, en van de inhoud daarvan.

'Er stond in: Morgenochtend vroeg alledrie aan boord. Ik waarschuw A. wel.'

Atto zweeg en dacht na. Toen oordeelde hij.

'Dat is wel interessant. Waarachtig interessant ja,' zei hij bij zichzelf met een lange blik op Buvat die ineengedoken aan de kant van de weg stond.

'Wat bedoelt u?'

Hij zweeg weer even, terwijl hij me met een borende blik aankeek, maar in gedachten eigenlijk de voorbijstuivende kar van toekomstige gebeurtenissen achtervolgde.

'Ik ben toch een genie!' riep hij ten slotte met een klap op mijn schouder uit. 'Deze abt Melani is een genie dat hij je onder het mom van de toorts vlak bij de juiste mensen heeft gebracht die te onpas lachen en te veel praten.'

Ik keek hem verbijsterd aan. Hij had verleden feiten die ik niet kende, en toekomstige gebeurtenissen die hij al levendig voor zich zag terwijl ze voor mij nog mist waren, met elkaar in verband gebracht.

'Nou, ik zal ook snel aan boord moeten,' zei hij en hij wreef en masseerde zijn handen, alsof hij ze op het beslissende moment wilde voorbereiden.

'Aan boord van een schip?' vroeg ik.

'Gaan jullie de brief maar bezorgen,' beval Melani ongeduldig, terwijl hij het deurtje weer opendeed en me zonder veel omhaal liet uitstappen. 'Alles op zijn tijd.'

Den 8sten juli 1700, tweede dag

Na een paar minuten waren Buvat en ik op weg, terwijl Atto's kales in de steegjes verdween. De gedachten in mijn hoofd buitelden over elkaar. Was die Maria, Connétablesse Colonna (zoals dus de identiteit was van de raadselachtige edelvrouwe met wie Atto al lang heimelijk in contact stond) dan in Rome? De abt had me beduid de brief te bezorgen in het klooster van Santa Maria in Campo Marzio. Eigenaardig: had Maria in haar laatste brief niet zelf geschreven dat ze in de buurt van Rome had stilgehouden en dat ze niet voor overmorgen zou komen?

De hemel was van een onverbiddelijke helderheid en liet weldra vrij spel aan het toenemende zinderen van de hitte. Toch was het niet de warmte waardoor het lopen me zwaar viel maar de onzekere, verstrooide tred van Buvat, die verrukt een koepel, een toren, een simpele bakstenen muur bekeek.

Uiteindelijk besloot ik de stilte te verbreken:

'Weet u wie we de brief in handen moeten geven?'

'O, niet de prinses natuurlijk. We moeten hem aan een nonnetje bezorgen dat haar zeer is toegewijd. Weet je, de prinses bracht hier als meisje een periode door omdat de abdis haar tante was.'

'De prinses kent abt Melani vast.'

'Of hij haar kent?' zei Buvat grinnikend, alsof de vraag ironie opwekte.

Ik zweeg een paar ogenblikken.

'U bedoelt dat hij haar goed kent,' zei ik toen.

'Weet je wie prinses Colonna is?'

'Nou, voorzover ik weet... als ik het wel heb, was het de vrouw van de Connétable Colonna. Die ongeveer tien jaar geleden is gestorven.'

'Prinses Colonna,' corrigeerde Buvat me, 'was eerder nog de nicht van kardinaal Mazarin, de grote staatsman en verfijnde politicus, de glorie van Frankrijk en Italië.'

'Ja, inderdaad,' mompelde ik, verlegen dat ik niet uit mijn herinnering had weten op te diepen wat ik jaren geleden ook perfect had geweten.

'En nu,' vervolgde ik om me uit de pijnlijke situatie te redden, 'gaan we haar uit naam van abt Melani vertrouwelijk deze brief overhandigen.'

'Welzeker,' zei Buvat, 'Maria Mancini is incognito in Rome!'

'Maria Mancini?'

'Dat is haar meisjesnaam. In werkelijkheid heeft ze er ook een hekel aan om die te horen uitspreken want ze is niet van uitzonderlijke komaf. De abt zal erg opgewonden zijn. De prinses en hij hebben elkaar lang niet gezien. Verdraaid ja, nogal een tijd.'

'Nogal? Hoe lang dan?'

'Dertig jaar.'

Dat was dus, herhaalde ik bij mezelf, die geheimzinnige Maria van wie Atto's lippen op zo'n smachtende manier de naam hadden gefluisterd. Zij was degene die jaren geleden met prins Lorenzo Onofrio Colonna was getrouwd en die zich door haar vrije gedrag een reputatie van eigenzinnige, wispelturige vrouw op de hals had gehaald die decennia later nog standhield. Ik was daar alleen van horen zeggen op de hoogte, aangezien de feiten zich hadden afgespeeld toen ik nog een kind was.

Waarom had Atto me niet precies uitgelegd aan wie de brief die hij aan Buvat en mij had toevertrouwd was gericht? Van welke aard was hun relatie? In de brieven die ik had ingekeken had ik daar maar weinig over gevonden; terwijl ik veel over de kwestie van de Spaanse troonopvolging had vernomen, een onderwerp dat beiden kennelijk aan het hart ging. Maar ik moest die toch dringende vragen tot later uitstellen, omdat we inmiddels bij ons doel waren aangekomen.

We stonden voor het nonnenklooster van Santa Maria in Campo Marzio. Na bij de ingang te hebben aangeklopt zei Buvat tegen de zuster die ons opendeed dat we persoonlijk een brief hadden af te geven aan zuster Caterina en hij liet hem haar zien. Overeenkomstig Atto's instructies hield ik me afzijdig. Na een paar minuten wachten verscheen er een andere religieuze in de deur.

'Zuster Maria is niet gekomen,' zei ze haastig, voordat ze Buvat met een flits de brief uit zijn hand trok en de zware houten deurvleugel snel weer dichtdeed.

Buvat en ik wisselden een verbijsterde blik.

Daar lag dus de oplossing van het mysterie: het geheime element van het contact tussen abt Melani en de Connétablesse was dat de brieven via het nonnenklooster verliepen, ook al was Maria nog niet aangekomen (en bovendien zou ze naar Villa Spada komen, niet naar het klooster). Aan de ijzeren discretie van de nonnen werd de overhandiging toevertrouwd.

We gingen vervolgens langs Palazzo Rospigliosi in Monte Cavallo, waar Buvat me kort op straat liet wachten om naar binnen te gaan en zijn schoenen op te halen, die hij de vorige dag was vergeten mee te nemen naar Villa Spada. Ik had zo de kans om het imposante, immense gebouw te bewonderen dat te pronk stond op de Quirinaal-heuvel, waarvan ik had gelezen dat het boordevol fraais was en tuinen had met fantastische gewelfde terrassen en schitterende buitenverblijven.

Op de terugweg bleef Melani's secretaris maar stilstaan bij het omliggende landschap en dwong hij me voortdurend van de hoofdweg af te wijken. Als hij dan de oude weg weer nam, sloeg hij strijk en zet en met een zelfverzekerd gezicht de tegengestelde richting in.

'Moeten we niet zo?' vroeg hij telkens verbaasd, zich niet bewust van zijn verstrooidheid en mijn inspanning om hem op het juiste pad te houden.

Op dat punt herinnerde ik me dat Atto bij het voorstellen van zijn secretaris nog op een verdere fout van hem had gezinspeeld. Dit was misschien het moment om die ten volle te benutten. Ik besloot dat het niet moeilijk zou zijn om Buvat de verkeerde richting uit te sturen, aangezien hij er op natuurlijke wijze toe werd aangetrokken.

We liepen een steegje door waarin een paar van de vele armzaligen die vanwege het Jubeljaar in Rome waren beland, hun handel dreven. Binnen een paar ogenblikken werden we aangesproken door de bonte menigte die je op straat honderdduizend keer tegenkwam, steeds weer anders en steeds hetzelfde: verkopers van poeder tegen winderigheid, van aluin van droesem die het vuur van lonten eindeloos maakt, koningskaarsolie tegen verkoudheid, gebluste kalk om ratten te verdelgen, brillen om in het donker te zien. En verder wonderbaarlijke lieden die onbevreesd tarantula's, cocodrillen, hagedissen en basilisken in hun handen hielden, anderen die op een koord dansten en salto mortales maakten of heel snel op hun handen liepen, met hun haren gewichten optilden, hun gezicht wasten met vloeibaar lood, met een mes hun neus lieten afsnijden of een tien armen lang koord uit hun mond haalden.

Plotseling betrad een groepje netjes geklede heren het steegje, begeleid door eveneens keurig uitziende vrouwen, die aankondigden dat ze een blijspel wilden opvoeren.

De ploeg toneelspelers werd zo omringd door een menigte kinderen, vrouwen, nieuwsgierige Aagjes, pottenkijkers, flierefluiters, kwinkslagen makende passanten en drollig mopperende oude mannetjes, die hun ogen echter niet van het tafereel losmaakten. De komedianten haalden Joost mag weten waarvandaan enkele houten beschotten te voorschijn en zetten in een handomdraai een podiumpje in elkaar. De bekoorlijkste vrouw van de net gearriveerde groep stapte erop en begon te zingen, begeleid door de gitaar van een van de komedianten. Ze hieven aanvankelijk een mengelmoes aan liederen en populaire verlokkingen aan en het volk, dat zich al verheugde op de gezongen voorstelling, kwam in groten getale toegestroomd. Toen ze klaar waren met het eerste lied, beklom, terwijl de mensen op het begin van het stuk wachtten, de oudste van de groep het podium en haalde uit een zak een medicijn, waarover hij flink en weergaloos de loftrompet stak. Een deel van het publiek begon te joelen, want het had door dat de komedianten in werkelijkheid marktschreeuwers waren en degene die nu aan het woord was was de hoofdmarktschreeuwer. Het merendeel van de mensen bleef echter goed opletten op de uitleg: het poeder was niets minder dan magische kwintessens, dat, vermengd met goede olie, een wonderbaarlijk smeersel tegen schurft werd, en door kattenstront geroerd, uitstekend was om kompressen en cataplasma's mee te maken.

Terwijl de hoofdmarktschreeuwer de eerste flesjes poeder verkocht, geestdriftig aangeschaft door enkele boeren op doorreis die in vervoering de uitleg hadden gevolgd, verwijderden wij ons uit de stinkende, samengepakte massa die bijna de hele steeg blokkeerde, om opnieuw de open straat te bereiken.

Tegenover een taveerne aangekomen liet ik het voorstel vallen alsof er geen vuiltje aan de lucht was.

'Ik weet zeker dat het u in plaats van een verdiende rust niet zal mishagen de geest anderszins op te beuren,' zei ik, terwijl ik mijn pas inhield.

'Uh... ja, ik denk,' zei hij weifelend, met zijn neus naar een toren gewend.

Toen hij vervolgens het uithangbord van de taveerne gewaarwerd, maar vooral de vrolijke geluiden en het gelach van de klanten die van binnen doorklonken, veranderde hij van toon:

'Nee, vervloekt, natuurlijk niet!'

Terwijl ik het kransje dat ik als ontbijt had besteld in een lekker glaasje rode wijn doopte, besloot Buvat mijn nieuwsgierigheid te bevredigen en eindelijk enig zicht te verschaffen op het leven van de Connétablesse.

De laatste jaren van zijn heerschappij in Frankrijk, in het decennium van zijn dood, had kardinaal Mazarin een vloed aan verwanten van Rome naar Parijs geroepen: twee zusters en zeven jonge nichtjes. De laatsten allemaal huwbaar.

De nichtjes van de eerste zus van de kardinaal, Anna Maria en Laura Martinozzi, huwden met de prins van Condé en de hertog van Modena. Twee betere huwelijken waren er niet te vinden. Maar de kardinaal zat nog met de moeilijkst te koppelen nichtjes: de dochters van zijn andere zus, de vijf gezusters Mancini: Ortensia, Marianna, Laura, Olimpia en Maria.

Ze waren zonder kuren en slim, schalks en bekoorlijk, en hun aankomst had aan het hof spiegelbeeldige gevoelens ontketend: de haat van de vrouwen en de liefde van de mannen. Iemand noemde ze minachtend Mazarines.

Maar de Mazarines wisten in de kelk der verleiding de tegenovergestelde nectars van onschuld en schalksheid, zuiverheid en onbeschaamdheid, jeugd en ervaring, voorzichtigheid en overmoed te mengen. Wie eruit dronk werd door hen met de exacte en onverbiddelijke wetenschap der hartstochten geregeerd.

Desondanks (of misschien juist vanwege hun ambitieuze doelen) wist Zijne Eminentie mettertijd de juiste echtgenoten te vinden. Laura werd vrij snel ingepalmd door de hertog de Mercoeur. Marianna trouwde met de hertog de Bouillon. Ortensia viel de markies de la Meilleraye te beurt, en Olimpia de graaf de Soissons. Een opeenvolging van huwelijken zoals niemand ooit had durven hopen. Voor ze naar Parijs kwamen, waren de Romeinse meisjes niemand. Maar nu waren ze gravin, hertogin, getrouwd met prinsen van den bloede, met grootmeesters van de artillerie, met afstammelingen van Richelieu, Hendrik IV, en bovenal stinkend rijk. Hun moeders, de zussen van Mazarin, maakten wel deel uit van de Romeinse adel, maar dan de heel kleine.

'De familie Mancini is wel van heel oude adel,' preciseerde de secretaris, 'ze stamt van voor het jaar 1000, maar ze heeft nooit de welstand genoten die alleen bij de betere aristocratie hoort. De achternamen spreken duidelijke taal: Martinozzi, Mancini...' dreunde hij met nadruk op de verkleinende uitgangen *ozzi* en *ini*, 'een kind kan begrijpen dat het geen klinkende namen zijn.'

Ondanks het temperament van de meisjes waren alle huwelijken van de Mazarines alles welbeschouwd zonder te veel moeilijkheden tot stand gebracht en gesloten. Alleen één nichtje had Mazarin een hoop problemen bezorgd: Maria.

Ze was op haar veertiende naar Parijs gekomen, en de jonge Lodewijk was één jaar ouder. Ze nam haar intrek in het paleis van haar oom, bijna bedwelmd door de luxe en de pracht en praal die in de jaren van de Fronde de volkswoede tegen de kardinaal hadden losgemaakt. In het begin bejegende de koninginmoeder, Anna van Oostenrijk, haar met welwillendheid, zoals trouwens ook de andere nichtjes van Mazarin, alsof ze haar eigen vlees en bloed waren.

'Op een dag werd de moeder van de Mancini's ernstig ziek, en Zijne Majesteit ging met een zekere regelmaat bij de zieke op bezoek. Daar trof hij elke keer Maria aan. Natuurlijk was hij aanvankelijk nog helemaal in de plooi: het spijt mij zeer van de slechte gezondheid van mevrouw uw moeder enzovoort, enzovoort; o, majesteit, ondanks het treurige moment ben ik vereerd met uw woorden, en ga zo maar door,' zei Buvat, terwijl hij eerst koninklijke plechtstatigheid en vervolgens vrouwelijke zedigheid nabootste.

Uiteindelijk stierf Maria's moeder, en op de dag van de begrafenis waren er mensen die opmerkten dat het meisje met veel grotere vertrouwelijkheid en vrijmoedigheid met de vorst converseerde dan toen de overledene nog gezond en wel was.

Op de avond van de uitvaart van Maria's moeder werd aan het hof een ballet uitgevoerd met de profetische titel *L'Amour malade*. Lodewijk nam, zoals hij gewend was in zijn jeugd, deel aan de dansen. In de grote zaal van het Louvre, in aanwezigheid van het gehele hof, opende het koninklijke pirouetteren van Lodewijk de eerste van tien *entrées*, die elk een remedie voor de genezing van de wegkwijnende god vertegenwoordigde.

Nogal wat hovelingen werden zich ervan bewust dat Lodewijk sneller opsprong, een langere adem had, hogere sprongen maakte en een fermere blik had met meer expressie dan anders, alsof een onzichtbare kracht hem steunde en hem het geheime recept toefluisterde waarmee de zieke Amor wordt genezen en ten slotte zegeviert.

Aan het hof wist niemand van alle leeftijdgenoten van de koning hem echt vriendschappelijk te behandelen. Hij was te plechtstatig, te ernstig wanneer hij glimlachte, en glimlachte te veel wanneer hij bevelen gaf.

Wanneer ze zich met hem onderhielden, zochten de jonge vrouwen, gehinderd door verlegenheid en ontzag, bescherming onder de drukkende mantel van formaliteiten en buigingen.

Alleen Maria was niet bang voor Lodewijk. Wanneer alle anderen voor de koning beefden van angst (en van verlangen om door hem te worden uitverkoren), speelde de jonge Italiaanse het spel van de Liefde met dezelfde ondeugende rust als die ze bij iedere knappe jongeman zou hebben beoefend.

In het openbaar was hij tegenover iedereen ijzig en afstandelijk; alleen tegenover haar kwam hij los en veranderde, soms zonder dat hij het besefte, het masker van onverschilligheid in dat van begeerte. Hij stierf van verlangen om haar zijn volledige en totale vertrouwen te schenken, zoals juist de etikette hem verbood, en hij stotterde, bloosde en verloor zich uiteindelijk zelfs in komische verlegenheid.

'Er zijn er die van Zijne Majesteit hebben gezien,' zwoer Buvat, 'hoe hij 's avonds voor hij de slaap vatte, gekweld door de herinnering aan kleine maar onverdraaglijke blunders, in zijn kussen beet als hij terugdacht aan het moment waarop een innemende geestigheid van Maria hem smakelijk aan het lachen en vervolgens pijnlijk aan het stotteren had gebracht, waarmee hij zowel de koninklijke waardigheid verspeelde als het juiste moment om te zeggen: ik heb u lief.'

De gebeurtenissen nemen opnieuw door een ziekte een andere loop. Eind 1658, na een serie reizen en buitengemeen inspannende inspecties, en mogelijk ook wel vanwege de slechte lucht die de lichaamsvochten troebel maakt, wordt Lodewijk in Calais ernstig ziek. De koorts is hoog en houdt aan, een paar weken lang vreest heel Parijs voor het leven van de vorst. Dankzij de gaven van een provinciearts herstelt Lodewijk ten slotte. Wanneer hij weer terug is in Parijs, wordt hem weldra de roddel overgebracht die de hofpraatjes domineert: in heel de stad zijn de ogen die de meeste tranen hebben vergoten, de mond die het meest zijn naam heeft aangeroepen en de handen die het meest voor zijn genezing hebben gebeden die van Maria.

In plaats van een openlijke verklaring (waaraan niemand zich tegenover een vorst kan wagen) heeft Maria op deze manier een onvrijwillige maar des te krachtiger boodschap aan Lodewijk gestuurd. Het hele hof zegt met zijn gefluister de koning voor: zij houdt van je en dat weet je best.

In de maanden daarna verblijft het hof in Fontainebleau, waar Mazarin, die de touwtjes van de regering in handen blijft houden, de jonge vorst vermaakt door hem elke dag nieuwe pleziertjes te bereiden: uitstapjes per koets, blijspelen, concerten, tochtjes over het water volgen elkaar zonder ophouden op. En in de koets, op de kale grond of op het gras vervlechten Lodewijks voetsporen zich telkens met die van Maria. Ze zoeken elkaar constant op, en iedere seconde vinden ze elkaar weer.

'Mag ik één vraag stellen,' onderbrak ik hem. 'Hoe kunt u die details allemaal zo goed weten? Het gaat om feiten van meer dan veertig jaar geleden.'

'Abt Melani kent die geschiedenis beter dan wie ook,' antwoordde hij slechts.

'Aha. Hij heeft u dus, net als mij, alles uit die periode verteld,' zei ik, bewust overdrijvend, 'van de vertrouwelijke zaken die hij afwikkelde voor kardinaal Mazarin, van Fouquet...'

Ik had met opzet twee goed bewaarde geheimen uit Melani's verleden genoemd: zijn vriendschap (zeventien jaar terug door hemzelf onthuld) met de Franse minister van Financiën Fouquet, die door de allerchristelijkste koning vervolgd was, en het feit (dat ik van anderen had gehoord) dat Atto geheim agent was geweest in dienst van Mazarin.

Het was of ik een flits van verbazing in Buvats blik ontwaarde. Waarschijnlijk dacht hij dat abt Melani de bijzonderste dingen aan me had verteld en dat ik daarom zijn vertrouwen waard was.

'Dan zal hij je ook wel hebben verteld,' vervolgde hij, met gedempte stem, 'dat hijzelf erg verliefd was op Maria, uiteraard zonder dat er ooit iets tussen hen is gebeurd, en dat zij, toen hij omwille van de staat gedwongen werd met de Spaanse infanta te trouwen, Parijs verliet en naar Rome ging om met de Connétable Colonna te huwen; en in Rome bleven de abt en zij elkaar bezoeken, want kort daarop kwam hij naar hier. En ze schrijven elkaar nog steeds: de abt is haar nooit vergeten.'

Ik bracht het glas wijn naar mijn lippen en nam een lange slok om zo veel mogelijk mijn gezicht te bedekken en mijn verbazing niet te laten blijken.

Ik was erin geslaagd Buvat te doen geloven dat ik de achtergronden van Atto's leven voldoende kende en dat hij er derhalve vrij met mij over kon praten. Ik moest hem niet laten merken dat ik alles voor het eerst van zijn lippen hoorde.

Atto was dus verliefd geweest op Maria, en juist terwijl zij met de jonge koning van Frankrijk flirtte. Nu waren zijn zuchten duidelijk, bedacht ik, toen hij in Villa Spada de brief van de Connétablesse kreeg overhandigd!

Toen, terwijl ik nog een kransje bestelde, herinnerde ik me een vaag gesprek van zeventien jaar terug, in de tijd dat ik Atto had leren kennen: een gesprek tussen de gasten van de herberg waar ik werkte. En ik herinnerde me dat toen werd gezegd dat Atto de vertrouweling was geweest van een nicht van Mazarin, op wie de koning zo dolverliefd was dat hij met haar wilde trouwen. Nu wist ik *wie* dat nichtje van Mazarin was.

Plotseling werden we onderbroken door een helaas gebruikelijk tafereel in kroegen zoals deze. Een viertal bedelaars was binnengekomen om te bedelen, wat de woede van de waard en het stilzwijgende misnoegen van de andere gasten wekte. Een van de indringers kreeg meteen woorden met een stel jongelui dat naast ons zat, en in een mum van tijd brak er een schermutseling uit, zodat we moesten opschuiven om er niet bij betrokken te raken. Te midden van schooiers, klanten van de taveerne, de baas en zijn knecht stonden zo'n tien mensen naast elkaar. In het handgemeen belandden ze ook op onze tafel en het scheelde weinig of de kruik wijn ging om.

Gelukkig zagen we, toen de heisa bedaard was, dat onze kruik er nog altijd stond en toen de bedelaars eindelijk naar buiten waren, konden we weer gaan zitten. Ik hoorde de baas van de herberg een aardig tijdje mopperen op de vele handophouders die in Jubeljaartijden door Rome zwerven.

'Ach ja, ik wist ook wel dat abt Melani echt heel verliefd was op Maria Mancini,' loog ik in de hoop iets meer uit Buvat los te krijgen.

'Zo verliefd dat hij, toen zij vertrokken was, elke dag op bezoek ging bij haar zus Ortensia,' vervolgde Buvat, terwijl hij wijn in de glazen schonk. 'Zodat hij de woede ontketende van haar echtgenoot, hertog de la Meilleraye, een schijnheilige, gewelddadige man, die jacht op hem liet maken om hem af te ranselen en hem Frankrijk uit liet zetten.'

'O ja, hertog de la Meilleraye,' herhaalde ik met mijn glas in de hand, me weer herinnerend wat ik destijds had gehoord van de gasten bij mij in de herberg.

'De abt, die naar het schijnt niet leven kon zonder contact met een van de Mazarines, maakte daar toen gebruik van door naar Rome te gaan en Maria terug te vinden, met goedkeuring van de koning, die hem zelfs een aardig sommetje geld had gegeven. Maar nu geloof ik dat we beter kunnen gaan,' zei Buvat, want we hadden inmiddels de hele kruik wijn soldaat gemaakt. 'Er is inmiddels een paar uur verstreken: mijnheer de abt zal zich wel afvragen waar ik gebleven ben,' zei hij en hij vroeg de waard om de rekening.

We huurden twee knollen en reden zonder nog een woord te wisselen naar Villa Spada. Ik had erge last van slaap, terwijl Buvat duizelingen voelde vanwege, zei hij, het vroege tijdstip waarop de abt hem van zijn bed had gelicht. Ook ik merkte tot mijn verbazing dat ik afgepeigerd was: de gebeurtenissen van de vorige dag, de nacht inbegrepen, begonnen misschien te veel te worden. Ik was niet meer het frisse knechtje van vroeger. Ik had nog net de kracht om met een zwaai afscheid te nemen van Buvat, waarna ik mijn muildier besteeg en me naar mijn huisje liet leiden. Ik wist al dat ik er Cloridia nog niet zou aantreffen. Die vervloekte bevalling van haar liet op zich wachten. Terwijl ik me achterover op bed liet vallen en toegaf aan de sluimering, koesterde ik me in de gedachte dat we elkaar die avond in Villa Spada weer zouden treffen: onder de gasten was de aankomst voorzien van prinses Di Forano in haar vergevorderde zwangerschap, en voor de zekerheid was om Cloridia's aanwezigheid gevraagd. Vervolgens gaf ik toe aan de slaap.

Ik werd op zijn zachtst gezegd onverwachts en onaangenaam gewekt. Vijandige, sterke krachten schudden me door elkaar, vergezeld van een donderende, geen tegenspraak duldende, hardnekkige stem. Iedere poging om naar het onstoffelijke dromenland terug te keren en verzet te bieden tegen die ongewenste wereldlijke aansporingen was tevergeefs.

'Wakker worden, wakker worden, alstublieft!'

Ik opende mijn ogen, die meteen pijnlijk werden getroffen door het zonlicht. Mijn hoofd deed pijn zoals me in heel mijn leven nog nooit was gebeurd. Degene die aan mijn schouder stond te schudden was een bode van Villa Spada, die ik ternauwernood herkende door de zware pijn in mijn hoofd en de moeilijkheid om mijn ogen open te houden.

'Wat doet u hier en... hoe kon u binnenkomen?' vroeg ik zwakjes.

'Ik kwam u een briefje van abt Melani brengen, en eenmaal hier zag ik de deur openstaan. Is alles goed?'

'Het gaat wel... Stond de deur open?'

'Zelf wilde ik alleen maar kloppen, gelooft u mij,' antwoordde de ander met de eerbied die hij mij als geadresseerde van een briefje van zo'n aanzienlijke gast als abt Melani verschuldigd dacht te zijn. 'Maar toen ben ik maar naar binnen gegaan om zeker te weten dat er niets was gebeurd. Volgens mij bent u het slachtoffer van dieven geweest.'

Ik keek om me heen. De kamer waar ik had geslapen verkeerde in de meest complete chaos. Kledingstukken, dekens, meubels, schoenen, de beddenpan, de nachtspiegel, de instrumenten voor Cloridia's werk, zelfs het kruisbeeld dat anders boven de echtelijke sponde hing: alles lag overal verspreid, van het bed tot de vloer. Bij de drempel lag een glas in gruzelementen.

'Hebt u bij uw terugkeer niets gemerkt?'

'Nee, ik... volgens mij was alles in orde...'

'Dan is het gebeurd terwijl u sliep. U moet wel heel diep hebben geslapen. Zal ik u helpen alles weer op zijn plaats te zetten?'

'Nee, dat hoeft niet. Waar is het briefje?'

Zodra de bode afscheid genomen had, probeerde ik de schok te boven te komen door weer een beetje orde te scheppen in huis. Maar daardoor namen mijn verbazing en verbijstering juist toe. Ook de andere kamers, de keuken, de voorraadkamer en zelfs de kelder waren woest overhoop gehaald. Terwijl ik sliep was iemand het huis binnen gedrongen en had elke ruimte uitgekamd op zoek naar gestolen waren. Pech voor hen, bedacht ik, de enige voorwerpen van waarde waren begraven onder een boom waarvan alleen mijn vrouw en ik de plaats wisten. Na goed een halfuur opruimen constateerde ik dat er eigenlijk geen voorwerp van belang schitterde door afwezigheid. Nog gekweld door hoofdpijn en slapheid ging ik op het bed zitten.

Iemand was op klaarlichte dag het huis binnen gedrongen, herhaalde ik bij mezelf. Had ik iets gemerkt toen ik terugkwam? Ik wist het niet meer. Om de waarheid te zeggen herinnerde ik me niet eens meer wat ik na mijn terugkeer had gedaan, behalve dat ik erge slaap had. En toen, nog half beneveld, besefte ik dat ik het briefje van Atto nog niet had gelezen. Ik maakte het open en was met stomheid geslagen:

> BUVAT VERDOOFD EN BEROOFD.
> KOM ONMIDDELLIJK.

'Het is toch duidelijk, jullie zijn allebei met een bedwelmend middel bewerkt,' zei abt Melani, terwijl hij nerveus door zijn vertrek in Villa Spada ijsbeerde.

Buvat zat met wallen onder zijn ogen in een hoekje en leek niet eens te kunnen geeuwen.

'Het bestaat niet dat jij die dieven niet hebt gehoord, terwijl ze je hele huis op zijn kop zetten,' hernam abt Melani tegen mij, 'en het bestaat niet dat Buvat niet heeft gemerkt dat iemand hem van zijn matras tilde, op de grond zette, in zijn dekens snuffelde en hem ten slotte uitkleedde en van zijn geld beroofde om hem dan halfnaakt achter te laten. Nee, dat bestaat allemaal niet zonder de hulp van een of ander krachtig slaapmiddel.'

Buvat knikte bedeesd, zonder zijn schuldgevoel en schaamte over het voorval te kunnen verhelen. Dus ook Buvat was terug van onze missie in de stad in een loden slaap getuimeld. De abt had gelijk: we waren bedwelmd.

'Maar hoe zijn ze erin geslaagd?' zong Melani, en hij keek ons aan.

Buvat en ik wisselden een lege, vermoeide blik: we hadden geen flauw benul.

'En hebben ze niet geprobeerd bij ú binnen te komen?' vroeg ik aan Atto.

'Nee. Misschien omdat ik in plaats van op kroegentocht te gaan,' benadrukte hij, ons veelbetekenend aankijkend, 'lekker helder ben blijven werken.'

'Hebt u dan niets gehoord?'

'Niemendal. En dat is nog het eigenaardigste. Ik had de verbindingsdeur met Buvats kamertje wel op de grendel. Niettemin, wie het ook is geweest, het is een ware tovenaar.'

'Sfasciamonti was misschien nog niet terug, maar de andere smerissen van de villa kunnen hem wel gezien hebben...' zei ik.

'De smerissen, de smerissen...' zong abt Melani nerveus, 'die kunnen alleen maar zuipen en bordelen spekken. Ze zullen wel een of andere snol hebben binnengelaten die toen, nadat ze de bewakers bediend had, de dieven heeft geholpen. Je weet hoe die dingen gaan.'

'Heel merkwaardig,' vond ik, 'en dat een paar uur na de rampzalige aanval op de boekbinder. Staan die twee dingen soms met elkaar in verband?'

'Lieve hemel, laten we hopen van niet!' schrok Buvat op. Hij had geen enkele zin om ook maar indirect toevallig de oorzaak van iemands dood te zijn.

'Ze zochten vast iets dat een van jullie twee misschien in handen had,' antwoordde Atto. 'Het bewijs moge zijn dat ze van alle appartementen van het Zomerverblijf alleen hier zijn binnengedrongen. Ik heb de bedienden een paar discrete vragen gesteld, maar ze zijn allemaal stombeduusd: niemand heeft hen lastiggevallen.'

'We moeten meteen don Paschatio Melchiorri waarschuwen,' riep ik uit.

'Geen sprake van,' hield Atto me tegen, 'tenminste niet voordat we meer helderheid hebben rond deze kwestie.'

'Maar iemand is het Zomerverblijf binnen gedrongen! We kunnen allemaal in gevaar zijn! En het is mijn plicht om mijn baas kardinaal Spada op de hoogte te stellen...'

'... Ja, en zo zou je iedereen alarmeren, de gasten zouden bezwaar maken tegen de ordedienst van de villa en hun biezen pakken. En vergeet dan de huwelijksfestiviteiten maar. Wil je dat?'

Abt Melani was er zo aan gewend een onzuiver geweten te hebben dat het in de weinig duidelijke gevallen, zoals dit, niet uitmaakte dat hij het slachtoffer was: hij vreesde hoe dan ook iets te verbergen te hebben en koos altijd voor de stiekeme weg. Ik moest alleen wel erkennen dat zijn bezwaren allesbehalve ongegrond waren: ik durfde me niet eens voor te stellen dat ik misschien de kans liep het huwelijk van de neef van kardinaal Fabrizio te torpederen. Ik legde me er dus bij neer om de abt terzijde te staan.

'Maar wat zochten ze nou?' vroeg ik om een ander onderwerp aan te snijden.

'Als jullie het al niet weten, ik heb nog minder een idee. Het doel van de dieven heeft uiteraard ook met mij te maken, want ik ben de enige die jullie allebei kent. Maar nu...'

'Ja?'

'Ik moet nadenken, en veel ook. Laten we intussen overzichtelijk te werk gaan. Er zijn nog meer knopen te ontwarren, en wie weet of je vandaar niet bij deze uitkomt. Jongen, jij gaat nu met mij mee.'

'Waar naartoe?'

'Aan boord, zoals ik je had beloofd.'

Nadat we in de keukens snel iets voor het middageten hadden gepakt, verlieten we met de grootste onopvallendheid Villa Spada: we liepen zonder over de oprit te gaan door de wijngaard en bereikten stilletjes het hek.

Terwijl we aan dat onregelmatige traject begonnen en onze schoenen bezoedelden met de kluiten van de wijnstokken, moest Atto de hete adem van mijn nieuwsgierigheid in zijn nek voelen.

'Nou, het gaat simpelweg hierom,' begon hij zonder veel omwegen. 'Je baas moet aan boord komen van iets in gezelschap van Spinola van San Cesareo en van een zekere A.'

'Dat herinner ik me prima.'

'Nou, in tegenstelling tot wat je zou kunnen denken is het eerste probleem niet waar de plaats van ontmoeting is, maar wie eraan deelnemen.'

'Dus wie A. is.'

'Precies. Want alleen als je de status en de voorrechten van de deelnemers aan een vertrouwelijk samenzijn kent, kun je de plaats vermoeden waar het zich afspeelt. Als er een prins en twee burgers bij zijn, zal het zich afspelen op de bezittingen van de prins, die zich zeker geen moeite zal getroosten voor twee lagergeplaatsten; als het om twee dieven en een eerlijk man gaat, is het zeker op een plaats die door de dieven is gekozen, want die zijn gewend aan geheime vergaderingen, enzovoort.'

'Goed, ik begrijp het,' zei ik met een zweem van ongeduld, terwijl we moeizaam door de modder banjerden.

‘Kijk: we hebben twee kardinalen. De een waarschuwt de ander en vertelt hem dat hij persoonlijk met de derde makker contact zal opnemen. Het gaat vast om iemand zoals zij, anders zou je baas zich op zijn briefje in andere bewoordingen hebben uitgedrukt, zoals bijvoorbeeld: We zien elkaar morgen aan boord, A. zal er ook zijn, om te benadrukken dat het derde personage niet van hun stand is. Maar hij heeft geschreven: Ik waarschuw A. wel, is het niet zo?’

‘Inderdaad,’ bevestigde ik, terwijl we stilletjes het hek van de villa uit liepen.

‘Net zoiets als: ditmaal waarschuw ik hem wel, maak jij je maar niet druk. Kortom, die boodschap doet me denken dat er tussen de drie regelmatige, vertrouwelijke, vaste contacten bestaan of zouden kunnen bestaan.’

‘Akkoord, dus?’

‘Dus gaat het om een derde kardinaal.’

‘Weet u dat zeker?’

‘Helemaal niet. Maar het is het enige spoor waarop we verder kunnen borduren. Kijk nu hier eens naar.’

Gelukkig waren we ver genoeg van het hek van de villa om niet gezien te kunnen worden door de mensen daar. Met een pijlsnel gebaar haalde hij een halfverfomfaaid dubbelgevouwen papier uit een zak. Hij vouwde het open.

Acciaioli
Albani
Altieri
Archinto
Astalli
Barbarigo
Barberini
Bichi
Boncompagni
Borgia
Cantelmi
Carpegna
Cenci
Colloredo
Cornaro
Costaguti
...

'Nou, ik vraag je: hoeveel namen van kardinalen beginnen met de letter A?'

'Signor Atto, waar komt u nu mee aan?' vroeg ik verontrust door dat vreemde document; was Atto me soms in een spionagekwestie aan het betrekken?

'Lees alleen maar. Dit zijn de kardinalen die de volgende paus zullen kiezen. Wie begint er met een A?'

'Acciaioli, Albani, Altieri, Archinto en Astalli,' las ik op de eerste regels.

Hij vouwde het vel onmiddellijk weer dicht en stopte het terug in de zak waar het vandaan kwam, terwijl wij de tocht hervatten.

We waren inmiddels vlak voor de Sint-Pancratiuspoort, waardoor je in oostelijke richting de stad uit gaat over de Via Aurelia. Ik zag hem even snel in het rond kijken, want ook hij wilde niet te veel nieuwsgierigheid wekken. Met zo'n document betrapt worden kon een aanklacht van spionage en vreselijke gevolgen met zich meebrengen.

'Nou, laten we eens kijken,' zei hij met een onbezorgde glimlach, alsof we het over koetjes en kalfjes hadden; ik begreep dat hij zijn gelaatsspieren aan het ontspannen was voor de dreigende ontmoeting met de wachters van de Sint-Pancratiuspoort, waar we doorheen moesten om de weg te vervolgen die hij had gekozen, en waarvan hij me nog steeds het doel niet bekend had gemaakt.

'Astalli is gestationeerd in Ferrara, hij is dezer dagen niet in Rome en komt eventueel pas voor het conclaaf. Archinto is in Milaan, te ver voor het feest van je baas. Acciaioli, de eerste op de lijst, is voorzover ik weet geen goede vriend van de Spada's.'

'Dan blijven alleen Altieri en Albani over.'

'Precies. Altieri leent zich uitstekend voor onze veronderstellingen, want net als Spada maakt hij deel uit van de groep die door wijlen paus Clemens x tot kardinaal is benoemd. Maar Albani is nog beter vanwege een kwestie van politiek evenwicht.'

'Wat bedoelt u?'

'Simpel: een geheime bijeenkomst van drie kardinalen heeft vooral zin als de vertegenwoordigers van evenzovele, verschillende facties elkaar ontmoeten. Nou, Spinola wordt beschouwd als zijnde voor het Keizerrijk. Spada daarentegen, de staatssecretaris van een paus uit Napels, die dus geboortig is uit een Spaans leengoed, kan beschouwd worden als dicht bij Spanje staande. Albani wordt door velen echter als een vriend van Frankrijk beschouwd. Zo hebben we een kleine voorbereidingssynode voor het conclaaf. Daarom is je baas dezer dagen dus zo gespannen: de uitbrander aan het adres van de hofmeester, de nervositeit, de hijgerigheid...'

'Een melkverkoopster heeft me terloops verteld dat kardinaal Spada steeds tussen een ambassadeur en een kardinaal heen en weer gaat vanwege een pauselijke breve,' herinnerde ik me, verbaasd dat ik zelf al interessante informatie bezat, die ik echter nog niet ten volle had weten te benutten.

'Prima! Zit ik ernaast of is Albani kanselier van de breven?' besloot Melani voldaan.

Hij zat er niet naast: ik had het tijdens het diner van gisteravond juist twee dames horen zeggen.

Op dat punt onderbraken we ons gesprek omdat we in het zicht van de wachters van de Sint-Pancratiuspoort waren gekomen; dezen kenden mij uiteraard goed, aangezien ik net buiten de muren woonde en elke dag in en uit ging. In gezelschap verkeren van een heer was een verder voordeel. Ze lieten ons zonder enig probleem door.

'U hebt me nog niet verteld waar we naartoe op weg zijn,' zei ik, ook al vormde zich in de kronkelingen van mijn fantasie een bepaald idee.

'Nou, onze drie kardinalen gaan deze geheime vergadering houden aan boord van een schip. Op de Tiber wellicht?'

'Dat lijkt niet erg waarschijnlijk.'

'Het zou eigenlijk wel kunnen, als ze echt buiten het bereik van indiscrete blikken willen blijven. Het punt is dat ze een veel geriefelijker plek hebben op het droge en op maar een steenworp afstand van Villa Spada. We zijn er bijna. Misschien heb je er wel eens over gehoord; het heet Het Schip.'

Na al Atto's gevolgtrekkingen was dat de naam die ik had verwacht.

'Natuurlijk heb ik erover gehoord,' antwoordde ik, 'ik kom er onderweg van mijn huis naar Villa Spada elke dag langs. Maar ik begreep pas dat dat de plaats van de afspraak van de drie kardinalen kon zijn, nadat u uw overwegingen had gemaakt,' gaf ik toe, 'en nadat ik had begrepen dat de uitdrukking "aan boord" alleen maar een woordgrapje was...'

Atto verhaastte zijn pas en incasseerde met een stilzwijgende glimlach mijn diplomatieke inferioriteitsverklaring.

'Je zult zien,' hernam hij, 'het is werkelijk een opmerkelijke plek. Het gaat om een locatie, zoals je misschien wel weet, die zeer nauw verbonden is met Frankrijk, en die de ontmoeting tussen Spinola en je baas Spada dus nog interessanter maakt: een kardinaal die voor Spanje is en een die voor het Keizerrijk is, treffen elkaar heimelijk in een Frans huis.'

'Kortom, het is een bijeenkomst om de volgende paus te kiezen. Als de derde dan Albani is, die pro-Frankrijk is, zou je zeggen dat Frankrijk de baas speelt.'

'Nu gaan we alleen een kijkje nemen,' zei hij zonder antwoord te geven. 'De ontmoeting heeft zich vast vanochtend vroeg afgespeeld, op het tijdstip van de geheime intriges, en nu zal het allemaal wel afgelopen zijn. Maar we kunnen evengoed wat interessante informatie opsporen. Bovendien...'

'Bovendien?'

'Een samenloop. Heel eigenaardig. In Het Schip wordt iets heel wonderlijks bewaakt. Voorwerpen die... enfin, het gaat om een oud verhaal dat ik je vroeg of laat nog wel eens vertel.'

Net terwijl Atto die laatste lettergrepen uitsprak, waren we op de plaats van bestemming aangekomen en moest ik ieder verzoek om opheldering uitstellen.

De plaats die we op het punt stonden te betreden, lag dicht bij mijn landelijke woning en zou een grote rol spelen in de voorvallen die ik ga vertellen. Hij was bij iedereen bekend, maar weinig mensen kenden hem echt.

Officieel droeg hij de naam Villa Benedetta, naar de naam van ene Benedetti, van wie ik alleen maar wist dat hij dat gebouw tientallen jaren geleden met veel pracht en praal had laten bouwen. Door zijn opvallende vorm, waardoor het op een schip leek, werd het gebouw door de plaatselijke bevolking Villa Het Schip of, kortweg, Het Schip genoemd.

Ik zei al dat dit laatste bij iedereen bekend was, en niet alleen in de buurt; want de villa genoot een nogal ongewone faam. Alle inwoners uit de omgeving wisten dat het huis en de tuin na de dood van de bouwer, zo'n tien jaar geleden, waren geërfd door een familielid van kardinaal Mazarin; deze verwant van de kardinaal had er echter nooit een voet gezet en maakte van de villa een vergeten oord. Maar geen verlaten oord: met het invallen van de duisternis zag je er lichtjes, en bij daglicht schaduwen van mensen; vanaf de straat hoorde je zachte muziek, geluid van voetstappen, gedempt gelach. Voortdurend klonk het lieflijke geklater van een fontein, waaraan de haastige tred van een lakei op het grind van de binnenplaats een contrapunt toevoegde.

Toch zag je er geen enkele bezoeker naar binnen of naar buiten gaan. Nooit stopte er een koets tegenover de villa om belangrijke gasten af te leveren, nog minder verscheen er een bediende om de keukens of het winterhout te bevoorraden. Iedereen wist dat er iemand daarbinnen moest zijn. En toch zag je hem nooit.

Het was alsof Het Schip bezield werd door een geheimzinnig leven dat onafhankelijk van enig contact met de buitenwereld bestond. Daarbinnen leken zich als goden van een mindere Olympus geheimzinnige dames en heren zonder gelaat schuil te houden, onverschillig voor de wereld en tevreden met hun mysterieuze leven apart. Een geheimzinnig aureool weerde de nieuwsgierigen en boezemde zelfs een zekere ongerustheid in bij iemand die, zoals ik, minstens één keer per dag langs het huis kwam.

Anderzijds kon de ligging van Het Schip niet fraaier en begeerlijker zijn, vanaf de lieflijke hoogten van de Janiculus keek het precies uit op de Via Aurelia. Net op de grens tussen stad en platteland gelegen genoot het gebouw van volmaakte lucht en verschillende lieflijke panorama's zonder dat het oog erom hoefde te bedelen. Hoewel het tussen de zachte, zedige glooiingen van de heuvel stond, had Het Schip toch een trots, onaangetast aanzien: eerder dan een villa of een paleis leek het een waar kasteel. Daarenboven leek het een varend kasteel, als je dat zo kunt zeggen. De voorsteven (zoals ik weldra zou zien) was de dubbele trap van de voorgevel, die eindigde in het groen van de tuin en met een dubbele symmetrische bocht samenkwam op een terrasje, de trouwe afspiegeling van een dek. De achtersteven, aan de andere kant, werd juist gevormd door een lage voorgevel in een halve cirkel, waarbinnen een loggia met ruime, boogvormige vensters uitzag op de achterliggende weg naar de Sint-Pancratiuspoort. De scheepsromp ten slotte waren de vier woonverdiepingen, ruim en licht van ontwerp, met bovenaan vier torentjes, die op hun beurt geperfectioneerd waren met evenzovele windwijzers, als vaandels op de masten van een schip.

Het Schip verhief zich zo trots op de toppen van omliggend groen en geboomte dat het zelfs van grote afstand was te zien; en het maakte niet uit dat de tuin niet zo groot was, zoals overigens een Latijnse spreuk bij de ingang verklaarde, die ik de vele keren dat ik er nadien langsliep kans zag te lezen:

Agri tantum quo fruamur
Non quo oneremur

De schrijver adviseerde dus om zo veel land te bezitten als volstaat om ervan te genieten, in plaats van geld weg te gooien voor de aankoop van veel land.

Maar de spreuk, die riekte naar oude landelijke wijsheid, was niets anders dan de loutere voorbode van nog veel, veel meer dat we binnen zouden aantreffen.

Atto bleef staan om in de verte de tweesprong te bestuderen waarin de weg van de Sint-Pancratiuspoort zich splitste en zicht bood op het naburige Zomerverblijf Corsini.

'Ik weet dat een zekere Benedetti Het Schip heeft laten bouwen,' hervatte ik terwijl we discreet de weg verkenden, 'maar wie was hij?'

'Een van de vertrouwensmannen van Mazarin. Hij was zijn agent hier in Rome. In zijn naam kocht hij schilderijen, boeken, voorwerpen van waarde. Mettertijd was hij een aardige kenner geworden. Hij onderhield contacten met Bernini, Algardi, Poussin... Ik weet niet of die namen je iets zeggen.'

'Zeker wel, signor Atto. Het zijn grote kunstenaars.'

Benedetti had de inspiratie van een architect, vervolgde Atto, maar zonder het te zijn. Soms stortte hij zich op dingen die groter waren dan hij. Hij stelde bijvoorbeeld voor een grote trap te maken op de plaats van het heuveltje tussen de Piazza di Spagna en de Trinità dei Monti, maar dat had geen gevolgen. Soms kregen zijn ideeën echter de kans om gerealiseerd te worden.

'De katafalk van de begrafenis die vanwege de dood van de kardinaal hier in Rome werd gehouden, was bijvoorbeeld naar een ontwerp van hem. Hij was naar mijn idee een beetje zwaar en te pompeus, maar niet lelijk. Benedetti was een goede dilettant.'

'Misschien heeft hij ook de hand gehad in Het Schip,' veronderstelde ik.

'Men zegt inderdaad dat de villa een werk van hem is, veel meer dan van de architecten die hij opdracht gaf. En ik weet dat het waar is.'

'Kende u hem goed?'

'Ik stond hem bij toen hij ruim dertig jaar geleden naar Frankrijk ging, juist vanwege Het Schip. Na zijn dood heeft hij mij uit dankbaarheid een paar dingetjes nagelaten. Een paar aardige schilderijtjes.'

We stonden inmiddels tegenover de ommuring van de villa. Hij keek uit op het westen en verdedigde zich met een olijk knipogen tegen de flikkering van het middaguur.

'Hij was Vaux-le-Vicomte, het kasteel van mijn vriend Nicolas Fouquet, komen bezoeken. Ik vergezelde hem, en hij onthulde me dat hij er inspiratie voor zijn villa wilde opdoen. Maar nu is het uit met het geklets, we zijn er. Je zult het met eigen ogen kunnen zien; en beoordelen, als je wilt.'

We liepen op de ingang af, die van ongewone, bewonderenswaardige makelij was. Naar ons toe stak de achtersteven van Het Schip uit: een grote loggia in een ronde vorm bedekt met lichte bogen, die uitkeek op de weg waar we stonden. Vanuit de loggia klonk het bescheiden gekabbel van een fonteintje. De achtersteven stond tegen de ommuring aan, die op zijn beurt driest in de vorm van een rots was uitgehouwen, met ramen en deuren in de vorm van zeegrotten en baaien. Het Schip, dat op denkbeeldige baren golfde, leek zo verankerd aan de rotsen. Te midden van dennen, oleanders, rode klavers en margrieten ontvouwde zich dus op de Janiculus-heuvel het verrukkelijke en absurde beeld van een zeilschip voor de kust.

Niemand leek het toegangsdeurtje naar de villa in de gaten te houden dat zich in de ommuring bevond. Zo was het ook; de grote voordeur stond even op een kier en kwam uit op een vestibule, die op zijn beurt naar een tuin leidde.

Atto en ik liepen voorzichtig verder, zeker wetend dat we elk moment iemand zouden tegenkomen. Vanuit de villa hoorde je een paar stemmen, door de afstand gedempt. Er weerklonk een vrouwenlach. Niemand diende zich aan.

We stonden op een brede binnenplaats, met rechts van ons de ranke overheersende omvang van Het Schip. Midden in de ruimte liet een sierlijke fontein met kunstige stralen een beschaafd gelispel van waterstroompjes horen.

We bleven stilstaan en wierpen een blik in het rond om ons te oriënteren. Tegenover en links van ons strekte zich het park uit, dat we behoedzaam begonnen te verkennen. Er waren ellenlange spalieren en potten met citrusplanten en andere kostbare vruchtbomen die langs de randen waren opgesteld; een grote brede trap van negen verschillende lanen met spalieren van rozen, met rijen bomen boven enkele ruitvormige pergola's, met spalieren van verschillende vruchtbomen en een bosschage.

De stralen van een tweede fontein die midden op de eerste verdieping van het gebouw op een terras stond, voegden elegant en steeds nieuw een welluidend contrapunt toe.

'Kondigen we ons niet aan?'

'Voorlopig niet; we schenden privé-terrein, ik weet het, maar er stond niemand op wacht. Desgevraagd zullen we onze aanwezigheid rechtvaardigen met de wens de eigenaar van deze fraaie villa onze hulde te brengen. Kortom, we doen alsof onze neus bloedt om er glad vanaf te komen, zoals dat heet.'

'Tot wanneer?' vroeg ik, bezorgd vanwege de mogelijkheid enige ellende te beleven op een plaats die zowel dicht bij mijn huis als bij Villa Spada lag.

'Todat we iets interessants vinden op de verzamelplaats van onze drie kardinalen. En nu ophouden met vragen.'

Voor ons diende zich een laan aan met een grote pergola van verschillende kostelijke druiven.

'De druif, het christelijke symbool van de wedergeboorte: zo ontving Benedetti de bezoekers.'

De pergola eindigde, zoals we konden zien, tegenover een fraaie muurschildering van Triomferend Rome.

Vlak bij het gebouw zouden we ons te veel in gevaar brengen; vroeg of laat zou iemand ons illegale onderzoek komen onderbreken. Wandelend over de schaduwrijke laantjes van het park voelden we ons echter geleidelijk aan beschermd en gewiegd door het rustige middaguur, de geurige citrusvruchten, het kalme geklater van de fonteinen.

Al zwervend in de tuin vonden we een open ruimte met twee kleine piramiden. Op de zijkanten van elk stond een opdracht. Op de eerste stond te lezen:

GENII AMOEINITATI
Qui procul a curis ille laetus;
Si vis esse talis,
Esto ruralis.

'Nou jongen, ga je gang,' daagde Atto vriendelijk uit.

'Ik zou zeggen: *Aan de bekoorlijkheid van het Talent. Gelukkig is de mens die geen zorgen kent; als jij het ook wilt zijn, ga dan op het land wonen.*'

De andere piramide droeg een soortgelijk opschrift:

AMICITIAE FELICITATI
In secunda, et in adversa fortuna,
Nil solidius amico:
Hunc facilius in rure
Quam in aula invenies.

'*Aan de vreugde van de Vriendschap. In goede als in kwade dagen is niets betrouwbaarder dan een vriend: maar je vindt hem gemakkelijker op het land dan aan het hof,*' vertaalde ik.

We bleven nog even zwijgend tegenover de twee piramiden staan, de een – zo meende ik althans – heimelijk nieuwsgierig naar de gedachten van de ander. Tot welke overpeinzingen konden die uitspraken Atto brengen? Talent en vriendschap... Als ik had moeten zeggen door welk talent hij werd geleid, zou ik meteen aan zijn twee ware passies denken: politiek en intrige. En vriendschap? Abt Melani was aan mij gehecht, daar was ik nu zeker van sinds ik had ontdekt dat hij mijn pareltjes stiekem op zijn hart bewaarde, als *ex voto* in de scapulier van Onze-Lieve-Vrouwe van de Karmel gespeld. Maar was Atto afgezien daarvan mijn vriend, mijn echte, belangeloze vriend, of was hij dat althans maar even geweest, zoals hij graag te zien gaf wanneer hem dat uitkwam?

Plotseling was in de verte een golvende melodie te horen, een merkwaardig gezang als van een welluidende sirene, dat nu eens leek toe te behoren aan een fluit, dan weer aan een viola da gamba, soms zelfs aan een vrouwenstem.

'Er wordt muziek gemaakt in de villa,' merkte ik op.

Atto spitste zijn oren.

'Nee, het komt niet uit de villa. Het is hier ergens in de buurt.'

Met onze blik verkenden we het park, maar tevergeefs. Ineens stak de wind op en woei met een geruis in perken, lanen en struiken de kleurloze laag gevallen bladeren omhoog, voortijdige slachtoffers van de zomerhitte.

Nu leek de melodie opnieuw uit het gebouw te komen.

'Daar, daar komt het vandaan,' herstelde Atto.

Hij wees me een raam dat uitkeek op de binnenplaats naar het westen toe en dat we door het bladergroen heen zagen schemeren, waarnaar we vervolgens terugkeerden.

Zo kwamen we voor het eerst op een paar passen afstand van het gebouw, onder aan de ramen, vanwaar iedereen ons niet alleen kon zien maar ook horen; en toch bleven we ongestoord rondlopen. Ik kon er niet bij dat niemand ons tegenhield, maar geleidelijk aan raakte ik overmoedig vertrouwd met die voor mij tot dan toe onbekende en geheimzinnige plek.

We richtten blik en gehoor omhoog, in de richting van het raam (inderdaad het enige) vanwaar we meenden dat de muziek kwam. Maar wederom leek de onzichtbare mantel van de stilte op het park en op ons neer te dalen.

'Het lijkt wel of ze het leuk vinden om zo verstopt te zitten,' spotte Atto.

Zo hadden we de gelegenheid om de architectuur van Het Schip beter te bewonderen. De voorgevel waarvoor we stonden was in drie rijen verdeeld; de buitenkant sprong een paar keer in, op de begane grond was een fraaie galerij met bogen en zuilen waarboven zich, ter hoogte van de eerste verdieping, een terras uitstrekte. We bereikten de galerij.

'Signor Atto, moet u eens hier kijken.'

Ik maakte Atto erop attent dat er boven elk van de lunetten van de galerij een Latijnse inscriptie te lezen was, eveneens in een aantal van vier:

AERIS SALUBRITAS
LOCI SUBLIMITAS
URBIS VICINITAS
DOMUS COMMODITAS

'*Hier heb je heilzame lucht, een sublieme locatie, de stad vlakbij en een gerieflijk huis*,' vertaalde Atto, 'een ware lofzang van Elpidio Benedetti op zijn villa.'

Nog twee soortgelijke inscripties stonden boven de twee poorten van de voorgevel:

Agricula semper in proximum annum dives est.

Ladato ingentia Rura, exiguum colito.

'*Volgend jaar is de boer altijd rijk. Laten de grote akkers geprezen en de kleine bewerkt worden.* Leuk. Kijk, hier is ook van alles.'

Atto spoorde me aan de galerij te betreden. Toen ik daar mijn ogen op de voorgevels richtte, zag ik in groten getale nog meer ietwat verbleekte spreuken, bijna een heel woud op de muren, op iedere pilaar in groepjes van drie gegroepeerd.

Ik kwam bij de eerste spreuk en las:

Bescheidenheid is de moeder aller deugden.
Niet alle geletterden zijn wijs.
Liever een goede vriend dan honderd verwanten.

Eén vijand is te veel en honderd vrienden zijn niet genoeg.
Een wijze en een dwaze weten meer dan één wijze alleen.
Kunnen leven is belangrijker dan kunnen spreken.

Van het een komt het ander, en de wereld heerst erover.
Met weinig verstand wordt de wereld geregeerd.
De wereld wordt door meningen geregeerd.

Aan weerszijden van de loggia stonden vervolgens halve zuilen, waarop zulke spreuken evenmin ontbraken:

Niemand geniet méér aan het hof dan de nar.

In een villa kan een wijze beter nadenken, en genieten.

'Ik wist van de inscripties van Het Schip,' zei Atto toen, die ze met mij ontdekte, 'maar ik had nooit gedacht dat het er zoveel waren, en overal geschilderd. Een waarachtig opmerkelijk staaltje. Goed zo, Benedetti. Ook al komt het niet allemaal uit eigen koker,' besloot hij met een ondeugend lachje.

'Wat bedoelt u?'

'*De wereld wordt door meningen geregeerd*,' declameerde Atto andermaal met vleiende, schelle stem, naar beneden toe over zijn kleding strijkend om een pij te suggereren, zijn wenkbrauwen streng gefronst en twee vingers onder zijn neus om een snor na te bootsen.

'Zijne Eminentie kardinaal Mazarin?' waagde ik.

'Een van zijn favoriete frases. Deze heeft hij nooit opgeschreven, zoals vele andere wel.'

'En welke andere spreuken herkent u hier?'

'Even zien... *Bescheidenheid is de moeder aller deugden*: dat is paus Clemens IX, mijn goede vriend zaliger. Verder... *Liever een goede vriend dan honderd verwanten*. Dat herhaalde Hare Majesteit Anna van Oostenrijk, de overleden moeder van de allerchristelijkste koning, vaak tegenover mij... zei je iets?'

'Nee, signor Atto.'

'Weet je het zeker? Ik zou zweren dat ik iets hoorde als een... ja, gefluister.'

We keken even vaag ongerust om ons heen. Omdat ons niets opviel, konden we het bezoek alleen maar voortzetten, terwijl de melodie van zo-even gedempt en haast onhoorbaar opnieuw begon.

'Een folía,' luidde Atto's commentaar.

'Inderdaad, het is allemaal een beetje eigenaardig hierbinnen,' erkende ik.

'Waar heb je het over? Ik bedoel de melodie die we horen: dat zijn variaties op het thema van de Zotheid. Zo komt het me althans voor uit het weinige dat je ervan hoort.'

Ik zweeg, want ik wist niet wat het thema van de Zotheid in de muziek was.

'De folía is een van oorsprong Portugees volkswijsje, oorspronkelijk een dans,' zei Atto als antwoord op mijn verzwegen vragen, 'een heel bekende vorm. Aan de basis staat een muziekschets, zeg maar, een eenvoudige structuur waarop de muzikanten een flink aantal variaties en contrapunten van grote virtuositeit improviseren.'

We bleven nog even staan luisteren naar de melodie, die allengs aan de dag trad als een nu eens zwaar en ernstig, dan weer liefdevol en levendig, dan weer weemoedig, maar steeds veranderlijk motief.

'Het is erg mooi,' fluisterde ik in een ademtocht, terwijl de betovering van de muziek me bijna duizelig maakte.

'Het basso continuo, dat ook gevarieerd is, begeleidt de contrapunten: dat verovert dromerige naturen als jij altijd,' grinnikte Atto. 'Hoe dan ook heb je in dit geval volkomen gelijk. Tot nu toe dacht ik dat er geen betere variaties op de folía bestonden dan die van maestro Marais in Versailles, maar deze hier op Italiaanse wijze zijn betoverend. Werkelijk een goede componist, wie het ook is.'

'Wie heeft de folía voor het eerst gecomponeerd?' vroeg ik nieuwsgierig, terwijl de muziek intussen vervloog.

'Iedereen en niemand. Zoals ik al zei, het is een volksmelodie, een oeroude dans. Die gaat terug tot mensenheugenis. Ook de naam folía is raadselachtig. Maar laat me nu lezen, hier staat iets van Lorenzo de' Medici,' hervatte Atto, die zich opmaakte om enkele verzen door te lopen, maar zichzelf meteen onderbrak.

'Hoorde jij dat ook?' fluisterde hij.

Ik had het ook gehoord. Twee stemmen. Van een man en een vrouw. Niet ver van ons vandaan, en het geluid van voetstappen op het grind.

We keken om ons heen. Niemand.

'Ach, uiteindelijk brengen we een vriendschappelijk bezoek,' zei hij, en hij herademde. 'Het is onnodig om bang te zijn.'

We hervatten de verkenning. Die regels op de muren van Het Schip stonden in mijn hoofd gegrift; ze spoorden de lezer aan om zich terug te trekken uit de ijdelheid der wereld en Waarheid en Wijsheid te zoeken in de veilige haven van Natuur en Vriendschap. Vreemd, bedacht ik, om juist daar, op het spoor van de geheime samenkomst van de drie kardinalen, gedachten en woorden te vinden die aanzetten tot verachting van de inspanningen van politiek en onderhandelingen. Zelf was ik van de wereldse zaken afgedreven: ik had het opgegeven om journaalschrijver te worden en had me met mijn Cloridia teruggetrokken op mijn akkertje. Na zeventien jaar had Atto echter weer toegeslagen, en hoe. Alleen leek het ondertussen (maar het kon zinsbegoocheling zijn) alsof die regels, die zachtjes op de vergankelijkheid der dingen hamerden, een zweem van twijfel en verandering van gedachten op zijn gelaat teweegbrachten.

'Wat een regels; ik ken ze, ik herlees ze voor de honderdste keer en toch lijkt het of ze nog iets te zeggen hebben,' commentarieerde hij als het ware bij zichzelf.

Tussen de bogen lazen we fraaie strofen over de seizoenen van Marino, Tasso, Alemanni, en de distichons van Ovidius. Wat daarna meteen onze aandacht trok, was aan de zijkant van de villa, in de eerste nis tussen de ramen, een lijst van wijze uitspraken:

> Wie het geloof verliest, heeft niets meer te verliezen
> Wie geen vrienden heeft, maakt geen groot fortuin
> Wie haastig iets belooft, krijgt meestal zoetjes aan spijt
> Wie altijd lacht, bedriegt vaak
> Wie het spel volgt, komt er arm weer uit.
> Wie een kuil graaft voor een ander, valt er zelf in
> Wie goed doet, goed ontmoet
> Wie goed gist, goed raadt
> Wie een naam verkrijgt, verkrijgt goed
> Wie veel vrienden wil, moet er weinig op de proef stellen
> Wie niet waagt, die niet wint
> Wie het meest ergens van denkt te weten, begrijpt er het minst van

'Vervloekt,' siste Atto plotseling.

'Wat is er?'

Hij zweeg even.

'Bestaat het dat jij het niet hebt gehoord? Een scherp geluid, precies hier, vóór me.'

'Eigenlijk... heb ik het wel gehoord, iets als een gebroken tak.'

'Een tak die vanzelf breekt? Dat zou pas interessant zijn,' zei hij ironisch, met een korte ademhaling om zich heen kijkend.

Hij zou het ongaarne opbiechten, maar onze verkenning leek zich op twee parallelle wegen af te spelen: de inscripties die we ontcijferden, en de geheimzinnige geluiden die ons belaagden, alsof die twee verschillende realiteiten, de geschreven woorden en het geritsel van het onbekende, elkaar in feite iets toeriepen.

Voor de zoveelste keer vatten we moed en gingen verder. De opsomming van uitspraken zette zich voort in de tweede nis:

Wie alles wil, sterft van woede
Wie niet gewend is te liegen, denkt dat iedereen de waarheid spreekt
Wie gewoon is kwaad te doen, denkt aan niets anders meer
Wie zijn schulden betaalt, wordt niet arm
Wie veel wil, vraagt niet weinig
Wie naar iedere veer kijkt, maakt nooit het bed op
Wie niet discreet is, verdient geen respect
Wie niet acht, wordt niet geacht
Wie tijdig koopt, koopt goedkoop
Wie niet bang is, loopt gevaar
Wie deugd zaait, zal faam oogsten

En in de derde nis:

HOED U VOOR
Een arme Alchemist
Een zieke Dokter
Het ondergaan van woede
Een opgehitste gek
De haat van Hoge heren
Het gezelschap van Bedriegers
Een blaffende Hond
Iemand die zijn mond niet opendoet
Omgang met dieven
Een nieuwe Herberg
Een oude Hoer
Een nachtelijke kwestie
Een mening van de Rechters
Een aarzeling van Dokters
Een recept van Apothekers
Het Etcetera van Notarissen
De kwaadaardigheid van Vrouwen
De tranen van Hoeren
De leugens van Kooplieden
De Huisdieven
De teruggekeerde dienstmeid
De Volkswoede

'Oude hoeren en meningen van rechters moet je wantrouwen, dat is een ding dat zeker is,' stemde Atto met een lachje in.

Ten slotte kwam er in de vierde nis nog een rij wijze spreuken voor:

DRIE SOORTEN MENSEN ZIJN VERSCHRIKKELIJK
De hoogmoedige Bedelaar
De gierige Rijkaard
De dwaze Oude man

DRIE SOORTEN MANNEN DIENT MEN TE ONTVLUCHTEN
Zangers
Bejaarden
Verliefden

DRIE ZAKEN BEZOEDELEN HET HUIS
Hanen
Honden
Vrouwen

DRIE ZAKEN ZIJN BEGERENSWAARDIG
Gezondheid
Een goede naam
Rijkdom

DRIE ZAKEN LIGGEN MUURVAST
De achterdocht, want waar hij binnenkomt, gaat hij niet meer weg
De wind, want die komt niet binnen waar hij geen uitgang ziet
De trouw, want die keert nooit terug naar waar hij vandaan gaat

DRIE ZAKEN ZIJN VERSCHRIKKELIJK
Wachten op wat uitblijft
Op bed liggen en niet slapen
Dienen en niet in de smaak vallen

DRIE ZAKEN GENIETEN
De Haan van de Molenaar
De Kat van de Vleeshouwer
De Knecht van de Waard

'Nou, die zijn niet van het niveau als de rest,' mopperde Atto, die waarschijnlijk geen waardering had voor de spreuk volgens welke zangers en bejaarden, categorieën waarvan hij deel uitmaakte, dienden te worden gemeden.

'Enfin,' vroeg ik met mijn door zo veel stelregels inmiddels verstopte hoofd, 'waarom staan al die inscripties daar volgens u?'

Hij gaf geen antwoord. Hij stelde zich duidelijk dezelfde vraag en wilde niet bekennen dat hij die deelde met mij, die hij in de zaken der wereld nog als onervaren beschouwde.

De wind, die al even geleden was opgestoken, werd plotseling krachtiger. Na een paar ogenblikken zelfs bijna hevig. Grillige wervelingen stegen snel op en zwiepten heesters, aarde en insecten omhoog. Een vlaag stof kwam in mijn ogen en verblindde me. Ik leunde tegen een boomstam om mijn ogen uit te wrijven; pas na geruime tijd kon ik weer zien. Toen ik weer opkeek was het schouwspel bruusk veranderd. Ook Atto verwijderde met een zakdoek het vuil van zijn oogleden dat hem het zien belette. Ik was een beetje duizelig; even was de wereld en daarmee de villa aan ons oog onttrokken door die allesoverheersende vlaag, zoals ik in al die jaren op de Janiculus-heuvel niet had meegemaakt.

Ik sloeg mijn ogen op. De wolken, die elkaar eerst lui achtervolgden aan een met oranje, roze en lila doortrokken lucht, stonden nu allesoverheersend grijs aan het hemelgewelf. De horizon, die dof en melkachtig was geworden, gaf een vormeloos, vreemd schijnsel weer. De muziek leek nu van de grote open plek bij de ingang van het park te komen.

Vervolgens werd alles weer helder en klaar. Even plotseling als hij was verdwenen dook de dagster weer op en wierp een dunne, gulden straal op de voorgevel van Het Schip. Een fijn briesje dreef even de noten van de folía naar ons toe.

'Eigenaardig,' zei Atto, terwijl hij zijn vies geworden schoenen afklopte, 'die muziek komt en gaat, gaat en komt; het is net of ze overal en nergens is. In de paleizen van de hoge heren bestaan soms zalen met aparte muren om de luisterpunten te vermenigvuldigen en de illusie te wekken dat de muzikanten ergens anders zitten dan in werkelijkheid. Maar ik heb nog nooit van een tuin gehoord met dezelfde kwaliteiten.'

'U hebt gelijk,' stemde ik in, 'het is net alsof dat motief gewoon, zeg maar... in de lucht hing.'

Plotseling hoorden we twee stemmen en een zilverige vrouwenlach. Het moesten dezelfde zijn als die we zo-even hadden gehoord, waarop vreemd genoeg geen aanwezigheid van mensen was gevolgd.

Het zicht werd belemmerd door een hoge haag. Atto trok de plooien van zijn justaucorps recht om zich behoorlijk te kunnen voorstellen en enkele vragen te beantwoorden. Op één punt werd de haag dunner en uiteindelijk zagen we, bijna doorschijnend, twee gestalten, en twee daarbij behorende gezichten.

Het eerste was van een heer die niet meer zo jong, maar wel krachtig was. Hoewel het om een vluchtige verschijning ging, was ik getroffen door zijn open blik, de vriendelijke trekken, zijn resolute maar hoffelijke manier van doen. Hij sprak beminnelijk met een meisje dat hij gerust leek te stellen. Was van haar ook de vrouwenlach die we bij de ingang van Het Schip hadden gehoord?

'... Ik zal u mijn leven lang dankbaar zijn. U bent mijn beste vriend,' sprak zij.

Ze waren op zijn Frans gekleed, zij het met (ik zou niet precies kunnen zeggen waarom) iets heel opmerkelijks. Ze hadden onze aanwezigheid in het geheel niet in de gaten, zodat het haast leek of we hen, beschut door de groene barrière, aan het bespieden waren.

Ze draaiden zich ietsje om, en toen kon ik het meisje goed in het gezicht kijken. Haar huidskleur was zuiverder dan kristal; eigenlijk was haar huid niet van een extreme bleekheid, maar doordat het witte zich mengde met het levende van het bloed, kwam er iets tussen licht en donker dat haar gelijk maakte aan een nieuwe Venus (omdat, zoals het spreekwoord zegt, het bruin de schoonheid niet beneemt maar juist vergroot). Het ovaal van haar gezicht was niet langwerpig, maar had juist iets ronds dat heel de schoonheid van de hemelgewelven evenaarde. Haar haren versmaadden als het ware de kleur van het zo gewone goud in de wereld en grensden aan een zwart met een blauwige weerschijn dat zich zou lenen om de uitvaart te bedenken van hen die er met meedogenloze strikken door in de val zouden worden gelokt. Haar voorhoofd was groot en ruim, goed in verhouding tot haar andere bekoorlijkheden; haar ogen waren donker en zouden bij anderen de blik te hoogmoedig hebben gemaakt, terwijl ze bij haar, wanneer de iris verscheen, deden denken aan een wolk die na een stortbui de zon laat zien.

Ik keek naar haar, gebruikmakend van de toevallige opening tussen de blaadjes, en die grote, eerder ronde dan amandelvormige ogen, die van een ongeëvenaarde levendigheid waren en in staat om woedend te worden maar niet om wrok te koesteren, leken mij allerliefste maar hardvochtige instrumenten, fatale kometen, werpers van meedogenloze liefdespijlen, in staat om zelfs de grootste arendsogen te verblinden; maar daarom niet hardvochtig, want vergezeld van talloze onschuldige tederheden. Haar lippen waren van bezield koraal, zodat het vermiljoen geen fraaiere en levendiger kleur kon hebben. Haar neus was volkomen in proportie en heel het aanzien van haar hoofd was van een weergaloze majesteit, gesteund door het schitterende voetstuk van de hals, waaronder zich de twee heuvels van Ibla aftekenden, zo niet de twee appels van Paris, die haar meteen tot de Godin der Schoonheid zouden bestempelen. Haar armen waren zo mooi vol dat het onmogelijk zou zijn erin te knijpen; haar hand (plotseling bracht ze die naar haar kin) was een bewonderenswaardige inspanning van de natuur, haar vingers waren in de beste verhoudingen en van een blankheid als alleen die van melk.

De bewegingen en handelingen van zo veel bewonderenswaardige kenmerken van het meisje, die ik alleen om die ruwe, onvolmaakte beschrijving te kunnen geven één voor één onder de loep heb genomen, waren zo aanlokkelijk en aantrekkelijk, haar lach zo ontroerend zonder gemaakt te zijn, haar stem zo verleidelijk, haar gebaren zo goed overeenstemmend met wat ze zei (of leek te zeggen), dat zelfs iedereen die haar hoorde zonder haar te zien wel iets zou vinden dat hem direct aan het hart ging.

Toen en pas toen, nadat ik aan het gesprek van die twee uitsluitend dat bedankje had ontfutseld, 'ik zal u mijn leven lang dankbaar zijn. U bent mijn beste vriend...' dat alles en niets kon laten doorschemeren, pas toen trok Atto met een ruk mijn aandacht.

Ik draaide me om. Hij zag bleek alsof hij een pijnaanval had gehad. Hij beduidde me de pas erin te zetten, om de struik heen te lopen en ons aan de twee vreemden bekend te maken. Hij ging gespannen voor me uit, me dwingend om achter hem aan te dribbelen. Aan het einde van het laantje bleef hij staan.

'Kijk eens en zeg of ze er nog zijn.'

Ik gehoorzaamde.

'Nee, signor Atto. Ik zie ze niet meer. Ze moeten ergens anders zijn.'

'Ga ze zoeken.'

Hij ging op een muurtje zitten en leek plots weer oud en vermoeid te worden.

Ik bood geen verzet tegen het bevel, aangezien de heerlijke aanblik van het meisje meer dan voldoende was om moed en nieuwsgierigheid te wekken. Als iemand me betrapte, nou, dan zou ik de uitleg improviseren dat ik daar was in dienst van een edele heer, een onderdaan van Zijne Majesteit de allerchristelijkste koning Lodewijk XIV van Frankrijk, die uitsluitend zich verstout had de grenzen van de villa te overschrijden uit verlangen om de eigenaar, wie het ook was, hulde te brengen. Was Het Schip trouwens niet altijd al, zoals Atto had gezegd, een bakermat van Frankrijk in Rome?

Nadat ik tevergeefs de laan had verkend waarin de heer en het meisje waren verschenen, drong ik een zijpad in, vervolgens weer één en weer één, waarbij ik uiteindelijk telkens uitkwam op de grote binnenplaats van de ingang. Geen enkel resultaat: de twee leken in het niets verdwenen. Misschien waren ze de villa binnen gegaan, bedacht ik. Ja, dat moest wel zo zijn.

Toen ik bij abt Melani kwam, was het net of hij weer wat kleur had gekregen.

'Voelt u zich beter?' vroeg ik.

'Welja, welja. Het is niets, alleen een... een vluchtige impressie.'

Hij leek me niettemin nog geschokt. Het was haast of iemand hem net een ernstig, onverwacht bericht had meegedeeld. Hoewel hij lekker bleef zitten, leunde hij op de stok.

'Als u zich beter voelt, kunnen we misschien gaan,' waagde ik.

'Welnee, het is hier lang niet verkeerd. Bovendien hebben we geen haast. Wat een dorst; ik heb echt enorme dorst.'

Zo bereikten we een van de twee fonteinen, waar hij dronk, terwijl ik hem hielp zijn evenwicht te bewaren. We liepen terug naar de laantjes, nu en dan naar Het Schip kijkend, waar het weer stil geworden was. Atto had me bij de arm genomen en leunde zwaar op me.

'Zoals ik al zei, behoort de villa toe aan Elpidio Benedetti, die hem erfde van een familielid van Mazarin,' bracht hij me in herinnering, 'maar je weet niet wie dat was. Dat zal ik je vertellen. Filippo Giuliano Mancini, de hertog de Nevers, de broer van een van de beroemdste vrouwen van Frankrijk: Maria Mancini, de Connétablesse Colonna.'

Ik sloeg mijn ogen op. Ik zou geen trucs meer hoeven te verzinnen om Buvat halve waarheden te ontfutselen: de abt was eindelijk de sluier van de geheimzinnige Maria aan het oplichten.

Het was op dat moment alsof ik opnieuw het weemoedige motief van de folía uit de villa hoorde komen. Het was niet dezelfde folía van eerst – aangekondigd in zwijgzaam clair-obscur –, het klonk meer van binnenuit en bekwamer, verder weg en afstandelijker; een viola da gamba misschien, of *une voix humaine*, een menselijke stem, elegisch en schemerig.

Maar Atto leek het niet te horen. Hij zweeg aanvankelijk even, als om de boog van gevoelens in zichzelf te spannen en de pijl van het verhaal goed af te schieten.

'Denk eraan, jongen, een hart schittert maar eenmaal in het leven voor een ander: en dat is alles.'

Ik wist waar hij op doelde. Buvat had het erover gehad: de eerste liefde van de allerchristelijkste koning was ook zijn grootste liefde geweest. En de dame in kwestie was uitgerekend zij, Maria Mancini, het nichtje van kardinaal Mazarin. Maar de staatsraison had bruusk een einde aan die relatie gemaakt.

'Lodewijk speelde met Maria zijn kaart en verloor,' vervolgde hij, zonder te merken dat hij zijn koning wel heel familiair was gaan aanduiden.

'Het was een grote hartstocht, en die werd onderdrukt, verpletterd, vertrapt, tegen de wetten van de natuur en de liefde in. Ofschoon dat gebeurde binnen een bepaalde plaats en een bepaalde tijd en tussen twee eenzame zielen, was de reactie van de onnatuurlijk onderdrukte krachten buitensporig. Die gemiste liefde, beste jongen, heeft de wraakengelen naar de aarde geroepen: Oorlog, Honger, Voedselgebrek en Dood. Het lot van enkelingen en hele volkeren, de geschiedenis van Frankrijk en Europa: alles is meegesleept door de wraakzucht van de Erinyen die zijn opgestaan uit de asresten van die liefde.'

Het was de wraak van de geschiedenis om dat ontzegde lot, om dat geleden onrecht; naar de maat van de rede gemeten gering, berekend met die van het hart enorm.

Met niemand anders, ook met koningin-moeder Anna niet, zou de jonge koning ooit de verstandhouding delen die hem aan Maria bond.

'Doorgaans wordt het wederzijds en duurzaam begrip der harten aan zachtmoedige lieden vergund,' sprak abt Melani plechtig, 'dat wil zeggen aan lieden die hun hartstochten niet laten groeien dan in nederige, nette tuintjes. Mannen en vrouwen die daarentegen de volle bloei van het bos in hun gemoed huisvesten, is het slechts gegeven om even absolute als vluchtige hartstochten te ondervinden, strovuren die een maanloze nacht kunnen verlichten, maar niet langer duren dan die nacht zelf.'

Welaan, vervolgde Atto, zo lag dat niet voor Lodewijk en Maria. Hun hartstochten brandden dan wel vurig, maar toch aanhoudend. En daarop bloeide het onuitsprekelijke, geheime begrip der harten dat hen verenigde zoals men op andere plaatsen en in andere tijden nooit meer zou meemaken.

Daardoor begon de wereld hen te haten. Helaas waren zij toen nog te onrijp: hun huid, en vooral die van de jonge koning, was nog te dun om de sluwheden, het venijn, de subtiele wreedheid van het hof te kunnen verdragen.

Niet omdat de vorst te jong was: toen hij verliefd werd op Maria was hij al twintig. Evengoed was de koning op die niet meer kinderlijke leeftijd nog steeds ongetrouwd, en zelfs niet verloofd.

'Heel ongewoon, het druiste tegen ieder gebruik in!' riep abt Melani uit. 'Doorgaans wachtte men niet zo lang om een jonge koning uit te huwelijken. Te meer daar de Franse koninklijke familie niet veel troonopvolgers had: na Filips, de broer van de koning, en oom Gaston van Orléans, oud en ziek, was de eerste prins van den bloede de Gran Condé, de slang aan de boezem, de rebel van de Fronde, verslagen en overgelopen naar het leger van de Spaanse vijand...'

Maar Anna en Mazarin wachtten af en hielden het hoofd van Lodewijk zorgvuldig verborgen onder een stolp van gulden onwetendheid die hen in staat stelde ongestoord te regeren. De jonge vorst had niets in de gaten: hij hield van pleziertjes, balletten, muziek, en liet Mazarin besturen. Lodewijk leek nooit met zijn hoofd bij de toekomstige, onvermijdelijke, vreselijke regeringsverantwoordelijkheden te zijn. Hij leek even zacht en apatisch als zijn vader, Lodewijk XIII, die hij nagenoeg niet had gekend. Zelfs de drie jaar ballingschap vanwege de Fronde, die hij op de prille leeftijd van tien jaar had doorstaan toen zijn vader al dood was, leken bij hem niets meer dan een kortstondige, kinderlijke ontheemding te hebben teweeggebracht.

'Neemt u me niet kwalijk,' viel ik Atto in de rede, 'maar hoe bestaat het dat uit zo'n zachtaardige, kwetsbare persoon de allerchristelijkste koning te voorschijn is gekomen?'

'Dat is een raadsel, en behalve met de feiten die ik je nu ga vertellen kan niemand het verklaren. Er is altijd gezegd dat hij veranderde door de Fronde, dat de opstand van het volk en de adel hem de revanche voor de jaren daarna dicteerde. Geklets! Er lag meer dan tien jaar tussen het uitbreken van de Fronde en de plotselinge gemoedsverandering van de koning. Dat was dus niet de oorzaak. Zijne Majesteit is een schuchtere jongeman en een dromer gebleven tot aan 1660, bijna tot aan zijn huwelijk. Een jaar later was hij de onbuigbare soeverein geworden van wie jij ook zoveel hebt gehoord. En weet je wat er in dat jaar was gebeurd?'

'De gedwongen scheiding van juffertje Mancini?' vroeg ik plat, terwijl Atto al knikte.

'Wat een haat werd er over die twee arme jongelui uitgestort: de haat van de koningin-moeder, van Mazarin...'

'Wat! Haar oom de kardinaal had er toch blij mee moeten zijn.'

'Ach, daar valt nog wel een en ander over te zeggen... Neem voorlopig hier genoegen mee: hoe bekwaam de kardinaal iedereen aan het hof er ook van wist te overtuigen dat hij die liefde dwarsboomde wegens zijn voorgewende gevoel van familie-eer, van plicht jegens de monarchie enzovoort, heb ik, die geen Fransman ben, dat nooit geslikt. Ik kende Mazarin goed, zijn familie kwam uit de Abruzzen en Sicilië: voor hem telde alleen persoonlijk gewin en de rang van zijn familie. Voilà.'

Atto maakte een gebaar als om te zeggen dat hij er het fijne van wist. Vervolgens nam hij de draad van het verhaal weer op:

'Ik zei dus dat iedereen die liefdesgeschiedenis verfoeide, maar omdat men op de koning niet kwaad kon zijn, koesterde men een opmerkelijke wrok tegen de arme Maria. Die bovendien aan het hof al net zo gehaat was als in de familie.'

'Waarom dat?'

'Ze werd aan het hof gehaat omdat ze Italiaanse was: men had genoeg van al die door Mazarin geïmporteerde Italianen in Parijs,' zei Atto, die uitgerekend een van die Italianen was geweest. 'In de familie werd ze al bij het eerste geschrei verafschuwd: vlak na haar geboorte trok haar vader haar horoscoop en voorzag tot zijn grote schrik dat zij de oorzaak zou zijn van opstanden en allerlei onheil, tot een oorlog aan toe. Geobsedeerd als hij was door de astrologie, een liefhebberij die Maria later ook kreeg, adviseerde hij zijn vrouw op zijn sterfbed nog om voor haar op te passen.'

Maria's moeder liet het zich geen tweemaal zeggen: ze zat haar haar hele jeugd lang dwars. Ze liet niet na haar aan haar tekortkomingen te herinneren, zelfs de lichamelijke ('onzichtbare kleinigheden!' waarschuwde Atto). Ze wilde haar niet eens samen met de andere kinderen meenemen naar Parijs: pas na lange, droeve smeekbeden van Maria, die toen veertien was, gaf ze toe. Eenmaal aan het hof zonderde haar moeder haar zoveel mogelijk af en hield ze haar in haar kamer, terwijl haar jongere zussen bij de koningin werden toegelaten. Op haar sterfbed stak ze haar man naar de kroon: na haar andere kinderen te hebben aanbevolen verzocht ze haar broer de kardinaal om Maria, het derde kind, in een klooster op te sluiten en bracht hem daarbij de astrologische voorspelling van de vader in herinnering.

De vijandschap van haar moeder verwondde haar diep, commentarieerde abt Melani ernstig, en de unieke masculiene trek die Maria bij tijd en wijle tegenover intimi vertoonde – een net iets te uitbundig lachsalvo, een misschien wat zware en krijgshaftige tred, de bijtende en meer dan rake grappen die uit de mond van een huurlingenaanvoerder meer waardering zouden krijgen dan uit die van een maagd – dat alles liet zien dat Maria uit het onderricht van haar moeder maar weinig geloof in haar eigen vrouwelijkheid had geput.

'Maar vrouwelijk was ze wel, en hoe!' riep Atto uit.

Hij keek om zich heen, alsof hij in het park een speciale hoek zocht, een magische plek waar een aanwezigheid, een entiteit zijn woorden zou bewaarheiden en het woord tot vlees zou maken. Hij keek weer naar mij.

'Ik zal je nog meer zeggen: ze was beeldschoon, ja volmaakt, een wezen van een andere planeet. En dat is niet gewoon wat ik vind, maar echt waar. Maar als jij dat zou vertellen aan degenen die haar hebben gekend – behalve misschien haar man Lorenzo Onofrio, God hebbe zijn ziel – dan kun je ervan op aan dat ze behoorlijk gek zouden staan te kijken en het er niet mee eens zouden zijn. En weet je waarom? Omdat haar manier van bewegen op geen enkele manier overeenstemde met haar vrouwelijke kwaliteiten. Kortom, ze *gedroeg* zich niet als een knappe vrouw.'

Niet dat ze niet bekoorlijk was, integendeel. Maar bij de eerste mannelijke blik die ze op zich gericht wist, voelde ze zich al bijna beroerd. Als ze aan het wandelen was, werd haar loop mank; als ze aan tafel zat, werd ze krom; als ze in gesprek was, zweeg ze niet als een gewoon verlegen meisje van haar leeftijd, nee, want zij was veel te vlug en te levendig. Je kon er zeker van zijn dat ze na even haar adem ingehouden te hebben naar voren kwam met een ongelukkige grap en een begeleidend lachje. Waar haar Franse gehoor meteen versteld van stond, terwijl niemand bevroedde dat het een uiting was van haar innerlijke ongemak en dus van de grote zuiverheid van haar hart; nee, iedereen stond klaar om haar te minachten als een willekeurige dorpsmeid.

Dus werd haar gewelfde zwanenhals afgedaan als te mager, haar vlammende ogen leken hard, haar dikke bruine krullen gingen door voor dor en kroezig, de bleekheid van haar wangen (die kwam van de barse, vijandige blikken van het hof) werd toegeschreven aan een van nature lijkbleke kleur.

'Maria's wangen waren juist verre van bleek: hoe vaak heb ik ze niet zien opvlammen door de snelheid en het vuur van haar jonge geest! En hetzelfde zij gezegd van haar mond, rood en groot en met een volmaakt aaneensluitend gebit dat geen schilder evenwel ooit heeft durven schilderen zoals het was, want het detoneerde al te zeer bij de lipjes die toen in de mode waren en die van dichtbij doen denken aan het dons op een duivenonderlijf...'

'Het is pijnlijk te weten dat zijzelf zich van die grote schoonheid onbewust is gebleven,' zei ik om steun te bieden aan de felle nadruk van Melani.

'Zeker, maar zo bleef het niet heel haar leven. Door het moederschap veranderde ze. Toen ik haar in Rome terugzag, een jonge kraamvrouw, getrouwd met de Connétable Colonna, had heel haar wezen het volle van de vrouwelijkheid gekregen, ook al was haar gebroken hart in Parijs gebleven. Toen ze zelf moeder was geworden, had ze eindelijk het verlammende spook van haar moeder van zich af geschud.'

'U begreep meteen Maria's ware aard,' zei ik.

'Ik was niet de enige: ook Zijne Majesteit, omdat hij verliefd op haar werd. Hoe onervaren hij ook nog was met het schone geslacht, hij was zeker niet bereid verliefd te raken op een onprettig gezicht, niet eens op een dat kleurloos was of er maar net mee door kon! Maar zoals ik je al zei, Maria was er door de hardvochtige oordelen van haar moeder van overtuigd geraakt dat zij tekortschoot, te halfwassen, te weinig vrouwelijk was. Kortom: lelijk. O, bestond er maar een schilder-tovenaar die het vermogen bezat om zonder gezien te worden Maria's beeld van toen ter plekke te vereeuwigen! Ik zou opdracht geven voor dat schilderij ten koste van mijn eigen bloed: want wanneer Maria echt zichzelf was en niet aan haar angsten dacht, was ze geweldig. Haar bliksemsnel vereeuwigen, terwijl ze leefde volgens haar naturel: dat wonder moesten we hebben. En niet de portretten die ze aan het hof van haar maakten, die alleen het ongemak weergeven waarmee ze voor de schilder poseerde, de verkrampte glimlach en de onnatuurlijke houding: zoals ze zich waande en niet zoals ze was.'

Ten tijde van haar liefde met Lodewijk voelde Maria zich nog een krassende uil in plaats van de nachtegaal die ze in feite was. Maar zo erg was dat ook weer niet. Daardoor stortte ze zich, toen ze in Frankrijk kwam, halsoverkop op de studie, in de overtuiging dat ze haar charme moest bijspijkeren met kennis. In amper anderhalf jaar scholing in het klooster der Visitatie haalde ze er meer profijt uit dan haar zussen en nichtjes, die daar met haar zaten. Een onberispelijke beheersing van het Frans, met het exotische van een Italiaans accent, een ogenschijnlijke ontwikkeling op alle gebieden (wat bij Maria meer inhield dan alleen ogenschijnlijk), een innige liefde voor ridderromans en poëzie – die ze zelfs graag hardop voordroeg – en ten slotte een passie voor oude geschiedenis stelden haar onvergelijkbaar boven de ingebeelde dames aan het hof die haar zo vlijmscherp durfden te veroordelen.

En zo gaf Maria bij haar entree aan het hof blijk van een verstand en intellect die scherper waren dan haar leeftijd deed vermoeden. Haar temperament, dat liefde niet zonder uitdaging beschouwde, zag in haar leeftijdgenoot de vorst weldra volop ruw materiaal dat ernaar hunkerde te worden bewerkt.

'Precies zoals bij veel jonge mannen gebeurt: bij de pinken, alleen nog groen achter de oren; nog slappe materie, maar gereed om te worden gevormd, de oeressentie die vraagt om het wijze licht van een ontwikkelde en tegelijkertijd sterke vrouwengeest,' vervolgde Atto, terwijl hij belerend een vinger opstak, waarmee hij voorwendde eerder de vrouwelijke materie te doorgronden dan de vrouwen zelf.

'De smid en het kunstwerk, Hephaestus en het schild van Achilles: zo stonden Maria en Lodewijk tegenover elkaar. Evenals dat acheïsch schild was hij al van voortreffelijke makelij; zij zou hem de goddelijke vonk van kracht en goedheid en rechtvaardigheid kunnen geven, die alleen van een gelukkig, bevredigd hart komen.'

Die herinnering leek Atto's hart en ziel te verscheuren; maar niet omdat hij, die vroeger verliefd op Maria was, de taak op zich nam te vertellen van haar liefde voor een onverslaanbare rivaal. De ware kwelling, zo leek mij, was iets anders. De verheffing van de mannelijke materie door een vrouwengeest, waarin hij mij nu onderrichtte, had de eunuch Atto in eenzaamheid op zichzelf moeten toepassen.

'Ze moest die brullende, vormeloze lava omvormen in wijsheid,' hervatte hij, 'in scherpte van vernuft en in zielszuiverheid, in bedachtzaamheid en zo ook in vertrouwen in de naaste: dus eenvoudig maken als een duif, en slim als een slang, overeenkomstig het woord van de evangelist. Niemand anders zou een dergelijke hang naar geest en intellect zo volmaakt passen als de allerchristelijkste koning,' sprak hij melodieus.

Dat was dus de hoofdweg die zich, aangegeven door Maria's levendige blik, voor de jonge, warmbloedige koning ontvouwde. Maria was het eerste waar Lodewijks begeerte serieus naar uitging. Het werd hem ontzegd.

Hij eiste haar op met alle adem die hij in zijn lijf had, maar liet de gevestigde orde ongemoeid. Zich nog niet bewust van zijn macht was Lodewijk in de romantische nevelen van de adolescentie gehuld gebleven: een aanhoudende lethargie waarin moeder Anna en de kardinaal hem voor hun gemak zorgvuldig gevangen hielden.

'En, nou ja, denkt u dat de allerchristelijkste koning er zo onder geleden heeft dat hij er nog steeds door getekend is?'

'Erger nog. Voor lijden is een hart nodig, en hij heeft van het zijne afstand gedaan. Hij is zichzelf, zeg maar, vreemd gebleven: alleen zo is hij de afgrond van wanhoop waarin die afgesneden passie hem had geworpen, te boven kunnen komen. Maar je kunt niet straffeloos afstand doen van je hart. De heilige Augustinus herinnert ons eraan: de afwezigheid van het goede brengt het kwade voort.'

Zodoende traden kilte en wreedheid algauw in de plaats van het lijden in het jonge hart van de koning. Terwijl de liefde aan zijn aard de beste eigenschappen had kunnen ontlenen, haalde de ontzegde liefde er met een bloedige kentering de slechtste uit.

'Zijn rijk werd en is nog altijd een rijk van tirannie, argwaan, venijn, willekeur, tot deugden verheven futiliteiten,' siste hij met een nauw hoorbare stem, in het besef dat amper uitgesproken woorden, door vijandige oren opgevangen, in zijn nadeel konden omslaan.

Hij pakte de zakdoek en ging ermee over zijn voorhoofd en lippen, vermoeid de druppeltjes deppend die op zijn huid parelden.

'Alle vrouwen die hij daarna zou krijgen werden door hem geminacht,' zei hij vervolgens met hernieuwd vuur, 'zoals zijn vrouw Maria Theresia gebeurde; ofwel vereerd, maar daarna weer aan de kant gezet, zoals zijn moeder Anna. Ofwel alleen lichamelijk begeerd, zoals zijn vele maîtresses.'

In elk van hen zocht Lodewijk Maria. Maar omdat hij juist door dat vroegere verlies geen hart meer had om naar te luisteren, zocht hij eigenlijk bij geen van hen de ziel, zelfs niet wanneer het de moeite waard was, zoals bij de arme Madame de la Vallière. En bijna zonder het te merken stond hij geen van hen ooit toe de plaats van die oude liefde in te nemen; integendeel, hij werd uiteindelijk ronduit een vrouwenhater. Zijn vrouw Maria Theresia verbood hij deelname aan de Raad van de Regering, die haar volgens de traditie toekwam, en meteen na zijn huwelijk zette hij zelfs zijn moeder Anna van Oostenrijk eruit, ook al beloonde hij haar na haar overlijden met een compliment door te zeggen dat ze 'een goede koning' was geweest, zozeer leek de vrouwelijke vorm hem beledigend. Hij behandelde ten slotte al zijn maîtresses met de grootste wreedheid.

'In 1644 zei hij tegen zijn ministers: Ik beveel u allen, als u een vrouw ziet, wie het ook moge zijn, die over mij heerst en mij regeert, om mij te waarschuwen: binnen vierentwintig uur ontdoe ik mij van haar. En hij was al drie jaar getrouwd.'

'Vergeeft u mij de vraag,' onderbrak ik hem, 'maar hoe kon Lodewijk denken dat hij met Maria kon trouwen, terwijl zij niet van koninklijken bloede was?'

'Een legitieme, maar ongegronde twijfel. En hier doe ik je een kleine onthulling: weet je dat Zijne Majesteit de allerchristelijkste koning geen weduwnaar meer is, maar is hertrouwd?'

'Ik lees dan wel geen couranten, maar als er een nieuwe koningin van Frankrijk was, denk ik dat ik dat wel gewoon op straat zou horen!' riep ik uit, ten prooi aan ongelovige verbazing.

'Er is inderdaad geen koningin. Het gaat om een geheim huwelijk, al ligt het geheim op straat. Het is gesloten op een nacht zeventien jaar geleden, kort nadat wij afscheid hadden genomen en ik was teruggegaan naar Parijs. En de verheven bruid is, kan ik je verzekeren, sociaal niet presentabel. Een klein voorbeeld: in haar jeugd heeft ze nog gebedeld.'

Met Madame de Maintenon (dat is de naam van de uitverkorene) had de koning eindelijk willen doen wat hem vierentwintig jaar eerder met Maria was ontzegd, of liever wat hij toen niet had aangedurfd: een alleen door hem gewenst huwelijk tegen de wil van alle anderen in.

'Maar zijn daad is inmiddels een lege huls,' kreunde Atto bedroefd. 'La Maintenon is niet la Mancini, haar haren geuren niet "naar erica", zoals de jonge koning graag herhaalde, in vervoering van Maria's volle haardos.'

En dat ouderdomshuwelijk, besloot Atto overtuigd, was niets anders dan een stille, vage hulde aan de eerste en enige liefde van zijn leven, terwijl de 'geheime' bruid (iedereen weet het, maar niemand durft erover te reppen) aan dit huwelijk vooral de grillen en pesthumeuren van de koning overhield, die haar te verstaan gaf dat hij haar zo kon lozen als hij wilde.

'Zo kan la Maintenon zich in tegenstelling tot Maria nooit de vrijheid veroorloven om de koning het geringste advies te geven zonder er hard voor te worden uitgefoeterd. Ze kan zich er alleen nog maar op beroemen, alsof die verbanning naar de achtergrond een eigen keuze was,' vervolgde de abt met duidelijk misprijzen.

De allerchristelijkste koning stiekem getrouwd! En dan ook nog, naar het zich liet aanzien, met een vrouw van bedenkelijke afkomst. Hoe was dat mogelijk geweest? Talloze vragen kwamen me op de lippen, maar Atto was al weer bezig de draad van de herinnering op te pakken.

'Enfin, dit om te zeggen dat de Franse koning naar mijn oordeel wel degelijk bereid was om met Maria te trouwen. Maar je moet vooral weten,' preciseerde Melani met kracht, 'dat Lodewijk destijds alleen in naam koning was: kardinaal Mazarin en de koningin-moeder regeerden in feite. In de absolute meegaandheid die Lodewijk zijn moeder en Zijne Eminentie betuigde deed niets vermoeden dat een en ander kon veranderen. Net als zijn vader Lodewijk XIII had Lodewijk heel zijn leven lang de staatszaken aan zijn eerste minister over kunnen laten.'

Zelfs Lodewijk had niet gedacht dat een en ander vroeg of laat kon veranderen, garandeerde Atto. Op zijn eenentwintigste werd hij nog flink vertroeteld onder de rokken van zijn moeder, in de schaduw van de kardinaal, als een jongeman. En toch was de Zonnekoning al vijf jaar meerderjarig! Het regentschap van zijn moeder was allang afgelopen.

Lodewijk verzet zich nooit tegen de huwelijksplannen die Mazarin voor hem bekokstooft, eerst met Margaretha van Savoye en daarna met de Spaanse infantea: hij heeft al gezien hoe voorbijgaand dergelijke politieke beloften zijn. Bovendien is hij met zijn eenentwintig jaar nooit één keer tegen zijn voogden in opstand gekomen, nooit heeft hij maar één enkel 'mits' of 'maar' naar voren gebracht.

Maar bovenal, zo sprak de abt, waarom zou hij zich iets aantrekken van de moeilijkheden van de politiek, of van de huwelijksmanipulaties die Mazarin (naar hij dacht) rond hem uitvoerde? Lodewijk leefde niet in de werkelijkheid van alledag: die was te plat en te naargeestig voor hem, of zo dacht men althans.

Toen ze vrienden werden, las Maria de jonge koning Plutarchus voor, de *Levens* van doorluchtige Grieken en Romeinen: uiteindelijk droomde zij, geboren met het hart van een huurlingenaanvoerder, er zelf van op een dag 'doorluchtig' te worden. Maar ook Lodewijk, die ernaar hunkerde te ontsnappen aan de woestenij van de politiek die Mazarin om hem heen ademde, daalde af in die verhalen en voelde zich eindelijk een held.

En sindsdien dacht hij in een andere, echtere en bloedigere interpretatie terug aan de verre gebeurtenissen van de Fronde, aan de vernederingen die zijn familie had ondergaan, bezoedeld door de handen van het opstandige gepeupel, aan die tragische dagen die hem zonder dat hij het merkte de tijd van zorgeloosheid ontnamen.

Maria houdt dus van poëzie, ze draagt die goed, met stijl en gevoel voor. Ze adviseert Lodewijk romans en verzen te gaan lezen: van de historici uit de klassieke wereld zoals Herodotus tot en met de ridder- en herderspoëzie. Hij stopt er zijn zakken vol mee, geniet ervan, toont inzichten die verbazing wekken aan het hof, waar niemand dergelijke kwaliteiten van hem kende.

Hij is veranderd, is vrolijk, praat met iedereen: hij treedt uit de gulden, goedmoedige apathie die hem tot dan toe heeft gedomineerd, neemt verhit deel aan discussies rond dit of dat boek. Lodewijk en Maria leggen hun eigen gezichten en namen op de hoofdpersonen van de boeken die ze lezen en projecteren zichzelf zo in een romanwereld waarvan zij zich de helden voelen.

In de ochtend van een fraaie dag met zon geeft Lodewijk opdracht voor een lunch op het gras in Franchard, een afgelegen rotsachtige plek; en hij neemt een heel orkest mee. Eenmaal ter plaatse stapt Lodewijk uit de koets, vult zijn longen met de ijle lucht van de hoogte en zonder zich tweemaal te bedenken begint hij naar de top van de heuvel te klimmen. Hij lijkt wel door het dolle heen; iedereen bekijkt hem met een mengeling van angst en afkeuring. Maria volgt hem en hij steunt ridderlijk haar arm bij het op gaan van die steile, lastige rotsen. Zodra hij boven is, beveelt Lodewijk het orkest en het hof zich bij hem te voegen; een wens die met niet weinig inspanning en risico wordt vervuld. Terwijl ze hun knieën openhalen aan de stenen, kijken de hovelingen elkaar hogelijk verbaasd en geërgerd aan. Geen enkele koning van Frankrijk was ooit als een berggeit de bergen gaan beklimmen, vooral niet met een heel orkest en het voltallige hof. Ook Lodewijk zou dat niet hebben gedaan, dachten ze, als die vrouw, die Italiaanse, er niet was geweest.

Op een andere dag wandelden Maria en Lodewijk in Bois-le-Vicomte in een met bomen omzoomde laan. Op een gegeven moment reikt hij haar, misschien om haar te helpen, zijn arm. Maria strekt haar hand uit, die licht tegen de degenknop van de koning stoot. Daarop trekt Lodewijk de degen die het gewaagd heeft Maria's hand in de weg te zitten, en werpt hem voor straf ver weg. Een gebaar van kinderlijke ridderlijkheid dat meteen rondzingt aan het hof.

Lodewijk maakte zich met de naïviteit van zijn hartstocht belachelijk, had iemand maar de moed gehad hem dat te vertellen, maar iedereen meende dat achter zo veel kinderlijke aanstellerij zeker geen volwassen gevoel kon schuilgaan.

'Maar de hovelingen hadden ongelijk!' stoof ik op.

'Ze hadden ongelijk en gelijk,' verbeterde Atto. 'Die liefde, zoals de koning en Maria de geestdrift die hen bond niet eens durfden te noemen, nam soms, ik kan het niet ontkennen, de kinderachtige en pathetische trekken van een prepuberaal hartstochtje aan. Maar alleen doordat Lodewijk te lang door zijn moeder en de kardinaal onder de duim was gehouden, en nu als twintigjarige voor het eerst in één klap de verwarde, verhitte gevoelens doormaakte, die hij al op zijn zestiende had moeten ervaren.'

Op zijn zestiende had Lodewijk echter niet meer dan een bleke inwijding in het geslachtsverkeer ervaren. De koningin had tegengewerkt, maar zijn peetvader was handlanger geweest: een oude kamenier, een of ander gewillig, verstandig dienstmeisje, tot en met een eredame en een oppervlakkige vriendschap met een zus van Maria. Maar niets – want Mazarin waakte goed –, niets wat het hart des konings beroerde. Alleen de ontmoeting met Maria had de poorten van de liefde voor hem geopend, en Lodewijk had geen rechtsomkeert meer willen maken.

De spanningen, de stuurloosheid, de blossen, de theatrale gebaren: alle kwellingen van een jongen die net komt kijken had de jonge koning bij Maria, en dat op een leeftijd waarop een vorst dat allemaal doorgaans achter zich heeft gelaten en zijn hart inmiddels de hobbels en moeilijkheden van de regeringskunst heeft beproefd.

'Niet toevallig,' argumenteerde abt Melani, 'heeft de mannelijke natuur het hart van adolescenten wispelturig gemaakt: de vlinder komt uit de pop en uit de vreugde van de vrijheid door van bloem tot bloem te fladderen, zo doet hij wijsheid en ervaring op, en pas later zal hij de drang tot nestelen bespeuren.'

Op identieke wijze, vervolgde Atto, verbruikt een onervaren, onvoorzichtige adolescent zijn gloed, zoals het vuur het stro verslindt: hij heeft last van gloeiende verliefdheden voor een bestaand juffertje of de heldin van een of ander sprookje, en voor beiden voelt hij zich bereid de wereldbol met een degen in tweeën te slaan. Maar kijk, de wispelturigheid van zijn jeugdige hart ontrukt hem er weldra aan en laat hem zich te goed doen aan de vergeetachtige wateren van de Lethe. Vervolgens begint alles opnieuw, nieuwe dromen, nieuwe trouw en nieuwe hartstochten, nieuwe dwaze voornemens, in de goddelijke verliefdheid van de korte voorbijgaande jaren waarin de toekomst geen belang heeft.

Maar alles, het een na het ander, zal gedoemd zijn op te lossen in de vergetelheid van een nieuw heden. Op de drempel van het twintigste jaar zal alleen een verwarde herinnering, een vaag gevoel van genot en tegelijk gevaar overblijven: de nieuwe man zal zich wijselijk verre houden van die onstuimige kolkingen en zijn blik voorzichtig naar de toekomst richtend zal hij zijn hart aan de leiband van het verstand houden: met het verstand kiest hij de moeder van zijn kinderen, met het hart bemint hij haar dan met echtelijke toewijding.

'Het hart laat zich niet dwingen,' zei ik enkel.

'Dat van een koning wel.'

Lodewijk, die dankzij Maria uit zijn zeer lange winterslaap ontwaakte, had het ongeluk om de vrouw van zijn leven te vroeg en te laat te ontmoeten: te onervaren om haar te kunnen houden, te volwassen om haar te vergeten. Zijn hart ging tekeer, zijn verstand was eraan onderworpen. De staatsraison was op de achtergrond nog een verre, vage gedachte.

Ik wist maar al te goed waar Atto aan dacht terwijl hij zich in die bewoordingen uitliet: niet alleen aan de jeugd van de allerchristelijkste koning, maar ook aan die van hemzelf; zijn roerige jaren als castraatzanger her en der in Europa, opgesplitst tussen muziek, spionage, de trouwe dienst aan grote heren, het gevaar dat hijgde in zijn nek en een paar schandelijke liefdes die zijn zinnen opzweepten.

En toen, terwijl ik met die slinkse intuïtie zijn toewijding binnen drong, hief hij zijn borst rechtend flauwtjes een melodie aan.

Als de pijl uit de boog
van een blinkend oog
mijn borst verwondde,
als door liefdessmart
mijn hert werd benard
telken dag en stonde...

Van wie die glanzende blik was die de borst van abt Melani had verwond, was mij maar al te duidelijk. Het leek haast of hij met de kracht van de gedachte was afgedaald in het lichaam van Lodewijk zoals een krijger in een harnas, om de vreugde en het verdriet van die hem ontzegde liefdespassie te smaken.

Atto zong zwakjes en hees. Er was zeventien jaar voorbij gegaan sinds ik hem voor het laatst had gehoord. Destijds was zijn stem, eens zo beroemd door het fraaie timbre en de krachtigheid, misschien al voor de helft, zo niet meer, achteruitgegaan. Maar de aria's die hij zong van zijn leermeester Luigi Rossi (*seigneur* Rossi, zoals hij hem noemde) verloren niets van hun betovering.

Nu was na al die jaren de schallende, krachtige huig die bij zowel de elite van de hoven als de massa van de theaters in heel Europa zo gevierd was geweest, tot een teer, iel stemmetje verworden. Beroofd van iedere innerlijke kracht bleef voor Atto's zingen, zoals voor een verdroogde vrucht, alleen de buitenkant over; het was onlichamelijk geworden en veranderd van een zangprestatie in een suggestief aanduiden, van triller in gefluister, van resultaat in herinnering. Wat ik nu hoorde was inmiddels een schijnvertoning, zij het buitengewoon geciseleerd, van de stem van de grote Atto Melani. Van zijn coloratuurzang bestond bijna geen fysiek bewijs meer, alleen de vage herinnering aan een voorgoed verloren magie: een luisterrijk, schitterend citaat van zichzelf.

En toch was die geringe stem nog hemels, verleidelijk, verfijnd, in staat om duizend keer meer tot het hart te spreken dan een hele school wijzen tot het intellect zou doen. Nu de lijvigheid en de kracht van zijn zingen verdwenen waren, bleef, weerloos maar ongerept, alleen de diepste, onuitsprekelijke schoonheid over.

Atto ging nu die versregels herhalen alsof de woorden voor hem een verholen, hartverscheurende betekenis hadden.

Als een gelaat als van een god
deze ziel gestolen heeft,
als minnen is bepaald door 't lot,
wie kan houdt stand, weerstreeft!

De abt werd nog altijd gekweld door de herinnering aan Maria. Hij voelde dat hij haar doorzien had met de ogen van Lodewijk, dat hij haar met zijn vingertoppen had beroerd, met zijn lippen had gekust, en ten slotte met het hart van de allerchristelijkste koning de wanhopige hartkloppingen van de scheiding had ervaren. Gevoelens die Atto met de jaren echter en wezenlijker leken dan wanneer hij ze lichamelijk had ervaren. Omdat hij, een eunuch, Maria niet kon bereiken, had hij haar uiteindelijk via de koning bezeten.

Zo werd die wonderlijke driehoeksverhouding tussen twee voorgoed gescheiden zielen en een derde, de jaloerse wachter van hun verleden, verteerd en hernieuwd. Aan mij de unieke, heimelijke eer om toeschouwer te zijn.

Melani onderbrak bruusk zijn lied en met een kort sprongetje, een teken van hervonden kracht, maakte hij zich los van het muurtje dat hem onderkomen en steun geboden had.

'En nu gaan we de villa in. Er zal toch vervloekt wel iemand binnen zijn die ons eindelijk laat arresteren,' zei hij met een lachje.

Ik kon me haast niet losmaken van de betovering die het beeld van Maria dat de abt met woorden en gezang weer had opgeroepen, bij me teweeg had gebracht.

'Een aria van uw leermeester, *seigneur* Luigi?'

'Ik zie dat je het niet bent vergeten,' antwoordde hij. 'Nee, dit is van Francesco Cavalli, uit zijn *Jason*. Ik geloof dat dat in de laatste vijftig jaar de meest opgevoerde opera is geweest.'

Na die woorden maakte Atto zich van me los en ging me voor: hij wilde niets meer kwijt.

Jason, of van de jaloezie. Die befaamde opera had ik nog nooit gehoord, maar ik kende wel de beroemde Griekse mythe van de jaloezie van Medea, de koningin van Colchis, voor Jason, de aanvoerder van de Argonauten, die verliefd was op Hypsipyle, de koningin van Lemnos. Een driehoeksverhouding dus.

We begaven ons naar de noordkant van de villa, aan de andere kant van die welke uitkeek op de weg. Boven de ingang stond een distichon:

> Si te, ut saepe solet, species haec decipit alta;
> Nec me, nec Caros decipit arcta Domus

Weer kreeg ik het eigenaardige, onuitsprekelijke gevoel dat de woorden op de muren van de villa een onbekende werkelijkheid in herinnering riepen of regelrecht weerspiegelden.

We probeerden de deur. Die was open. Op hetzelfde moment dat ik mijn hand op de kruk legde, meende ik een haastig geluid van voetstappen en voorwerpen te horen, zoals van iemand die binnen plotseling van een stoel opstond. Ik keek Atto aan; hij had er geen blijk van gegeven dat hij ook iets had gehoord.

We gingen de drempel over. Binnen was niemand.

'Geen sporen van de drie eminenties, naar het zich laat aanzien,' luidde mijn commentaar.

'Ik had ook zeker niet verwacht ze hier nog aan te treffen. Maar er zou wel enig spoor van de vergadering over kunnen zijn: een kaartje, weet ik veel, een aantekening... Als ik maar wist in welke zaal ze bijeengekomen zijn. Dat zijn details die altijd weer zeer, zeer van pas komen. De villa is groot, laten we eens zien. Het lijkt erop dat niemand hier zin heeft om toezicht te houden; des te beter voor ons.'

We bevonden ons in een grote, langwerpige salon die verlicht werd door het licht van de ramen aan weerszijden. Aan de tegenoverliggende zijde was een gesloten deur. De salon was kennelijk bestemd om er in de zomerperiode het middagmaal te gebruiken: door een open raam kwam dan ook zacht en weemoedig de westenwind. In een belendend zaaltje stond een tafel voor het biljartspel.

We deden voorzichtig een paar passen naar voren en hielden intussen de deur aan de overkant in het oog, omdat we ons voorstelden dat er vroeg of laat iemand uit zou kunnen komen.

Midden in de salon prijkte een grote ronde tafel waarop een breed, rond dienblad van fraai ingelegd populierenhout lag. We liepen erop af. Atto tikte het blad behoedzaam even aan, dat om zijn as draaide.

'Briljant idee,' commentarieerde hij, 'de gangen kunnen van de ene disgenoot naar de andere draaien zonder een buurman hinder te bezorgen of een voorsnijder in te huren. Benedetti hield van de gemakken des levens, zou ik zeggen. Iemand moet de ruimte kort voor ons verlaten hebben,' vervolgde hij even later.

'Hoe weet u dat zo zeker?'

'Er zijn hier sporen op de vloer. Hij had aarde aan zijn schoenen.'

We splitsten ons op, ik verkende het gedeelte van de salon waar we binnen waren gekomen, Atto de rest.

Ik merkte op dat er in twee uitsteeksels van de wanden tegenover elkaar en symmetrisch evenzovele dressoirs stonden, geschilderd in dezelfde kleur als de muren, die zo discreet de gemakken voor de tafel en de flessenvoorraad verborgen hielden. Ik trok de laden open. Ze lagen vol fraai zilverwerk, met bestek in alle soorten en maten voor ieder gebruik, met inbegrip van het materiaal om vis te schrapen en lange scherpe messen voor het serveren van vleesgerechten en wild. Overvloedig en veelkleurig waren de serviezen van bokalen, kelken, glazen, mengvaten, drinkbekers en busjes, wijnkaraffen en -karafjes, vingerkommen, waterflessen, kommen voor bouillon en warme dranken, allemaal van versierd, verguld of beschilderd glas met bevallige dierenfiguren, putti of bloemendecoraties. De heer des huizes hield blijkbaar niet minder van de lusten voor het oog dan van die voor de dis; het geheel te genieten in de heilzame lucht van de Janiculus en tussen het groen van de tuinen. Ondanks zijn aparte afzondering was Het Schip werkelijk een villa van de grote geneugten.

Tegen de muur, vlak bij een van de dressoirs, zag ik een verticale koperen buis die op manshoogte begon met een wijd uitlopend mondstuk als bij een trompet, en naar boven liep totdat hij in het plafond verdween. Atto zag mijn vragende blik.

'Die buis is weer een van de gemakken van de villa,' legde hij uit. 'Die is er om met het personeel op de andere verdiepingen te communiceren zonder naar ze toe te hoeven. Je hoeft er maar in te praten en de stem komt er bij de openingen op de andere niveaus weer uit.'

Ik ging verderop staan. Op elk van de luiken voor de ramen waren medaillons geschilderd met illustere Romeinse dames: Pompea, de derde vrouw van Caesar, Servilia, de eerste vrouw van Octavianus, Drusilla, de zuster van Caligola, Messalina, de vijfde vrouw van Claudius, en vele, vele anderen onder wie Cossutia en Cornelia, Martia en Aurelia en Calpurnia (ik telde er in totaal tweeëndertig), allemaal herdacht door plechtige Latijnse inscripties met hun naam, geslacht en echtgenoot.

We merkten dat boven de bogen en in de nissen van de ramen nog meer gezegden stonden, allemaal doelend op de vrouwelijke kunne, in zo groten getale dat deze bladzijden niet toereikend zouden zijn om er een tiende van weer te geven:

> Van de vrouwen is het vijfde element een natuurlijk wartaalkakement
> Eerder vindt men alsem zoet dan stilte in een vrouwenstoet
> Een vrouw lacht wanneer het even kan en huilt wanneer ze wil
> Van kippen en vrouwen kunnen buren niet houwen
> Een man en een vrouw vlak bij elkaar vormen als olie bij het vuur een gevaar
> Eerder dan liefde pleegt financieel welbevinden het vrouwenhart te binden

'Alles hier is aan de eigenschappen van de vrouw en aan de geneugten van de dis gewijd. Het is de salon van de vrouwen en het verhemelte,' zei Atto, terwijl ik een medaillon bekeek met het profiel van Plautia Urgulanilla.

Tot dan toe zaten we allebei achter sporen aan van de aanwezigheid van de drie verheven leden van het Heilige Kardinalencollege (en we hadden inderdaad sporen gevonden), maar we hadden nog geen aandacht besteed aan wat interessanter was in de salon: de weelderige reeks schilderingen op de muren. Atto stelde zich naast mij op, terwijl ik mijn blik op de schilderijen richtte en zag dat het enige onderwerp van de schilderijenverzameling, zoals te verwachten viel, bestond uit bekoorlijke vrouwengezichten.

Abt Melani begon snel van het ene naar het andere schilderij te lopen zonder de namen rond de lijsten te hoeven lezen die licht wierpen op de identiteit van de dame. Hij kende ieder gelaat tot in de puntjes (en mocht dat graag tonen), omdat hij het in het echt had gezien of van andere portretten kende, en leerde mij de bijbehorende naam.

'Hare Majesteit Anna van Oostenrijk, de beweende moeder van de allerchristelijkste koning,' acteerde hij, alsof hij haar in levenden lijve aan me voorstelde, waarbij hij me wees op het zachte, fiere gezicht van wijlen de vorstin, de zeer doordringende blik, het voorhoofd niet onnodig hoog, de ronde maar edele hals met liefdevol respect omgeven door de laag uitgesneden organza halskraag van de weelderige zwart tafzijden jurk, verrijkt door het lijfje van plissé brokaat, waarop zachtjes de delicate koninklijke handen rustten.

'Zoals ik al kans zag te zeggen toen we elkaar leerden kennen, hield de koningin-moeder van mijn zang, en ik mag wel zeggen, buitengewoon veel,' vervolgde hij met een tikje koketterie, waarbij hij met een snel, discreet gebaar zijn pruik rechtzette. 'Vooral van de treurige aria's die 's avonds gezongen werden.'

Toen ging hij over op de portretten van de prinses van de Palts, gravin Marescotti, de beweende Madame Henriëtte, de schoonzuster van de allerchristelijkste koning, allemaal zo voornaam en realistisch afgebeeld dat het bijna leek alsof zij net gegeten hadden aan de tafel van de salon.

En toen kwamen we bij het laatste portret, een beetje in de schaduw vergeleken bij de andere, maar nog altijd zichtbaar.

Omdat de blik onderwezen wordt door de begeerte en het woord juist door het verstand, hadden mijn ogen sneller dat vrouwengelaat omhelsd en in mijn herinneringen geplaatst dan abt Melani de naam had genoemd.

Want toen hij zei: 'Madame Maria Mancini', had ik haar dus al herkend.

Het was zonder enige twijfel het meisje dat we door de haag in het park hadden gezien.

'Natuurlijk ging de fantasie met je op de loop,' zei Atto nadat hij mijn uitleg had aangehoord. We liepen de salon uit en namen een deur naar links. 'Je bent beïnvloed door een aangename, onverwachte ontmoeting. Dat kan gebeuren, en ik verzeker je dat het mij vaak overkwam, toen ik jouw leeftijd had.'

Bij die woorden had hij zijn hoofd afgewend van de andere kant.

'Ik begrijp alleen niet waar dat meisje en haar begeleider gebleven zijn,' wierp ik tegen.

Atto reageerde niet. Aan de wanden van het zaaltje hingen verschillende prenten in de vorm van schilderijen, die met een vaardige optische truc oude bas-reliëfs van een opvallende gratie en bevalligheid voorstelden; bovendien ook hier een reeks portretten, maar dan van mannen.

De nissen in de muren waren ook hier versierd met gezegden, die hier over het hofleven gingen.

DE GOEDE HOVELING
die verdienstelijk wil zijn:

Dient stipt en bescheiden
Spreekt immer goed van zijn Heer en nimmer kwaad van een ander
Prijst zonder overdrijving
Verkeert met de besten
Luistert meer dan hij spreekt
Heeft de goeden lief
Wint de kwaden voor zich
Voert het woord met zachtheid
Handelt gezwind
Vertrouwt niemand en wantrouwt niemand
Geeft zijn geheim niet prijs, noch hoort hij graag dat van een ander
Valt een ander niet in de rede, noch is hij zelf te breedsprakig
Hecht geloof aan anderen die geleerder zijn dan hij
Onderneemt geen dingen die hem te boven gaan
Is niet te goedgelovig, noch antwoordt hij onbezonnen
Toont nooit zijn leed.

HET HOF

Aan de hoven is er altijd een wolf in schaapskleren
Voor de hinderlagen aan de hoven bestaat geen betere oplossing dan zich terugtrekken en afstand nemen
Het hof steekt vaak iets op van de straat
Het hof en tevredenheid zijn twee uitersten
In de lucht van het hof waait noodzakelijkerwijs de wind van ambitie
De zaken aan de hoven gaan niet altijd gelijk op met de wensen van de ijverigsten

Aan het hof zijn zelfs de meest oprechte vriendschappen niet gevrijwaard van het gif van valse verdenkingen

Hovelingen zijn voor het merendeel monsters met twee tongen en twee harten.

‘En toch lijkt het me echt hetzelfde meisje!’ besloot ik vol te houden, terwijl Atto omhoogkeek om de spreuken te lezen. ‘Weet u zeker dat Maria Mancini tegenwoordig zestig is? Het meisje dat we hebben gezien... nou ja, ik zeg u, dat is identiek aan dat van het schilderij, maar ze lijkt heel jong.’

Hij hield abrupt op met lezen en keek me recht aan.

‘Denk je dat ik me zou vergissen?’

Hij wendde zijn ogen van de mijne af en richtte ze op de schilderijen om ze toe te lichten. Het onderwerp van de doeken waren nu illustere namen uit Frankrijk en Italië: pausen, dichters, kunstenaars, wetenschappers, vorsten en hun verwanten, ministers.

‘Zijne Heiligheid wijlen paus Alexander VII; Zijne Heiligheid wijlen paus Clemens IX; Cavalier Bernini; Cavalier Cassiano del Pozzo; Cavalier Marino; Zijne Majesteit wijlen Lodewijk XIII; Zijne Regerende Majesteit Lodewijk XIV; Monsieur, de broer van Zijne Majesteit Lodewijk XIV...’

Terwijl hij de lijst met namen doornam, haastig van het ene op het andere doek overstappend, scheen het me toe dat Atto gespannen was gebleven door mijn vraag naar de leeftijd van Maria Mancini. Hij moest wel gelijk hebben: ik kon Maria niet in het park gezien hebben, niet alleen omdat ze nog niet in Rome was gearriveerd, maar omdat ze een leeftijdgenote van de allerchristelijkste koning was, moest ze nu min of meer dezelfde leeftijd hebben als de vorst, en dus ongeveer ruim zestig lentes tellen.

‘... Zijne Eminentie wijlen kardinaal Richelieu; Zijne Eminentie wijlen kardinaal Mazarin; wijlen eerste minister Colbert; wijlen minister Fouquet...’

Hij hield op.

‘... *Toont nooit zijn leed...*’ zei hij bij zichzelf, een van de spreuken herhalend die hij net op de muren van de zaal had gelezen.

‘Wat zegt u?’

‘*Hovelingen zijn voor het merendeel monsters met twee tongen en twee harten*!’ glimlachte hij, theatraal een andere spreuk citerend, alsof hij door middel van een grap een onaangename gedachte wilde verbloemen.

‘Het is laat geworden,’ constateerde de abt toen we buiten Het Schip stonden en hij naar het violet van de hemel tuurde.

Het onderzoek had niet veel soeps opgeleverd. Afgezien van wat schoenafdrukken hadden we geen sporen van de drie kardinalen gevonden, en er was ook geen tijd om heel de villa te verkennen.

‘Ga nu maar weer in de tuin van de villa werken. Houd je kaken op elkaar en doe alsof er niets aan de hand is.’

‘Ik moet wel de schade van de diefstal herstellen voordat Cloridia terugkomt...’

‘Die vergoed ik je wel, het dubbele van de waarde: dan is je vrouwtje vast snel getroost. Vanavond na de vesper zul je hier moeten zijn. Ga nu maar!’ spoorde hij me plotseling aan.

Atto was gespannen. Zeer gespannen.

Den 8sten juli 1700, tweede avond

Terwijl ik me in de richting van ons huisje begaf om mijn spullen te pakken, bedacht ik dat Atto niet één keer naar Cloridia had gevraagd: hoe ze het maakte, wanneer hij haar weer zou zien, wat ze nu deed enzovoort. Nooit een woord, en zelfs nu hij haar had genoemd, had hij niet de moeite genomen om me een vraag over haar te stellen, al was het maar voor de vorm. En dat terwijl hij in de memorie die hij van me had gestolen het hele ongelooflijke verhaal van Cloridia gelezen had. Een verhaal dat hij zich jaren eerder, ten tijde van herberg De Schildknaap, in de verste verte niet had kunnen voorstellen. Niet dat ze destijds met elkaar waren omgegaan. Integendeel, voorzover ik me kon herinneren hadden ze nooit een woord gewisseld en hadden ze elkaar bewust genegeerd. Van Atto's lippen had ik nooit haar naam horen komen, behalve op spottende toon. De castraat en de courtisane: ik kon ook niet verwachten dat er een vriendschap uit voort zou spruiten...

'Je bent ontslagen! Je werkt belabberd.'

Bijna begaf mijn hart het toen die schelle stem me overviel.

Ik draaide me om en zag hem op een paar passen van me vandaan, op een tak, terwijl hij met zijn kromme poten zijn snavel gladstreek.

'Ontslagen, ontslaaaagen!' herhaalde Caesar Augustus geamuseerd, zoals hij gewend was te doen wanneer ik me tussen twee karweitjes door even rust vergunde. Waarschijnlijk had hij die onaangename zin in een of andere werkplaats opgestoken, tijdens zijn omzwervingen in de stad.

'Wat doe je daarboven?' vroeg ik van de weeromstuit, geërgerd door mijn schrik. 'Waarom ga je niet in je kooi?'

Hij zweeg, alsof een antwoord niet nodig was, en bewoog ritmisch zijn kop heen en weer bij wijze van klacht. Het was een van die veelvoorkomende dagen tijdens de seizoenswisseling waarop Caesar Augustus weemoedig en kribbig was. Dagen waarop hij er altijd weer een zootje van maakte om zijn onrust af te reageren. Om zijn onbehagen meteen hinderlijk gestalte te geven ging Caesar

Augustus tot actie over. Hij vloog op, stoof voorbij, raakte daarbij even mijn gezicht, keerde om, cirkelde vlak boven de grond, landde naast me en greep met zijn snavel netjes het snoeimes dat ik op de grond had laten liggen.

'Nee, vervloekt! Geef terug,' beval ik.

'Ontsla hem, ontsla hem!' herhaalde hij met een kwaadaardige flikkering in zijn kleine kraaloogjes. Het snoeimes, dat in zijn bek geklemd zat, belette hem niet de menselijke stem tot in de perfectie na te doen; het geluid kwam niet van de huig, zoals bij ons, maar van een of andere onverwachte keelholte. Hij spreidde zijn grote witte vlerken, klapwiekte er lomp mee in de roerloze zomerlucht en steeg op.

Binnen een paar seconden was ik hem uit het oog verloren; maar niet alleen omdat hij snel aan de horizon was verdwenen. Terwijl ik het opstijgen van Caesar Augustus gadesloeg, was ik afgeleid door een detail. Vanuit mijn ooghoek leek het me even alsof er vanachter een heg een schim naar me stond te kijken. Maar het was erg warm en misschien had ik me vergist.

'Ga eens opzij, jongen.'

Ik werd hoe dan ook meteen van die vage indrukken af gebracht, want deze gedecideerde, ongeduldige stem beval me aan de kant te gaan. Het waren twee pages die zich tussen de hagen van het laantje een weg baanden en een derde persoon begeleidden: in lekentenue liep daar Zijne Eminentie kardinaal Fabrizio Spada, met een nog donkerder gezicht dan de dag daarvoor.

Ik boog eerbiedig toen het drietal me voorbijliep naar de uitgang van de villa. Terwijl ik weer overeind kwam en mijn broek afklopte, leek het alsof ik een geritsel bespeurde en weer kreeg ik de onbestemde indruk dat ik bestudeerd werd door kwaadaardige onderzoekende ogen. Ik draaide mijn blik in het rond, zonder ook maar vaag het donkere silhouet op te merken dat zich – zoals ik kort tevoren nog zou zweren – achter de omliggende heggen ophield. Terwijl kardinaal Spada en zijn twee begeleiders aan het eind van de laan verdwenen, zag ik boven hun hoofd echter stilletjes Caesar Augustus fladderen.

Toen mijn snoeiwerk en de taken in de volière erop zaten, merkte ik dat ik nog maar weinig tijd over had vóór de vesperafspraak met abt Melani.

Ik besloot even thuis langs te gaan. Daar trof ik helaas weer dezelfde pijnlijke chaos aan waarin ik inmiddels een paar uur geleden was wakker geworden. Een paar ogenblikken lang voelde ik de wurggreep van de angst toen ik zag met hoeveel razende woede de vreemdelingen zonder gezicht straffeloos de nette slaapkamer van Cloridia en mij overhoop hadden gegooid.

Nadat ik alles weer keurig had opgeruimd, keerde ik terug naar Villa Spada. Daar, in de moestuinen, was de hitte nog erg drukkend. Ik trok mijn hemd uit en hurkte neer in de schaduw van een grote beuk op een iets hoger gelegen geheim plekje onder aan de ommuring, waar Cloridia en ik in de korte werkpauzes bijeen plachten te komen buiten het zicht van indiscrete blikken. Je keek daarvandaan uit op de beneden liggende laan, maar achter het bladergroen was het vrijwel onmogelijk gezien te worden. Door het herordenen van onze door de vandalen gehavende spullen was ik steeds pijnlijker de afwezigheid van mijn allerliefste bruid gaan voelen. En terwijl ik zuchtte en steunde van heimwee en ongeduld bij de gedachte aan haar, moest ik ineens weer denken aan de liefde van de Zonnekoning en Maria Mancini, en aan de merkwaardige passie die Maria en Atto leek te binden, want al dertig jaar voerden ze een hechte, geheime briefwisseling, en toch hadden ze elkaar nooit meer gezien.

Maar eigenlijk was alles wat Atto met zich meebracht wonderlijk, ongewoon en mysterieus. Wat te zeggen van de vreemde verschijnselen die zich in Het Schip hadden voorgedaan? En stond de dood van de boekbinder in verband met Atto's verwonding en de vreemde omstandigheden waarin die had plaatsgehad? Bij dat alles kwam als hoogst verontrustend feit de dubbele inval bij Buvat en mij, waarbij we beiden stellig waren bedwelmd.

Ik voelde me opnieuw in de greep van verwarring en zelfs vertwijfeling. Het liefdesverlangen naar mijn Cloridia had plaatsgemaakt voor angst. Wat was er werkelijk gaande? Waren we slachtoffers, zoals Melani aan de Connétablesse had geschreven, van een pro-keizerlijk complot? Of hadden de cerretanen ermee te maken, zoals Sfasciamonti beweerde? Of beide? Ik begon mezelf weer te verwijten dat ik me in de intriges van de abt had laten verwikkelen. Ditmaal leek ook hij in het duister te tasten. Bovendien had ik gezien dat hij in de war en ongerust was tijdens ons merkwaardige bezoek aan Het Schip. Zo kwamen mijn gedachten weer zo'n beetje bij Maria uit en ik herinnerde me dat ze nu in Madrid scheen te verblijven. In Spanje, juist waar, zoals ik uit de brieven van die twee had vernomen, het lot van de wereld op het spel stond...

Plotseling omhulde een gevoel van lauwe zijde mijn naakte rug en wekte me zachtjes uit de grauwe sluimer waarin ik ongemerkt was weggegleden. Een fluisterstem verlichtte mijn zorgen.

'Is er nog plaats voor mij?'

Ik deed mijn ogen open: mijn Cloridia was terug.

Toen we ons in het warme licht dat met de avondzon gepaard ging hadden verzadigd aan stille zoenen en onze omhelzing, stak Cloridia van wal:

'Vraag je niet hoe het gegaan is? Als je eens wist wat een avontuur!'

Dagen- en dagenlang was mijn vrouw, die zoals ik al zei al jaren het beroep van vroedvrouw uitoefende, ver van mij en het huwelijksbed vandaan gebleven om een kraamvrouw bij te staan. Nu was ze terug en ik popelde om haar alles te vertellen en troost en advies te krijgen. Maar zij leek even ongeduldig als ik om mij op de hoogte te stellen van haar laatste nieuwtjes. Daarom vond ik het beter haar als eerste aan het woord te laten. Wanneer de natuurlijke vrouwenspraakzaamheid van mijn Cloridia was geluwd, zou ik alle gelegenheid hebben om haar in te lichten over de onverwachte wederkeer van abt Melani en mijn kwellingen.

'De kleintjes?' vroeg ik allereerst, aangezien onze twee dochters met hun moeder waren meegegaan om te helpen.

'Maak je geen zorgen, die ronken beneden samen met de andere meisjes van het personeel.'

'Nou,' zei ik met geveinsd enthousiasme, 'laat maar horen!'

'Bij de boer van het landgoed Barberini is een mooi, dik, rond jongetje geboren. Gezond en met alles erop en eraan, precies zoals God gebiedt!' fluisterde ze trots. 'Alleen...'

'Ja?' vroeg ik, in de hoop dat ze niet zou uitweiden.

'Ehm, hij is met vijf maanden geboren.'

'Wat? Dat kan niet,' riep ik met verstikte stem uit, met gespeelde verbazing, want ik wist al waar ze heen wilde.

'Dezelfde woorden schreeuwde de boer toen zijn arme bruid in barensnood was. Maar het kan wel, lieverd. Ik heb er uren en uren over gedaan om die grote, domme ezel tot kalmte te brengen en hem ervan te overtuigen dat de benodigde tijd voor de geboorte van een baby weliswaar normaliter negen maanden is, maar dat er ook bevallingen zijn in de vijfde maand, zoals er anderzijds bevallingen zijn in pas de twaalfde maand...'

'... Plinius getuigde voor de rechtbank ter verdediging van een vrouw,' ging Cloridia argeloos verder, 'wier man pas vijf maanden eerder uit de oorlog was teruggekeerd, en hij zwoer dat het mogelijk was zelfs in slechts de vijfde maand te werpen. Anderzijds is het ook zo dat volgens Massurius onder het pretorschap van Lucius Papirius gevonnist werd tegen iemand in een erfenisgeschil, omdat zijn moeder getuigde dat ze dertien maanden zwanger was geweest; maar het is eveneens een onbetwistbaar feit dat de grote Avicenna een moeder van steniging redde door voor de rechter te getuigen dat je ook na veertien maanden een kind kunt krijgen.'

Ik brandde van verlangen om mijn verhaal te doen.

'Cloridia, hoor eens, ik heb eigenlijk een hoop te vertellen...'

Maar zij luisterde niet. De lucht was nog warm en mijn knappe bruid leek dat na al die dagen afwezigheid niet minder.

'Ik was goed, weet je?' viel ze me in de rede, alsof ze me niet had gehoord, haar koele boezem tegen mijn borst duwend. 'Ik heb die wildeman uitgelegd dat de mens van alle dieren de enige is die een onbepaalde tijd heeft om geboren te worden. De dieren hebben allemaal een vastgestelde tijd: de olifant werpt altijd in het tweede jaar, de koe in het eerste, de merrie en de ezelin in de elfde maand, de teef en de zeug in de vierde, de poes in de derde, de kip laat de kuikentjes altijd na twintig dagen broeden uitkomen en ten slotte werpen de geit en de ooi juist in de vijfde maand...'

Hun echtgenoten – commentarieerde ik bij mezelf – meneer Bok en meneer Ram, hebben dan ook een fraai stel hoorns op hun kop.

Mijn Cloridia was werkelijk onverbeterlijk. Inmiddels waren de gevallen van twijfelachtig vaderschap die door de vaardigheid van mijn vrouw waren opgelost, niet te tellen. In haar liefde voor de kinderen (welke vader die ook hadden) en voor hun moeders (tot welke trouw die ook in staat waren) deed Cloridia van alles, ze zwoer bij hoog en bij laag om de argwanende echtgenoten maar te overtuigen. Ze deinsde nergens voor terug. Met rappe tong, een glimlach om de lippen en het onschuldigste gezicht van de wereld verschafte ze uitleg en voorbeelden te over voor alle echtgenoten: van de net afgezwaaide soldaat tot de herder die met zijn vee weggebleven was, tot de marskramer, de stuurse schoonmoeder, de bemoeizuchtige schoonzus. En ze werd strijk en zet geloofd, in weerwil van de oude wijsheid die zegt dat men van iemand die veel praat niet alles moet geloven, want in al dat geredeneer vindt men bijna altijd een leugen.

Niet alleen dat: in de vrees dat het kind al opgroeiend iets te veel gelijkenis zou vertonen met de buurman of onverwacht iemand anders, 'instrueerde' Cloridia al voor de bevalling en meteen daarna met een onvermoeibare woordenvloed de kersverse vaders en de wantrouwende familie, en vertelde dat de verbeelding van de vrouw het wicht gelijk kon maken aan iets wat ze tijdens de bijslaap had gezien of gefantaseerd. Ze schiep er het grootste plezier in om weer thuis van een bevalling aan mij verslag te doen hoe, wanneer en tegenover welk gehoor ze haar geliefde fabeltje had opgedist. In al die jaren had ze het me misschien wel duizend keer herhaald en het bij iedere bevalling verfraaid met nieuwe, verzonnen details. Ze was er dol op dat ik haar bewonderde en me trots betoonde op haar daden, en dat ik lachte wanneer ze me aan het lachen wilde krijgen en verbazing voorwendde wanneer ze dat verwachtte. Ik zag haar graag vrolijk en tevreden, en speelde mee.

Maar net die middag lukte dat niet. Ik had haar zoveel, te veel te vertellen en een wanhopige behoefte aan haar raad.

'Ik zei tegen die boer: Kent u dan niet het verhaal van Heliodorus, die leert dat de Verbeelding kinderen gelijk kan maken aan het verbeelde? Dat is algemeen bekend!'

'Hoort u eens hier, zei ik, Heliodorus vertelt in het boek van zijn Ethiopische verhalen dat er een beeldschoon meisje met een blanke huid werd geboren uit een zwarte moeder en een zwarte vader, oftewel koning Hydaspes van Ethiopië en koningin Persina. En dit gebeurde alleen door de gedachte, oftewel door de verbeelding van de moeder, met wie de koning gemeenschap had in een vertrek waar veel handelingen van mannen en blanke vrouwen waren geschilderd, en met name de liefdes van Andromeda en Perseus, en de koningin vermeide zich zo in de aanblik van Andromeda tijdens de liefdesdaad...'

Ik kende het vervolg uiteraard op mijn duimpje en terwijl ik gedwee maar verstrooid de zachte druk van Cloridia op mijn lichaam ontving, herhaalde ik in gedachten met haar: de koningin vermeide zich zo in de aanblik van Andromeda tijdens de liefdesdaad dat ze zwanger werd van net zo'n meisje; genoemde verklaring werd gegeven door gymnosofisten, die de wijste mannen van dat land waren. En Aristoteles bevestigt...

'En Aristoteles bevestigt dit met het verhaal dat in het Morenland een vrouw, dus zwart, overspel had gepleegd met een Ethiopiër en nadat ze zwanger was geraakt een blank meisje baarde, dat toen ze was uitgehuwelijkt aan een blanke man een zwart jongetje baarde. En de heilige Hiëronymus bericht dat de grote Hippocrates een vrouw bevrijdde van het misdrijf overspel, waarvan zij beschuldigd werd toen ze een meisje had gebaard dat niet op de vader leek. Hij getuigde voor de rechtbank dat een schilderij dat zij in de slaapkamer had en dat op het kind leek, daar de oorzaak van was geweest door de geconcentreerde gedachte die de vrouw eraan had gewijd op het moment van de conceptie.'

Ik kon me getroost voelen, bedacht ik, terwijl ik ongeduldig het slot van het verhaal afwachtte: als zelfs de grote Hippocrates en Plinius en Avicenna de brutaliteit hadden gehad om voor een rechter meineed te plegen en dergelijke fabeltjes uit hun duim zogen om de eer en het leven van een kraamvrouw en haar kindje te redden, dan was mijn bruid in goed gezelschap.

'Alciatus, en voor hem Quintillianus,' ging Cloridia verder, terwijl ze in de weer was met mijn kleren en alle vrijheid gaf aan haar inspiratie, 'verloste een andere vrouw van dezelfde fout; ze had een zwarte dochter gebaard terwijl haar man en zijzelf blank waren, en de verdediging luidde dat dit kwam doordat ze in haar slaapkamer een beschilderd beeld van een Ethiopiër had staan.'

'En verder? Heb je hem het verhaal gedaan van de schapen van Jacob?' vroeg ik om haar te plezieren, terwijl ik de uitkomst van haar manoeuvres begon te vrezen.

'Allicht,' antwoordde ze zonder zich van haar plannen af te laten leiden.

'En je theorie dat zelfs gewoon voedsel invloed kan hebben op het uiterlijk van de boreling?' vroeg ik, met mijn lippen haar handpalmen beroerend, zodat ik ze onder controle had en kon onttrekken aan de inspectie waar ze halsstarrig mee bezig waren.

'Mm, nee,' antwoordde ze met een spoor van verlegenheid, 'weet je nog toen ik de vrouw van die Zwitserse koffiehuishouder hielp bevallen? Toen ik probeerde de argwaan van haar man te sussen en hem uitlegde dat je bij de dieren meer gelijkenis ziet dan bij de mensen, omdat de dieren maar één soort voedsel gebruiken en de mensen verschillende soorten, antwoordde hij met een kwaaie kop dat de Alpenmannen en -vrouwen in zijn streek alleen maar kastanjes en geitenmelk met water eten, en toch worden geboren met dezelfde verschillen als wij.'

'En toen?'

'Ik redde me er evengoed uit, en wel met het verhaal van de verbeelding van de vrouw. Ik zwoer hem dat bij de hele wereld bekend is als waar, ja als heel zeker, dat de sterke verbeelding en de geconcentreerde gedachte van de vrouw de kracht heeft om het beeld en de gelijkenis van het gewenste voorwerp in het lichaam van de boreling aan te geven. Zie je niet dagelijks getekende kinderen geboren worden, of met een varkenshuid of met appels of wijn of krenten of andere soortgelijke vlekken? De sterke verbeelding kan dus in de vrouwenbuik een lichaam aangeven dat al van top tot teen is gevormd, en wel zo dat het de meest uiteenlopende vormen op de huid drukt, zolang ze maar gedachten van de vrouw weergeven. Ik zei dus tegen hem: Jij die je arme vrouw dag en nacht uitbuit om koffie aan de tafels te serveren, jij krijgt je verdiende loon: de stakker heeft je door het vele staren naar de koffie een kind gebaard met dezelfde kleur!'

Helaas. Zoals we lezen bij Caesar Baronius, liet de grote Tertullianus, een zeer befaamd man, zich door een armzalig vrouwtje overtuigen dat de zielen der rechtvaardigen gekleurd waren. Dus mijn scherpe, geleerde Cloridia zou zich zeker niet in het nauw laten drijven door een gehoornde koffiehuishouder, en bovendien één met de harde kop van een Zwitser. Met deze stilzwijgende overweging nam ik gelaten de samenvatting van de heldendaden in ontvangst van mijn dame, die intussen haar liefkozingen had hervat.

'Is de verbeelding van de man dan niets waard?' vroeg ik, en ik wendde bevreemding en verbazing voor om me een beetje uit haar drukke omhelzing los te maken.

'Hier rijst een fraaie twijfel. Volgens Aristoteles wel. Volgens Empedocles en Hippocrates, die ik hoog heb, bezwijkt ze onder die van de vrouw, die allerhevigst is,' zei ze, terwijl ze allerhevigst tot actie overging, 'behalve in één geval. Dat van de verstandige vader en de domme zoon. Waarom komt er van een verstandige vader soms een domme zoon? Het bestaat niet dat de moeder dat wil. Jawel hoor, antwoord ik dan. Het merendeel der geleerde echtgenoten heeft altijd een melancholisch humeur en de melancholie is het vleselijke zusje van de dwaasheid: beide hogelijk verafschuwd door de vrouwen bij echtelijk verkeer. Dan kan het dus zijn dat zij bij de daad met de verbeelding aan de haal gaan om liever een vrolijke domoor dan een verstandige melancholicus te wensen. Nog daargelaten dat verstrooide echtgenoten er niet helemaal met hun hoofd bij zijn...'

Ik sprong op van schaamte. Cloridia had gelijk. Ik had niet beantwoord aan haar hartstochten en was melancholiek en afwezig gebleven. Zelfs toen ze al haar vrouwelijke talenten, van de meest gewelfde tot de meest weelderige, in de strijd had geworpen, was ze er niet in geslaagd mijn bezorgde pikkedoris op te wekken tot de zoete, allerheiligste echtelijke plicht. En dan te bedenken dat ik haar tot voor kort zo had begeerd! Naar de hel met die vervloekte gedachten over de abt en de boekbinder en de dieven en wat me verder allemaal gruwelijk in de zorgen had gebracht.

'Zou je dan liever een domme, vrolijke echtgenoot hebben, vrouwtje van me?' vroeg ik.

'Nou, een vrolijke, domme man is altijd goed voor de kwaliteit van het kroost: omdat hij de vrouw veel genoegen biedt bij de ontmoeting, laat hij haar wensen dat zich bij zo veel vrolijkheid ook verstand zal voegen en zo zal het haar door de kracht van de verbeelding gebeuren dat ze een vrolijke zoon met een verstandige inborst voortbrengt.'

Ik glimlachte gegeneerd. Ze ging zitten en reeg haar korset weer vast:

'Vooruit, wat zit je zo dwars?'

Zo kreeg ik eindelijk de kans om haar te vertellen: van de komst van Melani, van de diefstal van mijn memorie, van de opdracht om in deze dagen zijn biograaf te spelen, en ten slotte van al mijn verdenkingen en verscheurende twijfels, zonder voorbij te gaan aan Atto's verwonding, de merkwaardige dood van de boekbinder, alsmede de dubbele inval van onbekenden bij ons thuis en bij Buvat. Maar vooral vertelde ik haar van de mysterieuze Maria, die vervolgens Madame de Connétablesse Colonna bleek te zijn, met wie Atto in het geheim correspondeerde, en van het verontrustende bezoek aan Het Schip. Ten slotte sprong ze op van het nieuws dat de inval ons nestje ondersteboven had gekeerd.

'En dat vertel je nu pas?' riep Cloridia ten antwoord uit, grote ogen opzettend en me aankijkend alsof ze plotseling had ontdekt dat ze met een idioot was getrouwd.

Mijn opvliegende gade wist al niet meer hoe lang ik vergeefs had moeten wachten op het einde van haar gebabbel.

Weldra kalmeerde ze: het nieuws over het aardige sommetje dat de abt ons had uitgekeerd bracht haar direct weer in een goed humeur.

'Dus abt Melani is weer in het land om schade te berokkenen...' commentarieerde Cloridia.

Mijn vrouw had nooit veel op gehad met de abt: via mij kende ze alle lage streken waartoe de castraat in staat was geweest, maar ze onderging niet de fascinatie van de welbespraaktheid van de diplomaat, noch had ze persoonlijk de talloze wederwaardigheden meegemaakt die ik aan zijn zijde had beleefd.

'Hij doet je de groeten,' loog ik.

'Doe maar terug,' antwoordde ze met een zweem van scepsis. 'En jouw gecastreerde abt hunkert dus al dertig jaar naar een vrouw,' vervolgde ze op half sarcastische, half voldane toon, 'en wat voor een.'

Cloridia had als goede vroedvrouw al over Maria Mancini gehoord en kende in grote trekken haar Romeinse leven als vrouw van Connétable Colonna.

Op het bezoek aan Het Schip en op de raadselachtige verschijning die ik had meegemaakt gaf Cloridia geen commentaar. Ik had heel graag gehad dat zij me zou bijstaan met haar wijze advies, zij die vroeger zo ervaren was in occulte kunsten als handlezen, de wetenschap van de getallen en het hanteren van de wichelroede, maar mijn vrouw ging meteen over op de kern van de zaak: ze zou overal bij haar vrouwen vragen ons te helpen bij de onderzoeken. Ze zou het krachtige, verborgen vrouwennetwerk in werking stellen: talloze ogen zouden voor ons waken, kijken, volgen, in het geheugen opslaan, verstandig en ongezien de bedrieglijke schijn van de kalme blik werpen van een kraamvrouw of de kwijnende oogopslag van een bruid.

We spraken uitvoerig en zoals altijd was ze kwistig met verstandige raad, wijze aanbevelingen en overdreven oordelen over de goede eigenschappen van ondergetekende. Ze kende me goed en wist hoeveel aanmoediging ik behoefde.

Ik had geen twijfels meer. Nu ik haar alles had verteld en me aan haar had toevertrouwd, waren mijn angsten verdwenen en daarmee de last die mijn zinnen beroofde van iedere kracht en gezwollenheid. We lagen samen en beminden elkaar uiteindelijk. In de schaduw van de grote beuk moduleerde ik lieflijk als een nieuwe Tityrus op mijn fluit ter ere van mijn bosmuze.

Inmiddels was de vesper aangebroken. Ik maakte me los uit de omhelzing met mijn weggedommelde Cloridia, deed kuis haar kleding weer goed en liep langzaam naar het Zomerverblijf, naar de ontmoeting met abt Melani.

Pas toen, met de medeplichtigheid van mijn hart dat was geraakt door de gratie van de echtelijke liefde, omvatte ik met mijn blik voor het eerst de tuinen van de villa in heel hun blije glans.

Kardinaal Spada had kosten noch moeite gespaard om aan de festiviteiten alle denkbare luister te geven. Villa Spada was kleiner en bescheidener dan andere adellijke woningen; maar in de weelde aan vertoon wilde de heer des huizes dat zijn verblijf voor de gelegenheid de boventoon voerde. Allereerst had hij niet verzuimd te bejubelen wat de Romeinse villa's zo anders en uniek maakte vergeleken bij die in de rest van de wereld, namelijk de plaats waar ze stonden: want waar hun ligging ook werd gekozen, ze verkeerden in de gedwongen maar lieflijke verbintenis met de overblijfselen van het oude Rome.

De beelden, het marmer, de inscripties en wat de argeloze spade al niet meer toevallig in de tuinen van Villa Spada aan het licht had gebracht, alles was op last van kardinaal Spada uit de vergetelheid van de kelders of uit het opruk-kende venushaar weggehaald en ingezet om de moderne tuinen met majestu-eus wit te larderen.

De fraaie concentrische perken met boompjes aan weerszijden, gescheiden door een krans van paadjes en voor de gelegenheid aangelegd door Tranquillo Romaùli, de meester tuinman, waren bezaaid met zuilen, sarcofagen en stèles, terwijl langs de ringmuur de fragmenten van kapitelen zich afwisselden met citrusbomen in spalier; zelfs bij de ingang verhief zich boven het terras van een ruïne een pergola, gesteund door traliewerken, haast alsof de tijd, zwaaiend met het groene vendel van de natuur, nederlaag en ijdelheid van mensenzaken wilde aangeven.

Maar Villa Spada was maar een klein voorbeeld: de villa's van Rome omvat-ten vaak bijna ongeschonden tempels of zelfs hele stukken aquaduct. In Villa Colonna in Monte Cavallo was lange tijd een fraai stuk van de gigantische *Templum Solis* bewaard (en vervolgens helaas zomaar afgebroken), in Villa Medici op de Pincio-heuvel was de *Templum Fortunae* te zien, in Villa Giusti-niani in Lateranen werd de grens aangegeven door het Claudius-aquaduct, ge-flankeerd door andere enorme, anonieme ruïnes. Zelfs het mausoleum van Augustus, de roemrijke, verheven sporen van de grootste keizer, was, toen het in eigendom van monseigneur Soderini was, van binnen veranderd in een tuin. Op de Palatijn en op de Celio-heuvel strekten zich villa's en ruïnes uit in één onontwarbaar kluwen. En ook huize Gentili was tegen de eeuwenoude Aureliaanse Muren aan gebouwd, waarvan het zelfs een toren had opgeno-men, terwijl de Farnesische tuinen (een onschatbaar werk van Vignola, Rinal-di en Del Duca) harmonieus waren samengevoegd met de overblijfselen van de keizerlijke paleizen op de Palatijn. Zelfs kardinaal Sacchetti maakte, toen hij in zijn villa in Pigneto (te danken aan het talent van Pietro da Cortona) zijn lievelingsezel, de befaamde Krekel, ter aarde wilde bestellen, gebruik van oude Romeinse vondsten die hem in handen waren gevallen in zijn grond, waar je maar de spade in hoefde te zetten om op het marmer uit de eeuwen van Cicero en Seneca te stuiten.

In Villa Ludovisi en Villa Pamphili was een huis helemaal ingericht voor de beelden, in Villa Borghese had kardinaal Scipione het grootste deel van de ruimte gewijd aan zijn collectie borstbeelden en sculpturen.

Maar de antiquiteiten vormden niet de enige basis van verfraaiing en kostbaarheid van de wijngaard en het zomerverblijf van Villa Spada. De paden, die naar fonteinen en nimfen leidden, en het bosschage waren versierd met obelisken: zoals in de Del Bufalo-tuin, in Villa Ludovisi of zoals de spits van de Medici-tuin, waarvan ik in de boeken van mijn schoonvader zaliger schitterende gravuren had bewonderd. Alleen waren die van Villa Spada van tijdelijke aard, van bordkarton, ter imitatie van de bewonderenswaardige bouwsels van Cavalier Bernini die werden opgesteld op de Piazza Navona of de Piazza di Spagna om koninklijke geboorten of andere waardige gebeurtenissen te vieren, schitterend en met de bedoeling daar een paar feestavonden lang te staan. Iedere Romeinse villa was een oord om bij te komen en te genieten, zoals al in de tijd van Horatius (en zal dat volgens mij blijven *in saecula saeculorum*), en dus ook een broeinest van spelen, buitenissigheden en ieder ander vrolijk vermaak. En bij de huidige huwelijksgelegenheid leek Villa Spada uit te groeien tot een bewonderenswaardig overzicht van dat alles.

Ik was graag stil blijven staan om één voor één de talloze geneugten en verrassingen te bewonderen die de villa bood, maar de avond vorderde. Ik liet mijn overwegingen voor wat ze waren en versnelde mijn pas naar de afspraak met abt Melani. En met de Connétablesse, die, naar ik in haar brief aan de abt had gelezen, na de vesper werd verwacht.

'Lieve hemel, jongen, wat zie je eruit? Het lijkt wel of ik hier een delegatie Arcadische herders ontvang.'

Ik boog mijn hoofd bij Atto's verwijt en wierp een gegeneerde blik op mijn kleren die gekreukt waren door de liefde en vies van het gras waarop ik met mijn vrouw had gelegen.

'Buvat, breng een beetje orde aan in deze vertrekken!' beval hij meteen daarop zijn secretaris, overstappend van u naar jij. 'Ga even met een lap over de vloer, en als je die niet vindt doe je het maar met de ellebogen van je jas, want je trekt toch nooit een andere aan; stapel mijn papieren op en vraag iets te eten. En schiet een beetje op, vervloekt nog aan toe! Ik krijg gasten.'

Hoewel hij niet vertrouwd was met de taken van een dienstmeid en zich afvroeg waarom Atto nooit een kamerbediende in de arm nam, durfde Buvat niet te protesteren, gezien de spanning waarin zijn baas verkeerde. Hij zette zich dus aan het lukraak ordenen van de papieren van de abt, de snuisterijen, de resten van het middagmaal die nog op een bank prijkten en de talrijke stapels boeken die her en der de vloer in beslag namen. Buvats onervarenheid was van dien aard dat de chaos, ofschoon ik hem op mijn beurt terzijde stond, juist toenam in plaats van minder werd.

Ik zag dat de abt zijn verwonde arm wreef.

'Signor Atto, hoe gaat het met de wond?' vroeg ik.

'Dat gaat beter. Maar ik zal niet rusten voor ik weet wie me zo heeft toegetakeld. Sinds een paar dagen gebeuren er de gekste dingen: eerst de verwonding aan mijn arm in het bijzijn van de boekbinder, daarna zijn dood, God hebbe zijn ziel, ten slotte de poging tot diefstal op jullie twee...'

Juist op dat moment werd er op de deur geklopt. Buvat ging opendoen; ik zag hem een brief van een bode in ontvangst nemen, die hij, na de deur weer gesloten te hebben, snel aan abt Melani gaf. Atto verbrak het zegel en keek de brief snel door. Vervolgens stak hij hem in zijn zak en deed ons node en mompelend verslag.

'Ze komt niet meer. Ze heeft de reis moeten staken vanwege een lichte koortsaanval. Ze verontschuldigt zich dat ze niet eerder kon waarschuwen enzovoort, enzovoort.'

Een paar minuten later zette Atto ons de deur uit. Zoals de vorige dag ook al was gebeurd, zat de reden daarvoor hem in de brief van de Connétablesse die Atto fatsoenlijk wilde gaan lezen, uiteraard buiten bereik van onze onderzoekende ogen.

Eenmaal buiten nam ik afscheid van Buvat, die een kijkje ging nemen in de bibliotheek van het huis, en ik begon me ongemakkelijk te voelen. Wat moest ik bij de abt, als hij me nu wegstuurde zonder dat hij me ook maar iets had opgedragen of gevraagd of gezegd? Weliswaar was onverwachts het slechte nieuws van de vertraging van de Connétablesse gekomen, en bovendien stamde mijn opdracht om die dagen voor hem bij te houden pas van de dag daarvoor, maar als je er goed over nadacht, had Atto me tot nu toe meer als informant gebruikt (zie het diner van de vorige avond) dan als biograaf. Niet alleen dat: ook over de aard van dat boekje, dat in het middelpunt van een opmerkelijke hoop ongelukken leek te staan, was de abt maar weinig mededeelzaam geweest. Alleen toen hij van de dood van de boekbinder had gehoord, was Atto het in vliegende vaart gaan halen.

Melani was door Buvat aangeklampt en onderhield zich al met andere genodigden in de tuinen van Villa Spada – ik hield ze vaak met Atto's kijker in het oog – toen ik een uur later op onderzoek uitging naar het gebonden boekje. Toen de rozenkranser het hem had gegeven, was het in een blauw fluwelen lap gewikkeld, iets wat me nu verhinderde de vorm en kleur van de boekband te herkennen. Ik kamde het appartement uit en kreeg één voor één alle boeken van abt Melani te zien, maar helaas geen spoor van een pas gebonden boekje: alle bandjes vertoonden tekenen van slijtage en regelmatig gebruik. Atto had duidelijk alleen de boeken die hij het meest nodig had meegenomen naar Villa Spada. Een gloednieuwe band zou me daarom zeker opgevallen zijn. Ik bleef weer even stilstaan om een paar vellen van de vermakelijke aantekeningen over de kardinalen te lezen: ze waren me zeer nuttig gebleken om me beter te oriënteren onder de zinspelingen en grappen die de eminenties aan het diner met elkaar uitwisselden. Vervolgens keek ik nog een keer overal, maar van dat boekje geen spoor. Had de abt het misschien aan een andere gast uitgeleend? Als dat zo was, zou het onderwerp van dat boek ook weer niet zo vertrouwelijk zijn.

Atto vreesde, dat wist ik inmiddels, dat hij het slachtoffer was geweest van een anti-Frans complot, misschien vanuit keizerlijke hoek. Maar ik was er niet helemaal van overtuigd. Het verhaal van Sfasciamonti over de cerretanen, van wie hij nooit eerder had gehoord, maakte dat onzeker. Aan de Connétablesse had hij geschreven dat hij audiëntie wilde vragen bij de ambassadeur van de keizer, graaf von Lamberg: deze werd echter wel in Villa Spada verwacht, maar was nog niet aangekomen. Ze zouden elkaar zeker de volgende dag op de bruiloft zien. Tot dan restte de abt en mij niets anders dan wachten.

Wat had abt Melani me, peinsde ik weer, voor de rest geleerd? Het conclaaf was in zicht, dat had hij me verteld, en hij had me ook een eigenhandig geschreven lijst met kardinalen laten zien, maar verder? Waar was de onderwijzingsdrift van de agent van vroeger gebleven, die me zoveel en zo vaak had onderricht in de tijd dat ik als knechtje in herberg De Schildknaap werkte? Natuurlijk moest Atto wel van conclaven afweten: zoals ik me nog goed herinnerde had ik zelf jaren geleden gehoord dat de abt er zelfs prat op ging een paus te hebben laten kiezen.

Abt Melani was gewoon seniel geworden, bedacht ik met iets van somberheid. Meer dan van zijn levende stem kreeg ik licht en informatie van zijn persoonlijke spullen die ik stiekem aan de tand had gevoeld: de kleren (waartussen ik mijn pareltjes had gevonden) en vooral de geheime correspondentie met de Connétablesse.

Madame de Connétablesse, prinses Maria Mancini Colonna: over haar had Atto wel hartstochtelijk uitgeweid, tijdens ons uitstapje van een paar uur terug naar Het Schip. Maar dat was een verhaal van jaren en jaren geleden: dat had niets te maken met het aanstaande conclaaf. Integendeel, Atto had de 'dagelijkse' kant van zijn kennis met de Connétablesse zorgvuldig voor zichzelf gehouden: hij had me bijvoorbeeld nog niet gerept van hun gemeenschappelijke belangstelling voor de wederwaardigheden rond de Spaanse troonopvolging. Noch over wat de Connétablesse, die geboren was in Rome en getogen in Parijs, met het koninkrijk Spanje te maken had.

Nadat ik ten slotte het zoeken naar het door de arme Haver – God hebbe zijn ziel – ingebonden boekje had opgegeven, begroef ik opnieuw mijn handen in het vuile ondergoed van de abt om de enveloppe met de geheime correspondentie tussen hem en de Connétablesse eruit te vissen. Net als de vorige keer trof ik Maria Mancini's brief aan samen met het nog niet verzegelde antwoord van de abt. Ik liep ze beide snel door: ditmaal wilde ik de tijd hebben om ook een blik te werpen op de andere epistels die ik de vorige dag terzijde had gelaten.

De brief van de Connétablesse begon met de verwijzing naar de agressie waar abt Melani het slachtoffer van was geweest:

Welk een leed hebt U mij bezorgd, mijn vriend! Hoe maakt U het? Hoe gaat het met Uw arm? Is er werkelijk reden voor om de hand van het wrede keizerrijk achter dit alles te vermoeden? Ik bid vurig dat U tenminste wordt gespaard door de keizerlijke huurmoordenaars. Want al vele doden, te veel, dragen op het vaandel de dubbelkoppige adelaar van het Habsburgse Huis te Wenen.

Past U op, kijk om U heen. Ik beef bij de gedachte dat U graaf von Lamberg om audiëntie zult vragen. Eet niet aan zijn tafel, drink niet uit de kelk die door zijn hand is gevuld, neem niets van hem aan, nog geen snuifje tabak. Daar waar de dolk heeft gefaald, zou het gif kunnen slagen, het lievelingswapen van de keizerlijken.

Hebt U de Belzoarsteen die ik U een paar jaar geleden vanuit Madrid heb toegestuurd, meegenomen? Hij zal U tegen ieder gif beschermen, denkt U daar aan!

Hier moest ik over nadenken: Had ik onder Atto's persoonlijke bezittingen soms niet een pistool gevonden? Hij had zijn eigen veiligheid zeker niet te gemakkelijk opgenomen. De brief ging verder:

Vergeet U niet de gruwelijke dood van de hertog d'Osuna, die, net tot generaal van de Spaanse kustverdediging in de Middellandse Zee benoemd, zich inzette voor een wapenstilstand met de Fransen; maar helaas, na een snuifje tabak genomen te hebben werd hij getroffen door parese aan zijn rug en verstikking, en om drie uur 's nachts stierf hij, zonder nog een woord te hebben kunnen uitbrengen. En wat te zeggen van het onverwachte, duistere einde van staatssecretaris Manuel de Lira, die zo hard werkte aan de vrede met Frankrijk? En laat mij U, ondanks de pijn die mij dat om U welbekende redenen berokkent, herinneren aan de meest verschrikkelijke misdaad van alle: de overleden koningin van Spanje, onze innig geliefde Marie Louise van Orléans, de eerste vrouw van Karel II, die geen gelegenheid voorbij liet gaan om haar gemaal ervan te overtuigen zich niet aan te sluiten bij de liga tegen zijn oom de allerchristelijkste koning, en die door velen in Spanje werd gehaat, onder wie graaf Mansfeld, de ambassadeur van het keizerrijk.

Weet u het nog? De arme koningin was bang: ze had de Franse koning zelfs geschreven met het verzoek om een tegengif. Maar toen het antidotum 's nachts in Madrid aankwam, was Marie Louise net dood.

De avond daarvoor – las ik in de brief van de Connétablesse – had de vorstin zin in melk, maar in de hoofdstad was daar moeilijk aan te komen. Men zei dat er op het laatste moment een beetje was gestuurd door gravin de S., vriendin en protégée van de keizerlijke ambassadeur, alsmede ballinge uit Frankrijk vanwege de Gifzaak, waarvan uitgerekend Madame, Marie Louises moeder, dertig jaar eerder het slachtoffer was geweest. Terwijl de Spaanse koningin onder hevige pijnen het leven liet, zwoeren sommigen dat de lekker verse melk die ze voordat ze ziek werd had gedronken, was bereid ten huize van ambassadeur Mansfeld. En het was misschien geen toeval dat gravin de S. de dag na de misdaad onverwachts met de noorderzon vertrok.

Ik merkte dat Maria Mancini de identiteit van de vermeende gifmengster, een Franse van origine, maar keizerlijk gezind, zorgvuldig verborgen hield. Ik had ook graag vernomen wat de Atto 'welbekende' redenen waren die de herinnering aan het feit zo pijnlijk maakten voor de Connétablesse, maar de brief ging verder met een droeve rede gericht tot die naam, Silvio, waarachter ik me voorstelde dat abt Melani in een spel van dekmantels zelf schuilging:

Silvio, Silvio, denkt gij, ijdele gezel, dat deze rampzalige lotgevallen u zomaar zijn overkomen? O, wat ziet gij slecht! Zonder goddelijk wezen gebeuren zulke monsterlijke, ongewone ongelukken de mensen niet. Ziet gij niet dat de hemel zich stoort aan die zo blufferige, onverdraaglijke verachting van de liefde, de wereld en ieder menselijk gevoel? De oppergoden hebben niet graag makkers op aarde, noch houden zij van zo veel eigendunk in de deugd.

Ik verbaasde me wederom over de onstuimigheid waarmee de Connétablesse onbegrijpelijke beschuldigingen aan het adres van abt Melani uitte.

Alsof dit niet genoeg was, kwam na een paar regels van excuses over haar vertraging (die dus aan een onbeduidende griep te wijten was) de bekende kanttekening over die Lidio:

U beschuldigt mij ervan weinig achting te hebben voor het vermeende geluk van Lidio. Maar ik antwoord U dat men van alles het einde moet afwachten. Vele mensen immers kregen eerst een glimp van het geluk te zien om daarna door de godheid in de diepste ellende gestort te worden. En hem zeg ik nogmaals: wat uw vraag betreft, Lidio, gelukkig noem ik u nog niet, voordat ik vernomen heb dat ook uw levenseinde schoon was.

Wie was nu dat geheimzinnige personage, die Lidio, tot wie de Connétablesse zich via Atto richtte met zulke ondoorgrondelijke uitdrukkingen? En via welk duister spiegelspel noemde zij de abt af en toe bij de naam Silvio?

Ook uit Atto's antwoord viel niet veel bijzonders af te leiden: ik verzoop in een aaneenschakeling van overdreven complimenten.

O, beeldschone rots, reeds door de zee en de storm van mijn tranen, mijn zuchten zo vaak ijdel getroffen, is het dan waar dat ge smachtte naar mij en dat ge liefde voelt? Of bedrieg ik mij?

Uw zachtheid ontroert mij, mijn vriendin, en ik beef van verontwaardiging jegens mijzelve dat ik U zo plotseling in beroering heb gebracht. Is de koorts U soms door mij overvallen?

Deze ganzenveer van mij en de punt daarvan gedoopt in inkt, pijlen die de zijde van mijn dierbare vrouwe openen, en van nature en uit boosaardigheid mis-

schien broeders, zullen niet heel blijven, geen pijlen meer of flits, maar ijdel gevederde, ijdel gewapende stokjes, gekortwiekte ijzers, ontwapende vlerken!

En hier was de brief van de abt met inkt bevlekt: Atto had werkelijk zijn ganzenveer gebroken, die er schuldig aan was dat hij dingen had geschreven die de Connétablesse bezorgd en misschien wel ziek hadden gemaakt. Na een moment van verwondering tegenover zo'n onstuimigheid hervatte ik de lectuur (Melani had blijkbaar een nieuwe pen op de kop getikt).

Verwondt U mij nu evenzo met Uw ganzenveer. Ik verlang het, ik eis het!

Maar verwondt niet mijn ogen of handen, schuldige dienaren van onschuldig verlangen. Verwondt mijn borst; verwondt dit monster, bittere vijand van liefde en genegenheid; verwondt dit hart dat wreed voor U was: hier is voor U mijn naakte borst.

In het vervolg schaarde de toon, nu het vuur was geluwd, zich weer in het gelid van het verstand. Atto maakte zich vooral druk om de vraag of hij moed en vermetelheid had getoond in de zaak Lamberg, en niet de ongerustheid had laten doorschijnen die hem in de greep moest hebben.

Wat mij en mijn leven betreft, vrees niet, mijn goede vriendin. Natuurlijk heb ik Uw prachtige oosterse steen bij me. Hoe zou ik de Belzoar kunnen vergeten? Ook in Frankrijk wordt hij zeer gewaardeerd tegen kwaadaardige koortsen en gif. Wanneer ik ontvangen word door de ambassadeur, zal ik hem zorgvuldig in mijn zak houden, zodat hij me bij kan staan in het geval ik me onwel zou voelen.

Hoe dan ook, als jongeman kende ik de vader van graaf von Lamberg goed: hij was juist ambassadeur van de keizer in Madrid toen ik met kardinaal Mazarin op Fazenteneiland was voor de vredesonderhandelingen tussen Frankrijk en Spanje. Wij kaapten onder zijn neus de hand van de infantea Maria Theresia weg die zo werd begeerd door keizer Leopold in Wenen: koning Filips IV gaf haar uiteindelijk obtorto collo *aan Lodewijk XIV om maar minder vernederende vredesvoorwaarden los te krijgen. En het was een geluk: als het zo niet was gegaan, zou de allerchristelijkste koning niet voor zijn neef de hertog van Anjou aanspraak kunnen maken op de rechten op de kroon van Spanje. Filips IV liet Maria Theresia weliswaar tekenen dat ze afzag van iedere aanspraak op de Spaanse troon (net als Anna van Oostenrijk destijds had gedaan voor ze in het huwelijk trad met Lodewijk XIII van Frankrijk): maar de beste juristen hebben al aangetoond dat die verklaringen niet geldig zijn.*

Kortom, lieve vriendin, Lamberg senior bewees Oostenrijk een heel slechte dienst, zoals wij Frankrijk een heel goede hebben bewezen. Als de zoon zijn vader in bekwaamheid evenaart, zullen noch ik noch de Franse belangen in de Spaanse troonopvolging in gevaar zijn. Hoe dan ook zal ik het snel weten: de komst van de ambassadeur van de keizer wordt ieder moment verwacht. En U? Wanneer zult U hier zijn?

Silvio was wel hoogmoedig, maar hij vereert de goden, en door Uw Cupido werd hij op een dag overwonnen. Sindsdien buigt hij weer voor U en noemt U de zijne. Ook al was U de zijne niet.

Aangedaan wendde ik mijn ogen af van die laatste regels. Arme abt Melani: hij herinnerde de Connétablesse aan de liefde die hij al veertig jaar voor haar koesterde en ging ten slotte door het stof door zijn eigen onveranderlijke situatie als castraat op te rakelen: Maria was nooit de zijne geweest en zou dat nooit kunnen zijn.

Onder aan de brief nog een vluchtige verwijzing naar die genoemde Lidio:

Ik kom nu op onze Lidio. Genoeg erover: U hebt gewonnen, vooreerst. Maar wat U zult ontvangen wanneer wij elkaar zien, zal U overtuigen. Dan zult U van mening veranderen. U weet hoezeer hij behagen schept in Uw oordeel en Uw instemming.

Ik sloot de envelop weer en boog mijn hoofd. Te oordelen naar zijn briefwisseling met de Connétablesse leek het of de diplomatieke belangstelling van Atto enkel en alleen werd getrokken door de Spaanse troonopvolging en de (ook lichamelijke) risico's die daarmee gemoeid waren. Geen woord over het aanstaande conclaaf, waarvoor hij naar zijn zeggen wel naar Rome was gekomen. Niet alleen dat: afgaande op die brieven vreesde Atto het doelwit van de keizerlijke dolk (of het keizerlijk gif) te zijn vanwege de Spaanse troonopvolging; maar hij zei niets over het conclaaf, waar hij toch de Franse rechten ten koste van de Oostenrijkse zou verdedigen. Ik zou haast zeggen dat het conclaaf de abt niets kon schelen.

Ik staakte opeens mijn overpeinzingen: die indruk, bekende ik, leek onredelijk, ja, ongegrond. Ik kon echt niet geloven dat Atto zich niet bekreunde om het conclaaf dat zich aan de horizon leek af te tekenen.

Het leek absurd. Maar had de abt me niet zelf zo veel jaren terug geleerd te redeneren via veronderstellingen en zelfs voor de onwaarschijnlijkst lijkende waarheden niet terug te deinzen? Het conclaaf en de troonopvolging... of misschien de troonopvolging en het conclaaf? Ja, het was alsof van de uitkomst van de Spaanse troonopvolging die van het conclaaf afhing.

Ik ging snel over op de rest van de correspondentie, in de hoop licht te krijgen op de geheimzinnige gravin de S. De enveloppen waren allemaal behoorlijk dik: vertrouwelijke verslagen, gedetailleerde rapporten over het koninkrijk Spanje en koning Karel II. Ze waren genummerd, met bijna onzichtbare cijfers in een hoekje. Ik opende de eerste. Hij moest van enige tijd geleden zijn: de Connétablesse schreef vanuit de Spaanse hoofdstad.

OPMERKINGEN
OM DE ZAKEN VAN SPANJE TE DIENEN

Hier in Madrid vraagt iedereen zich af wat er na de dood van de vorst van het koninkrijk moet worden. De laatste hoop op een directe erfgenaam is inmiddels lang vervlogen; el Rey is ziek en, dat zegt iedereen, zijn zaad is reeds gestorven. Met het arme lichaam van de vorst dat door ziekte wordt verteerd, loopt alles ten einde in dit rijk waarboven de zon nooit ondergaat: de macht van Spanje, de luister van het hof, zelfs het roemrijke verleden wordt verduisterd door de misère van het heden...

Met verbazing las ik die zo troosteloze, bittere, definitieve regels. Wie was Karel II van Spanje, *el Rey*, zoals de Connétablesse hem noemde in haar brieven aan Atto? Ik merkte dat ik niemendal wist van de stervende vorst van dat eindeloze rijk. Ik dook dus in de duistere lectuur van het verslag en zonk weg in de betekenis van de dreigende ramp waarmee die regels tijdens het stiekeme lezen heel mijn geest doordrongen als bekwaam gedruppeld gif.

Laat men de gordijnen dichttrekken, laat men het doek sluiten voor de brede ruiten, laat men de zon verjagen uit de troonzaal, laat de maanloze nacht medelijdend neerdalen boven het Escorial: het lichaam van el Rey vergaat op gruwelijke wijze, mijn vriend, en daarmee heel zijn nageslacht. Laat de storm opsteken om de smerige stank van de koninklijke dood te verjagen; laten wij allen de wateren van de Lethe drinken, opdat het hoovaardige Spanje zich niet de belediging van zo'n weerzinwekkend einde herinnert.

Het gesteun van verdriet van de Connétablesse raakte me diep. Ik las verder: het waren niet alleen maar beelden die in de brief werden opgeroepen. Het leven in het koninklijk paleis voltrok zich werkelijk buiten het bereik van het daglicht, slechts bij het schijnsel van een enkele kaars: op deze manier probeerde men voor de ogen van de hovelingen evenals voor de bezoekende ambassadeurs de vreselijke aanblik van het lichaam en het gelaat van de koning te verzachten.

Zijn gezwollen, verkankerde neus, het enorme, door dreigende gezwellen misvormde voorhoofd, de bleke jukbeenderen, zijn adem die ruikt naar rotte ingewanden. Zijn vleeskleurige oogleden hangen over de pikzwarte builen van wallen van de ogen die, dof en ingevallen in de oogkassen, inmiddels moeizaam draaien en halfblind zijn. Ook zijn tong gehoorzaamt niet meer; zijn manier van spreken is onzeker, een gestamel, een onverstaanbaar gemompel voor wie niet altijd in zijn buurt is.

Uitgeput, krachteloos, aamborstig – vertelde de Connétablesse in haar verslag – ligt *el Rey* voortdurend in onmacht. Hij bezwijmt en brengt daarmee het hof in paniek; vervolgens komt hij weer bij, richt zich ineens weer op om zich op de troon te laten vallen als een marionet zonder touwtjes. Van sufheid gaat hij over op onverwachte, heftige aanvallen van epilepsie. Hij loopt met een moeizaam gestrompel en blijft alleen stevig op de been als hij zich aan de muur, een tafel of iemands schouder vasthoudt. Hij brengt met moeite een hand naar zijn mond. Organen en ledematen zijn kapot. Voeten en knieën zijn steeds meer opgezwollen. Waterzucht dient zich aan. Hij wordt behandeld met een dieet van kippen en kapoenen die gevoed zijn met slangenvlees. Te drinken krijgt hij verse koeienurine. Sinds een paar maanden sleept *el Rey* zich inmiddels van het bed naar de leunstoel en weer terug. Zijn lichaam is al in ontbinding. En hij is pas negenendertig.

Ik hield even op met lezen: de koning van Spanje was dus maar twee jaar ouder dan ik! Welke gruwelijke ziekte had hem zover kunnen krijgen?

Ik liep snel die velletjes door op zoek naar het antwoord.

De aanvallen van vallende ziekte tasten het lichaam van el Rey steeds meer aan. Inmiddels hebben wij aan het hof allemaal de symptomen leren herkennen: de onderlip van Zijne Majesteit wordt eerst lijkbleek, daarna krijgt hij rode, blauwe en groene vlekken. Daar komen in het kort de tremoren in zijn benen bij. Uiteindelijk wordt zijn hele lichaam één, twee, tien maal getroffen door de ergste schokken en trillingen.

Karel II braakt verschillende malen per dag. De afschuwelijke kinnebak van de katholieke koning, een erfenis van zijn Habsburgse voorouders, is niet alleen lelijk: wanneer de vorst zijn mond sluit, raken de te veel uitstekende ondertanden de boventanden niet. Er kan gemakkelijk een vinger tussen. Koning Karel kan niet kauwen. Ongelukkigerwijs heeft hij van zijn voorouders (met name Karel V) een honger als een paard geërfd; zodoende eet hij uiteindelijk alles in hele stukken. Hij slokt ganzenlevers op alsof het slokken water zijn, terwijl het hof machteloos en somber toekijkt. En kort nadat hij van tafel is opgestaan, geeft hij de hele maaltijd over. Het braken gaat gepaard met koortsen en hevige hoofdpijnen die hem dwingen hele dagen het bed te houden. Hij kan nauwelijks de betogen van zijn adviseurs volgen, en hij lacht nooit. Zelfs in de narren, de hofdwergen of de marionetten waar hij vroeger zo om moest lachen, schept hij geen genoegen meer. Niet dat zijn verstand, zijn geheugen of zijn spraakvermogen hem helemaal in de steek hebben gelaten; maar het grootste deel van de tijd is hij zwijgzaam en melancholiek, lusteloos en traag, waarbij de dagen worden opgedeeld door de droevige klok van de astma. Zijn onderdanen wennen er aan een in deze staat verkerende man als vorst te hebben. De ambassadeurs van de vreemde mogendheden kunnen echter hun ogen niet geloven: zodra ze in functie treden en hun eerste bezoek aan het hof maken, zien ze zich tegenover een wezen gesteld dat aan het eind van zijn leven is, met een lege blik en een vage manier van spreken. Voor zijn aangezicht vindt men alleen verlichting door de blik én neus af te wenden.

Ongerust en met een zwaar hart sloot ik de lectuur af. Wat ik net heimelijk van Atto's brieven had opgestoken wierp licht op Maria Mancini's brief en Atto's antwoord, welke ik de vorige dag gelezen had. De grote diplomatieke drukte rond de troonopvolging van Spanje was niet alleen een koortsachtige voorbereiding op toekomstige uitdagingen tussen mogendheden, maar nu al een complete oorlog; het was duidelijk dat een vorst in die omstandigheden van de ene op de andere dag kon overlijden. Van de geheimzinnige gravin de S. had ik echter geen spoor gevonden. Ik zou verder moeten zoeken: de te lezen correspondentie omvatte nog heel wat.

Ik sloeg mijn ogen op. Atto en Buvat waren al een tijd aan de horizon van het raam verdwenen. Ik zag in de laan een dame wandelen die de tekenen van een gevorderde zwangerschap vertoonde. Dat moest prinses Di Forano zijn, die Teresa Strozzi over wier gezondheid Cloridia vanaf die avond moest waken. Ik wijdde een snelle, zoete gedachte aan mijn bruid, die ik zo dadelijk weer zou zien. Het was niet verstandig nog in Atto's vertrek te blijven: ik zou door hem kunnen worden betrapt, en mijn lange afwezigheid van het werk zou hoe dan ook in de gaten lopen. Het was maar beter te worden gezien door don Paschatio, die me helaas had opgedragen ook bij het diner van die avond de toorts te dragen. Van het serveren aan tafel was ik gelukkig vrijgesteld.

Terwijl ik voorzichtig de papieren op hun plaats teruglegde, stapelden zich een hoop gedachten op in mijn arme, reeds vermoeide hoofd, waarvan ik altijd al vreesde dat het te klein was voor de grote staatskwesties en te groot voor de kleinigheden van de diplomatie.

Uit haar brieven was duidelijk dat de Connétablesse doorgaans woonachtig was aan het Spaanse hof. Nu begreep ik haar belangstelling voor en haar kennis van de Spaanse aangelegenheden. Maar welke verwikkelingen hadden haar daar naartoe geleid?

Het verslag van Madame de Connétablesse (die duidelijk beschikte over zeer vertrouwelijke bronnen aan het Spaanse hof) gaf een wreed, apocalyptisch beeld dat sterk afstak tegen de tedere, maar eigenlijk zeer vermetele woorden die Atto in zijn brieven aan haar wijdde. Die correspondentie was als een Januskop met aan de ene kant liefde en aan de andere kant politiek, aan de ene kant galanterie en aan de andere kant diplomatie. Abt Melani kennende moest tenminste een van die twee wegen – gevoel en complot – tot een praktisch doel leiden. De weg van het hart leidde na dertig jaar scheiding naar de ophanden zijnde ontmoeting tussen Atto en Maria. De weg van de politiek daarentegen leidde tot een nog onbekend oogmerk. Naar zijn zeggen was Melani uitsluitend geïnteresseerd in het volgende conclaaf; maar uit wat ik uit deze papieren las was de Spaanse troonopvolging het heetste hangijzer. Atto moest een paar geheime plannen hebben, zei ik bij mezelf; tamelijk geheim althans, als hij ze mij niet wilde onthullen.

Maar ik had ook ogen en oren; ik kon van de eminenties en de vorsten die dezer dagen Villa Spada bezochten ook waardevolle details, onthullende roddels, fluisterstemmen en achterklap opvangen. Atto wist die wel duizend keer vaardiger uit te leggen dan ik; hij was gewend aan alle slimme laagheden van de staatsintrige en voor hem als ware kunstenaar achter de schermen was een handvol steentjes genoeg om een kleurrijk mozaïek samen te stellen. Ik van mijn kant had alleen mijn jeugdiger leeftijd. Had ik niet van de lippen van kardinaal Spinola van Santa Cecilia de woorden opgevangen die ons op het spoor van de top tussen Spada, Albani en de andere Spinola hadden gebracht?

Niet alleen dat: ik had vooral het plan om mijn baas kardinaal Spada te begunstigen, al bracht dat de samenwerking met die onbezonnen vent van een abt Melani met zich mee. Hij, als Frans onderdaan, handelde in naam van de koning van Frankrijk. Ik, in dienst van een grootmoedige kardinaal van de Heilige Roomse Kerk, zou spioneren in naam van trouw en erkentelijkheid.

Onverstandig genoeg bedacht ik niet dat hij van zijn heer een mandaat had gekregen. En ik niet.

Terwijl ik me in dergelijke overpeinzingen verloor, was ik inmiddels aanbeland bij de knecht die de Turkse livreien uitdeelde. Het werd tijd in een menselijke kandelaar te veranderen om de tafel van de hoge heren en eminenties bij te lichten en mijn zucht naar kennis van de grote wereld te bevredigen, drinkend van de meest directe bron: het hof van Rome, de school bij uitstek van alle veinzerij en sluwheid. Ik hoopte alleen dat zich bij al die scherpzinnigheid van geest niet, zoals de vorige avond was gebeurd, de trouvailles van Melani zouden voegen, die me duur te staan konden komen. Het diner van die avond was gelukkig door de keukenmeester aangekondigd als een tikje soberder dan dat van de openingsavond: de volgende dag was de bruiloft en de magen moesten tot dan toe buiten ieder gevaar van indigestie gehouden worden, die de deelname aan en het genot van het luisterrijke huwelijksbanket zou ondermijnen.

Terwijl ik me aankleedde, zag ik hoe mijn Cloridia zich snel naar de pergola begaf, knap in de feestjurk die ze had gekregen om de tuin in te gaan en een wakend oog op prinses Di Forano te houden. Haar dichtbij te weten gaf me een gevoel van grote vrede en rust. Zij zag mij ook en ze kwam even zeggen dat de prinses er niet voor voelde om deel te nemen aan het diner en onder de pergola aan het rusten was.

'De kleintjes?' vroeg ik, aangezien Cloridia in geval van een bevalling de hulp van onze twee dochters nodig zou hebben. 'Die zijn thuis. Ik wil niet dat ze hier rondhangen, tenminste niet zolang de festiviteiten duren. Als het nodig is laat ik ze wel roepen.'

Ik zinspeelde tegenover haar op de alweer uitgebleven komst van de Connétablesse en op de inhoud van de brieven die ik net had gelezen.

'Ik heb al wat informatie voor je,' zei ze, 'maar nu is er geen tijd voor. We zien elkaar hier vanavond.'

Ze klapte een zoen op mijn voorhoofd en liep haastig weg, terwijl ik achterbleef met een brandende nieuwsgierigheid naar het nieuws dat ze in zo weinig tijd bij haar vrouwen had verzameld, en ook vol van de bewondering die haar onfeilbare snelheid telkens weer bij me wekte.

'... En het is een hoogst curieuze zaak, als we er goed over nadenken, dat het Jubeljaar voor het eerst wordt geopend door de ene paus en misschien, God verhoede het, gesloten door de andere,' mompelde kardinaal Moriggia met zijn mond propvol snoek met honingsaus, 'hetgeen bewaarheid zou worden als de Heilige Vader naar een beter leven overging en voor het einde van het jaar zijn opvolger werd gekozen.'

'Een hoogst *treurige* zaak zult u bedoelen, eminentie, hoogst treurig,' sprak de apostolische commissaris voor het leger, monseigneur D'Aste hem tegen, zijn kaken volgestopt met kalkoense hen op Zwitserse wijze; 'lekker die kalkoen, hoe is die klaargemaakt?'

'Gelardeerd met tonijn in olie, Uwe Eminentie, vastgepind met kruidnagelen en kaneel, gekookt in wijn en water, afgemaakt met perziken op sap met partjes citroen ertussen en bedekt met gekookte eieren en suiker,' haastte de keukenmeester D'Aste te antwoorden, waarna hij hem het recept in het oor fluisterde.

'Vanavond is die lekkerbek van een Vodje vrijpostig en verbetert hij zijn meerdere,' fluisterde prins Borghese ironisch, verwijzend naar D'Aste en zijn bijnaam welke speciaal was bedacht door de paus, die, zoals Atto me had verteld, hem vanwege zijn miezerige, onbevallige gelaatstrekken 'monseigneur Vodje' noemde.

'Hoogst treurig, allemachtig, ja, een *hoogst treurige* zaak: net wat ik zei, volgens mij,' verdedigde Moriggia zich kleurend, terwijl hij een lekker glas rode wijn aan zijn mond zette dat zowel zijn keel als zijn stembanden moest smeren.

'Idioot,' commentarieerde iemand die duidelijk te veel gedronken had, zonder zich bekend te maken. Moriggia draaide zich met een ruk om zonder te kunnen ontwaren wie hem zo honend beledigde.

‘Lekker die gefrituurde krabben,’ zei D’Aste in een poging een ander onderwerp aan te snijden.

‘O, verrukkelijk,’ steunde Moriggia hem.

‘Idioot,’ werd hij opnieuw terechtgewezen, zonder dat ook ditmaal de schuldige gevonden werd.

‘Hoe is het bezoek van de Heilige Vader aan het Tehuis voor de arme wezen in San Michele verlopen?’ vroeg kardinaal Moriggia met vaardig geveinsde belangstelling, in de hoop de aandacht af te leiden.

‘O, geweldig, met een grote toestroom van mensen en vele gelovigen die zijn voet wilden kussen,’ antwoordde Durazzo.

‘Tussen twee haakjes, de datarieopstellers hebben het indult van vergiffenis voor hun zonden gekregen als ze tijdens het Jubeljaar op dezelfde dag de vier basilieken bezoeken.’

‘Dat is terecht! Ook de gevangenen en de zieken genieten speciale voorrechten,’ memoreerde iemand van het andere eind van de tafel.

‘Een vroom, verlicht besluit: die arme datarieopstellers, je moet ook met hun situatie rekening houden,’ stemde Moriggia op zijn beurt in.

‘Idioot.’

Ditmaal waren het er twee of drie die zich omkeerden om te zien wie een lid van het Heilige College zulke ernstige epitheta durfde toe te voegen. Maar het gesprek ging verder.

‘Het is werkelijk een buitengewoon Jubeljaar. Nog nooit is er in Rome een sfeer van zo grote christelijke toewijding geweest. En nog nooit, zou ik zeggen, zijn er zo veel pelgrims gesignaleerd; zelfs niet in het roemrijke Jubeljaar van paus Clemens x. Nietwaar, Uwe Eminentie?’ sprak Durazzo tot kardinaal Carpegna, die een kwart eeuw terug rechtstreeks aan de weelderige jubelceremoniën had deelgenomen.

De familie Carpegna was onder andere geparenteerd aan de Spada’s, iets wat de kardinaal die avond een nog aandachtiger gehoor opleverde.

‘O, het was een buitengewoon Jubeljaar, ja, ja,’ mompelde de eerbiedwaardige Carpegna. Door zijn leeftijd enigszins uit zijn doen zat hij ietwat gebogen met zijn halfvolle mond boven zijn bord.

‘Vertel, vertel, Eminentie, een paar herinneringen die u in het bijzonder dierbaar zijn,’ moedigden een paar hem aan.

‘Eh, eh, ik herinner me bijvoorbeeld... Ja, ik weet nog dat er in de Jezuskerk door Mariani een omvangrijke machinerie werd opgesteld voor het Allerheiligst Sacrament, waar een grote toestroom van mensen bij aanwezig was. Het apparaat – schitterend, gelooft u mij – stelde de triomf van de Eucharistie voor, te midden van de symbolen van het Testament en de Apocalyps, met een openbaring van de evangelist Johannes terwijl hij gevangenzat op het eiland Patmos. Onder de blik van de Eeuwige Vader tussen talloze wolken vol hemelgeesten en schitteringen, zag je zeven engelen met zeven bazuinen; vervolgens zag je een Lam Gods dat een boek vasthield met de openbaring van de Apocalyps, die overigens aan Johannes werd gestuurd en aan ons allen, door de liefde Gods voor de mensen...'

'Waar!' stemde Durazzo in.

'Zo is het maar net!' echode monseigneur D'Aste.

'Geloofd zij Jezus Christus, Onze Heer,' zeiden ze zo'n beetje allemaal (behalve degenen die hun mond te vol hadden van de net geserveerde gebakken forel), terwijl ze een kruis sloegen (behalve degenen die hun handen nodig hadden voor wijnkelken, messen en drietanden voor de vis).

'Er waren openbaringen bij van engelenkoren,' vervolgde Carpegna met een wat lege blik, 'de beeltenissen van de vier evangelische symbolen, dus de Leeuw, de Adelaar, de Os en de Mens. Ik weet nog dat de borst van het Lam helemaal bevlekt was met bloed, en onder zilveren en gouden lichten toonde het zijn hart en onthulde het de Heilige Eucharistie, die overigens alleen maar afkomstig is van de liefde Gods voor de mensen.'

'Jawel, goed zo!' stemden zijn buren aan tafel in.

'Maar ook het Jubeljaar van dit jaar zal voor de komende eeuwen een voorbeeld blijven,' sprak Negroni nadrukkelijk.

'O ja, ongetwijfeld: er blijven uit elk deel van Europa pelgrims komen. Het is zeker waar dat het zuivere, belangeloze werk van de Heilige Moederkerk krachtiger is dan welke aardse kracht ook.'

'Tussen twee haakjes, hoe loopt het dit Jubeljaar?' vroeg baron Scarlatti met bijna onhoorbare stem aan prins Borghese.

'Belabberd,' fluisterde de ander, 'het aantal pelgrims is enorm gekelderd. De paus zit met zijn handen in zijn haar. Er komt geen scudo binnen.'

Het diner liep inmiddels ten einde. Tussen twee geeuwen door namen de eminenties, de prinsen, de baronnen en monseigneurs van elkaar afscheid, waarna ze langzaam de laan uit liepen op weg naar hun koetsen. In een nederiger stoet maakten hun secretarissen, assistenten, begeleiders, dienaren en knechts zich eveneens van de vlakbij voor hen gedekte tafel en van bescheidener drinkgelagen los om hun illustere heren te vergezellen. Terwijl de tafel leegliep, konden wij toortsdragers eindelijk onze rug- en buikspieren ontspannen die de hele avond lang krampachtig op scherp hadden gestaan.

Niemand wist het, maar terwijl ik eindelijk die belachelijke Osmaanse tulband afdeed en mijn rokende fakkel op de grond legde, was ik degene die het meest naar adem snakte, en dan niet van de inspanning maar van schrik.

Ik had hem meteen gezien en ik had begrepen wat hij ging uithalen. Toen hij vervolgens kardinaal Moriggia drie keer voor idioot had uitgemaakt, wist ik zeker dat ze hem met het summum aan wreedheid zouden straffen als ze hem te pakken kregen. Maar zijn stupiditeit ging hand in hand met zijn geluk, en in het matte licht van de tafel had niemand hem gezien. Ik liep van de andere bedienden vandaan naar de muur van de villa. Vervolgens hoorde ik hem me met zijn bekende wellevendheid toeroepen:

'Idioot!'

'Volgens mij ben jij de idioot,' antwoordde ik naar het stukje tuin waar de stem volgens mij vandaan kwam.

'*Dona nobis hodie panem cotidianum*,' weerlegde Caesar Augustus vanuit het donker.

Hij had het hele diner lang boven de tent gefladderd die boven de tafel was opgesteld. Hij hoopte zeker lekkere hapjes van de geserveerde gerechten te kunnen wegsnaaien, maar toen moest hij hebben beseft dat het onmogelijk was dat ongezien te doen. Telkens als hij kardinaal Moriggia beledigde, vanuit het pure plezier om te beledigen, was het koude zweet me uitgebroken. Maar niemand kon zich voorstellen dat dat spottende stemmetje van Caesar Augustus was, om de eenvoudige reden dat de papegaai, zoals ik al vermeldde, tegen niemand praatte behalve mij, en door iedereen als zwijgzaam werd beschouwd.

Ik liep nog wat verder het gazon op in de hoop dat niemand me kwam zoeken vanwege een laatste verplichting.

'Dat was een misselijk staaltje,' verweet ik hem een eind weg kletsend in het donker, 'de volgende keer wordt je je nek omgedraaid en beland je in de pan. Heb je die schaal met kwartels gezien die als derde gang werd opgediend? Zo eindig jij ook.'

Ik hoorde zijn vleugels ritselen in het donker, en toen bereikte een siddering van veren mijn oren. Hij streek neer op een struik, een handbreed van mij vandaan. Nu kon ik hem eindelijk zien, een wit gevederd spook met een lange gele pluim trots op zijn kop, bijna een dwaze wapperende vlag in de pauselijke kleuren.

Nog halfverhit, zwaar beproefd door het urenlang staan met de fakkel, ging ik op het vochtige, frisse gras zitten. Caesar Augustus staarde me aan met zijn bekende overdreven blik van iemand die in 's hemelsnaam smeekt om wat voedsel.

'*Et rimitte nobis debita nostra*,' citeerde hij verder uit het Pater Noster, dat hij telkens als hij honger had op slachtoffertoon van stal haalde.

'Je hebt vandaag goed gegeten, dit is alleen maar snoepen,' kapte ik hem af.

'Klink-klonk, ting,' deed het duivelse dier, met opvallende precisie het gerammel van bestek op borden en een vrolijk getinkel van glazen nabootsend. Het was de zoveelste provocatie.

'Ik ben het zat, nu ga ik slapen, wat ik je ook aanraad te do...'

'Tegen wie heb je het, jongen?'

Atto Melani was bij me komen staan.

Er kwam heel wat bij kijken om de abt het bizarre karakter van het dier duidelijk te maken waarmee hij me samen had betrapt. Te meer daar Caesar Augustus in de schaduw was gevlucht zodra hij abt Melani had gezien en het vertikte zich nog te vertonen. Het viel niet mee Atto aan het verstand te peuteren dat ik niet gek was geworden en niet in mezelf stond te praten, maar dat er in het donker een papegaai verscholen zat waarmee, zij het in de kromme, abnormale vorm die hij graag had, enige communicatie mogelijk was. Aan het eind van mijn betoog echter was Caesar Augustus, die Atto roerloos vanuit de schaduw de hele tijd met een mengeling van wantrouwen en nieuwsgierigheid die ik wel van hem kende als hij een vreemdeling zag, had moeten zitten aanstaren, stom gebleven als een vis.

'Het zal wel, jongen, maar mij lijkt het toch dat dinges daar geen bek opendoet. Hé, Caesar Augustus, ben je daar? Wat een klinkende naam! Kra, kra, kra! Toe, kom te voorschijn. Heb je echt idioot tegen Moriggia gezegd?'

Stilte.

'Hé, raafje, ik heb het tegen jou! Kom op, laat je eens zien! Praat je dan niet?'

De bek van de vogel bleef verzegeld en evenmin hadden we de eer hem te zien opdagen.

'Nou, als hij zich verwaardigt om zich te laten zien en alle fantastische staaltjes ten beste geeft die jij hebt verteld, moet je me een fluitje geven, dan vlieg ik meteen naar je toe, ha ha,' grinnikte Atto. 'Maar laten we het over ernstiger zaken hebben. Ik wil je even een paar dingen voor morgen vertellen, voordat de slaap me...'

'*Puella.*'

Atto keek me verbijsterd aan.

'Zei je iets?' vroeg hij.

Ik wees naar het donker, in de richting van Caesar Augustus, zonder ronduit te durven bekennen dat hij het was geweest die Atto had beledigd door hem met de ergste bijnaam voor een castraat aan te duiden: *puella*, oftewel 'meisje' in het Latijn.

Maar ik was ook sprakeloos: het was voor het eerst dat de papegaai tegenover anderen iets losliet. Ik zou zeggen dat Melani een eer te beurt gevallen was, al ging het dan om een belediging.

'Het is absurd. Ik heb andere papegaaien gezien en gehoord, allemaal buitengewoon. Maar deze leek werkelijk...'

'... te praten als iemand van vlees en bloed, ik zei het u al. Ditmaal was het het timbre van een bejaarde man. Maar u moest eens weten hoe hij ook vrouwenstemmen en kindergehuil nadoet! Om maar te zwijgen van niesen en hoesten.'

'Mijnheer de abt!'

Ditmaal was het echt de stem van een mens die onze aandacht trok.

'Mijnheer de abt, bent u hier? Ik loop u al een halfuur te zoeken!'

Het was Buvat, die, buiten adem en hijgend, in het halfduister van de tuin op zoek was naar zijn baas.

'Mijnheer de abt, u moet meteen boven komen. Uw appartement... Ik geloof dat er, terwijl u zat te dineren, iemand zonder uw toestemming binnen is geweest en heeft... Enfin, er zijn dieven gekomen.'

'Weten de anderen het ook?' vroeg Atto, terwijl hij de deur van zijn in het donker gehulde appartement van het slot deed.

'Niemand behalve u, zoals u overigens bevolen...'

'Goed, goed,' stemde Atto in: hij had besloten dat Buvat in geval van nood niemand mocht waarschuwen behalve hem. Kort daarna zou ik begrijpen waarom.

Atto drukte de klink omlaag. Hij duwde de deur open; vervolgens ging hij naar binnen, zichzelf met een kaars bijlichtend.

'Maar de deur is niet geforceerd,' merkte hij verbaasd op.

'Nee, inderdaad, zoals ik u al gezegd zou hebben als u me daarvoor de tijd gegeven had,' antwoordde Buvat, die tijdens de zenuwslopende tocht na zijn aankondiging haast geen mond open had kunnen doen.

Ik liep eveneens naar voren en ging het appartement binnen. Met een tweede en toen een derde kaars legde het vertrek de onmiskenbare sporen van een inbraak bloot. Alles, elk voorwerp, elk stuk huisraad verkeerde in een totale, onbetamelijke wanorde. Een stoel lag ondersteboven op de grond. Boeken, couranten en allerlei losse papieren lagen her en der op de vloer. Ook Atto's kleren waren zomaar op de grond gegooid of op de meubels gesmeten, ze waren stellig doorzocht. Een raam stond open.

'Merkwaardig, bepaald merkwaardig,' luidde mijn commentaar, 'met alle toezicht dat er dezer dagen in Villa Spada wordt uitgeoefend, hebben de dieven geen enkel probleem gehad om tot in het Zomerverblijf door te dringen...'

'Je hebt gelijk. Het moet hoe dan ook een snel akkefietje geweest zijn,' merkte Atto op, nadat hij een snelle blik in het rond geworpen had. 'Ze hebben volgens mij alleen de kijker meegenomen. Dat is een aanlokkelijk dingetje. Voor de rest ontbreekt er geloof ik niets.'

'Hoe kunt u dat weten?' vroeg ik, aangezien Atto's inspectie maar een paar seconden had geduurd.

'Simpel: na de agressie op jullie twee heb ik al mijn waardevolle spullen aan een bediende van de villa toevertrouwd. Papieren van enig belang... wel, die zijn niet hier,' zei hij met een sluwe gelaatsuitdrukking waarvan ik net deed of ik die niet zag, aangezien zelfs ik wist waar ze wel waren: tussen het vuile ondergoed waar ik de brieven van Maria had gevonden.

De abt haastte zich vervolgens om zijn kleren weer op hun plaats te leggen.

'Moet je hier kijken,' kreunde hij, 'hoe ze ze hebben gekreukeld. Moment...'

Atto voelde tussen zijn grijslinnen soutane, waarvan ik wist dat aan de binnenkant de scapulier van de Maagd van de Karmel verborgen zat, het *ex voto* waarin hij mijn drie pareltjes had gesloten.

'Het is er niet meer!' riep hij uit. 'Wel potverdorie. Ik had het hier gestopt!'

'Wat?' vroeg ik, me van de domme houdend.

'Ehm, een... relikwie. Een heel kostbaar relikwie dat ik hierin bewaarde, in een scapulier van de Madonna van de Karmel. Het is gestolen.'

Arme pareltjes van me, kreunde ik bij mezelf: gestolen worden was wel hun lot. Dat gaf aan met welke absolute precisie de dieven het appartement van abt Melani moesten hebben nageplozen.

We hadden inmiddels licht van maar liefst twee grote kandelaars, die ik had aangestoken om beter alles na te kunnen lopen. Abt Melani was onverhoeds op zijn knieën gekropen, verschoof de divan en lichtte een stuk van het onderliggende visgraatparket bij het raam op. Hij wipte een houten latje omhoog, meteen daarna nog een ernaast en ten slotte een derde.

'Neeee, alle heiligen nog aan toe!' hoorde ik hem zachtjes vloeken. 'Vervloekte slimmeriken!'

Buvat en ik zwegen en keken elkaar vragend aan. Atto kwam overeind, klopte zijn knieën af, en liet zich in een leunstoel vallen. Hij keek strak voor zich uit.

'Arme ik, wat een ramp. Hoe kan dit nou? Wat heeft het voor zin? Wie zou... Ik begrijp het niet,' ratelde hij hoofdschuddend bij zichzelf; hij liet zijn voorhoofd in zijn hand rusten, onverschillig voor onze stomverbaasde blikken.

'Er is een ongeluk gebeurd,' zei hij toen hij weer hersteld was, 'iets ergs. Een paar zeer belangrijke papieren van mij zijn gestolen. Eerst had ik het niet eens gecontroleerd, zo veilig voelde ik me dat niemand erbij zou kunnen komen. Ik had de plankjes van de vloer teruggelegd zoals het hoort. Ik snap niet hoe ze ze hebben kunnen vinden, maar het is wel zo.'

'Lagen ze onder het parket?' vroeg ik.

'Precies. Zelfs Buvat wist niet dat ze daar lagen,' zei Melani om onmiddellijk het vermoeden van verraad te verdrijven.

In het korte moment van stilte dat daarop volgde, scheen Atto onvermijdelijk de vraag op te vangen die in mijn en Buvats hoofd rondzoemde. Omdat het duidelijk was dat we hem zouden helpen de verdwenen papieren terug te vinden, moest hij ons wel een beschrijving, hoe summier ook, van de inhoud geven.

'Het is een vertrouwelijk rapport dat ik voor Zijne Majesteit de allerchristelijkste koning heb geschreven,' zei hij ten slotte.

'En waar gaat het over?' durfde ik te vragen.

'Het volgende conclaaf. En de volgende paus.'

Het probleem, legde Atto uit, was tweeledig. Allereerst had hij Zijne Majesteit de koning van Frankrijk beloofd om hem het rapport zo snel mogelijk te overhandigen. Dat van abt Melani was echter het enige exemplaar, en een werk van maanden (en een inspanning van bovenmenselijk geheugen) zou niet voldoende zijn om het te herschrijven. Atto liep zo het risico om een vreselijk figuur te slaan bij Zijne Majesteit. Maar dat was nog wel het minste. Het rapport onthulde geheime verwikkelingen rond de verkiezing van de laatste pausen en vooruitblikken op het ophanden zijnde conclaaf, en was door Atto ondertekend. Ook al was het dat niet, dan lag het door enkele in de tekst vermelde omstandigheden voor de hand de inhoud aan hem toe te schrijven. Het document bevond zich op dat moment in vreemde en waarschijnlijk vijandige handen. Atto riskeerde dus een aanklacht vanwege spionage ten gunste van Frankrijk. Het zou niet onmogelijk zijn er nog een schepje bovenop te doen en hem er tevens van te beschuldigen dat hij het verslag wilde verspreiden en hem dus aan te klagen voor laster via de pers.

'... Een misdaad die, zoals je weet, in Rome zwaar wordt bestraft,' besloot hij.

'Wat gaan we doen?' vroeg Buvat, niet minder bezorgd dan zijn baas.

'Omdat we geen aangifte van diefstal kunnen doen bij de Bargello (de openbare orde), zullen we genoegen moeten nemen met de hulp van Sfasciamonti. Nadat u wat orde op zaken hebt gesteld, gaat u, Buvat, hem roepen. Of nee, gaat u meteen maar.'

Toen we alleen waren, kropen Atto en ik een tijdje op handen en voeten over de vloer om her en der de papieren op te rapen. Atto sprak geen woord. Bij mij rees intussen een vermoeden over het voorwerp van de diefstal. Ik besloot via een omweg ter zake te komen.

'Signor Atto,' vroeg ik, 'de schuilplaats die u gekozen had, was voortreffelijk. Hoe kunnen de dieven erbij gekomen zijn? Bovendien: de deur is niet geforceerd. Iemand had een kopie van de sleutel. Hoe kan dat?'

'Ik weet het werkelijk niet, vervloekt, het is een raadsel. Nu moeten we ons toevertrouwen aan de hulp van die smeris die me weer gaat kwellen met dat gedoe over de cerretanen, of hoe voor de drommel die bedelaars heten, als ze echt bestaan.'

'Hoe moet u hem uw manuscript beschrijven? Aan Sfasciamonti kunt u ook niet precies zeggen waar het om gaat, want u kunt van niemand op aan.'

Hij zweeg en vestigde zijn blik op de mijne. Hij voelde wat ik vermoedde en begreep dat hij de verklaringen niet verder kon opschorten. Hij trok een grimas van misnoegen en zuchtte: zeer ongaarne stond hij op het punt iets te vertellen wat ik niet wist.

In de gang weerklonken de voetstappen van Buvat en die met meer geluid van Sfasciamonti. Ik weet niet of het toeval was of pure berekening, maar Atto sprak juist terwijl de smeris de deur opendeed, dat wil zeggen op het laatste handige moment, waarna ik niet meer vrijuit kon spreken of hem vervolgens met vragen kon bestoken waar hij niet op in wilde gaan.

'Het manuscript was pas ingebonden. Het was het boekje dat Haver heeft gemaakt.'

Al leek hij nog wat slaperig, Sfasciamonti luisterde aandachtig naar het verhaal van het gebeurde. Hij inspecteerde de schuilplaats onder de latjes van de vloer en keek kort even rond in Atto's appartement; vervolgens vroeg hij voorzichtig van welke aard het gestolen document was, en stelde zich tevreden met Atto's summiere uitleg.

'Het is een politiek geschrift. Maar het is uiterst belangrijk en nuttig.'

'Ik begrijp het. Wat Haver voor u had ingebonden, veronderstel ik.'

De abt kon het niet ontkennen:

'Het gaat om een samenloop van omstandigheden,' antwoordde hij.

'Natuurlijk,' beaamde Sfasciamonti onbewogen.

Uiteindelijk vroeg de smeris of Melani van plan was de diefstal aan te geven bij de Bargello of de gouverneur van Rome. De bestolene was een man van aanzien, men kon door heel Rome een verordening aanplakken waarin een beloning in het vooruitzicht werd gesteld op de buit en de dieven.

'Alsjeblieft,' weerde Atto meteen af, 'die beloningen dienen nergens toe. Toen er in het kapucijnerklooster van Monte Cavallo gouden ringen en een hartvormige diamant van mij waren gestolen, zette de gouverneur een enorme beloning op het hoofd van de dieven. Het resultaat: mooi niks.'

'Ik kan u geen ongelijk geven, mijnheer de abt,' beaamde Sfasciamonti. 'Als ik het goed begrepen heb, zijn alleen de kijker en de scapulier van de Karmel gestolen.'

'Precies.'

'U hebt me alleen nog niet verteld wat voor heilige relikwie u in de scapulier bewaarde. Een doorn uit de kroon van Onze-Lieve-Heer Jezus Christus? Een stukje hout van het kruis? Daar zijn er de laatste tijd heel veel van in omloop, maar ze brengen altijd in verleiding; u weet, met het Jubeljaar...'

'Nee,' antwoordde Melani laconiek, die totaal geen zin had om mij te laten weten dat hij mijn pareltjes al die jaren zorgvuldig op zijn hart had bewaard.

'Een zoom van een kledingstuk dus, of een tand...'

'Drie parels,' gaf Atto zich uiteindelijk gewonnen, en hij keek me tersluiks aan, 'van het soort Venetiaanse margarieten.'

'Aparte relikwie,' merkte Sfasciamonti op.

'Ze zijn afkomstig uit het lichtende kleed dat de Maagd droeg op de dag van haar verschijning op de berg Karmel,' legde Atto met het vanzelfsprekendste gezicht van de wereld uit, en de smeris was te verbluft om de ironie van de abt in de gaten te hebben. 'Hebt u daar nu genoeg aan?'

'Zeker,' antwoordde Sfasciamonti, terwijl hij bijkwam van zijn verbazing. 'Ik zou zeggen... ja: we zullen de zoektocht beginnen met de kijker.'

'De kijker? Maar die kan me niets schelen!' protesteerde Atto.

'U niet; maar voor iemand anders zou het een interessant voorwerp kunnen lijken om voor een goede prijs door te verkopen. Nog daargelaten dat het niet zo gemakkelijk is om hem zomaar door te geven. De relikwie en uw politieke document zijn veel lastiger te identificeren. Dat traktaatje zal voor iemand die de inhoud er niet van kent zomaar een hoop papieren lijken. Het zou in handen van iemand kunnen zijn die... enfin, die niet zo is als u.'

'In welk opzicht?' vroeg Buvat.

'In welke taal was uw document geschreven?'

'In het Frans,' antwoordde Atto na een lichte aarzeling.

'Het zou gestolen kunnen zijn door iemand die niet eens Italiaans kan lezen, laat staan Frans. En die dus niet het flauwste benul heeft wat hij in handen heeft.'

'Maar dan zou hij mijn document niet daaronder hebben gezocht,' zei Atto, wijzend op het punt waar de latjes van de vloer waren gehaald.

'Dat is niet gezegd. Hij kan de schuilplaats toevallig gevonden hebben, en nieuwsgierig geworden zijn door de zorgvuldigheid waarmee uw document werd bewaard. Het heeft geen zin om veronderstellingen te doen, eerst moeten we die boel vinden.'

'Wat doen we dus?'

'Weet u wat een goede advocaat doet als er een bende misdadigers wordt gearresteerd?' vroeg Sfasciamonti.

'Nou?'

'Hij laat de verdediging van de leider aan zijn assistent over en neemt zelf die van willekeurig een van de bandieten op zich. Op die manier krijgt de rechter niet door wie de vette vis is. Zo gaan wij het ook doen: we doen net of we de kijker willen vinden. Maar intussen gaan we op zoek naar uw politieke document.'

'En hoe doen we dat?'

'De eerste poging moet plaatsvinden onder degenen die gestolen waar doorverkopen. Ik ken een paar goeie. Als ze uw spullen langs hebben zien komen, zullen ze misschien helpen. Maar dat is niet gezegd. We zullen moeten onderhandelen.'

'Onderhandelen? Zolang het erom gaat een paar centen uit te geven, akkoord, ik kan wel wat missen. Maar lieve hemel, ik kan niet gezien worden met slecht bekend staande mensen. Hier zijn kardinalen, ik heb contacten te...'

'Zoals u wilt,' kapte Sfasciamonti hem beleefd maar kordaat af. 'Daar kan ik me wel mee bezighouden; jij, jongen, zou met me mee kunnen gaan. Alleen houdt iemand die steelt de waar niet graag in de hand. Het is gloeiend. Het goeie verdwijnt dan ook bliksemsnel. We zullen vlug moeten beginnen.'

'Wanneer dan?'

'Nu.'

Zo begon ik de drievoudige en waarachtig opmerkelijke natuur van Sfasciamonti te leren kennen. Door het vloeken dat hij gewend was en waarmee hij wapens en allerlei oorlogstuig opriep, leek hij op een ingebeelde, snoevende braniegast, zoals zijn naam ook suggereerde. Maar wanneer het over de cerretanen ging, verdween zijn arrogantie, dan veranderde die in gejaagde bezorgdheid en liet de grote, dikke smeris zich door het eerste het beste passerende oudje intimideren, zoals al gebeurd was toen we op de Piazza Fiammetta waren blijven staan. Ten slotte, als niet de onbestemde dreiging van de cerretanen, maar een concreet misdadig feit aan te pakken viel, veranderde hij in een uitstekende smeris: van weinig woorden, solide en flegmatiek. Zo had hij zich getoond in de onderzoeken naar de agressie tegen Haver; evenwichtig en aandachtig was ook zijn houding geweest op de plaats van de diefstal van Atto's documenten. Hij had zich onthouden van vragen naar de details van het gestolen document, en bovenal had hij met Atto ingestemd omtrent iets geheel ongeloofwaardigs: dat er tussen Havers dood en de diefstal in Atto's appartement geen enkele relatie bestond. Het was duidelijk dat de dingen zo niet konden liggen; en toch had de smeris (die door de opdracht van kardinaal Spada praktisch in een privé-gendarme was veranderd) te verstaan gegeven dat het hem niet interesseerde hoe de dingen lagen, maar hoe hij ze ten gunste kon keren van degene die hem opdracht gaf.

Voorlopig was onmogelijk te zeggen welke van de drie naturen (de ingebeelde, de benauwde, de scherpzinnige) het meest verantwoordelijk was voor de authentieke aard van Sfasciamonti. Maar ik stelde me voor dat dat moment vroeg of laat wel zou komen.

Vooreerst bood hij Atto zijn inzicht en hulp; en bovendien op nachtelijke uren. Atto wist dat aan dat alles, net als aan het stilzwijgen dat hij van mij had gekocht, een passend prijskaartje hing.

Sfasciamonti en ik zetten ons dus in alle haast in beweging, bijna zonder afscheid te nemen van Atto en zijn secretaris. Ik zou niet naar mijn afspraak met mijn Cloridia kunnen gaan; daarom verzocht ik Buvat haar te waarschuwen. Ik smeekte inwendig dat ze zich niet te veel zorgen zou maken en moest het moment waarop ik de door haar vrouwen verzamelde berichten van haar zou horen met tegenzin uitstellen.

We liepen stilletjes de villa uit, onder de sterrenhemel van de nacht, die zich op dat inmiddels late uur en wegens ons door duistere voorvallen (moorden, diefstallen) bezwaarde gemoed niet meer hartelijk maar dreigend voordeed boven onze weerloze hoofden. De smeris had door een van zijn trawanten twee paarden laten zadelen, en hielp me opstijgen op het kleinste ervan (ik ben nooit een groot ruiter geweest).

Zonder dralen sloegen we de weg naar het centrum van de stad in. Zo volgde ik hem naar een onbekende bestemming; de snelheid van Sfasciamonti's rijdier, belast als het was door zijn lijvige passagier, lag eigenlijk niet veel hoger dan het mijne.

We reden de weg van de Sint-Pancratiuspoort af met links van ons het grandioze uitzicht op Rome, waarin zich met de zwakke maneschijn als medeplichtige nog net de profielen van de daken, de klokkentorens, de koepels aftekenden maar dan omgekeerd, voorzover mogelijk, door de schaarse verlichting van ramen, vlieringen, dakvensters, die aanduidden waar die basiliek niet kon zijn, waar dat paleis niet kon staan, in een soort grillig verstoppertje spelen met mijn blik en met het beeld dat mijn herinnering op de uren overdag van dat grandioze uitzicht had bewaard.

We gingen linksaf naar de Piazza delle Fornaci, en lieten vervolgens de Settignanopoort rechts liggen om vastberaden op de Sixtusbrug af te stevenen. Daar viel het zicht, dat eerst beteugeld werd door de muren van huizen en huurgebouwen, weer op de bedding van de Tiber, waarvan het de stroom vlak bij de oevers blond en modderig toonde, en in het midden juist blauwgroen en vol vissersbuit.

Eindelijk minderden we vaart. Voorbij de Piazza della Trinità dei Pellegrini bevonden we ons ongeveer in de buurt van de Piazza San Carlo. Duisternis en stilte heersten oppermachtig, alleen onderbroken door de vonken van de hoefijzers op de stenen en het geklos dat echode in de straatjes. Alleen uit een paar ramen viel het onbestemde licht van de kaarsstompjes in de roerloze lucht, misschien om de laatste inspanning van de dag (verstellen, voeden, troosten...) van een jonge huismoeder te beschijnen.

Achter een van die raampjes bevond zich bescheiden op straatniveau ons doel.

'We zijn er,' zei Sfasciamonti, terwijl hij afsteeg en een deurtje wees. 'Maar alsjeblieft: jij bent hier nooit geweest. Onze man is incognito. Niemand weet dat hij in dit huis slaapt. Zelfs de pastoor doet tijdens zijn paasbezoek alsof hij het niet weet. Hij neemt als geschenk een paar scudo's in ontvangst en in ruil blijven de parochieregisters onbeschreven.'

'Bij wie gaan we op bezoek?' zei ik, terwijl ik me van mijn knol liet vallen.

'Nou, op bezoek gaan is niet het juiste woord. Bezoeken worden aangekondigd of verwacht. Maar dit is een verrassing, alle Hessische mortieren nog an toe, ha ha,' grinnikte hij.

Hij stelde zich tegenover het deurtje op, perste zijn duimen in zijn riem en stak zijn buik merkwaardig naar voren, waarbij hij ritmisch uitademde alsof hij met zijn ingewanden de deur ging inslaan. Er gingen enkele ogenblikken voorbij. Vervolgens hoorde je een grendel klikken. De scharnieren bewogen.

'Wie is daar?' klonk argwanend een stem waarvan ik niet had kunnen zeggen of het die van een man of een vrouw was.

'Doe open, Sfasciamonti hier.'

In plaats van een van de prille huismoeders over wie ik zo-even nog fantaseerde, posteerde zich voor ons een oude gebochelde, mismaakte vrouw van wie, zoals de smeris me daarna zou uitleggen, onze man een kamer huurde. De vrouw probeerde niet eens te sputteren vanwege het late tijdstip; ze leek mijn metgezel te kennen en wist dat discussies niet waren toegestaan. Ze liet alleen een zwak protest horen toen ze zag dat we een trap op gingen naar de kamer boven.

'Maar hij slaapt...'

'Krek,' antwoordde Sfasciamonti, terwijl hij haar de kaars afpakte om ons bij te lichten en de stakker zo in het donker liet staan.

Nadat we twee trappen hadden beklommen, bevonden we ons op een overloop die op zijn beurt uitkwam op een gesloten deur. Het licht van de kaars, die de smeris aan mij had toevertrouwd, bescheen sinister van onderaf onze gezichten.

We klopten aan. Geen reactie.

'Hij slaapt niet. Anders had hij wel gereageerd. Hij heeft altijd één oog open,' fluisterde mijn metgezel. 'Hier is Sfasciamonti, doe open!'

We wachtten een paar seconden. Een sleutel draaide om in het slot. De deur ging op een kier.

'Wat is er?'

De smeris had gelijk. De kamerbewoner die zijn neus om de deur stak, was gekleed en op de been. Van binnenuit filterde het zwakke licht van een kaars. Hoe zwak het licht ook was, ik kon meteen zijn gelaatstrekken onderscheiden: een enorme rattensnuit, lang en opgezwollen, met een paar donkere oogjes onder lange, dikke ravenzwarte wenkbrauwen. Naar onderen toe omlijstte een scheef kwijlmondje onhandig een ongedisciplineerde rij gelige konijnentanden.

'Laat ons binnen, Maltezer.'

Het mannetje dat luisterde naar die eigenaardige naam (die eigenlijk aangaf dat hij van het eiland Malta kwam) ging op een stoel zitten zonder ons uit te nodigen om plaats te nemen, iets wat we bij gebrek aan beter maar op zijn bed deden. Hij stak een derde kaars aan, die de omgeving een minder spelonkachtig aanzien gaf. Ik wierp een snelle blik rond. Het vertrekje was eigenlijk een kaal krot, waarvan het meubilair bestond uit het bed waarop we zaten, de stoel van onze gastheer, een tafeltje, een kast, een dekenkist, een paar oude houten kisten en een stapel paperassen in een hoek.

De Maltezer leek erg gespannen. Hij zat half gebogen en met een ontwijkende blik met een knoop van zijn hemd te spelen, duidelijk bang geworden van het bezoek en in de hoop dat we zo snel mogelijk weer zouden opkrassen. Uit het gesprek maakte ik op dat de twee elkaar sinds een ver verleden kenden, waarin beiden altijd dezelfde rol speelden: die van de knuppelaar en geknuppelde.

'We staan een man van aanzien bij, een Franse abt. Van hem zijn een paar spullen weggehaald waar hij erg aan gehecht is. Hij is te gast in Villa Spada. Weet jij daar iets van?'

'Villa Spada bij de Sint-Pancratiuspoort, zeker. Die van de Spada's.'

'Hou je niet van de domme. Ik vroeg je of je iets van die diefstal weet.'

De Maltezer wierp een blik op mij, en toen een vragende op mijn begeleider.

'Dat is een vriend,' stelde Sfasciamonti hem gerust, 'doe maar net of hij er niet bij is.'

De Maltezer zweeg. Vervolgens schudde hij zijn hoofd.

'Ik weet van niks.'

'Er is een ding van hem gestolen dat hij per se terug wil hebben. Een kijker.'

'Ik weet van niks en ik heb niemand gezien. Vandaag ben ik de hele dag hier geweest.'

‘De getroffen persoon, de Franse abt, is bereid te betalen om terug te krijgen wat hem toebehoort. Nogmaals: hij is er zeer aan gehecht.’

‘Het spijt me, als ik iets wist zou ik het zeggen. Ik heb echt niks gehoord.’

We waren teleurgesteld, maar drongen niet aan; het benauwde rattensnuitje van onze gesprekspartner leek iets als oprechtheid uit te stralen. We stonden op.

‘Dan is het beter om het aan monseigneur Pallavicini te vragen,’ vervolgde Sfasciamonti nonchalant, ‘ik zal hem om een audiëntie verzoeken. Hij is trouwens net aan het diner geweest in Villa Spada.’

De naam van de gouverneur van Rome had het gewenste effect. We wilden de deur uit lopen toen de vraag van de Maltezer ons op de drempel staande hield.

‘Sfasciamonti, wat is een kijker?’

Onze gast wist dus niet wat een kijker was, en we moesten hem uitleggen dat het om een buisvormig optisch apparaat ging, voorzien van lenzen waarmee je verre dingen van dichtbij kon zien enzovoort. Sfasciamonti’s beschrijving was nogal ruw en eigenlijk nogal vaag, en ik moest hem bijstaan. Uiteindelijk had de Maltezer zijn oordeel gegeven: er was iemand die er iets vanaf kon weten.

‘Het is iemand die alleen rare voorwerpen koopt waar moeilijk handel in te drijven is: antiquiteiten, verschillende instrumenten. En hij schijnt een grote passie voor relikwieën te hebben. Nu, met het Jubeljaar, is hij heel rijk geworden: ik heb horen zeggen dat hij uitstekende zaken doet. Hij heeft mensen die voor hem onderhandelen, maar zelf zie je hem nooit. Het is niet duidelijk waarom, misschien woont hij niet in de stad. Ik heb er nooit mee te maken gehad. Hij wordt de Duitser genoemd.’

De grimas die Sfasciamonti ontsnapte verried onrust.

‘Ik weet dat hij laatst zoiets heeft gekocht als de kijker die u zoekt,’ vervolgde de Maltezer, ‘een apparaat met lenzen die je kunt bewegen, om iets groter te zien of kleiner, ik weet niet goed.’

Sfasciamonti stemde ermee in: dat was het juiste spoor.

‘Ik herinner me niet eens wie me dat heeft verteld,’ concludeerde de ander, ‘maar ik meen te weten wie het voor hem heeft aangeschaft. Hij wordt Slotenmakertje genoemd.’

‘Ik ken hem,’ zei Sfasciamonti.

Vijf minuten later waren we op weg en gingen we op zoek naar de geheimzinnige lieden die de heler had genoemd.

Sfasciamonti bromde verwensingen tegen zijn informant.

'Ik weet van niks, ik weet van niks... hoezo! Toen hij de naam van de gouverneur hoorde, deed hij het in zijn broek en vroeg hij wat een kijker is.'

'Wist hij het dan echt niet?'

'Mensen als de Maltezer zijn tuig. Ze kopen voor twee lire het resultaat van diefstallen en geven het weer door aan anderen. Ze kunnen niet anders. Het zijn beesten; hun enige verdienste is dat ze het risico nemen om de eerste te zijn die na de overval koopt. Daarom gaan ze vaak door voor de opdrachtgevers van de diefstal, terwijl ze dat niet zijn. De lui die weer van hem kopen daarentegen kunnen beter inschatten. Slotenmakertje is van een andere categorie, die is heel bekend onder de schurken. Het is een meervoudige moordenaar en dief.'

De gezichtsuitdrukking van de smeris had me getroffen toen de Maltezer de opdrachtgever van Slotenmakertje had genoemd.

'En de Duitser? Hebt u ooit van hem gehoord?'

'Zeker. Al eeuwen gaat het over hem,' antwoordde Sfasciamonti. 'En zeker nu met het Jubeljaar...'

'En wat zeggen ze van hem?'

'Het is niet eens bekend of hij wel bestaat. Ze zeggen dat hij één pot nat is met de cerretanen. Anderen zeggen dat de Duitser een verzinsel is van ons smerissen, dat wij de schuld aan hem geven als we de schuldige van een diefstal van waardevolle spullen of van een afzetterij van pelgrims niet kunnen vinden.'

'Is dat waar?'

'Kom op zeg!' maakte hij zich kwaad. 'Ik denk dat de Duitser bestaat, zoals ik ook weet dat de cerretanen bestaan. Alleen is niemand er echt in geïnteresseerd om ze te vinden.'

'Waarom niet?'

'Wellicht heeft hij mensen van aanzien gunsten bewezen. Zo is Rome nu eenmaal. Het moet niet te schoon zijn en niet helemaal vies. De smerissen en de gouverneur moeten er prat op kunnen gaan dat ze schoonmaak houden, waar zijn ze anders mee bezig? Maar het is ook nodig dat er vuiligheid is, lekker veel. Waar zijn ze anders mee bezig?' zei hij grinnikend. 'Je hebt trouwens gezien hoe de Maltezer zich redt. Als iets van invloedrijke mensen wordt gestolen, is hij er om een handje te helpen. In ruil laat de gouverneur hem met rust, al weet hij heel goed waar hij woont en kan hij hem elk moment arresteren.'

Bij de voorheen gemaakte overwegingen over Sfasciamonti kwam nu een andere. Hij gebruikte geen halve woorden (en daar zou ik later nog meer bewijzen van krijgen) bij het beschrijven van het slechte of weinig passende gedrag van zijn collega's, en zelfs van de gouverneur. Sommigen zouden denken dat het om een slechte ordehandhaver ging, niet in staat tot loyaliteit en trouw aan de eeuwenoude instituties van de Heilige Moederkerk. Maar ik dacht daar niet zo over. Als hij in staat was het kwaad te zien waar het was, en het op te biechten, zij het vertrouwelijk, zoals hij bij ondergetekende deed, was dat een teken dat zijn karakter op natuurlijke wijze naar openheid en eenvoud neigde. De ruwe bolster die nodig was voor operaties als die wij nu uitvoerden, ontbrak hem trouwens niet. Hij had me juist van meet af aan onthuld dat hij eindelijk onderzoeken wilde starten naar de cerretanen, maar zonder dat de gouverneur en zijn collega-smerissen naar hem luisterden. Dat hij verder op een of andere manier heulde met klinkklare criminelen als de Maltezer, of misschien met Slotenmakertje, naar wie we op weg waren, nou, dat was volgens mij noodzakelijk voor zijn werk. Het belangrijkste, zei ik bij mezelf, was dat hij in diepste wezen oprecht was. Pas veel later zou ik ontdekken hoe juist en tegelijkertijd hoe volstrekt verkeerd die overpeinzingen waren.

Onder het lopen had ik gemerkt dat Sfasciamonti, die aanvankelijk met alle zelfverzekerdheid in het hol van de heler was doorgedrongen, begonnen was met een zekere regelmaat om zich heen en achterom te kijken. We kwamen bij de Piazza Montanaro en gingen toen rechtsaf een steegje in.

'Hier is het.'

Het was een huisje van twee verdiepingen, waarvan de bewoners blijkbaar in nachtelijke rust gedompeld waren. We liepen op de voordeur af en volgden de instructies van de Maltezer: we klopten drie keer hard, drie keer zacht, wachtten en klopten toen weer drie keer hard.

Het leek haast of er niemand naar voren kwam toen we achter de panelen van de deur een verstikte stem hoorden opklinken.

'Ja?'

'We zoeken Slotenmakertje.'

Men liet ons buiten wachten zonder te beduiden of de persoon die we zochten al dan niet zou opdagen, en evenmin of ons verzoek zou worden ingewilligd.

'Wie zoekt hem op dit nachtelijk uur?' hoorden we ten slotte een andere stem.

'Vrienden.'

'Zeg het maar.'

Onze man moest zich aan de andere kant van de deur bevinden en leek geen zin te hebben om open te doen.

'Vanavond is er in Villa Spada op de Janiculus een kijker gestolen. De eigenaar is iemand op wie we gesteld zijn. Hij is bereid te betalen om hem weer terug te krijgen.'

'Wat is een kijker?'

We herhaalden in het kort de uitleg die we de Maltezer hadden verstrekt: de lenzen waardoor je kleiner of groter kunt zien, het metalen apparaat enzovoort. Er volgden een paar momenten van wachten.

'Hoeveel betaalt de eigenaar?' vroeg de stem.

'Dat wat nodig is.'

'Ik moet mijn vriend vragen. Kom morgen na de vesper maar terug.'

'Dat is goed,' antwoordde de smeris na even geaarzeld te hebben, 'we komen morgen terug.'

We liepen even een paar meter verder, waarna Sfasciamonti me de eerstvolgende zijsteeg aanwees, waar we in gingen en op de uitkijk gingen staan met het huis van Slotenmakertje goed in het zicht.

'Hij wil niks doen. Morgen terugkomen, zegt hij: hij denkt toch niet dat ik gek ben? Op dat uur is de gestolen waar duizend mijl ver weg.'

'Wachten we tot hij naar buiten gaat?' vroeg ik niet zonder enige ongerustheid, denkend aan de moorden die Slotenmakertje op zijn naam had staan.

'Precies. Eens kijken waar hij heen gaat. Hij zal het vermoeden hebben dat de waar problemen veroorzaakt en dat het beter is er zo snel mogelijk vanaf te komen. Als ik hem was zou ik niet van huis gaan. Maar hij is ook een voortvluchtige, net als de Maltezer, dus hij zal flink zenuwachtig wezen.'

De voorspelling bleek raak te zijn. Na tien minuten kwam er een aarzelende figuur de deur van Slotenmakertje uit, hij keek om zich heen en liep de straat op. De maneschijn was te zwak om het goed te kunnen zien, maar het leek of hij iets onder zijn arm geklemd hield, een soort pak.

Heel voorzichtig volgden we hem van een afstand, angstvallig oplettend dat we niet het geringste geluid maakten. We wisten beiden dat onze prooi een mes op zak zou hebben. We konden beter hem kwijtraken dan onze ziel, bedacht ik. Eerst nam hij de straat van de Campo di Fiore, zodat we dachten dat hij op weg was naar de Maltezer, want zijn geheime woning bevond zich min of meer in dezelfde richting. Daarna ging hij echter verder via de Piazza de' Pollaioli, en toen via de Piazza Pasquino.

Slotenmakertje had het geluk om geen nachtelijke rondes tegen te komen en liep uiteindelijk de Piazza Navona op. Juist op dat moment werd wat er resteerde van de maan bedekt door een hinderlijke wolkenmassa.

Ofschoon het licht nagenoeg verdwenen was, gingen we uit voorzichtigheid op de loer staan om de hoek van Palazzo Pamphili, bij de ingang van het plein. We verkenden met onze ogen de grote open ruimte die in drieën werd gedeeld door de grote centrale fontein van Cavalier Bernini en twee andere fonteinen aan weerszijden. Het plein leek leeg. We keken nog eens. Geen resultaat, we waren hem kwijt.

'Wel alle kolders nog aan toe,' vloekte Sfasciamonti.

En toen hoorden we voor ons een pijlsnelle opeenvolging van voetstappen. Naar de rechterkant rende iemand zich uit de naad. Slotenmakertje moest onze aanwezigheid hebben bespeurd en sloeg op de vlucht.

'De fontein, hij zat achter de fontein!' riep Sfasciamonti uit, duidend op de meest nabije van de twee grote waterbeeldenpartijen die de uiteinden van de Piazza Navona sieren.

Zelfs nu nog zou ik niet kunnen zeggen welke geheime deugd (of veeleer welke zwakte en valse vermetelheid) me ertoe bewoog om Sfasciamonti te volgen, die al naar rechts was gegaan en de voortvluchtige nazette.

Ik ging een aardig eind achter de hoogrode massa van de smeris aan, die weliswaar zijn uiterste best deed, maar toch terrein op de achtervolgde verloor.

Het was nog aardedonker; we werden echter geholpen door het opgewonden geluid van de voetstappen van de vluchteling, die scherp en duidelijk als zweepslagen op het plaveisel echoden. In de verte zag ik frontaal de Franse ambassade opdoemen, goed herkenbaar omdat die verlicht werd door enkele fakkels aan de ramen: we liepen dus bijna de Campo di Fiore op.

'Naar links, hij is naar links gegaan,' riep Sfasciamonti, zijn stem hees van de inspanning. Ik had me nog niet naar links gedraaid of tot mijn grote verbazing zag ik dat de achtervolging ten einde liep. De voortvluchtige, die tot dan toe zijn voorsprong goed had vastgehouden en zelfs een beetje vergroot, was gevallen. Sfasciamonti zat bijna boven op hem toen de prooi zich herstelde: met een vaardige flits liet hij zich opzij rollen, zodat hij Sfasciamonti in de lucht liet grijpen; de smeris viel op zijn beurt. De vluchteling rende, al was hij dan uitgeput, opnieuw de richting van het Pompeotheater uit; op dat moment was ik inmiddels ook ter plaatse. Maar nu werd ík afgeleid door een onverwachte gebeurtenis: onze man had een hoes op de grond laten liggen, zodat ik op het moment dat ik ter plaatse kwam, op een even grote afstand van het voorwerp was als van de man die zich ervan ontdaan had. Vanuit een ooghoek zag ik dat Sfasciamonti pas toen weer strompelend overeind kwam.

'Hup, vooruit jij,' spoorde hij me aan, weer in beweging komend.

Het was een grote stommiteit om die opdracht slaafs na te volgen, gezien het feit dat hij zich in omstandigheden bevond waarin het niemand, bij die extreme opwinding, gegeven is de gevolgen van zijn daden te overzien. Ik onderbrak mijn ren dus niet eens toen ik het individu zag aarzelen tussen rechts en links en ten slotte, geheel onverwachts, een deur in zag gaan, waarvan hij misschien al wist dat die openstond. In gedachten sloeg ik een kruis en toen ik op mijn beurt de deur was in gegaan, hoorde ik voetstappen de trap op snellen en zette ik de achtervolging in.

De dwaze ren naar boven, waarbij ik opgeslokt werd door de inktzwarte duisternis van de trap en lelijk struikelde over de treden, de handen vooruit gestoken tegen de ijzige wanden van de overlopen om het evenwicht te bewaren, lijkt me vandaag de dag nog steeds een staaltje van domheid dat wel erger had kunnen aflopen. Het was maar een geringe troost om meer naar beneden toe Sfasciamonti's voetstappen te horen naderen.

Ik weet niet en zal misschien nooit weten of degene die we achternazaten al wist waar de trap van dat gebouw op uitkwam. Het was hoe dan ook geen kleine verrassing om de wanden van de trap op het laatste stuk geleidelijk aan blauwig, grijzig en uiteindelijk wittig te zien worden. Zo gebeurde het dat plotseling, ik ging haast voorbij aan de reden waarom ik daar was en wat me zo dadelijk te wachten stond, de rozevingerige dageraad zachtjes mijn ogen opende en mij, die inmiddels vrij was van de slavernij van kaarsen en fakkels, het kostelijke schouwspel toonde van het aanbreken van een nieuwe dag.

Ik had aan het einde van de trap een deur opengedaan, eerst alleen maar half open, en stond toen op een terras. Boven me en rondom werd ik omhelsd door een scherp ochtendlicht; de nieuwe morgenschemer had zich al aangediend toen ik Sfasciamonti had ingehaald op de Campo di Fiore, maar gegrepen als ik was door de actie, had ik het nauwelijks beseft.

Het vervolg was een kwestie van seconden. Ik was totaal buiten adem. Om niet op de grond te ploffen boog ik mijn bovenlijf voorover, en steunde mijn handen op mijn knieën. Ik hoorde Sfasciamonti's stem, die van de benedenverdieping leek te komen.

'Jongen, laat maar zitten! Het is geen kijker...'

Toen draaide ik me om en zag hem. Hij had zich achter mij verscholen; nu had ik hem tegenover me. Hij pakte me bij mijn kraag en smeet me tegen de muur van het huisje, terwijl hij me stevig vasthield. Zijn mes was op mijn buik gericht. Bewegen was zinloos: als ik me verroerde, zou hij toesteken.

Hij was slecht gekleed en stonk. Hij had kringen om zijn ogen en een pokdalige huid. Misschien was hij dertig, al leek hij veel ouder; dertig jaar gevangenis, honger, nachten in de openlucht. Hij had maar één oog; het andere ontbrak zoals bij een zwerfkat.

Misschien waren mijn vermogens onnatuurlijk verruimd door de nabijheid van de dood, maar ik las de aarzeling in zijn ogen: meteen doden en met de tweede de strijd aanbinden of weer wegrennen. Maar waar naartoe? Het terras was eigenlijk een simpele gang die helemaal rond het huisje liep dat het trappenhuis herbergde. In een intuïtieve flits voelde ik me dom: we hadden hem achtervolgd totdat hij zich gedwongen had gezien te doden.

'... Het is een vervloekte, hoe heet het...' donderde Sfasciamonti's stem weer op de trap, maar inmiddels op maar een paar stappen van ons vandaan.

De ooghoek die me strak aankeek had een vluchtweg gezocht. Ik begreep dat hij die niet had gevonden.

Twee, drie seconden en ik zou weten welk gevoel een koud lemmet in de lever geeft. Ik kreeg een idee.

'De Duitser zal je afmaken,' wist ik uit te brengen, ofschoon mijn hals door zijn greep half dichtgeknepen werd.

Hij aarzelde. Ik voelde zijn hand trillen.

Toen gebeurde het. Onder het olifantengewicht van Sfasciamonti zwaaide de deur met ongehoord geweld open, zoals een vuurtorendeur die – al is hij gepantserd – door de kracht van de stormachtige zee openbreekt. De planken van de deur smakten tegen de rug van mijn tegenstander, die wankelde onder de slag. Met een zwaai vloog het mes tussen onze twee gezichten door en viel kletterend op de grond.

'... Een macrosloop!' riep Sfasciamonti triomfantelijk uit, het terras op lopend en zwaaiend met een half uitgepakt metalen apparaat, terwijl mijn tegenstander, ontregeld door de klap, zich opmaakte om de linkerkant uit te vluchten.

Sfasciamonti keek hem in het gezicht en schreeuwde met een ondertoon van verontwaardiging: 'Jij bent Slotenmakertje helemaal niet!'

We wierpen ons op de onbekende, maar bij die duik struikelde ik over een grote steen. Ik rolde over de grond en mijn krachten schoten tekort om de vaart van mijn lichaam naar de rand van het terras te stuiten. Ik viel in de afgrond van de binnenplaats, als verdiende straf voor heel het krankzinnige gedrag van die nacht.

Ik viel achterover naar beneden. Alvorens de fatale klap te bereiken, tien of vijftien meter lager, kon ik nog net de stomme verbazing zien op Sfasciamonti's gezicht: in een tijdloos moment bedacht ik absurd genoeg dat dat misschien wel het gevoel is (en niet verdriet of wanhoop) dat ons bevangt op het moment dat we de dreigende dood van iemand anders meemaken. Arme Sfasciamonti, dacht ik, meteen nadat ik was ontsnapt aan de steekpartij zag hij me opnieuw verloren.

Ondanks het opmerkelijke van die ogenblikken heb ik één detail vast kunnen houden, dat de smeris echter ontsnapte. Terwijl ik de dood tegemoet viel, antwoordde de achtervolgde op mijn dreigement van zojuist voordat ik in de afgrond verdween:

'Vergeverlovergen.'

Vervolgens waren daar alleen de lucht, omlijst door de vierhoek van de binnenplaats die zich steeds sneller boven me sloot, een schietgebedje naar de Almachtige om vergeving voor mijn zonden en, met hart en ziel helemaal bij mijn Cloridia, het wachten op het einde.

Den 9den juli 1700, derde dag

Het was een heel zuiver, licht gezang waarvan ik op geen enkele wijze de herkomst zou kunnen noemen; nee, hooguit dat het overal en nergens om me heen was.

Het klonk naar onschuld, schroomvallige novices met rode konen, afgelegen, zonbeschenen oorden. Het was een lieflijke psalmodie die mijn oren streelde, terwijl ik genoot van mijn nieuwe situatie.

Ten langen leste begreep ik het: het was het lied van een broederschap op pelgrimage in Rome voor het Jubeljaar. Het waren mannen en vrouwen die de schitterende mengeling vormden van zachte en robuuste, zilveren en stentor-, mannen- en vrouwenkelen: bij zonsopgang moduleerden ze een danklied voor de Heer, op weg voor hun bezoek aan de vier basilieken, waardoor ze vergeving voor hun zonden zouden krijgen.

De inmiddels blauwe hemelrechthoek waaruit ik was gevallen, was daar nog bovenin, kristallijn en roerloos.

Ik was dood en tegelijkertijd levend. Ik had mijn ogen boordevol blauw van die rechthoek, maar zag niet meer. De hemel druppelde in mijn ogen als engelentranen. Alleen de muziek, alleen dat koor van gelovigen trok me naar zich toe, alsof het me in leven kon houden.

De laatste impressies van mijn zintuigen (de overhaaste val, de mij opslokkende muren van de binnenplaats, de tegen mijn rug drukkende lucht) waren door die vrome melodie weggevaagd.

Andere vage stemmen vervlochten en ontrafelden zich in verborgen contrapunt.

Pas toen, nadat ik me van het bestaan van andere wezens om me heen bewust was geworden, brak ik de weerloze schil van mijn sluimering.

Als een nieuwe uit de Hemel gevallen Lucifer voelde ik een sinistere, warme damp mijn ledematen omhullen en me steeds verder in het binnenste van de Onderwereld opslokken.

'Laten we hem eruit trekken,' zei een van de stemmen.

Ik probeerde een arm of been te bewegen, als ik die nog had. Het lukte: ik tilde een voet op. Bij dat hoopvolle nieuws mengde zich echter een onverwachte gewaarwording.

'Wat een stank!' zei een stem.

'Laten we het met zijn tweeën doen.'

'Hij dankt zijn leven aan de stront, ha ha!'

Ik was niet dood, ik was niet te pletter geslagen op de harde grond van de binnenplaats, en nog minder werd ik opgeslokt door de onderwereld: ze waren bezig me van een kar met warme, dampende mest te tillen.

Zoals Sfasciamonti me later uitlegde, terwijl hij een paar mestballetjes van mijn rug haalde, was mijn val geëindigd op een kolossale berg verse drek die daar 's nachts door een boer was geparkeerd met de bedoeling die de volgende ochtend voor mestgebruik te verkopen aan de hoofdopzichter van Villa Peretti.

Door puur een wonder had ik dus mijn nek niet gebroken. Maar eenmaal op de nare hoop uitwerpselen geploft was ik flauwgevallen en gaf ik geen teken van leven meer. De omstanders die zich intussen hadden verzameld waren bezorgd; iemand had een kruis geslagen. Maar plotseling had ik tijdens het voorbijgaan van de broederschap van pelgrims mijn hoofd bewogen en met mijn oogleden geknipperd. 'Dat heeft de Heer zo gewild,' had een oud mannetje gesproken, 'het gebed van de broederschap heeft hem weer tot leven gewekt.'

Hogerop had Sfasciamonti, afgeleid door mijn val en bezorgd om mijn lot, onze man laten ontsnappen, die zich, liever dan de dreigende massa van de smeris te trotseren, vermetel op een ondergelegen dak had laten vallen en de vlucht op de terrassen rondom had voortgezet. Mijn bondgenoot, die met zijn kolos bijna een dakraam insloeg, had de jacht moeten opgeven. Eenmaal weer beneden had hij mij van de mestkar geplukt met behulp van een groenteteler die daar was om zijn handel op de naburige markt van de Campo di Fiore te stallen, die haast zover was om open te gaan.

'Het is een vervloekt bedrog,' zei Sfasciamonti, terwijl hij me naar een voddenboer daar vlakbij bracht om schone kleren voor me te vinden. 'Slotenmakertje had dit in zijn handen, allesbehalve een kijker.'

Uit een grijzige lap haalde hij het apparaat waarmee ik hem nog geen halfuur geleden zegevierend had zien zwaaien, toen hij van de trap op het terras opdook, in de onuitwisbare ogenblikken waarin ik een lemmet tegen mijn buik gedrukt had gekregen. Het instrument, zwaar beproefd door de wederwaardigheden van de nacht, was inmiddels verworden tot een hoop verwrongen schroot, waar met moeite de vorm van een macroscoop uit te halen was. Aan elkaar zaten alleen nog het onderstuk, een verticale cilinder en een verbindingsas met de (verloren) rest van het optische apparaat. In de lap zaten stukken glas (waarschijnlijk van de lenzen), drie of vier schroeven, een tandwieltje, een halfgedeukte metalen band.

'Het moet zo gegaan zijn,' reconstrueerde Sfasciamonti, terwijl we de winkel van de voddenboer in gingen. 'Er is pas een diefstal geweest. Vandaag zal ik informeren of een of andere smeris er wat van weet. Slotenmakertje heeft de slag persoonlijk geslagen, of misschien heeft hij de buit van anderen overgekocht. Toen we aan zijn deur klopten, heeft hij onze uitleg verkeerd begrepen en de kijker verward met deze macrosloop.'

'Macroscoop,' verbeterde ik hem.

'Ja, nou ja, wat het is. Toen heeft hij het huis verlaten en is naar de Piazza Navona gegaan. Hij zocht een cerretaan,' zei de smeris, terwijl hij me na een teken naar de winkelier meenam naar de binnenplaats waar een fonteintje stond, zodat ik me even op kon frissen.

'Waarom?'

'Jij hebt toch ook gehoord wat de Maltezer zei? Slotenmakertje werkt voor de Duitser. En de Duitser, zoals ik je al zei, met de cerretanen,' zei hij, met een knikje in de richting van het terras op de Campo di Fiore wijzend. 'De macrosloop was voor de Duitser bedoeld. Op de Piazza Navona slapen 's nachts verschillende echte bedelaars, maar ook veel cerretanen. Slotenmakertje is naar een van hen toe gegaan.'

'Die vent dus die me wilde vermoorden!' riep ik uit, me de kreet van Sfasciamonti herinnerend toen hij had gezien dat het niet om Slotenmakertje ging.

'Natuurlijk. Ze hebben elkaar ontmoet achter de fontein. Vervolgens heeft de cerretaan ons gehoord en is gevlucht; we hebben hem gevolgd in de veronderstelling dat het Slotenmakertje was, maar die ken ik goed en die ziet er heel anders uit: lang, blond en met een gebroken neus. En hij is niet eenogig, zoals dat gedrochtje me leek dat we achterna hebben gezeten.'

Ik had dus voor niks mijn leven geriskeerd, bedacht ik, terwijl ik mijn smerige kleren uittrok en me zo'n beetje waste: wie weet waar Atto's kijker was, om maar te zwijgen van zijn papieren. Al mijn botten deden nog pijn van de landing op de mest, hoe fris en zacht die ook met stro was gemengd. Verder was er een vermoeden dat zachtjes aan me knaagde. De Maltezer wist niet wat een kijker was, en waarschijnlijk ook niet wat een macroscoop was, een nog ongewoner voorwerp. Zelfs Slotenmakertje wist niet wat de instrumenten waren en hoe ze heetten, zodat hij ze door elkaar haalde.

'Hoe wist u dat het om een macroscoop gaat?' vroeg ik aan de smeris, wijzend op het bundeltje waarin hij het schroot van het instrument hield.

'Wat een vraag: dat staat hier.'

Hij maakte het bundeltje open en toonde me het houten onderstuk van het instrument, waar een metalen plaatje op te zien was met een aardige lijst eromheen.

MACROSCOPIUM HOC
JOHANNES VANDEHARIUS
FECIT
AMSTELODAMII MDCLXXXIII

'Macroscoop vervaardigd in 1683 te Amsterdam door Johannes van de Haar,' vertaalde ik.

Hij had gelijk, het stond er. En die weinige gemakkelijke woorden in het Latijn had zelfs Sfasciamonti, grofweg althans, kunnen begrijpen.

'Maar iemand moet me toch eens uitleggen hoe je kunt schieten met zo'n geval als deze macrosloop, waar de lopen vol glas zitten,' mompelde hij bij zichzelf, niet bij machte zich neer te leggen bij de gedachte dat het instrument niet tevens een wapen was.

De smeris liep weer terug naar de winkel van de voddenboer om er even later met een lap, een hemd en een oude maar schone broek weer uit te komen.

Nog versuft door de snelle opeenvolging van de gebeurtenissen, alsmede door de fysieke beproevingen die ik had moeten ondergaan, kwam het pas toen, terwijl ik me met de lap afdroogde en weer aankleedde, bij me op mijn metgezel te vertellen van de provocatie waarmee ik had geprobeerd de cerretaan in de war te brengen door hem de dood aan te kondigen door de hand van de Duitser, en het merkwaardige antwoord van de cerretaan dat ik wonderwel had gehoord terwijl ik van het terras kukelde. Sfasciamonti zette grote ogen op.

'De Duitser zal je afmaken... Jij bent gek!'

'Hoezo? Ik probeerde alleen maar mijn leven te redden.'

'Dat is zo, vervloekt, maar je hebt tegen een handlanger van de Duitser gezegd dat zijn baas hem uit de weg zou ruimen, enfin... De Duitser is gevaarlijk! Gelukkig was het, zoals je zegt, om je leven te redden.'

'Nou, juist daarom zou ik graag weten wat de cerretaan antwoordde. Misschien heeft hij wel gedreigd dat hij me ging zoeken.'

'Wat zei hij precies tegen je?'

'Ik verstond het niet, het was een woord zonder betekenis.'

'Zie je wel? Het was echt een cerretaan. Hij sprak in dieventaal.'

'In wat?'

'Dieventaal.'

'Wat is dat, bargoens?'

'O, veel meer dan dat. Het is een heuse taal. Alleen de cerretanen kennen het, het is een uitvinding van hen. Het dient om in het bijzijn van buitenstaanders te praten zonder te worden verstaan. Maar ook allerlei soorten dieven en bedelaars gebruiken het.'

'Dan begrijp ik waar u het over hebt. Ik weet dat misdadigers om te waarschuwen dat er een smeris aankomt zeggen *daar komt Madam aan* of *het regent*.'

'Ja, maar dat zijn dingen die iedereen weet, net zoals *blaffer* pistool betekent of een *knaak* een munt is. Ook een hoop woorden van de joden zijn bekend; als ik tegen je zeg dat iets *tinnef* is weet je meteen dat het over rotzooi gaat. Maar er is nog een moeilijker niveau. Wat zegt je de zin: *machels kent geen begiet voor de eerste mei*?

'Helemaal niks.'

'Tja, omdat je niet weet dat *machels* in dieventaal "ik" betekent, *begiet* "angst" en de *eerste mei* "God" is.'

'"Ik ken geen vrees voor God" dus,' zei ik verbaasd door de onbegrijpelijkheid van die korte zin die zo geschikt leek voor een cerretaan.

'Het is maar een voorbeeld. Ik ken het alleen maar omdat wij smerissen uiteraard wel iets kunnen leren. Maar het is altijd te weinig. Dus de cerretaan heeft je een woord genoemd dat niet te begrijpen is?'

'Als ik me goed herinner iets als... vergeverlavergen, vergeverlovegen, vergeverlovergen of iets dergelijks.'

'Dat moet een ander soort dieventaal zijn. Ik weet niet goed hoe het werkt, ik heb hem niet eens horen praten. Ik weet alleen dat die schooiers soms gewone woorden gebruiken, maar die dan ingewikkelder maken, verhaspelen, verbasteren met een geheime methode die maar weinig mensen kennen,' zei hij, terwijl hij de vingers van zijn handen met elkaar vervlocht, van elkaar losmaakte, ze kromde en tegen elkaar aan drukte om het begrip beter te verduidelijken, ‘en je begrijpt er geen steek van.’

‘Hoe komen we er voor de duivel dan achter wat die cerretaan tegen me heeft gezegd? Hebben we geen andere manier om de onderzoeken voort te zetten en de papieren van abt Melani terug te vinden?’ vroeg ik met slecht verhulde teleurstelling.

‘We moeten geduld hebben, bovendien is het niet helemaal zoals jij zegt. Nu weten we tenminste dat iemand die rare instrumenten waarmee je groot en klein ziet, macroslopen, kijkers enzovoort verzamelt; en hij heeft ook een passie voor relikwieën. We kunnen Slotenmakertje zoeken, maar die zal al wel verhuisd zijn. Het is een gevaarlijke kerel, je kunt maar beter uit zijn buurt blijven. Het te volgen spoor is dat van de cerretanen.’

‘Dat lijkt me niet minder gevaarlijk!’

‘Dat klopt, maar dat leidt rechtstreeks naar de Duitser.’

‘Gelooft u dat hij de papieren van abt Melani heeft gestolen?’

‘Ik geloof in feiten. En dat is het enige pad dat we hebben.’

‘Hebt u een idee hoe we verder moeten?’

‘Natuurlijk. Maar we zullen morgennacht moeten afwachten. Sommige dingen kun je niet overdag doen.’

We waren intussen weer bij de paarden. We gingen uiteen: ook ditmaal moest Sfasciamonti een paar boodschappen voor zijn moeder afhandelen. Omdat ik nog last had van de gevolgen van het akelige avontuur, vond de smeris het veiliger dat ik te voet naar Villa Spada terugkeerde; hij zou er wel voor zorgen dat beide rijdieren werden ingeleverd.

Zo liep ik, nog stinkend en riekend, maar tenminste zonder schaamte voor hoe ik eruitzag, naar de Sint-Pancratiuspoort. Op dat vroege uur was de stad vol pelgrims, straatventers, knechten, dienstmeisjes, bietsers, lanterfanters en handelaren. Elk steegje werd leven ingeblazen door de liedjes van wasvrouwen, het geschreeuw van kwajongens, de oproepen van verkopers, en door de verwensingen van koetsiers wanneer een wankel karretje met zuivelproducten hun koets sneed. Op de buurtmarkten, één groot theater waarin de Stad van Petrus dagelijks zijn rituelen vernieuwt, werd de feestelijke chaos van de ochtend een waar spektakel: het zwarte fladderen van de pij van een protonotarius apostolicus vormde het achterdoek voor het groen van de kropjes sla, de moorkleur van de mantel van een geestelijke trachtte de show te stelen van het oranje van de verse worteltjes, de verbijsterde ogen van de tongen monsterden vanaf de viskramen de eeuwige komedie van de mens.

In de buurt van de Via Giulia liet ik me meevoeren in die rommelige stroom van mensen, handelswaar en vehikels, toen ik op een nog drukkere oploop stuitte. Zolang ik kon baande ik me een weg, eerder om erdoor te kunnen dan om te kijken. Toen ik uiteindelijk vastliep, rekte ik mijn hals om te zien waar het om ging. Midden in de menigte stond een louche figuur met zijn lange haar in een lange staart en zijn bovenlijf naakt. Op zijn borst had hij een groot blauwig teken in de vorm van een gifslang. Maar om zijn nek kronkelde, glibberig en vals, een echte slang. Het publiek volgde gefascineerd en bang geworden de manoeuvres ervan. De jongeman begon een soort klaagzang te kreunen; de slang kronkelde ritmisch en tot stomme verbazing van het publiek volgde hij de toon en het ritme van het deuntje. Nu en dan onderbrak de komediant zijn geneurie en sprak zachtjes een geheimzinnig woord dat het vermogen had om het gekronkel van het reptiel tot staan te brengen: het dier viel plotseling stil, werd strak en stijf, en kwam pas weer tot leven als het deuntje werd hervat. Plotseling greep de jongeman de kop van het dier beet en stak een vinger tussen zijn kaken, die zich prompt sloten; enkele ogenblikken hield hij het vol, toen trok hij zijn vinger terug. Vervolgens begon hij verschillende potjes met roodachtig smeersel uit te delen en uit te leggen dat dat slangenaarde was, een perfect antidotum, waarmee je, als je door een slang gebeten wordt, het gif overwint en geen enkel leed ondervindt. Het omstaande volk wierp volop giften in de strooien hoed die aan de voeten van de kerel lag.

Met een vragend gezicht keek ik mijn buurman aan, een jongen die een flink brood onder de arm hield.

'Dat is een sintpaulaar,' zei hij.

'En wat betekent dat?'

'Sint Paulus verleende op een dag een gezin genade door te beloven dat alle leden en afstammelingen nooit het gif van slangen te vrezen zouden hebben. Om zich van de anderen te onderscheiden worden de afstammelingen van dat gezin allemaal geboren met een slangenteken op hun lichaam en heten ze sintpaularen.'

Achter ons bemoeide zich er een oud mannetje mee:

'Allemaal kletskoek! Ze vangen de slangen in de winter wanneer ze weinig kracht en haast geen gif hebben. Dan purgeren ze ze en laten ze vasten, zodat ze murw en gehoorzaam worden.'

In de samengepakte groep rond de sintpaulaar werden de woorden van het oudje duidelijk gehoord; een paar hoofden draaiden zich om.

'Ik ken die trucjes wel,' hervatte het oudje, 'het slangvormige teken op zijn borst heeft hij erop laten zetten door zich op meerdere punten met een dunne naald te laten prikken en vervolgens een mengsel van roet en kruidensap op zijn huid te wrijven.'

Nog meer hoofden wendden zich van het schouwspel om naar de oude man. Maar juist op dat moment hoorde je een kreet:

'Mijn tasje! Het is weg! Het is losgesneden!'

Een vrouwtje dat tot op dat moment bijna gehypnotiseerd naar het spektakel van de sintpaulaar had staan kijken ging wanhopig tekeer. Iemand had het koordje doorgesneden dat ze om haar nek droeg en het leren tasje met al haar daggeld ontvreemd. De groep omstanders veranderde in een onbeheersbare brij waarin iedereen zich overal bevoelde om te controleren of er niets (tasje, ketting of speld) schitterde door afwezigheid.

'Kijk, ik wist het,' zei het oudje grinnikend. 'De makker van de sintpaulaar heeft gekregen wat hij wilde.'

Ik draaide me om naar de man die tot dan toe onze aandacht had getrokken. Profiterend van de algemene verwarring was de sintpaulaar (als hij die naam al verdiende) verdwenen.

'In gezelschap van zijn handlanger, dat is duidelijk,' voegde het oudje eraan toe.

Terwijl ik mijn weg vervolgde, was ik in een trieste bui geraakt. Ik had ook niet in de gaten gehad dat de attractie van de slang alleen maar wat onwetende slachtoffers aan moest lokken, van wie een handlanger van de sintpaulaar de taak had om ze van hun geld af te helpen. Twee ware meesters in de diefstal, bedacht ik: zodra de lucht betrok, waren ze als sneeuw voor de zon verdwenen. En stel dat zij ook twee cerretanen waren geweest?

Sfasciamonti had gezegd dat iedere cerretaan een bedelaar was, en dat bedelen het meest lucratieve beroep ter wereld is. Bedoelde hij soms dat iedere bedelaar bijna zeker ook een cerretaan is? Als het zo lag, was het een ijzingwekkend perspectief: dan had ik jarenlang zonder dat ik het besefte aalmoezen gegeven aan een leger boeven dat de stad in zijn macht had.

Maar ik liet die overwegingen, die me eigenlijk nog te bizar leken, voor wat ze waren en ging in gedachten terug naar mijn val en de gruwelijke dood waarvoor ik had gestaan. Wat had mijn leven gered? Het gebed van de pelgrims in processie of de mestkar? De drek was ongetwijfeld het meest directe instrument van mijn behoud geweest.

Stond ik dan bij het toeval in het krijt? En toch had ik juist mijn ogen weer geopend toen de vrome processie van pelgrims langskwam, door hun gezang was ik wonderbaarlijk genoeg weer wakker geworden. Ik had ook wel van angst om de val kunnen sterven, maar dat was niet gebeurd. Was door de onbevangen geloften van liefde en liefdadigheid van die stoet van ver gekomen gelovigen de Genade over mij uitgestraald?

Maar in hoeverre waren die geloften echt doeltreffend? In de bedoelingen van de gelovigen waren ze zonder meer onschuldig en vol vuur, redeneerde ik. Maar – fluisterde ik bij mezelf, terwijl ik langs een naargeestig, peperduur pelgrimpension liep waarvan ik wist dat het het eigendom van een kardinaal was – er stond nog iets anders aan de basis van die gebeden, dat misschien niet zo onbevangen en zuiver was: de organisatie van het Jubeljaar zelf.

Ik wist wel (en het was algemeen bekend) dat paus Bonifatius VIII in het jaar onzes Heeren 1300 met de beste bedoelingen het plechtige feest van het Heilig Jaar had ingeluid. Geïnspireerd door het edele gebruik van de pausen uit vroeger tijden, die de gelovigen iedere honderd jaar een volledige, algemene vergeving van hun zonden verleenden, als ze de Sint-Pietersbasiliek in het Vaticaan bezochten, had paus Bonifatius VIII officieel het ware Jubeljaar ingesteld. Vergeleken met het verleden had hij daaraan alleen de plicht verbonden dat de gelovigen op enkele vastgestelde dagen een pelgrimstocht naar de basiliek van Sint-Paulus maakten.

Het nieuws had zich als de bliksem door de hele christelijke wereld verspreid en overal de harten van gelovigen bereikt, alsof de engelen met de bazuin uit het Paradijs zelf aan het werk waren geweest. Het succes was immens. Horden Romegangers, oftewel pelgrims, waren in dat jaar 1300 overal vandaan naar de heilige stad gekomen, afdalend van de weiden van de Apennijnen, door valleien en bergkloven, hellingen en afgronden, toppen en hoogvlakten, steden en dorpen, over rivieren, zeeën en verre kusten trekkend met een zowel voor de behoeften van de reis als voor die van het verblijf in Rome goed gevulde beurs met geld bij zich: iets wat de pausen en met hen alle Romeinen belangrijk en zeer gewenst vonden.

Om de grote reis te maken hadden de Romegangers dikwijls hun kostbaarste goederen opgeofferd: boeren hadden hun velden in de steek gelaten, kooplieden hadden hun zaken verwaarloosd, herders hadden hun kudden verkocht, vissers hun boten. Alleen niet zozeer om de reis te betalen (want zoals iedere goede pelgrim met een levend, zuiver geloof legden ze die helemaal te voet af), nee, veeleer om in Rome aan een bed te kunnen komen, dat dan wel een rib uit hun lijf kostte. Van slapen in de buitenlucht was geen sprake: dan vielen ze ten prooi aan zakkenrollers en moordenaars, de pauselijke wachters zorgden er wel voor de ongelukkige pelgrims dat uit het hoofd te praten. En ja: waarom ook op straat slapen, als de pausen zelf de beste onderkomens hadden georganiseerd om de pelgrim te huisvesten? Broederschappen en vrome tehuizen deden hun best; maar de bedden waren altijd schaars. In het Jubeljaar van 1650 ging het verhaal dat zelfs de schoonzuster van de paus, de oppermachtige en beruchte donna Olimpia, pensions en logementen had gekocht om die met de komst van de Romegangers renderend te maken. Maar eigenlijk profiteerden alle Romeinen van de heilige gebeurtenis. Zich bewust van hun verantwoordelijkheden voor de gasten waren er meteen nieuwe herbergiers opgestaan die wisten dat de reguliere herbergiers en de religieuzen de stroom van nieuwaangekomenen toch niet aankonden. Als de arme reizigers afgemat van de inspanningen van de reis aan de poort van de inwoners van de Heilige Stad kwamen (zoals Buccio di Ranallo vertelt), werden ze dus verwelkomd door eindeloze engelenlachjes, zorgzaamheid en barmhartigheid. Zodra ze echter de kamers binnen gingen, veranderde de muziek en veranderden de engelen in valse honden: ze propten de gasten met zijn tienen in een kamer (terwijl er hooguit drie of vier in konden), de lakens waren smerig, de kussens stonken, hun optreden was ruw, het (peperdure) eten was rotzooi. Niemand kon het vermoeden wegnemen dat de plotselinge prijsstijging van etenswaren kwam door handige fraude, waarmee de levensmiddelen ver bij de stad vandaan werden gehouden. De slechte kwaliteit van het eten was uiteindelijk te wijten aan bedorven vlees en kaas waar volgens sommigen (maar ook hier was het alleen maar een vermoeden) slim verse producten doorheen werden gemengd.

De Romegangers dachten eigenlijk dat slapen op de harde grond in de openlucht een extra verdienste was waar ze zich op het moment van de vergiffenis van hun zonden op konden beroepen, en ze rolden zich nederig op in de straten van Rome. In het holst van de nacht werden ze dan ruw gewekt door de smerissen die hen eerst duchtig afranselden wegens schending van het decorum van de stad en de regels van de openbare orde en daarna aan hen vroegen: 'Zijn jullie pelgrims? Hoe halen jullie het dan in je hoofd om te gaan slapen als een stelletje schooiers? Op een steenworp afstand hiervandaan is een logement voor mensen zoals jullie.' En zo werden de ongelukkigen gedwongen om tegen woekerprijzen een kamer te huren in de pensions, die waren terug te voeren op verwanten van de paus of op hoge prelaten. Verder deden zich de meest gênante voorvallen voor, zoals de pelgrims die uitgeput aan de poorten van Rome kwamen en door horden slavendrijvers werden ontvoerd; na hen buiten gevecht te hebben gesteld door een flinke afranseling, dwongen ze hen te werken op de akkers en lieten hen vernederd en murw door de inspanningen pas een paar maanden later weer gaan.

Maar onverschillig voor dergelijke kortstondige tegenslagen bleef het geloof al eeuwen de roemrijke scharen gelovigen naar de Heilige Stad trekken en daarmee een grote stroom geld: ik wist van de oudste voorbeelden dat er in het Jubeljaar van 1350 met de vasten en met Pasen een miljoen en tweehonderdduizend, en met Pinksteren achthonderdduizend pelgrims waren geweest; in 1450 waren er door de Apostolische Kamer honderdduizend florijnen geïncasseerd (gevierd met de bekering van maar liefst veertig joden en een rabbijn). En in 1650, vijftig jaar eerder dan het Jubeljaar van nu, waren er zevenhonderdduizend pelgrims toegestroomd. Het feest en de buit waren voor iedereen groot: voor de schoenmakers die de schoenen van de Romegangers verzoolden, voor de logementhouders die hen spijzigden, voor de waterverkopers die hen laafden en voor alle winkeliers die iets te bieden hadden: rozenkransen, heiligenbeelden, krukjes, geneeskrachtige kruiden, wijn, gebedenboeken, brood, kleding, mutsen, echte relikwieën van heiligen, pen en papier, couranten, gidsen van Rome, enzovoort.

Volgens de wens van Bonifatius VIII moest er tussen het ene Jubeljaar en het andere een periode van honderd jaar liggen. Dat interval van een eeuw was voor alle zondaren het teken dat er van de vergeving en de lankmoedigheid van de Allerhoogste geen misbruik mocht of moest worden gemaakt.

Gezien het succes van het initiatief en de niet onaangename economische gevolgen ervan werd de plechtige afstand van honderd jaar echter meteen tot de helft, dus een halve eeuw, bekort door paus Clemens VI, die het volgende feest al voor 1350 voorschreef (zonder het overigens zelf te vieren want op dat moment bevond hij zich in Avignon, dat destijds de zetel van het pausdom was, terwijl Rome verwikkeld was in een bloedige strijd tussen de adellijke families, uitgeput door de pest, ontwricht door de ongeregeldheden van de plebeïsche onruststoker Cola di Rienzo).

Zijn opvolger Bonifatius IX bekortte de tussenpoos verder tot veertig jaar en schreef een nieuw Jubeljaar voor in 1390, en nauwelijks tien jaar later in 1400, weer een. Martinus V vierde er opnieuw een in 1423, Nicolaas V zelfs twee achter elkaar in 1450 en 1451. De pausen daarna gingen met meer regelmaat te werk en stelden het aantal jaren tussen het ene en het andere Jubeljaar op vijfentwintig: Sixtus IV in 1475, Alexander VI in 1500, Clemens VII in 1525. Meteen daarna was er echter een nieuwe heftige versnelling: zowel Paulus III als Julius III vierden drie Jubeljaren in vier jaar. Het tempo werd uitputtend: Pius IV vierde tijdens zijn pontificaat maar liefst vier Heilige Jaren (waarvan twee in hetzelfde jaar) en Clemens VIII drie. Paulus V stelde er zes in met een meedogenloos ritme: 1605, 1608, 1609, 1610, 1617 en 1619. Dat was nog niets vergeleken bij Urbanus VIII, die er in twintig jaar maar liefst twaalf verzamelde.

Het succes was zodanig dat de pausen er daarna niets voor voelden om een andere koers in te slaan: Innocentius X stopte vijf Jubeljaren in tien jaar, Alexander VII ook vijf in negen jaar, Clemens IX wist er zelfs vier in twee jaar te proppen.

Om bij de meest recente pausen te komen hadden Alexander VIII en Innocentius XI zich weliswaar beheerst door respectievelijk één en twee Heilige Jaren voor te schrijven, maar Clemens X had er drie achter elkaar gestopt (in 1670, 1672 en 1675) en ook de huidige Heilige Vader, Innocentius XII, had zich niet in kunnen houden om er in acht jaar vier te vieren.

Het is wel zo dat de buitengewone vieringen niet altijd grote massa's pelgrims naar Rome trokken. Daarnaast werd de regelmaat, die aanvankelijk alleen werd bepaald door de strenge cyclus van een eeuw, in de loop der tijden verbonden met steeds bijkomstiger redenen, die vaak bevreemding wekten bij het nageslacht en soms ook bij de tijdgenoten zelf.

In de loop der eeuwen waren er bijvoorbeeld buitengewone Jubeljaren gewijd aan enkele naties of groepen (Peru, Armenië, Indië, maronieten uit de Libanon, de christenen uit het keizerrijk Ethiopië) die in de gemeenschap der gelovigen, vooral Italianen en Europeanen, misschien niet altijd gevoelens van directe, algemene, overweldigende broederschap oogstten.

Andere aanleidingen (door boze tongen duidelijk smoezen genoemd) waren het Concilie van Trente, de strijd tegen de ketterij, het vrijkopen van gevangenen van de Mohammedanen of de vrede tussen Spanje en Frankrijk geweest, of ook wel (heel dikwijls) de installatie van een nieuwe paus – aangelegenheden die misschien niet altijd het karakter van absolute noodzaak en ernst hadden.

Verder trof het dat het Heilig Jaar maar liefst negen maal was uitgeschreven voor de behoeften van de Kerk, dat wil zeggen de geldkist, en dat Urbanus VIII (die ervan beschuldigd werd het geld van de Apostolische Kamer ernstig te hebben verkwist) juist om die reden achter elkaar maar liefst vier Heilige Jaren had voorgeschreven, in 1628, 1629, 1631 en 1634.

En waren veel Jubeljaren volgens de gelovigen terecht gewijd aan het mohammedaanse gevaar, dat nog steeds in het Oosten bestond, het was moeilijker te begrijpen welke klemmende noodzaak paus Pius IV ertoe had gebracht de strooptochten van een zekere piraat Dragut als reden voor de opening van het Buitengewone Heilig Jaar te kiezen.

Hoe het ook zij, in de precies vier eeuwen vanaf het eerste Jubeljaar in 1300 tot het in 1700 door Zijne Heiligheid paus Innocentius XII geopende jaar hadden zich vijf Jubeljaren moeten voltrekken. Het totaal was echter op negenendertig uitgekomen. En dus vroeg ik me aan het eind van mijn overwegingen met angst en beven af of zo veel lichtvaardigheid voor het aanschijn des Allerhoogsten de smeekbeden der gelovigen niet dreigde te ontkrachten of zelfs teniet te doen. Die twijfel werd nog versterkt door de overweging dat het Jubeljaar oneerlijke lieden aantrok en de aanleiding vormde voor vele trieste voorvallen (diefstallen, oplichterij, berovingen) zoals ik net had meegemaakt.

Maar dergelijke nijpende vragen moesten inmiddels plaatsmaken voor de slaap. Ik was thuisgekomen. Ik nam me voor later opheldering te vragen aan don Tibaldutio Lucidi, de kapelaan van Villa Spada.

Zoals voorzien was Cloridia er niet. Ze was waarschijnlijk in Villa Spada gebleven om te waken over de zwangerschap van prinses Di Forano. Gelukkig maar: ik zou liever sterven dan in die gruwelijk stinkende hoedanigheid door haar betrapt te worden. Allereerst vulde ik de teil voor een bad en ging er helemaal in, om te proberen de putlucht die ik bij me droeg te verdrijven.

Terwijl ik emmers en emmers water over mijn hoofd uitkieperde, huiverde ik meer door de herinnering aan de gelopen gevaren dan door de ijskoude, onaangename reiniging. Toen ik me eenmaal had afgedroogd, was het volop dag geworden. De dagster straalde fraai en onverbiddelijk, ze wekte de zinnen en nodigde de stervelingen tot handelen uit. Onverschillig voor die stralende oproep sleepte ik me bekaf naar mijn bed en al half in slaap bad ik tot de heilige Maagd om haar te bedanken dat ze mijn leven had gered.

Ik had mijn handen nog gevouwen toen ik het kaartje zag.

Het was een wat beverig, maar vastberaden handschrift. De schrijver liet zich raden:

De hele nacht gewacht. Verwacht je verslag.

Ik wijdde een laatste, woedende gedachte aan abt Melani. Door zijn schuld was ik er bijna mijn hachje bij ingeschoten, en wel voor niets. Wilde hij mijn berichten? Die zou hij te zijner tijd krijgen, niet eerder.

Ik sliep ruim twee uur, wat uiteraard niet genoeg was om al mijn krachten te herkrijgen, maar wel om te kunnen lopen, denken en praten. Ik dacht er bijna over om thuis te blijven en te wachten tot iemand me kwam roepen, waarmee ik zowel de woede van don Paschatio als die van abt Melani trotseerde. Plotsklaps, als door een zweepslag op mijn naakte rug, schoot ik wakker en wist ik het weer: het was de grote dag, de dag van het huwelijk van de neef van kardinaal Spada!

Bij mijn aankomst in de villa trof ik een sfeer van koortsachtige euforie aan. Niet alleen liepen er handwerkslieden, loopjongens, lakeien en keukenhulpen druk doende door de lanen, in de tuinen en tussen de gebouwen van het Zomerverblijf, deze dag was er ook een vrolijke, bonte schare kunstenaars die de komende uren het huwelijksbanket zouden opluisteren: de muzikanten van het orkest. Ik vroeg meteen naar Cloridia. Ik ondervroeg menige werknemer, maar kreeg te horen dat ze nog in de vertrekken van de prinses opgesloten zat, waar ze die nacht geen moment uit was geweest. Wel, bedacht ik, als ze zo druk was, had ze niet de tijd gehad om over ondergetekende in te zitten.

Ik nam toen de weg van het bosschage en liep door naar de kapel, waar die middag voor het gebouw het plechtige huwelijk tussen Clemente Spada, de neef van Zijne Eminentie kardinaal Fabrizio Spada, en Maria Pulcheria, de nicht van kardinaal Bernardino Rocci, zou worden voltrokken.

Onder de knechten van Villa Spada brandde iedereen van nieuwsgierigheid om de bruid te zien. Men wist alleen van haar dat ze geen schoonheid was. De voorbereiding vormde in ieder geval een waardige omlijsting voor het huwelijk van Venus. De ruimte voor de kapel en het muurtje dat het gebouw omringde waren verrukkelijk versierd met kersverse bloemen, in aardewerken potten en rieten hoornen des overvloeds geschikt, met tussendoor slingers van versgesneden bloemen en manden versierd met citroenen, appelen, tomaten uit de Nieuwe Wereld (van nature mooi maar onaangenaam van smaak), korenaren en allerhande fruit. Gemakkelijke fauteuils op de eerste rijen en stoelen van verguld ingelegd hout daarachter waren fraai in een halve cirkel opgesteld, zodat geen gast het zicht belemmerd werd door de mensen voor hem.

In een hoek, tegen de muur en zachtjes afgedekt met een damasten lap, stonden de bundels versierde stokken al klaar met kleurige linten eromheen en bloemkransen aan het uiteinde, waarmee wij, knechten, feestelijk uitgedost voor de gelegenheid, aan het einde van de ceremonie feestelijk zouden zwaaien. De kleine arena met stoelen en fauteuils werd verder helemaal bekroond door schitterende open gewelven van hout en papier-maché, bestaande uit tweetallen vierhoekige zuilen met bekoorlijke versierde kapitelen, waartussen bevallige ronde bogen liepen met bloemen, klimop en warrige bosjes wilde kruiden eromheen.

Ook aan de andere huwelijksaankleding (draperieën van bloedrood fluweel, goudkleurige zijden doeken, gordijnen met de familiewapens van het bruidspaar erop) was de laatste hand gelegd en alles was kundig aangebracht. Twee dienstmeisjes waren nog bezig de kussens van zacht pluche op de stoelen te schikken; vanuit het kapelletje hoorde je de vaderlijke stem van don Tibaldutio galmend de laatste instructies aan de misdienaren geven. Ik vatte moed: voor het huwelijksritueel was men er ten minste in geslaagd om zich aan het tijdschema te houden.

Ik voelde de behoefte om voor het altaar te knielen en nog een dankgebed uit te spreken dat mijn leven gered was. In de kapel stond een beeld van de Madonna van de Karmel, dezelfde wie abt Melani al die jaren mijn drie pareltjes als *ex voto* had toevertrouwd: dit had bij mij het verlangen doen opwellen om me eveneens tot die epifanie van de heilige Maagd en Moeder te wenden en me voor de lotgevallen van ons allen de komende dagen op haar te verlaten. Ik ging naar binnen, zocht een achterafhoekje uit en knielde neer.

Er was nog niet veel tijd verstreken toen don Tibaldutio me bij het verlaten van de sacristie in het oog kreeg. Hij zette zich aan de herschikking en de laatste hand aan het kerkgeraad, en verloor mij intussen niet uit het oog. Ik wist waarom. Don Tibaldutio was een goedgeluimde karmeliet met een hoogrode kleur en woonde in een achter de sacristie uitgespaard vertrekje dat in gebruik was als pastorie. Aldus afgezonderd van de rest van de villa voelde hij zich vaak alleen en profiteerde dan van mijn aanwezigheid (wanneer ik naar de kapel ging om te bidden of vlak in de buurt in de tuin of de volière een of ander klusje deed) om een praatje te maken. Zijn ambt als kapelaan van de Spada's in de villa van de familie van de staatssecretaris was niet gering en menige medebroeder zou ervoor tekenen.

Maar in plaats van zijn positie uit te buiten door verzoekschriften in ontvangst te nemen en door te sturen aan zijn baas, was hij uiteindelijk alleen maar zielenherder. En veeleer dan de Spada's (die altijd op reis waren voor zaken) was zijn kudde het nederige personeel van de villa dat het hele jaar door in het Zomerverblijf bleef en al sinds vele paasvieringen praktisch onveranderd was.

Dat hij nu het huwelijk van de neef en erfgenaam van kardinaal Fabrizio zou voltrekken was voor don Tibaldutio wel een grote eer, maar een waar hij graag vanaf zou zien.

Toen ik na mijn concentratie aan de voeten van de Maagd van de Karmel was opgestaan, kwam don Tibaldutio me met zijn gebruikelijke troostende open glimlach tegemoet. Hij legde zoals altijd vaderlijk een hand op mijn hoofd en vroeg naar mijn Cloridia.

'Goed dat je je op Onze-Lieve-Vrouwe verlaat. Heb je de speciale gebeden voor het Jubeljaar? Anders kan ik je wel een drukwerkje lenen. Als je wilt ga ik het meteen halen: ik heb mijn verplichtingen voor de heuglijke gebeurtenis van vanmiddag er net op zitten en heb wat tijd ter beschikking.'

'Don Tibaldutio,' nam ik het moment te baat om de twijfels te sussen omtrent de geldigheid van de aflaat van het Jubeljaar die bij mij waren gerezen, 'juist voor dat onderwerp dacht ik u om opheldering en advies te vragen...'

Zo vertelde ik hem kortweg van de verscheurdheid die ik een paar uur eerder had doorgemaakt. Ik hanteerde evenwel voorzichtiger en minder directe uitdrukkingen dan mijn eenzame overdenkingen hadden bevat: als ik voor zijn oren ronduit had samengevat hoezeer de lichtvaardigheid waarmee de Heilige Jaren werden geleid me tegenstond, zou ik wel de waarheid hebben gesproken, maar misschien het risico hebben gelopen om die rechtschapen, ingetogen geestelijke op de kast te jagen. Ik gebruikte daarom verschillende uitdrukkingen en omschrijvingen die rond de kern van mijn twijfels dansten en hem amper raakten, zonder ooit begrippen als 'hebzucht', 'corruptie' of 'simonie' te gebruiken.

'Ik begrijp het allemaal,' onderbrak don Tibaldutio me, en met zijn hand wijselijk geheven en zijn oogleden in een vredige glimlach neergelaten nodigde hij me uit met hem op een zijbankje van de kapel te gaan zitten.

'Net als vele anderen vraag jij je ook af wat nu het verschil is met de volle aflaat en of de heilige aflaat van het Jubeljaar niet toevallig als smoes dient, zoals het in lekenogen lijkt.'

'Eigenlijk, don Tibaldutio, is dit niet echt wat ik bedoelde...'

'Het verschil met de volle aflaat, jongen,' ging hij verder, net alsof hij het niet had gehoord, 'is dat die overal te krijgen is, die van het Jubeljaar alleen in Rome en alleen in het Heilig Jaar, en dat wanneer de laatste geldt, die andere nergens ter wereld beschikbaar zijn, anders zou geen mens in het Jubeljaar op pelgrimage naar Rome gaan, als hij op een volle aflaat bij hem thuis kon hopen. Bovendien moet je bij een volle aflaat voor alle zeven altaren gebeden doen, terwijl in het Jubeljaar het hoofdaltaar genoeg is. Nog daargelaten dat de Heilige Stoel aan de aflaat van het Jubeljaar vele gunsten heeft toegevoegd, die je nooit bij een volle aflaat krijgt.'

Ik had hem in de rede willen vallen, maar de bedaarde, resolute spreektrant van de kapelaan, gevoegd bij zijn blik die nooit op mij gericht was maar eeuwig naar beneden, naar zijn gevouwen handen, maakten het heel moeilijk om ertussen te komen.

'Eigenlijk, don Tibaldutio, had ik eerder vragen over... zeg maar over de gevolgen van het Jubeljaar dus,' wist ik uit te brengen, 'aangezien...'

Ook ditmaal liet de vrome man me niet uitpraten.

'Maar het gevolg van het Jubeljaar is schitterend: gesteld dat alleen weldenkende, gedoopte mensen die door de band van de heilige communie met de kerk verenigd zijn ertoe neigen aan een Jubeljaar deel te nemen, die dan de aflaat van het Heilig Jaar mogen verkrijgen in de vorm van *plenissimam omnium peccatorum quorum indulgentiam, remissionem, et veniam*; dat wil zeggen ten volle vergiffenis, aflaat en vergeving van alle zonden.'

Vervolgens stond hij op en na een paar passen bleef hij voor de biechtstoel staan.

'Maar pas op: een aflaat neemt alleen de straf weg, niet de schuld,' waarschuwde hij, vermanend op het deurtje van de biechtstoel trommelend. 'De zonde kan alleen door genade worden weggenomen; en die komt alleen via het sacrament, oftewel de sacramentele biecht of minstens via de biecht *in voto*, ofwel via de akte van berouw en de belofte om met Pasen te biechten.'

'Neemt u me niet kwalijk, ik heb me slecht uitgedrukt,' excuseerde ik me verlegen om een einde aan die tirade te maken, en ik wanhoopte inmiddels aan de mogelijkheid nog een nuttige toelichting te krijgen, 'ik twijfelde aan de werking in het geval dat...'

'De werking, de werking: maar dat hangt van ons gelovigen af,' reageerde hij vanzelfsprekend. 'Om de aflaat te verdienen hoef je alleen maar stipt de opgelegde werken uit te voeren, die zoals je weet bestaan uit aalmoezen, bezoek aan en gebeden in de vier basilieken op een en dezelfde dag, plus bezoek aan en gebeden in dertig kerken voor de Romeinen of vijftien kerken voor de buitenlanders, die het ongemak van de reis hebben. Maar pas op dat je Jezus niet wilt bedriegen! Zijne Heiligheid Innocentius XII heeft bepaald dat voor dit Jubeljaar de kerkelijke dag wordt gerekend van de vesper tot de vesper. Het is dus binnen die tijdspanne dat de bezoeken aan de basilieken moeten worden afgelegd: in noodgevallen kan het ook van middernacht tot middernacht, zoals voorheen gebruikelijk was; maar nooit van twaalf uur 's middags tot twaalf uur 's middags, zoals helaas veel Romeinen voor het gemak doen! Men kan ook niet te vroeg of te laat in de kerk komen: aanbidding voor de gesloten kerkdeur en zo besparen op de aalmoezen voor de priester geldt niet!'

Hij stond me weer te peilen, terwijl ik met mijn ogen naar de grond alleen maar het goede moment afwachtte om afscheid te nemen en weer mismoedig aan het werk te gaan met dezelfde twijfels als waarmee ik naar de kapel was getogen.

'Want, mijn zoon,' vervolgde hij onverwachts in een gefluister, ineens zijn didactische houding afleggend, 'als de Apostolische Kamer zich onuitsprekelijk verrijkt met de Heilige Jaren, moet je niet geloven dat er ook maar één scudo naar de arme pastoors gaat.'

Ik sloeg mijn ogen naar don Tibaldutio op en mijn blik, die de zijne kruiste, vroeg ten slotte wat mijn tong niet klip en klaar kon zeggen: wat was voor het aanschijn van de Allerhoogste de waarde van smeekbeden van gelovigen, dankzij de Jubeljaren die helaas voor duistere doeleinden van gewin waren opgelegd?

'Goed,' antwoordde hij tevreden op die stilzwijgende vraag.

Ik begreep het. Tot dan toe had don Tibaldutio zo geantwoord als ik had gevraagd: zonder helderheid. Hij gebaarde me hem te volgen naar de sacristie.

'God is barmhartig, jongen,' begon hij, terwijl we op weg gingen. 'Hij is zeker niet de strenge wraakgierige God over wie we lezen in het Oude Testament en waar de joden bij zijn blijven steken. Neem deze kleine regel: als men geen doodzonde maar alleen een pekelzonde begaat, is de biecht niet eens nodig om de Jubeljaaraflaat te krijgen; de akte van berouw in je hart is genoeg, oftewel de zogeheten biecht *in voto* waar ik je zo-even van sprak. Niet alleen dat: ook bij een doodzonde volstaan de opgelegde werken voor de Jubeljaaraflaat, mits die verricht worden in staat van genade, oftewel nadat men berouw heeft getoond en heeft gebiecht. Zou dat alles enige zin hebben als de Heer niet oneindig barmhartig was?'

Tja, bedacht ik, zoals in de parabel uit het evangelie over de arbeiders in de wijngaard: de laatst gekomenen kregen een volledig loon, alsof ze de hele dag hadden gewerkt. Betekende dat niet dat God ons weinige met het vele en ons niets met het geheel beloonde?

'De kerkbezoeken zijn moreel goed: ook iemand die ze in doodzonde verricht is op weg naar verzoening met God. En dat telt,' hervatte de kapelaan. 'Ik geef een voorbeeld. Als iemand een pekelzonde begaat terwijl hij de Jubeljaaraflaat krijgt, zal hij niet de aflaat voor die zonde krijgen, maar voor alle eerder begane andere zonden wel. Met name als iemand zich tijdens zijn kerkbezoeken ongeduldig betoont omdat hij in de menigte op zijn tenen wordt getrapt, of zich onheus uitlaat tegenover zijn buurman omdat die hem heeft aangestoten, en vervolgens weer tot bezinning gekomen zijn gebeden voortzet, wordt daarom het gebed of het kerkbezoek nog niet slecht. En evenzo moet het worden bezien als iemand tijdens het bidden in de kerk niet snel een lelijke gedachte verjoeg over een vrouw die naar hem keek; als hij dan weer tot bezinning komt, het beeld van de vrouw uitdrijft en zich niet meer laat afleiden, zal zijn gebed in alle opzichten goed en geldig zijn.'

We hadden intussen de sacristie bereikt, waar don Tibaldutio me liet plaatsnemen en zorgvuldig de deur achter me dichtdeed. Ik verwachtte zo dat hij me een wie weet wat voor grote, geheimzinnige waarheid ging onthullen.

'De God van de christenen, jongen, heeft voor onze redding Zijn enige Zoon geofferd,' zei hij uiteindelijk in alle openheid, 'de heilige Maagd en Moeder schonk de heilige Dominicus de rozenkrans om die te bidden voor het behoud van onze ziel; op dezelfde manier vervaardigde zij met haar heilige handen het Kleedje, oftewel de scapulier van de Karmel, waaraan ik mezelf gewijd heb; als we die dragen, kunnen we ervan op aan dat Onze-Lieve-Vrouwe *Regina Mundi* en met de sterren Bekroonde ons de eerste zaterdag na onze dood in het Vagevuur zal komen halen: denk je dat wij stervelingen dat allemaal verdienen? Welnee, jongen, de oneindige genade en barmhartigheid van God willen dat, zeker niet onze verdiensten door een weesgegroetje te zeggen of een extra stukje stof te dragen, dingen die op zichzelf niets opleveren; nog wel het minst het Eeuwige Leven. Onze-Lieve-Heer kent onze kleinheid en luiheid: daarom biedt hij ons het Paradijs op een gouden schotel aan, in ruil voor een minne koperen munt. In zijn oneindige Liefde voor ons, Zijn kinderen, is voor Hem onze kleine oefening van geloof en ons kleine gebaar van goede wil genoeg: wij zetten een kleine wankele stap naar Hem, en zie hoe de Barmhartige Vader ons tegemoetkomt en ons in Zijn armen neemt.'

Ik wachtte tot don Tibaldutio zijn rede zou voortzetten en bij de onthullingen zou komen die ik had verwacht. Maar hij was klaar. Hij deed de deur van de sacristie open en liep weer met me mee tot voor het beeld van de Madonna van de Karmel, waar hij me eerst had aangesproken. Hij gaf me een stilzwijgende zegening op mijn voorhoofd, liet me daar staan en liep kalm en zonder een woord te spreken weg.

Pas nu kwam de betekenis van de lering van de kapelaan voor mij aan het licht. De conclusie moest ik zelf trekken: de Goddelijke Barmhartigheid verleende zelfs de Jubeljaaraflaat aan iemand die een doodzonde had begaan; des te meer zou Hij dus het oor lenen aan onschuldige pelgrims, ook al waren ze door andermans zucht naar gewin naar de Heilige Stad gestuurd.

De waarheid die don Tibaldutio had onthuld was wel groot, zoals ik had verwacht, maar niet geheimzinnig: en ook zo bescheiden en simpel dat sommige verheven oren erdoor geërgerd konden raken. Het was derhalve verstandiger om die waarheid maar net te fluisteren, met de deuren potdicht.

Gerustgesteld en verzoend verliet ik de kapel. Ik wilde naar het theater gaan toen ik een echo van krijgshaftige, haastige voetstappen hoorde die juist dezelfde richting uit gingen.

'Hier, maestro, deze kant uit, komt u maar.'

Het was don Paschatio, helemaal buiten adem, die de weg wees aan een lange, magere persoon in het zwart met een lok peper-en-zoutkleurig haar die artistiek over zijn voorhoofd viel, waaronder in een ernstig, schuw gezicht twee fonkelende ogen flitsten. Het tweetal werd gevolgd door een muzikant (ik herkende hem als zodanig omdat hij net zo was gekleed als alle andere orkestleden) die twee vioolkisten droeg en onder zijn arm een flinke map waarvan te raden viel dat die vol vellen met partituren en allerlei muziek zat.

Ik volgde hen een stukje, totdat we bij het theater kwamen. Daar was men al klaar met het opstellen van de muzikanten, en toen kwam de verrassing: het was geen orkest, het was een zee van mensen. In totaal, schatte ik, meer dan honderd. Ze waren bezig hun instrumenten te stemmen, maar vielen plotseling stil toen don Paschatio en de twee mij onbekende mannen het ruime amfitheater betraden. De in het zwart geklede man verspreidde een ontastbaar gevoel van toegewijde eerbied om zich heen, en misschien wel ontzag.

Ik zag met genoegen dat ook de ruimte voor de spelers en de banken voor het publiek, van fraai geschaafd, opgepoetst hout, op tijd klaar waren. Er waren nu nog maar twee timmerlieden die hamertikjes gaven op een slecht geïnstalleerde houten vloer; ze verdwenen op een streng teken van don Paschatio, toen de langste van de twee onbekenden midden in het orkest op de bok stapte.

En toen begreep ik het: hij was de beroemde Arcangelo Corelli, de befaamde componist en violist over wie de afgelopen dagen al het gerucht ging dat hij aan de festiviteiten zou deelnemen.

Tot voor een jaar terug had ik nog nooit van hem gehoord, afgezonderd van de wereld als ik was in de dagelijkse gang van villa Spada naar mijn akkertje, en vandaar naar de echtelijke woning. Het was een cantor van de Sixtijnse Kapel die me, toen hij druiven kwam kopen, voor het eerst gesproken had van de 'grote Corelli'. En nu was me door don Paschatio verteld dat hij niet zomaar een groot musicus was, maar de nieuwe Orpheus van onze tijd, wiens glorie zich inmiddels over half Europa uitstrekte en hem op een dag onsterfelijk zou maken.

Ik kreeg echter nauwelijks de tijd om die recente herinneringen op te halen: Corelli had zijn viool aan laten geven en twee keer met de strijkstok op de lessenaar getikt.

Als een soldateske horde namen de orkestleden eveneens de strijkstok ter hand en richtten hem identiek, als een door talloze spiegels weerspiegeld beeld, in dezelfde hoek, dezelfde richting en stand, op de snaren van hun instrument: de violen allemaal op dezelfde manier, zo ook de altviolen en de basviolen. Even heerste nog soeverein de stilte.

'Hij verlangt niet alleen dat ze als één man klinken, maar dat ook lijken. Zelfs vandaag, nu het alleen maar een repetitie is,' fluisterde don Paschatio, terwijl hij naast mij ging zitten.

Uit zijn stem ving ik het drieledige gevoel van opgewonden nieuwsgierigheid op voor maestro Corelli's uitvoering, van tevredenheid om het voorrecht dat hij voor zijn gastheer mocht spelen, en van vreselijke uitputting door het gewicht van zijn taak.

'Hij heeft wel een moeilijk karakter,' hervatte don Paschatio. 'Hij doet nooit een mond open, kijkt altijd maar voor zich uit, denkt alleen aan de muziek. Al het andere interesseert hem niet. Hij onderhandelt met de opdrachtgevers via de muzikant die je samen met ons hebt zien aankomen. Dat is zijn favoriete leerling en men zegt dat hij ook zijn... enfin, maestro Corelli vertoont zich alleen met hem en nooit met een vrouw.'

Op dat moment snoerde de muziek ons de mond. Als door een onzichtbare, bovenaardse kracht bewogen, en niet alleen door Corelli's startgebaar, begonnen de musici in volmaakt goddelijk unisono een door hun maestro gecomponeerd concert. Tot mijn grote verbazing herkende ik algauw een folía.

Opnieuw werd ik door dat eenvoudige, bijna elementaire motief verrast toen het me zijn tweede natuur toonde: soepel, verleidelijk en subtiel. Het was als een schone, weelderige boerin, onbekend met de wereld, maar ervaren in de ziel van de mens, die het verlangen van de rijke heer veel meer voedt dan zijn eega met al haar geld en eisen. Zo stak de folía in elkaar: eenvoudig en tot alles in staat. Acht heldere, evenwichtige maten, van re mineur tot fa majeur (maar dat zou ik pas veel later leren), en dan weer terug naar re mineur. Een op het eerste gezicht onschuldig, bijna te bescheiden motiefje, in staat om de meest ongehoorde, weelderige fantasieën te ontketenen.

In het begin lijkt iedere folía, dochter van het volk, haast te elementair: van re naar fa, van fa naar re. Zo was ook die van Corelli: in de korte boog van die dubbele modulatie van acht maten werd de melodie eerst door eenvoudige akkoorden aangegeven. Vervolgens ging variatie na variatie het mechanisme van start. Aanvankelijk verdubbelden de begeleidingsakkoorden zich. Daarna, in de tweede variatie, losten ze op in triolen, op zijn Frans geritmeerd. In de derde losten ze op in arpeggio's, in de vierde werden ze in toonladders verdeeld, in de vijfde in tremolo's, en zo steeds ingewikkelder met schertsende versieringen, majestueuze contrapunten, fiere staccato's, klaaglijke legato's en talloze kunstgrepen ter verfraaiing, die de luisteraar uiteindelijk deden duizelen. Af en toe liet een langzame variatie, waarin het motief onverwacht weer kwijnend en traag werd opgepakt, luisteraars en spelers weer op adem komen.

Variatie na variatie was de onbestemde nevel van het beginthema inmiddels opgetrokken. Een heel landschap dat eerst tussen de weinige noten van het beginmotief verborgen was, gaf zich nu aan de luisteraar bloot. Het was alsof eindelijk de betekenis van het thema zelf, de betekenis van de folía duidelijk werd: een reis die niet van de ene naar de andere tonaliteit, niet van re naar fa en vice versa, maar van de ene wereld naar de andere liep. En welke werelden waren dat, als het niet die van de Gezondheid en die van de Zotheid waren? Het was nodig van de ene naar de andere te gaan, opdat beide in hun wederzijdse verlichting betekenis kregen. Van re naar fa, van fa naar re: geen melodie kan het hart en het verstand veroveren zonder de eeuwige stroom van de ene tonaliteit naar de andere. En voor niemand, leek die muziek te suggereren, zal er ooit wijsheid zijn zonder de heilige pelgrimage naar de Zotheid.

Maestro Corelli speelde de eerste-vioolpartij; om het symfonische geheel te leiden beperkte hij zich tot korte, gedecideerde knikjes met zijn hoofd, als een oude ruiter voor wie een beweging van de hak of heup volstaat om zijn geliefde rijpaard te sturen. Hij leek te zeggen: 'Stop nu maar en luister, je zult niet met lege handen blijven. Ik weet wat je zoekt.'

Doorschijnend, alsof de noten het commentaar wilden worden op mijn gedachten (terwijl natuurlijk het omgekeerde gebeurt), zag ik achter die muziek al het bitterzoete van het verleden, van het gebeurde, het gewenste en nooit uitgekomene, van de zeventien jaren die tussen Atto en mij hadden gelegen, van de onderwijzingen over diplomatie en bestuur die ik van hem had gekregen; leringen die zich, door toedoen van de schilder-tovenaar die hij tijdens ons bezoek aan Het Schip had opgeroepen om het gelaat van de Connétablesse als meisje te vereeuwigen, nu voorgoed in mij hadden vastgezet...

Misschien zelf door de kracht van zijn schepping meegesleept dirigeerde Corelli niet meer. Hij speelde volledig geconcentreerd op zijn viool, de strijkstok streelde de derde en toen de eerste snaar met een suaviteit die bijna aan nonchalance grensde, alsof hij alleen voor eigen oren aan het spelen was. Maar het was geen eigenliefde. Het orkest volgde hem blindelings, pijlsnelle, slinkse blikken op zijn leider werpend, minuscule roeislagen die het schip van de folía in voortreffelijk en volmaakt evenwicht hielden in de overgang van een rustige episode naar een iets levendiger intermezzo, en dan weer naar het langzame tempo. De orkestleden speelden werkelijk allemaal als één instrument, bedacht ik. Maar ook zij en Corelli vormden één enkel ding, en dat was Corelli.

En mijn gedachten gingen terug: naar het eerste avontuur dat ik met Atto had beleefd, zijn (theoretische) moraallessen, de geweldige maar vergeten muziek van *seigneur* Luigi Rossi waarmee hij me had laten kennismaken...

Kijk: terwijl de noten die ik beluisterde de warme deken van herinneringen over mijn hoofd en schouders uitspreidden en zich de zilverige schaduwen van het verleden over me heen legden, leek het haast of de ultieme, ware betekenis van mijn aanwezigheid daar op dat tijdstip uit de barmhartige handen van Euterpe in mijn schoot gleed; even werd mijn gezicht beroerd door de geur van de witte waterkers in een naburig bloemperk, en ik onderscheidde vaag het einddoel waar dat schip van geluiden naar streefde: na zeventien jaar riep het lot mij, een man en geen jongen meer, aan Atto's zijde, voor een nieuw bewijs van moed, een hernieuwde beproeving van hart en hoofd, een zware en zoete reis, aan het einde waarvan mij wederom deugd en kennis zouden wachten. Wat ik pas later zou herkennen als echt en onecht tegelijk, omdat het veroorzaakt was door die woorden en ideeënloze filosofie die spreekt bij monde van fluiten en cymbalen, en die de spot met ons drijft.

De noten stierven weg in de zoete omhelzing van het slotakkoord toen een stem de bedrieglijke schaduwen die ik in me had ondergebracht wegvaagde:

'Lieve hemel, waar was je nou?'

Mijn Cloridia had me gevonden. Ze las op mijn gezicht de sporen van de avontuurlijke nacht en ondervroeg me met een stilzwijgende, bezorgde blik. Ik beduidde haar weg te gaan uit het amfitheater en trok haar naar de rietkraag die aan de noordkant het groene deel van de tuin begrensde, meteen voor de ommuring. Het was een nodeloze list, want heel Villa Spada was nu meer dan ooit ten prooi aan opwinding en zelfs onze beuk was niet meer buiten het bereik van indiscrete oren. Ik vertelde haar in het kort wat er de afgelopen nacht was gepasseerd.

'Jullie zijn allemaal gek: Sfasciamonti, Melani en jij,' zei ze met een stem die zweefde tussen verdriet, verwijt en opluchting omdat ze me weer heelhuids had aangetroffen. Ze omhelsde me stevig en we bleven elkaar een paar minuten vasthouden. Ik rook de geur van haar huid die zich mengde met de wilde lucht van de rietkraag en hoopte uit alle macht dat ik niet meer naar mest stonk.

'Ik heb maar weinig tijd. Prinses Di Forano wil me constant bij zich hebben. Ze heeft voortdurend flauwtes, pijnaanvalletjes, verhoging die komt en gaat. Enfin, ze knijpt hem voor de bevalling, al wordt dit het vierde kind dat ze aflevert.'

'Maar hoe heeft haar man kunnen goedvinden dat ze meeging naar Villa Spada, terwijl hij weet dat de geboorte aanstaande is?'

'Dat weet hij niet, hij denkt dat ze in de zesde maand is...' knipoogde Cloridia en ze zette een lieftallig, uitgeslapen gezicht op dat boekdelen sprak. 'Zij wil de bruiloft hoe dan ook meemaken, de bruid is een goede vriendin van haar; ik heb haar niet kunnen overhalen om naar huis te gaan. Laten we hier gaan zitten en luister goed, ik moet opschieten.'

We zetten ons neer achter een rij rietpluimen, waar we een paar mussen verstoorden die geërgerd opvlogen.

Cloridia had kans gezien, zoals ze had beloofd, om interessante informatie te bemachtigen. Een paar weken terug had ze bij een dienstbode van de Spaanse ambassadeur een zware bevalling meegemaakt. De jonge vrouw was haar zeer dankbaar, want dankzij haar bemoeienissen was het meisje (Natalia geheten), dat zich met haar voetjes in plaats van met haar hoofdje bij de uitgang van de baarmoeder had aangediend, er door Cloridia heel behendig uit getrokken: doordat mijn vrouw met haar dunne vingers in het geboortekanaal wist te komen en de beroemde greep 'van Siegemundin' uitvoerde, waarin mijn vrouw zeer bedreven is, had ze het kleintje in de moederbuik omgedraaid en het zonder gevaar bij haar hoofdje eruit getrokken. De jonge moeder, die eerder twee miskramen had gehad, was uit dankbaarheid een vriendschapsband met Cloridia gegaan.

'Ik heb haar verteld wat abt Melani en de boekbinder is overkomen. Om haar aan de praat te krijgen heb ik gezegd dat de Spanjaarden er misschien mee te maken hebben en dat het dus heel belangrijk was mij ieder eigenaardig detail te vertellen dat ze gezien of gehoord had. Ze zei: Jezus, vrouw Cloridia, bid maar veel voor uw man en uw baas, kardinaal Spada!'

'Hoezo dat?'

Een licht aandringen van Cloridia was voldoende geweest om het meisje haar verhaal te laten doen. Toen ze een beetje per ongeluk (maar ook een beetje expres) luistervinkje had gespeeld achter de deur van de ambassadeur, hertog d'Uzeda, had het dienstertje vernomen dat er in Rome politieke manoeuvres aan de gang waren waarin de toekomst van Spanje en de wereld zouden worden bepaald.

'Precies zoals ik heb gelezen in de brieven van de Connétablesse Colonna,' zei ik.

'Goed van je dat je in die papieren hebt gesnuffeld. Ik ben trots op je. Abt Melani verdient het ook. Hij steelt andermans papieren zowaar, zo doet hij het; al komen ze hem dan ook duur te staan,' giechelde Cloridia, zinspelend op de memorie die Melani van mij had laten stelen en toen voor klinkende munt had gekocht.

Als ze het over Atto had, was Cloridia nooit teergevoelig. Ze vertrouwde hem niet (en kon ik haar ongelijk geven?) en dacht het ergst mogelijke van hem. Maar vooral verdroeg mijn vrouw de gedachte niet dat Atto zo gemakkelijk zonder haar kon. Al wist de abt haar op een steenworp afstand, hij had me nooit gevraagd haar te mogen ontmoeten of haar bij onze lotgevallen te betrekken, al was het maar om een mening of een kleine inlichting. En bij Cloridia ging het idee er niet in dat men zonder haar waardevolle vermaningen kon zonder daardoor de ondergang tegemoet te gaan.

Sinds ze terug was, was ze hem nog niet gedag gaan zeggen en ik wist zeker dat ze, als ze Atto's silhouet in de tuinen van Villa Spada had gezien, een andere kant uit was gegaan om hem niet tegen te hoeven komen. Omgekeerd, dat wist ik zeker, gebeurde hetzelfde. Enfin, de twee, mijn vrouw en abt Melani, betaalden elkaar weer met gelijke munt.

'Wat heb je nog meer gehoord?' hervatte ik.

'Mijn dienstertje heeft eveneens aangestipt, wel heel snel, dat de katholieke koning erg ziek is en spoedig kan komen te overlijden, maar hij heeft geen erfgenamen en daarom zou men de paus om hulp hebben gevraagd. Iedereen op de ambassade is in deze periode ontzettend bang van spionage te worden verdacht. Maar zij heeft me verteld dat ze van andere vriendinnen een gerucht heeft gehoord dat onder Spanjaarden in Rome de ronde doet.'

'Wat dan?'

'Dat nu de Tetràchion in Spanje zal komen.'

'Tetràchion? Wat is dat dan wel?'

'Dat weet zij ook niet goed. Ze zegt alleen dat het de rechtmatige erfgenaam van Spanje is.'

'De rechtmatige erfgenaam van Spanje?'

'Zo zei ze het. Ze vroeg of ik er iets van wist. Maar ik hoor er van haar voor het eerst over. En jij?'

'Nooit van gehoord; ook de Connétablesse heeft het er niet over. Maar wat heeft de Tetràchion te maken met de messteek van abt Melani en de dood van de boekbinder?'

'Ik heb geen idee. Zoals ik je al zei, om haar aan de praat te krijgen heb ik mijn dienstertje voorgespiegeld dat de Spanjaarden in dit verhaal passen. Zo heeft zij me meegedeeld dat de komst van de Tetràchion volgens de geruchten ongeluk zal brengen: wat Melani en de boekbinder is overkomen, is volgens haar een van de beginsignalen.'

'Denk je dat je nog meer van haar te horen zult krijgen?'

'Vast niet, gezien haar angst. Maar je weet hoe de tamtam onder personeel werkt. Eenmaal begonnen gaat het vanzelf. Ik zou niet uitsluiten dat ik over een tijdje weer spontaan informatie over die Tetràchion krijg. Kijk intussen uit, alsjeblieft. Je kunt niet altijd zo'n geluk hebben als vannacht.'

'Je weet dat ik het voor ons tweeën doe,' zei ik ernstig, zinspelend op de rijkelijke beloning die Atto me had verstrekt om de memorie van zijn verblijf in Rome op te tekenen.

'Zorg dan dat jij en ik aan het eind van deze geschiedenis nog met ons tweeën zijn. Het weduwschap is niet leuk. En vergis je niet: hij heeft je betaald om te schrijven, niet om erop uit te gaan om zijn gestolen papieren terug te vinden.'

'Vergeet niet dat ze me hebben bedwelmd en ons huisje zijn binnengedrongen. Ik moet voorkomen dat dat opnieuw gebeurt,' trachtte ik me te verweren.

'Dat gebeurt wel als je in gezelschap van Melani blijft. Denk aan het vijfde artikel: wie geld heeft, die wint.'

Ze had gelijk. Met dat gekscherende spreekwoord had Cloridia alles gezegd. Het was niet nodig dat ik Atto in al zijn bewegingen volgde. Ik was al betaald; hij moest dus maar achter mij aan als hij mijn diensten wilde. De vorige nacht had ik hem niet alleen gevolgd, ik was er zelfs in zijn plaats op uitgegaan en had mijn leven in de waagschaal gesteld.

Wat zou er van mijn gezin worden als ik dood was? Cloridia kon de meiskes niet alleen grootbrengen. Nee, zelfs de controle die ik op Atto wilde uitoefenen ten gunste van mijn broodheer, kardinaal Spada, verdiende niet dat ik zoveel riskeerde.

❧

'Je hebt me in angst laten zitten, jongen, geloof me.'

De rol van goede pater familias lag abt Melani niet. Hij zat in de fauteuil en wreef zijn arm. Net na het gesprek met Cloridia had hij me laten opsporen en roepen door Buvat. Het appartement was weer aan kant.

'Ik heb al met Sfasciamonti gesproken,' ging hij verder, 'hij heeft me alles verteld. Je was buitengewoon dapper.'

Ik zweeg een paar seconden. Toen barstte ik los:

'O, is dat alles?' zei ik luid.

'Pardon?'

'Ik zei: is dat alles wat u me te zeggen hebt? Nadat ik mijn leven in de waagschaal heb gesteld voor uw zaakjes? Je was buitengewoon dapper! En daarmee is de kous zeker af?' vervolgde ik bijna schreeuwend.

Hij stond met een ruk op en probeerde een hand op mijn mond te leggen:

'Vervloekt, wat hebt jij ineens? Ze zouden je kunnen horen...'

'Behandel me dan niet als een idioot. Ik ben nu huisvader. Ik ben niet van plan om voor wat centen mijn leven te riskeren!'

Atto draaide ongerust om me heen: mijn stem bleef door de kamer galmen, en kon erbuiten gehoord worden.

'Wat centen? Dat is ondankbaarheid. Ik dacht dat je tevreden was met onze overeenkomst.'

'Die overeenkomst voorzag niet mijn dood!' antwoordde ik weer luidkeels.

'Goed, goed, maar praat nu wat zachter, alsjeblieft,' zei hij op een toon van overgave. 'Voor alles is een oplossing.'

Hij ging zitten en beduidde me plaats te nemen in de leunstoel tegenover de zijne, me zo als het ware de status toekennend van een even sterke krijger die eindelijk aan tafel mag zitten voor de onderhandelingen.

Zo gebeurde het dat ik na Atto's appartement te zijn binnengegaan om me aan zijn juk te onttrekken, met het omgekeerde resultaat weer naar buiten kwam. Zoals meestal wanneer het over geldzaken ging, en vooral wanneer hij moest dokken, was hij kort van stof, ter zake, duidelijk en met een spoor van beteugelde bitterheid in zijn stem. De voorwaarden van de nieuwe overeenkomst waren als volgt: bij de uitvoering van Atto's aanwijzingen of bij het behartigen van zijn belangen of ten slotte bij het vervullen van alle nodige operaties voor het schrijven van de memorie waarvoor hij me vooruit had betaald, zou ik al het mogelijke moeten doen, maar zonder ooit gedwongen te zijn me bloot te stellen aan doodsgevaar of uitzonderlijke situaties. Die verplichting liep uiteraard af bij Atto's vertrek uit Villa Spada of op een ander eerder moment dat op grond van zijn definitieve oordeel zou worden vastgesteld. De tweeslachtige, ingewikkelde omschrijving betekende kortom dat ik met nog meer inzet in dienst van abt Melani de mouwen zou moeten opstropen, zo nodig ook in hachelijke situaties, mogelijkerwijs zonder het loodje te leggen: de term 'mogelijkerwijs' woog als een steen op mijn schouders. De tegenprestatie was echter, Atto wist dat, niet gering:

'Niet alleen geld: huizen. Bezittingen. Landerijen. Boerderijen. Ik zal je dochters een bruidsschat geven. Een rijke bruidsschat. En als ik zeg rijk, overdrijf ik niet. Over een paar jaar zullen ze huwbaar zijn. Ik wil niet dat ze in de problemen komen,' zei hij met een ruimhartigheid die ik hem evenwel had afgedwongen. 'Ik heb diverse bezittingen in het groothertogdom Toscane: allemaal waardevolle zaken met uitstekende opbrengsten. Na afloop van het feest van je baas gaan we samen naar een notaris om de overdracht van enkele bezittingen zwart op wit te zetten – of wellicht van de opbrengsten, we zien wel wat het handigst is. Jij hoeft niets te doen: je twee meiskes krijgen de bruidsschat meteen op hun naam en ik hoop dat dat genoeg zal zijn om een goede man te vinden. Ook al dient daarbij, dat weet je, vooral de hulp des Heeren.'

Hij liet me opstaan en omhelsde me vurig, alsof hij wie weet welk broederlijk sentiment wilde bezegelen.

Ik liet hem begaan. Ik was te druk bezig om bij mezelf de gevolgen van die overeenkomst te wegen: ik kon mijn meisjes, dochters van een bescheiden werkman en een vroedvrouw, een zekere en waardige, zelfs welgestelde toekomst garanderen. Ik was er haastig op ingegaan uit gebrek aan voorbereiding en uit angst een unieke kans mis te lopen. Talloze onvoorspelbaarheden streken neer op de lijn die hart en hoofd met elkaar verbindt en krasten me hun twijfels toe: en als ik nu vroeg of laat zonder geld kwam te zitten? En als iets (ziekte, dood, een onverhoeds vertrek) Atto in de weg stond om zijn verplichtingen na te komen? En, bovenal, als hij me bedroog? In die laatste mogelijkheid geloofde ik alleen niet zo: als hij me wilde flessen, zou hij ook niet vooraf voor het opstellen van de memorie hebben betaald, zoals hij had gedaan, en dan ook nog in klinkende munt. In ieder geval vroeg ik hem maar:

'Neemt u me niet kwalijk, signor Atto... maar zou het niet redelijk zijn om nu iets zwart op wit te zetten?'

Hij liet zijn polsen van de armleuningen vallen, alsof hij uitgeput was door een titaneninspanning:

'Arme jongen, je bent nog zo naïef. Als ik je wilde flessen, denk je dan dat een dergelijk contract je zou helpen om je gelijk te halen bij een rechtbank, en wellicht om je krediet te krijgen?'

'Nou ja, ik...' aarzelde ik, onbekend als ik was met juridische kwesties.

'Kom nu toch, jongen!' striemde Melani. 'Leer te leven en te denken als een man van de wereld! En leer de mensen met wie je omgaat in de ogen te kijken, want door je intuïtie ontstaat je succes of je puinhoop. Anders blijft iedere zaak een raadsel voor je, en ieder contract een duistere brij.'

Hij zweeg veelbetekenend, balancerend tussen verontwaardiging over mijn voorstel om een contract op te stellen, en medelijden met mijn geringe ervaring in wereldse zaken.

'Maar,' vervolgde hij, 'ik begrijp je wel.'

Hij pakte pen en papier en zette de zojuist gedane belofte op schrift.

Hij reikte het aan. Melani verplichtte zich ertoe om op naam van mijn dochters een bruidsschat te zetten met opbrengsten of bezittingen die voor een notaris uit Rome nog bepaald zouden worden, maar die hij zich vanaf nu verplichtte ruimschoots te garanderen.

'Zo goed?' vroeg hij kortaf.

'Ja, lijkt me wel; signor Atto, ik moet u bedanken...'

'Alsjeblieft,' weerde hij met zijn hand af en hij sneed meteen iets anders aan. 'Waar had ik het over? O ja, Sfasciamonti heeft me uitentreuren alle feiten van gisteren beschreven. Eén vraag: wat heeft die cerretaan op dat terras precies tegen je gezegd?'

'Iets als vergelovigen... nee, nu weet ik het weer, hij zei vergeverlovergen,' antwoordde ik, mijn geheugen pijnigend.

'Je was echt heel dapper.'

'Dank u, signor Atto. Jammer dat mijn dapperheid, zoals u zegt, niets heeft opgeleverd.'

'Wat bedoel je?'

'We hebben alleen maar een krakkemikkige macroscoop. Geen kijker, geen relikwie, geen papieren.'

'Niets, zeg je? Nu weten we van de Duitser.'

'Nou, van hem weten we eigenlijk niets, niet eens of hij wel bestaat,' wierp ik tegen.

'O, jullie hebben niet voor niets gewerkt. Ik ben het met Sfasciamonti eens, we hebben een belangrijk spoor. Er is iemand in Rome, deze Duitser, die optische instrumenten en relikwieën verzamelt. Niet alleen dat: hij staat in contact met de cerretanen. Nu weten we wie we moeten zoeken. De kwestie van de geheimtaal van de cerretanen maakt me uiteindelijk niets uit. Als we die niet kunnen ontcijferen, dan zullen we ze dwingen de onze te spreken, ha ha!'

Zelden zag je Atto zo vol blind vertrouwen. Ik kreeg het vermoeden dat al dat optimisme vooral diende om mij te kalmeren en mijn diensten niet kwijt te raken.

'Sfasciamonti zegt dat niemand weet waar hij zit,' wierp ik tegen.

'Die mensen uit de onderwereld zijn altijd op te sporen. Misschien moet je gewoon de juiste naam weten. Maar Duitser is alleen maar een bijnaam,' antwoordde hij.

Die opmerking bracht me op de merkwaardige naam die Cloridia had genoemd en die volgens haar nuttig voor Atto kon zijn.

'Signor Atto, hebt u ooit gehoord van de Tetràchion?'

Op dat moment werd er geklopt. Het was Sfasciamonti, die haastig binnenkwam zonder antwoord af te wachten. Zijn gezicht droeg eveneens de sporen van de slapeloze, veelbewogen nacht.

'Ik heb nieuws. Ik ben in het paleis van de gouverneur geweest,' begon hij. 'Niemand weet iets van de kijker. Maar ik heb nieuws over de macrosloop.'

Sfasciamonti had het restant van het optische instrument aan een paar van zijn collega's laten zien, die snel een diefstal van een paar dagen terug hadden opgespoord. Het instrument behoorde toe aan een geleerde Hollander die was beroofd van alle bezittingen die hij in zijn kamer in een logement bij de Piazza di Spagna had achtergelaten.

'Ook daar hebben ze de deur met een sleutel geopend. Geen braak. Geen idee van de schuldige.'

'Interessant,' merkte Atto op, 'dat is de lievelingstechniek van onze dief.'

'Vandaag is het huwelijk,' vervolgde de smeris, 'ik zal er niet op uit kunnen. We moeten de avond afwachten: ik wil een paar arme drommels wat vragen stellen. We zien elkaar vanavond na het huwelijksbanket. Jij gaat met me mee, jongen.'

Ik keek Atto weifelend aan.

'Nee,' zei hij, aanvoelend dat ik enige reserves koesterde om nieuwe risico's te lopen, 'de zaak gaat ondergetekende aan. Dus... ik ga ook mee.'

Ik werd overrompeld: eigenlijk wilde Cloridia dat ik ophield er 's nachts op uit te trekken voor Melani. Atto had Sfasciamonti aangeboden mee te gaan; maar in mijn gezelschap! En als een oudje zoals hij zich inzette, zei ik met een zweem van gêne bij mezelf, waarom kon ik dat dan ook niet?

De smeris legde ons het doel uit.

'Zeer, zeer interessant,' luidde Atto's commentaar ten slotte.

'Wie heeft je dat gezegd? Hè? Zeg op! Van wie heb je dat gehoord?'

Zodra we alleen waren, brak de agressie uit. Hij greep me bij mijn kraag en smakte me tegen de muur. Atto had de bescheiden kracht van een oud mannetje, maar de verrassing waarmee ik was aangevallen en het respect dat ik op de een of andere manier voor hem voelde, en waardoor ik aarzelde, als ook de vermoeidheid van de afgelopen nacht, verhinderden me om hem fatsoenlijk af te weren.

'Zeg op!' schreeuwde hij me een laatste keer in het gezicht. Vervolgens keek hij vanuit zijn ooghoeken achterom naar de deur van de kamer in de vrees dat iemand hem had gehoord. Hij verslapte zijn greep, terwijl ik, die alleen maar had gereageerd door zijn bijna skeletachtige polsen beet te pakken om niet te stikken, me nu zelf losmaakte.

'Wat hebt u ineens?' protesteerde ik.

'Je moet zeggen wie je over de Tetràchion heeft verteld,' zei hij met gedecideerde, ijzige stem, alsof hij een privé-eigendom terugeiste.

Ik vertelde hem dus dat een dienstbode van de ambassadeur het incident met Atto en de dood van de boekbinder vaag in verband had gebracht met de komst van de mysterieuze Tetràchion, die niemand minder dan de wettige erfgenaam van Spanje zou zijn.

Toen ik verwees naar de ziekte van de katholieke koning en naar het feit dat hij kinderloos op sterven lag, moest ik behoorlijk mijn best doen om me niet te laten ontglippen dat ik daar allemaal achter was gekomen door in Maria's brieven te gluren.

'Goed, goed, ik zie dat je de essentie rond de Spaanse troonopvolging kent. Klaarblijkelijk ben je begonnen couranten te lezen,' commentarieerde hij.

'Ehm, ja, signor Atto. Mijn vrouw hoopt in ieder geval de komende dagen meer details te kunnen krijgen,' besloot ik in de hoop dat hij bedaard was.

'Dat geloof ik best. Je denkt toch niet dat je er zo van af komt, hè?' zei hij scherp.

Ik kon het niet geloven. Na alles wat ik voor hem had gedaan, behandelde Atto me als de smerigste verrader.

'Enfin,' kwam ik eindelijk in opstand, 'wie of wat is die Tetràchion, verdraaid nog aan toe?'

'Dat is het probleem niet.'

'Wat dan wel?'

'Het probleem is waar hij is.'

Hij deed de deur open en liep naar buiten, terwijl hij me gebaarde hem te volgen.

'Het kon zo niet eindeloos doorgaan,' begon hij.

Te midden van een chaotische, verhitte horde handwerkslieden, naaisters, loopjongens en lakeien waren we op weg naar de uitgang van Villa Spada.

Hij had besloten mijn vragen te beantwoorden met feiten, door op weg te gaan met onbekende bestemming; maar ook met woorden, door de draad van het verhaal dat de vorige dag was onderbroken weer op te pakken.

Naarmate de koning man werd, vertelde Atto, werd Mazarins positie met de dag gevoeliger. Hij wist dat hij zijn vorst niet eeuwig in een staat van gelukzalige, mistige onwetendheid rond de staatszaken en het leven zou kunnen houden. Welke plaats zou de kardinaal bij een jonge, krachtige, volledig functionerende monarch bekleden nadat hij absoluut de baas was geweest? Mazarin dacht er veelvuldig en gespannen over na tijdens zijn lange reizen per koets, wanneer hij verstrooid de smekelingen ontving, gedurende elk afzonderlijk moment dat het werk hem toestond en ten slotte op bed, in afwachting van de slaap, wanneer de nijpendste gedachten hun laatste, dolle dans uitvoeren. Ondanks de klachten van de koningin-moeder tegen Maria stak hij geen vinger uit om de jonge koning van zijn nichtje te scheiden...

'De koning zag en registreerde, en vatte dit zwijgen als goedkeuring op. En reken maar: de kardinaal wenste zijn nichtje bepaald niet vernederd te zien in de rol van maîtresse als Lodewijk was getrouwd!'

'Enfin, Lodewijk maakte zichzelf wijs dat de kardinaal zou toelaten dat hij met haar trouwde,' veronderstelde hij. 'Het was meer dan een illusie. Eén keer ging de koning zelfs zo ver om Maria tegenover derden "mijn koningin!" te noemen. Heel het hof, de koningin-moeder voorop, riep schande. Maar van de koningin van Engeland kreeg Lodewijk als reactie een schitterend parelcollier dat deel uitmaakte van de Engelse koninklijke schatkist: het zou haar verlovingsgeschenk voor Maria zijn. En was het ook niet zo dat Mazarin een jaar later van de kant van de Engelse koning Karel II Stuart het verzoek om de hand van Ortensia bereikte, de jongere zus van Maria? De onderhandelingen liepen vervolgens spaak, maar alleen omdat de Britse vorst samen met de bruidsschat in geld ook het leengoed Duinkerken wilde, waar Mazarin niet voor voelde. Lodewijks verwachtingen waren dus niet helemaal uit de lucht gegrepen.'

Intussen wordt aan het hof elke zucht van het stel bespioneerd en aan Anna van Oostenrijk doorgebriefd. Een venijnige grap van Maria, een zin te veel of een vrij spontane lach van haar veranderen in de kwaadsprekerij van de hovelingen meteen in een gril en een brutaliteit waarvan ze luid schande kunnen spreken. Een vluchtige blik van de jonge koning op een hofdame is echter voldoende om de hovelingen meteen tegen la Mancini te laten juichen.

Weldra wordt er een reis georganiseerd: iedereen gaat naar Lyon om een meisje aan de koning voor te stellen, Margaretha van Savoye, een mogelijke kandidate voor Lodewijks hand. Hij gehoorzaamt. Maar hij neemt Maria mee en gaat ieder contact met de koningin-moeder zorgvuldig uit de weg.

Tijdens de reis treedt de koning iedere avond op in een ballet in plaats van aan te zitten aan het diner, nadat hij een overvloedig vieruurtje heeft genoten, zodat hij niet met zijn moeder hoeft te dineren. Vervolgens speelt hij een partijtje kaart met Maria.

We waren intussen Villa Spada uit, merkte ik, en op weg naar de Sint-Pancratiuspoort.

Bij de ontmoeting met Margaretha van Savoye, ging Atto verder, is Lodewijk zo kil als een ledenpop. Hij heeft alleen oog en oor voor Maria. Ze zijn onafscheidelijk. Tijdens de etappes volgt hij aanvankelijk haar koets te paard, vervolgens speelt hij haar koetsier; ten slotte neemt hij de gewoonte aan als passagier in te stappen. In de maanbeschenen nachten ijsbeert Lodewijk tot laat voor de ramen van Mazarins nichtje. Als hij een komedie gaat bijwonen, wil hij haar naast zich op een speciaal ingerichte tribune. De mensen die hem op zijn wandelingen begeleiden zijn het inmiddels gewend achter te blijven en het verliefde paar alleen te laten, op flink wat meters afstand, om hen niet te storen. Aan het hof gaat het inmiddels nergens anders meer over. De kardinaal en de koningin-moeder doen er echter het zwijgen toe en laten hen begaan.

Heel het hof is verbijsterd door het oneerbiedige gedrag van de jonge koning. De onderhandelingen lopen snel op niets uit, de arme Margaretha huilt om het echec.

Dan de verrassing: er komt een geheime gezant uit Madrid. De Spaanse koning biedt Lodewijk de hand van zijn dochter, Maria Theresia, de infantea van Spanje, aan.

'Het lijkt wel of u van die dagen een dagboek hebt bijgehouden,' zei ik, mijn nieuwsgierigheid verbergend, want ik kende Atto's neiging om informatie te verzamelen en er dan een ander, onvoorspelbaar gebruik van te maken.

'Wat nou dagboek,' repliceerde hij geërgerd, 'ik was in het gevolg van kardinaal Mazarin op een officiële diplomatieke missie die de vrede van de Pyreneeën met Spanje moest sluiten; ik registreerde met mijn ogen en verstand ieder detail, dat is al. Dat hoorde bij mijn taak.'

Als het hof in februari 1659 weer van Lyon terug is in Parijs, acht Lodewijk het gepast de mislukking van de ontmoeting met Margaretha van Savoye te vieren.

'Op het feest kon je kleding *echancré* zien volgens de mode van de boeren uit Bressannes, een stadje dat de koninklijke stoet had doorkruist op weg naar Lyon, met *manchettes* en *collerettes en toile écrue, à la verité un peu plus fine*,' etaleerde Atto met een verzaligd, schalks lachje in een mengeling van Frans en Italiaans zijn kennis, 'Mademoiselle en Monsieur gekleed *en toile d'argent* met rozekleurige *passepoils, tabliers* en zwartfluwelen *pièces de corsage* met een gouden en zilveren *dentelle*, en hun zwartfluwelen hoeden waren gesierd met roze, witte en vuurrode pluimen, terwijl de hals van Mademoiselle zich verheugde in rijen parels, te talrijk om te tellen, en rondom bezaaid was met diamanten.'

En je had er mademoiselle de Villeroy *parée* met diamanten, en mademoiselle de Gourdon helemaal bedekt met smaragden, vergezeld van de hertog de Roquelaure, de graaf de Guise, de markies de Villeroy, de sprankelende Puyguilhem (die later de beroemde graaf de Lauzun zou worden), ook zij gekleed en gekapt met de *houlette de vernis*, eveneens volgens de mode van de boeren uit Bressannes, en dat was opnieuw een geruisloos zegel waarmee die grote ontwerper die de Liefde is honend het mislukte huwelijk tussen Lodewijk en Margaretha van Savoye vierde.

'En het huwelijksaanbod met de infantea van Spanje?' wierp ik tegen.

'De onderhandelingen waren nog niet begonnen. Tussen de Spanjaarden en Mazarin bestonden geheime contacten die pas geleidelijk aan de dag traden. Alles moest nog worden besloten. Bovendien...' vervolgde Atto in gedachten, terwijl we onder het waakzame oog van de wachters de Sint-Pancratiuspoort door gingen, 'bovendien heb ik altijd de indruk gehad dat de kardinaal wel andere plannen koesterde dan die voor dat huwelijk om Spanje tot een vrede te brengen die geheel in ons voordeel was. Tenminste totdat...'

'Totdat?'

In maart 1659 gebeurt het onvoorziene. In Parijs komt don Juan van Oostenrijk aan, de bastaardzoon van de koning van Spanje.

'Hij kwam uit Vlaanderen, waar hij landvoogd was, en was op weg naar Spanje. Ik herinner me die dagen nog heel goed, omdat don Juan incognito kwam, op het uur van de vesper, en de opwinding aan het hof was ten top gestegen. Koningin Anna ontving hem in haar slaapvertrek, en ik mocht er ook bij zijn.'

Het was een mannetje van geringe lengte, goedgebouwd, een fraai hoofd, donker haar, alleen wat aan de ronde kant. Hij had een edel gelaat en was aangenaam om te zien. Hij was gekleed in het grijs met een fluwelen justaucorps op zijn Frans. De koningin behandelde hem zeer familiair en sprak in zijn aanwezigheid bijna uitsluitend Spaans. Ze stelde hem ook de jonge koning Lodewijk voor. Don Juan echter, de zoon van koning Filips van Spanje, maar door een actrice ter wereld gebracht, was altijd al meer dan trots op zijn afkomst en gedroeg zich buitensporig hooghartig, waarmee hij de teleurstelling en verontwaardiging wekte van heel het hof dat hem te gast had.

'Een zelfde gênante situatie deed zich de dag daarna voor,' vertelde Atto, 'nadat hij de eer had gehad te slapen in het appartement van Mazarin. Don Juan begaf zich naar het Louvre, waar Anna en de kardinaal hem met een niet beantwoorde minzaamheid ontvingen. Monsieur, de broer van de koning, leende hem zijn eigen wachter zonder daarvoor de geringste dank te krijgen. Iedereen was verbaasd en verbijsterd door het stalen gezicht van de bastaard. Maar dat was nog niets vergeleken bij wat er daarna zou gebeuren.'

'Was er een diplomatiek incident?'

Atto kwam op adem en sloeg zijn ogen op, alsof hij de weerspannige kudde herinneringen binnen de omheining van het logische spreken wilde dwingen.

'Een incident... niet echt. Iets anders. Wat ik je nu uit de doeken ga doen, is een verhaal dat maar weinig mensen kennen.'

'Maakt u zich niet ongerust,' verzekerde ik hem, 'ik zal het aan niemand doorvertellen.'

'Goed zo, mooi. Ook in je eigen belang.'

'Wat bedoelt u?'

'Zoals bij alle geheime informatie weet je nooit goed wat die met zich meebrengt.'

Intussen waren we een flink stuk de weg van Sint-Pacratius af gegaan. Ik had inmiddels door waar we naartoe gingen. Ik kreeg er de bevestiging van toen Atto stil bleef staan. We stonden juist tegenover de ingang.

'Hier is het. Of zou het althans moeten zijn,' zei Atto, me uitnodigend om door de ingang van Het Schip te gaan.

We bevonden ons weer op de fraaie binnenplaats, verblijd door het altijd weer nieuwe geklater van de fontein. Geen spoor van mensen ditmaal uit de villa zelf; evenmin muziek, en ook geen bekoorlijk geroezemoes dat de fantasie in beweging kon zetten. We liepen voort langs de lanen met bomen die we de eerste keer hadden verkend, bij de spalieren van citrusbomen. Na de vriendelijke herrie van Villa Spada leek de stilte hier Atto nog beter te willen laten vertellen. Alleen een schuchter zuchtje wind streelde het hoogste lover van de bomen, de enige onderzoekers van onze aanwezigheid.

Terwijl we door de tuin van Het Schip wandelden, nam abt Melani de draad van zijn verhaal weer op.

Don Juan, oftewel de Bastaard, zoals velen hem noemden, had een curieus wezen in zijn gevolg, een vrouw die door iedereen Capitor werd genoemd.

'Een verhaspelde naam, want eigenlijk heette ze *la pitora* of zoiets, een woord dat in het Spaans volgens mij "idioot" betekent.'

Capitor was gek. Maar niet zomaar gek. Het gerucht ging dat ze tot een speciale familie dwaze zieners behoorde; mensen die tussen de plooien van een verwrongen blik geheimzinnig genoeg glimpen van occulte waarheden opvingen. De Bastaard had een soort huisdier van haar gemaakt, een speeltje voor ruw en wreed vermaak van zijn soldaten, en soms van de hoge heren.

'Haar faam als helderziende, maar ook als prettig gestoorde halve gare, was haar in Parijs vooruitgesneld,' zei Atto, 'zodat de Bastaard kort na zijn komst werd gevraagd of hij haar had meegenomen.'

Zodoende diende Capitor zich aan in het Louvre. Ze was als man gekleed, met kort haar, een hoed met pluimen en een degen. Ze keek met haar linkeroog in haar rechterbroekzak, ze was kortom scheel. Haar gele huid vol putten, omlijst door muiskleurig haar, haar haviksneus en het gapende gat tussen haar tanden maakten haar tot een fenomeen van zeldzame lelijkheid. Haar schonkige, peervormige lijf, dat wil zeggen de minuscule, magere schouders, terwijl haar heupen enorm de breedte in gingen, maakten haar zwaar getroffen verschijning uiteindelijk weer wat lachwekkend en komisch.

Ze ging altijd vergezeld van een zwerm vogels in alle soorten, die huisden op haar schouders en op de brede rand van haar hoed: putters, parkieten, kanaries enzovoort.

'Maar wat had ze nou voor speciaals?' vroeg ik, brandend van nieuwsgierigheid.

'Ze zat de hele dag in het Louvre,' antwoordde Atto, 'waar de koningin, de koning en zijn broer een hoop lol hadden met grappen en haar voor de gek hielden. Ze antwoordde dikwijls met vreemde rijmpjes, betekenisloze raadsels, komische versjes. Vaak barstte ze zomaar in lachen uit, midden in een banket of een toespraak van een lid van het hof, precies zoals je van dwazen kunt verwachten. Maar als iemand haar een standje gaf, werd ze meteen dodelijk bedroefd en richtte ze haar wijsvinger op haar tegenstander terwijl ze onverstaanbare, dreigende vervloekingen fluisterde. Waarna ze zich te barsten lachte en met ongewone, amusante kwinkslagen de ongelukkige die had gedacht haar te kunnen straffen onder het gelach der aanwezigen in de maling nam. Vaak hanteerde ze castagnetten en danste ze op de wijze van Spaanse zigeuners. Ze danste heel eigenaardig, zelfs zonder muziek erbij; maar ze deed het met zo'n vuur dat het meer een geheimzinnig ritueel dan een dans leek. Na de laatste pirouette liet ze zich ten slotte, bezweet en hijgend, op de grond vallen en sloot met een rauwe overwinningskreet af. Iedereen applaudisseerde, betoverd en verontrust door het magnetisme van de dwaas.'

Sinds dat eigenaardige creatuur aan het hof was gekomen, heerste er in die dagen een ongewone sfeer. Terwijl iedereen in het begin dacht dat ze wel een loopje met haar konden nemen, gebeurde inmiddels het omgekeerde. Met haar gekkigheden, haar voorstellingen en haar invallen amuseerde Capitor iedereen. Met maar twee uitzonderingen.

'De gekkin had geen lievelingsonderwerpen. Ze had helemaal geen onderwerpen; als ze somber was, zat ze kleintjes in een hoekje en was het onmogelijk om met haar in gesprek te raken. Anders wachtte ze altijd tot iemand haar iets vroeg, bijvoorbeeld: Het is mooi weer vandaag, hè? Als ze in de stemming was of ze vond de persoon in kwestie aardig, dan antwoordde ze met iets dwaas als: Het weer wacht geen tijd af want anders zou het ook moeten wachten op mensen die geen tijd meer hebben, of ze laten sterven in hun ontijd. Ik zal niet sterven want ik ben al in de ontijd van Capitor. Maar jij bent in het weer van vandaag, dat je mooi voorkomt omdat je het denkt te zien, terwijl je juist het niets van jouw ontijd ziet. Had je daar wel eens aan gedacht?'

'Maar dat betekent niks!'

'Zo zou het moeten zijn. Maar geloof me, wanneer die bezeten gekkin met haar versje kwam, zat je daarvan voor je uit te staren met het vermoeden dat het iets zinnigs was in plaats van een onthulling waartoe alleen zij in staat was. En dat was geen verkeerde gedachte.'

'Wat bedoelt u?'

'Die gekkin, Capitor, had... ik weet niet hoe ik het moet uitdrukken, laten we zeggen speciale vermogens. Ik verklaar me nader. Meer dan eens was haar gevraagd waar dit of dat verloren voorwerp was dat de eigenaar al tijden vergeefs zocht. In een wip had ze het gevonden.'

'Hoe dan wel?'

'Ze dacht er even over na, ging vervolgens zonder te aarzelen achter een kast of rommelde in een la, en daar had ze het gevonden.'

'Lieve hemel, en hoe kon ze...'

'Ze kon nog wel meer. Ze raadde de inhoud van verzegelde enveloppen of de naam van mensen die voor het eerst aan haar werden voorgesteld. Ze had voorspellende dromen, buitengewoon gedetailleerd en waarachtig. Bij het kaartspel won ze altijd omdat ze naar haar zeggen de kaarten op het gezicht van haar tegenspelers kon lezen.'

'Het lijkt wel een geval van hekserij.'

'Goed gezegd. Maar niemand sprak dat woord ooit uit. Er zou een schandaal uit voortgekomen zijn, terwijl iedereen Capitor nam voor wat ze was: een ietwat raar speeltje waarmee de soldatenbende van de Bastaard zich kon vermaken, en een paar dagen lang ook de koninklijke familie. In het Louvre waren er velen die er tijdens het verblijf van don Juan van Oostenrijk plezier in hadden. Toen ze wegging, kreeg ze van de koningin, de broer van de koning en Madame de Montpensier hun portretten geschilderd op email en versierd met diamanten. Madame La Bazinière, die haar zelfs bij haar thuis uitnodigde voor het diner, schonk haar zilveren serviesgoed en kisten vol strikken, waaiers en handschoenen. Iedereen amuseerde zich met haar, zoals gezegd, behalve twee mensen.'

'Wie dan?'

Capitor was, antwoordde Atto, openlijk aangehaald door de koning en de koning-moeder, en in die dagen in Parijs had ze zich op een bepaalde wonderlijke, maar nooit brutale manier gedragen. Behalve in één geval. Als ze Maria Mancini voor zich had, haalde ze steeds weer hetzelfde onderwerp van stal: de infantea van Spanje. De vrouw die aan Lodewijk ten huwelijk was aangeboden.

'Ze bleef maar zeggen hoe knap de infantea was, wat een goeie koningin ze op een dag zou zijn, dat ze knapper was dan iedere andere vrouw enzovoort,' zong Atto.

Niemand wist waarom de gekkin met dat irritante gedram Mazarins nichtje pestte, dat het toch al niet gemakkelijk had aan het hof; iemand dacht dat ze daartoe was aangezet door de Spanjaarden, die vreesden dat het huwelijk met de infantea door de invloed van de jonge Italiaanse niet door zou gaan. Anderen meenden eenvoudigweg dat Maria niet bij haar rivale in de smaak viel, want ze had een bloedig natuurinstinct met haar gemeen, dat zoals bekend de oorzaak is van vele onenigheden als temperamenten ongunstig overeenkomen.

Maria kon niet tegen een grapje. Ze had al genoeg te verhapstukken aan het hof en had niet genoeg koelbloedigheid om die provocaties te incasseren. Ze reageerde woedend, noemde Capitor 'idioot', beledigde haar, minachtte haar. De gekkin reageerde door Maria op haar beurt in de maling te nemen met hoon, wrede versjes en woordspelingen op het randje van obsceniteit.

'En wie was de ander die niet blij was met Capitors aanwezigheid in Parijs?'

'Om antwoord te geven moet ik je nu het merkwaardige feit aan de hand doen dat ik je graag wilde vertellen en dat me tot deze lange inleiding heeft gedwongen.'

Het gebeurde op een zeer regenachtige middag tijdens een van die onverwachte, hevige onweersbuien die een paar uur lang iedere handel in de weg kunnen staan en de mensen weer bepalen bij het overwicht van de natuurkrachten.

Terwijl de slagregens de putten lieten borrelen en in modderstromen door de Parijse straten slingerden, speelde zich in een zaal van het Louvre een merkwaardige bijeenkomst af.

De Bastaard had zich eindelijk verwaardigd om de talrijke attenties waarmee hij in Parijs was vereerd te beantwoorden, en had de koninklijke familie een kleine tijdpassering aangeboden. Capitor zou kardinaal Mazarin enkele cadeaus aanbieden, waarna de koninklijke familie zou worden verblijd met een kort zangintermezzo.

'Wie moest er dan zingen?' vroeg ik nieuwsgierig geworden, want ik was op de hoogte van Atto's muzikale verleden.

'Vanaf de eerste nacht dat we elkaar hebben leren kennen, zeventien jaar geleden, weet je al dat ik in mijn jonge jaren in het openbaar nogal waardering vond voor mijn muzikale talenten, en dat koningen en vorsten van den bloede mij hun gehoor waardig keurden; en dat van hen, zoals ik je gisteren al heb gememoreerd, koningin Anna mijn zang bijzonder op prijs stelde,' zei abt Melani, die daarmee vrij haastig het feit in herinnering riep dat hij als jongeman een van de meest bejubelde castraatzangers in zowel de theaters als aan de hoven van Europa was.

'Ja, dat weet ik nog goed, signor Atto,' antwoordde ik kort, en ik herinnerde me dat abt Melani niet graag al te vaak liet uitkomen wat in zijn verleden lijnrecht inging tegen zijn huidige carrière als politiek adviseur van de koning en geheim diplomatiek koerier.

'Nou, ik moest zingen. En dat viel nog niet mee. Het was een van de opmerkelijkste optredens van mijn hele leven.'

Iedereen dacht een of andere vertoning van de gekkin bij te wonen, legde Atto uit: twee of drie keer lachen en dan was alles afgelopen. Het was een zeer uitgelezen gezelschap: koningin Anna, Mazarin, de jonge koning, Monsieur, zijn broer, en ten slotte Maria, die grappen van Capitor ten koste van haar vreesde en om die reden koste wat het kost van Lodewijk op een kruk naast hem moest gaan zitten. Op enige afstand ter zijde van de groep in een fauteuil weggezonken zat don Juan met een bediende.

'Op een teken van de Bastaard kwamen er drie Spaanse pages binnen met evenzovele grote voorwerpen, waarvan elk bedekt was met een bloedrode fluwelen lap; na hen volgden Capitor en ik, zij weer omringd door haar vaste hof van vogeltjes. De gekkin glimlachte en was er zeer mee ingenomen dat ze het koninklijk amusement mocht dienen.'

De versluierde geschenken werden in een halve boog op evenzovele tafels geschikt, spiegelbeeldig aan de halve boog die Anna, Mazarin en de anderen vormden. Zo ontstond er een cirkel waarbinnen de gekkin zich opstelde met een gitaar.

'Zet hem op, Capitor, toon de kardinaal onze erkentelijkheid,' moedigde de Bastaard haar minzaam aan.

Nadat Capitor ten teken van onderwerping een buiging had gemaakt, wendde ze zich tot de kardinaal: 'Deze geschenken zijn voor de eminentie,' zei ze keurig, 'opdat hij er de verborgen, vermeende betekenis uit kan halen, maar ook de heldere, glansvolle die wijsheid geeft.'

Ze onthulde het eerste geschenk. Het was een grote houten bol met daarop alle bekende landstreken, de rivieren die erdoorheen stromen en de zeeën die eromheen liggen, geplaatst op een monumentaal, imposant voetstuk in massief goud. De Bastaard legde op dat punt vol trots uit dat die aardbol een paar vormde met een hemelbol: hij had ze beide in Antwerpen laten maken en had die met de hemelgebieden voor zichzelf gehouden, terwijl hij de andere dus aan Mazarin schonk.

Capitor liet de globe draaien en terwijl ze hem met haar gerichte vinger beroerde en haar ogen op die van de kardinaal vestigde, droeg ze een sonnet voor:

De fortuin

Amice, hier ziet u deze figuur,
Et in arcano mentis reponatur,
Ut magnus inde fructus extrahatur,
Aanschouw dan nu terdege zijn natuur.

Amice, 't is het rad van avontuur,
Quae in eodem statu non firmatur,
Sed in casibus diversis variatur,
Het brengt de ene zoet, de ander zuur.

En zie, de een is al ten top gestegen,
Et alter est expositus ruinae;
De derde kan er aan de grond niet tegen.

Quartus ascendet iam, nec quisquam sine
Gezien hij loon naar werken heeft gekregen,
Secundum legis ordinem divinae.

'Lieve hemel, hoe kent u dat sonnet nog uit uw hoofd? Het is meer dan veertig jaar geleden!'

'Nou en? Je moet weten, jongen, dat ik de hele *Orfeo* van Luigi Rossi nog uit mijn hoofd ken; ik kreeg de eer die voor de koning in Parijs te zingen toen hij amper negen was, in 1647, dus meer dan een halve eeuw geleden. Hoe dan ook, Capitor liet een exemplaar van dat sonnet rondgaan opdat, denk ik, de boodschap niet onopgemerkt bleef. Als ik het voor je had overgeschreven en je had het eindeloos overgelezen, zoals wij dat de dagen daarop allemaal deden, dan zou jij het nu ook nog zonder enig probleem kennen...'

'De uitleg lijkt me ook niet zo moeilijk: het rad van avontuur verwijst duidelijk naar de draaiende wereldbol.'

'Je zult begrijpen dat de kardinaal aarzelde tegenover die onverwachte en enigszins onbeschaamde opdracht op rijm.'

'Hoezo onbeschaamd?'

'Als je goed geluisterd hebt, zul je gemerkt hebben dat het sonnet vrij curieus is.'

'Om te beginnen bevat het verzen in het Latijn.'

'Dat niet alleen.'

'Nou, verder zinspeelt het op het spreekwoord: de wereld is een lange reeks van trappen, waarop mensen naar onder en naar boven stappen: de ene dag heb je geluk, de dag daarop waait er mogelijk een andere wind.'

'Precies. En het deed Mazarin, die op het hoogtepunt van zijn macht verkeerde, geen genoegen om eraan herinnerd te worden dat hij, *secundum legis ordinem divinae*, dus volgens de regel van de wet Gods, er vroeg of laat in zou moeten berusten het stuur over te geven.'

Iemand van het hof had hem meteen haastig ingefluisterd dat die wereld nabootsende bol (die de illusie geeft dat je in één oogopslag en met één handgebaar de hele aardkloot kunt omvatten) subtiel de gedachte opperde van het bezit van landstreken, steden, hele naties: het exclusieve voorrecht dus van vorsten. Net alsof Capitor en don Juan en dan uiteindelijk heel Spanje hem erkenden als de daadwerkelijke vorst van Frankrijk. Te meer daar de Bastaard gretig preciseerde dat hij de aardbol aan de kardinaal schonk en alleen de hemelbol voor zichzelf hield. Een uitleg die Zijne Eminentie ten slotte had gevleid en weer in een goed humeur had gebracht.

Capitor had vervolgens het tweede geschenk onthuld. Het was een groot, schitterend gouden dienblad in Vlaamse stijl met figuren in zilverreliëf, zoals de zeegod Neptunus met de drietand als een scepter in zijn hand, en zijn bruid, de waternimf Amphitrite. Ze zaten heel dicht naast elkaar op een weelderige wagen met een stel galopperende tritons ervoor en doorkliefden glorieus de wateren, waarbij ze een uitgestrekt gebied achter zich lieten.

'Een van de fraaiste Vlaamse bladen die ik ooit heb gezien. Het moest een fortuin waard zijn,' luidde Atto's commentaar. 'Merkwaardig genoeg noemde Capitor het bij een vreemde naam, die zich in mijn geheugen grifte omdat het geen Frans was, of Spaans of een andere taal uit onze tijd, en die ik je later zal zeggen.'

Op het blad waren enkele wierooktabletten gedeponeerd die Capitor liet branden, waardoor ze hun krachtige, nobele geur verspreidden. Toen de rook begon op te trekken, proclameerde de dwaas met een brede glimlach naar de kardinaal dreigend: 'Twee in één!' Ze had met haar wijsvinger eerst de twee zeegoden en toen de drietand aangewezen.

Mazarin, vervolgde abt Melani, was er enigszins door gevleid. Zoals menigeen van de aanwezigen had hij in de twee goden zichzelf en koningin Anna herkend, en in de scepter van Neptunus de kroon van Frankrijk, goed stevig in zijn hand. Voor sommigen echter gaf de zeeallegorie van de wagen die de immense zee doorklieft en het vasteland achterlaat, en vooral die drietandige scepter in Neptunus' hand niet de kroon van Frankrijk, maar die van Spanje aan, de heerseres over de oceaan en twee continenten, verzwakt door de oorlog en zo in Mazarins handen gevallen. Hetgeen Zijne Eminentie zeer verrukte.

'Wie de kroon van Spanje zal beroven van zijn kinderen, zal de kroon van Spanje beroven van zijn kinderen,' had Capitor er nog raadselachtiger aan toegevoegd, waardoor het gefluister van het publiek op slag verstomde.

'Ook toen barstten de gissingen los. Iedereen begreep dat de vermaning was gericht tegen koning Filips IV van Spanje, van wie alle zoons op jonge leeftijd waren gestorven; volgens de meesten omdat zijn zus Anna van Oostenrijk had moeten tekenen dat ze afstand deed van de troon van Spanje, en zo de Spaanse kroon beroofde van het nageslacht in de vrouwelijke lijn; volgens anderen omdat Filips don Juan de Bastaard maar niet tot zijn erfgenaam benoemde, ofschoon hij door velen als toekomstig vorst werd gewenst.

Capitor liep op het derde geschenk af. Opnieuw haalde ze met een ruk de rode lap weg en wierp hem ver van haar vandaan.

Ditmaal ging het om een prachtige beker, eveneens van zilver en goud, met een lange poot in de vorm van een centaur die de kelk droeg.

'Een voorwerp van zeer verfijnde makelij,' meende Melani, 'maar vooral symbolisch, net als de andere cadeaus.'

De beker zat dan ook vol met een dik, olieachtig spul, bijna zoiets als pleister. Capitor legde uit dat het om mirre ging.

'De gekkin riep me vervolgens naar voren en reikte de muziek aan. Ik kende al wat ze me had gevraagd te zingen, en het was dan ook niet nodig geweest te repeteren. De gitaarbegeleiding was simpel en zelfs de bescheiden zangmiddelen van de dwaas waren voldoende.'

'Wat zongen jullie?'

'Een liedje van een anonymus, destijds vrij bekend: *Passacalli della vita*.'

'En viel het in de smaak?'

Atto trok een grimas die het bittere van de herinnering mengde met het ijzige van een slecht voorgevoel:

'Totaal niet, helaas. Nee, daarna begon alle ellende juist.'

'Welke ellende?'

Bij wijze van antwoord neuriede Atto met zachte maar vaste stem de passacaglia die hij meer dan veertig jaar eerder had aangeheven voor de koninklijke familie en de bastaardzoon van de Spaanse koning, op de gitaar begeleid door een visionaire gekkin:

O, onbezonnenheid
Als je denkt dat de tijd
Altoos kan passeren
We moeten creperen.

Het leven is een droom
Het lijkt zo wonderschoon
Houd vreugde kort in ere
We moeten creperen.

Geen middel is probaat
Geen kina stopt het kwaad
En laat weer floreren
We moeten creperen.

We sterven al kwelend
We sterven al spelend
Op citer en schalmei
Creperen moeten wij.

Voor jong en oud speciaal
De mensen allemaal
Het is niet te keren
We moeten creperen.

De stoeren, de wrakken,
De sterken, de zwakken.
Niemand kan het keren
We moeten creperen.

Valt dat niet meer te binnen
Dan ben je buiten zinnen
En dood kun je beweren
We moeten creperen.

Vervolgens wiste hij zich een zweetdroppel af. Het leek of hij voor een tweede keer de lang geleden, verstommende ogenblikken beleefde waarin hij had begrepen dat hij het instrument van een slinkse waarschuwing aan Mazarin was.

Aan het slot van het lied had Atto een steelse blik op Zijne Eminentie geworpen. De kardinaal zag zo bleek als een doek. Hij had geenszins de controle over zijn emoties verloren, noch had hij enige ergernis verraden, maar de castraatzanger, die iedere rimpel van zijn gelaat kende, had zijn onuitgesproken angst ten volle meegekregen.

'Zie je,' onderrichtte abt Melani, 'om grote staatslieden echt te leren kennen moet je zeer lang zeer nabij in hun gevolg blijven. Dit omdat iemand die staten regeert, een groot meesterschap behoeft in veinzerij, waardoor je niet tot hem door kunt dringen. Welnu, door de positie die ik ging bekleden kreeg ik de kans om Zijne Eminentie van nabij te observeren, en niet eens zo kort ook. De kardinaal was van nature onbevreesd en zeer vastberaden, en was maar voor één ding bang: de Dood.'

'Wat?' verbaasde ik me. 'Ik dacht dat kardinalen, vorsten en ministers, die zo dicht op de staatsgeheimen en -intriges zitten, hoe moet ik het zeggen...'

'Wat verder van die angsten af staan omdat ze afgeleid worden door de hoge bemoeienissen met staatsaangelegenheden zeker? Helemaal mis. Je moet weten dat de macht die die eminente personen uitoefenen, ze niet onttrekt aan dezelfde spoken die het gewone volk teisteren, integendeel, die maakt ze groter en sterker. Dit omdat de mens altijd hoe dan ook uit hetzelfde hout gesneden is, en als je stijgt te midden van geleerden en mensen van invloed, stel je je bloot aan het gevaar dat je je godgelijk waant, en daarom wordt het zwaar om erin te berusten dat Onze-Lieve-Heer de Dood vroeg of laat zal komen om ons voorgoed gelijk te stellen aan de laatste zijner onderdanen.'

Kardinaal Mazarin was dus allang in een zinloze strijd met het spook van Magere Hein verwikkeld, waartegen vroeg of laat geen kruid gewassen is. Het lied dat Capitor Atto had laten zingen, leek gekozen om het toch al rusteloze geweten van de kardinaal nog verder te verontrusten.

'Mirre is een van de geschenken van de Drie Koningen aan Onze-Lieve-Heer,' merkte ik op.

'Precies. Het staat symbool voor de sterfelijkheid, omdat het wordt gebruikt om lijken mee te besprenkelen,' attendeerde Atto.

Ook het tweede cadeau, het blad, verborg een heimelijke boodschap. De wierook die het bevatte, waarvan Capitor de doordringende geur had laten verspreiden, wordt toegepast op heilige plaatsen en de Drie Koningen schonken wierook aan het kindje Jezus als erkenning van zijn goddelijke natuur.

Veelvuldig waren dus de aspecten van de persoon van Zijne Eminentie die door die geschenken waren opgeroepen en geëerd: zijn ambt als kardinaal en geestelijke werd voorgesteld door de wierook, en de mirre vormde het embleem van zijn natuur als sterfelijk mens.

'Ten slotte het voetstuk van de aardbol: dat was van massief goud en een teken van koninklijke waardigheid: een huldeblijk aan de macht van Mazarin, concubant van de vorstin en absoluut heer en meester van Frankrijk, het weelderigste, machtigste koninkrijk van Europa en heel de wereld,' luidde Melani's ernstige commentaar, 'net als Onze-Lieve-Heer, die Koning der Koningen is genoemd.'

De voorwerpen symboliseerden kortom de drie geschenken die Onze-Lieve-Heer bij Zijn geboorte van de Drie Koningen kreeg: goud, wierook en mirre. Oftewel de symbolen van koningschap, goddelijkheid en sterfelijkheid.

'Capitor, Zijne Eminentie is je dankbaar,' zond koningin Anna haar met welwillende nonchalance heen, waarmee ze een ander onderwerp wilde aansnijden om iedereen uit de impasse te helpen. 'Nu laten we het orkest binnen,' besloot ze met een gebaar om de deuren te openen.

Buiten de zaal had zich inderdaad een kleine schare muzikanten verzameld, die Monsieur had bevolen hem diensten te verlenen bij een kleine aangerichte tafel om na de oren ook de magen verlichting te schenken.

De deuren gingen open en de menigte muzikanten stroomde welgemanierd de zaal binnen, die ze vulden met een aanzwellend geroezemoes. Tegelijkertijd tilden groepen pages, snuivend van inspanning, de reeds aangerichte tafels naar binnen die bestemd waren om de koninklijke appetijt te stillen. Niet ver daarvandaan popelde ten slotte de toegewijde menigte hovelingen om naar binnen te mogen en deel te nemen aan het vervolg van het onderhoud.

Lodewijk, Mazarin, de koningin-moeder en Monsieur waren al door die drukte afgeleid toen Capitor, die plaats voor het concert en het feestmaal wilde maken, een laatste keer haar blik op de kardinaal vestigde.

'Maagd die de Kroon huwt brengt de dood,' declameerde ze glimlachend met een sterk, helder timbre, 'die bewaarheid wordt wanneer de Manen de Zonnen van de bruiloft bereiken.'

Vervolgens maakte ze een revérence en ging samen met haar trouwe zwerm vogels op in de wirwar van muzikanten en bedienden die in een vrolijke wanorde door de zaal slingerden.

'Pas toen liet don Juan zijn hooghartigheid varen,' zei Atto. 'Hij wendde zich tot de kardinaal en de koningin en vroeg namens de gekkin om excuus; hij erkende dat haar optredens wel een vermaak betekenden, maar soms weinig of niet te begrijpen waren, en ook wanneer ze te ver leek te gaan, deed ze dat niet uit ongemanierdheid maar omdat ze door haar wispelturige, wonderlijke karakter werd meegesleept enzovoort enzovoort.'

Enige gekte mocht een gekkin toch wel toegeschreven worden, redeneerde abt Melani; maar de eigenaardigheden van Capitor leken die avond op dreigementen. En don Juan wilde niet dat iemand zou denken dat hij de opdrachtgever van die vijandige woorden was.

De dwaze zieneres had Atto een lied laten zingen over de dood en de onontkoombaarheid ervan. Eerst had ze de kardinaal drie kostbare voorwerpen aangeboden die zinspeelden op het kardinaalschap, dat klopte; op het koningschap, dat bijna klopte, maar ongelegen kwam omdat Mazarin de heimelijke minnaar van de koningin was; en ten slotte op het feit dat hij gedoemd was te sterven: wat absoluut klopte, maar wat niemand prettig vindt om twee keer op een avond te horen.

Ook het sonnet bevatte slinkse verwijzingen (de wisselvalligheid van de fortuin, het dreigen van mislukkingen...) waarmee niemand bij de eerste minister van het machtigste rijk van Europa zou durven aankomen.

Ten slotte was Capitor, profiterend van de komst van het orkest en de tafels sjouwende pages, verdwenen met achterlating van een laatste dreigend zinspelende boodschap voor Zijne Eminentie.

Niemand kon twijfels koesteren over de betekenis van die laatste woorden. De *kroon* was, geheel vanzelfsprekend, de jonge Lodewijk. Wie kon de *maagd* over wie Capitor het had anders zijn dan Maria Mancini?

'De zinspeling op met name de maagd leek wel een duidelijke zinspeling op Maria, die de koning nooit heeft gekend, lichamelijk bedoel ik.'

'Echt waar?'

'Niemand geloofde het, behalve ik natuurlijk, die de extreme onschuld van hun liefde goed kende, evenals de kardinaal, die stipt over iedere minuut van het leven van de jonge koning was ingelicht. Toen Maria in Rome aankwam en de Connétable Colonna trouwde, vertrouwde deze me kort na het huwelijk toe dat zij nog maagd was geweest en dat hij daar, wetend van haar verleden met de koning van Frankrijk, nogal verbaasd over was.'

Als het huwelijk tussen *maagd* en *kroon* was gesloten, klonk Capitors waarschuwing, dan zou iemand het leven laten. En aangezien de voorspelling tot kardinaal Mazarin was gericht, de voogd van Maria en de peetvader van Lodewijk, en daarom de baas over beider lot, zat het erin dat het einde juist voor hem voorspeld of regelrecht bedoeld was.

Uit de mond van ieder ander konden Capitors woorden onschuldige wartaal lijken. Maar bij dat wezen met de mysterieuze, voorspellende gaven leken ze wel de stem van de Heer Magere Hein zelf.

'Het is hier nu, veertig jaar later, niet eenvoudig uit te leggen,' zei de abt. 'Wanneer dat afzichtelijke wezen haar mond opendeed, kreeg je kippenvel. Maar iedereen lachte: de onnozele halzen omdat ze plezier hadden, de anderen van opwinding.'

Ook Atto moest tijdens de dwaze liturgie van Capitor de gesel van de angst gevoeld hebben. Ook hij had, zij het passief en zijdelings, meegedaan aan de opzet tegen Mazarin.

Intussen was de wind opgestoken en de hemel, die tot dan toe smetteloos was, leek licht te betrekken.

'Maar u zelf, signor Atto, hebt me verteld dat Capitor ervan werd verdacht dat zij sprak op suggestie van de Spanjaarden, die het huwelijk tussen Lodewijk en de Spaanse infantea wilden en daarom Maria Mancini tegenwerkten. In dit geval zou de boodschap van Capitor, hoe zeg je dat...'

'Een heel gewoon dreigement met politieke doeleinden zijn geweest? Dat klopt, sommigen dachten dat. Maar volgens mij was Zijne Eminentie daar niet helemaal zeker van. Feit is dat Mazarins houding jegens Maria en de koning vanaf dat moment ineens veranderde: toen don Juan de Bastaard en zijn gekkin weer vertrokken waren, werd de kardinaal de aartsvijand van de liefde tussen de twee jongelui. Maar er speelt nog iets anders: Capitor noemde het blad met een Grieks woord. Een woord dat jij nu ook kent.'

'U bedoelt...'

'Tetràchion.'

Ik werd zo meegezogen door het verhaal dat me haast het eigenaardige verschijnsel was ontgaan dat al een paar minuten aan de gang was: een onverwachte, wonderlijke weersverandering die zich ook de vorige dag op die plaats had voorgedaan.

De wind die eerst matig was, was opnieuw krachtig geworden. De schapenwolkjes die geheel onverwachts het hemelgewelf deden betrekken, voegden zich snel aaneen en vormden inmiddels een bank en toen een cumulus. Een stoffige windvlaag wierp bladeren en aarde van de grond op en dwong ons onze ogen met onze handen af te schermen om niet verblind te raken. Evenals de vorige dag moest ik steun zoeken tegen een boom omdat ik bang was mijn evenwicht te verliezen.

Het duurde niet langer dan een paar seconden. Zodra het opmerkelijke stormpje weer geluwd was, leek het daglicht vrolijker en vrijer. We klopten zo goed en zo kwaad als het ging onze bestofte kleren af. Ik richtte mijn ogen naar de zon en werd meer dan voorzien verblind; er was bijna geen verschil met het licht toen we van Villa Spada waren vertrokken.

'Wat een raar weer is het hier soms,' commentarieerde Atto.

'Nu begrijp ik het,' zei ik, 'de eerste keer dat u het over Het Schip had, zei u dat hier *voorwerpen* zijn.'

'Goed zo, dat weet je nog goed.'

'De geschenken van Capitor,' vulde ik aan.

Hij gaf geen antwoord. Hij was op weg naar de ingang.

'Hij is open,' merkte hij op.

Iemand was Het Schip in gegaan. Of, zei ik bij mezelf, uit gegaan.

Terwijl we de zaal op de begane grond door liepen, kwamen de noten van het motief dat we de vorige keer gehoord hadden weer tot ons, de folía. Ik kon Atto intussen alleen maar met nog meer vragen bestoken.

'Neemt u mij niet kwalijk; maar waarom denkt u dat Capitors geschenken hier zijn?'

'Het gaat ten dele om concrete feiten, en ten dele om een overigens onvermijdelijke gevolgtrekking.'

De duistere voorspelling van Capitor, legde Atto uit, ging bliksemsnel het hof rond. Niemand had de moed om die op schrift te zetten omdat men zei dat de kardinaal er doodsbang voor was. Ook de ijverigste dagboekenschrijvers zwegen liever, want hun memories werden gemaakt om aan het hof rond te gaan en gelezen te worden, niet om geheim te blijven. Maar het stilzwijgen was niet genoeg. Mazarin was al geobsedeerd door de vraag hoe hij de macht kon behouden ten koste van de jonge koning Lodewijk, die vroeg of laat – dat wist hij maar al te goed – een sta-in-de-weg zou zijn. Na Capitors duistere profetie werd de kardinaal elke nacht door nieuwe zwarte spoken bezocht.

'Zoals ik je al zei,' onderstreepte Atto niet zonder ironie, 'was de kardinaal er altijd zeker van geweest dat hij lang, heel lang zou leven.'

Wanhopig gehecht aan wereldse glorie als een weekdier aan zijn rots, was hij uiteindelijk de rots met het leven zelf gaan verwarren, terwijl hij door dat leven de kracht kreeg om zijn schalen te sluiten.

'Bedenk wel, jongen: grote staatslieden zitten als mosselen vast aan de rots. Ze zien de vissen her en der langsflitsen en denken dan: Arme, verloren stakkers zonder doel, zonder een lekkere rots om je in vast te bijten. Maar als ze bedenken dat ze zich op een dag van die rots moeten losmaken, dan zijn ze doodsbenauwd. En ze merken niet dat ze er de gevangene van zijn.'

Uiteraard vertaalden die woorden niet de gedachten van een trouw dienaar van Mazarin zoals Atto veertig jaar eerder was geweest. En evenmin behoorden ze toe aan het gloriebeluste karakter dat ik van hem kende. Het ging om de afwisselende overpeinzingen van iemand die in de laatste fase van zijn leven verkeerde, en die zijn krachten begon te meten met hetzelfde probleem dat Mazarin tot op het laatste moment had gekweld: of de schalen van de mossel uiteindelijk moeten opengaan en loslaten van de rots.

'Was jij dat?' zei hij.

'Wat, signor Atto?'

'Nee, je hebt gelijk, het kwam van buiten,' zei hij, en hij liep op een van de ramen af die uitkeken op de binnenplaats.

Ik ging hem achterna en keek eveneens: niets.

'Het was net een... iemand die rent, en grind of aarde laat opspatten,' preciseerde Atto.

Toen, bijna vaag tussen de noten van de folía door, hoorde ik het ook. Het waren net voetstappen op een laan, in die laan. Ze kwamen en gingen. Vervolgens hielden ze op.

'Gaan we naar buiten?' opperde ik.

'Nee. Ik weet niet hoe lang we hier binnen kunnen blijven. Eerst moet ik van één ding zeker zijn.'

We spoorden de wenteltrap of spiltrap op zo u wilt, die naar de eerste verdieping leidde.

Intussen vervolgde Atto zijn verhaal. Mazarin kon die ellendige toestand niet lang verdragen. De almachtige zekerheid die hem sinds hij de opstand van de Fronde had neergeslagen leidde en steunde, was hij kwijt. Hij was bang voor de toekomst: een nieuw, onbeheersbaar gevoel. Hij zat met die voorwerpen, de geschenken van Capitor, en iedereen wist dat. Zich ervan ontdoen, alsof het de buit van een diefstal was, was allesbehalve eenvoudig. Om ze niet steeds onder ogen te hebben had hij ze ten slotte in een dekenkist gedaan.

Over dat verhaal had hij het met niemand meer gehad. Hij wilde er niet aan denken; maar hij dacht er juist voortdurend aan. Ondanks zijn Siciliaanse afkomst had hij nooit veel aandacht voor het boze oog gehad, maar als het ongeluk bestond, dacht hij, brachten die drie prullen het zeker, en hoe.

Ten slotte nam hij een besluit. Als ze niet van eigenaar konden wisselen, moesten de drie geschenken van Capitor maar verdwijnen, ver weg, zo ver mogelijk.

'Hij gaf ze aan Benedetti. Hij droeg hem op ze hier in Rome te bewaren, waar Mazarin nooit heen ging. Bovendien wilde Zijne Eminentie absoluut niet dat die geschenken op een bezitting van hem bleven.'

'Was het niet simpeler geweest ze te vernietigen?'

'Zeker; maar met die dingen weet je nooit waar je uit kunt komen. Stel dat hij op een dag een tovenaar had willen opdragen om de toverkracht van de drie voorwerpen te verdrijven? Als hij ze vernietigde was er niets meer aan te doen. De hele geschiedenis was absurd, maar Mazarin hield niet van risico's, ook niet van de meest verwaarloosbare. De geschenken moesten bij de hand blijven.'

'Dus Benedetti zette ze hier neer,' concludeerde ik.

'Toen de kardinaal hem de opdracht gaf, bestond Het Schip eigenlijk nog niet, zoals ik je al uitlegde. Maar nu kom ik waar ik wezen wil.'

De kardinaal werd zo gekweld door de herinnering aan die visionaire gekkin, die Capitor, en door die absurde geschiedenis van de drie geschenken, dat hij tot op het laatst in het ongewisse verkeerde of hij ze zou houden of wegdoen. Nadat hij besloten had ze aan Benedetti mee te geven, was de angst nog zeer hevig. Zodoende nam de kardinaal een tweede besluit, dat in andere omstandigheden ondenkbaar zou zijn geweest voor een nuchter man als hij, iemand die met beide benen op de grond staat en om bezweringen en bijgeloof lacht.

'Omdat hij niet wist of hij de verkeerde beslissing had genomen, liet hij ze afbeelden alvorens ze los te laten.'

'Hoe dan? Liet hij er een schilderij van maken?'

'Hij wilde er in ieder geval de afbeelding van bewaren. Het lijkt misschien onnozel, maar het is wel zo.'

‘En wie schilderde dat... dat portret van de drie geschenken?’

‘In die tijd was er een Vlaming in Parijs, een schilder. Hij maakte mooie dingen. Vlamingen zijn, zoals je zult weten, goed in stillevens, gedekte tafels, bloemencomposities en zo meer. De kardinaal liet hem in een ommezien een portret van de geschenken maken. Ik heb het helaas niet gezien. Maar ik heb wel de geschenken gezien, inclusief de Tetràchion,’ besloot hij, impliciet bevestigend dat we op Het Schip waren om het terug te vinden.

‘Ik begrijp het niet. Ik zou er nooit op gekomen zijn om een portret te laten maken van drie levenloze dingen, die ook nog eens, hoe zeg je dat...’

‘Ongeluk brengen? Natuurlijk niet. Maar de kardinaal had van de Bastaard gehoord dat hij hetzelfde had gedaan: in Antwerpen had hij voor vertrek naar Parijs voor zijn plezier een schilderij van de geschenken laten maken, maar met de hemelbol op de plaats van de aardbol, die in de werkplaats van een goudsmid was omdat die er het massief gouden voetstuk voor moest maken.’

Zodoende ontdekte ik nu, nadat we in die villa eerst de drie kardinalen en hun geheime ontmoetingen met het oog op het komende conclaaf op het spoor waren gekomen, dat daar ook de geheimen van een andere trits werden bewaard: de geschenken van Capitor.

In die situatie kon me de belangrijke verandering in Atto’s woorden niet ontgaan. Hij was naar Rome teruggekeerd en verklaarde dat hij tot aan het volgende conclaaf wilde blijven om te waken over de lotgevallen ten gunste van de Franse koning. Tegelijkertijd had hij – warempel iets opmerkelijks – de andere grote politieke gebeurtenis van het moment voor mij verzwegen: de politieke en dynastieke strijd om de Spaanse troonopvolging. Daar hield hij zich wel mee bezig, en hoe: ik was erachter gekomen door stiekem zijn briefwisseling met de Connétablesse te lezen. Nu begon de abt in zijn verhalen eindelijk ook die geheime belangstelling van hem te verraden. Niet toevallig was hij toen ik hem in verband met de Spaanse troonopvolging de mysterieuze Tetràchion had genoemd, als een gewond dier opgesprongen en had hij geen andere gedachte gekend dan me mee te slepen naar Het Schip om naar sporen van het geheimzinnige voorwerp te zoeken. Als het tenminste om een voorwerp ging, zoals ik zelf opmerkte:

‘Neemt u mij niet kwalijk, signor Atto, maar één ding is me niet duidelijk. De dienstbode van de Spaanse ambassadeur had het over de Tetràchion als over de troonopvolger van Spanje, als over een persoon dus. Maar volgens u is het een voorwerp.’

'Ik weet er evenveel van als jij,' kapte hij mij haastig af.

Dat antwoord was me niet genoeg en ik wilde er juist tegen protesteren, toen ik het ditmaal was die opsprong vanwege het lawaai. Ik had het duidelijk gehoord, goed onderscheiden van de zwakke echo van de muziek.

'Was u dat?'

'Nee. Dat weet je best.'

Het moment was gekomen om goed om ons heen te kijken en erachter te komen wie zich in onze buurt ophield.

Vanuit het middelste raam van de salon zag je ze vrij goed. Ze waren beneden in de tuin. Hij was een niet zo lange, vrij onhandige jongeman. Ik kon hem goed waarnemen; hij was allesbehalve lelijk, maar zijn oogjes leken hun plaats nog te zoeken in het ovaal van zijn gezicht; zijn trekken waren gomachtig, zijn neus te dik en opgezet. Hij was op die prille leeftijd waarop het lichaam, de gijzelaar van wanordelijke voorjaarskrachten, vanbinnen uitdijt en de zachte buitenkant van de jeugd bijna op springen zet.

Zijn onzekere, nerveuze manier van lopen verried een gekunstelde poging om galant over te komen, en verried tegelijkertijd alle verlangens die goed opgevoede zestienjarigen hebben om zich eindelijk vrij te gedragen. Verder was zij er. Vanuit die hoek (we zaten met onze neus tegen de ramen geplakt, maar toch wat te veel naar links) kon ik haar alleen scheef zien. Maar ik kende haar maar al te goed van de ontmoeting van de vorige dag.

Hij hield haar aanvankelijk bij de arm, vervolgens liet hij plotseling los en ging haar voor, waarbij hij achteruitliep, druk gesticulerend ter begeleiding van iets aardigs. Voor de grap legde hij zijn hand op het gevest van zijn degen, maakte heldhaftige gebaren, riep duels op.

Zij lachte en liet hem begaan; ze liep lichtvoetig, als op de spitzen van een ballerina, draaiend met een parasolletje van roze kant, een toverkelk waarin ze zijn woorden kon opvangen. Haar haar zat licht in de war, hetgeen veel gegeven zoenen verried, of het brandende verlangen om ze dadelijk snel te krijgen, om de volgende hoek.

Van het gesprek kwamen verbrokkelde fragmenten tot ons:

'Ik zou graag... als u eens wist...' kon ik van zijn stem horen, die opging in het geruis van de bladeren.

'Majesteit, wanneer u... kan het gebeuren...' was alles wat ik van het antwoord opving.

Ik draaide me om naar Atto.

Hij was teruggedeinsd en van het raam af gaan staan. Hij keek star als een stenen afgodsbeeld, zijn ogen van glas, zijn kaken hard, zijn lippen gesloten.

Toen ik de twee weer ging observeren, verdwenen ze juist achter de dichtstbijzijnde heg. We bleven nog even naar het punt staren waar het tweetal zich aan het zicht had onttrokken.

'Dat was het meisje... ze leek veel op dat jeugdportret van de Connétablesse,' zei ik aarzelend, 'maar ook die jongen had een bekend gezicht.'

Atto zweeg. Intussen liet zich weer het motief van de folía horen.

'Heb ik misschien een beeld van hem gezien... kan dat?' vulde ik aan, maar ik durfde mijn impressie niet openlijk te uiten.

'Hij lijkt inderdaad op een buste op de voorgevel van Het Schip, daarbuiten, in een van de nissen. Maar hij doet vooral denken aan een portret dat ik hierbinnen heb gezien.'

'Welk dan?'

Aanvankelijk gaf hij geen antwoord. Vervolgens haalde hij adem en wierp toen de last af die hij zonder dat ik het had gemerkt tot op dat moment had meegetorst.

'Er zijn dingen op deze vervloekte plek die ik niet goed kan volgen. Misschien geeft de bodem weinig heilzame dampen af: ik weet dat dat op sommige plaatsen voorkomt.'

'Bedoelt u dat we misschien het slachtoffer zijn van hallucinaties?'

'Mogelijk. Hoe het ook zij, we zijn hier voor een welomlijnd doel, en we zullen het niemand toestaan ons tegen te werken. *Is dat duidelijk*?' riep hij uit, onverwachts zijn stem verheffend, alsof er iemand bij die muren stond te luisteren.

Opnieuw daalde de stilte neer. Hij leunde tegen de muur, een duistere verwensing prevelend.

Ik wachtte tot hij bedaard was en stelde toen de vraag.

'Hij leek het wel, hè?'

'Laten we naar boven gaan,' antwoordde hij in onuitgesproken instemming.

Ondanks de vele verhalen van spoken en geestverschijningen die iedereen vanaf zijn prille jeugd te horen krijgt en die hem er dankzij de kracht van de suggestie op voorbereiden om vroeg of laat op die verschijnselen te stuiten, was het mij nog nooit gebeurd dat ik zoiets wonderlijks gadesloeg.

Terwijl we de wenteltrap op gingen die naar de eerste verdieping leidde, piekerde ik over de absurditeit van die beelden: eerst Maria Mancini, zeg maar de jonge Connétablesse, of wie het ook was, in gezelschap van een rijpe heer; nu in galante samenspraak (dit was zeker belachelijk en onvoorstelbaar) met dezelfde koninklijke minnaar als die Atto Melani haar in zijn verhalen had toegedicht. Ik had hem tevoren in marmer afgebeeld gezien, vervolgens op een portret (in Het Schip waren er meer dan één), en ten slotte in vlees en bloed: als het verstrooide, schuchtere wezen dat ik in de tuin meende te zien echt van vlees en bloed was.

Ik had blindelings in Atto's opmerking willen geloven dat dat alleen maar hallucinaties waren door een vermeende ongezonde lucht rond de villa. Maar ik voelde het marmer van de trap stevig onder mijn voeten, en tegelijkertijd de sfeer van die verschijningen als vluchtig en gevaarlijk. Ik had liever in de droom willen ontsnappen; maar ik zweefde ertussenin, was blijven steken in een drasland met een weerschijn, waarin het verleden gelukzalig leek stil te staan en voor mijn verwarde aanblik, als in een lichtspel, de gebroken lijnen van de geschiedenis even leek samen te brengen.

Maar het was nog te vroeg om de antwoorden te vinden, want in die situatie waren we op zoek naar de sporen van een heel ander spook: het fantoom van Mazarins angsten.

De trap die naar de eerste verdieping voerde was in de salon, tegenover die bij de ingang en aan de oostkant. Eenmaal boven deed ik een verrassing op.

We bevonden ons in een enorme galerij die ik niet minder dan honderddertig palmen lang schatte, en ruim twintig breed. De vloer was betegeld met fijne majolica in drie kleuren, die de indruk gaven van een dobbelsteen met zijn zijden in reliëf. De wanden waren bedekt met stucwerk, alles rijkelijk verguld met schilderingen, die met een vaardig volutenspel de blik op natuurlijke wijze omhoog trokken. Hier, op het eruit springende gewelf, zagen we een schitterend fresco van de Aurora. Zelfs Atto kon woorden van bewondering en verbazing niet onderdrukken.

'De Aurora van Pietro da Cortona...' zei hij met zijn gezicht helemaal opwaarts gericht, even niet denkend aan ons onderzoek en de verontrustende aanwezigheid van mensen waarop we waren gestuit.

'Kent u die schildering?'

'Toen die werd gemaakt, meer dan dertig jaar geleden, wist heel Rome dat er iets schitterends was ontstaan,' zei hij met beteugelde emotie.

Na de Aurora kwam in de volgende afdeling van het plafond een weergave van de Middag, en daarna een afbeelding van de Nacht. De drie fresco's volgden zo suggestief het verloop van het daglicht, van het schijnsel van de dageraad tot de schemer van de zonsondergang. Nissen en kleinere panelen aan de voorzijde waren versierd met clair-obscurs, zeegezichten en veel verrukkelijk gelegen dorpjes.

In de ruimten tussen de ramen aan de lange zijden was een hoogstaande, erudiete wapencollectie te bewonderen: twaalf grote trofeeën van diverse oude en moderne wapens van gemetseld stucwerk in met goud verrijkte metalen bas-reliëfs, met op elk een moreel devies dat zo de verdedigingswaarde van lichaam en geest aangaf. In de bewonderenswaardige krijgshoornen des overvloeds waren fijntjes degens en kanonnen, vizieren en dijstukken, halsbergen en kromzwaarden, en verder spiezen, harnassen, geweerladen, mortieren, slingers, beslagen knotsen, houwelen, terzerollen, kleine, ronde schilden, bijlen, vaandels, pijlen, pijlkokers, helmen, stormrammen, trommels, fakkels, soldatenmantels en nog veel meer geschikt.

'Die hele ijzerwinkel zou Sfasciamonti wel bevallen,' merkte abt Melani op.

Ieder voorwerp was gedecoreerd en afgemaakt met een Latijnse spreuk:

'*Abrumpitur si nimis tendas.* Als je te hard spant, breekt hij,' vertaalde Atto, met een lachje het ingegraveerde opschrift op een boog voor pijlen voorlezend.

'*Validiori omnia cedunt.* De sterkste overwint alles,' echode ik met het gezegde op een kanon.

'Het is ongelooflijk,' luidde zijn commentaar, 'er is geen hoek, geen kapiteel of raam van Het Schip of er staat wel een spreekwoord op.'

Hoofdschuddend ten prooi aan god mag weten welke overpeinzingen, liep de abt weg zonder op mij te wachten. Ik haalde hem in.

'En het meest absurde is wel dat tussen die met wijsheid beklede wanden welke muziek klinkt?' barstte hij met luide stem los, 'de folía, de Zotheid!'

Hij had gelijk. Het motief van de folía, volgens mij uitgevoerd op een strijkinstrument, achtervolgde ons steeds meer van dichtbij, alsof het ons lezen van de opschriften begeleidde. De onverwachte onthulling van die paradox bracht in mijn hoofd een rommelige werveling van vraagstukken en gedachten in beweging, waarvan ik alleen de betekenis nog niet zag.

'U bent dus niet meer van mening dat we ons alles hebben verbeeld?' vroeg ik.

'Allesbehalve,' haastte hij zich dit recht te zetten, 'ook al bereikt die muziek misschien, veel waarschijnlijker, onze oren vanuit een of andere naburige villa, waar iemand wellicht aan het improviseren is op het thema van de folía.'

Na zo gesproken te hebben ging Melani verder. In beide lange zijden van de galerij zaten zeven ramen. Via de middelste daarvan kwam je op de twee balkons die uitkeken op de twee tegenovergestelde zijden van de tuin, het oosten en het westen. We wendden ons echter naar het uiteinde van de galerij dat uitkeek op het zuiden, in de richting van de weg. De galerij eindigde met een halfronde loggia, waarvan de buitenkant werd verdeeld door grote boogvormige ramen. Nog verder, op een uitstekend platform dat steunde op de ringmuur boven de weg, was een fontein. Deze bestond uit twee zeemeerminnen die een kruik ophielden waaruit een hoge straal water kwam. Na van dat gezicht genoten te hebben keerde de blik om en ving op het gewelf van de loggia een fresco op van het Geluk, omringd door de Goederen die ermee gepaard gaan. Het deemoedige klateren van de fontein, onverschillig voor de eenzaamheid, verspreidde een lieflijk gemurmel over de hele eerste verdieping. Aan de zijgevels van de eerste verdieping, op het muurtje van de balkons, waren nog twee kunstmatige bronnen (waarvan we de een al hadden gehoord vanaf de binnenplaats eronder), die met de mooiste en grootste onder de loggia een magische, bekoorlijke driehoek van zilverig kabbelend water vormden en de hele galerij vulden met hun gemurmel.

'Moet u kijken!' riep ik plotseling uit.

Op de panelen van de deur die uitkwam op een van de twee loggia's met de fonteinen, was integraal Capitors sonnet over de fortuin weergegeven.

DE FORTUIN

Amice, hier ziet u deze figuur,
Et in arcano mentis reponatur,
Ut magnis inde fructus extrahatur,
Aanschouw dan nu terdege zijn natuur.
...

'Dat is de eerste aanwijzing!' riep de abt triomfantelijk, nadat hij de eerste versregels had gelezen.

'Misschien zijn de drie geschenken van Capitor die we zoeken niet ver weg,' veronderstelde ik.

We bleven om ons heen kijken. We merkten dat ook heel de halfronde loggia, alsmede de tussenruimten en de luiken van de ramen in de galerij onder de spreekwoorden en gezegden zaten. Toevallig stuitten mijn ogen op één ervan.

'*Van de particuliere haatgevoelens der machthebbers komt het ongeluk der volkeren*,' las ik hardop.

Atto keek me een beetje verbaasd aan. Leerde hij me dat nou juist niet met zijn verhaal over het amoureuze ongeluk van de Zonnekoning, dat uiteindelijk veranderd was in een verwoestende kracht?

'Kijk,' zei hij plotseling met een van verbazing verstikte stem.

Tot op dat moment gegrepen door de fresco's, de motto's, de wapentriomfen en de ronde loggia met de fontein, wendden we ten slotte onze blik naar het tegenoverliggende uiteinde van de galerij, aan de noordkant. Ook al is er wat tijd overheen gegaan en volgden de ongewone ervaringen elkaar op, ik herinner me nog scherp de duizeling waardoor ik werd overmand.

De galerij was eindeloos. De zijden ervan strekten zich met evenwijdige convergentie tot in het oneindige uit, en ik voelde hoe mijn haast uit hun kassen gerukte ogen zich weerloos in die afgrond richtten. Beetgenomen door het ondraaglijke schijnsel van het buitenlicht zag ik de muren van de galerij opgaan in de wapentriomfen, de fresco's van het gewelf en ten slotte in het machtige, plechtige, vreeswekkende beeld dat zich tegen de horizon aftekende, omlijst door de ruit als in het vizier van een jager: de Vaticaanse heuvel.

'Goed zo, goed zo, Benedetti,' luidde Atto's commentaar.

Het had een minuut of wat geduurd voordat we beseften wat er was gebeurd. Het uiteinde aan de noordkant van de galerij werd gevormd door een wand met daarin een ruit die op een vierhoekige loggia uitkeek. De muur om de ruit zat vol met spiegels, die de galerij zo opvoerden en verlengden dat ze eindeloos leek. Maar dat gebeurde alleen als het waarnemingspunt vrij ver weg en op gelijke afstand tussen de twee lange zijden lag, en alleen daar. In het midden van de wand, dus in het brandpunt van die architectonische trechter, paste dan juist de aanblik van de Vaticaanse paleizen; je hoefde maar op de ruit af te lopen om in het uitzicht ook de koepel van de Sint-Pietersbasiliek te krijgen.

Die villa in de vorm van een schip richtte dus de voorsteven naar de zetel van het pausdom. Het was niet duidelijk of die samenloop een teken van deugd was of eerder van dreiging.

'Ik begrijp het niet. Het lijkt wel op de loop van een kanon, alsof we hiervandaan op de Vaticaanse paleizen konden schieten,' merkte ik op. 'U hebt Benedetti gekend. Is het volgens u toeval of niet dat Het Schip zo ligt?'

'Ik zou zeggen dat...'

Hij brak af. Plotseling een geluid van voetstappen. Iemand in de tuin. Atto wilde niet laten merken dat hij gealarmeerd was, maar liet wat hij wilde gaan zeggen achterwege en begon te ijsberen.

We verkenden de ruimten aan weerszijden van de galerij, vier in totaal. Er was eerst een kleine kapel, en toen een badkamer. Boven de ingang van de eerste stond het opschrift *Hic anima*, boven de tweede *Hic corpus*.

'Hier is het voor de ziel, hier is het voor het lichaam,' vertaalde Melani. 'Wat een geest.'

De badkamer was weelderig ingericht met decoraties van stucwerk en majolicategels, en beschikte over maar liefst twee wastafels. In elk ervan werd het water verstrekt door twee kranen, waarvan boven de ene *calida* en boven de andere *frigida* stond.

'Warm en koud, naar keuze,' luidde Atto's commentaar. 'Ongelooflijk. Zelfs vorsten beschikken niet over dergelijk comfort.'

Opnieuw hoorden we buiten een uitgesproken geklos. De voetstappen leken iets haastiger dan die van daarvoor.

'Wilt u echt niet naar buiten om te zien of die twee... Enfin, wie is daar buiten?'

'Natuurlijk wil ik dat,' antwoordde hij, 'maar eerst wil ik deze verdieping verder verkennen. Als we niets interessants vinden, gaan we er één hoger.'

Zoals licht te voorspellen viel, was ook het kapelletje van onder tot boven gedecoreerd met tientallen en nog eens tientallen vrome gezegden. Atto las er zomaar een:

'*Ieiunium arma contra diabolum*, vasten is een wapen tegen de duivel. Dat zou je moeten zeggen tegen de eminenties die zich bij kardinaal Spada volproppen.'

De twee ruimten waren respectievelijk gewijd aan het pausdom en aan Frankrijk: een vertrekje met de portretten van alle pausen, en een ander met de beeltenissen van de Franse koningen en koningin Christina van Zweden. Op de twee deuren sprongen twee bordjes in het oog: *LITERA* voor de pausen, *ET ARMA* voor de koningen.

'Voor de pausen de geesteszorg; voor de koningen de verdediging van de staat,' verklaarde Atto. 'Benedetti was zeker geen liefhebber van de wereldlijke macht van de Kerk,' grinnikte hij.

In het vertrekje dat aan Frankrijk was gewijd, hingen aan de wanden twee schitterende gobelins met bucolische taferelen die nogal de aandacht van abt Melani trokken. Op het eerste was een herderinnetje te zien met op de achtergrond een sater die een ander herderinnetje probeert te ontvoeren door haar aan de haren te trekken, maar dat mislukt doordat zij een haarstukje draagt. Op het tweede buigt een jongeman met pijl en boog zich over een in haar zij gewonde nimf die gekleed is in een wolfshuid, het geheel omsloten door een bloemenlijst, bezaaid met cartouches en medaillons in reliëf.

'Daar Corisca en Amarilli, en hier gewonde Dorinda: dat zijn twee scènes uit *Il Pastor fido*, de befaamde herderstragikomedie van cavalier Guarini die al meer dan een eeuw successen oogst aan alle christelijke hoven,' reciteerde hij met voldoening. 'Bewonder maar, jongen, dit zijn absoluut de fraaiste gobelins uit de tapijtweverijen in Frankrijk. Ze komen uit de Faubourg Saint Germain, bewonderenswaardig geweven door de kundige handen van Van der Plancken, of De la Planche, zo je wilt,' preciseerde hij met het gezicht van de kenner. 'Die heb ik Elpidio Benedetti laten aanschaffen toen hij meer dan dertig jaar geleden naar Frankrijk kwam.'

'Ze zijn echt mooi,' stemde ik in.

'Oorspronkelijk waren het er vier, maar op mijn aanraden heeft Benedetti er twee naar Palazzo Colonna gebracht als geschenk voor Maria Mancini, die toen in Rome was. Alleen ik wist *hoe graag* ze ze zou aannemen. Toen ik weer in Rome was, ontdekte ik dat ze ze in haar slaapkamer had opgehangen, vlak voor haar schrijftafel. Ze heeft altijd van risico gehouden: ze hield ze jarenlang onder de neus van haar man en hij heeft nooit iets gemerkt!' grinnikte hij.

'Heeft haar man nooit gemerkt dat die gobelins waren opgehangen?' vroeg ik niet-begrijpend.

'Welnee, ik bedoel dat hij nooit heeft ontdekt... nou ja, laat maar zitten,' antwoordde Melani ineens ontwijkend.

'Ik stel me zo voor dat *Il Pastor fido* ten tijde van hun relatie een van de lievelingswerken van la Mancini en de koning was,' vermoedde ik, om mogelijk iets te begrijpen van wat Atto had willen zeggen.

'Min of meer,' bromde hij, bruusk weglopend van de wandtapijten en belangstelling veinzend voor een schilderij met een idyllisch herderstafereel. 'Ik bedoel: het was destijds het lievelingswerk van veel mensen; het is een heel beroemd drama, zei ik al.'

De abt kwam me terughoudend voor, en hij merkte dat.

'Ik heb er de pest aan om de liefdesgeheimen van Maria en Zijne Majesteit rond te strooien,' verklaarde hij samenzweerderig, 'vooral die ze deelden toen ze alleen waren.'

'Alleen? Maar u bent ervan op de hoogte,' bracht ik aarzelend in.

'Ja. Ik en niemand anders.'

Ik vond het buitengemeen curieus dat Melani zich liet afschrikken door gewetensbezwaren: die leek hij nooit te hebben gehad als hij me de geheimste en intiemste episodes uit het leven van de allerchristelijkste koning onthulde. Integendeel...

Ik wilde er juist tegenin gaan toen ik de voetstappen van eerst hoorde. Ze kwamen alarmerend snel naderbij. Ze gingen opwaarts, van beneden naar boven. We draaiden ons om naar de wenteltrap die we waren op gegaan aan de andere kant van de salon.

Als aan de grond genageld door een angst die geen van tweeën van plan was de ander op te biechten, wachtten we stil af tot de vreemde aanwezigheid zich zou vertonen. De echo van de voetstappen op de marmeren treden verspreidde zich zo door de galerij dat het zonder de plaats van de trap te kennen onmogelijk zou zijn te weten waarheen je je moest omdraaien. De voetstappen kwamen dichtbij, toen heel dichtbij, zodat je kon zweren dat ze ter hoogte van de galerij waren. Toen hielden ze op. We hadden beiden onze blik op de tegenoverliggende zijde van de galerij gevestigd. Niemand.

Toen gebeurde het. Tussen ons tweeën tekende zich, enorm en onvoorstelbaar, een schaduw af. We waren beetgenomen. Het wezen was tussen ons in, net achter ons, op de drempel van de loggia vanwaar je het Vaticaan kon zien.

De vlaag verstand waarin ik me afvroeg hoe hij in alle stilte daar achter ons had kunnen opduiken, was dezelfde als waarin ik mijn linkerschouder vastgepakt voelde door zijn klauwen en ik wist dat ik geen verweer had.

Leeg van angst draaide ik even mijn hoofd om en zag het spook. Het was een mager wezen, haviksneus, slecht gekleed. Zijn ogen waren hol, zijn huid strak getrokken. Het was niet eens nodig de blik te laten zakken voor de rest. De geur was voldoende: van zijn hals tot zijn onderbuik droop zijn hemd van het bloed.

'Buvat!' riep Atto. 'Wat doet u hier?'

Hij gaf geen antwoord.

'Je... je vrouw,' prevelde het bleke spook tegen mij, 'je moet snel zijn... meteen.'

Hij leunde tegen de muur. Toen ging hij onderuit en viel in zwijm.

Den 9den juli 1700, derde avond

Ik rende mijn longen uit mijn lijf. Gesteund door het inmiddels gevorderde middaguur en de eerste avondbriesjes overbrugde ik de korte maar niet misselijke afstand tussen Het schip en Villa Spada met een snelheid waartoe zelfs de angst voor mijn eigen dood mij niet had kunnen aanzetten.

'Cloridia, Cloridia,' zei ik steeds angstig bij mezelf, 'en de meiskes? Waar zijn die?' Heel het te doorlopen traject had ik met het mes van de angst goed ingekerfd in mijn hoofd: door de hoofdingang van de villa naar binnen, de laan af, het Zomerverblijf in, een paar kortere routes binnendoor, naar de eerste verdieping, de vertrekken van prinses Di Forano...

Maar zodra de muren van Villa Spada in zicht waren, begreep ik dat dat allemaal heel moeilijk zou zijn.

Voor de villa heerste een volstrekte chaos. Op de plaats waar de erehekken al urenlang geblokkeerd werden door rijtuigen, knechts, parasieten en bedienden, maakte op dat moment de stoet van een van de voornaamste genodigden voor het huwelijk zijn intocht: Louis Grimaldi, de prins van Monaco en ambassadeur van de allerchristelijkste koning van Frankrijk.

Ik probeerde me naar de ingang van de villa te dringen, maar tevergeefs. Vanuit de omgeving was een menigte landlieden en volksmensen op de invloedrijke personages af gekomen. Iedereen wilde wel een blik werpen op de eminenties, prinsen en ambassadeurs die voor het huwelijk waren uitgenodigd. De toeloop werd verergerd door de stroom mensen die onder het toeziend oog van twee gewapende wachters de villa in en uit gingen. Net buiten de hekken was de massa onbeschrijflijk, het lawaai onverdraaglijk; het zicht werd belemmerd door het opstuivende stof van de paardenhoeven; de menigte golfde traag, tevergeefs weggedrukt door degenen (koetsiers, palfreniers, begeleiders) die moesten manoeuvreren of de villa in moesten.

'Pardon, pardon! Ik ben een knecht van Villa Spada, laat me even door!' schreeuwde ik als een bezetene om me een weg te banen, maar niemand hoorde me.

Juist op dat moment maakte er een voertuig rechtsomkeert; twee vrouwtjes wisten het gillend als door een wonder te ontwijken, een van de twee kwam boven op mij terecht. Ik viel op de grond, waarbij ik in een poging om me vast te houden ik weet niet welke pechvogel meesleurde, die op zijn beurt een buurman meesleepte. Zo zag ik me op de grond liggen in een wonderlijk kluwen van armen en benen; zodra ik weer overeind gekomen was, zag ik dat uit het toch onschuldige incident een ruzie was voortgekomen. Twee staffiers gaven elkaar er flink van langs met hun degens. Nog eens twee koetsiers duwden elkaar, de ene haalde een mes te voorschijn; een stem riep om de smerissen. De stoet van de prins van Monaco kwam wiebelend en piepend als één enorm rijtuig tot stilstand.

Zonder op de vechtpartij te letten zette ik het weer op een rennen naar mijn Cloridia, mijn hart klopte in mijn keel. De koetsen versperden me echter de weg naar de ingang, en er was geen doorkomen aan. Ik stortte me halsoverkop weer in de meute en hoopte in een woud van benen, laarzen en muilen binnen te dringen. Zo liep ik eerst een elleboogstoot tegen mijn borst en daarna een duw van een jongetje op. Ik boog mijn hoofd tot een stormram, gereed om toe te stoten en me een weg te banen. De grote blauwe ogen van het jongetje keken me verbaasd en weerloos aan. Ik ging tot de aanval over.

In plaats van tegen een slappe buik te botsen kwam mijn hoofd tegen een wel meegevend maar ferm oppervlak terecht. Het was een hand, enorm en onoverwinnelijk, die me bij mijn haren greep en mijn hoofd krachtig weer optilde.

'Alle veldslangen nog an toe! Jongen, wat doe jij hier? Je vrouw heeft je dringend nodig!'

Terwijl hij me nog steeds bij mijn haren hield, keek Sfasciamonti me geamuseerd en verbaasd aan.

'Wat is er met Cloridia?' riep ik.

'Met haar niets. Maar prinses Di Forano is iets goeds overkomen. Kom mee.'

Hij tilde me op, hees me op zijn indrukwekkende schouders en voerde me naar het hek van de villa. Vanaf die plaats had ik, als een Hannibal op de rug van de olifant, een overzicht over de situatie. De menigte was weer gaan joelen en dringen: vanuit zijn koets gooide de prins van Monaco geld naar het grauw. Met een breed theatraal gebaar haalde hij de munten uit een zakje en wierp ze met tientallen toe, zodat er stralen glimmend geld over de hoofden van het publiek werden uitgesprenkeld. Zijn gelaat verried al zijn genoegen bij de aanblik van het volk dat elkaar in de haren vloog en vocht om iets wat voor hem niets voorstelde.

'De prins van Monaco is echt een snoever,' fluisterde Sfasciamonti, terwijl we de gewapende wachters op de drempel van de villa voorbijliepen en eindelijk naar binnen gingen. 'Geld gooi je vanaf het balkon van je eigen paleis, niet voor andermans villa.'

'Enfin,' vervolgde ik al een tikje rustiger, terwijl ik van Sfasciamonti's schouders af stapte, 'maakt Cloridia het goed? En mijn meiskes?'

'Ze maken het allemaal prima. Heeft Buvat dat niet gezegd? Prinses Di Forano heeft een mooi jongetje ter wereld gebracht. Terwijl ze aan het bevallen was, had je vrouw hulp nodig. In afwachting van je dochters die van huis moesten komen, vroeg ze naar jou. Niemand wist waar je zat, en toen zei Cloridia dat we abt Melani moesten zoeken. Ook die was onvindbaar, dus bood Buvat aan om te helpen. Als eerste hebben ze hem de bebloede lakens laten weghalen, waarmee zijn hemd doordrenkt is geraakt. Vervolgens is hij helemaal bleek weggetrokken, hij zei dat hij niet tegen bloed kon, en toen is hij jullie gaan zoeken. Tussen twee haakjes, waar voor de duivel zaten jullie?'

Op dat moment gingen onze wenkbrauwen omhoog van verbazing toen de stoet van de bruid, de jonge Maria Pulcheria Rocci, het plein bereikte. Het gevolg telde maar liefst elf rijtuigen, en legio andere gestuurd door heren, kardinalen, ambassadeurs, prinsen en eerste cavaliers van het hof van Rome.

Aan het hoofd van de rij koetsen stond een erezesspan, dat zoals iedereen weet de voorhoede heet; daarachter kwamen de eerste drie spannen, dat wil zeggen rijtuigen, gevolgd door sierwagens, die allemaal een getrouwe beschrijving verdienen (al kon ik er door mijn geringe lengte maar ten dele van genieten en had ik een beperkt zicht).

In de eerste, meteen toegejuichte koets zat de bruid. De carrosserie was helemaal met goud bedekt, met realistische figuren die aan de voorkant Herfst en Winter, aan de achterkant Zomer en Lente voorstelden. In het midden prijkte de Zon, de duidelijke brenger van de genoemde seizoenen, en aan zijn voeten waren twee rivieren afgebeeld die aan het einde van hun loop samenstroomden, het geheel omringd door en verfraaid met diverse putti.

Zoals gewoonlijk bij een adellijke echtverbintenis volgde hierna een eenvoudige lege zwarte koets.

Daarna kwam de koets met de familie van de bruid. Deze was bekleed met groen fluweel en vanbinnen versierd met groen brokaat met goudborduursel. In de wagen daarachter waren twee gevleugelde zinnebeelden te bewonderen van de Faam met bazuinen in de hand, waarbij de Schilderkunst en de Beeldhouwkunst waren afgebeeld met in hun hand de werktuigen die betrekking hadden op hun edele bedrijf.

Het derde rijtuig ten slotte, eenvoudig versierd met vanbinnen karmozijnrood en verder zonder verfraaiingen, kondigde met gekunsteld berouw de intocht van de ware triomfator van het feest aan, staatssecretaris-kardinaal Fabrizio Spada.

De weelde en waarde van de equipages getuigden onmiskenbaar van de ruimhartigheid van de kardinaal, die deze memorabele pracht aan de bruid van zijn neef ten geschenke had willen aanbieden; maar nog beter besefte men die wanneer men stilstond bij de schrikwekkende som – zo werd die avond rondgefluisterd – die het mooie gebaar hem had gekost.

'Ze zeggen zesentwintigduizend scudo's,' fluisterde een jonge lakei me toe, gebruikmakend van het gedrang dat iedereen in de nederige mensenmassa tegen elkaar aan drukte.

De stoet ging de lange laan van de ingang in, toegejuicht door het publiek dat dicht opeen aan de kant stond. Aangekomen bij de open plek voor de bekoorlijke voorgevel van het Spada Zomerverblijf sloeg hij rechtsaf en reed langs de sinaasappelboomgaard om uiteindelijk achter de doornstruiken uit mijn blikveld te verdwijnen in de richting van de kapel.

Ik maakte haast. Ik wilde zo snel mogelijk mijn vrouw weer in de armen sluiten. Ik sloeg mijn ogen op naar de ramen van de eerste verdieping waar ik wist dat prinses Di Forano logeerde, maar kon niets zien. Ik besloot tot aan de deur van de edelvrouwe te gaan: ik kon me niet veroorloven aan te kloppen, maar misschien kon ik Cloridia benaderen. Ik stelde me voor hoe ze druk in de weer was met het kindje, de zorg voor de kraamvrouw en de verschillende adviezen. Op de gang aangekomen trof ik die verlaten aan: iedereen was naar beneden om de komst van de bruid mee te maken. Uit de halfopen deur hoorde ik de zilverige stem van mijn vrouw komen.

'Moedermelk was niet vergund aan Cleophanes, de kwade zoon van de voortreffelijke Themistocles, en om dezelfde reden ontaardden Xantippus van Pericles, Caligula van Germanicus, Commodus van Marcus Aurelius,

Domitianus van Vespasianus, Absalom van David, die ik als eerste had moeten noemen. Was het een wonder dat Aegisthus overspelig was: hij werd door een geit gevoed! Een wolvin zoogde Romulus, zodat hij het wrede instinct meekreeg om zich tegen zijn broeder Remus te keren en de Sabijnse maagden te roven als evenzovele schapen.'

Ik begreep het meteen. Ik kende het kraamrepertoire van mijn Cloridia op mijn duimpje. Het was haar liefhebberij om in de uren na een goed verlopen bevalling het uiterste belang van borstvoeding voor het kleintje uiteen te zetten.

'U zult het met mij eens zijn, hoogheid, dat de band van de kinderliefde ontstaat door het ter wereld gebracht worden, maar daarnaast groeit door het gevoed worden met de eigen melk,' legde ze met zachte, overtuigende stem uit.

La Strozzi zweeg.

'Een voorbeeld daarvan zij Gracchus, een kloek Romein,' vervolgde Cloridia. 'Bij zijn terugkeer als triomfator uit de oorlogen in Klein-Azië gingen zijn moeder en zijn voedster hem tegelijkertijd tegemoet bij de poorten van Rome. En hij haalde twee geschenken te voorschijn die hij tijdens zijn veldtocht zorgvuldig had aangeschaft: een zilveren ring voor zijn moeder en een gouden gordel voor zijn voedster. Tegen zijn moeder, die haar beklag deed dat ze bij zijn voedster werd achtergesteld, antwoordde Gracchus:

U, moeder, maakte mij nadat u mij negen maanden in uw schoot had gedragen. Maar meteen na mijn geboorte bande u mij van uw borst en uit uw bed. Deze voedster ontving mij, liefkoosde mij, diende mij niet negen maanden, maar drie jaar achter elkaar.'

De prinses bleef zwijgen.

'Deze rede, gehouden door een heiden, zou ons moeten doen blozen,' hield Cloridia aan, 'want geboren als christenen belijden we een volmaakt geloof dat gegrondvest is op het geloof en de liefde voor de naaste: en als het ons leert zelfs onze vijanden lief te hebben, dan leert het ons zeker onze kinderen lief te hebben.'

'Mijn beste,' weerlegde een vermoeide maar vastberaden stem, die naar ik aannam van de prinses was, 'ik heb het door dit kleintje, net als door zijn drie broertjes, al moeilijk genoeg gehad om me ook nog eens uit te putten met zogen.'

'O, luister, alstublieft,' smeekte mijn tomeloze eega. 'Als u alleen maar naging hoeveel plezier u uw kind zult ontzeggen, als u het de moederborst weigert, dan geloof ik nooit dat u zo ver zou gaan. Er is voor kinderen geen tijdpassering ter wereld die bij die vreugde in de buurt komt; er is geen komedie die kan tippen aan dat huilen van ongeduld en die plotselinge bewegingen bij het aanraken van de tiet en ten slotte dat lachen van blijdschap bij het openen van het mondje en het begraven van het neusje en heel het gezichtje in de lauwe moederborst.'

Maar de tedere beelden die mijn schone vroedvrouw opriep, leken de edelvrouwe niet te vermurwen.

'Waarvoor zou ik me aan zo veel opoffering blootstellen?' antwoordde ze met een zweem van ongeduld in haar stem. 'Om in ruil daarvoor trappen te krijgen zodra het in staat zal zijn zijn eerste stapjes te zetten, en ten slotte ondankbaarheid en verwaandheid wanneer het volwassen zal zijn?'

'Maar juist daardoor bestaat er in onze dagen zo weinig liefde van kinderen voor hun ouders,' durfde Cloridia warm te lopen. 'God wil dat kinderen op weinig liefde die hun in hun jeugd is betoond met weinig liefde reageren als ze volgroeid zijn.'

'Mijn man heeft allang een voedster in dienst. Hij heeft haar laten roepen: ze komt zo dadelijk. En nu moet je ophouden, anders bestaat de kans dat de kleine wakker wordt. Laat me maar, ik wil rusten,' zond ze haar bruusk heen.

Toen Cloridia, met een donker gezicht en gebalde vuisten, de deur uit liep, zag ze me nauwelijks staan. Ze ging snel de diensttrap af; ik liep haar achterna. Toen we in de keukens waren, barstte ze los.

'Ah, de politiek van het moderne bevallen!' donderde ze, zodat een paar keukenmeiden zich omdraaiden.

'Cloridia, wat is er aan de hand?' vroegen ze nieuwsgierig geworden.

'O, niks! Alleen heeft zich met onuitroeibare vruchtbaarheid het gebruik verspreid,' begon ze nadrukkelijk, met grote gebaren en grimassen om de edelvrouwen met wie ze te maken had na te bootsen, 'dat een moeder die niet uit het volk stamt zich te goed voelt om het kroost waarvan de ergerlijke last op haar schoot heeft gedrukt, aan de borst te nemen.'

Toen de keukenmeiden het onderwerp duidelijk was, begonnen ze te lachen. Eentje, van wie ik wist dat ze een meisje van twee had, haalde een borst uit haar hemdje en kneep er melk uit dat met straaltjes te voorschijn kwam, als teken dat zij haar dochter nog de borst gaf.

'Vind je dat volks?' grijnsde ze.

'Vaarwel kindekens, vaarwel!' donderde Cloridia intussen als een profetes, met de armen wijd door de keuken ijsberend om haar onderdrukte woede ten aanzien van prinses Di Forano af te reageren. 'Jullie voortbrengsters kunnen jullie niet meer lijden want jullie maakten je te gehaat met de loodzware zwangerschap; jullie bleken te pijnlijk bij de dringende bevalling. Het Europese Kind wordt zo genoopt te beginnen met een onbekende tiet, zo niet die van een dier, en onder een ontaard gesternte naar de mogelijkheid van andersoortige voeding te zwerven. De moederaard ziet zich, deswegen teleurgesteld, afgezworen, en de melk vliedt uit de borsten, verdreven uit angst voor misvorming en uit afkeer van het ongemak. Daar ligt dus de oorsprong van de verwijdering tussen kinderen en hun ouders. Het edele van het kindersentiment ontaardt al op de randen van de wieg, wanneer de voeding onbeschaafd is. De aard van de geest neemt af wanneer het lichaam aan achterlijke boersheid wordt overgelaten. Met de melk wordt de aanleg ingedronken, en die is min wanneer die uit de stal komt!'

Het was niet voor het eerst dat ik een dergelijk spektakel van mijn eega meemaakte. Altijd weer herhaalde zich de geschiedenis: wanneer Cloridia een edelvrouwe bijstond bij de bevalling, maakte de vreugde over de geboorte meteen plaats voor de spanning waarmee ze de kraamvrouw tot elke prijs wilde overhalen het kind haar eigen melk te geven, zonder zich tot voedsters of, erger nog, tot geiten of koeien te wenden. Allemaal tevergeefs: wat voor een volksvrouw de natuurlijkste zaak van de wereld was (niet in de laatste plaats om economische redenen), werd een onvoorstelbare, krenkende inspanning in de ogen van een gravin. En mijn Cloridia, die onze twee kleintjes zelf elk de eerste drie levensjaren de borst had gegeven, leed er onbeschrijflijk onder en kon zich er slecht bij neerleggen.

Nadat Cloridia haar verontwaardiging uiteindelijk had opgeborgen in een zucht van gelatenheid, wendde ze zich tot mij en omhelsde me met een mooie glimlach.

'Waar zat je nou? Zodra de vliezen van de prinses waren gebroken, heb ik de kleintjes laten roepen, maar ik had dringend hulp nodig en die arme jongen, die Buvat, stierf bijna van angst bij de aanblik van het bloed.'

'Ik weet het, vergeef me, maar ik heb een uitstekend bericht...' zei ik om haar op de hoogte te stellen van de overeenkomst die ik met Atto had gesloten over de bruidsschat van de kleintjes.

'Laat maar zitten, dat vertel je later maar. Nu gaan we onze pakken aantrekken: ik wil voor niets ter wereld de bruid missen.'

Wij knechten en bedienden van Villa Spada hadden van de hofmeester, don

Paschatio Melchiorri, toestemming gekregen om deel te nemen aan de bruiloft, maar dan gekleed in fraaie boerenfeestpakken die speciaal voor ons waren gemaakt. We zouden op die manier een landelijke omlijsting vormen voor de bruiloft, in volmaakte harmonie met de landelijke omgeving waarin we ons bevonden.

Ik ging als eerste. Cloridia werd opgehouden doordat ze op onze twee meiskes wachtte die ze voor de gelegenheid had toegestaan zich bij ons aan te sluiten om kort het bruidspaar te kunnen zien.

Ik kwam bij het kapelletje aan toen de huwelijksinzegening al even bezig was. Don Tibaldutio waagde zich aan de kanselrede. Iedereen had zich voor de kerk verzameld waar traditiegetrouw de huwelijken worden gesloten. De mannen achter de bruidegom, de vrouwen achter de bruid. Don Tibaldutio stak van wal:

'Wij zijn hier, hooggeachte, eerwaardige dames en heren, bijeen om een eenheid te sluiten. En een eenheid is de grootste schat van het menselijk leven, hetgeen ik u weldra zal aantonen. Er zijn namelijk vier zaken die de wereldmogendheden hoog in het vaandel houden. De eerste is godsdienst. En dat dat waar is zien wij want waar geen godsdienst is, is geen vreze Gods, is geen gerechtigheid. En waar geen gerechtigheid is, is geen vrede. En waar geen vrede is, daar is geen eenheid. En waar geen eenheid is, daar kan geen ware mogendheid zijn. Zodat we daaruit kunnen zien van hoe een groot belang de godsdienst is en de vreze van de gezegende God, van wie al onze handelingen afhankelijk zijn. Want Zijn goddelijke goedheid is het die ons in deze wereld het zijn en het welzijn geeft, en in de andere wereld de eeuwige rust. De tweede zaak in volgorde van belangrijkheid is de gerechtigheid, waarmee de goddelozen en verdorvenen worden gekastijd en de goeden beloond. En met het middel van de gerechtigheid wordt de vrede bewaard: zeer noodzakelijk voor het behoud van de mogendheden. De derde zaak is de vrede, zonder welke de mogendheden niet kunnen voortbestaan: want als er geen vrede is, bestaat er geen eenheid. De vierde en laatste en belangrijkste zaak van alle is dus de eenheid, zonder welke de godsdienst zwak zou zijn, de gerechtigheid onrustig en de vrede krachteloos. Want als er in de mogendheid geen eenheid bestaat, werkt de godsdienst weinig uit, slaapt de gerechtigheid en valt de vrede uit elkaar.'

Terwijl de preek verderging, sloeg ik het bruidspaar gade. Vanuit mijn positie kon ik maar weinig zien, behalve de buitengewone rijkdom en weelde van de bruidsjapon en van het kapsel van de bruid. Nu en dan wierp ik een blik op het groepje dienstmaagden waar mijn Cloridia zich naar verwachting bij zou voegen. En algauw kwam ze, met onze meiskes in haar kielzog, schoner dan ooit in haar boerenjurk in wit, rood en goud, de huwelijkskleuren. Mijn dochters deden niet voor haar onder: ze waren fraai uitgedost in speciaal door hun moeder genaaide jurkjes; de oudste in een kleedje van gele stof met mouwen van oudroze damast, afgezet met vals goud, en de jongste met een vleeskleurig gewaadje, versierd met donkerblauwe biezen.

Ze hielden allemaal fraaie takjes in de hand, versierd met witte bloemen, waarmee ze aan het eind van de ceremonie feestelijk zouden zwaaien, samen met de andere dienstmaagden van Villa Spada in het gevolg van de bruid.

'Waar geen eenheid is,' raakte intussen de kapelaan verhit, 'heerst vijandschap, de oorzaak van alle ondergang in de wereld, zoals ik nu met gezag van de oude geschiedenissen zal bewijzen. De eerste vijandschap die er ooit is geweest, was in de hemel tussen de Hoogste Goddelijke Goedheid en Lucifer. De tweede tussen Adam en de slang. De derde tussen Kaïn en Abel. De vierde tussen Jozef en zijn broers. De vijfde tussen Pompejus en Caesar. De zesde tussen Alexander en Darius. De zevende tussen Marcus Antonius en Caesar Augustus. Welke vijandschappen oorzaak waren van enorme ondergangen. Eenheid is dus de grootste kracht en schat in het menselijk leven, en ze behoudt alle staten ter wereld. Maar hoe bereiken wij die eenheid? Het is een uitspraak van de Wijsgeer dat man en vrouw overeen moeten stemmen in het lichaam, oftewel een wederzijdse fysieke aantrekkingskracht moeten voelen; en dat sorteert eindeloze, schitterende effecten. Maar het is ook zo dat er tevens overeenstemming van hart moet zijn, en dan brengt men de voortreffelijkste vruchten voort.'

Ik merkte ineens dat Cloridia en haar vriendinnen onderling druk stonden te smiespelen en met hun hand voor hun mond nauwelijks hun lachen konden inhouden. Kort daarop werd het me gegeven de reden daarvan te begrijpen, toen de bruid zich even mijn richting uit draaide en ik, zij het maar even, de trekken van haar gelaat kon waarnemen: Maria Pulcheria Rocci was ondanks haar naam maar weinig *pulchra*: voor alle duidelijkheid, ze was nogal lelijk.

'Niet toevallig plachten de Ouden bij een huwelijksplechtigheid vijf lichten te ontsteken,' ging de kapelaan verder. 'Ze gingen ervan uit dat drie, een oneven getal, de geestelijke vorm symboliseerde en een even getal, zoals twee, de stof. Het huwelijk moet dus een verbintenis zijn van vorm en stof, waarin de man te herkennen is, een geestelijk, actief wezen, en de vrouw, een stoffelijk, passief schepsel. De Ouden plachten bij de viering van een huwelijksfeest de man het vuur en de vrouw het water te laten aanraken, wat wilde zeggen dat het vuur verlicht en het water het licht ontvangt; maar ook dat het vuur door zijn aard zuivert en het water reinigt, zodat je door dit gebruik veeleer afleidt dat het huwelijk helder, zuiver, rein enzovoort voltrokken moet worden.'

De olijfkleurige, door pokken getekende huid, de lippen zo dun dat ze er haast niet leken te zijn, de bolle, bleke wangen, het lage voorhoofd, de kleine, doffe ogen gaven Maria Pulcheria Rocci het profiel en de kleur van een platvis. De verwijzing van don Tibaldutio naar de wederzijdse fysieke aantrekkingskracht kon niet ongelukkiger vallen, bedacht ik met een lachje; maar dit stierf weg toen een stemmetje vanbinnen me eraan herinnerde dat ik, met mijn lengte, me evenmin een Adonis kon noemen...

Mijn blik dwaalde naar Cloridia. Ik verheugde me lange tijd in haar bekoorlijke verschijning: viooltjeshuid, heilige, zoetlachende bruid en moeder. Maar ze had mij gekozen. Vrijwillig. Van de bruidegom, Clemente Spada, kon je moeilijk hetzelfde zeggen: de redenen die hem er uiteindelijk toe hadden gebracht met de weinig aanvallige Rocci in het huwelijksbootje te stappen moesten op wel prozaïscher gronden berusten dan die Cloridia en mij avontuurlijk en teder voor het eerst hadden verenigd.

'Naar het huwelijk dient men te komen met liefde,' waarschuwde don Tibaldutio ten slotte, nadat hij onder de illustere gelovigen een paar geeuwen had bespeurd, 'en men dient de regels en bepalingen van de Christelijke Katholieke Moederkerk in acht te nemen. Men dient het onverbrekelijk te houden en met geloof te bewaren en vooral moet het huwelijk erop gericht zijn om kinderen te krijgen en de zonde van onkuisheid te schuwen. Wie het anders opvat, verdient het niet onder de christenen te worden gerekend.'

Na de lange preek waarop de kapelaan het bruidspaar had onthaald, werd eindelijk het huwelijksritueel voltrokken.

'De ring aan de vinger, het halssieraad op de borst, de kroon op het hoofd,' reciteerde don Tibaldutio plechtig, terwijl enkele bruidsmeisjes de drie voorwerpen op de bank van het bruidspaar legden voor de zegening. 'De ring wijst op de zuiverheid van de daad: net als het reiken van de hand geeft hij blijk van de klaarheid van vertrouwen in de echtgenoot. Het halssieraad maakt de oprechtheid des harten kenbaar. De kroon de helderheid des geestes, want in het hoofd zetelt de scherpzinnigheid van het verstand.'

En toen, tijdens de zegening van don Tibaldutio, zag ik hem: weelderig en schitterend tussen de dubbelkoppige adelaars van de keizerlijke wapens, nauwgezet op zijn Spaans uitgedost als bewijs van zijn trouw aan het Habsburgse huis, volgde graaf von Lamberg, de ambassadeur van de keizer aan het pauselijk hof, de ceremonie met strenge overtuiging en een sfinxenprofiel. Met mijn ogen zocht ik Atto en meteen vond ik hem: van zijn voorhoofd parelde het zweet op zijn wit geblankette gezicht en karmijnrood glimmende wangen; tot op het onwaarschijnlijke af van top tot teen opgedirkt met kwikjes en strikjes in geel en rood (zijn lievelingskleuren) liet abt Melani zijn gespannen en onderzoekende blik geen moment van Lamberg afdwalen.

De ambassadeur, veel soberder gekleed in loodkleurig brokaat met stijve kantversieringen van zilver, toonde niet dat hij de krampachtige aandacht waarvan hij het voorwerp was in de gaten had, en staarde onaangedaan de kant van de kapelaan uit. Ik ging in gedachten naar de geheimzinnige sterfgevallen aan het Spaanse hof, naar de vermoedens van vergiftiging die op zijn partij rustten, naar Maria Mancini's vrees voor Atto's leven. De abt had geschreven dat hij hem onder vier ogen het hoofd wilde bieden. Zou Lamberg hem audiëntie verlenen?

Na afloop van de ceremonie was ik met de andere knechten uitgezwermd, en ik zag mijn eega mij tegemoetkomen met onze dochtertjes huppelend om haar heen, als een Diana met haar nimfen. Met hun takjes vol bloemen hadden ze deelgenomen aan de feestelijke stoet die de bruid naar haar nieuwe huwelijksleven begeleidde, en ze waren nog danig opgewonden van het eerbetoon. Het orkest begeleidde de uittocht van de gasten met een prachtige melopee van maestro Corelli die een lieflijk tegenwicht bood tegen de homilie van don Tibaldutio.

Cloridia moest even gaan kijken bij het kind van prinses Di Forano en liet mij de taak om onze twee kleintjes te eten te geven in de keukens van het Zomerverblijf, hen daarna naar huis te brengen en in bed te stoppen. Ik stal nog een moment van haar tijd om de geschreven belofte van Melani te laten zien. Ze keek haar ogen uit. 'Als ik het niet hier zwart op wit zag, zou ik het nooit geloven,' riep ze uit, en ze danste van vreugde, omhelsde en kuste me.

Maar de tijd drong. Alvorens blij weg te snellen verstrekte Cloridia me nog een kleine inlichting die ze tijdens de plechtigheid van de rappe tongen van haar bekende trouwe dienstmeisjes had opgedaan.

'Vanavond zit kardinaal Albani ook aan het diner aan, als het je interesseert,' zei ze met een knipoog, en ze rende weg.

Albani. Atto en ik hadden hem tevergeefs in Het Schip gezocht; en nu kwam hij bij ons.

'Men zegt dat kardinaal Buonvisi niet in de volmaaktste gezondheid verkeert,' onderbrak met een slokje muskadel weemoedig de bejaarde kardinaal Colloredo, die in de hoedanigheid van grootpenitencier, dat wil zeggen biechtvader der kardinalen, altijd van alles op de hoogte was.

Het huwelijksbanket was inmiddels op zijn hoogtepunt toen ik bij het vallen van de avond door don Paschatio, de hofmeester, werd geroepen om wederom de fakkel op te houden en de dis bij te lichten in de plaats van een lakei die zich niet lekker voelde. Nadat ik me had aangekleed als janitsaar was ik dus met een toorts in de hand bij het feestelijke diner aanwezig. Het bruidspaar met de respectieve families en kardinaal Spada, de schutspatroon van de feestelijkheden, waren wijselijk aan een tafel apart gaan zitten. Voor de heer des huizes diende deze overigens traditionele maatregel twee doelen: de familie van de bruid eer betonen en vermijden betrokken te raken in gesprekken over politiek, die zouden kunnen uitmonden in discussies en op een feestmaal met maar liefst achttien kardinalen uiteraard niet passend zouden zijn voor de kardinaal-staatssecretaris van de paus.

Overal op de diensttafels, verlicht door grote drie- en vierarmige aanvullende kandelaars, prijkten en schitterden met gouden en zilveren lichtflitsen zilveren bekers voor de dranken, kristallen karaffen, bekkens, zoutvaatjes, trancheermessen, kannen, schalen en onderzetters, glaasjes, grote dienbladen met pruimenijs, moten zeebaars, dikke harders en schoteltjes aardbeien; bovendien nog een tafel met allemaal vis, een andere met allemaal wild gevogelte, weer een andere met lekkere verse groenten, en een laatste met fruit en gekonfijte vruchten, een lust voor het oog en eigenlijk alleen om die reden opgemaakt, want ik wist dat er andere en nog smakelijker gangen verorberd zouden worden dan die toch rijke gave Gods.

Op het slechte nieuws over de gezondheid van kardinaal Buonvisi schudde iedereen met gemaakte droefheid het hoofd.

'Ja, dat is waar, hij maakt het niet zo goed; dat schreef hij me vorige week zelf,' bracht abt Melani naar voren om zijn vriendschap met Buonvisi duidelijk te maken, die hem dus zelfs zijn persoonlijke lotgevallen toevertrouwde.

'Maar ik reken erop dat hij snel herstelt, zodat... want ik hecht wel aan zijn gezondheid,' zei Colloredo, die even de hoop verried dat Buonvisi zou herstellen om mee te doen aan het conclaaf waarvan iedereen wist dat dat nabij was.

Colloredo kon niet weten dat Buonvisi een paar weken later, op 25 augustus, zou komen te overlijden en dat hij hem zelf ook niet langer dan twee jaar zou overleven. In een vlaag van helderziendheid zei hij evenwel in gedachten verzonken:

'Op 13 juni is kardinaal Maidalchini gestorven. Op 3 maart Casanate.'

Een ijzig windje liep over de ruggen van veel aanwezige kardinalen, die grotendeels op gevorderde leeftijd waren.

In de tussentijd was het tweede deel van de vierde gang opgediend. Om het verhemelte te verkwikken en op nieuwe geneugten voor te bereiden was eerst een sorbet van aalbessen geserveerd, aangelengd met citroensap. Daarna kwamen de gebakken forellen, afgemaakt met eierkoeken gevuld met morellen op sap en sucade met citroen ertussen; ovale pasteitjes gevuld met steur en plakken foie gras; spargelpunten, kappertjes, sleedoorns, wrange druiven, gekookt eigeel, citroensap, meel en buter, op tafel gebracht onder een opengewerkte deksel met suiker erop; soep van schildpadden die met de kop eraf op houtskool waren gegrild (zo bereid is er niet veel kruiderij nodig), met geroosterde amandelen, foie gras, welriekende kruiden, muskadel, kruimelgebak met tortiglioni, geglaceerd geserveerd met halve gevulde eieren.

'Uwe Eminentie zou bij zo'n vreugdevolle gelegenheid als dit luisterrijke huwelijk geen gedachte aan treurige zaken mogen wijden,' zei kardinaal Moriggia, die door Caesar Augustus de avond tevoren nog voor idioot was uitgemaakt. 'Bovendien is het voldoende de deugden te memoreren van hen die er niet meer zijn; het is niet nodig de sterfdata uit het hoofd te leren.'

'Dat zou ik ook niet doen,' antwoordde Colloredo, 'maar u weet, sinds de kwestie van 19...'

Niemand dorst op dat moment een mond open te doen; iedereen wist waar het over ging, zelfs ik, want ik had het in de aantekeningen tussen Atto's papieren gelezen. Vorig jaar was het gebeurd dat drie purperdragers met steeds een maand tussentijd waren verscheiden. Giovanni Delfino, de patriarch van Aquileia, op 19 juli; kardinaal de Aguirre op 19 augustus; kardinaal Fernández de Cordoba, de grootinquisiteur van Spanje, op 19 september. Uiteraard had iedere Europese kardinaal tot 19 oktober in angst geleefd dat de reeks door zou lopen en dat híj ditmaal aan de beurt zou zijn. Gelukkig was dat niet bewaarheid geworden en was de volgende die heenging kardinaal Pallavicino geweest, die die rampzalige reeks had doorbroken door op 11 februari naar een beter leven over te gaan. Het Heilige College had een zucht van verlichting geslaakt.

'De dierbare Delfino zou, voorzover ik hem kende als mens en als kardinaal, een uitstekende paus zijn geweest,' zei Atto, waarmee hij de naam uitsprak die iedereen in zijn hoofd had, en andermaal liet blijken dat hij met purperdragers op intieme voet stond. 'Jammer dat de dingen door iemands overmatige ijver anders zijn gelopen.' De sfeer werd drukkend.

'Er bestaan te ij-ve-ri-ge individuen die klaarstaan om zelfs onbekenden van advies te dienen, alleen om respectabele personen te bekladden,' vervolgde hij nonchalant.

De sfeer werd van drukkend loodzwaar. De term 'ijverig', waarop Atto tweemaal de nadruk had gelegd, verwees naar de partij van de Zeloten Kardinalen, zo genoemd omdat ze de onafhankelijkheid van het Heilige College van de invloed der buitenlandse mogendheden predikten, en waartoe zowel Colloredo als Negroni behoorden. Zoals ik wist door de leerzame lectuur van abt Melani's aantekeningen, stond kardinaal Delfino, Atto's vriend en een alle vorstenhuizen welgevallige kandidaat, in het vorige conclaaf, negen jaar eerder, op het punt tot paus gekozen te worden. De Zeloten, die het niet konden uitstaan dat de buitenlandse mogendheden op eigen houtje een paus maakten, hadden met de ergste middelen hun best gedaan om die verkiezing te torpederen. Zoals Atto vol zinspelingen had gememoreerd, had Colloredo aan de biechtvader van de Zonnekoning geschreven, pater La Chaise (met wie de kardinaal nooit eerder contact had gezocht), om de kandidatuur van kardinaal Barbarigo, die eveneens een Zeloot was, te steunen.

Negroni had vervolgens het gerucht verspreid dat Delfino in zijn jeugd een man met een pook had doodgeslagen: iets wat hij inderdaad had gedaan, maar alleen uit zelfverdediging tegen een dief die zijn huis was binnengedrongen en hem met een dolk had aangevallen.

Uiteindelijk hadden de boze tongen de overhand gekregen en was in Delfino's plaats kardinaal Pignatelli gekozen, de paus wiens dood nu aanstaande was.

'Blijft alleen het feit dat onze huidige paus Innocentius XII een vrome, goede en wijze paus is,' sprak kardinaal Negroni, waarmee hij voor iemand die al die achtergronden kende bedoelde dat de sabotage van Delfino ook weer niet zo'n grote zonde was; Atto zweeg.

'Dat bewijst overigens het *Romanum decet pontificem*,' vervolgde Negroni met een verwijzing naar de constitutie waarmee Innocentius XII kort na zijn verkiezing had verboden dat verwanten van pausen zich op kosten van de Kerk zouden verrijken, 'en ik weet niet hoeveel anderen zijn moed gehad zouden hebben.'

Het was de zoveelste zinspeling op Delfino: om zijn verkiezing te voorkomen hadden de Zeloten overal rondgebazuind dat hij een hoop neven had die hij allemaal zou verrijken uit de schatkisten van het Vaticaan.

Over de huwelijksdis was een stilte neergedaald. Je hoorde alleen het geluid van de malende kaken die zich geduldig bezighielden met op zijn Engels bereide pasteitjes van zeebarbelen van het vleesrooster met bastaardsaus, jamcakejes, pruimenijs, met schijfjes citroen ertussen en suikerbonen erin gestoken. De onenigheden van de curie hadden onmiskenbaar de overhand genomen op het huwelijk.

De spanning van die weliswaar subtiel gevoerde schermutseling was zelfs op ons, toortsdragers, overgeslagen; ik stond nu nog overvloediger te zweten. Niemand durfde het giftige verbale duel tussen Atto en Negroni te onderbreken.

'O, wat u zegt is niet groothartig tegenover de vorige paus,' antwoordde Atto met een glimlachje. 'Als prins Odescalchi vanavond ook hier was, weet ik niet hoe hij uw woorden zou becommentariëren. Hij, de neef van paus Innocentius XI, die eerder regeerde dan deze paus en dan Alexander VIII, is nooit tot kardinaal verheven omdat zijn oom er niet van beschuldigd wilde worden zijn familie te begunstigen.'

'Nou en?' vroeg Negroni.

'Hoe moet ik het u zeggen, eminentie... Er wordt zoveel gekletst. Allemaal kwaadsprekerij, dat moge duidelijk zijn. Men zegt dat prins Odescalchi geld leent aan de keizer, dat hij bij het spel krankzinnige bedragen verliest alsof het niets was, dat hij Polen acht miljoen florijnen heeft geboden om tot koning te worden gekozen, als was het een titel die aan de hoogst biedende kan worden verkocht, en dat hij 440 duizend Romeinse scudo's heeft geboden om de leengoederen van de Orsini's over te nemen... Hij, de neef van een paus die het nepotisme bestreed...'

'Nogmaals: nou en?'

'Nou, dat alles bewijst, tenminste in de ogen van het publiek, dat toen het nepotisme afgelopen was, voor de neven van de pausen de ware fortuinen zijn begonnen.'

Het gegons van afkeuring zwol aan; Atto was aan het kwaadspreken van prins Odescalchi, die door een ongesteldheid (men zei dat hij een hypochonder was) het huis moest houden, maar aan wie die woorden zeker zouden worden overgebracht, en hij toonde te weinig respect voor de nog levende paus, die het nepotisme zelfs officieel had afgeschaft: iets wat eigenlijk niemand had geplezierd (omdat iedereen op een dag hoopte te profiteren van het onrecht in de wereld), maar waarvan men voor het gemak maar net deed alsof men het blindelings goedkeurde.

'Ik wil Zijne Heiligheid niet kwetsen, God beware me,' ging abt Melani toen verder, 'ik spreek alleen zo om de verheven geesten aan wier zijde ik vanavond onverdiend zit te onderhouden. Welnu, kardinaal Aldobrandini, die de neef was van Clemens VIII, of kardinaal Francesco Barberini, de neef van Urbanus VIII, en ik zou nog vele andere voorbeelden kunnen noemen, draalde nooit om de geneugten van Rome achter te laten teneinde de belangen van de Kerk te gaan verdedigen, al moest hij met legers te velde trekken in verre landstreken. Nu, ik vraag mij af: kunnen wij hetzelfde zeggen van...'

'Zo is het wel genoeg, abt Melani, dit gaat te ver.'

Aan het woord was kardinaal Albani. Wat zijn gehoor verbaasde was niet alleen de afdoende toon waarmee hij Atto het woord had ontnomen. Zoals ik in de smakelijke aantekeningen van de abt gelezen had, was Albani feitelijk degene die de kort tevoren door kardinaal Negroni genoemde bul *Romanum decet pontificem* tegen het nepotisme had opgesteld, en samen met de heer des huizes, kardinaal Spada, was hij ook een van de kardinalen die op het hoogste niveau de contacten tussen de Heilige Stoel en Frankrijk onderhielden. Daarbij werd hij beschouwd als een van de invloedrijkste leden van het hele Heilige College. Als een der uitblinkers had hij gestudeerd bij de jezuïeten van het Collegium Romanum, waar de beroemde hellenist en hebraïcus Pierre Poussines al gauw zijn talenten voor de studie Latijn en Grieks had aangevoeld. Hij was nog een baardeloze student toen hij ieders verbazing wekte met zijn vroegrijpheid en zich aan de vertaling van een homilie van Sint Sophronius, de patriarch van Jeruzalem, had gewaagd. Tegelijkertijd had hij in een klooster ook het manuscript van het tweede deel van het Grieks-Byzantijnse menologion van Basilius Porphyrogenetus ontdekt, waarvan het zware verlies al tijden werd betreurd. In die vlaag van eruditie had hij de lofrede van de diaken Procopius op de evangelist Marcus vertaald, die vervolgens door de paters Bollandisten werd opgenomen in de *Acta Sanctorum.* Kortom, van jongs af aan had Albani's verstand zich bewezen als zeer fijnzinnig en erudiet, misschien als voorteken van toekomstige, roemrijke mijlpalen.

Na zijn rechtenstudie in Urbino was hij met een bliksemcarrière eerst gouverneur van Rieti en Viterbo geworden, en toen, onder de twee laatste pausen, kanselier van de breven: een zeer gevoelige taak die aan de scherpzinnigste geesten was voorbehouden. Onder andere zaken van het hoogste belang was hem de zorg voor een goed deel van de betrekkingen met Frankrijk toevertrouwd, waarmee hij zich weldra de beschuldiging van francofilie op de hals had gehaald. Misschien niet ongegrond: het jaar daarvoor, in 1699, was door velen gesmeekt om een veroordelingsbul tegen de Franse abt Fénelon wegens ketterij. Albani had geantwoord met de breve *Cum Alias*, waarin wel drieëntwintig stellingen uit een boek van Fénelon werden veroordeeld, maar nooit werd de term 'ketterij' genoemd. Niet alleen dat: hij had aan Fénelon haastig een brief geschreven om hem te instrueren omtrent de wijze van een passende onderwerping, die dermate vlot was dat hij zelfs een geschreven lofprijzing van de paus kreeg.

Ook al was hij veruit te jong om paus gemaakt te worden (in de tijd waarover ik spreek was hij amper vijftig), kardinaal Albani was dus tegelijkertijd een van de meest gehoorde medewerkers van de laatste drie pausen, een belangrijk bemiddelaar met Frankrijk en de feitelijke bezorger van enkele zeer belangrijke maatregelen op het gebied van kerkleer en politiek. Eén detail: ofschoon hij kardinaal was, was hij geen priester. Hij had nog niet de hogere wijding ontvangen; maar dat gemis was geen zeldzaamheid onder purperdragers, die dat vaak bij een naderend conclaaf nog even goedmaakten om niet (je weet maar nooit!) de kans te missen tot de Heilige Stoel gekozen te worden. Atto had dus het misnoegen gewekt van een hoge piet die ook nog eens heel hechte banden onderhield met kardinaal Spada, zijn gastheer.

'Eminentie, ik buig voor alles wat u zegt,' sprak Melani beminnelijk.

'Alstublieft zeg,' wierp Albani met een grimas van ergernis tegen, 'u hoeft helemaal niet te buigen. Ik vraag me alleen af of u wel weet wat u zegt.'

'Eminentie, ik zeg al niets meer eigenlijk.'

'U hebt namen en feiten genoemd. Ik zeg u: hebt u er wel aan gedacht dat u de gast bent van een kardinaal-staatssecretaris?'

'Eigenlijk ben ik daarmee vereerd.'

'Goed. En hebt u ooit bedacht dat de pausen voor Innocentius XI in plaats van een staatssecretaris een kardinaal-neef hadden, die diezelfde functie bekleedde, maar die ze naar believen kozen, alleen omdat het een verwant van hen was?'

'Dat hebben die na hem ook wel gedaan; tenminste Alexander VIII, lijkt mij.'

'Jaaa, akkoord; ik wil alleen maar zeggen,' gaf Albani, die zijn vergissing had beseft, met de tanden op elkaar toe, 'dat bij paus Innocentius XI zaliger gedachtenis, bij wie ik reeds als jongeman de eer had tot referendaris van de Apostolische Signatuur benoemd te worden, deze terechte hervorming begon, waardoor wij nu onder deze paus niet alleen kunnen zeggen dat er geen kardinaal-neef is, maar ook geen neef die tot kardinaal is verheven.'

Moriggia, Durazzo, Negroni en anderen grinnikten om Albani bij te vallen en Atto in de hoek te drijven. Zijne Heiligheid Innocentius XII, de huidige paus, had inderdaad geen van zijn neven tot kardinaal benoemd.

'Het zal het lot wezen; of juist de voorbeschikking,' antwoordde Atto, waarna hij een hap druiventaart met kruimels van Savoye-koekjes en gekonfijte vruchten nam.

Het was even stil. Toen barstte Albani los.

'Weet u wat ik niet kan uitstaan, abt Melani? Dat mensen zoals u uit Franse partijdigheid voor al deze eminenties en al deze vorsten en edellieden deze avond het plezier moeten vergallen van de dis, dat iets veel hoogstaanders is. De Heilige Moederkerk verwijten dat zij niets ziet en niets begrijpt, is even absurd als pretenderen dat de Franse koning alles ziet en alles kan!'

Albani wordt als francofiel beschouwd, zei ik onthutst bij mezelf; maar de manier waarop de kardinaal Atto de mond had gesnoerd leek die diagnose volledig te logenstraffen.

Zonder van zijn stuk te raken luisterde Atto in alle rust toe, terwijl hij geduldig met zijn vork de taart op zijn bord in stukjes verdeelde. Zelf moest ik mijn best doen om mijn ogen niet uit hun kassen te laten rollen en niet de roerloze, parmantige pose te verliezen die een toortsdrager dient te hebben. De keukenmeester was verbijsterd: hij had nooit gedacht dat de eminenties ten overstaan van alle lekkernijen die hij op tafel had gezet, uiteindelijk zouden gaan ruziemaken in plaats van zich met hart en ziel aan de smulpartij te wijden. Don Paschatio, halfverscholen achter een van de zuiltjes die de gordijnen ondersteunden, was simpelweg doodsbang. Het was voor het eerst in zijn leven dat hij de eer had zoveel kardinalen aan tafel te ontvangen, maar die vreugde was weggevaagd door Albani's onvoorziene woede: een voor een purperdrager dermate ongebruikelijke uitbarsting dat hij vreesde dat hij zo dadelijk zou opstappen, zijn stoel achteruit smijtend en Villa Spada met al zijn bewoners vervloekend.

'Komaan, eminentie...' trachtte graaf Vidaschi hem te bedaren.

'Inderdaad, die Fransen...' hoorde ik prins Borghese mompelen.

'Ach, ze zijn het te veel gewend om vanuit Parijs voor paus te spelen,' reageerde baron Scarlatti.

Atto's verrassingsaanval was zeer gewaagd geweest. Met de term 'voorbeschikking' had hij gezinspeeld op een vier jaar eerder gepubliceerde brochure, de *Nodus praedestinationis*, waarvan wijlen kardinaal Sfondrati de auteur was en waarvoor Albani het voorwoord had geschreven. Nu had Albani, die zeer belezen was, maar niet in alle leerkwesties, niet beseft dat het boek van nabij, en niet op altijd orthodoxe wijze, enkele vrij gevoelige theologische kwesties aanroerde. Augustiniaanse en jansenistische secties hadden onmiddellijk een veroordeling door het Heilig Officie verlangd. Vervolgens was de zaak geweken, maar zowel paus Innocentius XII als Albani was er met niet geringe verlegenheid uit te voorschijn gekomen. Dit was de enige, ernstige smet op de overigens vlekkeloze carrière van kardinaal Albani.

Atto's steek onder water vestigde temeer mijn aandacht op zijn vreemde gedrag van die avond. Op het eerdere diner had hij nagenoeg gezwegen. Waarom was hij juist nu voor de verleiding bezweken om zich niet alleen in het gesprek te mengen, maar de aanwezigen regelrecht plaagstoten uit te delen? Hoe had hij op zo'n impertintente wijze een vriend alsmede naaste medewerker van de heer des huizes durven provoceren? Had Atto bovendien niet zijn eigen Franse afkomst ernstig verraden? Iedereen wist dan wel dat hij een agent in dienst van de allerchristelijkste koning was, maar rondbazuinen (en door Albani openlijk bekend laten maken) dat hij tot zijn kamp behoorde was, zei ik bij mezelf, niet erg verstandig. Zo zou voortaan niemand hem kunnen benaderen zonder in het oog te lopen; contact met Melani dreigde een openlijk signaal te worden van steun aan de Franse koning.

Albani was uiteindelijk gekalmeerd. Niet tevreden met het bereikte effect hernam Atto het woord.

'Uwe Eminentie is te fijn van begrip om mij niet enige misstap te vergeven, als ik die beken, en te groot van hart om niet toegeeflijk te zijn als ik kort memoreer dat paus Alexander VIII, zoals ik juist wilde zeggen, twee neven had die beiden staatssecretaris zijn geweest: kardinaal Rubini, formeel, en kardinaal Ottoboni, in wezen. Niettemin sprak hij de befaamde woorden: Opgepast, het heeft elf geslagen. Dat om aan te geven dat de dingen moesten veranderen. En dat was nog maar de paus voor die van nu! Dus u ziet wel dat...'

'Enfin, abt Melani, wilt u deze excellenties nu werkelijk boos maken,' viel don Giovanni Battista Pamphili hem in de rede, die, met verschillende beruchte gevallen van nepotisme in de familie en zijn vrolijke, beminnelijke karakter, toon en richting van het gesprek handig wist te wijzigen. 'We zijn weliswaar in het Jubeljaar en moeten onze zonden bekennen: maar dan wel die van onszelf, niet die van anderen!'

Een lachsalvo van de tafelburen slaagde er enigszins in de strakke trekken van enkele Zeloten Kardinalen te doen ontspannen en Atto met zijn ongelegen aansporingen het zwijgen op te leggen.

'De prins van Monaco, de nieuwe ambassadeur van de allerchristelijkste koning van Frankrijk, heeft enkele dagen geleden een waardige entree gemaakt in het Quirinaal om de Heilige Vader te begroeten, met een weelderig, nobel en rijk gevolg met talloze leden uit de prelatuur en de adel,' bracht monseigneur D'Aste in het midden als steun aan de afleidingsmanoeuvre van Pamphili. Kennelijk adviseerde iemand hem met een schopje onder tafel wijselijk om koste wat het kost het woord 'Frankrijk' te vermijden, want er vormde zich een korte trek van pijn op zijn gezicht en hij zweeg prompt zonder de reactie van zijn tafelgenoten af te wachten.

'Monseigneur Vodje begrijpt nooit het *wat* en *wanneer*,' commentarieerde prins Borghese gedempt in het oor van baron Scarlatti. De hofmeester beval druk gebarend en badend in het zweet onmiddellijk nog meer wijn te serveren om voor enige actie te zorgen en de tafel af te leiden.

'Dinsdag is de eerwaarde pater der dominicanen in processie de nieuwe pater-generaal van de franciscanen gaan bezoeken,' sprak Durazzo.

'Ja, ik heb gehoord,' reageerde Negroni, 'dat hij tot boven aan de trap van de Ara Coeli is gegaan met het kruis op zijn rug, wie weet hoe zwaar dat was. Over nieuwtjes gesproken, ik weet dat de Geheime Kamerdienaar van Zijne Heiligheid is vertrokken om de kardinaalshoed te brengen aan de voortreffelijke Noailles, in...'

'... Ja, precies, en intussen wordt er iemand gekozen die hem aan de nieuwe kardinalen, Lamberg en Borgia, moet brengen,' sprak Durazzo, die op het nippertje wist te voorkomen dat Negroni Parijs zou noemen, waar de neokardinaal Noailles dus op de hoed wachtte.

Op dat punt, inmiddels aan het einde van het huwelijksbanket, wendde iedereen zich naar de tafel van het bruidspaar; kardinaal Fabrizio Spada was met een glas in de hand opgestaan om de gelukkige komst te begroeten van prinses Di Forano die in een draagstoel als *deus ex machina* zo een eind maakte aan de gênante woordenwisseling.

La Strozzi bleef in de draagstoel zitten: hoewel zichtbaar op de proef gesteld door de bevalling had ze er niet van af willen zien de bruid te omhelzen, die, zoals Cloridia me had verteld, ook haar goede vriendin was.

Het kleintje was er niet bij. De prinses had het uiteraard al overgedragen aan de voedster. Het zou even later met de vader komen. Kardinaal Fabrizio begroette de prinses met een heildronk en een toespraak:

'Aristoteles ging in de fout toen hij zei dat de vrouw zwak was,' begon hij op geestige toon, 'als het tenminste waar is dat de vrouwtjes van roofdieren als luipaarden, panters, beren, leeuwen enzovoort sterker en steviger zijn dan de mannetjes, anderzijds zeg ik erbij: de vrouw heeft alle tijd en is van grote heerlijkheid, en elk van deze twee dingen is genoeg om een Hercules of Atlas klein te krijgen.'

Iedereen lachte om de spitsvondige en in feite pikante opmerking van de kardinaal-staatssecretaris.

'En ik ben het ook niet met Aristoteles eens,' vervolgde Spada, 'wanneer hij de vrouw een "monster" en "slecht uitgevallen dier" noemt. Hier sprak de grote man wartaal, misschien omdat hij kwaad was op zijn huisvrouw.'

Het nieuwe algemene lachsalvo beurde de gemoederen ten slotte weer op. De zo-even door abt Melani opgewekte spanning was inmiddels geheel verdwenen.

'Maar vooral,' hervatte de heer des huizes op vleiende toon, 'kan een vrouw als de hier aanwezige prinses beslist sterk en niet zwak worden genoemd, waardig om op gelijke voet te staan met Lasthenia van Mantinea en Axiothea Philialia, vrouwelijke volgelingen van Plato. En worden de voorbeelden van de Pantasilea's en Camilla's fabuleus geacht, die van Zenobia en Fulvia, de vrouw van Antonius, die Dio in de *Feiten van Augustus* meedeelt, kloppen als een bus en zijn historisch. En heel zeker is de geschiedenis van het belang en het rijk der Amazonen, die ook kinderen grootbrachten. En wie de glorie van de Sibillen niet kent, weet niets. Ik mag deze vrouwen wel naast onze kraamvrouw zetten, opdat ze allemaal samen na de heilige Madonna modellen van deugd en wijsheid zijn voor de hier aanwezige bruid.'

Ten slotte volgde een applaus en een heildronk aan het adres van Maria Pulcheria Rocci: als bruid en niet als moeder – ze was dan ook minder belangrijk dan de kraamvrouw en bovendien, de stakker, inspireerde haar zeealgenkleurige platvisgelaat zeker niet tot verheven bruiloftsliederen.

'En wat te zeggen van Aspasia, de leermeesteres van Pericles en Socrates?' ging hij verder met zijn rede. 'Of van de wijze Areta, die nog door Boccaccio wordt genoemd? Was zij soms niet moeder en tegelijkertijd filosofe? Zij wist haar kroost zo goed op te voeden dat ze een nuttig werk schreef over het grootbrengen van kinderen en nog één, ten behoeve van de kinderen zelf, over de ijdelheid der jeugd; maar in diezelfde tijd onderwees ze vijfendertig jaar lang natuurfilosofie en had ze honderd wijsgeren als volgelingen; ze schreef daarnaast zeer erudiete boeken: een boek over de oorlogen van Athene, één over de kracht van de tiran, één over de Staat van Socrates, één over het ongeluk der vrouwen, één over de ijdelheid van pracht en praal bij begrafenissen, een traktaat over de bijen en één over de wijsheid der mieren.'

Intussen werd de vijfde gang opgediend, geheel bestaande uit fruit. Ofschoon ik al had gegeten, kon ik niet onverschillig blijven bij de getruffeerde truffels, geserveerd op geroosterd brood en halve citroenen, en bij de bladen opgetaste spijzen van ravioli, aangemaakt met buter, blomkalen, Parmezaanse kaas, truffels, eigeel en met citroensap en kaneel. Des te minder lieten die heerlijkheden de andere arme toortsdragers onverschillig, die machteloos als Tantalus moesten toezien hoe de kaken en de verhemelten van de hoge heren werkten. Vervolgens was de beurt aan de gebakken olijven uit Ascoli, de geitenkaasjes uit Florence en de olijven uit Spanje.

'Het was toch de gang van het fruit?' vroeg baron Scarlatti zachtjes aan prins Borghese.

'Er is ook fruit bij,' antwoordde de ander, 'dat zijn de truffels die op het geroosterde brood en de opgetaste spijzen zitten, de sucadeblokjes in de gebakken olijven en de citrusvruchten waarmee de verse olijven zijn gegarneerd.'

'Ah, ik begrijp het,' antwoordde Scarlatti laconiek, maar eigenlijk weinig geneigd om in de onderaardse truffels vers fruit te herkennen.

Om het verhemelte te verkwikken werden echter ook bakken gesuikerde pimpernoten, gepelde pimpernoten, pimpernoten in de schil, pimpernootkoek, perzikpizza's op zijn Siënees en kroppen aangemaakte sla aangedragen, alsmede ter ere van kardinaal Durazzo, die lid was van een adellijke familie uit Genua, ook kommen gekonfijte peren uit Genua, pruimen uit Genua, gekonfijte Adamsappels uit Genua, gekonfijte cederappels uit Genua en gekonfijte mispels uit Genua.

Op dat moment kwam het wichtje van prinses Di Forano, in doeken gewikkeld op de arm van de vader.

'*Minor mundus*!' begroette kardinaal Spada hem, zich aldus beroepend op de bijnaam 'wereld in miniatuur', die de Ouden aan de mens hadden gewijd om zijn volmaakte vorm. Spada zegende het kleintje en sprak een heilwens uit.

'Moge jij het teken van vruchtbaarheid zijn voor ons dierbare bruidspaar van vandaag,' besloot hij.

Er volgde een zoveelste toost; daarop namen verschillende familieleden van het bruidspaar het woord, die de twee feestelingen beurtelings loofden, ophemelden, gelukwensten, memoreerden en aanspoorden, zoals dat tegenwoordig bij dergelijke banketten gaat.

Al ongeveer twee uur was de immer grootmoedige mantel der duisternis gevallen, toen Sfasciamonti arriveerde met drie gezadelde paarden. Alle gasten, in alle opzichten overvloedig gespijzigd, waren inmiddels naar hun bed uitgezwermd. Atto en ik wachtten, zoals afgesproken, op een beschut hoekje op korte afstand van Villa Spada. Buvat, die bij het huwelijksmaal iets te diep in het glaasje had gekeken, had zich eveneens aan Orpheus' armen overgegeven en lag nu in zijn kamertje te ronken.

'Waar gaan we heen?' vroeg ik, terwijl de smeris eerst mij en toen Atto in het zadel hielp.

'Vlak bij de Rotonda,' antwoordde hij.

Sfasciamonti had, zoals hij ons zelf die ochtend had uitgelegd, informatie gekregen om bij twee cerretanen te komen. Het waren kleine vissen, maar het was al heel wat om een paar zekere namen te krijgen. Nee, bijnamen: de Rooie en de Rotte. Onder dergelijke kleurrijke bijnamen waren onze twee doelen in de Romeinse onderwereld bekend.

In een stil, ras tempo legden we de weg naar de Tiber af en toen naar het centrum van de stad. We doorwaadden, net als de nacht tevoren, de rivier via het Tibereiland.

Zoals aangekondigd stegen we op korte afstand van de Piazza della Rotonda af. Daar wachtte ons een mannetje op dat, terwijl we afstapten, zich beijverde om de teugels van onze paarden aan te nemen. Het was een vriend van Sfasciamonti en hij zou zolang het nodig was op de rijdieren passen.

We kwamen bij een donker hoekje van het plein waar, met een dikke ijzeren keten aan elkaar vastgemaakt, een paar karretjes voor goederenvervoer geparkeerd stonden. Ze behoorden waarschijnlijk toe aan de arme straatventers van de markt die overdag op de Rotonda gehouden werd.

Het was een blinde steeg waar duister, rattenstank en vochtschimmel heersten. Atto en ik wisselden een ongeruste blik: het leek de beste plek om slachtoffer van een hinderlaag te worden. Maar Sfasciamonti verraste ons door meteen aan de slag te gaan.

Hij reikte me de lamp aan die we hadden meegenomen en die zwakjes het tafereel bijlichte. Hij zocht met zijn blik onder de planken van de karretjes en schudde teleurgesteld zijn hoofd. Vervolgens bleef hij tegenover één ervan staan en legde zijn handen erop. Hij bewoog een been achteruit, alsof hij de lading wilde pakken, en gaf in de donkere krocht onder het karretje een flinke schop.

Er volgde een rauwe brul waarin in gelijke mate woede en verbazing doorklonken.

'Ah, kijk aan,' zei de smeris, met de verstrooide ontspannenheid van iemand die een pen in een la zoekt.

'In naam van de gouverneur van Rome, monseigneur Ranuzio Pallavicini, kom eruit, ellendige hond,' beval hij.

Omdat er niets gebeurde, bukte hij onder het karretje, stak zijn kolenschoppen uit en trok met kracht. Er klonk een rauw gemompel van protest dat ophield toen Sfasciamonti zonder veel omhaal een mensengestalte te voorschijn had getrokken. Het was een uitgeteerd, in vodden gekleed oud mannetje met een lange, gelige baard en schaars vlasachtig haar als een pluk spinazie. Andere details bleven me voor het moment verborgen door het halfduister, waarvoor echter één detail niet het onderspit kon delven: de lucht van rotte viezigheid, het resultaat van jaren ellende, die het arme oudje uitwasemde.

'Ik heb niks gedaan, niks!' protesteerde hij, en hij deed zijn best om een oude deken die hij had meegetrokken en waarop hij tot onze komst waarschijnlijk geslapen had, niet aan zijn greep te laten ontsnappen.

'Wat een stank,' luidde enkel Sfasciamonti's commentaar, terwijl hij de ongelukkige, die over zijn hele lijf beefde van slaap en angst, overeind trok als een marionet.

De smeris greep het oudje bij zijn rechterarm en legde zijn hand tegen zijn borst. Hij maakte hem open en ging meermalen met zijn vingertoppen over de palm heen, alsof hij de huid wilde uittesten. Aan het eind van het wonderlijke onderzoek oordeelde hij:

'Goed, je bent in orde.'

Vervolgens, zonder hem de tijd te laten om er tegenin te gaan, zette hij hem op het karretje, ditmaal minder ruw, maar hij hield nog wel zijn arm stevig vast.

'Zie je deze heren?' zei hij, op ons wijzend. 'Dat zijn mensen die geen tijd te verliezen hebben. Soms slapen hier twee cerretanen. Hier, vlak bij jou. Ik weet zeker dat je er iets van weet.'

Het mannetje zweeg.

'De heren willen met iemand van de cerretanen praten.'

Het oudje sloeg zijn ogen neer en zweeg.

'Ik ben een smeris. Als ik wil breek ik je arm, ik stop je in een cel en gooi de sleutel weg,' waarschuwde Sfasciamonti.

Het oudje zweeg nog steeds. Vervolgens krabde hij op zijn hoofd, alsof hij een gedachte wilde afsluiten.

'De Rooie en de Rotte?' vroeg hij ten slotte.

'Wie anders?'

'Die komen hier maar af en toe, als ze hun dingen moeten doen. Maar ik weet niet wat ze doen, hoor! Dat weet ik niet.'

'Je hoeft me alleen maar te vertellen waar ze vannacht zijn,' drong Sfasciamonti aan, en hij klemde de arm van de ander iets steviger vast.

'Dat weet ik niet. Ze zijn steeds ergens anders.'

'Ik breek je arm.'

'Probeer het maar op Termine.'

Eindelijk liet Sfasciamonti de arm van de stumper los, die zich haastte om de deken onder het karretje te leggen en zijn armzalige legerstede weer in te nemen.

Terwijl we te paard op het nieuwe doel af gingen, helderde de smeris een paar details op.

''s Zomers slapen er heel wat mensen in dat hoekje waar we net weg zijn. Als ze eelthanden hebben zijn het bedelaars: mensen die gewerkt hebben en toen in het slop zijn geraakt. Als ze geen eelt hebben zijn het cerretanen: mensen die nog nooit met werken hun brood hebben verdiend.'

'Dus daarom hebt u de hand van het oudje gevoeld,' concludeerde ik.

'Natuurlijk. Cerretanen mogen graag zonder moeite aan het leven ontsnappen door te bedriegen en te stelen. Nu gaan we naar Termine om te zien of we meer geluk hebben. Ik weet al een tijd de naam van de twee naar wie we op zoek zijn, en ik heb donders veel zin om ze in handen te krijgen.'

Terwijl hij die woorden uitsprak, zag ik hem de opwinding intomen door zijn mouwen op te stropen. Hij maakte zich op voor de uitdaging van de twee schelmen en, nog meer, van de angst die hij heimelijk koesterde voor de cerretanen en die met de dag vuriger en aanhoudender werd.

De Rotte en de Rooie vinden was een uitdaging aan de fortuin. De aanwijzing die de bedelaar had gegeven was uiterst vaag: Termine, de enorme open ruimte waar de landbouwproducten van het Romeinse platteland werden afgeleverd en opgeslagen, pal naast de ruïnes van de Thermen van Diocletianus, was in de nachtelijke uren een even uitgestrekte als uitgestorven plek. We lieten de Piazza della Rotonda achter ons en gingen in de richting van de Piazza Colonna, vanwaar we naar de Trevifontein en Monte Cavallo togen; vandaar bereikten we de Vier Fonteinen en staken we de Strada Felice over, waardoor we op de Via di Porta Pia belandden en zo pal naast Termine uitkwamen.

Het traject verliep in alle rust en werd alleen in de buurt van het Pauselijk Paleis van Monte Cavallo een paar keer onderbroken door de nachtwachten, aan wie Sfasciamonti zijn papieren liet zien, waarna hij zonder veel problemen door mocht.

De stilte werd ter hoogte van de San Carlino-kerk alleen onderbroken door een vraag die Atto mij stelde:

'Vergeverlovergen: zo zei de cerretaan het, hè?'

'Ja, signor Atto, hoezo?'

'O, niks, niks.'

Op de plaats van bestemming nodigde, zoals te voorzien was, het beeld van Termine geenszins tot optimisme uit. Eenmaal vanuit de Via di Porta Pia rechtsaf geslagen stonden we ineens tegenover het enorme gevaarte van de graanschuren van de Apostolische Kamer, het grote gebouw van meerdere verdiepingen waarin de graangewassen voor de broodproductie werden gepropt. De magazijnen, waarvan het Romeinse volk afhankelijk was om te overleven, hadden de vorm van een grote S, die voor ongeveer de helft vastzat aan het gigantische complex van de Thermen van Diocletianus. De muurruïnes van de Thermen, evenzeer aangetast door de elementen als door het roofzuchtige handelen van de mens, domineerden de hele tweede helft van het grote Termine-plein.

Binnen het oude thermencomplex was de Santa Maria degli Angeli-kerk opgericht, die de grootse ruimten die eens verfrissende, dampende zwembaden herbergden, nauwlettend aan het heidendom onttrok. Achter de kerk, waarvan de rustieke, onregelmatige voorgevel ongebruikelijk genoeg in de muren van de thermen was gebouwd, breidden de zachte, zware leden van de Romeinse resten zich uit. Rechts zag je echter in het donker de ringmuur van Villa Peretti Montalto, het onmetelijke landgoed met wijngaarden, tuinen en zomerverblijven die met grote luister door paus Sixtus v, God hebbe zijn ziel, was aangelegd en een paar jaar terug, toen zijn familie was uitgestorven, bij testament was overgegaan naar de prinsen Savelli. Tegenover de graanschuren ten slotte stond een ommuring die de moestuin van de monniken van Sint-Bernardus aan het zicht onttrok.

Geen aanwezigheid van mensen of anderszins vergezelde onze komst. Behalve door de kolossale, stille silhouetten van de thermen werden we ontvangen door het tjirpen van de krekels, de straffeloze verstoorders van de nachtelijke rust. De zomerlucht van de nacht werd verlevendigd door de zoete, scherpe geur van tarwe.

'En nu?' vroeg ik verbaasd door het desolate tafereel dat zich aan mijn blik vertoonde.

Atto zweeg; hij leek aan iets anders te denken.

'Ik heb een plekje in gedachten,' zei Sfasciamonti, 'en ik denk dat dat het goede is.'

We gingen verder op de graanschuren af, waarvan de wanden het ritmische geluid van de paardenhoeven weerkaatsten. We passeerden links een groot ruïneblok en bevonden ons zo tegenover een hoge muur met een onregelmatige vorm, waarin zich een monumentale onbewaakte poort bevond.

'Als het niet regent komen hier heel wat mensen,' zei Sfasciamonti zachtjes.

We vonden een boompje achteraf waaraan we de paarden konden vastbinden en maakten ons eindelijk op om de ruïnes in te gaan.

'Denk eraan,' waarschuwde Sfasciamonti, terwijl we afstegen, 'de mensen die we gaan ontmoeten dienen op de juiste manier aangepakt te worden. Als we iemand tegenkomen, voer ik alleen het woord.'

Hoe donker het ook was en hoezeer mijn zintuigen waarschijnlijk ook bedrogen werden door de sinistere aard van de plek, ik was er bijna zeker van dat ik op abt Melani's gezicht, dat door de wassende maan net zichtbaar was, een ironisch lachje zag flitsen.

We liepen dus op de grote ingang af (eigenlijk alleen nog een enorme deuropening zonder deur), waardoor je binnen de ruïnes kwam. Terwijl we naar binnen gingen, stelde ik me in een vlaag van verbeeldingskracht de grootse bijeenkomsten in de baden voor die zich eeuwen terug in die thermale ruimten moesten hebben afgespeeld: zwetende scharen Romeinse patriciërs, maar ook mensen uit het volk, bezig met stoombaden, inhalaties en wassingen: alles in de gezellige, vochtige overkapping van de thermen en onder de beschermende vleugel van het dak...

Het dak: dat was er niet. Eenmaal de grote poort door die naar de ruïnes leidde, keken mijn ogen, aangelokt door het maanlicht, op en verbaasden zich erover dat ze opnieuw onder de terecht onverschillige blik van de sterren verkeerden. We bevonden ons in een soort grote arena in de openlucht, aan de vier zijden begrensd door de reusachtige muren van de oude thermen. Tijd en verwaarlozing hadden er voorgoed de overkapping af gehaald die zestien eeuwen eerder onder de angstvallige aandacht van architecten en metselaars was ontstaan.

Dankzij het licht van de maan kon je in die vreemde ruimte voorzichtig vooruitkomen zonder elk moment te struikelen. Hier en daar zag je, parelkleurig in het sterrenschijnsel, grote, trage steenblokken, zuilen die pijnlijk achterover op de grond gevallen waren, springerige kapitelen en praalzieke pilasters.

In de openingen tussen het ene en het andere overblijfsel, alsmede op de golvingen van het terrein, zag je de silhouetten van slapende wezens op hopen vodden en dekens.

'Cerretanen en schooiers. Ze liggen overal,' fluisterde Sfasciamonti.

'Hoe vinden we die twee,' reageerde ik met een even licht gefluister, 'hoe heten ze ook al weer... de Rooie en de Rotte?'

Bij wijze van antwoord maakte de smeris zich van Atto en mij los en begaf zich naar een verhoging in het terrein waarachter een soort architraaf zichtbaar was, zo zacht in de bodem weggezakt dat hij er na eeuwenlang tevergeefs wachten op de terugkeer van de keizerlijke luister in weggesluimerd leek.

Hij keek even om zich heen, op zoek naar een doel, totdat hij zijn volgende slachtoffer vond: een armzalige zwerver die aan zijn voeten sliep. Maar aan de zintuigen van de laatste echter, die geoefend waren door het gevaar, ontsnapte de dreigende aanwezigheid van de smeris niet. Hij draaide zich om en om in zijn slaap, en kreeg ten slotte een schok van opwinding. Juist voordat de zwerver van positie kon veranderen, stokte mijn adem haast van verbazing. Sfasciamonti was op de ongelukkige gaan zitten. We kwamen dichterbij, achterom kijkend uit angst voor een represaille van de kameraden van de zwerver. Niets: Sfasciamonti had de aanval zo discreet geleid dat niemand van al die slapers in de grote openluchtarena iets gemerkt leek te hebben.

De smeris had met zijn knieën de armen van het slachtoffer geblokkeerd; vervolgens was hij met zijn indrukwekkende achterste op de buik van zijn tegenstander gaan zitten, terwijl hij met zijn handen zijn mond en ogen dichthield om te voorkomen dat hij ook maar een kik kon geven of kon zien wie hem overweldigde. Door het gemak dat hij daarbij aan de dag had gelegd, was duidelijk dat die techniek hem ook bij andere gelegenheden goed van pas was gekomen.

'De Rooie en de Rotte. Dat zijn twee cerretanen: zeg me waar ze zijn,' beval hij in één adem.

Hij lichtte langzaam zijn hand van een hoekje van de mond van de stakker op, zodat die iets kon prevelen.

'Vraag maar aan die daar, onder de gestreepte deken,' antwoordde hij, doelend op iemand die wat verderop sliep.

Sfasciamonti ging snel op de ander over en paste dezelfde verhoortechniek toe.

'Die heb ik al dagen niet gezien,' fluisterde de man, van wie ik het jonge gezicht onderscheidde toen de smeris zijn kolenschoppen had opgetild. 'Ik weet niet of ze vanavond hier slapen. Kijk daar maar, achter de sloot.'

Hij had een soort greppel aangewezen waaruit een sterke urinelucht opsteeg. Waarschijnlijk deden de zwervers daar hun nachtelijke behoefte. Sfasciamonti liet los, niet zonder de jongeman met een laatste bliksemende blik te waarschuwen. Hij liep op de greppel af. Hij deed één, twee, drie stappen. Hij was inmiddels vrij ver toen we de schreeuw hoorden.

'Rooie, de kallebakken, schaaf de fok!'

Het was de jongeman die net door Sfasciamonti was ondervraagd. Na zijn kreet was hij in de richting gevlucht waar wij vandaan kwamen, naar de grote open ruimte van Termine.

'Grijp hem!' brulde Sfasciamonti tegen mij, die wat achtergebleven was en dus dichter bij de jongeman.

Intussen werden er om me heen ook andere in vodden en armzalige jassen gewikkelde lichamen wakker en kwamen weer tot leven. Ik voelde het bloed met kracht in mijn aderen pompen en de lucht in mijn keel werd zwaarder. Die kale, nauw door de maan beschenen ruimte wemelde van de arme bedelaars, maar ook van de killers. Jager en prooi konden elk moment van rol verwisselen; bijna meer uit verlangen om te vluchten dan om hem in de kraag te vatten ging ik achter die jongen aan.

Sfasciamonti en ik hadden net de achtervolging ingezet en Atto was eveneens in beweging gekomen, toen er uit het donker snel een andere schim opdook. Hij rende, moeizaam de heuvelachtigheid van het terrein te boven komend, naar de uitgang van de ruimte in de openlucht.

Dankzij het voordeel van de verrassing hadden de twee al de nodige afstand tussen ons en hen weten te leggen; weer terug op de grote ruimte van Termine wilde ik op onze rijdieren afgaan, toen ik Sfasciamonti's stem hoorde:

'De paarden niet, te voet!'

Hij had gelijk. De jongen was onmiddellijk naar links gegaan, naar de ommuring waarachter zich oostwaarts de grenzeloze, grandioze Villa Peretti Montalto uitstrekte. In een mum was hij al op de hoek tussen de muur van de villa, de Piazza di Termine en de weg die naar de Strada Felice leidt, en hij klauterde de ommuring op. Maar enkele seconden nadat de jongeman eroverheen gesprongen was, waren Sfasciamonti en ik ter plaatse.

'Hier, hier, er zijn openingen, die hebben zij gemaakt!' hijgde de smeris, wijzend op talloze gaten die ogenschijnlijk lukraak in de muur zaten en een snelle trap vormden waar je je voeten in kon zetten.

We volgden de handige onderneming van de voortvluchtige dus na en in een paar seconden kwamen we op de muur, waar we ineens schrijlings bovenop zaten. We keken naar beneden: om verder te gaan wachtte ons een sprong van ongeveer vier roeden, zeg maar meer dan twee keer Sfasciamonti's lengte.

In de verte waren intussen de voetstappen van de cerretaan te horen die zich in allerijl verwijderden over de grond van de onderliggende laan.

Met onze voeten bungelend langs de muur, als twee vissers in gelukzalige afwachting tot ze bijten, keken we elkaar machteloos aan. We hadden verloren.

'Vervloekt,' siste Sfasciamonti, tevergeefs de muur aftastend op zoek naar andere steunpunten, 'hij weet uit zijn hoofd waar de gaten zitten om van deze kant naar beneden te gaan. Hij hoeft niet te springen.'

Eenmaal weer omgekeerd wierpen we een blik op de grote ruimte in de openlucht waar we onze nachtelijke hinderlaag voor de slapende bedelaars hadden gelegd. Alles zweeg; de plek was uitgestorven.

'Hier vinden we maandenlang niemand meer,' kondigde Sfasciamonti aan.

'Waar is abt Melani?' vroeg ik.

'Hij zal die ander wel achtervolgd hebben. Maar als wij al geen geluk hebben gehad, zal hij...'

'Verhierverbenverik,' hoorden we toen een tevreden zangerige stem.

Het was Atto, en hij was te paard. In de ene hand hield hij zijn pistool. In de andere de teugels en een strop die eindigde om de nek van de lange persoon die ik had zien ontsnappen op het moment dat de jongen had geroepen. Sfasciamonti was met stomheid geslagen. Hij was met lege handen teruggekeerd, maar Atto had gewonnen.

'De Rooie,' riep de smeris uit, ongelovig naar de gevangene wijzend.

'Heren, ik stel u Pompeo di Trevi voor, bijgenaamd de Rooie. Hij is cerretaan en vanaf dit moment staat hij te onzer beschikking.'

'Alle vastgepinde kinstukken nog an toe, dat kunt u wel sterk noemen,' zei Sfasciamonti goedkeurend. 'Laten we naar de Sixtusbrug-gevangenis gaan, daar krijgen we hem wel aan de praat. Eén vraag alleen: wat voor de duivel zei u zo-even toen u ons zag?'

'Dat vreemde woord? Dat is een lang verhaal. Pak deze rotzak maar, laten we hem beter vastbinden en dan gaan.'

Atto had er naar zijn gewoonte voor gekozen tegen de regels en de wijsheid in te gaan. In plaats van de cerretaan te voet te achtervolgen, zoals Sfasciamonti wilde, was hij moeizaam, zonder iemands hulp, op zijn paard geklommen. Alvorens op te stappen had hij er zich echter van vergewist welke weg de voortvluchtige had genomen: de linkerkant uit, dus noordwaarts, in de richting van het heldere, geurige platteland van Castro Pretorio. Het weliswaar bescheiden rijdier hevig aanvurend was Atto dus haastig de cerretaan op het spoor gekomen. Hij had hem ten langen leste, uitgeput van de tocht, in het oog gekregen terwijl hij een muur beklom naar citrusbomen en rijen wijnranken waarin hij met gemak redding zou vinden.

'Nog even en ik was hem kwijtgeraakt. Ik was ook te ver weg om hem met mijn pistool te bedreigen. Toen heb ik bedacht om iets naar hem te roepen.'

'Wat dan?'

'Wat hij niet had verwacht. Iets in zijn taal.'

'Zijn taal? Bedoelt u de dieventaal?' vroegen Sfasciamonti en ik in koor.

'Dieventaal, sluw... Allemaal nonsens. Sterker nog: Veralverlevermaal vernonversens,' antwoordde hij grinnikend, terwijl de smeris en ik elkaar verbijsterd aankeken.

Op de heenweg, tijdens het traject van Villa Spada naar de Piazza della Rotonda, en vervolgens naar Termine, had Atto het geheimzinnige woord dat de cerretaan tegen me sprak toen ik neerstortte op de binnenplaats van de Campo di Fiore, van alle kanten bekeken. Plotseling had hij een lumineus idee gekregen: je moest niet zoeken naar wat betekenis heeft, maar naar wat geen betekenis heeft.

'Het idioom dat die schooiers soms gebruiken is even onnozel en elementair als hun koppetjes. Het laat maar één principe toe: tussen de lettergrepen een vreemd element stoppen, zoals je soms bij geheimschrift doet om verwarring te stichten.'

Terwijl Atto zo sprak, trok onze merkwaardige karavaan intussen via de Piazza dei Pollaioli verder in de richting van de Sixtusbrug: voorop Sfasciamonti en stevig aan zijn paard de cerretaan, met zijn handen op zijn rug gebonden en zijn benen met een lus aan elkaar vast, zodat hij ze niet te ver uiteen kon doen en dus niet kon rennen; vervolgens kwam Atto's paard en ten slotte het mijne.

'Wat bedoelt u?' vroeg ik.

'Het is zo simpel dat ik me bijna geneer het te zeggen. Ze zetten de lettergreep "ver" tussen alle andere in.'

'Vergeverlovergen... Dus de cerretaan zei tegen me "gelogen"!'

'Wat had jij kort daarvoor tegen hem gezegd?'

'Lieve hemel, dat weet ik haast niet meer... Of jawel: ik zei tegen hem dat de Duitser hem zou doden.'

'En dat was dus ook gelogen, je wilde alleen maar tijd winnen. Dat heb ik ook gedaan, zij het op een wat andere manier. Toen ik jullie zo-even begroette, zei ik...'

'*Ver-hier-ver-ben-ver-ik*. Dat zou... "hier ben ik" zijn.'

'Precies. Zo zei ik tegen de Rooie iets in het ververs, zoals ik besloten heb hun stomme taaltje vol *vers* te noemen.'

Dat was wel het laatste wat de Rooie had verwacht. Zodra hij Atto's stem had gehoord, gemengd met het dreigende geluid van de naderende hoeven, waren zijn handen verstijfd en had hij zijn greep verloren, zodat hij lelijk op de grond viel.

'Vergeef me de vraag, maar wat zei u tegen de cerretaan?'

'Ik deed net als jij: het eerste wat me te binnen schoot.'

'Dus?'

'*Verpaverter vernosverter*. De eerste twee woorden van het Pater Noster.'

'Maar dat betekende niks!'

'Dat weet ik; hij dacht alleen even dat ik een van hen was en stond raar te kijken. Hij viel als een zak aardappelen omlaag. Hij heeft zich ook wat bezeerd, eerst kon hij niet eens opstaan, ik was er op tijd bij om hem vast te binden. Gelukkig verstaan de staffiers die deze paarden uitrusten hun vak, en het koord was lekker lang. Ik heb hem fatsoenlijk ingerekend en het uiteinde van het touw aan het zadel gebonden, en om hem bij de les te houden heb ik mijn wapen op hem gericht.'

Melani reconstrueerde vervolgens wat er gebeurd was in de Thermen van Diocletianus. De zwerver die Sfasciamonti had ondervraagd, terwijl hij op zijn buik ging zitten, had ons verraden.

'Die ellendeling,' zei de abt met een ironisch lachje naar de smeris, 'heeft je wel de Rotte aangewezen, maar zonder je erbij te vertellen dat dat juist een van de twee was die we zochten. En jij bent erin getrapt.'

Sfasciamonti reageerde niet.

'Dus was het de Rotte die die rare woorden naar de Rooie riep?' vroeg ik.

'Precies. Hij kondigde aan dat "de kallebakken" er waren. En dat zijn wij volgens mij: de smerissen.'

'Hij zei ook "schaaf de fok": dan bedoelde hij zeker "verdwijn" of misschien "pak je wapens"', giste ik.

'Ik neig naar "verdwijn", gezien het verloop der dingen. Dit is niet het ververs maar een wat lastiger te doorgronden jargon omdat je er ervaring mee moet hebben. Maar alles is te doen.'

Met uitzondering van mijn paar vragen was het verhaal waarmee Atto voldaan de vangst van de cerretaan illustreerde, vergezeld gegaan door een tweeledig stilzwijgen, doorbroken door het geklos van de hoeven op het plaveisel.

Sfasciamonti zweeg, en zijn gevoel meende ik me wel te kunnen voorstellen. Trots op zijn ruwe vaardigheden als smeris was hem onverwachts het roer uit handen genomen. Waar hij met kracht en intimidatie niet was gekomen, daar was Atto wel in geslaagd met scherp intellect plus een vleugje welverdiend geluk. Het moest voor de ordehandhaver, die ten aanzien van de cerretanen door zijn collega's maar weinig serieus genomen werd, niet meevallen om aan anderen de vangst over te laten van de geheimzinnige boeven door wie hij, zoals bij een drijfjacht, haast als een hond aangetrokken werd, maar voor wie hij als mens ook angst voelde. En toch was het zo: dankzij een te onpas uitgesproken Pater Noster hadden we een lid van de geheimzinnige sekte in handen.

Juist daarvan stamde het tweede stilzwijgen af: het mijne. Wel raar, zei ik bij mezelf, dat we in zo weinig tijd een cerretaan te pakken hadden gekregen, terwijl de smerissen van heel Rome en zelfs de gouverneur, monseigneur Pallavicini, hun bestaan ontkenden. Ik was van plan om het Sfasciamonti te vragen, maar opnieuw kon dat door de gebeurtenissen niet. Want juist op dat moment bepaalden we dat ik me van hen los zou maken en langs Villa Spada zou gaan om Buvat te wekken (in de hoop dat hij zijn roes had uitgeslapen) en mee te nemen. De secretaris van abt Melani zou voor ons, naar de mening van alledrie (zij het op de weinig orthodoxe wijze die ik verderop zal melden) van grote waarde zijn. We zouden allemaal onmiddellijk weer bij elkaar komen voor het einddoel: de Sixtusbrug-gevangenis aan de Tiber onder aan de Janiculus, op een steenworp afstand van Villa Spada. Daar zou het verhoor van de cerretaan plaatshebben.

De ruimte was een armoedig souterrain bedekt met korstmos, smerig en zonder ramen. Alleen een tralievenster, boven in de muur links, zorgde voor wat lucht en overdag voor licht. De cerretaan was nog vastgebonden en leed pijn, zijn gezicht was bleek van de angst om tegenover de beul te eindigen. Hij wist niet dat zijn aanwezigheid in die stinkende kelder geheel illegaal was. Sfasciamonti had van een van zijn vele vrienden gedaan gekregen dat hij via een tweede uitgang ons hele groepje stilletjes het pand van de gevangenis binnen kon smokkelen. De arrestatie van de Rooie ging tegen alle regels in: de cerretaan had geen misdaden begaan en er rustte ook geen verdenking op hem. Het maakte niet uit; dit was het moment van de vuile spelletjes waaraan smerissen, zoals ik verderop zal melden, allang gewend waren.

Sfasciamonti had Buvat een overkleed en een pruik verschaft, zodat hij voor misdaadnotaris kon spelen en het verbaal kon opstellen. De smeris zelf zou het verhoor leiden, Atto en ik zouden in de twijfelachtige rol van assistent of hulpsmeris of wat dan ook bijstand verlenen, waar we ons veilig in voelden dankzij het geheime karakter van de ceremonie en de totale onwetendheid van de gevangene op rechtsgebied.

In het souterrain stond een tafeltje met een grote brandende kaars erop waaraan Buvat plaatsnam, serieus in de weer met pen, papier en inktpot. Om het toneelstukje waarschijnlijker te maken had Sfasciamonti ook aan de details gedacht. Vlak bij de kaars prijkten strenge rechtsteksten, zoals *Commentaria tertiae partis in secundum librum Decretalium* van Abbas Panormitanus, *Praxis rerum criminalium* van Joost de Damhoudere en ten slotte, heel dreigend, *De maleficiis* van Alberto da Gandino. Hoewel al die titels voor hem niet te begrijpen waren, waren de banden allemaal rechtop gezet met de rug naar de arrestant toe, zodat die duistere geschriften, aangenomen dat hij kon lezen, hem zouden sterken in de gedachte dat hij onderworpen was aan een vijandige, ondoorgrondelijke Macht.

Tegenover de tafel, naast de Rooie, stond Sfasciamonti, die de schuldige stevig aan een touw vasthield en zijn armen achter zijn rug draaide. Het was een mollig jongetje met een plompe lichaamsbouw en kleine blauwe oogjes, die onder een rechthoekig voorhoofd met diepe horizontale rimpels, het onmiskenbare teken van een liederlijk, onbestraft leven, rustten op twee bloeiende, ronde wangen, de getuigen van een naïeve, grove inborst. De kleur van zijn gezicht was verhit, zijn wangen waren bijna hoogrood. Als je hem zo van nabij observeerde, begreep je waar zijn bijnaam vandaan kwam: zijn hoofd was getooid met een dikke, stugge bos peenkleurig haar.

Buvat deed zijn te grote pruik goed en nauwelijks waarneembaar nog wankelend van de slaap- en wijndampen schraapte hij een paar maal zijn keel. Vervolgens begon hij te schrijven, terwijl hij de gelegenheidsclausules die hij aan het papier toevertrouwde, tegelijkertijd met een plechtstatige dreun voorlas:

'*Die etcoetera etcoetera anno etcoetera etcoetera. Roma. Examinatus Fuit in carceribus Pontis Sixtis...* Wat is er?'

Sfasciamonti had de verbalisering meteen onderbroken om Buvat een aanbeveling in het oor te fluisteren.

'Natuurlijk, ja, ja,' antwoordde de laatste; pas later zou ik vernemen dat de datum van het verhoor op aanwijzing van de smeris was opengelaten, zodat het hele rapport later naar believen te archiveren was.

'Dan beginnen we maar,' zei Buvat, weer een waardig gezicht opzettend. '*Examinatus in carceribus Pontis Sixtis, coram et per me Notarium infrascriptum*... Je naam, jongeman.'

'Pompeo di Trevi.'

'Waar ligt Trevi precies?' vroeg Buvat onverschillig, waarmee hij wel een geringe kennis van de Kerkelijke Staat liet blijken die de ondervraagde te denken had moeten geven, als deze niet totaal van de kaart was geweest van angst.

'Bij Spoleto,' antwoordde hij met een dun stemmetje.

'Dan noteren we: *Pompeius de Trivio, Spoletanae diocesis, aetatis annorum*... Hoe oud ben je?'

'Zestien, geloof ik.'

'*Sexdecim incirca*,' hervatte Buvat, '*et cui delato iuramento de veritate dicenda et interrogatus de nomine, patria, exercitio et causa suae carcerationis, respondit*.'

Sfasciamonti gaf de jongen een harde ruk en vertaalde de woorden van de notaris:

'Zweer dat je de waarheid spreekt en herhaal dan je naam, leeftijd en geboorteplaats.'

'Ik zweer dat ik de waarheid spreek. Maar ik heb mijn naam toch al gezegd?'

'Herhaal het. Dat is voor het verbaal. De procedure verlangt het zo, we moeten nauwkeurig zijn,' oordeelde de smeris om het toneelstukje meer geloofwaardigheid te geven.

De jongen keek een beetje onthutst om zich heen.

'Ik heet Pompeo, ik ben geboren in Trevi bij Spoleto, ik zal zo ongeveer zestien zijn, ik heb geen vak en...'

'Zo is het goed,' viel Sfasciamonti hem in de rede, en hij ging opnieuw op Buvat af om hem iets in het oor te fluisteren.

'Ah, goed, goed,' antwoordde Buvat.

Op dat punt van het verbaal diende de reden van de arrestatie genoemd te worden, die er echter niet was. Op aanraden van de smeris zou Buvat er dus voor zorgen dat hij een valse omstandigheid zou vermelden, en wel dat de cerretaan was gearresteerd omdat hij tijdens de mis in een kerk had gebedeld.

'Laten we verder gaan,' zei de zogenaamde notaris, en hij zette zijn bril recht op zijn haviksneus. '*Interrogatus an sciat et cognoscat alios pauperes mendicantes in Urbe, et an omnes sint sub una tantum secta an vero sub diversis sectis, et recenseat omnes precise, respondit...*'

'Ik ga de zweep halen,' zei Sfasciamonti.

'De zweep? Waarvoor?' vroeg de cerretaan met een lichte trilling in zijn stem.

'Je geeft geen antwoord op de vraag.'

'Ik heb het niet verstaan,' antwoordde de ander, die duidelijk geen woord Latijn kende.

'Hij vroeg of je in Rome nog andere sekten kent behalve die waar jij bij hoort,' kwam Atto tussenbeide. 'Hij wil weten of jullie onder het gezag van een enkeling staan, en ten slotte verwacht hij van jou een duidelijke lijst van alle andere.'

'Maar jij wil toch geen antwoord geven,' vervolgde de smeris, terwijl hij uit een zakje een paar sleutels haalde die waarschijnlijk van een vertrek waren met gereedschap voor zwijgzame misdadigers, 'en dus heeft je rug een flinke behandeling nodig.'

Totaal onverwachts wierp de jongen zich op zijn knieën op de grond, waardoor hij Sfasciamonti zelf, die hem aan een touw hield, aan het wankelen bracht.

'Mijnheer, luister,' zei hij smekend, zich beurtelings tot Buvat en tot de smeris wendend. 'Bij ons arme bedelaars bestaan verschillende groepen en ze zijn verschillend want ze doen verschillende dingen en zijn van verschillend allooi. Ik zal ze u allemaal vertellen, voorzover ik het nog weet.'

Er volgde een moment stilte. De jongen huilde. Abt Melani en ik waren hoogst verbaasd; de eerste van de geheimzinnige cerretanen, nooit onder de gesel van de wet gekomen, pikte het niet alleen dat hij verhoord werd door de misdaadnotaris en weigerde de beproeving van de zweep, maar beloofde zelfs meteen zijn hart uit te storten.

Sfasciamonti hielp hem overeind en liet zich een blik ontsnappen die het midden hield tussen verbazing en teleurstelling. Zijn handtastelijke smeristalenten zouden wederom in de la blijven.

'Laten we hem een stoel geven,' zei hij, terwijl hij met logge, lusteloze welwillendheid een van zijn enorme armen om de schouders van de jonge schurk legde, die van top tot teen beefde van angst en verdriet.

Intussen schoof ik een kruk onder zijn billen. De bekentenis begon.

'De eerste heet Groep van de Preemkeeten. Dat zijn mensen die in mensenmenigten in de kerken om aalmoezen vragen en ondertussen beurzen en tasjes lossnijden en alles stelen wat erin zit.'

De episode van de sintpaulaar en het vrouwtje van wie het leren tasje was losgesneden, schoot me te binnen. Was dat een van die Preemkeeten geweest?

De Rooie hield op en keek ons één voor één aan, om op onze gezichten het effect van die onthullingen te bestuderen, die voor hem waarschijnlijk weinig minder dan de ontheiliging van een godheid waren.

'De tweede heet Groep van de Hasjewijnen,' vervolgde hij. Dat zijn mensen die net doen alsof ze ziek zijn en schreeuwend op de grond veinzen dat ze op sterven liggen en dan om een aalmoes vragen, maar kiplekker zijn. De derde heet Groep van de Baronnen. Die zijn ook gezond, maar luibakkig: ze willen niet werken en daarom prachen ze af.'

'Luibakkig heb ik begrepen. Maar afprachen?' vroeg ik.

'Ze houden hun hand op,' antwoordde de Rooie; vervolgens vroeg hij om een glas water en kreeg dat.

'Ga door,' zei Sfasciamonti.

Bedelaars en leeglopers: bestond de ochtendmenigte die ik al jaren in de straten van Rome tegenkwam, bedacht ik, soms niet voornamelijk uit die types? Misschien was ik in mijn korte leven onbewust veel meer cerretanen tegengekomen dan ik dacht.

'De vierde heet Groep van de Gedallesten,' vervolgde onze gijzelaar. 'Dat zijn mensen die ineengedoken op de grond zitten, verstijfd alsof ze van kou gestorven zijn of aan tyfus lijden, en dan om aalmoezen vragen. De vijfde heet Groep van de Witzen: dat zijn mensen die net doen alsof ze niet goed bij zijn en geen verstand hebben, ze reageren nooit normaal en houden hun hand op. De zesde is de Groep van de Molveren. Die kleden zich half of helemaal uit, laten hun onbedekte vlees zien zo vaak het hun uitkomt en houden hun hand op. De zevende heet Groep van de Kammesieren...'

'Moment, moment,' zei Buvat. De zogenaamde notaris, voorzien van een heel grote pen waarmee hij niet zo snel kon schrijven, hield met moeite de stroom bekentenissen bij. Oorspronkelijk had hij zich voorbereid op het maken van een vals verbaal; maar nu moest hij een echt schrijven, een heel waardevol. Sfasciamonti gebaarde hem voortdurend om geen woord te missen. Ik had begrepen waarom: de smeris wilde eindelijk het bewijs van het bestaan van de cerretanen in handen hebben om het vroeg of laat aan zijn collega's en zelfs aan de gouverneur te laten zien.

'Laten we het zo doen,' stelde Atto voor, 'eerst noem je de namen van de gezelschappen, zodat we ons er een idee van kunnen vormen. Daarna leg je uit wat ze doen.'

De jonge cerretaan gehoorzaamde en begon een lijst op te sommen, waarin hij ook de reeds genoemde groepen opnam:

Preemkeeten
Hasjewijnen
Baronnen
Gedallesten
Witzen
Molveren
Kammesieren
Grantneren
Loseneren
Panjotten
Mulse Marwiekers
Koperstukken
Marionetten
Sossermannen
Schreyelincken
Sondenwegherinnen
Bultdragherinnen

'Genoeg, zo is het wel genoeg. Bij welke groep hoor jij?' vroeg Atto.

'Bij de Hasjewijnen.'

Vervolgens illustreerde de Rooie alle laagheden waar de groepen cerretanen die hij in het begin niet had geïllustreerd toe in staat waren. Hij had het over de Kammesieren, die zich om te bedelen verkleedden als kluizenaarmonniken; over de Grantneren, die om aalmoezen te krijgen doen alsof ze maanziek, krankzinnig of bezeten zijn, en na het eten van een zeepmengsel rollend over de grond het schuim uit hun mond laten lopen. Hij onthulde de trucs van de Loseneren, die om te bedelen grote ijzeren ketenen om hun hals dragen en doen alsof ze Turks praten door steeds 'Bran bran bran' of 'Bre bre bre' te zeggen, alsof ze gevangenen van de ongelovigen zijn geweest. De Panjotten gaan er altijd twee aan twee op uit, ze doen alsof ze soldaten zijn en als ze 's nachts op straat een onbeschermde stakker vinden, dan beroven ze hem. De Mulse

Marwiekers zijn in armoede vervallen bandieten, terwijl de Koperstukken in armoede vervallen smerissen zijn; de Marionetten doen net alsof ze een heel schokkerig lichaam hebben, zoals marionetten, want ze zijn (zo zeggen ze) de afstammelingen van zondaren die niet wilden knielen voor het Heilig Sacrament en daarvoor zijn gestraft. De Sossermannen bestelen de boeren wanneer ze met hun paarden brood naar het land brengen (ze heten Sossermannen omdat 'sosser' in de boeventaal 'paard' betekent). De Schreyelincken zijn kinderen die op straat leven, liedjes zingen als 'O Maria Stella!' en intussen laf hun hand ophouden. Ten slotte zijn de Sondenwegherinnen en Bultdragherinnen vrouwen die terwijl ze bedelen hun gezicht bedekt houden: de Sondenwegherinnen zijn getrouwd, de Bultdragherinnen zijn vrij.

'Vervloekt, wat een chaos,' commentarieerde Atto Melani ten slotte.

'Enfin, uiteindelijk zijn het allemaal bedelaars, die cerretanen,' merkte ik op.

'Dat heb ik je toch van meet af aan gezegd?' repliceerde Sfasciamonti. 'Alleen gebruiken ze de bedelarij om andere gemene dingen te doen: geweldpleging, oplichterijen, berovingen...'

'Pardon, hier is een verhoor af te ronden,' werden we tot de orde geroepen door Buvat, die met de waardige onverzettelijkheid van een ware notaris de uit formules bestaande clausule op het verbaal weer begon te rapporteren:

'*Interrogatus an pecuniae acquistae sint ipsius quaerentis an vero quilibet teneatur illas consignare suo superiori secundum cuiusque sectam illorum, respondit...* Nou jongeman, ik herhaal: houden jullie het geld dat jullie aan het bedelen of andere misdadige activiteiten verdienen, ieder voor zich of moeten jullie het bij je superieuren van iedere Groep inleveren?'

'Mijnheer, wie wat verdient, houdt het geld voor zichzelf, bij ons Hasjewijnen tenminste wel. Ons hoofd is Gioseppe da Camerino, die aan iedereen geld geeft. Ik heb horen zeggen dat de Kammesieren en de Marionetten de dingen gemeenschappelijk doen en vaak samenkomen op huurkamers of op andere plaatsen en voormannen en officieren kiezen. Mijn kameraad, die gevlucht is om niet gepakt te worden, vertelde dat hij de vorige week met vier Gedallesten, twee Kammesieren en twee Marionetten was. Ze kwamen voor de gezelligheid en de ontspanning bijeen in een taveerne in de Ponte-wijk. Ze lieten door de waard een hoop spullen aandragen, heerlijke wijnen en veel etensdingen. Kortom, een vorstelijk maal. En na de eterij maakte de waard de rekening op en zei dat de maaltijd twaalf scudo's was, die de opper van de Kammesieren zonder sputteren in contanten voldeed. En ze deden samen aan ontspanning, want ze komen nooit geld te kort, vooral de oppers van de Groepen niet.'

'Waar komen de mensen van jouw Groep bij elkaar?'

'Op de Piazza Navona, in Ponte, op de Campo di Fiore en op de Piazza della Rotonda.'

'Vertel nu eens of je biecht, te communie gaat en de mis bijwoont.'

'Mijnheer, bij ons doen dat er maar weinig, want eerlijk gezegd is het merendeel nog erger dan de lutheranen. Meer weet ik niet, ik zweer het.'

'Hebben de heren nog meer vragen?' vroeg Buvat aan ons.

Wederom kwam Sfasciamonti naar Buvats oor om hem te waarschuwen de volgende vraag niet vast te leggen.

'O ja, ja,' stelde de zogenaamde notaris hem gerust, 'welnu, jongen, heb je in de omgeving van je Groep gehoord over de recente diefstal van bepaalde documenten, een relikwie en een kijker in Villa Spada?'

'Ja, mijnheer.'

We keken elkaar allevier aan, en ditmaal wist ook Buvat zijn verbazing niet te onderdrukken.

'Allemachtig,' zei Atto met ogen die bijna uit hun kassen rolden.

'Mijnheer, ik weet alleen dat die gepleegd is door de Duitser. Waarom weet ik niet. Sinds het Jubeljaar is begonnen doet hij geweldige zaken, van elke straat in Rome haalt hij geld binnen.'

'En waar voor de duivel vinden we die Duitser?' drong Atto aan.

De cerretaan legde alles uit.

'Ik denk dat het vrij duidelijk is,' luidde ten slotte Sfasciamonti's commentaar.

Wat de Rooie had doorverteld over de Duitser betrof in werkelijkheid het onderzoek naar Atto's privé-bezittingen en daarom werd het, zoals trouwens veel andere dingen die die avond door de cerretaan waren gezegd, niet op papier gezet.

'Als iemand dit verbaal bij mij aantreft, ben ik wel in de aap gelogeerd,' zei Sfasciamonti zonder dat de ondervraagde het hoorde. 'Ik zet er, zeg maar, voor de veiligheid een datum boven: 4 februari 1595. En ik leg het in de archieven van de gouverneur. Alleen ik weet waar ik het moet opvissen, omdat niemand nu in de papieren van de vorige eeuw gaat kijken. Ik zal het te voorschijn halen als en wanneer ik het wil: ja, met die datum erop is het het bewijs dat de cerretanen al een tijd bestaan en kan ik het eindelijk iedereen onder de neus houden die me tot nu toe in de maling heeft genomen.'

De volgende beslissing was moeilijker maar wel verplicht. Je kon de cerretaan niet onrechtmatig zonder arrestatiebevel dan wel toestemming van de Bargello in de gevangenis houden; Sfasciamonti had tegenover een van de cipiers, een goede vriend van hem, wel op de mogelijkheid gezinspeeld, maar die had er niet van willen horen: onschuldige mensen in de gevangenis zijn er al genoeg, had hij geantwoord, en schuldigen in vrijheid ook; maar die dingen moeten netjes worden afgehandeld: normaal gesproken organiseren de rechters zoiets of de machthebbers van wie zij zonder dat het volk het weet de bevelen uitvoeren.

Anderzijds was het niet mogelijk de schuldige (als je hem zo kon noemen) op een andere manier vast te houden: Villa Spada, waar wel een ruime kelder was, kon zich daar om voor de hand liggende redenen niet toe lenen. Onze privéwoningen duidelijk ook niet. Om het geheel minder plotseling te maken lieten we de Rooie in een belendend kamertje wachten onder het mom dat we even moesten overleggen. Vervolgens lieten we hem weer binnenkomen, waarbij we ervoor zorgden teleurgestelde en gespannen gezichten te tonen.

'De notaris heeft met Zijne Excellentie de gouverneur gesproken,' loog Sfasciamonti, 'die jouw bereidheid om mee te werken heeft willen belonen.'

De cerretaan keek verdwaasd om zich heen, zonder te begrijpen wat er ging gebeuren.

'Nu zullen we je naar de uitgang begeleiden. Je bent vrij.'

Den 10den juli 1700, vierde dag

'Geef me een aalmoes, jongen.'

De oude man was naakt. De enige versiering was een grote ijzeren keten die hij al wie weet hoe lang om had en die zijn rechterschouder kwelde door zijn arme, afgeleefde vlees te schuren en te infecteren. Gebogen en vermagerd hield hij smekend zijn smerige, gekromde hand naar me op. Je kon niet alleen zijn ribben tellen, maar ook iedere afzonderlijke pees. Als hij een zweep in de hand had gehad, zou hij het volmaakte beeld van een flagellant gevormd hebben. Hij stond tegen een muur geleund en stonk. Zijn schaamdelen werden alleen bedekt door de ellenlange grijze baard die bijna tot aan zijn voeten kwam.

Ik keek hem zonder iets te zeggen aan en schonk hem niet eens een kleine gift. Ik werd overweldigd door die wrede aanblik van ellende, ongeluk en verlatenheid.

'Doe me dat genoegen, jongen,' herhaalde de stakker, die eerst voorover boog en toen uitgeput op de grond ging zitten.

'Neemt u me niet kwalijk, ik heb geen...' stamelde ik, terwijl de oude bedelaar ging liggen en zich vervolgens op een zij draaide.

'Vergeverlovergen,' siste hij, en het was of ik in zijn stem een weemoedige, subtiele klank van verwijt hoorde.

Vervolgens draaide hij zich op de ene en toen op de andere zij, uiteindelijk ritmisch en steeds sneller golvend. Hij had krampen. Ik had net besloten hem weer op de been te helpen toen hij door een hevig trillen werd bevangen, verstarde en toen door onstuitbare huiveringen werd gekweld. Met zijn mond gesloten en zijn nekspieren krampachtig gespannen leek hij elk moment te kunnen stikken. Verrassend genoeg ging hij weer zitten en opende wagenwijd zijn mond, waaruit gelig schuimend speeksel droop dat zijn borst en buik gruwelijk bevuilde; van schrik en afschuw deinsde ik achteruit. Zijn ogen draaiden weg in hun kassen, alsof hij ze wilde richten op een parallelle wereld van wanhoop en eenzaamheid die alleen hij echt begreep. Opnieuw stak hij zijn sidderende, gerimpelde hand uit. Ik rommelde in mijn zak; er zat alleen een munt van een scudo in: een buitensporig bedrag voor een aalmoes. Ik wilde hem al zeggen dat ik niets voor hem had toen hij, alsof hij mijn gedachten had gelezen, opnieuw gorgelde:

'Vergeverlovergen.'

En toen gebeurde het ondenkbare. Op de muur achter de oude man zag ik een snelle, hebzuchtige schaduw. Een vliegend wezen (een vleermuis of misschien een duivel die mijn gierigheid kwam bestraffen?) had zich boven onze hoofden verplaatst en stond op het punt aan te vallen. Ik had me nog niet om kunnen draaien of ik voelde de lucht al in beweging komen, de punten van zijn vleugels mijn oren raken, zijn klauwen het zachte vlees van mijn schouders vastgrijpen en er pijnlijk in doordringen. Ik draaide me om, maar dat was een onhandige zet: het vliegende wezen had zich vastberaden op mijn schouder geplant, en afstand ervan nemen was even zinloos als proberen in mijn eigen oor te bijten. Ik probeerde hem met mijn handen weg te krijgen, maar het maakte zich van mijn schouder los en begroef ditmaal zijn klauwen in mijn gezicht. Ik was inmiddels de oude man, zijn gepijnigde lichaam en smerig kwijlende mond vergeten. Ik probeerde te schreeuwen, maar de haakvormige klauwen van het vliegende wezen snoerden mij de mond. Je hoorde niettemin een stem, een verstikt geluid:

'Arresteer hem! Arresteeeer hem!'

Pas op dat punt van de droom, ja, nachtmerrie, begreep ik het. Ik veegde met mijn onderarm mijn gezicht af en bedacht dat het geen goed idee was geweest om met het raam open te slapen. Ik voelde zijn lijf, qua grootte tussen dat van een haantje en een uil in, zich ijlings terugtrekken om elders neer te strijken.

Ik bracht mijn handen naar mijn gezicht, terwijl ik overeind ging zitten in bed, en deed voor het eerst mijn ogen open. Het was al dag, de zon kwam onbeschaamd de kamer binnen en overgoot die ruimhartig met zijn weldadige stralen.

Hij was op de rugleuning van een stoel gedoken. Ik wierp hem een vlammende blik toe. Hij was niet alleen zonder toestemming binnengekomen, maar terwijl ik sliep had hij eerst over mijn schouder gelopen en toen over mijn gezicht, hoe onaangenaam dat ook was. Met zijn bekende brutale blik vol twijfel keek hij me schuins aan.

'Ik was net lekker aan het dromen. Je bent echt een monsterlijk wezen. Hoe haal je het in je kop om me zo wakker te maken?'

Caesar Augustus gaf geen antwoord.

De terugtocht van de Sixtusbrug-gevangenis, de vorige nacht, was snel en zonder commentaar verlopen; alledrie – Atto, de smeris en ik – waren we te moe geweest om ons verder uit te spreken; we wisten bovendien dat we de onderzoeken niet voor de volgende avond zouden hervatten, en zo was onze lust om te handelen door het onvermijdelijke wachten bekoeld.

Afgepeigerd als ik was, had het niet veel moeite gekost om in slaap te vallen. De toch al korte rust die me was vergund werd echter overschaduwd door het droombeeld van de aftandse bedelaar, dat duidelijk door de bekentenis van de Rooie was opgekomen. Tja, zei ik bij mezelf, die oude man deed denken aan de Grantneren, die om aalmoezen te krijgen net doen of ze maanziek, krankzinnig of bezeten zijn en na het eten van een zeepmengsel het kwijl uit hun mond laten lopen en over de grond rollen; maar ook aan de Loseneren, die dikke ijzeren ketenen om hun nek dragen...

'*De minimis non curat Papa*,' onderbrak de papegaai krassend mijn herinneringen. 'Ik weet dat de paus zich niet met onbenulligheden bezighoudt, ha ha, bedankt voor de vergelijking met Zijne Heiligheid. Ik weet het, ik weet het, ik moet de volière weer van alles voorzien, maar dat zie ik toch niet als een onbenulligheid,' zette ik hem op zijn nummer, terwijl ik opstond en mijn kleren zocht. 'Geef me alleen even de tijd om me voor te bereiden.'

Caesar Augustus planeerde traag naar het nog open raam. Ik merkte op dat hij in zijn rechterpoot een klein bosje takjes hield, iets wat de laatste tijd dikwijls voorkwam. Het was me duidelijk niet gegeven erachter te komen wat hij daarmee deed.

Hij streek nog voor een paar minuten op de vensterbank neer en fladderde toen naar buiten, naar de wijngaarden van de villa. Terwijl ik het raam sloot, merkte ik, voor ik het slaapkamertje verliet, nog een teken van ongewoon gedrag van Caesar Augustus op: een okerkleurige vlek, half vloeibaar, maar met in het midden stukjes graan en appelzaadjes. Het was niet zijn gewoonte om zijn naaste te kwetsen door op zo'n verkeerde plaats, op het raam, zijn behoefte te doen. Caesar Augustus moest wel heel gespannen zijn.

Na me met de rituele plicht bij de volières te hebben beziggehouden besloot ik te profiteren van de halve vrijheid die ik genoot door het onverwachts in dienst zijn van Atto Melani, en verdween. Atto en Buvat waren me nog niet aan het zoeken, en Sfasciamonti was waarschijnlijk druk met zijn vaste rol als beschermer van de veiligheid in Villa Spada. Ik zocht naar Cloridia maar vernam dat ze in de vertrekken van prinses Di Forano was; de prinses was zich aan het kleden en voor het moment was het niet mogelijk mijn eega van haar bezigheid af te halen. Een beetje ontstemd door dat beletsel stal ik in de keuken een appel en terwijl ik die oppeuzelde, verliet ik stilletjes Villa Spada.

Terwijl ik de uitgang in sloeg, hoorde ik in de verte een bekende stem.

'Meester Vogelaar, u zoekt mij, Meester Vogelaar! Werkt hier niemand vandaag?'

Don Paschatio, die naar alle waarschijnlijkheid weer door een van zijn werknemers in de steek was gelaten, was me aan het zoeken om de gaten te dichten. Het was niet de juiste dag, besloot ik, om me beschikbaar te stellen; geluiden en beelden van de afgelopen nacht echoden nog na in mijn hoofd: de aanval van Sfasciamonti op de oude bedelaar op de Piazza della Rotonda, de onbezonnen inspectie op de slaapplaats van schooiers en bedelaars op Termine; ten slotte de achtervolging van de cerretaan en het verhoor van zijn kameraad, de Rooie, in de Sixtusbrug-gevangenis: het waren gebeurtenissen die, behalve dat ze de angstaanjagende droombeelden van die ochtend hadden gewekt, ook in de eerste uren van het wakker-zijn een spoor van angst hadden achtergelaten. Om al dat gedoe te vergeten, zei ik bij mezelf, was niets beter dan een kalmerende wandeling naar de stad.

Maar ik wilde niet te ver weg gaan en daarom richtte ik mijn schreden eerst in de richting van de Strada della Scala; ik sloeg vervolgens rechts- en toen weer linksaf, zwervend tussen de Piazza de' Rienzi en Santa Maria in Trastevere.

Een groep Romegangers, voorafgegaan door het vaandel van hun stadje en mooi gekleed in lange zwarte gewaden, trok op naar de Sint-Paulusbasiliek, terwijl ze een loflied voor de Maagd galmden. De kleine stoet ging verder via stegen en vochtige straatjes waar overvolle winkeltjes met allerlei waar en kroegjes met de geur van wijn en gebraad hun uitnodigende deurtjes wagenwijd openzetten, als wilden ze de passant bij zijn arm naar binnen trekken. De voorgevels van de omliggende huizen verborgen schaamtevol hun armoede achter lange rijen witgoed dat van raam tot raam te drogen hing en ijskoude druppeltjes op de hoofden van de voorbijgangers liet vallen, terwijl de luie straten van Trastevere werden geraakt door karrenwielen, voeten van spelende kinderen en hoeven van ezeltjes die gelaten hun vracht voortslepen.

Op de Piazza San Callisto gekomen hoorde ik klaaglijke muziek geleidelijk dichterbij klinken, terwijl een grote stroom mensen me tegemoet kwam. Aan het hoofd van de menigte liepen twee vuile, slechtgeklede mannen van middelbare leeftijd, die moeizaam voortstrompelden met een stok. Met een zekere ongerustheid merkte ik op dat beiden weggedraaide ogen hadden, net als de oude man van wie ik die ochtend had gedroomd. Tussen de twee in hield een makker met een dito sjofel en haveloos uiterlijk, eveneens voorzien van een stok en opvallend kreupel, beiden bij de arm. Meteen daarachteraan kwam een violist die het verleidelijke en weemoedige geluid van een chaconne in de straat verspreidde. Er volgden nog meer schooiers, bijna allemaal blind of mank. Die bedelden, steeds maar bedelden. Jarenlang had ik in hun gezelschap in Rome gewoond zonder dat ik ooit veel aandacht aan hen had besteed. Sinds Atto Melani echter terug was, waren ze onverwachts belangrijk geworden, en hoe! Ik stelde me dus naast de processie op om hun ritueel te kunnen observeren. De twee blinden aan het hoofd van de groep hielden respectievelijk een potje en een tabaksdoos, beide van zilver, in de hand en dreunden in klaaglijk contrapunt met de viool:

'Een aalmoes voor de heilige Elisabeth, geef een aalmoes voor de heilige Elisabeth.'

Nu en dan maakte zich uit de menigte passanten een weldoener los die een munt in het zilveren potje wierp. De andere van de twee blinden bood hem dan een snuifje tabak aan, dat de vriendelijke gever met een soort bekertje uit de tabaksdoos haalde.

De rest van de stoet, zoals ik kon zien terwijl hij rechtsaf sloeg naar de Vicolo de' Pazzi, bestond uit één sliert voddige, jammerlijke mensen onder wie klaarblijkelijk iedere stakker beroofd was van het gebruik van ogen, benen of armen. De stoet werd omgeven door een gevolg van arme kinderen die hun een aalmoes vroegen, als zeevogels die achter de schepen aan vliegen in afwachting van het afval van de hofmeester.

Een jonge geestelijke kwam op het hoofd van de stoet af. Hij wierp in het offerpotje een zilveren munt en nam een klein snuifje tabak waardoor hij moest hoesten en proesten. Zodra hij weer afstand van de stoet had genomen, ging ik hem achterna en benaderde hem:

'Neemt u me niet kwalijk, pater, wat is dat voor processie?'

'Dat is de broederschap van de heilige Elisabeth. Normaal gaan ze er 's zondags op uit, terwijl het vandaag zaterdag is. Maar in het Jubeljaar maak je voor hen ook een uitzondering.'

'De broederschap van de heilige Elisabeth?' zei ik, me herinnerend dat ik daar in het verleden al eens over had gehoord. 'Die helemaal uit blinden en mankepoten bestaat?'

'Ja, de stakkers. Gelukkig heeft paus Paulus v hun toestemming gegeven om te bedelen. Waren alleen de smerissen er maar niet...'

'Wat bedoelt u?'

'O niets, niets. De broederschap moet alleen veel belasting betalen voor godsdienstige ceremonieën, en uiteindelijk houden ze niet veel over. Maar nu moet je me excuseren, jongen, want ik moet naar de Sint-Pieter in Montorio en ik ben al laat.'

Ik zag geen kans om de jonge geestelijke tegen te houden of hem nadere details omtrent de broederschap van de heilige Elisabeth te vragen. Nadat ik afscheid van hem had genomen, besteedde ik een minuscuul deel van het geld dat ik van abt Melani ontvangen had voor mijn letterkundige diensten en kreeg van een straatventer een puntzak met geroosterde, verrukkelijk krokante visjes.

Ik keerde terug naar de Piazza di Santa Maria in Trastevere; terwijl ik zat te eten op de treden van de fontein midden op het plein, bewonderde ik de verheven, oeroude voorgevel van de kerk. Intussen dacht ik na. Ik herinnerde me dat ik al over de broederschap van de heilige Elisabeth had gehoord omdat de leden ervan op de geboortedag van de heilige met militair escorte en al in processie de Vier Heilige Basilieken bezochten. Ik wist alleen niet dat ze rechtstreeks toestemming van de paus hadden om te bedelen; bovendien kwam de opmerking van de geestelijke over de smerissen me vreemd voor: wat hadden de collega's van Sfasciamonti te maken met de bijdrage van de broederschap aan de godsdienstige feesten? Ik draaide me om en zag de golvende, haveloze slang van de processie in een zijstraat verdwijnen. De stoet liet een dunne windvlaag na die rook naar ongewassen lijven, rottende kledingstukken en kookluchtjes.

'En waar betaal ik die vier zilverstukken nou voor?' vroeg de eigenaar van een kroeg die daar juist vier tafeltjes buiten had, op een harde ruzietoon aan mij; het was een man van middelbare leeftijd met een accent uit de Abruzzen, bolle buik, kleine kattenoogjes, het gezicht van iemand die alles krom vindt en zich er altijd weer bij neerlegt. Na het passeren van de broederschap was hij met woedende precisie de ingang van zijn uitspanning gaan vegen.

'Maar de broederschap van de heilige Elisabeth is niet bij uw zaak binnen geweest,' zei ik, verbaasd over de boosheid van de waard op die kreupele, miserabele verworpenen.

'Jongen, ik weet niet hoe lang jij in deze stad bent. Maar ik kan je verzekeren dat ik niet veel ouder ben dan jij,' zei hij, terwijl hij de bezem tegen de muur zette, 'en ik heb veel gezien en gehoord wat jij je niet eens voor kunt stellen. Bijvoorbeeld: wie een werkplaats, kraam, magazijn, winkel, herberg, logement, taveerne, kroeg, bakkerszaak of andere plek heeft waar hij spullen verkoopt, al dan niet eetbaar, waar hij een vak of beroep uitoefent, moet om de drie maanden tien stuivers betalen, en wel vooruit, om de straat te laten schoonmaken. Huurrijtuigen, de puzzolaangroeves, de poorten die op de Tiber uitkomen, en zelfs de normale stadsrijtuigen moeten belasting betalen. En wie geen schoonmaakbelasting betaalt, moet alles op alles zetten om de gezondheidsvoorschriften tegen de verdorvenheid van de lucht te eerbiedigen: buffeldrijvers, slachters en voerlieden moeten de stallen, de schuren en de loodsen van het vuil ontdoen. Groente- en wijnboeren mogen geen mest achterlaten in de straten in en buiten Rome. Fruit-, groente-, vis- en hooiverkopers moeten 's avonds altijd weer alle vuiligheid die ze hebben gemaakt wegbrengen, tot op de laatste strohalm, het laatste blaadje, de laatste spaander, anders krijgen ze een boete van vijf scudo's. En wat nog meer? O, ja: ververs en leerlooiers mogen geen afvalwater van hun werk op straat gooien en moeten het in de daarvoor bestemde gootjes gieten. Nu zeg ik bij mezelf: die lui van de broederschap van de heilige Elisabeth die hier komen, die erger stinken en een grotere smeerboel maken dan de Nubiërs uit het oude Rome, die de weg in beslag nemen en mijn klanten wegjagen, nou, wat betalen die?'

'Ik heb net gehoord dat die ook belasting aan de smerissen afstaan,' antwoordde ik, meteen het korte gesprek met de jonge geestelijke aanwendend.

'Aan de smerissen? Ha ha!' lachte de waard, terwijl hij de bezem pakte en weer de straat begon te vegen, 'dat noem jij belasting? Dat is de prijs van de smerissen.'

'De prijs van de smerissen?'

Hij bleef staan en keek om zich heen, alsof hij er zeker van wilde zijn dat niemand hem zou horen.

'Lieve hemel, jongen, in wat voor wereld leef jij eigenlijk? Iedereen weet dat de smerissen ondershands geld aannemen van de broederschap van de heilige Elisabeth om ze naar believen te laten bedelen, zelfs waar dat door verordeningen verboden is. Het geld wordt gegeven onder het mom van bijdragen voor godsdienstige feesten. Maar iedereen weet dat het zo zit.'

Hij begon weer krachtig te vegen, alsof hij in die schoonmaakbezigheid een machteloze, koppige woede wilde afreageren.

'Neemt u me niet kwalijk,' hervatte ik, 'maar als u zegt...'

'Hij zegt waar het op staat en wat ik ook zie.'

De stem die tussenbeide was gekomen behoorde toe aan een schoenverkoper die op zijn schouders twee trossen schoeisel in alle soorten en maten droeg (laarzen en muilen, schoenen en sloffen), met lange leren veters bijeengebonden aan een houten stok die hij op zijn rug hield. Het was een miezerig, uitgeteerd oudje met een meedogenloos doorgroefd gezicht, alleen gekleed in een grijs hemd dat op zijn buik was toegeknoopt, een te korte broek en een half kapot strohoedje op zijn hoofd.

'Als je die schooiers helpt, worden het er steeds meer. Kijk naar mij, jongen: ik verdien mijn eigen brood. Maar mensen als die lui van de broederschap van de heilige Elisabeth hebben beschermers, en varen er wel bij.'

'Ach kom, ze zijn blind en mank,' hield ik vol.

'O ja? En hoe verklaar je dan dat er steeds meer bedelaars, schooiers en rapaille bij komen? Hoe verklaar je dan dat één op de twee Romeinen om een aalmoes vraagt? En toch krijgen ze die aalmoes, en of ze die krijgen!'

'Dat komt misschien doordat er niet voor iedereen brood is...'

'Geen brood!' hoonde de schoenverkoper. 'Arme idioot...'

'De waarheid,' hervatte de waard, 'is dat de armen niet arm zijn. Een bedelaar op een goeie plek, voor de Heilige-Sixtuskerk bijvoorbeeld, verdient meer dan ik.'

'Wat zegt u nou?'

'Laten de onnozele halzen hun maar een aalmoes geven,' echode de venter zuur.

'In Rome is armoede de beste leerschool voor diefstal, onkuisheid, gevloek en ellende,' hield de waard vol zonder me de tijd te geven na te denken of ertegen in te gaan.

De woordenwisseling die ik zo ruwweg heb beschreven ging in werkelijkheid nog even door, zodat ik kans zag om zo niet feiten en vaststaande gegevens, dan toch de mening van mijn twee tegensprekers te vernemen, waarvan ik later zou horen dat velen die huldigden.

Terwijl Rome inderdaad al eeuwen als het algemene toevluchtsoord voor armen werd beschouwd, was er de laatste tijd een steeds dikker gordijn van wrok en achterdocht jegens hen opgetrokken.

Tot een paar decennia terug telde je onder de armen volop de toonbeelden van vrome zielen. Het was geen toeval dat Robertus Bellarminus in zijn *De arte bene moriendi* (maar dergelijke details zou ik later pas uit andere bronnen vernemen), zich beroepend op wijze filosofen en uitnemende kerkgeleerden als Aristoteles, Basilius, Chrysostomus, en vooral het welbekende *De amore pauperum* van Gregorius van Nazianze, predikte dat er in elke stad twee steden samen zijn, die van arm en die van rijk, welke door de band der vroomheid en edelmoedigheid zijn verenigd. God kon allen weliswaar sterk en geleerd scheppen, maar heeft dat niet willen doen: in zijn schitterende voorzienigheid heeft het Hem behaagd de een rijk en de ander arm, de een geleerd, de ander dom te maken; de een driest, de ander zwak, de een gezond en de ander ziek. Maar aan de armen moest altijd naastenliefde bewezen worden (mede omdat, zoals pater Daniele Bartoli zegt, iemand die naastenliefde bewijst er niet op achteruitgaat maar ermee wint). Volgens de laxisten hoefde je voor hen alleen het overtollige te bestemmen. Volgens anderen, die strikter waren, moest je hun altijd iets geven, omdat er in werkelijkheid maar weinig gelovigen gevonden zouden worden, zelfs onder de vorsten, die bereid zouden zijn toe te geven dat ze meer bezitten dan nodig is.

Mettertijd was het vraagstuk echter serieuzer geworden: de discussie ging niet over hoeveel er voor de armen bestemd moest worden, maar of er wel sprake was van armen. De straten van de Heilige Stad (zoals pater Guevarre schrijft, maar dat wisten de twee met wie ik sprak niet), wemelden vooral van de losgeslagen types, bij wie de sjofele kleren, de opzettelijk ingezwachtelde ledematen, de geveinsde bezetenheid, de gespeelde sidderingen, de gefingeerde verlammingen dienden om aalmoezen uit de zakken van de naïevelingen te kloppen en een gemakkelijk plaatsje in het slaaphuis te krijgen. De openbare en private bijstandsgelden, de door de pausen opengestelde tehuizen (zoals paus Innocentius XII er een had geopend in San Michele) en de extraatjes van de edellieden (kardinaal Farnese schonk zelfs een vijfde van zijn weelderige inkomsten) kwamen zo in plaats van bij de echte stakkers uiteindelijk terecht bij de luiaards, de oplichters, de slechteriken die graag op straat leven en sterven, als ze maar niet hoeven te werken. Duizend keer liever hadden ze een leven als tuig van de richel, maar wel in alle rust. De bedellieden ademen de lucht van Rome in; en een Romein is als volgt: omdat naar zijn idee niets iets waard is, is het niet de moeite waard om iets te doen.

De zogenaamde armen kwamen van heinde en ver toegestroomd: van het platteland, uit de Kerkelijke Staat, uit andere Italiaanse staten, uit heel Europa. Van het Romeinse platteland overspoelden massa's kwajongens de stad, tot alles bereid, als ze het harde werk op de akkers maar konden ontvluchten. Mettertijd was het leger zo uitgebreid dat ze inmiddels met duizenden waren en van bedelen een beroep, ja, een vak maakten. Wanneer ze niet bedelden, hielpen ze elkaar met zakkenrollerij, oplichterij en diefstal. Zoals aartspriester Piazza scherp had geschreven, verdrongen ze zich onder het mom van de aalmoezen bij de ingang van de kerken en maakten gebruik van het gedrang om vrouwen en bejaarden te beroven. Inhalig bij het publiek, hinderlijk voor privé-personen, verdacht in de handel, storend in de kerken, een besmetting voor het beschaafde gesprek als ze waren, hadden de valse armen zodoende heel de ongelukkige gemeenschap der behoeftigen gehaat gemaakt in de Heilige Stad (en bij veel buitenlanders die haar bezochten). Niet toevallig had kardinaal Carpegna, nauwelijks acht jaar eerder, gevraagd de armen massaal op te sluiten, zodat je ze beter in de gaten kon houden.

'Maar het zijn niet allemaal cerretanen, Grantneren of Loseneren...' zei ik nonchalant, in de hoop dat de namen van de sekten de tong van de twee nog losser zouden maken om een paar interessante details op te dissen.

'Cerretanen?' zei de waard verbijsterd.

'Die lui die stelen,' vertaalde de ander.

'Dat is allemaal van hetzelfde laken een pak, cerretanen, bedelaars, Romegangers, pelgrims en vagebonden! Wie wil werken, moet zich maar behelpen, die vindt wel een eerlijke bezigheid. De rest kan beter creperen.'

Ik had gehoopt dat het verhitte gesprek van de twee me nuttige informatie zou opleveren, een verspreking, een van die stemmen uit het volk die dikwijls de verborgenste geheimen van de menselijke aangelegenheden aan het licht brengen. Maar de waard leek alleen in het algemeen te weten wie de cerretanen waren; en zo ook zijn kameraad. Ik kon niets nuttigs uit ze krijgen voor Atto's onderzoek. Als enig nieuwtje had ik vernomen dat een goed deel van het Romeinse volk jegens die armen ergernis en wrok voelde in plaats van vrome barmhartigheid. Ik had eerst gedacht dat die stakkers allemaal deugden. Daarna, toen ik de vunzige, geheime wereld van de cerretanen had ontdekt, leek het me dat ze op te delen waren in deugend en niet deugend. Maar nu leerde de stem van het volk me ook de eerste groep te wantrouwen, en te vermoeden dat oorzaak numero één van hun situatie niet armoede was, maar luiheid.

Voor wie kan er ooit verlossing zijn, vroeg ik me af, in een wereld waarin zelfs de meest nederige, verworpen mensen zondaars zijn?

Maar mijn overweging kreeg, kort nadat ik afscheid genomen had van de waard en de schoenverkoper, niet de tijd om zich te ontvouwen. Ik merkte dat ik niet langer mocht dralen: het werd tijd om naar Villa Spada terug te keren en weer aan het werk te gaan. Meteen na het middagmaal zouden de festiviteiten worden hervat. Ik gooide het gelige, vettige zakje van de visjes in een hoek en toog op weg.

Toen ik bij de villa kwam, was nagenoeg het moment aangebroken voor de nieuwe feestelijke activiteiten vanwege het huwelijk. Zoals gezegd was bepaald dat de gasten pas vanaf de voormiddag naar Villa Spada zouden gaan. Zij die ervoor hadden gekozen in de villa te verblijven zouden op hun gemak middagmalen, bij wijze van hapje tussendoor, met de weinige honger door de hitte. Voor dat doel waren er op de gazons, onder de frisse schaduw van de bomen, grote kleden van ruwe stof bedekt met fraaie damasten doeken uitgespreid, waarop bevallig manden fruit en bloemen waren geplaatst, korven vol vers brood, bakken met zachte kazen en pittige provolone, plateaus vol ham van varken, hert, konijn en beer, potten met olijven gevuld met amandelen, bladen met prachtig opgemaakt gedroogd fruit, schalen met zoetigheid net uit de oven en talloze andere verse, eenvoudige lekkernijen, zodat de gasten zelfs onder de hete stralen van Sirius zin konden krijgen om hun maag te vullen en zich in de openlucht te goed te doen, behoorlijk gekust door het briesje van de Janiculus, terwijl ze met bucolische loomheid genoten van het zicht op Rome en van het zachte grastapijt.

De rijtuigen van de genodigden namen reeds de ruimte voor de ingang in beslag; ik meende onder andere die van hertog Federico Sforza Cesarini, markies Bongiovanni en prins don Camillo Cybo te herkennen. Ik zat er inderdaad niet naast: zo dadelijk zou ik ook die hooggeleerde heerschappen en nog andere, met een niet minder illustere naam, het huwelijk zien vieren van Maria Pulcheria Rocci en de jonge Clemente Spada, daarbij hun kostelijke intellect aanwendend in het alleredelste tijdverdrijf: een Academische Discussie.

Academies, oftewel kringen van op discussie en overdenking gerichte verheven geesten, hadden in Rome al sinds de verre vijftiende eeuw bestaan. Ze waren vrolijk buiten opgekomen in de tuinen van de stad, in de geur van fresia's, in de gevlekte schaduw van blauweregen en pergola's: daarom heetten ze Academie van de Wijnbouwers, of Academie van de Farnesische tuinen. Halverwege de eeuw waren ook de uiterst beschaafde Academie van de Vaticaanse Nachten en die van het Burgerlijk en Canoniek Recht ontstaan, die de diepste thema's van theologie, logica, filosofie en gnoseologie behandelden.

Pas vanaf die inmiddels ten einde lopende eeuw van ons was echter de ware bloei ingetreden. Er was geen paleis, salon, binnenplaats, tuin, terras waar geen welbespraakte groepen geleerde geesten bijeenkwamen om zich met elkaar te meten in een hoogstaand gevecht van het verstand. Hele dagen lang volgden redevoeringen, disputen, discussies en debatten elkaar op en hielden de geest tot diep in de nacht bezig.

Natuurlijk waren die kringen niet voor de eerste de beste toegankelijk. Iedere kandidaat moest een streng examen afleggen; als dat gehaald was werd hij gedoopt met ongewone namen als Ontembare Met Sterren Bezaaide of Bedauwde Academicus van de Nacht; of geschoeid op de leest van de Oudheid, zoals Onorius Amalteus, Elpomenides Maturitius, Anastasius Epistenus of Tenorius Autorficus.

De verheven thema's waarover de geesten debatteerden waren vaak ontleend aan de naam van hun coterie: de Ecclesiastische Academie, of die van de Goddelijke Liefde, de Theologie, de Concilies of de Dogma's discussieerden duidelijk over geloofszaken. Met wetenschap hielden wiskundigen en sterrenkundigen van de Academie van Natuurfilosofie of die van de Arenden zich bezig (zo genoemd omdat alles door hen moest worden geobserveerd met de scherpe blik van een arend). Ze kwamen bijeen om te spreken over gedichten van academici van de Nieuwe Poëzie, alsook die van de befaamde Arcadia, genoemd naar de arcadische herders die de bucolische beelden van veel uitnemende Dichters bevolken. Ten slotte verheerlijkten de volgelingen van de Academie van de Heilige Cecilia, de beschermvrouwe van muzikanten en zangers, de wapenfeiten van de muziek.

Minder duidelijk echter was de bestaansreden van Academies met een duisterder naam, die zich soms wijdden aan nogal curieuze vormen van tijdverdrijf. Zoals de Academie van het Orakel, waarvan de leden bijeenkwamen op het platteland van Rome. Een van hen, behoorlijk uit de kluiten gewassen, ging op een steen zitten, bedekte zich helemaal met zijn mantel en deed net of hij een orakel was. Twee anderen stonden aan weerszijden van hem om zijn voorspellingen uit te leggen. Weer een ander van de broederschap kwam op het orakel af, speelde de rol van vreemdeling en raadpleegde hem over een gebeurtenis in de toekomst, bijvoorbeeld of dat en dat huwelijk al dan niet zou worden gesloten. Het orakel antwoordde met ogenschijnlijk betekenisloze woorden, zoals 'piramide!' of 'knoop!' en de twee uitleggers moesten de betekenis van het antwoord verklaren en lichtten de hoeken, de figuur of het gebruik van de piramide toe, ofwel de vorm, de aard en het gebruik van de knoop. Twee zeer strenge Beoordelaars controleerden de uitleg met ijzeren discipline en noteerden zelfs de onbeduidendste taal- en uitspraakfouten van de twee uitleggers. De fouten werden met een geldboete bestraft, waarvan dan weer levensmiddelen werden gekocht om heel de groep vrolijk te voeden en te laven.

Kon je over het nut van dergelijke broederschappen al enige twijfel koesteren, van wat andere deden had je niet het flauwste benul. Je raadde weliswaar dat de Academie van de Wijnbouwers zich onledig hield met zaken van de geest en de kunst, maar dan liefst onder het lover van een wijngaard. Je vermoedde dat de Symposiaci af en toe bijeenkwamen om iets te diep in het glaasje te kijken (het symposium was dan ook niets anders dan een bijeenkomst van zuipschuiten) en dat de Humoristen een hang naar kwinkslagen hadden. Maar wat voor de duivel haalde de Academie van de Onbedachtzamen, die van de Loepzuiveren of de Academie van de Vaagonderlegden uit? Wat was de ware roeping van de Afkorters en de Veronachtzaamden? Hoe konden de Misverstanden zich onderling verstaan? En de bijeenkomsten van de Gewurgden, gebeurden die soms op papier?

Het raadsel werd groter als je zag dat de Academies niet afzonderlijk, maar met hele groepen tegelijk ontstonden; alsof het een epidemie was. Zo waren in een paar jaar tijd de Onvolmaakten, Onbekwamen, Onstuimigen, Onvoorzichtigen, Opgehitsten, Onbeschaafden, Onvruchtbaren, Ondermijnden en Ongevormden opgedoken.

Veranderde de mode, dan was het de beurt aan de Academies geïnspireerd op de weemoed (Zwakken, Zieligen, Zwaarmoedigen, Verachten, Verdeelden), op het gevaar (Daadkrachtigen, Driesten, Doenden, Durvenden, Doldriesten) of op de nacht van de geest (Verborgenen, Vol Schaduw, Vasthoudenden, Vol Tijdverdrijf).

Omtrent de aard van enkele semi-clandestiene Academies was de stilte echter totaal. Misschien waren ze gedoemd zich onder water te ontwikkelen, zoals die van de Dobberenden; of wellicht stonden ze ook stiekem niet-menselijke leden toe, zoals de uiterst geheimzinnige Academie van de Amfibieën.

Die koortsachtige activiteit bracht wel enige kosten met zich mee. Maar een prestigieuze zetel in een patriciërswoning, alsmede geld voor hapjes en drankjes, voor het drukken van de beste (en zelden voorkomende) geschreven werken van de Academici, plus de organisatie van luisterrijke (en minder zelden vookomende) feestelijkheden, werd in de regel aangeboden door een welwillende Heer, aan wie de Academici hun poëtische, wetenschappelijke of doctrinaire inspanningen opdroegen. Normaliter ging het om een kardinaal of een telg uit een rijke, verdienstelijke familie, zo niet regelrecht om een paus wie om staats- of gevoelsredenen de uitgespitte thema's van deze of gene groep geleerden na aan het hart lag. Wanneer de grootmoedige Heer overging naar een beter leven en de Academie zonder weldoener zat, achtte ze het beter zichzelf op te heffen: zoals toen de dood van koningin Christina van Zweden in 1689 tientallen, zo niet honderdtallen kunstenaars, muzikanten, dichters en filosofen op straat zette, die uit het paleis van Christina aan de Via della Lungara moesten verkassen en snel een andere manier moesten vinden om de eindjes aan elkaar te knopen. Naarmate hun maecenassen stierven, dreigden dus de vernuften van de Onvruchtbaren, de Vagen of de Verslechterden verloren te gaan; maar hun deelnemers waren lid van meerdere Academies en stichtten steeds weer nieuwe. Het Menselijk Weten was gered.

Of het nu ging om spelletjes voor grappenmakers of om reeksen wetenschappelijke discussies, één ding was zeker: Rome was één groot Algemeen Kletsforum geworden, waar minstens een van de edelste vermogens van de mens volop werd gewaarborgd: praten, praten en nog eens praten. Als iemand maar praatte, vertolkte hij vanzelfsprekend diepe onderwerpen en geleerde overdenkingen.

Juist daarvan, bedacht ik, zou ik die avond getuige zijn: een reeks toespraken voor knappe, uitgelezen koppen, gehouden door Academici die speciaal naar Villa Spada geroepen waren om het gesprek weer tot leven te brengen, waarvoor ik nederig van begin tot eind met moeite mijn geeuwen zou inhouden. Maar een en ander liep geheel anders.

Ik had net de livrei voor de dagdienst aangetrokken toen een bekende stem mijn aandacht trok.

'We zijn vreselijk te laat, de gasten wachten! Bovendien moet het goed warm en vloeibaar zijn, niet zo troebel en kleverig! Hebben jullie er amandelen, hazelnoten en oranjewater in gedaan? En een half once kruidnagelen?'

Het was don Paschatio die twee hulpen van de keukenmeester uitfoeterde voor de naar zijn zeggen middelmatige uitkomst van de chocolade in een kop. De twee keken hem met brutale koeienogen aan, alsof het ging om een oude enigszins suffe oom.

'Mmm...' zei don Paschatio, zijn ogen hemelwaarts heffend, terwijl hij een in de chocolade gedoopte vinger aflikte, 'volgens mij ontbreken ook de twee realen anijs. De keukenmeester, roep de keukenmeester!'

‘Eigenlijk... heeft hij een halve dag vrij genomen,’ zei een van de hulpen.

‘Vrij? Met de gasten die maar blijven komen?’ Don Paschatio verbleekte.

‘Hij zei dat de laatste uitbrander van u hem gekrenkt heeft.’

De hofmeester was een flauwte nabij.

‘Gekrenkt, zei hij... Alsof een keukenmeester het recht heeft om gekrenkt te zijn,’ kreunde hij moedeloos bij zichzelf, ‘hofmeester zijn stelt ook niets meer voor. *O tempora...*’

Plotseling draaide hij zich om en zag mij. Zijn gezicht klaarde op.

‘Meester Vogelaar!’ riep hij uit. ‘Het is een geluk dat u hier bent, in dienst van het roemruchte huis Spada, in plaats van u aan de plicht te onttrekken zoals velen van uw makkers doen.’

Ik kon nog geen antwoord geven of hij had me al een zwaar zilveren blad in de hand geduwd.

‘Maak dit blad in orde, dan beginnen jullie tenminste!’ commandeerde hij de andere twee.

Zo zag ik mezelf met het blad het gewicht torsen van een grote rode-uienkleurige karaf van dun porselein vol warme chocolade, met daaromheen twaalf tinkelende kopjes, alsmede potjes vanille om de bittere drank naar behoren te zoeten. Terwijl ik op weg ging, zag ik vlak voor mijn ogen de deinende, bekoorlijke billen van een Diana die op de karaf geschilderd was en met haar pijlkoker in de bossen een arm, voor het spit bestemd hert achternarende. Terwijl de kopjes trillend tegen elkaar stootten, liep ik inmiddels de grote salon binnen op de begane grond van het Zomerverblijf, waar de schaduw de verhitte aanwezigen verkwikking bood en hun verhemelte aanspoorde om van de exotische drank te genieten.

Toen ik eenmaal mijn entree in de grote ruimte had gemaakt, stond ik tegenover een geheel ander tafereel dan ik me had voorgesteld. Er was helemaal geen Academie. Of liever gezegd, er was geen enkele redenaar zichtbaar, zoals de traditie van de geestesbroederschappen wil, en geen zwijgend, aandachtig publiek. De salon was stampvol groepjes gasten, lukraak opgesteld: sommige op een kluitje, staande; andere gezeten op stoelen in een halve kring; weer anderen liepen rond en vormden al dan niet een groepje, begroetten de nieuwkomers en stapten van de ene gesprekspartner naar de andere over, zonder echter de groep te verlaten, net als die zwermen vliegjes die je ’s zomers tegen het licht buiten in de lucht ziet en die een gemeenschap lijken te vormen, terwijl ze, als je ze van dichterbij bekijkt, niets anders zijn dan een verzameling chaotische eenheden.

Het was evenwel mogelijk te horen hoezeer de vurigste sprekers tekeergingen en tegenover die golvende, verstrooide zee van hoofden en lichamen betoogden over de onsterfelijkheid van de ziel, de beweging der hemellichamen, de laatste uit de Nieuwe Wereld ingevoerde planten of de Romeinse oudheden.

Het hele koor van wetenschappelijke en filosofische discussies, versterkt door de echo van de grote salon, ging eigenlijk op in één dikke, melkachtige wolk, waarin het slechts mogelijk was één of twee zinsneden tegelijk te onderscheiden.

'Want zoals Giovio ook zegt in het vierde boek van zijn werk...' hoorde ik een erudiete heer links van mij verkondigen.

'... Net zoals het geschreven staat bij Dionysius van Halicarnassus...' beweerde rechts van mij een fijnzinnig spreker.

'Uwe Excellenties kunnen niet ontkennen dat de sublieme leer van Aquinas...' schreeuwde een derde zich hees.

Niemand luisterde eigenlijk, want in Rome kent iedere bijeenkomst geen ander doel dan onbeduidend geklets, eten en drinken. De Romeinen zijn dan ook altijd al gewend de menselijke gebeurtenissen te meten met de pluriseculaire meter van het Romeinse Rijk, of zelfs de eeuwige van de Katholieke Kerk. Abusievelijk in de veronderstelling dat ze deelgenoot zijn van die wereldlijke en geestelijke machten in plaats van onderdaan, achten ze uiteindelijk de dagelijkse dingen als minder dan nul en bekijken ze alles van bovenaf.

Volkomen op zijn gemak in die hoogdravende, warrige hellekring kwam Atto me tegemoet.

'Altijd hetzelfde: iedereen eet en drinkt, niemand luistert,' siste hij me in het oor; 'en toch staat hier achter een jezuïet,' zei hij wijzend op een clubje dichtbij, 'die een heel interessante verhandeling houdt over het probleem van de gehoorzaamheid aan en het verzet tegen de vorst. Maar nee hoor: iedereen staat met zijn buurman over zijn zaken te praten. Het klopt wel: als de Parijzenaars een lichtekooi tegenkomen zien ze haar voor een heilige aan, ze knielen en bidden. Maar als de Romeinen een heilige tegenkomen, zien ze die voor een lichtekooi aan en vragen ze hoeveel ze moet hebben.'

Zodra ik mijn dienblad zichtbaar had gemaakt en op een kruk had gezet om de kopjes te vullen, kwam een zwerm heren met joviale onbeschaamdheid op me af.

'Markies, er is chocolade.'

'Kom ook, monseigneur, er wordt geserveerd.'

'En de dissertatie over de Decaden van Livius?' protesteerde een prelaat die getuige was van een academische rede.

'Als u de Decaden niet loslaat... decadeert de chocolade,' antwoordde een der anderen, waarmee hij heel het gezelschap een welluidend lachsalvo ontlokte.

Ik had de kopjes op de kruk nog niet ingeschonken of ze waren met de hele inhoud van de karaf verdwenen in de handen en kelen der omstanders. Gelukkig kwam er intussen versterking van andere bedienden, die op hun beurt overvallen werden door nieuwe groepen gasten, en weer anderen werden aangeklampt door prinsen en aartspriesters, secretarissen en kardinaal-kamerlingen.

Terwijl tegenover mij een dergelijk gedrang ontstond, hoorde ik achter me een kort gesprek dat me zeer nieuwsgierig maakte:

'Hebt u het gehoord? Het schijnt dat ze het plan van monseigneur Retti uit de la willen halen.'

'Die vent die ten tijde van paus Odescalchi de politie wilde hervormen?'

'Ja, die. En ik ben het er gloeiend mee eens! Het wordt tijd om ze een lesje te leren, die smerige, corrupte smerissen.'

Vanuit mijn ooghoek zag ik dat deze opmerkingen werden gemaakt door twee prelaten van middelbare leeftijd. Het onderwerp prikkelde me danig: waar smerissen zijn zijn dieven, en alles wat dit onderwerp aanging zou nuttig kunnen blijken voor de lotgevallen van abt Melani en mij. Jammer genoeg verloor ik de twee prelaten echter uit het oog (en gehoor); in de hoop ze op te sporen nam ik me voor Atto over het onderwerp verslag te doen.

Het majestueuze, ruime gewelf van de salon, dat eerst galmde door het vele gekwek, echode nu slik-, smak- en klakgeluiden. Niemand wilde zich het genot van de chocolade ontzeggen, die de keukenmeester – wat don Paschatio er ook van zei – met inzicht en meesterschap had laten bereiden.

Plotseling opende zich een vore in de vormeloze massa feestvierders. Kardinaal Spada kwam aangelopen en vergezelde het jonge bruidspaar. Om zijn opwachting te maken had de heer des huizes afgewacht tot de discussies stilvielen zodat hij voordeel kon trekken uit de vreugde om het tussendoortje.

'Hoera! Leve het bruidspaar!' riepen velen naar het stel, terwijl ze aansnelden om Spada te feliciteren en zijn ring te kussen, en er een klaterend applaus opklonk.

'Een toespraak, eminentie, een toespraak,' riepen enkelen naar de kardinaal.

'Goed dan, vrienden, het zij zo,' antwoordde hij glimlachend en welwillend, terwijl hij met zijn handen het geroezemoes suste, 'maar tegenover zo'n schare geleerde geesten zal ik maar een kleine bijdrage leveren. Men zal mij, hoop ik, vergeven als ik in de bescheiden verzen die ik ga voordragen, waarvan het thema u stellig bekend is, niet de wetenschap die ik in deze vertrekken heb gehoord, zal evenaren, maar zoals de dichter zegt *non datur omnibus adire Corinthum*.'

Hij vroeg om stilte en met een joviaal gezicht droeg hij een sonnet voor.

Ik raakte door deze onbekende essentie
Zozeer in groot conflict met vasten en met eten
Dat alle theologen, verward, niet meer weten
Aan wie van ons zij geven moeten de sententie.
Om strijd studeren wij de smaak en abstinentie
Op school tegader van allebei de jezuïeten
De een zegt dat het ongebreideld drank genieten
Inwendig breekt en leiden kan tot flatulentie.
Om van de ander de gewetensbezwaren
Te sussen raadt hij dat het voor de vriendschap pleit
Wanneer men nu en dan de vanille laat varen.
Deze middenweg van onschuld en ondeugendheid
Weet wonderwel een overeenstemming te klaren
Tussen vasten, lekkerbekken en gierigheid.

Onmiddellijk barstten gelach en nieuw applaus los. Kardinaal Spada had een heet hangijzer dat door experts van de jezuïetenleer veel besproken was briljant doorgrond en opgelost: is een kopje chocolade drinken de oorzaak van het breken van de vasten? Spada's voorstel, dat de beste stijl van de Sociëteit van Jezus in herinnering riep, was een wijs compromis: wel chocolade drinken, maar dan bittere, zonder vanille, waarmee snoepzucht, abstinentie en besparing op één lijn werden gebracht.

Intussen trokken de academische groepjes, die door de komst van de chocolade uiteengevallen waren, weer naar elkaar toe. Rond de afzonderlijke redenaars of tweetallen die in een woordenstrijd verwikkeld waren, hadden zich weer kleine groepen lui geworden luisteraars gevormd, de een nog nippend van het kopje, de ander druk kwebbelend met zijn buurman, weer een ander ten slotte gebarend naar een bekende in de groep ernaast. In de bonte massa dames, prelaten en edellieden was simpel te zien welke politieke kleur ze hadden: om te herkennen wie voor Frankrijk, Spanje of het keizerrijk was hoefde je maar te kijken hoe de zakdoeken geschikt waren, van welke kleur de kousen waren, aan welke kant van de boezem de dames een bloempje opspeldden.

Met het excuus de bladen en karaffen op de tafels en krukjes terug te brengen verliet ik de plek waar ik stond om bij abt Melani te komen, die ik wat verveeld met een paar oude dames zag kletsen, in werkelijkheid de salon in heel zijn omvang bekijkend om de geringste gebeurtenis op te vangen die belangstelling of liever gezegd argwaan verdiende. Zodra hij zag dat ik in de buurt was, maakte hij zich snel van de twee dames los en gebaarde me steels hem te volgen naar buiten, op de galerij bij de trap die van de tuin rechtstreeks uitkwam op de hoofdsalon.

De zon scheen daar nog krachtig, en gelukkig waren we alleen. Ik deed hem in het kort verslag van het gesprek tussen de twee geestelijken en van het hervormingsplan van de openbare orde in Rome dat ik, ongezien, had opgevangen.

'Die twee hebben het goed,' luidde zijn commentaar, 'de Romeinse smerissen zijn altijd al verstokt corrupt.'

Op dat moment kwamen enkele hoge prelaten uit de salon de galerij op om een snuifje tabak te nemen. Sommige waren bekende gezichten, waarvan me echter de naam niet te binnen wilde schieten. Maar aan een van hen bewaarde ik een duidelijke herinnering, en daarom schrok ik ook. Het was zijne eminentie kardinaal Albani.

In één oogopslag nam Atto de situatie op. Hij ging op steeds verhittere toon door met zijn verhaal.

'Niemand is corrupter dan de wetsdienaren, jongen,' hervatte hij met hernieuwde geestdrift, waarbij hij zich echter ook wendde tot de zojuist verschenen kardinalen.

In zijn oogjes had, alleen zichtbaar voor iemand die hem goed kende, wie weet welk plan of voornemen geflitst.

'En vooral niemand méér dan de rechters,' vervolgde hij, 'want in de huidige tijd, dwaas en ogenschijnlijk modern, maar kind nog van een recent verleden, een tijd die ik de Universele Woordenrepubliek noem, telt ieder feit alleen op basis van de naam die je eraan geeft. De rechters zijn ereburgers van deze republiek, omdat ze aangewezen zijn de zucht tot vergelding en wraak te bevredigen van de zwakkeren en de slachtoffers van onrecht, die altijd al en voorgoed in groten getale hun wachtkamer bevolken: een wachtkamer waar ze met maar weinig echte feiten uit lopen, en met veel woorden, waaruit de republiek dus ook bestaat, zoals hunne eminenties eenvoudig zullen begrijpen.'

Atto's uitval had iedereen in de somberste ongemakkelijkheid gestort. Hij richtte zich nu tegelijkertijd tot de hooggeleerde purperdragers en tot mij, een nederige volksjongen. Maar die op zich al ernstige, ongewone brutaliteit werd overwonnen door de partijdige inhoud van zijn discours, die haast klonk als een lofzang op de herrieschoppers.

'Door de handen van de rechters gaat de toekomst van de wereld,' hervatte hij, 'want wanneer de mens weinig telt, zoals in onze tijden, zegeviert het recht, dat op zich leeg is en dat dus net als de waanzin klaarstaat om iedere ruimte te vullen die maar beschikbaar gemaakt wordt. Als je in een courant leest: "De rechters hebben de verdachte oplichter x laten arresteren", denk je meteen dat het Goede het Kwade heeft overwonnen omdat de rechters rechters heten, terwijl de courant de arrestant oplichter noemt. Hiermee treft de doodsteek tegen x nog voor het proces al doel, want de Naam heeft een lange adem en enorme vleugels, en werpt naar believen de pijl die in de koker is gestopt zonder te kijken in welk gif hij is gedoopt. Niemand zal je dus vertellen dat die rechters liegen of malverseren, dat het speelballen zijn, poppen, marionetten, uit het niets geschapen en gemanipuleerd om tegenstanders te treffen, de publieke opinie te bedriegen, te provoceren, af te leiden.'

Ik keek om me heen. De kardinalen die getuige waren van de onverschrokken preek zagen grauw van ontzetting. De middag zou gewijd zijn aan de Academies, niet aan pleidooien voor opstand.

'Maar kijk uit,' vervolgde Melani, 'de Universele Woordenrepubliek wordt wel door poppen en marionetten bevolkt, maar is gebouwd van zware stenen zoals de muren van Ilium: ze heten Rechtvaardigheid, Waarheid, Gezondheid, Veiligheid... Elk ervan is een kolos die niet ter discussie staat of verwijderd mag worden, want de kracht van de woorden is de enige vorst van onze tijd. Wie zich tegen ogenschijnlijke Waarheid en ogenschijnlijke Rechtvaardigheid keert zal altijd vals en onoprecht genoemd worden, wie zich tegen Gezondheid zal stellen wordt pestverspreider genoemd, wie tegen de Veiligheid opstaat wordt als subversief aangemerkt. Proberen anderen, veel anderen, te overtuigen, want achter die woorden gaat vaak – en hoe vaak! – hun tegendeel schuil, is alsof je die muren wilt oplichten en talloze mijlen verplaatsen. Je kunt beter je handen voor je ogen doen en doorgaan, zoals degenen die altijd al de lotgevallen van de naties sturen, de vorsten en hun geheime raadslieden: die kennen dat verdorven rad van fortuin en moedigen het aan, omdat ze willen dat de rechters, de smerissen en de andere marionetten van die treurige, groteske Woordenrepubliek hun slaven blijven, en onze beulen. Totdat ook zij, misschien, op een dag op last van een rechter worden opgehangen.'

'Abt Melani, u tart de gebeurtenissen.'

Het was Albani. Net als twee dagen eerder was gebeurd, werd Atto dreigend terechtgewezen door de kanselier van de breven van Zijne Heiligheid.

'Ik tart niets en niemand,' antwoordde Atto minzaam, 'ik ben alleen aan het filosoferen over...'

'U bent hier om uit te dagen, te provoceren, verwarring te zaaien. U zet aan tot een oproer, om niet in de rechters te geloven, de smerissen niet te gehoorzamen. Dat heb ik duidelijk gehoord.'

'Provoceren? Allesbehalve, eminentie. Als Frans onderdaan...'

'Dat u aan de kant van de allerchristelijkste koning staat, wel, dat weet inmiddels iedereen,' viel Albani hem opnieuw in de rede, 'maar u moet uw doel niet voorbijschieten. De Pauselijke Zetel is geen te veroveren gebied voor deze of gene mogendheid. De Heilige Stad is de Universele Haven van het Geloof, open voor alle mensen van goede wil.'

De toon stond geen weerwoord toe.

'Ik buig voor Uwe Eminentie,' antwoordde Atto slechts, met een revérence voor zijn tegenspreker, en aangevend dat hij diens ring wilde kussen.

Als toppunt van onrecht echter zag Albani dat niet (of wilde het niet zien) en draaide zich met een ruk om naar de rest van zijn groepje, waar hij het voorval streng becommentarieerde.

'Het is toch ongelooflijk! Hier komen, in het huis van de staatssecretaris, om propaganda voor Frankrijk te maken en van die ideeën te verspreiden...' sprak hij verontwaardigd tegen de zijnen.

Atto zag zich zo geknield voor Albani's rug. Iemand van Albani's vrienden merkte het en grijnsde. Het was een even ernstige als komische vernedering.

Een paar seconden later was Melani de salon weer in gegaan; ik volgde hem zonder te veel in het oog te lopen. Zijn onverschrokken discours had zich ook in mijn aanwezigheid afgespeeld. Het kon de uitval van een opgewonden persoon lijken, waar ik toevallig bij had gestaan. Maar het was zaak niet op te vallen: we moesten vermijden dat het gerucht zich verspreidde dat ik in zijn dienst was. Anders zou de geur van argwaan en achterdocht ook aan mij kleven. Ik wilde niet zijn belangen maar de mijne beschermen: stel dat kardinaal Spada besloten had dat ik te veel betrokken was bij een opruier? Ik liep gevaar verjaagd te worden.

We liepen de salon door, die nog vol gasten was, en hielden enige afstand van elkaar. Melani beduidde me hem te volgen naar zijn vertrekken op de bovenverdieping.

'En, heb je begrepen hoe de Woordenrepubliek werkt?' hervatte hij intussen, alsof het gesprek nooit was opgehouden.

'Maar signor Atto...'

'Je hebt je twijfels, ik weet het. Je wilt eigenlijk zeggen: als u echt gelijk hebt, hoe kunt u en kunnen anderen met u dan weten dat je smerissen niet moet vertrouwen, dat rechters soms ook corrupt en onderworpen zijn?'

'Nou, ja, onder andere...'

'Het zijn verborgen waarheden, jongen, uitgeschreven door de Woordenrepubliek, ze zijn niets waard. En bedenk,' zei hij met een waarschuwend lachje, 'als je de orde in de staten en de koninkrijken wilt handhaven, dan mag het volk nooit achter de waarheid omtrent twee dingen komen: wat er echt in worst zit en wat er in de rechtbanken gebeurt.'

Ik had niet de tijd om hem tegen te spreken en de discussie voort te zetten, want we waren bij de deur van zijn kamer aangekomen. Hij deed hem open, liet mij kort in de deuropening wachten en kwam met een mand gebruikt witgoed terug.

'Nu heb ik een belangrijke afspraak, ik wil een ander hemd aan. Ik moet me opknappen, ik ben in een rampzalige toestand. Graaf von Lamberg, de ambassadeur van het keizerrijk, kan elk moment terugkeren naar de villa, en ik zal hem benaderen. Hij is een beetje te laat, zo dadelijk zal hij hier zijn. Ik wil hem vragen mij te ontvangen. Neem jij intussen deze spullen aan en laat ze wassen en strijken, anders zit ik weldra zonder schoon ondergoed. Ga nu maar.'

Terwijl ik me met Atto's vuile goed in mijn handen naar de wastobbe begaf, ging er een gedachte door mijn hoofd. Melani's woorden beschuldigden de vorsten en de zeer selecte kring (raadslieden, ministers van staat...) waar hij zo trots op was er deel van uit te maken. Het leek haast of hij met dat verhaal echt wilde opruien, provoceren, aanzetten tot rebellie, zoals Albani zei. Met de dubbele terechtwijzing van de kardinaal had Atto de naam van waaghals en onruststoker om zich heen verspreid die hem minder van pas kwam om in alle rust te opereren. Wat had hem ertoe gedreven om zo met zichzelf te koop te lopen en ook nog eens te onthullen dat hij tot het Franse kamp behoorde? Degenen die de tweede woordentwist tussen Albani en hem hadden bijgewoond, hadden die vette roddel zeker al onder de andere gasten van het feest verspreid. Het kwaad was geschied.

Vreemd genoeg zat Atto er niet mee. Zodra we weer alleen waren, was hij in plaats van commentaar te leveren op de vernedering van Albani, die hem tijdens een buiging de rug had toegekeerd, alsof er niets aan de hand was weer begonnen over dat bizarre betoog van hem over de Woordenrepubliek.

Misschien had ik alles mis, zei ik bij mezelf. Ik moest van abt Melani niet meer de onverzoenlijke luciditeit verwachten die ik zeventien jaar geleden van hem had leren kennen. Hij was oud geworden, dat was alles. Met het verlies van zijn verstandelijke en morele vermogens hadden onvoorzichtigheid, een gering inzicht en onmatigheid zich een weg gebaand. Van scherp was hij twistziek geworden; van voorzichtig roekeloos. Van kil wazig. Ik wist dat de ouderdom met gebreken kwam. Dat hij althans voor een deel achteruit was gegaan, zei ik bij mezelf, kon geen verrassing zijn.

Intussen zag ik van verre een groepje personen het Zomerverblijf in gaan met een ruim gevolg aan krijgslieden. Kardinaal Spada, hoorde ik andere bedienden zeggen, maakte zich op om een belangrijk personage te verwelkomen. Ik wist al om wie het ging.

Niet veel later maakte de gast zijn entree in de salon, terwijl Fabrizio Spada, vergezeld door het bruidspaar, hem met eerbiedig, welwillend vertoon tegemoet ging. Onder de gasten haastten zich velen in de richting van de nieuwkomer: graaf von Lamberg, de ambassadeur van de Weense keizer.

Kardinaal Spada (zo zou ik later vernemen) had hem laten komen met een van zijn persoonlijke rijtuigen, voorafgegaan door dat van kardinaal de' Medici. Om ernstige vormproblemen te voorkomen hadden de andere twee vertegenwoordigers van de mogendheden, de Spaanse hertog d'Uzeda en de Franse prins van Monaco, stilzwijgend met hun keizerlijke collega ingestemd om alleen op de dag van het huwelijk tegelijk aanwezig te zijn en op verschillende dagen een tweede bezoek te brengen. Zo zouden conflicten van eer en voorrang vermeden worden, alsmede geweldplegingen en botsingen (zoals die bijna dagelijks in Rome plaatsvonden) tussen de respectieve lakeien, die steeds op jacht waren naar het beste plaatsje voor de koets van hun baas.

De ambassadeurs van de andere twee grootmachten (Frankrijk en Spanje) zouden die dag dus niet komen, en de aandacht ging geheel naar Lamberg uit.

Door mijn bescheiden lengte en de dikke rij ruggen, hoofden en nekken kon ik uiteraard niet getuige zijn van het moment van de onvermijdelijke entree van Lamberg in de salon. Evenwel vormden zich bijna onmiddellijk twee hagen gasten waar de keizerlijke ambassadeur zich tussendoor werkte. Hij werd begeleid door grote aantallen lakeien in geel livrei en door krijgslieden in ere-uniform. Kardinaal Spada liep naast hem en baande respectvol een weg voor hem naar het midden van de salon. Dames en cavaliers bogen bij zijn voorbijgaan om hun respect te betonen, en probeerden op te vallen en eerden hem met heilwensen en zegeningen.

'Excellentie...'

'God behoede u!'

'Moge Uwe Excellentie altijd zo blijven.'

Onder het psalmodiëren van de gelegenheidsformules die de buigingen vergezelden, voegde zich plotseling echter een onverwacht geluid.

'*Si Deus et Caesar pro me, quis contra?*'

Het kostte me geen moeite de stem te herkennen die de Latijnse zin had uitgesproken. Het was Atto. Ook hij moest ter ere van de Oostenrijkse diplomaat een knieval gemaakt hebben. 'Als God en de keizer met mij zijn, wie zal dan tegen mij zijn?' had hij gezegd. Ik rekte me zo ver mogelijk uit, dwong mijn ogen boven de glimmende schedel van een geestelijke uit, en eindelijk kon ik het tafereel zien.

Atto was daadwerkelijk voor Lamberg geknield, maar in een elegante, beheerste houding die het verlangen om hoffelijk te zijn overbracht zonder zich te veel te willen vernederen.

Voor hem stond de keizerlijke ambassadeur, van wie ik het gezicht ditmaal veel beter kon observeren dan de vorige dag. Zijn ogen waren koolzwart; niet zozeer diepliggend als wel kil en afstandelijk. Zijn blik was duister, ontwijkend en onrustig, bijna het teken van een man die gewoon is te liegen en te veinzen. Zijn voorhoofd was hoog genoeg, het ovaal regelmatig, de kleur echter vaalbleek en dof, alsof het dof gemaakt was door de neiging tot naargeestige overpeinzingen. Een dunne, goed bijgeknipte snor verleende zijn gelaat net dat luchtige van een extreme elegantie die alleen gewild was om het verschil met zijn ondergeschikten aan te geven. Het geheel boezemde eerbied en ontzag in, maar vooral argwaan.

'Dat zijn wijze woorden,' antwoordde Lamberg, zichtbaar nieuwsgierig geworden, 'wie bent u?'

'Een bewonderaar, verlangend Uwe Excellentie de diepste en meest oprechte lof te betuigen,' zei Atto, terwijl hij een briefje aanreikte.

Lamberg pakte het aan. Uit de menigte genodigden steeg een geroezemoes van verbazing en nieuwsgierigheid op. De ambassadeur maakte het open, las het en vouwde het weer dicht. Hij lachte even.

'Het is goed, het is goed,' zei hij, terwijl hij het briefje nonchalant aan Atto teruggaf en weer verderging.

Met een voldaan lachje kwam abt Melani weer snel overeind.

Ik nam weer mijn plaatsje in bij de haard in de hoop nog meer interessante gesprekken van de lippen van de twee prelaten van zo-even te kunnen opvangen. Maar nu zat daar opzij, in dezelfde fauteuils, een ander tweetal.

'Enfin, en dan chocolade laten serveren...' zei een jonge kanunnik met de tanden op elkaar.

'Maar dan wilt u de werkelijkheid niet onder ogen zien: deze paus is pro-Spanje, hij is geboortig uit het koninkrijk Napels, dat Spaans bezit is, en Spada is zijn staatssecretaris,' antwoordde de ander, een rechtschapen jongeman die van adellijken huize leek.

'Akkoord, excellentie, maar chocolade te drinken geven, zo'n onbeschaamde Spaanse frats, de lievelingsdrank van koning Karel II van Spanje, met het conclaaf dat dit jaar nog zou kunnen komen...'

'Het lijkt een partijdig teken, ik weet het, ik weet het. U zult zien dat er de komende dagen nog veel over gesproken zal worden.'

Ik wist niet dat chocolade beschouwd werd als een politiek signaal ten faveure van Spanje. Ik wist alleen dat het idee om de cacaodrank te serveren afkomstig was van don Paschatio, en kardinaal Spada had het met instemming overgenomen en het zelfs leuk gevonden om – zoals kort tevoren was gebeurd – een charmant sonnet over het thema voor te dragen. Niettemin was, bedacht ik met een lachje, wanneer hem dergelijke kritische noten en vermoedens ter ore waren gekomen, de schok van de staatssecretaris en zijn zoveelste schrobbering voor de arme hofmeester gemakkelijk te voorspellen.

Plotseling werd mijn aandacht getrokken door een opschudding aan de rechterkant van de zaal. Een lakei van kardinaal Spada liep op kardinaal Spinola en het groepje gasten om hem heen af. Ik had het alleen gemerkt omdat hij in het gedrang tegen de rug van markiezin Bentivoglio was opgebotst, de eerste hofdame van de koningin van Polen, die aardig wat van de nog hete chocolade op haar boezem had gekregen. De lakei, scherp berispt door prins Di Carbognano, had onder talloze excuses zijn weg vervolgd en een briefje aan Spinola overhandigd. De laatste las het briefje overdreven ongedwongen, alsof hij tegenover de aanwezigen het geringe belang ervan wilde onderstrepen, en gaf het terug aan de brenger. Ik stond te ver weg om in dat vrolijke kabaal te kunnen horen wat de kardinaal tegen de lakei zei, terwijl hij bliksemsnel bij hem kwam staan en afscheid van hem nam. Met een uiterste inzet van al mijn zintuigen, even voorbijgaand aan het feestelijk rumoer van de receptie en mijn machteloze bewegingloosheid, meende ik echter, gezien het gebaar waarmee hij de lakei leidde, enige welsprekende lettergrepen op Spinola's lippen te kunnen lezen:

'... buiten, op de galerij.'

Zien en gaan lagen in elkaars verlengde. De urgentie was zonneklaar: een boodschap, naar alle waarschijnlijkheid van Spada aan Spinola, werd nu aan een derde geadresseerde bezorgd. Ik wist al wie er op het terras kon zijn, net als zo-even: kardinaal Albani. Een boodschap ging snel en ongezien de drie leden van het Heilige College af die in Het Schip bijeengekomen waren.

Als we de inhoud van de boodschap wisten, ik zeg niet te onderscheppen (wat ook heel onwaarschijnlijk was), maar op zijn minst aan te voelen, zouden we misschien een belangrijke stap vooruit zijn in ons begrip van de manoeuvres die gaande waren voor het conclaaf. We zouden misschien begrijpen op welk punt de geheime onderhandelingen waren (of waar en hoe ze verdergingen) voor de keuze van de nieuwe paus, zoals Atto vermoedde, en misschien ook wel waarom de drie kardinalen ervoor gekozen hadden bijeen te komen in Het Schip, een plaats van talloze mysteriën. We mochten niet falen.

Ik maakte me van de muur los en er zorg voor dragend dat ik niet door de lakei werd gezien, begaf ik me eveneens naar de galerij. De middagzon flikkerde nog volop. Terwijl ik op de grote ruit af liep die uitkeek op het terras, zag ik de donkere schimmen van de gasten die zich in de buitenlucht met elkaar onderhielden, als de figuren in tegenlicht, dat de jezuïeten zo handig weten te werpen op de decors van hun theatervoorstellingen. Door mijn intuïtie, de noodzakelijke bondgenoot in iedere moeilijkheid, ontdekte ik meteen kardinaal Albani. Hij was daar, links, nog op de plaats waar hij Atto had vernederd, met het kleine groepje vrienden en hielenlikkers dat iedere kardinaal onvermijdelijk bij zich heeft, zoals koeien de vliegen. Uit het clubje maakte zich alleen een bediende van huize Spada los die net klaar was met het bijschenken van de koppen met goed hete chocolade.

Terwijl ik op de uitgang van de salon af iep, uitwijkend voor benen, stoelen en tafels, en biddend tot de Allerhoogste om niet door don Paschatio te worden onderschept, zag ik dat Melani de zet niet gemist had. Buvat, die ervan afzag naar zijn bekende glaasje wijn te zoeken en op de uitkijk bleef staan op de momenten dat Atto in een gesprek gewikkeld was, was op hem af gestapt en fluisterde hem iets in het oor. Meteen nam Atto afscheid van een hartelijk drietal heren en liet ze zonder pardon in de kou staan. Door de haast botste hij vervolgens lelijk tegen een secretaris uit Lambergs gevolg en riskeerde een smak op de grond te maken.

De aanvankelijke voorsprong van de lakei was te groot om hem nog in te kunnen halen. Door de ruit zagen we vervolgens, ik van links en Atto van rechts, het briefje overhandigd worden. Helaas onttrok het gezelschap van de kardinaal ons het moment aan het zicht waarop hij het velletje openmaakte en las. Kort daarop kwamen we op de drempel van de galerij, buiten adem maar er wel op bedacht geen haast te verraden. En op dat moment zag ik alle aanwezige gasten op de galerij zich naar mij omdraaien. Iedereen had een uitdrukking van opgeruimde, geamuseerde nieuwsgierigheid op zijn gezicht. De zon, die me met zijn stralen frontaal bescheen, verwondde wreed mijn ogen, waardoor ik gezichten en gelaatstrekken van de omstanders niet kon onderscheiden.

Ik wendde me tot Atto. Ook hij keek enigszins verbaasd naar me, maar slechts een seconde, omdat juist in die situatie Albani het briefje aan het dichtvouwen was en hij daar onweerstaanbaar door werd afgeleid. De verwonderde blik van de anderen die nog steeds op me gericht was, leek echter niet af te nemen. Iemand wees zijn buurman met een elleboogstoot op mij. Ik gloeide van schaamte. Ik durfde niet te vragen wat hen zozeer in mijn persoontje vermocht te boeien; maar ik wilde, nu ik in de buurt van Albani stond, ook niet in beweging komen.

'Wat charmant,' sprak Albani mijn richting uit, 'kardinaal Spada heeft werkelijk een goede smaak.'

Vervolgens zette hij de kop chocolade op het muurtje van de galerij, met de hand waarin hij nog het briefje hield. Tijdens die handeling kwam er een straal chocolade voor een deel op het stuk papier terecht. De kardinaal trok onmiddellijk zijn delicate hand terug, niet gewend in aanraking te komen met ordinair keukenmateriaal, dat nog kokendheet was bovendien. Het briefje was uit zijn hand gevallen en naast het kopje beland, op het muurtje. Meteen bespeurde ik een bekend geritsel boven mij, vergezeld van een soort streling boven op mijn hoofd. Een snelle schaduw plaatste zich tussen de zon en mij. Het wezen maakte met zijn stuurpennen juist de nodige slagen om handig te kunnen keren en op het muurtje neer te strijken, als een levende wervelwind, naast Albani's kopje chocolade. Ik kon me niet inhouden.

'Caesar Augustus!' riep ik uit.

De gebeurtenissen in de ogenblikken daarna behoorden tot de meest hectische van de dag, en zeker tot de meest bizarre waarvan Villa Spada ooit het toneel is geweest.

Tot een paar momenten daarvoor stonden kardinaal Albani en zijn vrienden, evenals alle aanwezige gasten op de galerij, niet zozeer ondergetekende gelukzalig te bewonderen als wel het majestueuze verenpak van Caesar Augustus, die amper boven mijn hoofd op een ijzeren punt van de buitenmuur van de villa was gaan zitten.

Zoals ik al heb kunnen zeggen, was de papegaai het slachtoffer van een ongezonde, onstuimige passie voor chocolade. Af en toe pikte ik wat uit de keukens en gaf het hem. Maar het was voor het eerst dat heel Villa Spada door die bedwelmende geur was overspoeld. Niet toevallig had de vogel die dag eindelijk zijn introverte natuur overwonnen en zich bij het feest gevoegd, in de hoop wat van het lekkere drankje te bietsen.

Op het moment dat Albani de controle over het kopje had gestaakt, was het dier, conform zijn fiere, misprijzende aard, de snelste oplossing te binnen geschoten: roven.

Hij was nog niet geland of hij had zijn snavel al in het kopje van de kardinaal gedoopt. Albani en de anderen glimlachten wat gegeneerd.

'Wat leuk, eh... echt grappig,' konden ze nog net zeggen voordat Caesar Augustus onder de vrij verbaasde ogen van de zich samenpakkende nieuwkomers met zijn poot het briefje enterde.

Albani stak een hand uit en probeerde weer bezit te nemen van het briefje, dat zich op nog geen handpalm afstand bevond. Caesar Augustus pikte hem lelijk in de rug van zijn hand. Met een kreetje van misnoegen trok de kardinaal hem terug. Ook de andere aanwezigen zetten een nauw waarneembare stap achteruit.

'Eminentie, ik help u wel,' zei ik, terwijl ik me een weg baande en hoopte dat Caesar Augustus tegen een oude vriend geen geweld zou durven gebruiken. Ik stak mijn hand uit en nam het briefje zachtjes van hem af. Vervolgens kwam de vreselijke botsing.

Iemand had mij op de grond gesmakt, hij had zich op me laten vallen. Door de protesten die ik hoorde begreep ik vaag dat we minstens met zijn tweeën of drieën op de grond rolden. Iemand trok het briefje uit mijn hand, terwijl andermans ledematen me lelijk in mijn ribbenkast drukten.

'O, Eminentie, neemt u me niet kwalijk, neemt u me niet kwalijk, ik ben gestruikeld,' hoorde ik Buvats onmiskenbare manier van spreken.

'Idioot! Ik zal u leren,' antwoordde iemand anders.

'Hou die gek tegen!' klonk een andere stem.

Ik begreep onmiddellijk Atto's opzet: verwarring stichten, misschien wel een vechtpartij, door die bonenstaak van een Buvat op de groep te laten vallen, en zich meester maken van het briefje.

'Au! Nee, vervloekt!' hoorde ik Melani echter meteen daarop zeggen. Ik ontworstelde me aan het been van Joost mag weten wie en kwam overeind.

Bijna iedereen was weer overeind, met inbegrip van Buvat, die zich fatsoeneerde onder de verbaasde, woedende blikken van een tiental personen. Caesar Augustus zat nog daar, op het muurtje van eerst, maar vergeleken bij zoeven met een belangrijk verschil: hij had het briefje in zijn bek. Hij had het regelrecht uit Atto's handen gegrist. Melani stond nu met een smekend gezicht voor hem, zonder echter de moed te hebben om hem te vragen het briefje terug te geven: Albani staarde met glazige ogen naar de vogel en zijn briefje.

'Caesar Augustus...' zei ik heel zachtjes, in de hoop zijn aandacht te winnen.

Hij antwoordde met een geklok. Hij was de chocolade van het briefje aan het zuigen. Vervolgens opende hij, terwijl hij me tersluiks aankeek, zijn vleugels. Ten slotte vloog hij met een kleine werveling van sneeuwwitte veren heel snel op.

Kardinaal Albani kon een schok niet onderdrukken.

'Waarachtig een rare vogel,' commentarieerde hij met een nauwelijks waarneembare barst in zijn stem, terwijl hij probeerde zijn houding te herstellen.

Ik zag vaag dat de kardinaal met een zakdoek zijn van het zweet parelende voorhoofd afwiste. Ik was te druk met kijken in welke richting de vogel verdween. Het leed geen twijfel. Zoals ik al had gevreesd, vloog hij van de villa weg in de richting van de Sint-Pancratiuspoort.

Het was niet eenvoudig een manier te vinden om me vrij te maken. Ik stamelde een excuus en verliet allereerst de galerij. Atto voegde zich vrijwel meteen bij me in de salon, waar tientallen hoofden gewend waren naar het merkwaardige tafereeltje dat zich zojuist buiten had voorgedaan. We wisten ons voldoende onder de menigte te mengen. Ik moest alleen zorgvuldig het moment berekenen waarop ik de salon en daarna de villa kon verlaten zonder betrapt te worden door don Paschatio of anderen van het personeel; en met dat alles de tijd te hebben om de livrei voor mijn gewone kloffie te verwisselen. Voor dit laatste doel kon ik me terugtrekken in het onderkomen van abt Melani.

'Schiet op, schiet op, verdorie, die vervloekte vogel kan nu overal zitten,' zei hij, terwijl ik in allerijl mijn broek aanschoot.

Om onopgemerkt weg te komen was er geen andere oplossing dan via het riet achter de bloemperken bij de oprijlaan van de villa en dan achterom gaan, naar de achterkant van de tuin. Gelukkig borg de zomerzon de vurige prikstokken waarmee hij voorwerpen en levende zaken graag mag kwellen weer op, wat de achtervolging voor ons minder onaangenaam maakte.

Toen we om de kapel heen gegaan waren, staken we de laan over die naar het theater leidt, en bereikten de uitgang aan de achterkant. We werden een beetje vies, maar hadden tenminste voorkomen door de andere gasten of door de wachters bij de hoofdingang gezien te worden. We moesten verhinderen dat Albani, Spinola en Spada lucht van ons speurwerk zouden krijgen.

Atto had zijn secretaris opgedragen op de receptie te blijven en met grote discretie de drie eminenties in het oog te houden. Uiteraard rekende hij er niet op veel bijzonders te krijgen.

We wisten allebei dat we, als we Caesar Augustus konden inhalen en het briefje bemachtigen, op de hoogte zouden komen van de details van hun volgende afspraak, en misschien van hun plannen. Caesar Augustus had wel behoorlijk op het velletje papier gesabbeld daar waar zijn geliefde chocolade had gezeten. Maar juist daarom wist ik dat hij er zich niet van zou ontdoen, maar het zorgvuldig zou bewaren om af en toe met zijn zwartige punttongetje weer het zoete oppervlak af te likken.

We waren net de Sint-Pancratiuspoort gepasseerd toen Atto mijn schouder beetpakte.

'Kijk!'

Hij was het. Bijna loodrecht cirkelde hij boven ons hoofd. Hij had ons vast gehoord. Hij boog meteen af naar rechts, en toen naar voren. Het was precies wat ik had verwacht. Wanneer hij zijn eenzame strooptochten begon en dagen-, soms wekenlang wegbleef van de villa, zag ik hem wegvliegen in de richting van de bomen met de hoogste, in volle bloei staande toppen. En dat was nu ook het geval. Als je Rome uit ging had je niet veel keus. De meest majestueuze pijnbomen, de fierste cipressen, de meest gastvrije platanen uit de buurt stonden allemaal bij elkaar waar we hem zagen verdwijnen, scherp en voorbijflitsend als een wit-gele komeet, in het groene gewelf van de tuinen van Het Schip.

Den 10den juli 1700, vierde avond

Terwijl we wederom ongestoord het park van Het Schip binnen drongen, keken we meer strak omhoog dan voor ons uit. Zonder twijfel was Caesar Augustus daar ergens op een hoge tak neergestreken en hield hij ons misschien wel in de gaten.

Het inmiddels gevorderde middaguur was ten langen leste vrij van de gloeiend hete invloeden van de hondsdagen, maar net als tijdens de vorige bezoeken was gebeurd, verdwenen de schaduwen van de avond, die zich al over Villa Spada uit leken te strekken, zodra we onze entree maakten in Het Schip; samen met de weinige wolken werden ze weggevaagd door een nukkig briesje dat het vrije veld liet aan een van zuiver goud fonkelend licht. In de villa van Elpidio Benedetti leek de schemer kortom een onwelkome gast.

Via de binnenplaats begaven we ons naar de citrusspalieren, waar we in de buurt een voorzichtig onderzoek begonnen. De levendige kleuren van de sinaasappels en de citroenen, de kleurvlekken van de potten met rozen, alsmede de gevlekte schaduwen van de geblokte pergola's en het naburige bosschage verwarden niet alleen het zicht, maar ook de reuk en alle andere zintuigen. Lichte zuchtjes wind lieten ieder blad ruisen, iedere bloem trillen, iedere steel golven. Na een paar minuten meende ik Caesar Augustus inmiddels in elke hoek en nergens te zien. We liepen de laan af, die overkapt was door een pergola in de vorm van een tongewelf met aan het eind het fresco van Triomferend Rome. Maar nee hoor. Ook Atto leek ontmoedigd. We veranderden van richting en liepen op het gebouw af.

'Die vervloekte vogel,' mompelde hij.

'Ik moet u bekennen dat we volgens mij maar weinig kansen hebben om hem te vinden. Als Caesar Augustus niet gevonden wil worden, is er meestal niets aan te doen.'

'Niets aan te doen? Dat wil ik wel eens zien!' zei hij, met de stok met de zilveren knop tegen de hemel zwaaiend, alsof hij een godheid wilde vermanen.

'Ik zeg u dat je hem niet vindt als hij niet gevonden wil worden, ook niet als...'

'Ik weet wel wat we wel en wat we niet zullen doen, jongen. Ik ben een diplomaat van Zijne Majesteit de allerchristelijkste koning,' snoerde hij me de mond.

Ik hield me even in en besloot hem toen van repliek te dienen.

'Nou, signor Atto, legt u me dan maar uit waarom u het briefje uit mijn handen hebt gerukt toen ik het net had gepakt. Als Buvat niet dat huzarenstukje had uitgehaald, als hij zich niet op me had gestort, zouden we het briefje nu misschien nog hebben. Maar u hebt het gepakt en het u door de papegaai afhandig laten maken!'

Met mijn hele bovenlijf gespannen van de emotie wachtte ik zijn reactie af. Zoals gewoonlijk bezorgden mijn uitvallen tegen Atto me nogal een korte adem van de spanning.

Hij zweeg even, vervolgens antwoordde hij met een wreed gesis.

'Jij begrijpt ook niks, jij hebt ook nooit wat begrepen. Jij zou er nooit in geslaagd zijn dat briefje te houden. Albani stond voor je, iedereen zou je zien, je had het moeten teruggeven. Alleen Buvat en ik konden het laten verdwijnen, als die idiote papegaai van jou er niet was geweest om alles te verpesten.'

'Om te beginnen is die papegaai niet van mij, maar een legaat van de oom van kardinaal Fabrizio, monseigneur Virgilio Spada zaliger, God hebbe zijn ziel. Bovendien was het dankzij de papegaai dat ik het briefje van Albani heb kunnen afpakken.'

'Ik had Albani wel kunnen afleiden. Intussen zou Buvat daar dan gebruik van maken.'

'Albani afleiden? En u hebt niets anders gedaan dan hem tegen u in het harnas jagen! Voor de tweede keer vandaag hebt u tegenover hem aanstoot gegeven met uw roekeloze praatjes. Iedereen zal het er over hebben op het feest.'

'Houd je mond.'

Ik werd razend. Het was de druppel die de emmer liet overlopen. Ik wist dat mijn gefoeter terecht was. Atto kon me niet zo gemakkelijk het zwijgen opleggen. Maar het ging om iets anders.

Hij keek achter mij, gespannen en voorzichtig, alsof hij van dichtbij een woest roofdier in vrijheid bestudeerde.

'Is hij achter mij?' vroeg ik, denkend aan Caesar Augustus.

'Hij gaat juist weg. Hij is net zo gekleed als de vorige keer.'

'Gekleed?'
Ik draaide me om.

Hij bevond zich op een tiental roeden afstand. Hij hield een zware bundel met rood lint bijeengebonden papieren onder de arm en begaf zich met gezwinde pas en een bars gezicht in de richting van een meisje met een huid zo blank als ricotta en een dikke bruine bos krullen. Met een buiging, waarop het meisje antwoordde met een brede glimlach, overhandigde hij haar vervolgens een beursje met geld en enige papieren.

Ik kon ze nog net herkennen, voordat ze beiden achter een grote pot citroenen verdwenen. Een vergissing was onwaarschijnlijk. Zij waren het weer: de rijpe heer en het meisje die ik op de eerste dag dat we Het Schip waren binnengedrongen had zien praten. Zij was (identiek aan) Maria Mancini. Hij deed me, nu ik hem voor de tweede keer had gezien, heel vaag aan iemand denken; maar aan wie?

Net zoals ze waren verschenen, verdwenen de twee weer. Wijzer geworden door de vorige keren probeerden we hen niet te volgen, of te begrijpen hoe ze waren verdwenen. Ik keek naar Atto.

'*Ahi, dunqu'è pur vero**,' mompelde Atto.

Nu wist ik wie we hadden gezien.

Het zou te ver voeren om op te sommen waar die zinsnede me aan deed denken. Het is misschien voldoende te memoreren dat hij zeventien jaar eerder op het randje van de dood was uitgesproken door een gast van De Schildknaap, de herberg waar ik werkte als knecht en waar ik in diezelfde dagen Melani had leren kennen.

De stervende die die lettergrepen had uitgesproken was Nicolas Fouquet, de voormalige minister van Financiën van de allerchristelijkste koning, die levenslang opgesloten zat vanwege een paleiscomplot en na talloze wederwaardigheden naar Rome, naar De Schildknaap was gevlucht. Atto wist wel dat ik een perfecte herinnering aan die gebeurtenissen bewaarde, omdat de memorie erover ging die hij me afhandig had gemaakt en later met klinkende munt had terugbetaald.

* Ai, het is dus toch waar.

'Het was dezelfde heer van laatst, met Maria...' mompelde ik, nog geschokt door de raadselachtige verschijning.

Hij gaf geen antwoord en liet de stilte in zijn plaats instemmend knikken. Inmiddels voorbijgaand aan onze twist van zo-even gingen we verder met her en der kijken, met onze neus tussen gebladerte en takken, waarbij de een voor de ander verborgen hield dat we ons niet meer wijdden aan Caesar Augustus maar aan de afgrond aan herinneringen waarin de verschijning ons bij toverslag had gestort. Ik dacht aan de tijd waarin ik abt Melani had leren kennen. Maar hij dacht aan nog daarvoor, aan zijn vriendschap met Fouquet, diens vreselijke lot en tragische einde. Daarom dus, zei ik bij mezelf, had de eerste verschijning in Het Schip abt Melani nog meer geschokt dan die daarna. Hij was in één klap getuige geweest van de verschijning van Maria, aan wie hij met zo'n dik kluwen van gevoelens was gebonden, en van Fouquet, wiens vreselijke dood hij als toeschouwer en acteur tegelijk had meegemaakt.

Alleen al op het oog kon ik duidelijk de krachtige botsing van tegengestelde gevoelens waarnemen bij Atto. Hij had zijn vriend van vroeger gezien, maar niet zozeer oud en uitgeteerd door jarenlange gevangenis, zoals ik hem had leren kennen, als wel in de kracht van zijn leven. Het pak dat hij onder de arm droeg moest de werkdocumenten bevatten die hij, onvermoeibare werker in dienst van het koninkrijk, altijd meenam naar huis – dat wist ik van Atto – voordat hij door de intriges van het Franse hof zijn ministerszetel, zijn eer, zijn vrijheid en zijn leven verloor.

De kaarsrechte houding, de vastberaden tred, het gedistingeerde gezicht, de fronsende blik, maar alleen omdat die op hoge en hoogstaande dingen was gericht: dat was Fouquet zoals Atto hem als jongeman had leren kennen. Door het weerzien dompelde de abt zich met een roekeloze duik achterwaarts weer in allerlei gebeurtenissen van lang geleden, talloze roerselen van de ziel en de geschiedenis, in de beklemming van eindeloze smarten, en misschien wel evenzoveel spijt. In die villa weerspiegelde het verleden zich gelukzalig als in een heldere, stille vijver, en aan zijn haar schikkend zei hij bijna knipogend: ik ben nog hier.

Ik zag Atto wat terneergeslagen lopen en niet meer de overmoedige bewegingen maken van een krasse oude man, maar de onzekere van een voortijdig oud geworden jongere. Zelf achtte ik me niet in staat die beproevingen van hart en ziel te verwerken; in zijn plaats, zei ik bij mezelf, zou mijn lichaam helemaal schokken van de snikken. Maar hij kon ertegen en bleef net doen alsof hij de papegaai zocht. Ik moest hem bij mezelf wel vergeven en bedacht dat zijn vele tekortkomingen (roekeloosheid, dubbelhartigheid, arrogantie...) wel vergoelijkt moesten worden, voor een deel althans, als ik me echt zijn vriend wilde noemen. Dit betekende misschien wel dat ik me veel dingen moest wijsmaken: bijvoorbeeld dat hij in staat was tot een oprechte, bewezen vriendschap. 'U bent mijn beste vriend': die zin die ik tijdens de eerste verschijning van Maria Mancini en Fouquet had gehoord, zou ik helaas nooit kunnen uitspreken tegenover abt Melani. Maar is vriendschap soms niet de onscheidbare metgezellin van de illusie waarmee ze zich voedt om zichzelf en de ogenschijnlijke maar noodzakelijke vreugden die ze de mensen brengt voort te zetten?

'Ik geloof dat je gelijk hebt. Caesar Augustus is er niet, of het is te moeilijk om hem te vinden,' zei Atto met kleurloze stem.

'Als hij geen zin heeft om gevonden te worden, is dit helaas de ideale plek,' maakte ik de gedachtegang al even afwezig af.

'Toch is het wel eigenaardig dat hij juist hiernaartoe is gevlogen,' merkte Melani op, 'de drie kardinalen, de Tetràchion, je papegaai: deze plek begint vrij druk te worden.'

'In het geval van Caesar Augustus geloof ik dat het toeval is. Hij houdt van hoge, lommerrijke bomen, en hier heb je de mooiste van de hele Janiculus.'

'Nou, laten we dan proberen erachter te komen of de anderen ook toevallig hier zijn gekomen.'

'De anderen?' vroeg ik van de weeromstuit, bezorgd denkend aan de verschijningen.

'Te beginnen bij de Tetràchion,' haastte Melani zich te verduidelijken, terwijl hij naar de ingang van het gebouw liep.

Wederom echter moest hij stilhouden. Een zoete melodie van een viool in de lucht verspreidde zich zachtjes in het park en om ons heen. Onmogelijk te zeggen waar ze vandaan kwam en voor wiens genoegen ze was bedoeld.

'Alweer die muziek... de folía,' zei Atto.

'Wilt u een rondje maken om het gebouw om erachter te komen waar het vandaan komt?'

'Nee, we blijven hier. We hebben tot nu toe hard gelopen. Een kleine pauze vind ik niet erg.'

Hij ging op een marmeren bankje zitten. Ik dacht dat hij zich wilde rechtvaardigen met een zin als 'de jaren gaan voor iedereen voorbij' of 'ik ben geen twintig meer', maar hij hield zich in.

'De folía, de gekte. Net als die van Capitor,' liet ik me ontvallen.

'Dacht jij daar ook aan?'

'U hebt het me uitgelegd: Capitor, de gekkin uit Spanje, van wie de bijnaam, "Capitor" dus, alleen maar de verbastering is van *la pitora*, wat in het Spaans "de gekkin" betekent.'

'*Tout se tient*. Maar dit is een folía die nooit lijkt op te houden; telkens als we ernaar luisteren komen er nieuwe variaties. Maar de gekte van Capitor kende een einde.'

'U bedoelt dat ze ten slotte Frankrijk verliet.'

'Ja. Op een dag gingen de Bastaard en zij er eindelijk vandoor. Maar niets was meer zoals voorheen.'

'Wat gebeurde er?'

'Een reeks ongelukkige omstandigheden die tot het tafereel zouden leiden dat we net hebben meegemaakt,' siste Atto, en eindelijk besloot hij zich uit te laten over de verschijning van Maria en Fouquet.

Na het optreden van Capitor, vertelde abt Melani, verandert de houding van de kardinaal drastisch. De duistere voorspelling van de gekkin ('Maagd die de Kroon huwt brengt de dood') hijgt in zijn nek, de trompet van de angst schalt, zilverig en angstaanjagend, in zijn oren: de eenheid tussen Lodewijk en Maria moet losgeweekt, verpletterd, met alle mogelijke middelen tegengegaan worden. 'Dat kost me mijn kop,' peinst de kardinaal doodsbang, die achter zijn gebruikelijke bleekheid zijn nieuwe, niet op te biechten angst verbergt.

Zo rijzen er de twee maanden daarna, in het voorjaar van 1659, steeds vreeswekkender obstakels tussen de twee geliefden. In juni deelt Mazarin officieel mee dat Maria het hof moet verlaten. De kardinaal, die van plan is naar de Pyreneeën te vertrekken om enkele details van het vredesverdrag met Spanje te bespreken, zal zijn nichtje meenemen om dan onderweg van haar te scheiden en haar naar La Rochelle te sturen, waar zij zal moeten verblijven bij haar jongere zusters Ortensia en Marianna. Voorgenomen vertrek: 22 juni.

De koningin, die bang is voor Lodewijks reactie, kijkt wel uit om het nieuws aan te kondigen. Mazarin draagt Maria dus op om de vorst zelf haar vertrek mee te delen. Lodewijks woede barstte in alle hevigheid los; hij dreigde Mazarin in het ongeluk te storten, terwijl Maria's wanhoop zijn woede en wraakzucht tot buitensporige hoogte aanwakkerde; de wanhoop ten top wierp hij zich aan de voeten van Mazarin en de koningin, en smeekte hun in tranen hem met Maria te laten trouwen. Met doorgewinterde retoriek en resolute stem herinnerde Mazarin de jonge koning eraan dat hij, de kardinaal, door zijn vader en moeder was gekozen om hem met zijn adviezen bij te staan, dat hij hem tot dan toe met onschendbare trouw had gediend, dat hij nooit iets ten nadele van de glorie van Frankrijk en de kroon zou kunnen doen; dat hij ten slotte de voogd van zijn nicht Maria was en haar liever zou neersteken dan haar een dergelijk verraad toe te staan.

De koning ging in tranen door de knieën. Toen ze alleen waren, zei Mazarin tegen de koningin: 'Niets aan te doen. In zijn plaats deed ik hetzelfde.'

Ook na die dag bleef Lodewijk tegen Maria zeggen dat hij het nooit zou accepteren om met de Spaanse infante te trouwen, dat hij erop rekende het verzet van de kardinaal en zijn moeder te overwinnen, en dat zij en alleen zij op een dag de troon van Frankrijk zou bestijgen. Als onderpand van zijn beloften schonk de koning haar toen het kostbare collier dat hij van de koningin van Engeland had gekregen en dat hij voor de dag van zijn verloving had bewaard.

Mazarins bevel bleef echter van kracht: Maria moest uit Parijs vertrekken. Zoals het meisje terecht bij haar geliefde protesteerde, zou het voor de kardinaal daarna heel gemakkelijk zijn om haar naar een andere, verdere bestemming te sturen en dan steeds verder weg. Lodewijk trachtte haar gerust te stellen, hij zwoer haar dat hij aan niemand anders dacht dan aan haar en dat hij beslist een oplossing zou vinden. Beloften die degene die ernaar luisterde niet meer tevreden konden stellen en degene die ze uitsprak evenmin.

De dagen daarna waren voor Maria niets anders dan een afwisselend huilen en woedend zwijgen. Aan het hof herhaalde Lodewijk zonder ophouden dat zijn verdriet om de scheiding op zijn ergst was. Maar woorden waren niet voldoende meer.

'Weinig mensen, jongen, hebben meegemaakt wat ik toen meemaakte. En niemand zal er ooit een woord over zeggen, wees daar maar zeker van,' zei Atto.

Opdat hij van al dat praten geen stijve benen zou krijgen, gingen Atto en ik een kort wandelingetje maken onder de pergola's van het park. Op die plaats vol fantomen uit het verleden leek iedere laan hem tot een episode, iedere heg tot een zin, ieder bloemperk tot een detail te inspireren.

Aan de vooravond van Maria's vertrek is de koning absoluut niet van plan zich erbij neer te leggen. Op 21 juni, de dag voor de scheiding, hebben de koninginmoeder en haar zoon een lang gesprek onder vier ogen in de badruimte. Ten slotte ziet men de koning er met dikke ogen uit komen. Maria zal vertrekken: Lodewijk heeft een slag verloren, maar hoopt nog, wie weet hoe, de strijd te winnen.

De volgende dag wordt hij, ten prooi aan een liefdesverdriet van ongehoorde kracht, tweemaal adergelaten, in zijn voet en in zijn arm (de dagen daarna volgen vier purgaties en nog eens zes behandelingen met bloedzuigers). Onbedaarlijk snikkend en hardop belovend dat hij haar tot zijn bruid zal maken, vergezelt Lodewijk Maria naar de koets.

'Zij kon het duidelijk niet begrijpen. Hij was de koning, hij kon doen wat hij wilde. Maar hij zwichtte voor zijn moeder en de kardinaal.'

'En wat zei Maria tegen hem?'

'"Ach, sire! U huilt: maar u bent de koning, en degene die vertrekt ben ik!"' sprak Atto met een fijn lachje om zijn lippen.

'Maar waarom heeft de koning ook zijn wil niet opgelegd?'

'Je moet weten dat pas de afwezigheid van de geliefde het belang van hem of haar laat zien. Lodewijk voelde zich heel verliefd, maar juist omdat het de eerste keer was, wist hij nog niet dat het ook de enige zou zijn. Koningin Anna overtuigde haar zoon dat hij Maria mettertijd zou vergeten en dat hij haar op een dag juist dankbaar zou zijn voor de pijn die zijzelf hem nu berokkende. Hij zwichtte voor haar. En de schade was onherstelbaar.'

We gingen weer op een marmeren bank zitten.

Wanneer Maria weg is, begint tussen de twee geliefden een drukke, smartelijke briefwisseling. Zij heeft ervoor gekozen haar zusters in La Rochelle te verlaten en zich helemaal alleen ver weg terug te trekken in het fort van Brouage.

We schrijven augustus. Lodewijk gaat met Anna en zijn gevolg op reis naar de Pyreneeën, waar het verdrag tussen Frankrijk en Spanje gesloten zal worden en waar ter bezegeling van het akkoord het huwelijk van Lodewijk en de infante zal plaatshebben.

'Zoals ik je, meen ik, al heb aangestipt, maakte ik deel uit van die expeditie, die een groot deel van de Europese geschiedenis heeft bepaald,' zei Atto met slecht verholen trots.

Op 13 en 14 augustus gaan de Mazarins de koning en zijn moeder, die daar op doorreis zijn, begroeten. Ofschoon ze allemaal in hetzelfde paleis overnachten, krijgen Maria en Lodewijk echter geen toestemming om ook maar een woord te wisselen. En hij, de koning, lijdt in stilte.

'Toen dacht ik ook toevallig: Zijne majesteit zal niets meer worden dan die zevenslaper van een vader van hem, Lodewijk XIII! De kardinaal kan rustig slapen...' grijnsde Atto.

Juist bij die gelegenheid, terwijl de jonge Lodewijk weer te paard stijgt om de reis te hervatten, wordt Melani de houder van een zeer geheime brief van de kant van Maria: het definitieve vaarwel.

'Niemand behalve ik is ooit op de hoogte geweest van die brief. Hij was lang en hartverscheurend. Ik zal nooit de slotzinnen vergeten.'

Na die woorden citeerde hij uit zijn hoofd:

*Des pointes de fer affreuses, hérissées, terribles, vont être entre Vous et moi. Mes larmes, mes sanglots font trembler ma main. Mon imagination se trouble, je ne puis plus écrire. Je ne sçais ce que je dis. A Dieu, Seigneur, le peu de vie qui me reste ne se soutiendra que par mes souvenirs. O souvenirs charmants! Que ferez vous de moy, que feray je de vous? Je perds la raison. Adieu, Seigneur, pour la dernière fois.**

'En het was echt het laatste vaarwel van haar aan haar liefde,' besloot hij.

'Maar,' wierp ik tegen, 'hebt u die brief stiekem gelezen?'

'Hè?' schrok Atto gegeneerd op. 'Houd je mond en val me niet in de rede.'

Terwijl ik bij mezelf grinnikte dat ik Melani betrapt had (het was duidelijk dat hij stiekem in Maria's brief gegluurd had voordat hij die aan de koning gaf), ging deze verder met zijn verhaal.

Mazarin laat geen middel onbenut om Maria te laten ingaan op het huwelijksaanzoek van Connétable Lorenzo Onofrio Colonna, een telg van het adellijke, oeroude Romeinse geslacht waarbij de vader van de kardinaal al in dienst was geweest. Mazarin zelf had Filippo Colonna, de grootvader van Lorenzo Onofrio, gediend. Het was uitgerekend Filippo Colonna geweest die de twintigjarige Mazarin ervan had weerhouden te trouwen met de dochter van een obscure

* Afschrikwekkende, dicht opeengepakte metalen punten zullen tussen U en mij worden opgericht. Mijn tranen en mijn snikken doen mijn hand beven. Mijn verbeeldingskracht begeeft het, ik kan niet meer schrijven. Ik weet niet meer wat ik zeg. Vaarwel, mijn Heer, het beetje leven dat mij rest, zal slechts op herinneringen teren. O, verrukkelijke herinneringen! Wat zal ik met jullie doen, wat zullen jullie met mij doen? Ik verlies mijn verstand. Vaarwel, mijn Heer, voor het laatst.

notaris op wie hij verliefd geworden was, en hem op de weg van de 'soutane' oftewel de prelatuur had gezet, waaraan hij, zoals hij hem had voorspeld, veel te danken zou krijgen. Het pad van de jonge koning leek zich zo te verweven met en zich te modelleren naar dat van de kardinaal, die zonder mededogen de gebroken draad van zijn lot om zijn jonge protégé wond.

Om Maria er maar van te overtuigen dat ze zich moet laten inpalmen door Lorenzo Onofrio, is Mazarin bereid concessies te doen. Maria vraagt dan meteen terug te mogen keren naar Parijs. Zo keert ze terug naar de hoofdstad, waar haar oom echter bevel geeft haar in huis te begraven. Het lot wil evenwel dat, terwijl Mazarin aan het werk wordt gehouden aan de andere kant van Frankrijk, Maria en haar zusters wegens enige restauratiewerkzaamheden het Mazarin-paleis moeten verlaten. En waar nemen ze hun intrek? In het Louvre, in de vertrekken van de kardinaal, terwijl de laatste, machteloos, uit de brieven van zijn informanten het nieuws verneemt.

In het Louvre is Maria het voorwerp van nieuwe, onvoorziene bemoeienissen: ze wordt dapper het hof gemaakt en ten huwelijk gevraagd door de erfgenaam van het hertogdom Lotharingen, Karel, de toekomstige held van de slag bij Wenen. Het is een jongen van achttien jaar, knap, ondernemend, overlopend van vuur. Zij is bereid met hem te trouwen, ze heeft hem veel liever dan Colonna, die ze nog nooit heeft gezien en die haar in Italië zou opsluiten, waar de man de absolute macht over zijn vrouw heeft. Maar Mazarin voert uitvluchten aan en weigert energiek: hij is bang dat Maria in Parijs ook als getrouwde vrouw gevaarlijk blijft.

Intussen vordert het vormgeven van het huwelijk van Lodewijk en de Spaanse infante. Zeven maanden van onderhandelingen en voorbereidingen alvorens over te kunnen gaan tot de ceremonie, die zich, zoals het gebruik wil, in twee termijnen afspeelt aan beide zijden van de grens (het is alle vorsten verboden voet te zetten in het naburige koninkrijk, iets wat gelijkstaat aan een oorlogsverklaring).

De eerste handeling van het verdrag is de plechtige afstand van de rechten op de Spaanse troon, uitgesproken door de infante Maria Theresia. Daags daarna wordt, nog steeds op Spaanse bodem, het huwelijk met de handschoen voltrokken. De handtekening van Lodewijk wordt gezet door don Luis de Haro, de Spaanse onderhandelaar. Geen enkele Fransman wordt toegelaten, behalve Lodewijks getuige, Zongo Ondedei, de bisschop van Fréjus en de kwade genius van Mazarin.

Maar Anna van Oostenrijk en de kardinaal houden het wachten niet uit. Talloze malen hadden ze tegenover Lodewijk herhaald dat zijn Spaanse verloofde knap was, veel knapper dan Maria Mancini. Ze moest dus wel echt knap zijn.

Toen werden incognito Madame de Motteville, Anna's gezelschapsdame, en Mademoiselle de Montpensier, een nichtje van de koning, erop uitgestuurd. Opdracht: de vrouwelijke kwaliteiten van de bruid inschatten.

Bij hun terugkeer in het Franse kamp aan de grens wisten ze dat ze op maar één vraag antwoord moesten geven: 'En, hoe is ze?'

'Op alle mogelijke manieren probeerden ze tevreden te lijken,' grinnikte Atto, 'maar je hoefde maar te zien hoe ze zich hadden aangediend, de gespannen glimlachjes, de uitgestreken gezichten... We begrepen direct hoe de vork in de steel zat.'

'Ze lijkt inderdaad niet zo slank, ze is juist een beetje gedrongen. Enfin, ze is klein,' bekenden ze in koor, 'maar ze heeft een vrij goed figuur. Haar ogen zijn niet te klein, haar neus is niet te groot,' deden ze hun best, elkaar in de rede vallend, 'ze heeft wel een hoog voorhoofd'; een elegante manier om te zeggen dat de bruid aan de slapen kaal was en haar haardos allesbehalve weelderig.

La Motteville concludeerde onbeschaamd: 'Met een regelmatiger gebit zou ze een van de knapste vrouwen van Europa zijn.' Mademoiselle de Montpensier, die gewetensvoller was, aangezien iedereen kort daarop de infante met eigen ogen zou kunnen beoordelen, liet zich mistroostig ontvallen: 'Het is een zielig gezicht.' Vervolgens corrigeerde ze zich in allerijl en legde uit dat ze doelde op het huiveringwekkende kapsel en dat 'monsterlijke geval', de enorme hoepel waarin de Spaanse mode het arme lijfje van Maria Theresia dwong.

'Op dat moment waren we allemaal doodsbang voor de reactie van Lodewijk, wanneer hij de infante de volgende dag voor het eerst zou zien.'

'En wat gebeurde er?'

'Niets van wat wij vreesden. Bij de ontmoeting met zijn toekomstige bruid volvoerde hij het ceremonieel als een perfecte komediant. Onder de tevreden ogen van zijn moeder, die hem tevoren nog zo gewaarschuwd had, speelde hij de rituele rol van de verliefde man die door ongeduld wordt verteerd, zoals de traditie bij koninklijke huwelijken wil. Hij galoppeerde zelfs heel elegant langs de rivier, met zijn hoed in de hand, de boot van de bruid achterna. Lodewijk was schitterend, hij wel, robuust en vurig op de rug van zijn rijdier, en hij bracht de arme Maria Theresia in verrukking.'

Abt Melani deed de strik van een schoen goed, vervolgens de andere, ten slotte sloeg hij zijn ogen ten hemel.

'Arme infante,' mompelde hij, 'en arme Lodewijk.'

Met dat onberispelijke gedrag probeerde Lodewijk de aansporingen van de koningin-moeder te gehoorzamen: het hart in toom houden en het verstand laten prevaleren. Hij vereerde zijn moeder en vertrouwde erop dat zij en de kardinaal het beste met hem voorhadden. Zover voerde zijn gebrek aan levenservaring en liefde waartoe die twee hem hadden veroordeeld. Maar vanaf de eerste dag dat hij zijn bruid zag, begon de twijfel, de argwaan, de gloeiende angst dat hij bedrogen was, stilletjes aan hem te knagen.

Alles in hem begon sindsdien kil weg te teren. Niets was af te lezen van het gezicht van de jonge vorst, van zijn daden, zijn woorden, waarop talloze oren en ogen elk moment gespitst waren. Op geen enkel zwak moment was hij te betrappen, hij die met zijn amper twaalf jaar, tijdens de opstand van de Fronde verrast door het woedende volk toen hij samen met zijn moeder het koninklijk paleis uit vluchtte, met zijn kleren nog aan in bed was gestapt en net had gedaan of hij sliep, waarbij hij erin slaagde de hele nacht geen oog open te doen, terwijl de woedende menigte aan zijn voeten voorbijtrok, alleen stilletjes door het heilig respect voor de onschuldige slaap van de knapenkoning. Wat zou er zijn gebeurd als iemand maar even de dekens had opgelicht en het bedrog had gemerkt?

Zijn kameraden, die na het bezoek aan Maria Theresia bij hem kwamen om hem ertoe aan te zetten zijn hart te openen en hem vroegen welke indruk hij van de infante had gekregen, antwoordde hij simpelweg: 'Lelijk.' En meer kregen ze niet uit hem.

'Wie weet hoe moeilijk hij het had,' tekende ik aan.

'Vanwege het feit dat zijn toekomstige vrouw niet was zoals hij had verwacht? Nee, niet zoals je denkt. Voor hem veranderde er weinig of niets. Hij merkte dat zijn hart niet gedwee de geruststellende woorden van zijn moeder volgde, zoals hij eens had willen geloven. Dat was in de warme zon gebleven van een fraai stel donkere ogen, een schipbreukeling in de ericageur van een wilde bruine haardos, gewiegd door de bijtende scherts en de zilveren lach van Maria.'

Niets sijpelt door uit het gedrag van de koning tijdens de huwelijksvoltrekking en -festiviteiten. Behalve één detail: voor de livreien van de receptie kiest Lodewijk de kleuren van Maria's familiewapen.

Hij vervult zijn eerste huwelijksplicht zonder een spier te vertrekken. Maar de volgende dag laat de koning, met het hof inmiddels op weg naar de hoofdstad, twee dagen lang de bruid in de steek. Waar gaat hij heen? Niemand laat zich de geringste toespeling ontvallen, maar iedereen weet het: Lodewijk is plotseling van de route afgeweken en rijdt in galop naar Brouage, het kasteel waar Maria verblijft, in de landstreken van Charente, waar de herinnering nog rondwaart.

In Brouage vergiet Lodewijk tranen aan zee. Hij laat zich het bed aanwijzen waar zij heeft geslapen en brengt er de nacht in door zonder een oog dicht te doen.

'Maar als niemand het erover had, zoals u zelf hebt gezegd, hoe kunt u die details dan weten?' vroeg ik verbaasd.

'In die slaapkamer, de slaapkamer van Maria, zag ik hem zelf. Ik was op last van Zijne Eminentie met anderen toegesneld. Het was net, bedacht ik, als een kruisafneming: de dekens van het bed gerukt, hij zomaar in een hoekje onder het raam, klam van verdriet en van de kille dageraad van Charente.'

We namen opnieuw de laan die naar de open plek bij de ingang leidde, en staken hem van de ene naar de andere kant over, vergezeld door het geklater van de fontein die in het midden stond; met langzame, trage passen mat Atto het terrein.

In Brouage brak Lodewijk eindelijk zijn hart. Daar weende hij al zijn tranen; daar zei hij de liefde voorgoed vaarwel, zonder te weten of hij ook zichzelf vaarwel zei, die kalme, voldane persoon die hij had leren kennen en genoten, en die hij voorgoed kwijt was.

'Ik zal het nooit vergeten. Het was het gezicht van een zoutpilaar dat zich oprichtte om mij aan te kijken in het asgrauwe licht van die vroege ochtend in Brouage. Het was de laatste handeling. De rest is... een moeras.'

'Een moeras?'

'Ja. Het heel langzaam wegzinken van die liefde, de vermoeide doodsstrijd ervan, de zielige reeks pogingen van de koning om Maria te vergeten.'

Wanneer Lodewijk met zijn Spaanse bruid, de van niets wetende Maria Theresia, weer in Parijs is, wordt hij er door de trouweloze gravin de Soissons van op de hoogte gesteld dat de jonge, hartstochtelijke Karel van Lotharingen Maria vol charme en, waarschijnlijk, met succes het hof maakt. De koning wordt razend op Maria, hij veracht haar, behandelt haar onheus. Zij op haar beurt wordt koel; dan keert hij weer terug op het rechte spoor en begint haar te bezoeken in huize Mazarin, in de Rue des Petits Champs.

'Dus pal tegenover mijn huidige woning,' zei Atto met berekende ongedwongenheid; 'en met die roddeltantes van een Madame de la Fayette en een Madame de Motteville voorop, die Maria uit afgunst bleven haten, insinueerden de hovelingen dat Lodewijk er eerder heen ging voor de schoonheid van Ortensia, de jongste van de gezusters Mancini, dan uit liefde voor Maria.'

'Was dat ook zo?'

'Wat maakt dat uit? Lodewijk XIV was nu getrouwd. De beloften waren verbroken, de droom was vervlogen. Eén jaar eerder schreven de twee geliefden nog om strijd gedichten, nu daagden ze elkaar giftig uit met plaagstootjes en getreiter. Ze waren al de *èidolon*, het spookbeeld van zichzelf. Ze hadden het leven aan zich laten ontsnappen. Voorgoed.'

'Neemt u me niet kwalijk, signor Atto, zei u "gravin de *Soissons*"?' vroeg ik om zeker van de naam te zijn.

'Ja, hoezo, ken je die?' reageerde Atto ironisch, geprikkeld door de onderbreking. 'Nu luisteren en je mond houden.'

Ik zweeg dus, maar mijn gedachten gingen ergens anders heen, naar de brief van Maria waarin ik had gelezen over de gevaarlijke gifmengster, de mysterieuze gravin de S., wier herinnering de Connétablesse zo'n verdriet deed. Was dat misschien die Soissons? Het verhaal van de abt galoppeerde echter al weer verder en leidde me van mijn overpeinzingen af.

Juist in het jaar dat tussen het huwelijk met Maria Theresia en de dood van Mazarin in ligt, legde Melani uit, begrijpt Lodewijk zijn vergissing en, wat tragischer is, het onherstelbare karakter ervan. De voorspellingen van zijn moeder zijn niet bewaarheid geworden, het geluk is niet gekomen. Maar hij kan niet terug.

'Of alles of niets, dat was de koning van Frankrijk. En dat is hij nog steeds. Maria was alles voor hem, en ze hebben haar van hem afgenomen. Sindsdien is Lodewijk het niets gebleven.'

'Dat wil zeggen?'

'De ontbinding, de vernietiging, de systematische, beredeneerde ontmanteling van de monarchie en de figuur zelf van de koning.'

Met een grimas liet ik mijn afwijkende mening doorschemeren. Was Lodewijk de Veertiende, de allerchristelijkste koning van Frankrijk, soms niet de meest gevreesde vorst van Europa?

Ik protesteerde niet. Andere overpeinzingen gingen door mijn hoofd.

'Signor Atto, wat heeft dit allemaal te maken met de verschijningen van minister Fouquet en Maria Mancini?'

'Dat heeft er een heleboel mee te maken, nou en of. Lodewijk was in 1660 bijna tweeëntwintig, onervaren, niet bij machte zich tegen Mazarin en zijn moeder te verzetten. Maar nog geen jaar later, zoals je wel weet, vindt hij het leuk om zijn drieëntwintigste verjaardag, 5 september, te vieren met de arrestatie van de arme Nicolas; vervolgens sluit hij hem levenslang op in het afgelegen fort Pinerolo en legt hem talloze kwellingen op. Nu vraag ik je: hoe bestaat het dat een verlegen, dromerige jongeman, zoals hij twaalf maanden daarvoor nog was, plotseling zo'n wildeman is geworden?'

'Het antwoord is volgens u het verlies van Maria Mancini,' liep ik op hem vooruit, 'niettemin blijft de betekenis van die twee taferelen waarvan we getuige zijn geweest me nog duister.'

'Wat hebben jij en ik zo-even gezien? Nicolas die een beursje met geld overhandigt aan Maria. En bij hun eerste verschijning Maria die tegen hem zegt: "Ik zal u mijn leven lang dankbaar zijn. U bent mijn beste vriend". Nou, dan moet je weten dat de verschijning van vandaag verklaart waarom Maria die woorden van genegenheid en dankbaarheid tegenover Fouquet uitsprak.'

'Dat wil zeggen?'

'Ik ga stapsgewijs. Toen kardinaal Mazarin was gestorven, wist Maria niet de uitbetaling van haar bruidsschat los te krijgen van de algemene erfgenaam van het fortuin van Zijne Eminentie, die gevaarlijke gek van een hertog de la Meilleraye, de man van haar zus Ortensia. Het was een heel netelige situatie, aangezien Maria behalve dat geld helemaal niets bezat. Ze vroeg hulp aan Fouquet, die Maria vanaf haar komst aan het hof had weten te waarderen en een zwak voor haar had. En het was ook dankzij de bekwame bemiddeling van de minister dat Maria uiteindelijk haar bruidsschat van haar zwager kreeg.'

'Dus dat zakje munten en al die papieren waren Maria's bruidsschat.'

'Inderdaad. De papieren zullen wisselbrieven of iets dergelijks zijn geweest.'

'Dus daarom, zoals we bij ons eerste bezoek hier hebben gezien, zei Maria toen tegen Fouquet: "Ik zal u mijn leven lang dankbaar zijn. U bent mijn beste vriend"!' concludeerde ik vol vuur.

Ik besefte op dat moment dat de abt en ik inmiddels over die visioenen redeneerden alsof het volstrekt normale verschijnselen waren.

'Signor Atto, het lijkt haast of de feiten waarover u me hier in Het Schip vertelt, zich op deze zelfde plek concentreren en... nou ja, het verleden laten herleven.'

'Het verleden, het verleden... was het maar zo simpel,' kreunde Atto met een zucht. 'Dat verleden heeft nooit plaatsgehad.'

Ik was verbaasd.

'Die ontmoeting tussen Fouquet en Maria vanwege de bruidsschat, en ook Maria Mancini's dankbetuiging aan Fouquet: die vormen niet zomaar de openbaring van een gebeurtenis uit het verleden, begrijp je? Want zo overhandigde Nicolas Maria haar bruidsschat niet, en zij heeft ook nooit die woorden tegen de minister gesproken.'

'Hoe kunt u dat zo zeker weten?' vroeg ik weifelend.

'Omdat Maria die exacte woorden van dank en achting in een brief schreef, die de minister trouwens nooit heeft gelezen: de brief werd onderschept door Colbert, die Fouquet al tot de ondergang had bestemd, met medewerking van de koning. Zoals je weet, waren Maria en ik in Rome toen het nieuws van de arrestatie van Fouquet kwam: ik ontving het slechte nieuws via een brief van mijn vriend de Lionne, de minister van Zijne Majesteit.'

'En de bruidsschat?'

'Idem. Maria stond al op het punt om naar Italië te vertrekken, uit Parijs verjaagd en door de dan wel inmiddels postume wil van de kardinaal tot het huwelijk met de Connétable Colonna bestemd: de bruidsschat werd rechtstreeks naar Rome gezonden, zo groot was de haast van de koningin-moeder en het hof om van haar af te komen.'

'Kortom, de minister heeft nooit persoonlijk aan Maria haar bruidsschat overhandigd en heeft nooit die woorden kunnen lezen of nog minder horen: "Ik zal u mijn leven lang dankbaar zijn. U bent mijn beste vriend".'

'Precies.'

'Dus we zijn eigenlijk getuige geweest van twee episodes die nooit zijn gebeurd.'

'Dat is minder precies, of liever gezegd, dat is onvolledig. Als Maria niet uit Parijs was verwijderd, als Fouquet niet was gearresteerd, dan zouden ze elkaar misschien hebben kunnen ontmoeten: hij zou haar persoonlijk het legaat van haar oom hebben overhandigd en zij zou hem mondeling die dank betuigd hebben. Maria's vertrek bedroefde Nicolas overigens zeer, hij voorzag wat vroeg of laat de rampzalige uitkomst zou zijn; ook al kon hij, volgens mij, nog niet bedenken dat hij als eerste zou vallen onder de bijl van de nieuwe koning die uit de ongelukkige as van die liefde was herrezen.'

'We hebben dus eigenlijk gezien wat er *had moeten gebeuren* tussen Maria en Fouquet als de boosaardige complotten niet de natuurlijke loop van hun leven hadden gebroken...' begreep ik uiteindelijk in een flits, terwijl mijn adem stokte in mijn keel.

'Gezien, gezien...' corrigeerde de abt, die plotseling een andere toon aansloeg en ineens terugkwam op de wending die onze veronderstellingen namen, 'wat draaf je door! Ik zou liever zeggen dat we het ons gewoon hebben verbeeld. Vergeet niet dat we, zoals ik geloof, het slachtoffer kunnen zijn van hallucinaties door bedorven dampen uit de grond; en misschien ook wel door mijn verhalen.'

'Signor Atto, wat u zegt kan wel waar zijn voor de tweede van de drie episodes die we tot nu toe hebben bijgewoond: Maria Mancini in gezelschap van de jonge koning. Maar niet voor de eerste en deze laatste: zou ik me met zo veel precisie omstandigheden kunnen verbeelden waarvan ik het bestaan niet eens wist? Of bedoelt u dat onze hallucinaties het karakter van helderziendheid hebben?'

'Misschien heb je veeleer gewoon een hallucinatie van *mij* gedeeld.'

'Dat wil zeggen?'

'Enfin, het zou gegaan kunnen zijn om een episode van gedachteoverdracht. De laatste tijd komen er in Frankrijk en Engeland verschillende traktaatjes uit, zoals die van de abt de Vallemont, die verklaren hoe dit een geheel reëel, wetenschappelijk verschijnsel is, met de wetten van de rede gemakkelijk te verklaren. Het zou gaan om heel fijne, onzichtbare deeltjes die door onze gedachten worden verspreid en soms op die van anderen botsen en hun verbeelding gaan vullen.'

'We zijn dus eigenlijk omringd door onzichtbare deeltjes van andermans gedachten?'

'Precies. Een beetje zoals de uitstoot van kwikzilver.'

'Daar weet ik niets van.'

'Niets toont beter dan kwikzilver de fijnheid van dampen en uitgestoten stoffen aan. Dit metaal, vloeibaar en droog, stoot zulke fijne, doordringende uitwasemingen uit dat je, als je het met een hand beweegt, zult zien dat een stuk goud, goed stijf in de andere hand gehouden, zich helemaal met kwikzilver zal bedekken. Het komt zelfs bij het stuk goud als je dat in je mond houdt. Als je het dan echt in contact met goud, zilver of tin brengt, zul je zien dat die metalen van hard veranderen in zacht en een pasta worden, amalgaam genoemd. Als je het kwikzilver in een leren buis doet en je verwarmt het even, dan zal het in het leer dringen en als door een zeef weer naar buiten komen.'

'Echt waar?' riep ik verbaasd uit, want ik had nog nooit zoiets gehoord.

'Ja. En hetzelfde, heb ik gelezen, kan dus gebeuren met de verbeelding.'

'Ik ben dus eigenlijk gewoon getuige geweest van een onbewuste fantasie van u?'

Atto knikte vanzelfsprekend.

We liepen nog een stukje zwijgend naast elkaar. Af en toe gluurde ik vanuit mijn ooghoek naar hem: met zijn wenkbrauwen gefronst leek Atto verdiept in ernstige overpeinzingen, waarvan hij me evenwel geen deelgenoot maakte.

Ik dacht lang na over de verklaringen van de abt. Wij hadden dus niet zozeer gezien wat er tussen Maria Mancini en Fouquet was gebeurd, als wel wat er gebeurd *zou zijn* als het lot van Maria en dat van de minister hun natuurlijke, gunstige loop gevolgd hadden.

Als ik tijd en gelegenheid had gehad om te filosoferen, dan zou ik me afvragen: Knoopt een kuise hand op een of andere utopische plaats de gebroken eindjes van de geschiedenis soms weer aan elkaar? Vangt een barmhartig onderkomen de gebeurtenissen die niet bewaarheid worden soms op?

Allemaal vragen die, zoals de lansen van een legerbataljon, leken te wijzen op de plaats waar wij ons bevonden.

'... Kijk eens hier,' zei opeens de abt, die met een schok voor een fraai, breed bloemperk stilhield, 'kijk deze planten eens: voor elk staat een paaltje met zijn naam erop.'

'Hyacint, viooltje, roos, lotus...' las ik automatisch, 'nou en?'

'Ga verder: ambrosia, nepenthe, panacea, en zelfs de moly,' hield hij verblekend aan.

Mijn blik dwaalde van die namen vragend naar Melani's gezicht.

'Zeggen die je niets?' drong hij aan. 'Dat zijn de planten die de mythische tuinen van Adonis vormden.'

Ik zweeg verbijsterd.

'Enfin, ze bestaan niet!' riep Atto met verstikte stem uit. 'Ambrosia is de spijs van de goden op de Olympus die onsterfelijkheid gaf; nepenthe is een legendarische Egyptische plant die volgens het geloof van de oude Grieken het gemoed kalmeerde en pijn deed vergeten. De panacea...'

'Signor Atto...'

'Stil en luister,' reageerde hij plompverloren, terwijl zich op zijn gelaat ten slotte de angst aftekende; 'de panacea, zei ik, maar dat zul jij misschien ook wel weten, is een mysterieuze plant die de alchemisten al eeuwen zoeken en die alle ziekten kan genezen en de ouderdom voorkomt; de moly, ten slotte, is het toverkruid dat Hermes aan Odysseus gaf om hem immuun te maken voor de toverdrankjes van de tovenares Circe. Begrijp je het nu? Deze planten bestaan niet! Vertel jij me eens hoe ze hier zo te pronk kunnen staan, met naam en al?'

Hij draaide zich met een ruk om, zich nerveus naar de villa haastend. Ik ging op hem af. Ik had hem net ingehaald toen we getuige waren van een schouwspel waar ons haar recht van overeind ging staan.

Een wasbleek, spookachtig wezen dat viool speelde, zweefde achter een open galerij op de gekanteelde ommuring van de villa. Een ongrijpbare mantel van zwart gaas fladderde golvend over zijn schouders, ten prooi aan een plotselinge, onrustige wind. De muziek die van zijn strijkstok kwam, was niets anders dan de folía die zo vele malen geheimzinnig was opgedoken bij onze omzwervingen binnen Het Schip.

We deinsden instinctief terug, terwijl ik merkte dat mijn lijf zo koud werd als marmer. Kort daarop evenwel ging de abt, grauw in zijn gezicht, terug naar voren. Hij bleef enige tijd naar hem staan kijken, met stomheid geslagen en stijf van ontzetting, haast veranderd in een tragisch masker.

'O gij!' riep Melani uiteindelijk naar de verschijning, zijn armen uitbreidend als tegenover een apocalyptisch visioen en er met zijn wandelstok tegen zwaaiend. 'Vanwaar komt gij en wat is uw afkomst? Welke moeiten voert ge met u mee? Bij de goden en bij wat u het dierbaarst is smeek ik u: antwoord de waarheid op mijn vragen, verberg die niet opdat ik eindelijk wete!'

'Ik ben een officier uit het Hollandse leger!' donderde hij daar van boven prompt zonder de viool neer te leggen, in het geheel niet verbaasd over onze aanwezigheid, noch over de opmerkelijke taal van de abt.

Melani leek op het punt te bezwijmen. Ik haastte me om hem te ondersteunen, maar hij herstelde zich meteen.

'Gij, Vliegende Hollander!' brulde Atto met alle adem die hij in zijn longen had, alsof dat zijn laatste woorden zouden zijn. 'Vanuit welke schimmenwereld kwaamt gij hier aan, in dit Spookschip?'

De vreemdeling hield op met spelen en zweeg, ons aandachtig monsterend. Plotseling boog hij, verdween achter de galerij en dook meteen daarna weer op met een primitieve touwladder die hij aan onze kant van de muur liet uitrollen.

Atto en ik zwegen met ingehouden adem.

Het had ons geleken dat het wezen dat zo spookachtig voor onze ogen aan de dag getreden was, vrij door de lucht zweefde; groot was nu onze verbazing toen we hem naar ons zagen afdalen met viool en strijkstok onder de arm, voorzichtig steunend op de trap als een gewone sterveling.

'Giovanni Henrico Albicastro, soldaat en muzikant, om u te dienen,' stelde hij zich voor met een lichte buiging naar abt Melani, zonder te laten zien dat hij onze bleke gezichten wel in de gaten had.

Na de grote schrik van zo-even vond Atto niet meer de kracht om maar iets te doen of te zeggen, en hij leunde stil, danig uitgeput, op zijn wandelstok.

'U hebt gelijk,' hervatte onze eigenaardige gesprekspartner tegenover de abt, 'deze villa Het Schip is zo kleurloos en rustig dat ze aan een spook doet denken. Daarom bevalt ze me ook. Wanneer ik naar Rome ga, trek ik me altijd hier terug, op de daklijst van dit galerijtje. Daarboven staan spelen is niet zo comfortabel, ik geef het toe; maar het uitzicht dat je hebt, garandeer ik u, biedt de beste inspiratie.'

'Een daklijst?' schrok de abt op.

'Ja, het is een klein pad, op de andere kant,' legde de ander rustig uit, met zijn ogen wijzend op de muur waar hij net vanaf was gedaald.

De abt sloeg afgemat zijn ogen neer.

'Is die folía die u zo-even speelde van u?' vroeg hij toen met vermoeide stem.

Albicastro antwoordde enkel met een beleefd vragende blik.

'Mijnheer, u hebt de eer te spreken tot abt Atto Melani,' kwam ik tussenbeide, mijn verlegenheid overwinnend.

Nadat hij eindelijk de naam had vernomen van degene die voor hem stond, knikte Albicastro: 'Ja, mijnheer de abt, die heb ik gecomponeerd. Ik hoop dat ik uw oren niet te veel heb ontriefd met mijn viool: u leek in grote opwinding te verkeren toen u mij aansprak.'

'Allesbehalve, mijnheer, allesbehalve,' antwoordde Melani zwakjes, terwijl de bleekheid van angst van zo-even plotseling plaats maakte voor een hoogrode kleur van schaamte.

'Ik wil u niet ophouden, mijnheer,' zei Albicastro, 'u lijkt mij zeer vermoeid. Als u het goed vindt, neem ik afscheid. We zullen elkaar later weerzien: u bent toch ook op bezoek in de villa, nietwaar? Je raakt er nooit uitgekeken.'

De musicus liet zijn woorden vergezeld gaan van een kleine revérence en liep met grote passen weg.

Toen we weer alleen waren, heerste er tussen de abt en mij enige tijd stilte. Ik besloot te gaan kijken. Ik klauterde de touwladder op die Albicastro langs de muur had laten bungelen en eenmaal op de galerij boog ik over naar de andere kant.

'Is hij er?' vroeg Atto vaag en gespannen, zonder zijn blik van de neus van zijn weelderige schoenen te halen.

'Ja, hij is er,' antwoordde ik.

De daklijst was er duidelijk. En hij was niet eens zo smal. Hoezo vliegende Hollander?

De abt zweeg. De gedachte aan het tafereel van grote schrik, waarin hij zich zo-even had laten gaan, kwelde hem met schaamte.

'Die Hollander is wel een tikje zonderling,' merkte ik op, 'volgens mij is het niet alledaags voor een violist om op een daklijst te spelen.'

'En dan die geheimzinnige bloemen, die me hebben...' volgde Atto op de voet.

'Signor Atto,' was ik hem op dat punt voor, 'staat u mij toe, met alle respect dat ik u toedraag, te zeggen dat die bloemen helemaal niet zo geheimzinnig zijn als u denkt.'

De abt stoof op, alsof ik hem had gebeten.

'Wat weet jij daar nou van?' protesteerde hij gepikeerd.

'Het zal absoluut waar zijn,' antwoordde ik met alle bescheidenheid waartoe ik in staat was, 'dat de ambrosia, de nepenthe, de panacea en de moly, zoals u zegt, in de mythische tuinen van Adonis stonden; dat trek ik niet in twijfel. En misschien had Elpidio Benedetti die planten daarom wel uitgekozen. Maar het is totaal niet waar dat ze niet bestaan. God zal me bijstaan, maar ik spreek alleen als hulptuinman, en wat ik weet herinner ik me van de bescheiden ervaring in de afgelopen jaren in de tuinen van Villa Spada en van enkele handboeken over bloemen die ik af en toe graag lees. Maar ik kan u vertellen dat ik de ambrosia, was het vroeger de spijs van de goden op de Olympus die onsterfelijkheid gaf, tegenwoordig ken als een schimmel waar de mieren verzot op zijn. Zo ook de nepenthe: die vind je tegenwoordig in de handboeken beschreven als een vleesetende plant die de paters jezuïeten vanuit China hebben meegebracht; als hij uit Egypte komt en volgens het geloof van de oude Grieken het gemoed kalmeerde en de pijnen deed vergeten, alstublieft, dan weet ik dat niet. Naar de panacea zal wel eeuwenlang gezocht worden in de alchemie, maar ik ken haar als een medicinaal plantje tegen eksterogen. En de moly, ten slotte, is niets anders dan een soort knoflook, hetgeen niet wegneemt dat hij Odysseus echt immuun heeft kunnen maken voor de drankjes van de tovenares Circe: iedereen kent de eindeloze kwaliteiten van knoflook...'

Ik onderbrak mezelf omdat ik de ernstige krenking in donkere tinten op Atto's gelaat gewaarwerd.

Arme abt Melani. Tegenover de geheimzinnige verschijningen waar we herhaaldelijk getuige van waren geweest in Het Schip, had hij altijd scepsis betracht en die onverklaarbare zaken halsstarrig toegeschreven aan bedorven dampen, deeltjes, verbeelding en wat al niet meer. Maar nu ik hier definitief het bewijs van had, waren de spanning en de angst bij hem niet minder gegroeid dan bij mij.

Die hadden zich evenwel op net het verkeerde moment voorgedaan: tegenover de planten in de tuin, waarin de abt de legendarische bloemen van de tuinen van Adonis had menen te herkennen, en meteen daarna, door een wonderlijk toeval, tegenover het beeld van die opvallende persoon, die Albicastro, muzikant en soldaat, bedrieglijk zwevend in de lucht. Atto was kortom bezweken voor de angst voor het onbekende, juist toen het onbekende helemaal niets voorstelde. Hij had de ene na de andere plank misgeslagen, en nu tastte het echec hardvochtig zijn moed aan.

'Juist, ik wou maar zeggen,' commentarieerde hij ten slotte, misschien mijn overpeinzingen aanvoelend, 'dat alles bevestigt weer wat ik je vanaf de eerste dag dat we hier binnen een voet hebben gezet loop te verkondigen: bijgeloof is het kind van onwetendheid. Alles op deze wereld is te verklaren door de wetenschap van de dingen en de verschijnselen: als ik kennis van de bloementeelt had bezeten, zou ik niet in dit pijnlijke misverstand zijn vervallen.'

'Natuurlijk, signor Atto, maar staat u me toe u er opmerkzaam op te maken dat we, naar mijn bescheiden mening, nog geen overtuigende verklaring hebben gevonden voor de verschijningen die we hebben meegemaakt.'

'Die hebben we niet gevonden door onze onwetendheid. Precies zoals we zo-even een vliegende man meenden te zien, die gewoon op een daklijst liep en last had van veel wind.'

'Denkt u dat iemand een grap met ons heeft uitgehaald?'

'Wie zal het zeggen? De mogelijkheden om iemand beet te nemen zijn oneindig.'

Even later waren we de begane grond van het gebouw binnen gegaan.

'Na de schrik die Buvat ons gisteren heeft bezorgd, had je eigenlijk een vraag moeten stellen,' zei Atto.

'Ja, dat is waar. Hoe heeft Buvat ons verdorie kunnen vinden zonder zich te laten zien of horen? Hij is zo onverwachts opgedoken dat hij uit de hemel leek neergedaald.'

'Ik geloofde ook mijn ogen niet. Maar later heb ik de verklaring gevonden,' zei hij, terwijl hij me meetrok naar een vertrekje rechts van de voordeur.

'Nu begrijp ik het!' riep ik uit.

Het vertrekje was eigenlijk het gat van een minuscule diensttrap. Buvat was niet naar boven gegaan via de eretrap die wij hadden gebruikt, aan de heel andere kant van het gebouw (dus voor wie binnenkwam aan het eind links), maar via het diensttrapje. Daarom was hij dus onverwachts op een pas afstand van ons opgedoken, daar waar de salon op de eerste verdieping de kant van het Vaticaan uit eindigde. Hoewel we ze hoorden, hadden we niet kunnen lokaliseren uit welke richting zijn voetstappen kwamen, en dat niet alleen vanwege de echo door het grote gewelf van de galerij, maar ook omdat de aanwezigheid van een andere toegang, voor de zintuigen onbekend, daarom zelf onaanvaardbaar leek.

We gingen dus via het diensttrapje naar de eerste verdieping. Ook dat was, net als zijn grotere broer, een wenteltrap.

We bestegen net de laatste treden toen een krachtige sirene, vergezeld van een diep, dreigend gedreun, ons overweldigde. Instinctief bracht ik mijn handen naar mijn oren om ze tegen de krachtige geluidsgolf te beschermen.

'Vervloekt,' mopperde abt Melani, 'alweer die folía!'

Op de eerste verdieping aanbeland stonden we ineens tegenover Albicastro. Hij was juist begonnen te spelen bij de ingang van de kleine wenteltrap, die zo als klankkast van zijn viool fungeerde en de zware klanken ervan veranderde in gigantisch geloei en de hoge in duizelingwekkend gefluit. De muziek viel stil.

'Het lijkt wel of het thema van de folía u meer vreugde verschaft dan iedere andere muziek,' zei Melani, duidelijk nerveus geworden door de zoveelste schok.

'Zoals de grote Sophocles zei: "Het leven is mooier wanneer je niet nadenkt". Bovendien hoort deze muziek bij Het Schip, *Stultifera navis*, of Narrenschip, als u dat liever hebt,' antwoordde de Hollander opgewekt, hij klopte wat stof van zijn instrument en begon het toen weer te stemmen, met een reeks komische, ergerlijke klaaggeluiden als gevolg.

Atto begon bij wijze van antwoord te declameren:

'Alle pleinen en straten zijn vol narren,
Die dwaasheid bedrijven op elke plek.
Evenwel vinden zij zichzelf niet gek.
Daarom heb ik op dit moment bedacht
Hoe het narrenschip moet ondergebracht:
Galeien, kaperschip, kraak, bark en schuit,
Kiel, vissersboot, baggerpraam, boot vooruit...'

Naar het zich liet aanzien was Atto met die versregels doodgemoedereerd de gek aan het steken met Albicastro.

'U kent dus mijn geliefde Sebastian Brant?' vroeg de Hollander verbaasd en in het geheel niet gekwetst.

'Ik ben maar al te vaak aan het hof van Innsbruck of bij de keurvorst van Beieren ontvangen om uw zinspeling op de *Stultifera navis* van Brant niet begrepen te hebben, het meest gelezen boek in Duitsland van de laatste tweehonderd jaar. Je kunt niet zeggen dat je de Duitse volkeren kent als je dat boek niet hebt gelezen.'

Wederom stond ik te kijken van Atto's veelomvattende kennis: al zeventien jaar terug had ik geleerd dat hij over de bijbel nog weinig heldere ideeën mocht hebben, maar wanneer politiek en diplomatie in het geding waren wist hij altijd alles.

'U zult het dus met me eens zijn dat de *Stultifera navis* goed samengaat met de villa waarin wij ons bevinden,' repliceerde de muzikant, die vervolgens aanhaalde:

'Er is geen levend mens wie niets ontbreekt,
Noch die van zichzelve beweren mag
Dat hij wijs zou zijn en zeker geen nar.
Want wie zichzelf voorwaar als nar beschouwt,
Wordt spoedig als een wijs persoon vertrouwd.'

En abt Melani als reactie:

'Het is echter kenmerkend voor de gek
Dat hij niet heten wil naar zijn gebrek.'

En Albicastro, geamuseerd blikkend naar de talloze kwastjes, borduursels in leer en verfraaiingen van Atto's ceremonieel gewaad:

'Ik zwijg van hen die gaan als nar gekleed,
Parmantig, zelfverzekerd als dat heet;
Fier pronken zij met de stoffen uit Leiden
En met de weefsels van Mechelse zijde
Met de sierselen van allerlei kant
En, beest op beest, leder extravagant.
Maar als men die lieden uitmaakt voor nar,
Dan zouden ze gillen: Dit is te bar!'

'Toch is het wel waar: er gebeuren veel rare dingen hier binnen,' kwam ik snel tussenbeide voordat de spanning waarmee die twee elkaar voor gek uitmaakten al te zeer ontaardde. 'Ik bedoel,' verbeterde ik mezelf direct, aangezien Atto vanwege mijn opmerking ternauwernood een beweging van ongeduld onderdrukte, 'dat er naar het schijnt bedorven dampen circuleren, of andere soorten vreemde uitwasemingen, van hoe zeg je dat... hallucinogene aard.'

'Uitwasemingen? Misschien. Dat is de schoonheid van deze plek. Heeft de wijsheid der natuur kinderen soms niet het stempel van de zotheid gegeven, waarmee ze het genoegen dat ze wekken groter maken en de inspanning van hun opvoeders verzachten? Op dezelfde manier lenigt deze villa de vermoeienissen van de reizigers die hier bijkomen.'

Terwijl hij sprak deed hij de viool weer in de vioolkist, waaruit hij een serie vellen muziek haalde.

'Bedoelt u soms dat Het Schip bovennatuurlijke krachten bezit?' vroeg ik.

'Niet meer dan de Liefde die bezit.'

'Dat wil zeggen?'

'Heeft Cupido, de god van de Liefde, soms niet altijd het uiterlijk van een gedachteloos, gek knaapje, met golvende lokken? En toch is het de Liefde, zoals de dichter zegt, die de zon en sterren drijft.'

'U spreekt in raadsels.'

'Welnee, het is simpel: de onschuld van een knaap is voldoende om de wereld te verheffen. Niets is zo machtig.'

Abt Melani trok zelfingenomen zijn wenkbrauwen op en wierp mij tersluikse blikken toe om aan te geven dat Albicastro hem een ietsepietsje getikt leek.

De muzikant ging intussen verder:

'Alexander nam heel de wereld in:
Een toverdrank gaf een dienaar zijn zin.
Darius ontsnapte aan vele nood:
De dolk van dienaar Bessus werd zijn dood.
Aldus eindigen macht en overmoed:
Cyrus dronk ten slotte zijn eigen bloed.
Zulke machtige vrienden heeft geen mens
Dat hij een dag vooruit kreeg als zijn wens
En zeker was van een moment verwacht
waarop hij krijgen zou geluk en macht.
En als ik de rijken tot nu toe zie:
Assyrië, Medië en Perzië,
Griekenland, Macedonië en Rome,
Alle zijn tot hun ondergang gekomen.'

De door de Hollander voorgedragen verzen troffen me zeer: ze leken van nabij het verhaal te echoën dat Melani mij had gedaan over de angst van de oppermachtige kardinaal Mazarin om te sterven.

'Weer uw Brant. U hebt het steeds over zotheid, u speelt graag de folía...' zong de abt met slecht verhulde scepsis.

'Veracht de zotheid niet, want het is geen gebrek. Bent u het ook niet met mijn oude stadgenoot uit Rotterdam eens, volgens wie het de zotheid gelijk is om de fouten van zijn vrienden te vergeven, te proberen ze te verbergen, zich daaromtrent te bedriegen en ze niet te willen zien, en zover te komen dat men slechte eigenschappen waardeert en bewondert als grote deugden? Is dat niet de hoogste wijsheid?'

Ofschoon nauw merkbaar sloeg Atto zijn ogen neer: Albicastro had doel getroffen. Hij leek haast op de hoogte van de discussie tussen Melani en mij en van mijn inschattingen omtrent onze gekwelde vriendschap.

De Hollandse muzikant, die zich weer was gaan bezighouden met zijn vellen muziek, begon bij zichzelf op te zeggen:

'Thans is er geen vriendenpaar meer te vinden
Als David en Jonathan elkaar minden,
Gelijk Achilles en Patrocles tevens,
Orestes met zijn Pylades benevens,
Uit Syracuse Damon en Phintias,
Of Saul zijn schildknecht die weigerde kras
te leven door de dood van z'n soeverein.
Scipio en Laelius, de Romein.

Tegenwoordig is er geen Mozes meer
Die bogen kan op naastenliefde teer
Of een persoon gelijk aan Nehemias
En met hem de meer dan vrome Tobias.'

De abt kauwde bitter, maar zweeg.

'En als de zotheid de hoogste wijsheid is,' hervatte de Hollander, zich opnieuw tot ons wendend, 'waar zou zij dan geriefelijker kunnen huizen dan in dit schip, dat, zoals u gisteren zelf nog erkende, letterlijk met spreuken van wijsheid is geplaveid?'

'U hebt ons dus bespioneerd?' riep Atto met een schok van verbazing en verontwaardiging uit, terwijl hij begon te vermoeden dat al die ongemakkelijke zinspelingen van Albicastro op de vriendschap geen puur toeval waren.

'Ik heb u gehoord toen u uw stem verhief. Uw woorden klonken door tot in de toren,' antwoordde de ander zonder van zijn stuk te raken, 'maar nu zult u wel meer te doen hebben, staat u mij dus toe u te verlaten.'

Hij ging de wenteltrap af en binnen een paar seconden hoorden we niet eens meer de echo van zijn voetstappen. Abt Melani's gezicht stond donker.

'Bepaald irritant, die Hollander,' mompelde hij.

'Holland is geen land voor u, signor Atto,' kon ik niet nalaten op te merken. 'Als ik me goed herinner was u vroeger zelfs allergisch voor Vlaamse stoffen.'

'Nu godzijdank niet meer, sinds dat volk van gierige ketters de techniek van stoffen verven heeft verbeterd, waardoor ze eindelijk op het niveau van de koninklijke werkplaatsen in Frankrijk staan. Maar ditmaal zou ik graag belaagd worden door driehonderd keer niesen, als ik die dwaasheden van die Albicastro maar niet hoefde te horen.'

We gingen de eretrap op naar de verdieping erboven, waar we nu voor het eerst voet zouden zetten en waar ons bepaald onverwachte gebeurtenissen te wachten stonden.

De eerste verrassing deed zich eigenlijk al voor tijdens de gang naar boven. De wentelingen van de trap waren overdekt met teksten:

Vrienden velen. Een vriend, geen
Moge je vriend hetzelfde gemoed hebben
Corrigeer de vriend die dwaalt, maar verlaat degeen die niet te corrigeren is
Geloof alleen in de vriend die je al lang kent
Plaats geen nieuwe vrienden voor de oude
Vrienden vleien brengt meer schade toe dan vijanden kritiseren
Laat vriendschap onsterfelijk zijn, vijandschap sterfelijk
Houd je bezig met je vijanden, maar vrees ze wel
Wees niet gemakkelijk met nieuwe vriendschappen, maar behoud ze halsstarrig
...

Terwijl ik naar boven ging en die gezegden aan mijn ogen voorbijtrokken, werd ik opnieuw bestormd door de wonderlijke indruk dat iets in Het Schip, als een duister, onpersoonlijk zintuigelijk orgaan, mijn gedachten over de vriendschap had opgevangen en nu zo niet het antwoord, dan wel iets van een bevestiging van mijn geheime overpeinzingen dicteerde. Ik herinnerde me: had ik niet al gedachten gelezen over het thema vriendschap, op de piramiden in de tuin tijdens onze eerste tocht? De reeks gebeurtenissen was voortgegaan, en het was heel duidelijk. Eerst de ruzie met Atto; toen de woorden en versregels van Albicastro over de vriendschap; dit laatste was misschien eerder het resultaat van het luisteren naar de muzikant dan een raadselachtig gevolg van het toeval, maar daar verschenen nu weer nieuwe zinsneden die zout in mijn innerlijke wond leken te willen strooien.

Toen ik de treden op ging, voelde ik me als kardinaal Mazarin, achtervolgd door de nachtmerrie van Capitor: hoe meer ik de suggesties die van die gezegden kwamen wegduwde, hoe meer ze me bestookten.

Vrienden velen, een vriend geen. Met velen in Villa Spada wisselde ik klappen op de schouders uit, maar eigenlijk kon ik bij niemand aanspraak maken op ware vriendschap, en nog minder bij abt Melani. *Moge je vriend hetzelfde gemoed hebben.* Atto en ik hadden toch zeker wel precies hetzelfde gemoed? zei ik sarcastisch bij mezelf: de vorst der naïevelingen en de vorst der intriganten... *Corrigeer de vriend die dwaalt, maar verlaat degeen die niet te corrigeren is.* Ja, gemakkelijk gezegd: maar was abt Melani niet juist het klassieke voorbeeld van een vriend die even slecht te corrigeren is als meer dan bekwaam om je vast te houden? Ook hij, die me tijdens de klim omhoog voorging, had die leuzen vast gelezen. Zoals ik al verwachtte, gaf hij geen enkel commentaar.

Toen we bij de ingang van de tweede verdieping waren aangekomen, bleek er nog een detail de aandacht waard. Boven het boogje dat toegang gaf tot de verdieping was een nog opvallender inscriptie te lezen dan alle voorgaande.

> Ik bouwde voor slechts drie goede vrinden
> Maar daarna kon ik ze nooit meer vinden.

'Gelukkig is dit opschrift ons niet ontgaan,' commentarieerde Atto bij zichzelf.

'Wat zal Benedetti bedoeld hebben?'

'Het opschrift zegt "Ik bouwde...": het lijkt of hij de reden wil geven waarom Het Schip is gebouwd.'

'Wie zijn die drie vrinden?'

'Je moet niet per se aan drie mensen denken. Het kunnen ook...'

'Drie dingen zijn?'

Atto antwoordde met een tevreden glimlach.

'De geschenken van Capitor!' maakte ik opgewonden op. 'Dan hebt u gelijk om ze hier te zoeken.'

'Het zou uiteraard overdreven en naïef zijn om het gezegde letterlijk te nemen, en het zo op te vatten dat Het Schip speciaal voor de drie voorwerpen is gebouwd. De tweede zin betekent volgens mij alleen dat het gebouw de natuurlijke houder van Capitors geschenken is of is geweest.'

'Rest alleen te begrijpen wat *kon ik ze nooit meer vinden* betekent,' wierp ik als reactie tegen.

'Ook dat zal wel naar voren komen, jongen. Eén ding tegelijk,' antwoordde hij, terwijl we de trap verlieten.

De tweede verdieping was heel anders ingedeeld dan de twee daaronder die we al hadden bezocht. Van de eretrap kwamen we in een vestibule vanwaar je naar links toegang had tot een terras op het zuiden, naar de weg toe. Het was het platte dak van de overdekte loggia van de eerste verdieping, waarvan je het kwebbelige geklater van de fontein hoorde. Een moment lang laafden we ons aan het panorama en de rust, onze blik waaierde boven alle plaatsen en wijngaarden in de omgeving uit, totdat we in de verte het zilverige uitzicht van de zee genoten.

'Fantastisch,' luidde Atto's commentaar, 'in heel Rome heb ik nog nooit van zo'n breed panorama genoten. Het Schip is weergaloos. Even verscholen binnen zijn muren als vrij en weids erbuiten.'

We gingen weer naar binnen en sloegen een gang naar het andere eind van het gebouw in, noordwaarts. In het midden van de verdieping lag een ovale zaal met ramen aan beide lange zijden. Voorbij de zaal ging de gang weer verder en leidde naar een zaaltje met een balkon dat uitzicht bood op de Sint-Pieter en het Vaticaan; in een hoek boog het diensttrapje af. We keerden terug naar de ovale zaal.

'Dit was vast de eetzaal in het koude seizoen: er zijn wel vier haarden,' merkte Atto op.

'Ik begrijp niet hoe het komt dat hij van zo veel kleinere afmetingen is dan de galerij van de eerste verdieping, die hier pal onder ligt. We hebben iets overgeslagen.'

'Kijk hier eens.'

Mijn intuïtie was juist. Atto keerde terug naar de eerste van de twee gangen, en toen naar de andere. In elk zaten twee deurtjes, die ons voorheen waren ontgaan. We ontdekten dat ze naar vier appartementen leidden, twee per gang, elk met een kamer, een badkamer en een kleine bibliotheek.

'Vier onafhankelijke onderkomens. Misschien liet Benedetti hier zijn vrienden slapen, zoals kardinaal Spada doet met de aanzienlijke gasten van het feest,' veronderstelde ik.

'Dat is mogelijk. Hoe dan ook is nu duidelijk waarom de hoofdzaal, hier op de tweede verdieping, aanzienlijk kleiner is dan die op de begane grond en de eerste verdieping. Deze hier is niets anders dan het verbindingspunt tussen de vier appartementen.'

Terwijl we die stoffige ruimten verkenden, werden we overal waar we onze ogen op lieten rusten, beminnelijk lastiggevallen door uitspraken, leuzen en spreekwoorden die Benedetti's geest lukraak op muren, zuilen en lijstwerken had uitgestrooid. Ik las op goed geluk:

Door andermans geroddel dient men zijn rust niet te verliezen
Adel wordt maar weinig gewaardeerd, als ze de rijkdom ontbeert
Niet voor elke kwaal naar de dokter, niet voor elke twist naar de advocaat, niet voor elke dorst naar de bokaal

Ook boven de deuren van de vier appartementen pronkten enkele kostelijke aforismen:

Comfortabele vrijheid omvat alles
Weinig en goed is meer waard dan veel en slecht
De wijze kan in het weinige alles vinden
Men mag niet gering noemen wat volstaat

Met mijn ogen zocht ik Atto. Ik vond hem niet: hij was een van de vier appartementen gaan inspecteren. Ik ging eveneens naar binnen.

Hij stond tegen de lijst van een deur aangeleund. Hij verwelkomde me met een starende blik en zonder een mond open te doen.

'Signor Atto...'

'Stil.'

'Maar...'

'Ik denk na. Ik denk na hoe het verdorie kan.'

'Wat dan?'

'Je papegaai. Ik heb hem gevonden.'

'Hebt u hem gevonden?' stamelde ik ongelovig.

'Hij is hier, in dit appartement,' zei hij, wijzend op een belendend kamertje, 'samen met de geschenken van Capitor.'

Het was waar, ze waren er. Er zat een dunne laag stof op, maar ze waren er. Ook Caesar Augustus was er. De tijd had hem niet gespaard. Bedekt door die immateriële zweetdoek wachtte hij Joost mag weten hoe lang al om herontdekt en, overeenkomstig zijn natuur, bewonderd te worden.

'Jongen, jou valt een grote eer te beurt,' zei Atto, terwijl ik het vertrekje binnen liep. 'Je raakt aan een van de grootste mysteriën van de geschiedenis van Frankrijk: de geheimen van Capitor.'

Een schilderij. We hadden een schilderij gevonden. Het was heel groot: ongeveer anderhalve roede lang bij bijna twee breed. Het was in het kamertje op de grond gezet, en niemand die het wist, behalve de muren en de teksten van Het Schip.

Onderwerp van het doek waren verschillende fraaie voorwerpen, harmonisch opgesteld in een kundige mengeling van orde en wanorde. Onder in het midden, op de voorgrond, was een groot gouden dienblad, heel rijk versierd in Vlaamse stijl, schuin tegen een tree gezet. Er waren twee zilveren beeldjes te zien: de zeegod Neptunus met de drietand in zijn hand, en de nimf Amphitrite, zijn bruid. Ze zaten dicht naast elkaar op een wagen die door een stel tritons werd voortgetrokken op de golven. Ik wist al waar het om ging: een van de geschenken van Capitor, waarin ze de wierooktabletten had laten branden.

Meer naar rechts, op de tree afgebeeld, was een gouden beker, waarvan de poot werd gevormd door een centaur met het paardengedeelte eveneens in goud en het mensengedeelte in zilver. Het was duidelijk een afbeelding van de beker die Capitor helemaal vol mirre aan de kardinaal had overhandigd.

Achter de eerste twee voorwerpen prijkte ten slotte een grote houten aardbol met een gouden voetstuk: het derde geschenk. Daarvoor had de Spaanse gekkin het sonnet over de Fortuin voorgedragen dat Zijne Eminentie zo geërgerd had.

Op het schilderij waren nog andere voorwerpen van verrukkelijke makelij te bewonderen, die de betekenis en zinnebeeldige voorstelling van het doek completeerden. Op het tweede plan was een tafel te zien met daarop een rood tapijt, een luit, een cello, een cymbaal en een muziekboek, wie weet op welke pagina opengeslagen, misschien wel op die van die lugubere *Passacalli della vita* die Capitor Atto had laten zingen en die de kardinaal zo'n angst had aangejaagd. Uiterst links besnuffelde een rashond met verlegen nieuwsgierigheid het grote rode tapijt, waarbij hij elegant zijn pootje boog.

Maar wat in het midden van de hele compositie te pronk zat was een ander dier: een schitterende witte papegaai met een grote gele kuif op zijn kop, op de houten globe, ook hij met een geheven pootje en met zijn kop naar links, naar de hond toe gebogen, alsof hij hem wilde nadoen en zijn onverschillige superioriteit wilde markeren. Het was het getrouwe portret van Caesar Augustus, zelfs in die ietwat spottende, hooghartige uitdrukking raak getroffen.

'Dat is het schilderij dat Mazarin die Hollandse schilder liet maken voor hij zich van de drie geschenken van Capitor ontdeed...' herinnerde ik me, terwijl ik de draden van Atto's verhalen in de verwikkeling van de nieuwe gebeurtenissen weer aaneenknoopte.

De abt zweeg even, geheel doordrongen van het bijzondere en het belang van het moment.

'Boel. Hij heette Pieter Boel. Jaren later werd hij de officiële hofschilder. Ik had je al gezegd dat hij goed was, en zoals je ziet heb ik niet gelogen.'

'Het schilderij is... echt schitterend, signor Atto.'

'Ik weet het. Er was mij over verteld, maar ik had het ook nog nooit gezien. Je ziet dat ook de beschrijving die ik je van de geschenken van Capitor had gegeven klopte. Mijn geheugen laat me niet in de steek,' vervolgde hij met slecht verholen voldoening.

'Ik had alleen begrepen dat het schilderij in Parijs gebleven was. Had u niet gezegd dat Mazarin het bij zich had gehouden?'

'Ik dacht ook dat het in Frankrijk was. Maar naarmate we Het Schip verkennen, en nu in het bijzonder, raak ik steeds meer van één feit overtuigd.'

'Namelijk?'

'Dat de geschenken van Capitor niet hier zijn. Althans, niet meer zijn.'

'Wat wil u daarmee zeggen?'

'Ik had ook gedacht dat ze aan Benedetti waren toevertrouwd om hier, in Het Schip, te worden bewaard. Het schilderij moest bij Mazarin blijven als surrogaat. Maar ik vind hier het surrogaat, en geen spoor van de geschenken. Het is wel niet wat we hoopten te vinden, maar het is altijd beter dan niets. Zoals een van de leuzen die we net hebben gelezen oordeelt: De wijze kan in het weinige alles vinden.'

Wederom, bedacht ik verbaasd, had Het Schip het wonderlijke vermogen gehad om vooruit te lopen (en te reageren) op de diepste behoeften van degenen die het bezochten.

'De geschenken zijn naar een andere plek gestuurd,' redeneerde intussen abt Melani. 'Waarheen? De kardinaal deed nooit iets zomaar.'

We richtten opnieuw onze blik naar dat sublieme, raadselachtige en tegelijk noodlottige doek.

'Het is verbazend. Die papegaai lijkt echt op Caesar Augustus,' merkte ik op.

De abt keek me aan alsof ik idioot was.

'Hij *lijkt* niet. Dit *is* Caesar Augustus.'

'Wat zegt u nu?'

'Ik wist niet meer dat je zo traag van begrip bent. Denk je dat er van zulke papegaaien een geschilderde op doek en een tweede, identiek, van vlees en bloed zijn in twee bijna aan elkaar grenzende villa's zonder dat de een het portret van de ander is?'

'Maar dit schilderij is in Parijs gemaakt,' protesteerde ik, gepikeerd door het sarcasme van de abt.

'Het kan geen toeval zijn. Zoals je misschien nog weet, vertelde ik dat die gekkin van een Capitor een grote liefde had voor vogels. Ze had altijd een groepje...'

'... vogels dat haar gezelschap hield, dat klopt, dat hebt u verteld. Maar dan hebt u zelf, jaren geleden, Caesar Augustus misschien al gezien! Er is aardig wat tijd verstreken, maar papegaaien leven heel lang.'

'Misschien heb ik hem toen al wel gezien. Wie zal het zeggen? De gekkin had aardig wat papegaaien om haar heen. Bovendien ben ik nooit een liefhebber van die dieren geweest. Nee, eerlijk gezegd heb ik nooit begrepen wat er nou aan is om ze in huis te houden, zoals veel mensen dat leuk vinden, met de viezigheid, de stank en het lawaai dat ze maken. Ik zal je vogel wel gezien hebben, maar daar zou ik dan geen herinnering meer aan bewaren.'

'Het is ongelooflijk dat Caesar Augustus uitgerekend in de volières van Villa Spada terecht is gekomen!' riep ik uit, nog sceptisch tegenover de gedachtegang van de abt.

'Lieve hemel, het is zo klaar als een klontje! Capitor heeft Caesar Augustus kennelijk in Parijs achtergelaten, misschien als cadeau voor iemand, of ze heeft hem per ongeluk vergeten, wie weet. Je kunt je ook voorstellen wat Mazarin besloot te doen zodra hij erachter kwam dat die dwaas hem ook met die vogel had opgescheept in zijn stad.'

'Nou, hij zal hem... zo ver mogelijk weg gestuurd hebben.'

'Samen met de drie geschenken. Hij heeft hem er immers mee laten afbeelden. En vertel eens, wat weet jij van hem?'

'Alles wat ik weet is dat de papegaai jaren geleden eigendom was van monseigneur Virgilio Spada, God hebbe zijn ziel, de oom van kardinaal Fabrizio. Het schijnt dat hij een excentriekeling was, een liefhebber van antiquiteiten en de meest uiteenlopende curiosa. Ik weet dat hij ook een collectie natuurcuriositeiten had.'

'Dat weet ik ook. Ik was al ongeveer een jaar in Rome toen Virgilio Spada stierf. Hij was een groot bewonderaar van castraten. Je moet bedenken dat hij bij de jezuïeten was opgeleid, en die wilden hem in hun orde; maar Virgilio koos voor de Broederschap van het Oratorium van de heilige Philippus Neri omdat hij verliefd geworden was op de stem van de grote Girolamo Rosini, de bejubelde cantor van het Oratorium. Virgilio was verder bevriend met Loreto Vittori, de meestercastraat van Christina van Zweden, en nam persoonlijk een andere jonge zanger in dienst, Domenico Tassinari, die uiteindelijk de muziek vaarwel zei en net als zijn baas oratoriaan werd.'

Terwijl Atto de vriendschappen van Spada met de ontmande cantors, zijn gelijken, uiteenzette, dacht ik na.

'Eén ding begrijp ik niet, signor Atto: waarom heeft Caesar Augustus na Benedetti Spada als nieuwe eigenaar gekregen?'

'Elpidio Benedetti en Virgilio Spada kennen elkaar heel goed: ik had destijds gehoord dat Het Schip veel ideeën van Virgilio bevat, bijvoorbeeld het feit dat een villa meer curiositeit dan luxe moet bevatten, en een burcht moet zijn van diepe geloofs- en kennisbespiegelingen, waarmee ze de bezoeker moet aantrekken en hem tot nadenken moet stemmen.'

'Kortom, het schip als ark en school van kennis,' commentarieerde ik met een zweem van verbazing door de bizarre overeenkomst. 'Dus in ruil voor de suggesties van monseigneur Virgilio zou Benedetti hem de papegaai voor zijn volière geschonken kunnen hebben?'

'Of misschien heeft die extravagante vogel van jou in plaats van te vluchten van Villa Spada naar Het Schip misschien het omgekeerde gedaan en is hij uiteindelijk met goedvinden van Benedetti door de Spada's geadopteerd. Alleen komen we daar niet uit, en Caesar Augustus zal het ons ook niet vertellen, temeer omdat het ons nog niet gelukt is hem te grijpen. Maar zijn uren zijn geteld.'

'Hoe denkt u hem te vangen?' vroeg ik verbluft tegenover de zelfverzekerdheid van de abt.

'Wat een vragen... Met een lokroep voor papegaaien bijvoorbeeld, als er een bestaat. Of met zijn lievelingsvoer, zoals chocolade. Of wellicht met een betoverende vrouwtjespapegaai van stro, waarom niet?'

Ik zweeg gegeneerd tegenover Atto's volstrekte onbekwaamheid op het gebied van vogels.

In de tussentijd maakte het vallen van de avond, waarvoor ten slotte ook Het Schip bezweken was, de weg terug naar Villa Spada noodzakelijk. Terwijl we op onze schreden weerkeerden, hoorden we in de verte Albicastro's stem:

'Wie wijs wil zijn is een nar, vooral dat,
Begrijpen doet hij niets van hoe en wat
En wil hij jacht gaan maken op een gru
Dan niet met een valk maar met een koekoek.'

Melani draaide zich met een ruk om in de richting van de stem. Vervolgens, alsof hij een idee kreeg, glimlachte hij en hervatte de wandeling.

'Hoe we Caesar Augustus gaan vangen? Een beetje hulp is genoeg. Ik heb al in mijn hoofd hoe we moeten beginnen, en met wie.'

We waren beiden uitgeteld en afgepeigerd toen we de hekken van Villa Spada door gingen, en hadden totaal geen lust om verstrikt te raken in het feest en zijn triviale spitsvondigheden. Atto had bijna het hele stuk terug gezwegen. Hij leek genoeg te hebben van het snuffelen onder de gasten en verlangend te zijn om zich zo snel mogelijk terug te trekken op zijn kamer, waar hij kon nadenken over de talrijke verrassende gebeurtenissen van die dag, die zich hadden opgestapeld tot aan de avondlijke ontdekking van het schilderij van Pieter Boel.

We verlieten elkaar bijna haastig en spraken af voor de volgende dag, maar op een niet nader bepaald tijdstip. Maar beter zo, bedacht ik. Misschien zou ik de volgende dag wel een wandeling in eenzaamheid willen maken, zoals die ochtend. Of ik zou eindelijk de gelegenheid vinden om mijn Cloridia en onze twee meiskes weer te zien. Of ik zou (maar die geheime voorkeur durfde ik mezelf niet eens te bekennen), aangezien mijn aanbeden eega en de kleintjes geen enkel gevaar liepen, en Cloridia juist vast heel druk was, tijd en gelegenheid vinden om zelf eens helemaal na te denken over wat er gaande was. De nu afgelopen dag had me een reeks wonderlijke, betoverende gebeurtenissen verstrekt die erom vroegen op een rij gezet te worden, maar die niettemin nog de nodige kwaliteiten misten om begrepen te worden: net als kinderen die weten dat ze mensenverstand hebben en met goed recht vragen om als volwassenen bejegend te worden, waarbij ze vergeten dat ze nog kwajongens zijn.

Bij het wakker worden was er eerst de nachtmerrie van de oude bedelaar; toen kwam de processie van de broederschap van de heilige Elisabeth, het korte gesprek met de priester en het langere met de waard en de schoenverkoper naar aanleiding van echte en valse bedelaars. En dan weer het nieuwe verhaal van Atto over de allerchristelijkste koning en Maria Mancini, de tweeledige ontmoeting met Albicastro, de teksten in Het Schip die leken te verschijnen in overeenstemming met mijn gedachten, en het schilderij met de drie geschenken, maar vooral met de beeltenis van Caesar Augustus... Ja, de papegaai: hij was samen met het briefje van Albani verdwenen, en we waren met lege handen naar Villa Spada teruggekeerd.

Het was te veel, echt te veel, zei ik bij mezelf, terwijl ik in slaap viel in mijn geïmproviseerde vertrekje in het Zomerverblijf. Alleen de nieuwe dag zou me licht en raad brengen, bedacht ik, met een helderder beeld van de dingen of met de schijn ervan.

Ik vergiste me duidelijk.

Den 11den juli 1700, vijfde dag

'Eruit, vervloekt! Eruit, zeg ik!'

Er was geen ergere manier om gewekt te worden. Iemand stond lelijk tierend aan me te trekken en leidde me zo weer de wakkere wereld in, maar tegen de prijs van een hevige hoofdpijn.

Ik hield mijn ogen nog halfdicht toen ik de woorden hoorde die me de identiteit van mijn belager duidelijk maakten.

'Ik wacht al eeuwen tot je wakker bent! Iemand hierbinnen is in het bezit van zeer belangrijke informatie. Je moet aan de slag, en wel meteen. Dat is een bev... Enfin, dat is mijn vaste wil, en niet alleen van mij.'

De woorden van abt Melani (want het ging duidelijk om hem) verwezen naar de dreigende, wilskrachtige persoon van de allerchristelijkste koning, die hij inmiddels geleerd had sluw op te roepen, hem naar believen hullend in de kledij van de naïeve, ongelukkige minnaar van Maria Mancini of, zoals nu, van de onbuigzame tiran aan wiens wil iedereen zich blind moest onderwerpen.

'Een ogenblikje, ik ben net...' mompelde ik protesterend met een nog droge mond van de slaap, en me omdraaiend om me aan het geruk te onttrekken.

'Nog geen seconde,' zei hij, terwijl hij mijn kleren van de avond tevoren van een stoel pakte en boven op me gooide.

Terwijl ik ze van me af schudde, wijdde ik de eerste blik van de dag aan Atto, die op zijn beurt met vlammende steekogen naar mij keek. Nieuwsgierig geworden merkte ik op dat hij niet met lege handen was gekomen. Hij had op de stoel een wonderlijke stapel gereedschap van hout of ijzer gelegd, dat me even bekend voorkwam als ongepast voor een slaapkamer.

Tijdens het aankleden stelde ik mijn ogen scherp en zag ik waar het om ging.

Onder het gerei met een lang handvat herkende ik een hark, een schep, een spade en een bezem. In een zware kist met handvat lagen op een hoop een wiedijzer, een emmertje, een schop, een plantijzer, een troffel, een heepje, een schaar, messen, een paar potten, kwasten en borstels. Ik herkende ze.

'Dat is tuingereedschap van Villa Spada!' riep ik verbaasd uit. 'Wat wilt u daarmee doen?'

'Het belangrijkste is wat jij ermee gaat doen,' zei hij, terwijl hij me botweg al die handel in de handen stopte, die ik als door een wonder niet op de grond liet vallen, en me heerszuchtig beduidde hem buiten de deur te volgen. 'Nu is er alleen iets dringends. Vandaag is het zondag; allereerst moeten we naar de mis, anders valt onze afwezigheid op. Hup, don Tibaldutio gaat elk moment beginnen.'

Villa Spada was in volle bedrijvigheid vanwege de voorbereidingen voor de vijfde dag van festiviteiten. De vorige avond moest het diner buitensporig uitgelopen zijn, aangezien toen ik in slaap viel nog niet het geluid van de rijtuigen met de gasten te horen was die de villa verlieten. Desondanks droegen de bedienden die ochtend al gezwind zorg voor hun taken door te vegen, schoon te maken, op te ruimen, te koken, de tafels te dekken, de boel te versieren en op te knappen. Terwijl we mijn kamertje verlieten, flitsten dienstmeisjes, portiers en bedienden langs ons heen, van wie sommigen me jaloers aankeken, aangezien dat geheimzinnige Franse heerschap me al dagen voor een groot deel van mijn werk afhield. Atto spoorde me aan door de knop van zijn stok pijnlijk tussen mijn schouderbladen te steken. We slaagden er maar net in om don Paschatio te ontwijken (die we niet ver van ons vandaan hoorden jammeren over de onverhoedse afwezigheid van een verstelster), en vermeden zo dat me een dringend klusje werd opgedragen. Beladen als ik was met alle soorten gereedschap, ging ik wankel voort en dreigde de boel te laten vallen, te struikelen over de hark die ik zelf droeg, of door een hijgende keukenhulp omver gelopen te worden.

Toen we de kist met spullen in de hut gezet hadden, kwamen we ten slotte de kapel binnen, die merkwaardig genoeg stampvol zat met allerhande gelovigen, van de eminenties die in de villa te gast waren tot de simpelste knechten (discreet aan de kant), net toen don Tibaldutio de dienst ging beginnen. Ik deed vurig aan het ritueel mee en vroeg de Allerhoogste inwendig ook om vergiffenis voor abt Melani, die uit pure berekening de heilige mis bijwoonde.

Eenmaal weer buiten deelde Atto losjes links en rechts groeten uit, maar intussen was hij weer wreed in mijn rug aan het porren.

'Vervloekt, schiet op,' siste hij, naar kardinaal Durazzo glimlachend alsof er niets aan de hand was.

'Nou ja, wilt u me even vertellen wat u hebt?' protesteerde ik, terwijl we na het ophalen van de werktuigen naar de bloemperken bij de ingang van de villa liepen. 'Wat voor de duivel is er zo dringend?'

'Sst! Daar, kijk, daar is hij, gelukkig is hij niet weggegaan,' siste Atto, terwijl hij mij tot stilte maande en met zijn hoofd tweemaal duidde op de persoon die gebogen boven een van de twee rijen perken langs de oprijlaan van de villa zat.

'Maar dat is de meester tuinman,' zei ik.

'Hoe heet hij?'

'Tranquillo Romaùli. Hij is de kleinzoon van een beroemde tuinman en werkt hier in Villa Spada. Ik ken hem goed: zijn vrouw zaliger was een goede verloskundige, ze was de leermeesteres van Cloridia en heeft onze twee dochters ter wereld geholpen. Don Paschatio heeft me vaak opgedragen hem terzijde te staan.'

'O ja, ik vergat het even, jij bent ook een plantenexpert...' mompelde de abt, die zich herinnerde wat voor figuur hij de vorige dag tegenover mij geslagen had in Het Schip, bij de zogeheten bloemen uit de mythische tuin van Adonis. 'Nou, zet je schrap. Tranquillo Romaùli weet van de Tetràchion.'

Abt Melani legde me op hyperopgewonden toon en in gevleugdelde bewoordingen uit dat hij die ochtend heel vroeg wakker was geworden, terwijl de Dageraad met een geeuw haar armen uitrekte en de huwelijkssponde die ze met de Zonsondergang deelt, verliet. De hele nacht was hij bestookt geweest door talloze vragen die de vorige dag in het leven had geroepen en vervolgens zonder antwoord had gelaten. De hele villa was nog gelukzalig in slaap; alleen een heimelijk schijnsel doorkliefde het blauwige licht van de ochtendschemer, komend van de ramen van iemand die, net als Melani, de dag wilde bespioneren in zijn verborgen jeugd. Atto was toen naar de tuin gegaan om een heilzame wandeling te maken, de zuivere, volmaakte lucht van het eerste licht opsnuivend die alleen door luiaards wordt versmaad.

'Ik heb de hele tuin doorzocht zonder iets verdachts te vinden,' zei hij, waarmee hij verried dat de wandeling eigenlijk als doel had te spioneren en rond te snuffelen. 'Ik was vlak bij het bosschage toen ik een paar passen verderop hem daar zag. Hij was druk met een schaar in een bloemperk in de weer.'

'Dat is zijn vak. En toen?'

'We hebben over koetjes en kalfjes gepraat: het weer, de vochtigheid, wat mooi die bloemen, hopelijk is het vandaag minder warm enzovoort. Vervolgens heeft hij hem genoemd.'

'De Tetràchion?'

'Sssst! Moet iedereen je horen?' fluisterde Atto, nerveus om zich heen kijkend.

Na het korte onderhoud dat hij me had beschreven, was abt Melani weggelopen. Toen hij op afstand was, had hij de meester tuinman, die waarschijnlijk dacht dat hij alleen gebleven was en daarom niet gehoord kon worden, een paar vage zinnen horen mompelen. Vervolgens had hij, nog steeds gehurkt, zijn blik ten hemel geslagen en had duidelijk de zin, of liever gezegd het fragment, uitgesproken dat Atto in de hoogste staat van paraatheid had gebracht.

'"... en verder de Tetràchion". Zo zei hij het, begrijp je?'

'Het is ongelooflijk. Wat weet hij ervan? De meester tuinman heeft me altijd iemand geleken die mijlenver van politieke zaken af stond. Om niet te spreken van zulke... ongewone onderwerpen als die kwestie van de Tetràchion.'

'Ongewoon of niet, hier zit iets achter,' kapte Atto af. 'Hoe ongelooflijk het ook mag lijken, hij weet er iets van. Misschien *wilde* hij wel dat ik het hoorde. Het bestaat niet dat hij puur toevallig op een paar passen afstand van mij verwijderd dat woord heeft uitgesproken, en dan nog wel vandaag.'

'Weet u zeker dat u het goed verstaan hebt?'

'Heel zeker. Ja, zal ik eens wat zeggen? Ik denk aan de geheime tamtam waar je vrouw het over had.'

'Cloridia zei inderdaad dat ze vroeg of laat vanzelf nieuwe informatie zou krijgen.'

'Prima. Alleen zijn de berichten via de meester tuinman rechtstreeks bij ons beland, oftewel de ware betrokkenen, in plaats van eerst bij haar te komen.'

'Met voorbijgaan aan Cloridia. Nauwelijks te geloven. In haar omgeving wordt ze vereerd. Ze staat kraamvrouwen in heel Rome bij, en die kennen geen geheimen voor haar.'

'Ja, zolang het om vrouwenzaken gaat. Maar in een kwestie als deze zou niemand een simpele vroedvrouw vóór een diplomatiek agent van Zijne Majesteit de allerchristelijkste koning stellen,' wierp Atto met geërgerde zelfingenomenheid tegen.

'Ik kan misschien met de meester tuinman gaan praten om erachter te komen of...'

'"Ik kan?" Jij *moet* erachter komen wat hij van de Tetràchion weet. Nu ga ik er vandoor. Het is een gelukkige bijkomstigheid dat je al voor hem hebt gewerkt,' zei hij, op hem wijzend en te kennen gevend dat ik het onderzoek onmiddellijk moest beginnen.

'Signor Atto, het zal even duren voor...'

'Geen smoesjes. Je start meteen. Stel je met die werktuigen naast hem op en doe net of je wilt werken. Afspraak op het etensuur. Ik moet vrij dringende correspondentie afhandelen. Ik verwacht dat je je plicht doet.'

Met vastberaden tred liep hij weg in de richting van het Zomerverblijf. Hij had me geen keus gelaten.

Ik was eigenlijk liever naar de keuken gegaan om iets te bikken te pakken; maar meester Tranquillo had me al gezien en ik wilde niet de indruk wekken dat ik iets te verbergen had. Daarom ging ik op hem af en zette de minst hypocriete glimlach op waartoe ik in staat was.

Tranquillo Romaùli, die zijn naam van zijn grootvader had gekregen, een zeer deskundige, vooraanstaande bloemenkweker, verwelkomde me welwillend. Zijn fysieke aanwezigheid contrasteerde wonderlijk met het stille, zedige vak van tuinieren. Hij was een grote, grove man met een volle, ruige baard, ravenzwart haar en vaag doffe oogjes met een paar dikke, borstelige wenkbrauwen erboven. Hij had een vooruitstekende kaak en een dikke buik die bol stond van het veelvuldige, vele eten, en die hem imposant en komisch onhandig maakte wanneer hij zijn knuisten uitstak om de blaadjes van een ziek plantje af te knippen. Maar vooral omdat hij door een oude oorkwaal tamelijk hardhorend was geworden, had hij een kloeke stem die elk gesprek veranderde in een uitwisseling van geschreeuw, en die zijn gesprekspartner uiteindelijk niet minder doof maakte dan de meester tuinman. Hem ontfutselen wat hij van de Tetràchion wist, zou, als hij al bereid was om het zich te laten ontsnappen, niet meevallen. Een gesprek met Romaùli was bijna nooit in een paar zinnen afgelopen: hoewel hij een voortreffelijk karakter had, was hij breedsprakig van aard, tot vervelens toe praatziek en bezeten van één hamerend onderwerp: bloemen en tuinieren. Zijn geleerdheid was zo breed en diep dat iedereen hem voor een wandelende encyclopedie van de bloementeelt hield; men zei dat hij heel de *De florum cultura* van pater Ferrari uit zijn hoofd kende en de oorsprong, de geschiedenis en de aanleg van iedere moes- en siertuin in Rome onthield.

Na een paar korte plichtplegingen vroeg hij of ik die ochtend niets te doen had.

'O, nou... niets speciaals eigenlijk.'

'Echt waar? Dan ben je de enige hier in Villa Spada die zich niet hoeft in te spannen. Alleen denk ik zo dat al die werktuigen die je bij je hebt toch ergens voor dienen,' zei hij wijzend op het gereedschap dat Atto me had gegeven.

'Inderdaad...' zei ik verlegen, 'ik hoopte me op een of andere manier nuttig te kunnen maken.'

'Welaan, je hoop is al bewaarheid geworden,' antwoordde hij voldaan, terwijl hij een houten kist vol verder gerei oppakte en me beduidde hem te volgen.

Ons doel, legde hij uit, waren de perken bij de kapel van de villa. Het was een mooie dag; het frisse windje van de vroege ochtend leek een vriendelijke dialoog aan te gaan met het gekwetter van de vogels en met de veelvormige strepen van de wolken die bedaard en roerloos van boven af het eeuwige voortbestaan van de aardse ijdelheden bezagen. Onze voetstappen weerklonken fluweelzacht op de fijne grond van de paadjes, terwijl de zon, nog laag aan de horizon, boven ons zijn eerste, schuchtere schijnsel uitspreidde.

Die lieftallige stemming van de elementen ontging Tranquillo Romaùli echter ten enenmale, want zoals gewoonlijk werd hij beheerst door de zorgen van zijn vak en was hij begonnen me te onderrichten.

'Don Paschatio heeft me opgedragen de jasmijn te verplanten,' stak hij op klagerige toon van wal. 'Maar ik heb gezegd dat de edelste tuin geen jasmijn toestaat. En ook niet de gele inheemse lelie, natuurlijk, noch de gewone witte lelie. En zo ja, dan toch achter de rode of oranje Turkse lelie geplaatst. Vandaag de dag heeft niemand meer een idee wat er in een tuin gekweekt moet worden, het is een schandaal.'

'U hebt gelijk, dat is heel erg. U zei dus dat de jasmijn de beste tuinen niet waardig is?' vroeg ik met geveinsde belangstelling.

'Laten we zeggen dat de voorrang gegeven moet worden aan het zilveren kopje of de witte narcis, zo je wilt,' hervatte hij met stemverheffing, 'of aan de dubbele narcis uit Constantinopel, die wel tien of twaalf bloemen geeft, aan de narcis uit Ragusa, aan de gele narcis, de stervormige narcis; of aan de *fraseo*, die op een roos of een slaplant lijkt, aan de overalpische die de verdiensten van een dubbele gele roos heeft, aan de jonquilles met de zoete geur als van jasmijn, getemperd en gemengd met die van sinaasappelbloesems.'

'Ik begrijp het,' zei ik, terwijl ik een geeuw onderdrukte en een uitgangspunt trachtte te vinden om naar de Tetràchion te vragen zonder argwaan te wekken.

Intussen waren we om het Zomerverblijf heen gelopen en bijna bij de perken bij de kapel aanbeland. Door het gewicht en het obstakel van mijn last wankelde ik; inwendig vervloekte ik Atto.

'Ik weet dat wat ik ga zeggen voor de hand liggend en zonneklaar lijkt,' vervolgde de meester tuinman, 'maar ik zal nooit moe worden te herhalen dat het een dwaling van de modernen is om de kweek van de valse narcis, om zijn lange trompetvormige kelk trompetnarcis genoemd, of de dubbele trompetnarcis te verwaarlozen. Net zoals voornamelijk de Indische narcissen nagestreefd zouden moeten worden, waaronder de belladonna, die pas in de tuin van de Prins van Caserta voor het eerst Italiaans is geworden, en de narcislelie, die niet in Frankrijk kon bloeien, maar uiteindelijk, als gast van de Romeinse lieflijkheid en heerlijkheid, hier de zoete glimlach van haar bloem kon ontvouwen in de geslaagde tuinen van mijn grootvader. En men kieze verder de krokus, de herfsttijloos, de keizerskroon, de iris, de cyclamen, de anemonen, de boterbloemen, de affodillen, de pioen, de kievitsbloem, het lelietje-van-dalen, de anjers en de tulp.'

'De Hollandse tulp?' vroeg ik, om maar te vermijden dat de dialoog een monoloog werd.

'Allicht! Bij geen andere plant met meer kleurvariëteiten gekscheert de natuur zo vrijuit, dat er jaren geleden iemand was die meer dan tweehonderd verschillende kleuren opsomde. Maar pas op,' zei hij, zijn pas inhoudend en mij streng en strak in de ogen kijkend.

'Ja, meester tuinman?' antwoordde ik, pardoes stilstaand, waardoor ik een gerammel veroorzaakte van al het ijzerwerk dat ik bij me had en vreesde dat ik iets onwelgevalligs had gezegd of gedaan.

'Jongen,' waarschuwde hij echter, niet op mij lettend en geheel verdiept in zijn vertoog, 'pas op dat je niet vergeet dat naast die welke ik heb genoemd de passiebloem, uit Peru en te kweken tegen houten vlechtwerken, de Indische yucca, de jasmijnen uit Catalonië en Arabië, en ten slotte de Amerikaanse jasmijnen komen, die sommigen volgens mij Quamoclit noemen.'

'Quamoclit, ja, dat herinner ik me,' loog ik, een zucht van verlichting slakend vanwege het valse alarm, terwijl de meester tuinman zijn stem nog iets had verheven, zodat hij mijn woorden helemaal niet hoorde en doorging alsof er niets aan de hand was.

'Van de rozen neme men de witte roos, de hondsroos, de damascusroos, de Cuisse de Nymphe, de gevlekte roos (die allemaal dubbel zijn, pas op), de zachtrode, Italiaanse blijvende roos, die echter roos van iedere maand wordt genoemd, de Hollandse rode maar geurloze honderdbladige roos, de kaneelkleurige roos en de fluweelzachte donkerrode roos.'

Intussen hadden we onze respectieve vracht aan gerei op de grond gezet. De mijne loodzwaar, de zijne vederlicht.

'Onder de heesters verkieze men de perzik en de kers met een dubbele bloesem,' vervolgde hij met geestdriftige tenorstem, 'de brem met witte bloemen, de dubbelbloemige mirte, de granaatappel, de rode vlier en tegelijk de Indische laurier, die voor het eerst te zien was in huize Farnese, de olijfgroene vreemdeling die door zijn zachte geur ook wel hemelboom wordt genoemd, de vreemde amarantkleurige sumak. Met visgraatmotief, die meer dan zestig jaar geleden voor het eerst in Rome bloeide, de Indische acacia, die in de Farnesische tuinen ontdekt is, en de plant die ook wel "zachte boom" wordt genoemd en uit de Peruaanse valleien vandaan onze kant uit is gebracht. Maar onder de exotische specialiteiten van grote waarde en kwaliteit mag men de tamarinde, de Indische malve en de *Arbuscula coralli* niet vergeten.'

Hij keek me recht in de ogen, alsof hij een reactie verwachtte.

'Eh, inderdaad...' knikte ik zwakjes.

'Om het af te ronden, in de bekkens en visvijvers moeten dan, maar dat spreekt geheel voor zich, de witte en gele nimf, de dotterbloem met dubbele gele bloem, en de rode klaver met witte bloemen geplant worden.'

Door deze laatste bewering begreep ik dat Tranquillo Romaùli, zelfs wanneer hij zijn blik op die van een ander richtte, de ogen van zijn geest gericht had op de enige ware belangstelling van zijn leven: de liefdevolle zorg voor bloemen en planten.

'En nu aan het werk,' zei hij, terwijl hij mij de kist aanreikte en met zijn handen de aarde van het perk begon om te ploegen. 'Geef me om de beurt het gereedschap aan dat ik je vraag. Allereerst de meetlat.'

Ik rommelde in de kist en vrijwel meteen vond ik de lange roede die dient om de zijkanten van de bloemperken en ook de perkjes die kleiner zijn, gelijk te maken. Ik gaf hem aan.

'Geef nu maar het potje met de zaden.'

'Hier.'

'Sproeier.'

'Ja.'

'Heepje.'

'Alstublieft.'

'Schrepel.'

'Ja.'

'Troffel.'

'Ja.'

'Loet.'

‘Pak aan.’

Hij draaide het werktuig om in zijn handen en kwam met een ruk overeind.

‘Het is niet te geloven. Dit bestaat niet,’ zei hij bij zichzelf, knauwend op de knokkels van zijn rechterhand: ik had een fout gemaakt.

‘Ach jongen!’ barstte hij uit, zijn armen uitbreidend met de ernstige, meewarige toon van een priester die een zondaar de mantel uitveegt. ‘Hoe vaak moet ik je nog zeggen dat dit een grondwoeler is en geen loet, die vier keer zo groot is?’

Ik durfde niets te zeggen, me bewust van de ernst van het vergrijp. De loet (ik ben telkens in de war) was niet de kleine spade in een U-vorm, die ik aan de meester tuinman had gegeven en die diende om de grond om te woelen, maar een veel groter werktuig dat voor hetzelfde gebruikt werd en dat je kreeg door een grote buigbare ijzeren plaat om te buigen, met gespen eraan om hem vast te zetten, die Tranquillo Romaùli altijd onder in zijn kist hield.

‘Neemt u me niet kwalijk, ik dacht...’ probeerde ik me te rechtvaardigen, terwijl ik in allerijl de ijzeren plaat uit de kist trok en hem oprolde, in de vorm van een loet dus, waarbij ik de gespen opzij dichtdeed om te voorkomen dat hij weer openging; als toppunt van ijver vette ik de loet nog even in, vissend uit het potje met vet dat de meester tuinman altijd bij zich had en dat diende om het werktuig beter in de grond te laten dringen rond de plant die eruit moest.

‘Verontschuldig je maar niet. Laten we nu aan het werk gaan. Ik heb gezien dat je al potten hebt meegenomen,’ zei hij, zijn kalmte herwinnend en zich voorbereidend om de te vervangen plantjes eruit te halen.

Terwijl Tranquillo de planten eruit en er weer in zette, voorzichtig de aarde omwoelde, de kluiten verstandig begoot en ten slotte met liefde de nieuwe bollen opstelde, zocht ik wanhopig een manier om het gesprek van de bloemen om te buigen naar wat mij op het hart lag.

‘Abt Melani zei dat u tegenwoordig een interessante, waardevolle gespreksstof hebt.’

‘Welke abt? Ah... je bedoelt die heer uit Pistoia, of Frankrijk, wat is het. De kleurencombinaties van mijn bloemperken vond hij heel mooi,’ herinnerde hij zich, terwijl hij met een borstel de tegels om het perk schoonveegde en ze vrijmaakte van de tijdens het omploegen overgelopen aarde.

‘Ja precies, die.’

‘Nou, die vleierij is geen verrassing. Je moet altijd een kleurensymmetrie handhaven, zoals ik gedaan heb, en zoals hertog Caetani deed in de goeie ouwe tijd in de tuin van Cisterna: elk perk moet ten minste met twee of drie soorten bloemen gevuld worden, onderling verschillend van aard en kleur, en apart, zodat dezelfde of gelijkende die tegenover of haaks zijn neergezet, overeenstemmen.'

'Juist, en abt Melani zei dat...'

'Maar kijk uit!' waarschuwde hij, streng zwaaiend met de koperen pot om te gieten. 'Je mag nooit, maar dan ook nooit de boterbloem, de Spaanse jonquille en de tulp mengen, want die geven wanklank en misvorming. Dat zei mijn grootvader ook altijd, Tranquillo Romaùli zaliger, die een van de fraaiste tuinen van Rome had, ach ja, een van de weinige die echt volgens de regels van de kunst waren aangelegd, zoals je ze tegenwoordig niet meer ziet,' zei hij met een zucht van overdreven weemoed.

'Jawel, u hebt gelijk,' zei ik, tegelijkertijd een nieuwe geeuw en het misnoegen onderdrukkend vanwege de onmogelijkheid om door de muur van gezwets van de meester tuinman heen te breken.

Achter ons liep een tweetal knechten langs met evenzovele manden vol net terechtgesteld en geplukt pluimvee. Ze stootten elkaar aan en wierpen mij toen stiekem een samenzweerderige, sardonische glimlach toe, aangezien de geduchte praatzucht van de meester tuinman in Villa Spada welbekend en terecht gevreesd was.

Ik kon niet anders dan alles op alles zetten.

'Nou, abt Melani zei dat de gesprekken die hij met u had wel zo zijn tevredenheid konden wegdragen,' zei ik zo snel als ik kon, 'dat hij dat genoegen graag zo spoedig mogelijk zou hernieuwen.'

'O ja?'

Hij had adequaat geantwoord, eindelijk. Een goed teken.

'Ja. Weet u, de abt is erg bezorgd. De dood waart rond in het Escorial in Madrid...'

Hij keek me peinzend aan, zonder iets te zeggen. Misschien had hij de toespeling begrepen: de zieke koning van Spanje, de troonopvolging, de Tetràchion...

'Je bent goed op de hoogte,' zei hij onverwacht ernstig. 'Het Escorial droogt op, jongen, terwijl Versailles... en nu ook Schönbrunn...' zinspeelde hij, de zin niet afmakend.

Dat was het teken, zei ik bij mezelf. Hij wist. En hij had ook verwezen naar de beroemdste tuinen van Frankrijk en het keizerrijk, de twee tegenstanders in de kwestie van de Spaanse troonopvolging.

'We hebben een zware last te dragen,' concludeerde hij raadselachtig.

Hij had 'wij' gebruikt: waarschijnlijk verwees hij ook naar anderen; de door abt Melani gevreesde tamtam. En nu wilde hij zich bevrijden van het geheim dat hem zwaar woog.

'Daar ben ik het mee eens,' antwoordde ik.

Hij knikte met een stille glimlach, een geheim akkoord.

'Als het lot van het Escorial jouw beschermheer de abt zo na aan het hart ligt, zullen we zeker wat te bepraten hebben, hij en ik.'

'Dat zou echt goed uitkomen,' zei ik met nadruk op de laatste twee woorden.

'Mits hij correct geïnformeerd is,' preciseerde Romaùli, 'anders is het alleen maar verspilde moeite.'

'Twijfelt u daar niet aan,' stelde ik hem gerust, al begreep ik zijn vermaning niet.

Terwijl ik naar het Zomerverblijf liep, vatte ik bij mezelf het gesprek met de meester tuinman samen en net toen ik een paadje afgeslagen was hoorde ik achter me een tweeledig geschuifel, begeleid door evenzovele stemmen.

'... En het is ongehoord wat abt Melani zich heeft veroorloofd, daar ben ik het ook mee eens. Maar Albani's reactie was nog verbazender.'

Iemand had het over Atto. Het was de stem van een bejaarde heer van stand. Deze kans mocht ik niet laten schieten. Ik verschool me achter een heg en stelde me erop in heimelijk de inhoud van dat gesprek op te vangen.

'Velen verdachten hem ervan dat hij te veel voor Frankrijk was,' hervatte de stem, 'maar hij heeft Melani goed de oren gewassen. Zodoende gaat hij nu voor gematigd door, het midden houdend tussen Fransen en Spanjaarden.'

'Het is ongelooflijk hoe snel iemands reputatie kan veranderen,' klonk een tweede stem.

'Tja. Vooreerst heeft hij daar natuurlijk weinig aan. Hij is te jong om tot paus te worden gemaakt. Maar alles is goed om het hoofd boven water te houden, een kunst waarin de waarde Albani een meester is, ha ha!'

Ik kroop bijna op handen en voeten achter de heg mee en schaduwde zo, ongezien en onzichtbaar, het tweetal dat zich een ochtendwandeling vergunde. Het waren duidelijk twee gasten die in de villa hadden overnacht; naar alle waarschijnlijkheid ging het om twee purperdragers, van wie de stemmen me helaas niet voldoende bekend waren om erachter te komen bij wie ze hoorden. Wat de herkenning verder bemoeilijkte was een geritsel tussen de naburige heesters dat nu en dan een volkomen waakzaamheid in de weg stond.

'En wat is er van het briefje geworden dat we hem hebben gegeven? Is het waar wat ze er gisteren over vertelden?'

'Ik heb ernaar geïnformeerd en mij is gezegd dat het ja, echt waar is. De papegaai heeft de boodschap gepikt en is hem in zijn nest gaan lezen, ha ha ha! Albani heeft het niet laten merken, maar hij was wanhopig. Hij heeft twee van zijn bedienden opdracht gegeven om de vogel overal te zoeken zonder zich te laten zien, want niemand mocht doorkrijgen hoe belangrijk de zaak is. Een van de twee is echter door de hofmeester opgemerkt toen hij in een boom in de tuin klauterde om goed te kunnen uitkijken, naïef genoeg heeft die hem uitgelegd wat hij aan het doen was en zo raakte de zaak algemeen bekend. Niemand weet waar die vogel is.'

Ook al spitste ik mijn oren zoveel mogelijk, ik kon verder niets horen, aangezien de heg waarlangs ik voortging naar rechts afboog, terwijl de twee linksaf sloegen. Even bleef ik op de grond gehurkt wachten tot de twee weg waren. Ik recapituleerde al met heimelijke euforie de talrijke urgente nieuwtjes waarvan ik Atto verslag moest doen: de meester tuinman die, zij het versluierd, beloofde ons te onthullen wat hij over de Tetràchion wist; Albani wanhopig door het verlies van het briefje, dat dus echt waardevolle informatie bevatte die niemand anders mocht lezen; ten slotte de politieke speculaties over de dubbele strijd tussen Atto en Albani, die zich, naar het scheen, juist daardoor had bevrijd van de lastige reputatie van vazal van de Fransen.

Ik wist niet dat ik hem even later niets van dat alles zou vertellen.

'... in zijn nest gaan lezen, ha ha ha!'

Ik was inmiddels op de been en schrok op. Ik hurkte opnieuw neer, doodsbang voor het gevaar dat ik bij het spioneren ontdekt werd. Het was de stem van een van de purperdragers van zo-even. Hoe had hij om kunnen keren zonder dat ik het gemerkt had?

'Alles is goed om het hoofd boven water te houden, ha ha!'

Ik verbleekte. Mijn gehoor kon me niet bedriegen. De purperdrager bevond zich achter mij.

Ik draaide me om en zag hem nog net terwijl hij zijn vleugels spreidde en opsteeg, waarbij hij me onbeschaamd zijn staartveren, zijn poten en het stukje papier toonde dat inmiddels al heel wat uren in zijn grijpgrage klauwen zuchtte.

Ik kwam bij Atto in zijn kamer, waar hij wachtte op berichten over het gesprek met de meester tuinman; toen hij hoorde van het meest recente nieuwtje, de verschijning van Caesar Augustus, haastten we ons de tuin in en verkenden allereerst de buurt rond het hutje met het gereedschap, waar ik de vogel kort tevoren in het oog had gekregen. Maar geen spoor.

'De volières,' opperde ik.

Met het hart kloppend in onze keel, zowel door de haast als door de spanning om onopgemerkt langs de werkende bedienden en de wandelende eminenties te lopen, kwamen we daar aan. Ook in de vogelhokken geen spoor van Caesar Augustus. Ik keek machteloos naar de schare nachtegalen, kieviten, patrijzen, kwartels, frankolijnen, fazanten, ortolanen, groenvinken, merels, kalanderleeuweriken, vinken, tortelduiven, kernbijters. Zich nergens van bewust pikten ze graan en blaadjes sla, onverschillig voor onze inspanning. Ook al wisten ze waar de papegaai zich op dat moment schuilhield, ze konden niets anders doen dan ons met hun lege oogjes aanstaren. Ik betreurde het al dat onder hen alleen de ongelukkige papegaai de gave van het woord bezat, toen ik merkte dat een jonge frankolijn aanhoudend naar boven keek, kennelijk door iets verontrust. Ik kende het door en door, dat levendige, brutale vogeltje, dat, wanneer ik het voer uitdeelde, vaak op mijn arm ging zitten en uit mijn hand het oude brood weggriste, waar het dol op was, en er een hekel aan had om me het ook aan zijn kooigenoten te zien uitdelen. Nu toonde het eenzelfde onrust en slaakte zijn gepiep, terwijl het zijn snaveltje geërgerd naar boven richtte. Toen begreep ik het, en ik keek ook.

'Alles is goed om het hoofd boven water te houden, ha ha!' herhaalde Caesar Augustus toen hij zag dat hij ontdekt was.

Hij was op het hoogste punt van de volière neergestreken, maar erbuiten: dat wil zeggen op het sierlijke koepeltje van kippengaas dat de hele structuur van de vogelgevangenis omgaf. Vanaf het moment van zijn vlucht was voor de persoonlijke kooi van Caesar Augustus duidelijk geen normale portie voer klaargezet. Hij moest dus wie weet waar het stuk brood hebben gejat dat hij nu op die top aan het opknabbelen was, terwijl de frankolijn jaloers naar hem keek.

'Kom ogenblikkelijk hier en geef dat stuk papier,' beval ik, maar ik waakte ervoor te hard te schreeuwen opdat de andere bedienden me niet hoorden.

Bij wijze van antwoord fladderde hij in de buurt en ging op een boompje zitten, maar zonder de gebruikelijke nonchalance. Het was duidelijk zijn bedoeling om ons uit te dagen; waarschijnlijk vond hij een van ons tweeën niet aardig, en het was niet moeilijk te bedenken wie.

'Hij is een beetje moeizaam neergestreken, hij moet het briefje nog in zijn klauw hebben zitten,' deelde ik Atto mee.

'Laten we hopen dat hij het niet wie weet waar laat vallen,' verzuchtte hij, 'en dat de oplossing snel komt.'

'De oplossing?'

'Ik heb Buvat uitgestuurd om een specialist op te sporen. Hij is met een van de knechten te paard gegaan. Gelukkig had je collega alle nodige aanwijzingen, maar ik hoop dat hij geen conclusies trekt. Anders krijgen we vroeg of laat iedereen over ons heen, te beginnen bij de hofmeester.'

Ik wilde net vragen waar de term 'specialist' naar verwees toen de gebeurtenissen op mijn woorden vooruitliepen. Buvat dook op achter een heg en maakte zijn komst bekend.

'De hemel zij dank!' riep Melani uit.

Misschien dankzij duistere voorspellende krachten vloog Caesar Augustus juist op dat moment op om zich naar de tuin van het eerwaardige huis Barberini te begeven dat voor een lang stuk aan Villa Spada grensde.

'Hebben de Barberini's gewapende wachters in de tuin hiernaast?'

'Voorzover ik weet niet.'

'Wel,' sprak Atto, 'onze vriend zal niet ver komen.'

Juist op dat moment verscheen in het tegenoverliggende kwadrant van de hemel een spitse, snelle schim die zich, zij het van ver, dreigend leek te richten op het fladderende silhouet van Caesar Augustus. Deze moest het merken, want hij boog meteen af naar links, misschien in de richting van wat heesters. De snelle schim verdween toen uit het blauwe, lichtende gewelf van de hemel.

'Kom, ik laat je kennismaken met de specialist,' zei Atto, 'of om een correcte term te gebruiken, de valkenier, want zo wil hij worden genoemd.'

Eenmaal Villa Spada uit troffen we hem in afwachting van ons aan. Het was een nogal bizarre, opvallende man: lang en spichtig vertoonde hij een ravenzwarte haardos, donkere roofogen en een haviksneus. Hij droeg over zijn schouder een grote stoffen zak waarin al zijn spullen zaten. Hij ging vergezeld van een mooie grote jachthond die stond te springen om tot de actie over te gaan.

Ik keek Atto vragend aan, terwijl we de valkenier naar de volières leidden, waar Caesar Augustus kort tevoren op de vlucht geslagen was.

'*Met een valk maken we jacht op een gru en niet met een koekoek*,' reciteerde hij, waarbij hij spottend de houding van een poëet nabootste. 'Die mafkees van een Albicastro met zijn zoveelste citaat uit dat moraalrijmpje over de gekken bracht me op het idee.'

Juist op dat moment wierp de valkenier een blik op het ruime hemelgewelf en floot tweemaal. Meteen stortte er uit de hoogte een werveling aan veren, veertjes en klauwen neer, die zijn val met een acrobatische draai afremde, een paar passen van ons vandaan in een spiraal neerkwam en zijn parabool beëindigde op de onderarm van zijn baas; deze had hem naar boven toe uitgestrekt om het landingspunt voor hem zichtbaar te maken. De man had aan zijn rechterarm een ruwleren handschoen om te voorkomen dat de klauwen van de roofvogel, die ik enerzijds vol afschuw, anderzijds vol bewondering bekeek, gruwelijk in zijn vlees zouden dringen. Het dier nestelde zich netjes tussen pols en elleboog en tastte tevreden met zijn klauwen de degelijke steun af, terwijl zijn meester zijn kop afdekte met een leren kapje en hem zo het zicht benam. De valkenier had zijn vogel zo afgericht dat de lokroep voldoende was om hem terug te halen, nadat hij hem wie weet waar had vrijgelaten.

'In plaats van op een kraanvogel gaan we jacht maken op een papegaai,' kondigde Atto aan, 'en wel met het beste wapen: een valk.'

❧

We gingen opnieuw de villa binnen met de stille hoop dat niemand ons zou vragen wat we deden en waarom. Het lot was ons goed gezind. We stuitten alleen op een van de wakende vrienden van Sfasciamonti, die ons doorliet met een vrij nieuwsgierige blik, maar zonder vragen te stellen.

'Het is gruwelijk,' protesteerde ik, toen we over de muur klommen naar het bezit van de Barberini's, in de richting die Caesar Augustus uit gevlogen was, 'hij zal hem afslachten.'

'Afslachten, afslachten...' zong Atto neerbuigend, terwijl hij zich behielp met een grote kruk om over de scheidsmuur te komen, 'laten we zeggen dat hij hem tot rede zal brengen. Het briefje is van ons, dat weet de papegaai best. Ik had die oplossing eigenlijk al vanaf het begin kunnen gebruiken, maar jij zou het niet gepikt hebben.'

'Waardoor denkt u dat ik het nu wel zal pikken?'

'De noodsituatie. De papegaai gehoorzaamt geen bevel meer, de situatie loopt uit de hand. Bedenk jongen: ongemakkelijke beslissingen moeten in een noodsituatie genomen worden. En als die er niet is, moeten we erop wachten, of er op zijn minst een creëren. Het is een oude truc van alle regerenden die ik in mijn carrière van adviseur vaak heb kunnen waarnemen,' zei Atto met een ontwapenend glimlachje, waarmee hij bijna te verstaan gaf dat hij zich in wezen verheugde over de brutale ongehoorzaamheid van Caesar Augustus omdat hij nu hardhandige maatregelen kon gebruiken.

We sprongen van het muurtje: dit was de natuurlijke voortzetting van een met torens versterkte Romeinse muur die meer naar links begon en naar beneden toe verderliep tot bijna aan de Piazza San Cosimato. Ook de jachthond, geholpen met de kruk, plofte over de barrière heen.

'U kunt zeggen wat u wilt, maar een valk is bloeddorstig,' protesteerde ik, 'ik weet waartoe hij in staat is: ik heb er tijdens een training een keer een een kippetje zien grijpen en het helemaal zien afslachten, waarbij hij het zijn nog kloppende hart uit de borst rukte.'

Intussen had de valkenier de valk het kapje afgedaan en hem losgelaten. De roofvogel was snel opgevlogen, waarna hij zo'n hoogte bereikte dat hij weinig meer dan een stipje in de lucht leek.

'Wellicht zal hij hem niet te veel maltraiteren,' grinnikte Melani. 'Het gaat ons trouwens alleen om het briefje. Als hij dat loslaat, zal niemand hem kwaad doen.'

'U praat alsof de valk weet wat hij doet. Vogels zijn dieren, die kennen geen verstand of medelijden, ze hebben een koud hart,' gaf ik weerwoord.

'Halt, jongen,' zei toen de valkenier.

Hij sprak met een noordelijk accent, misschien uit Bologna of Vicenza, waar, zo wist ik, altijd meester valkeniers, of valkenjagers zo men wil, in overvloed waren.

'Je onwetendheid is net zo groot als de moed van mijn valk,' zei hij scherp. 'Vogels kennen geen medelijden, zei je. Je weet dus niet dat de grote Palamedes, toen hij de vlucht van gru's (kraanvogels) nabootste, die al vliegend in groepen een V of een A vormen en nog zo wat letters, de letters samenstelde waaruit de Grammatica kwam, dus zoals de heilige Hiëronymus zei *grues viam sequentur ordine literato*, en dat van de navolging van het verstandige leven van die vogels het Latijnse werkwoord *congruere* komt, dat dus het con*gru*ent zijn aangeeft?'

'Nee, dat wist ik niet, maar...'

Terwijl hij me met wonderlijke welsprekendheid dergelijke beginselen verstrekte, maakte de valk boven ons hoofd een reeks dreigende draaien, op zoek naar zijn prooi. We liepen behoedzaam tussen het onkruid verder en zochten sporen van Caesar Augustus. Atto en de valkenier waren ervan overtuigd hem te vinden. Ik was daar veel minder zeker van, maar bedacht dat ik, als dat zou gebeuren, de papegaai te verstaan zou kunnen geven dat het beter was om ons Albani's briefje te geven dan voor straf zo'n bloedig gevecht aan te gaan. We stonden allemaal met onze neus omhoog te wachten tot er iets zou gebeuren. De jachthond snuffelde ongeduldig aan de halfhoge heesters, her en der de kleinste beweging bemerkend.

'Dan zul je ook wel niet weten dat de vogels in vroeger tijden de mens alle vermogens en wetenschappen onderwezen, te beginnen bij die van het reizen en het ontdekken van nieuwe landstreken. De eerste schepen werden gebouwd als nabootsing van de zwanen, die uitstekende zwemmers zijn. De grote Columbus ontdekte de eilanden van de Mexicaanse Golf door de vlucht van de vogels te volgen. Dankzij hen of liever hun veren kan de mens zich kleden: je hoeft maar te denken aan de veren waarmee hij hoofddeksels en helmen opsiert, terwijl de dames met veren waaiers de hitte verdrijven.'

'Ja, maar...'

'De eerste trompet werd gemaakt van het bot van de kraanvogelpoot, de eerste koerier was een duif. De bouwers uit de begintijd hebben de kunst van het nesten bouwen overgenomen, de eerste muzikanten hebben, dat is duidelijk, de zang van de vogels nagedaan, van de patrijzen in het bijzonder, waardoor schilders zich zo vaak hebben laten inspireren, en dichters nog meer, immers om hun lyriek op te stellen dopen ze pennen en veren in zwarte inkt.'

Terwijl hij verderging, hield de valkenier met schele waakzaamheid de cirkelingen van de valk en de alertheid van de jachthond bij. Ofschoon hij uitweidde in zijn geleerde verhandeling, leek hij zelf, net als zijn twee wilde dieren, opgewonden te zijn vanwege het koortsachtige zoeken naar het slachtoffer.

'Voor de landbouw,' vervolgde hij, 'is geen mest zo goed als die van vogels, en dankzij hen is de boer af van krekels, sprinkhanen en dat soort rampen meer.'

Tegelijkertijd, ging hij verder, ontleent de landman aan de komst van vogels niet alleen signalen voor de tijd om te zaaien, wijn te oogsten, te poten en te ploegen, maar ook voortekenen van regen, van veranderingen, van hoe lang of hoe kort de seizoenen zijn. Vogels als kraanvogels, ganzen en eenden organiseren zich in legers die worden aangevoerd door een hoofd; 's nachts stellen ze wachters op bij degene die slapen. Ze zijn dapper: het winterkoninkje schroomt niet de adelaar uit te dagen, de buizerd vecht zich zelfs dood, en vergeet niet dat het niet de mensen maar de ganzen van het Capitool waren die de Romeinen hebben gered door hen met hun gegaggel wakker te maken, terwijl de vijand stiekem Rome binnen kwam.

En hoe kun je zeggen dat vogels geen hart hebben? Ze zijn veel beter in dankbaarheid, trouw en rechtvaardigheid dan de mensen. Om goed te verteren vangt de sperwer een vogeltje en houdt het de hele nacht levend op zijn buik en de volgende ochtend laat hij het uit dankbaarheid vrij in plaats van het te verslinden. Ganzen zijn kuiser dan een meisje: ze paren alleen als ze weten dat niemand hen kan zien, en meteen daarna wassen ze zich netjes. Kraaien bedrijven alleen maritale liefde. Als de tortelduif weduwe wordt, paart ze nooit meer. De kleine zwaluw voedert altijd elk van haar jongen op dezelfde manier en eerlijk. Zijn mensen daartoe in staat? Bovendien zijn bij vogels de mannetjes druk, de vrouwtjes stil: het omgekeerde als en welbeschouwd veel beter dan bij mensen. Zelfs de ganzen, die zo gaggelig zijn, nemen wanneer er een arend aankomt een steen in hun snavel om de verleiding te weerstaan om te snateren en zo ontdekt te worden.

'Ze schieten ons zelfs bij ziekte te hulp: om van pijn in je buik af te komen hoef je er maar een levende eend op te leggen: voor pijn in je ribben is het voldoende een auerhaan te eten; wie een zwakke maag heeft moet het vel van een zwaan, een arend of een zaagbek eten; waterzucht wordt behandeld met poeder van verbrande vleermuizen, terwijl voor keelontsteking in water opgeloste zwaluwnesten worden gebruikt; het zou zinloos zijn alle remedies op te willen sommen die het gevogelte ons verstrekt en... Moment.'

De valkenier had zichzelf eindelijk onderbroken. Alles gebeurde ineens. De jachthond blafte hard en ging staan: hij had wat gevonden. Vanuit een struik iets verderop werden we een luid geritsel gewaar, en toen een geklapwiek. Caesar Augustus, spierwit en opzichtig met zijn gele kuif, ontsnapte uit de wirwar van heesters en vluchtte. De hond blafte hard, maar de valkenier weerhield hem van de achtervolging en riep:

'Kijk! Kijk!'

Toen hij die roep had gehoord, wist de valk dat het zijn moment was. Onmiddellijk richtte hij zijn snavel omlaag en stortte zich halsoverkop in de richting van Caesar Augustus, die, al was hij drie keer zo langzaam als zijn belager, gelukkig in volle vaart was gevlucht. Hij begaf zich naar de versterkte Romeinse muur; de roofvogel stelde de hoek van zijn aanval bij naarmate hij dichterbij kwam. Hij was als een projectiel, gereed om de punt van zijn snavel in het vlees van zijn slachtoffer te planten of om op het laatste moment in te houden, zijn nek in te trekken en hem met zijn dodelijke klauwen te verwonden. Vervolgens zou hij alleen nog zijn wanordelijke val te volgen hebben, waarna hij zich uiteindelijk op de grond op het arme, reeds gewonde en weerloze lijfje zou storten om het met twee of drie rake houwen van zijn snavel in de buik in stukken te rijten.

De papegaai haastte zich naar de grote muur, waarachter hij waarschijnlijk bescherming hoopte te vinden tegen tenminste de eerste aanval.

'Caesar Augustus!' riep ik in de hoop dat hij me zou horen, maar ik besefte dat voor de menselijke zintuigen alles te snel gebeurde.

De valk kwam steeds dichterbij. Twintig roeden afstand; vijftien, tien. Zeven. Wij allen, drie mannen en een jachthond, staarden als versteend naar het tafereel. De muur was nog te ver weg. De papegaai zou het niet halen. Nog maar even. Ik wachtte op de confrontatie.

'Nee,' siste de valkenier woedend.

Hij had het gered. Op het laatste moment. Caesar Augustus had voor een bescherming dichterbij geopteerd. Hij had zich verscholen in een groepje bomen, dicht genoeg om de valk te ontmoedigen, die inhield en meteen weer hoogte won.

'Caesar Augustus!' riep ik opnieuw, terwijl ik snel dichterbij kwam, 'laat het briefje los en alles komt goed!'

We probeerden tussen de takken het silhouet van de papegaai te herkennen, maar zonder resultaat. Hij had zich aardig verstopt, zoals ook de valkenier moest toegeven.

'U had beloofd dat hij de tijd zou krijgen om tot rede te komen,' protesteerde ik heftig tegen Atto.

'Het spijt me. Ik had niet gedacht dat het allemaal zo snel zou gaan. Maar tijd om na te denken heeft hij wel gekregen.'

'Nadenken? Hij zal overmand zijn door schrik!'

De daaropvolgende feiten logenstraften mij ten volle.

Terwijl we ter verkenning rond en onder het dichte groepje boompjes trokken, werd de stilte verbroken door twee keer fluiten, plotseling en hartverscheurend. We keken elkaar aan. Het was het gefluit van de valkenier, die echter even verbaasd leek als wij.

'Ik, ik... heb dat niet gedaan. Ik heb niet gefloten,' stamelde hij.

Instinctief richtte hij zijn blik omhoog.

'De handschoen, vervloekt,' foeterde hij toen hij zag dat zijn trouwe pupil op het horen van de lokroep startklaar was om terug te keren en zijn onderarm zocht.

De valkenier moest dus haastig en in allerijl de leren handschoen aantrekken, en ving het vliegende dier ternauwernood op tijd op. En toen zag ik vanuit mijn ooghoek de wit met gele vlek stilletjes naar links scheren, opnieuw in de richting van de Romeinse muur. Een paar (belangrijke) seconden later merkte Atto het ook.

De papegaai had de lokroep van de valkenier perfect nagebootst, waardoor hij zijn belager liet terugkeren naar diens baas beneden. Zodoende had Caesar Augustus nu tijd en gelegenheid om zich te verplaatsen, voordat zijn vijand weer hoogte won en daarmee de kans om aan te vallen.

'Daarginds!' riep Melani tegen de valkenier.

De verloren tijd had Caesar Augustus sterk in het voordeel gebracht. De valk werd opnieuw losgelaten, en wederom moest hij hoogte winnen. De jachthond blafte zo hard hij kon.

'Kan uw vogel niet meteen aanvallen?' vroeg Atto, terwijl hij naar het punt snelde waar Caesar Augustus was verdwenen.

'Hij moet eerst hoog de lucht in. Hij valt toch niet horizontaal aan als een torenvalk!' antwoordde de valkenier narrig, alsof hem was voorgesteld in vodden naar een huwelijk te gaan.

Nu volgde een vervloekte, rommelige draf langs de Romeinse muren, waarbij we de weg naar beneden aflegden die door de Barberini-bezittingen tot aan de Piazza San Cosimato loopt. Achter de oude muren, die met regelmatige tussenpozen voorzien waren van oeroude torens, verscheen nu en dan de gele kuif van Caesar Augustus. Hij kon niet hoger vliegen dan de valk, zoals reigers doen om aan een aanval te ontkomen. Maar hij had de zwakke punten van zijn vijand perfect door en paste de tactiek van afwachten toe: hij vloog laag en ging bliksemsnel van een boom naar een spleet in de muur en andersom, afgewisseld met kort, maar bliksemsnel uitwijken op het herhaalde fluiten dat hij de valkenier had horen doen en dat hij tot in de perfectie had leren imiteren. De valk kon niet anders dan gehoorzamen aan het commando dat hem vanaf het begin van de training was bijgebracht, en keerde bij ieder fluitje terug naar zijn baas, die duidelijk buiten zichzelf was. Een paar keer bootste Caesar Augustus zelfs de jachtroep 'kijk, kijk' na, waarmee hij zijn gevleugelde tegenstander in zo'n totale verwarring bracht dat hij, als zijn baas hem er niet met geschreeuw en gescheld van had weerhouden, zijn oorlogszuchtige aandacht naar een paar niets vermoedende musjes had verlegd, die onschuldig in de buurt fladderden.

Langs het laatste stuk van de weg liepen aan weerszijden gewone muren, niet meer de Romeinse restanten. Ik draaide me om om Atto te zoeken: hij was achtergebleven. Ook Caesar Augustus was niet meer te zien. Ik hoopte alleen dat hij in dezelfde richting zou doorvliegen als tot nu toe. In dat geval zouden we hem op de eerste open plek misschien weer in het zicht krijgen.

Zo belandden we tegenover het nonnenklooster van de heilige Franciscus op de Piazza San Cosimato. Abt Melani kwam even later aan, compleet buiten adem (hoewel hij het rennen al gauw had gestaakt), en ging aan de rand van de weg zitten:

'Want het behoeft veel inspanning en tijd:
De achtervolging van een dier geeft strijd
Door berg en dal, in bossen en in weiden
Waar het dier eenieder weet te misleiden.'

'Zo zou Albicastro mij met zijn geliefde Brant voor de gek houden, als hij zag hoe ik eraan toe ben,' reciteerde Melani filosofisch, hijgend als een postpaard.

Ik merkte op dat de abt, net als jaren geleden, er weer de smaak van te pakken kreeg om bij de meest uitzichtloze gelegenheden te citeren, maar vooral op krampachtige momenten als dit had hij niet genoeg adem meer om te zingen; en zo gaf hij de voorkeur aan het citeren van dichtregels in plaats van de liedjes van *seigneur* Luigi, zijn oude leermeester.

Ik draaide me vervolgens om om naar het plein te kijken. Verrassend genoeg was de Piazza San Cosimato, ondanks de zondag en het behoorlijk vroege tijdstip, vol mensen. Zijne Heiligheid (maar dat zou ik pas later vernemen) had met een indult besloten de jongens en meisjes van Rome welwillend de Heilige Jubeljaar-aflaat alsmede vergeving van zonden te verlenen door alleen een bezoek aan de Vaticaanse Basiliek. Reden waarom de kleuters en kinderen van verschillende wijken zich opmaakten om in processie de basiliek te bezoeken, met klein vaandel, kruis en crucifix en al, het geheel echter aangepast aan hun kleine postuur en hun geringe leeftijd. De meisjes gingen allemaal gekleed in edele rochets en droegen slingers op hun hoofd, met speciale godsvrucht versierd. De kleine ontroerende processie werd bijgestaan en geordend door de ouders en de nonnen van het Sint-Franciscusklooster, die allemaal op het plein dromden en met nogal wat verbazing getuige waren van onze aankomst, bestoft en afgemat als we waren.

De valkenier was de wanhoop nabij:

'Hij komt niet meer terug, ik zie hem niet,' jammerde hij.

Hij was zijn valk uit het oog verloren. Hij vreesde te zijn verlaten, zoals soms gebeurt met roofvogels die ogenschijnlijk aan hun baas gewend zijn, maar in hun hart nog wild en trots.

'Daar is hij!' riep Atto.
'De valk?' klaarde de valkenier op.
'Nee, de papegaai.'

Ik had hem ook gezien. Caesar Augustus, die op zijn beurt redelijk moe moest zijn, had zich net van een daklijst losgemaakt en was weer in de richting van de naburige Piazza San Callisto gaan scheren. Atto was inmiddels uitgeput, de valkenier was met zijn gedachten enkel bij zijn pupil. Alleen de jachthond en ik waren gereed voor de achtervolging, met tegengestelde bedoelingen: ik om hem te redden, hij om hem te verscheuren.

De hond slaakte een vreselijk uitdagend gekef en ging tot de aanval over, waardoor alle kinderen zich doodschrokken en uit het gelid van de processie traden, terwijl ik me ook op de achtervolging van de papegaai stortte, daarmee nog meer verwarring zaaide en de angstige verwijten van de nonnen oogstte.

Caesar Augustus fladderde inmiddels vermoeid, ging steeds vaker op vensterbanken, stalletjes en balkons zitten en vertrok dan pas weer moeizaam wanneer de vrees voor de hond, die hem woedend zijn tanden liet zien, hem ertoe aanzette weer bescherming te zoeken. Ik kon hem ook niet vragen op de grond te gaan zitten en zich te laten pakken: de jachthond liep steeds voor me uit, blafte gemeen en sprong woedend omhoog in de hoop zijn tanden in de arme voortvluchtige te kunnen zetten. De passanten waren er stomverbaasd getuige van hoe wij met ons schreeuwende kluwen voorbijkwamen, een ongehoord droombeeld van vluchtende vleugels, aanvallende tanden en toesnellende benen.

Ik scherpte meermalen mijn blik: de vogel leek in de klauwen van een poot nog het vervloekte stuk papier te houden. Nadat we een flink stuk de weg van Santa Maria in Trastevere hadden afgelegd, sloeg ons wonderlijke drietal linksaf en kwam ten slotte bij de brug naar het Tibereiland.

Caesar Augustus ging op de drempel van een raam zitten, op het hoekje, vlak voor het begin van de brug. Hij zat tamelijk hoog en de hond (die misschien eindelijk besefte dat hij zijn baas uit het oog verloren was) begon genoeg te krijgen van dat uitputtende, dwaze circus. Ik keek naar de papegaai, want nu leek niets hem van zijn veilige plekje vandaan te kunnen krijgen. Links van mij strekte zich de Sint-Bartholomeusbrug uit; verderop het fraaie eiland dat als enige strook eilandgrond de onstuimige stroom van de blonde Tiber completeert. De jachthond keerde uiteindelijk op zijn schreden terug, niet zonder een eindgegrom van woede en ontgoocheling.

'En, kom je er nog af? We zijn nu alleen,' vroeg ik aan Caesar Augustus.

Ik las in zijn ogen het verlangen om eindelijk zijn wapens in bevriende handen te leggen. Hij stond op het punt om af te dalen. Maar toen gebeurde het laatste, wrede onvoorziene.

Op het raam was een oude huurster van dat bescheiden huisje af gekomen. Ze had hem gezien. Ze was verbijsterd door de ongewone trekken van die zo wonderlijke en tegelijkertijd mooie vogel. Niet bij machte zo veel pracht te waarderen en gespannen door haar eigen verdwaasdheid probeerde het oudje hem met brute valsheid weg te jagen met het begin van een klap. De arme vogel bevrijdde zich door weg te vliegen, zwevend op de wind die daar genereus opgaat met de stroom van de rivier.

Ik zag hem dapper hoogte nemen, als een nieuwe valk, dalen en toen weer stijgen, totdat hij zwichtte voor de windvlagen en uit het zicht verdween, inmiddels een drupje in de zee van teloorgegane wensen.

Onder het zweet, bekaf en verbitterd keerde ik naar Villa Spada terug. Ik zou abt Melani meteen verslag moeten uitbrengen en het slechte nieuws moeten vertellen. Hij was alleen nog niet terug: hij had op de terugweg vast moeten uitrusten van de achtervolging van de papegaai: een geploeter dat op zijn leeftijd en met de nog altijd pijnlijke arm wel een zware tol moest eisen. Om een gesprek en de bijbehorende klachten van Atto te vermijden besloot ik het af te handelen met een briefje onder de deur van zijn vertrekken, waarin ik de negatieve uitkomst van de jacht meedeelde. Maar al voor ik die mededeling achterliet wist ik, zodra ik een voet zette in de villa, dat de middag rijk aan verplichtingen en nieuwe inspanningen zou zijn.

De huwelijksfestiviteiten voorzagen in een ludiek vermaak: een grootse partij verstoppertje en blindemannetje in de tuinen van Villa Spada. Eminenties, prinsen, edellieden en edelvrouwen zouden elkaar uitdagen in speelse competitie door zich te verstoppen, elkaar te achtervolgen, te vinden en weer kwijt te raken tussen de heggen en lanen van het park, wedijverend in schranderheid, snelheid en sluwheid. Het verstoppertjespel kon alleen daar plaatshebben waar het zicht, de doorgang en zelfs het gehoor handig in de weg werden gestaan, zodat het gemakkelijk was om zich te verbergen en niet gemakkelijk om iemand terug te vinden, eenvoudig om te vluchten en ondankbaar om te achtervolgen: in de luisterrijke tuinen van Villa Spada, die nu door de tijdelijke bloemendecoraties bijna labyrintisch waren geworden.

Ik werd gewaarschuwd dat ik bij die gelegenheid door don Paschatio zou worden opgeroepen om dienst te doen, gezien het tijdelijk gebrek aan personeel. Met verschillende fantasierijke uitvluchten, die liepen van een aanval van melancholie tot de plotselinge dood van een dierbare tante, hadden maar liefst vier bedienden de hofmeester in de steek gelaten.

De dag was bewolkt geworden, de temperatuur was enigszins gedaald en daarom zou het spel niet te laat beginnen. Ik haastte me om in de keuken een hapje tussendoor te halen; het was inmiddels etenstijd en de jacht op Caesar Augustus had me een honger als van een wolf bezorgd. Ik vond restjes kalkoen en hardgekookte eieren die inmiddels koud maar goed van smaak en voor de maag waren.

Ik was nog een botje aan het afkluiven toen een van de assistenten van don Paschatio me erop wees dat ik in livrei naar de kruising moest gaan van de laan die naast de geheime tuin liep met die welke door de wijngaarden tot aan de fontein leidde. Bij dat kruisinkje was een uitspanning neergezet met vers water, sinaasappelsappen, citroendranken, decoraties van fruit en citrusfruit, vers gesneden brood en lekkere confitures, in de schaduw van een groot wit met blauw gestreept vijfhoekig paviljoen, waarvan de pijlers versierd waren met grote houten schilden, beschilderd met de familiewapens van het bruidspaar, Spada en Rocci. Dat alles met het doel om de dorst van de verstoppertjespelers te lessen, die verhit waren van het harde rennen, het zoeken en verstoppen, maar ook van degenen die niet aan het spel deelnamen en liever achterover in de grote fauteuils van witte stof in de schaduw van het paviljoen bleven.

Op weg naar mijn stek moest ik eens temeer de eindeloze spelingen bewonderen die de goede architect der natuur waren vergund en waarvan ik, nu het tuinierswerk af was, met een vervreemd gevoel van bewondering steeds weer nieuwe details opving. Omdat in iedere tuin alles prettig moet zijn, was ook bij Villa Spada elk element onderworpen aan de lust voor het oog en het verstand, te beginnen bij de ordening van bosschages en vegetatie; want bouwkunst betreft niet alleen de architectuur van muren en daken, maar vooral ook van heggen, laantjes, weiden, pleintjes, pergola's, met groen overwoekerde lanen, bloemperken en moestuinen. In de grotere villa's domineerden de grote met bomen omzoomde lanen, en daarvan was bij ons geen spoor, dat is waar. Dus om de paden beter uit te laten komen waren er langs de randen rijen edele buksbomen, ligusters en berenklauwen neergezet.

Wijnpergola's leidden zoetjes de bezoeker, die trilde van bewondering, naar een tweesprong van lanen, of naar viersprongen, die overdekt waren door groene beboste koepeltjes. Egaal gesnoeide laurierspalieren in een baldakijn, zeven of zelfs vijftien palmen hoog, wedijverden met steeneiken, paraplu- of suikerbroodvormige mirteboompjes, met hele gebouwen voor de gelegenheid in hout, allemaal bedekt door een plantenlaag, en reeksen zuilen in groen met slingers en kransen, die als omlijsting dienden voor de orkestleden: vanaf een halfrond podiumpje verspreidde een klein geheel van strijkinstrumenten een melodieus contrapunt in de lucht, een speels verstoppertje van trillers en pizzicato's dat leek vooruit te lopen op het spel waarvoor de gasten van het feest waren uitgenodigd.

Een paar meter van het orkestpodiumpje vandaan was me dus gewezen sinaasappelsappen en citroendranken te schenken, brood te snijden, voor de fauteuils te zorgen en wat de aanwezige of passerende excellenties en eminenties maar meer konden wensen.

Bij aankomst begon ik meteen met grote bedrevenheid sappen in te schenken en glazen te vullen, wellevend van de ene naar de andere tafelgenoot ijlend, als een ochtendbij van bloem tot bloem.

Toen ik mijn plicht als bediende had gedaan, stelde ik me ter beschikking van de heerschappen die mijn diensten zouden behoeven naast een van de houten pilaren van het paviljoen waarvoor, als vele vrouwen van Lot, stokstijf ook de andere bedienden stonden. Onder de witblauwe vleugel van de linnen tent waren de gasten van het feest aan het praten, ruziën en grinniken, staande of zittend in de fauteuils. Een paar passen van mij vandaan susten enkele monseigneurs van middelbare leeftijd hun kwebbelzieke tong met citroendrank.

En op dat moment kreeg ik het buitenkansje in de gaten. Naast mij bevonden zich dezelfde twee monseigneurs die ik tijdens de academie had horen discussiëren over een zeker hervormingsplan van het smerissenkorps. Naar het scheen ging de discussie verder:

'... En een en ander zal dus nu in beweging komen.'

'Maar het is een idee van twintig jaar geleden, het bestaat niet dat ze dat nu willen verwezenlijken.'

'Toch lijkt het waar te zijn. Dat heeft mijn broer gezegd, die nog auditor is bij de Rota, maar wel een intimus van kardinaal Cenci.'

'En Cenci weet ervan?'

'Jawel, jawel. Hier in Rome is de zaak op een zeker niveau algemeen bekend. Het schijnt dat de tijd rijp is; als de paus nog een paar maanden te leven heeft, wordt de hervorming tot een goed einde gebracht.'

Ik richtte mijn gehoor op die twee zoals Diana haar boog tegen het vluchtende hert spant.

'Dat is ook goed zo,' hervatte de eerste, 'net als mij, fatsoenlijke mensen die we zijn, is het nooit gebeurd dat we 's nachts de hooghartige bende smerissen een taveerne of kroeg zagen binnen gaan omdat we 's nachts slapen en geen taveernes aflopen. Maar iedereen weet heel goed wat er gebeurt. Eerst zuipen de smerissen als gekken, ze maken de boel smerig, schoppen heibel. Daarna smeren ze hem zonder maar goeienacht te zeggen. En als de kroegbaas ongelukkigerwijze om betaling vraagt, dan spugen ze hem in het gezicht alsof ze majesteitsschennis hadden geleden, ze behandelen hem slechter dan een straatmoordenaar en de volgende avond komen ze terug om zich te wreken: ze laten een hoer of een paar schurken van vriendjes de taveerne binnen gaan, die ze met een illegaal spel kaarten laten spelen. Daarna komen zij binnen, doen of ze daar voor een controle zijn, treffen de kaarten aan of de hoer, en stoppen iedereen in het gevang: de waard, de knechts en iedereen die op dat moment in de taveerne is, waarmee ze de zaak en het gezin van de waard naar de ondergang voeren.'

'Ik weet het, ik weet het,' antwoordde de ander, 'het zijn trucjes zo oud als de wereld.'

'En vindt u dat niet de moeite waard?' hield de ander aan. 'Het schijnt dat de smerissen niet alleen alle winkeliers en straatventers, maar ook kunstenaars de tiende afdwingen of het handgeld zoals zij het noemen. Bovendien persen ze alle hoeren af, en niet alleen dat. Ze huren kamers in logementen en daarna verhuren ze die duur onder aan dezelfde vrouwen van lichte zeden, waardoor ze twee keer zoveel verdienen. Als de hoeren weigeren, raken ze al hun verdiensten kwijt.'

'Verdiensten?' herhaalde de ander wat verdwaasd.

'Die beschermelingen van de smerissen mogen zelfs werken, vergeef me de ongepaste term, op de voorgeschreven feestdagen. De anderen worden juist gecontroleerd en gedwongen om op religieuze feestdagen rust te houden, zoals de wet voorschrijft. En zo verliezen ze hun opbrengst, ik weet niet of ik duidelijk ben.'

'Nou, dat is fraai,' zei de ander, terwijl hij met een wit kanten zakdoekje zijn voorhoofd afwiste en verbazing, nieuwsgierigheid en een tikje obscene opwinding in zijn stem legde.

‘Kom mee,’ zei de eerste, ‘dan gaan we even kijken bij het verstoppertjespel.’

Ze stonden op uit de fauteuils, namen elkaar met vertrouwde wellevendheid bij de arm en begaven zich naar de muur die grensde aan het Barberini-bezit; daar zouden ze zeker linksaf slaan naar het bosschage, waar het spel aan de gang was.

Ik keek om me heen: het was niet het moment om abrupt en onverwachts mijn plekje en de andere bedienden van de tent in de steek te laten. Don Paschatio zou er zeker van horen; tot dan genoot ik vrijwel algehele vrijstelling, afgezien van die enkele hulpdiensten wanneer er personeelstekort was. Als ik bij de afvalligen ging horen, had je de poppen aan het dansen; wie weet zou kardinaal Spada zelf wel op de hoogte worden gesteld en zou ik mijn baan verliezen of werd de toestemming om Atto te dienen ingetrokken.

Juist terwijl die zwartgallige mogelijkheden aan me voorbijtrokken, vond ik de oplossing. Een dame met een decolleté op zijn Frans en over haar schouders een grote witte sluier ontving een ruime hoeveelheid bloedsinaasappelsap in een beker van versierd glas. Naast haar wachtte markies Della Penna op zijn beurt om zijn dorst gelest te krijgen. Ik pakte snel een karaf citroendrank van de tafel en haastte me om de markies te bedienen.

‘Maar... jongen, wat doe je nou?’

In de haast om de edelman te bedienen had ik opzettelijk de arm van mijn collega aangestoten, die bijgevolg de smetteloze sluier van de dame met bloedsinaasappelsap had besproeid; deze had meteen geprotesteerd, verbaasd en boos.

‘O, hemel, wat heb ik gedaan! Staat u mij toe het goed te maken, het moet onmiddellijk uitgewassen worden, ik doe het zelf wel,’ zei ik, waarna ik de sluier van haar schouders haalde en me naar het Zomerverblijf begaf; een zet die met de nodige snelheid was uitgevoerd en het slachtoffer en de omstanders geen kans had gelaten om te reageren. De school van Atto, de leermeester van valse ongelukken, had zijn eerste resultaten geboekt.

Even later vertrouwde ik de sluier aan een dienstmeisje toe met het verzoek hem te wassen en persoonlijk aan me terug te geven. Dat karweitje was de uitvlucht die ik nodig had om mijn stekje bij het paviljoen te verlaten.

Meteen daarna was ik in de buurt van het bosschage de twee monseigneurs van zo-even op het spoor. Hoe zou ik kunnen afluisteren zonder ontdekt te worden? vroeg ik me af. Ik ontdekte hen ten slotte terwijl ze tussen de hagen buks- en laurierbomen door wandelden en de vorige gesprekken voortzetten. Ik was blij: de goede, oude voorschriften van meester Tranquillo Romaùli hadden me de oplossing geboden. Bij de beelden waren de hagen niet hoger dan een roede gelaten; voor de rest waren ze juist verhoogd. Dat speciale niveau van de hagen, niet te laag maar ook niet zo hoog als bij doolhoven, gaf mij een doorslaggevend voordeel: ze onttrokken me tot aan mijn kruin aan het zicht, maar lieten de anderen vanaf hun schouders naar boven toe zien. Ik kon kijken zonder gezien te worden, schaduwen zonder geschaduwd te worden.

Ik bleef achter een haag staan, gereed om te luisteren, toen ik schrok van een stem.

'Kiekeboe! Je bent hier, bengeltje, ik weet het wel!'

'Hi hi hi hi hi!' antwoordde een vrouwenlach.

De grootpenitencier, kardinaal Colloredo, ging op de tast voort, plomp in zijn tuniek en met een grote rode blinddoek voor. Zijn handen, vol dikke ringen met topazen en robijnen, stak hij naar voren op zoek naar zijn prooi.

Op een paar passen afstand was een meisje van goede geboorte met een fraaie crèmekleurige jurk aan en een zwaar smaragden collier om haar hals, verstopt achter een boompje, sidderend getuige van Colloredo's nadering.

'Dat geldt niet! U houdt u niet aan de regels,' lachte het meisje hem uit, want de bejaarde purperdrager deed net of hij het zweet van zijn voorhoofd wiste en had zo de blinddoek een stukje verschoven.

Maar opeens sprong uit een struik een edelman met een opzichtige Franse pruik te voorschijn die ik zonder enige twijfel meende te herkennen als markies Andrea Santacroce. Hij omvatte het meisje van achteren, drukte zijn borst stevig tegen haar rug en kuste haar hartstochtelijk in haar nek, zoals een gans zijn partner bij het dekken sensueel van achteren bijt.

'U bent gek,' hoorde ik haar kreunen, terwijl ze zich uit zijn omhelzing losmaakte, 'de anderen komen eraan.'

Juist op dat moment naderde aan die kant van het bosschage een andere geblinddoekte speler, die de andere spelers voor zich uit stuwde, zoals gebeurt met prooien van een jachtpartij.

Santacroce verdween even snel weer als hij opgedoken was. De jonkvrouw wierp hem een laatste, kwijnende blik toe.

Ik dook nog meer in het gras, doodsbang bij het vooruitzicht gesnapt te worden en door te gaan voor een spion van geheime liefdes.

'Ik weet dat jullie in de buurt zijn, ha ha!' zong de president van de Annone, monseigneur Grimaldi, gelukzalig met een grote gele zakdoek voor.

Voor zich had hij een groepje gasten dat het leuk vond om hem uit te dagen en dat heel dichtbij bleef, maar zonder zich te laten pakken. De dames raakten hem met hun waaiers aan, de mannen kietelden hem met een vingertje in zijn buik om dan in een oogwenk weer weg te vliegen, de een in de samenzweerderige schaduw van mispelkruinen en blauwe kersen, de ander in de menslievende beschutting van een piepjong exemplaar van die merkwaardige bomen, de palmen, die, voor het eerst geplant door Pius IV in de tuin tegenover Villa Pia, flink waren aangeslagen en in heel Rome hun exotische manen hadden verspreid. Grimaldi schoot even naar voren, natuurlijk om de dichtstbijzijnde speler te verrassen, kardinaal-vicaris Gaspare Carpegna. Maar hij stootte zijn neus tegen de stam van de palm, tot groot jolijt van heel de groep.

De kardinaal-vicaris was op een haar na aan de aanval ontsnapt en stond meer dan tevreden tegen een muur geleund, toen daarvandaan een straal water kwam die hem vol in het gezicht raakte, zodat zijn hals en purperen kap doornat werden. Er steeg een nog harder gelach op.

Om de spelen nog rijker aan verrassingselementen te maken had kardinaal Spada de villa laten bezaaien met kleine ingewikkelde watermechanismen die door de niets vermoedende passant in werking werden gesteld en hem onderspetten, -spatten, -spoten en -spoelden, tot vreugde van de vrolijke Fransen en lolbroeken. De muur waar Carpegna tegenaan geleund stond, zodat hij ongemerkt op een hendel drukte, was eigenlijk een houten wand tegen een boom aan, bedekt met bakstenen, waarachter een hydraulische machine schuilging met aan het eind een straalpijp die aan de buitenkant gericht stond op degene die aan de hendel had gezeten.

'Kardinaal Carpegna dacht er glad vanaf te komen, maar... daar begon de zeik te stromen, ha ha!' ironiseerde kardinaal Negroni, die echter meteen met zijn voet struikelde over een verticaal gespannen koordje dat de emmer water op de tak erboven over zijn hoofd uitkieperde en hem volop een koude douche bezorgde.

Er barstte nog meer gelach los, waarvan ik profiteerde om wat verderaf te gaan staan. Ik wilde mijn vermetele spionageproject haast opgeven en naar het Zomerverblijf terugkeren toen ik onder het verstrooid aanzien van dat komische tijdverdrijf de twee monseigneurs die ik zocht herkende. Zoals voorspeld zagen ze mij niet; ze gingen volledig op in hun gesprek.

'De smerissen beschermen voortvluchtigen en gedagvaarden,' zei de eerste, terwijl ze langzaam naar het bekken van de fontein liepen, 'maar ze stoppen iemand die gewoon een civiele schuld heeft wegens insolventie in de gevangenis. En wat te zeggen van de schuldigen die verstek hebben laten gaan en dan worden gearresteerd en halfdood in de gevangenis belanden? Natuurlijk zeggen alle rechtsteksten het: marteling dient te worden toegepast aan het eind van de procedure, niet aan het begin.'

'En wat te denken van de onrechtmatige arrestaties? Niemand heeft het erover, maar het zijn er heel wat. Je hebt mensen die in het holst van de nacht worden aangehouden, verhoord, mishandeld en zonder reden in de cel gestopt. Ik zeg het u klip en klaar: zolang een en ander zo blijft, moeten de pelgrims en vreemdelingen wel hoogst verontwaardigd weer uit Rome vertrekken en de misdaden van het smerissentuig toeschrijven aan degenen die het openbaar bestuur zo waardig voorzitten...'

'De paus, de staatssecretaris, de gouverneur...' completeerde de ander, die voor het bekken bleef stilstaan en aan de voeten van de Triton de nimf, de moerasdotterbloem met de dubbele gele bloem en de rode klaver met witte bloemblaadjes bewonderde, die zich zacht aan de waterspiegel overgaven.

'Natuurlijk! En in het buitenland zullen ze hun mond van hen vol hebben, met grote oneer en schande voor de Heilige Apostolische Stoel.'

De lange, gedwongen beweginglooheid in de beschutting van een simpele bukshaag was, al was hij dicht en even lang als een knaap, riskant en onaangenaam. De dreiging om ontdekt te worden door een verstoppertjespeler, die toevallig het laantje was ingeslagen waarvandaan ik stond te spioneren, bezorgde me het klamme zweet. De spanning in mijn benen om met mijn schoenen niet het geringste geluid op het grind te maken, bezorgde me haast kramp in mijn kuiten.

Plotseling kreeg ik een hartverzakking: er was geen haag meer. Of liever gezegd, hij was opgeschoven. Met een regelmatige gang was hij uit het gelid getreden en links van mij gaan staan, waardoor hij mij ongedekt liet.

Puur toevallig stonden de twee monseigneurs met hun rug naar me toe en zagen me daarom niet. Ik voelde me wanhopig en onbeschermd als een varken voor de deur van het slachthuis. Ik zag de twee monseigneurs hun gesprek onderbreken en verbaasd mijn richting uit kijken; ik bad tot de Heer en boog mijn hoofd.

Ik sloeg mijn ogen weer op. Ze keken niet naar mij, maar naar de haag die ongelooflijk genoeg in de richting van kardinaal Nerli dribbelde, iemand die, naar men zei, door velen gehaat werd. We volgden het tafereel van ver. Nerli was geblinddoekt en achtervolgde een dame.

Toen gebeurde het. Van de bovenkant van de wandelende struik kwam een ijzeren kraan die Nerli besproeide met een bevallig straaltje water, wat hem een kreet van schrik ontlokte. Vervolgens verdween de pluk bladeren en heesters al dribbelend achter het bosschage. Heel het gezelschap gaf zich over aan een uitbarsting van hilariteit. De kardinaal rukte de blinddoek van zijn ogen.

'Wat een goeie grap, hè, Eminentie?' snelden prompt een paar leden van het Heilige College toe om Nerli te feliciteren, die wit zag als een doek. Naar hun gelach te oordelen hadden ze heel vals van de opzet genoten.

'O ja, echt een verrukkelijke vondst,' commentarieerde een van de aanwezige dames, 'en wat een elegant straaltje, echt goed gedaan.'

De kardinaal leek er, verteerd door schaamte en ergernis, iets anders over te denken.

'Eminentie, niet flauw doen,' zei een van genoemde jonkvrouwen, 'doet u meteen de zakdoek weer voor uw ogen, want het spel moet doorgaan.'

Verloren in heel die grote groene zee en in de glimlach van zijn gesprekspartner berustten de blik en het verstand van kardinaal Nerli graag in een lieflijke schipbreuk. De luister van de tuin kalmeerde zijn gemoed en de geuren ervan maakten zijn hart los en zijn hoofd licht.

De prelaat liet zich gedwee blinddoeken en het spel hervatte met de onbezorgdheid van eerst.

De twee monseigneurs becommentarieerden met stilzwijgende afkeuring het onschuldige vermaak van de andere gasten. Ik vergewiste me er intussen van dat de jasmijnspalier waarachter ik me als een naakte worm verscholen had, niet ook voorzien was van twee benen. Weldra echter hervatten de twee hun wandeling, zodat ze afstand namen van het kabaal van de spelers. Ze liepen even zwijgend verder. Ze gingen onder enorme, op kortelingen en pijlers geïnstalleerde pergola's door en daaronder vandaan, haast een gloednieuwe hemel gezien door groene ogen, vingen hun blikken een paar momenten lang vlakbij perzikbomen, artisjokplanten, perelaars, citroenbosschages, pomeransen, cipressen en steeneiken, die verstoppertje speelden met de blik van de bezoeker aangezien er, zoals Leon Battista Alberti leert, zonder mysterie geen schoonheid bestaat. Ik huppelde van de ene citroenboom naar de andere buksboom en verloor ze niet uit het oog noch uit het oor.

'Maar laten we terugkomen op ons,' hervatte de tweede van het stel, die nadat hij de argumenten van zijn kameraad had aangehoord, moed had gevat. 'Het is waar wat u zegt, het is waar, u hebt gelijk; ja, ik zal u nog meer zeggen: door het machtsmisbruik van de smerissen, of alleen al door hun onbekwaamheid zitten de rechtbanken en de protocollen van de notarissen vol zaken die door ongeldigheid zijn gestaakt. Wanneer ze eindelijk eens iemand in de kraag grijpen die het verdient om achter de tralies te belanden, verzuimen ze bewijzen te verzamelen zoals het hoort, en mishandelen ze hem zo bruut dat de verdedigende advocaten ten slotte uitstel of nietigverklaring van het proces verkrijgen. Maar deze hervorming, ach, eerlijk gezegd koester ik niet veel verwachtingen. U weet het beter dan ik: met smerissen valt niet te praten.'

'Natuurlijk valt er niet mee te praten; maar laten we het ook maar niet meer over smerissen hebben: het zijn klinkklare dieven, betaald door de Apostolische Kamer! Stuk voor stuk zijn ze voor ze in dienst komen straatarm. Wat ze krijgen is een hongerloontje: een korporaal vangt zes scudo's, een smeris vierenhalf. Nemen we aan dat de korporaal met een of ander klusje er nog eens drie scudo's per maand bij kan verdienen, en de smeris twee?'

'Nemen we aan.'

'Hoe is dan te verklaren dat u, als u kort nadat ze definitief aangenomen zijn hun huis binnen gaat, dat volgestouwd met luxe-huisraad aantreft? Hun vrouwen wedijveren met deftige dames waar het kleding en juwelen betreft. En als ze nog geen vrouw hebben, zie je ze met horden lichtekooien om zich heen, waar nog het spel, schranspartijen en allerlei uitspattingen bij komen: om dat alles te betalen zouden veertig scudo's per maand niet genoeg zijn. Het is duidelijk dat al dat geld alleen maar van diefstal kan komen, denkt u niet?'

'Natuurlijk denk ik dat en ik geef u helemaal gelijk.'

Intussen hoorde je de verre kreten van de dames, die maanden een einde aan het spel te maken om allemaal een hapje en wat rust te nemen voor het diner. Ik wachtte tot ze op zoek naar stilte het hekje van de geheime tuin door gingen en liep toen ook naar binnen, waarna ik aan de kant achter een rijtje zibibbowijnranken hurkte.

'Nou, dat hervormingsplan?' vroeg dezelfde van eerst.

'Het is zo simpel als wat. Ten eerste: met een speciale bul alle functies van de Bargello [Openbare Orde], van iedere rechtbank in Rome en op het land afschaffen, de functie van luitenants, korporaals, alle voorkeursposten, kanselierschappen en dergelijke die doorgaans ook aan smerissen worden verleend.'

'U bent een optimist. Denkt u echt dat zo'n drastische, radicale hervorming door Zijne Heiligheid zal worden goedgekeurd in de gezondheidssituatie waarin hij verkeert?'

'We zullen zien, we zullen zien. Maar u hebt de rest nog niet gehoord. Allereerst wordt het aantal smerissen teruggebracht. Vervolgens zal de president van de rechterlijke macht smerissen van meerdere rechtbanken opstellen, iets wat, zoals u weet, tegenwoordig niet haalbaar is. Voor patrouilles en belangrijke arrestaties zou men naast de smerissen soldaten kunnen plaatsen, zoals al in veel rijken gebeurt. Ten slotte zullen ongeveer tweehonderd smerissen uitgeschakeld worden.'

'En in hun plaats?'

'Heel simpel: vervangen door soldaten.'

Terwijl ik naar het Zomerverblijf terugkeerde om de sluier van de edelvrouw te halen, die gereinigd was van de sinaasappelvlekken en gereed was om te worden teruggegeven, drongen talloze overpeinzingen zich aan me op.

Natuurlijk was me niet onbekend dat smerissen een gespuis vormden dat ten dele ellendig, beklagenswaardig en rampzalig was. Maar nog nooit had ik alles bij elkaar, van a tot z, de hele verdorven handel en wandel van de hoeders van de wet horen opsommen. Corrupt waren ze, en hoe. Maar dat was nog het minst erge! Voorzover ik had gehoord haalden de smerissen wel slechtere dingen uit, waardoor de wet het theater van het bedrog werd en de rechtsorde werd teruggebracht tot de slavin van het machtsmisbruik.

Ik ging in gedachten terug naar Sfasciamonti: het was niet verbazend dat hij zijn collega's stimuleerde een onderzoek in te stellen naar de cerretanen. Maar waarom zouden ze de geheimen van de bedelaarssekten onthullen, bedacht ik, als ze het al druk genoeg hadden om die van henzelf te verbergen?

Sfasciamonti had wel aangetoond dat hij vertrouwd was met de ergste methoden: verbalen vervalsen, onterecht arresteren, liegen, arrestanten bedreigen. Hij was bereid geweest om de Rooie ongeoorloofd in de gevangenis te houden. Maar dat alles, bedacht ik, om tot een op zich prijzenswaardig doel te komen: het cerretanenuitschot bestrijden en erachter komen waar het manuscript van abt Melani, de kijker en de relikwie waren gebleven. Als dat de noodzakelijke methoden waren om tot de waarheid te komen, dan waren ze misschien niet welkom, maar ze konden zonder meer worden aanvaard.

Toen ik in Atto's vertrekken aankwam, werd ik al verwacht voor het verslag.

'Dat werd tijd. Waar zat je al die uren?' vroeg hij, terwijl hij door Buvat zalf op zijn arm liet smeren.

Ik vertelde hem de vele wederwaardigheden die me hadden opgehouden, met inbegrip van die welke voorafgingen aan de achtervolging van Caesar Augustus en die ik hem nog niet had kunnen meedelen; het gesprek met de meester tuinman, Albani's wanhoop om het verlies van het briefje dat de papegaai had gepikt; tot besluit de deining die gewekt was door de herhaalde ruzie tussen Atto zelf en Albani, waarmee de kanselier van de breven zich bevrijdde van de ongemakkelijke reputie van trouw aan Frankrijk.

Abt Melani ontving de drie nieuwtjes met respectievelijk opwinding, plezier en peinzend stilzwijgen.

'De meester tuinman is dus bereid te praten. Goed, heel goed. Alleen, hij heeft gezegd dat ik me correct op de hoogte dien te stellen alvorens hem te ontmoeten: in welke zin? Hij zal toch niet keizerlijk gezind zijn?'

'Mijnheer de abt,' kwam Buvat tussenbeide, 'als ik zo vrij mag zijn, ik heb misschien een idee.'

'Ja?'

'Stel dat die Tetràchion, die Romaùli heeft genoemd, de bloem van een of ander geslacht was? De adellijke wapens staan vol dieren met de gekste namen, zoals de draak, de griffioen, de zeemeermin, de eenhoorn, en wie weet of de planten niet hetzelfde gebruik volgen.'

'Ja, het zou een familiewapen kunnen zijn!' sprong Atto op, zodat hij de zalf van zijn arm over het kostuum van de arme secretaris smeerde. 'Temeer omdat die meester tuinman verstand van bloemen heeft. U bent een genie, Buvat. Misschien hoopt Romaùli dat ik goed op de hoogte ben voor ik hem ontmoet omdat hij geen namen wil noemen en verwacht dat ik, wanneer ik erheen ga om te praten, al weet welke afkomst er schuilgaat achter de Tetràchion.'

'Dus daarvandaan zou de opvolger voor de Spaanse troon komen, zoals de dienstbode van ambassadeur d'Uzeda zei?' vroeg ik. 'En in dat geval, wat heeft dat dan te maken met het feit dat Capitor het dienblad bij de bloemennaam van een wapen noemde?'

'Ik heb geen flauw idee, jongen,' antwoordde Melani, hyperopgewonden, 'maar Romaùli lijkt voornemens te zijn om ons nuttige gegevens te verschaffen.'

Na die woorden stuurde abt Melani zijn secretaris op onderzoek uit, naar wapenboeken en *consegnamenti* (oftewel officiële lijsten van erkende wapens), die melding maakten van het eventuele adellijke insigne met de bloem Tetràchion genaamd.

'U kunt meteen beginnen bij de bibliotheek van Villa Spada. Daar zal zeker het kostbare werk van Pasquali Alidosi, waar de wapens in hout gesneden zijn, niet ontbreken, noch dat van Dolfi, dat de verdienste heeft recenter te zijn. Verder, Buvat, gaat u weer aan de slag met die andere zaak.'

'Uw antwoord op de brief van madame de Connétablesse Colonna, wanneer kopieer ik dat?' vroeg de secretaris.

'Later.'

Toen Buvat weg was, eigenlijk weinig geestdriftig dat hij weer aan het werk moest op dat uur (dat hij doorgaans wijdde aan uitrusten met een lekker flesje wijn), had ik Atto willen vragen wat die verdere taak was van zijn secretaris, die zich overigens al een paar dagen heel weinig liet zien. Maar de abt sprak als eerste:

'En nu stappen we over van de *vegetabilia* op de *animalia*. Dus Albani maakt zich te sappel door jouw papegaai?' zei hij, doelend op wat ik hem zo-even had verteld. 'Ha, ha, pech voor hem.'

'En wat zegt u van het commentaar dat ze op hem hebben?'

Hij keek me ernstig aan, zonder een woord te zeggen.

'We moeten alle kanten uit goed opletten, zonder iets uit te sluiten,' zei hij ten slotte.

Ik knikte verbijsterd, zonder te begrijpen wat hij bedoelde met die algemene zin, die in zijn banaliteit alles zei en niets, zoals het merendeel van de politieke uitspraken. Hij had geen commentaar willen geven op het nieuwe publieke imago van Albani. Misschien, bedacht ik, wist hij ook niet wat het zou kunnen brengen, en wilde hij dat niet toegeven.

Gespeend als ik was van kennis van staatszaken vergiste ik me duidelijk.

Den 11den juli 1700, vijfde avond

Ik had nog iets te goed van abt Melani. Wie was gravin de S., de geheimzinnige gifmengster op wie de Connétablesse zo terughoudend had gezinspeeld in haar brief? Had ze soms te maken met die gravin de Soissons, die door Atto was genoemd en die tweedracht had gezaaid tussen Maria en de jonge koning? En wie was zij? Toen ik het de abt had gevraagd had hij, gevangen door zijn eigen verhaal, geen antwoord gegeven.

Terwijl Atto in gezelschap van de andere illustere gasten in de tuinen van de villa van het diner genoot, begroef ik wederom mijn handen in zijn vuile ondergoed en trok het lint los dat de geheime correspondentie met de Connétablesse bijeenhield. Maar in tegenstelling tot de vorige twee keren trof ik de brief van Maria Mancini niet aan, noch het antwoord dat de abt onlangs had geschreven en dat hij, zoals ik net had gehoord, nog niet had laten verzenden. Waar waren die dan?

Ik werd intussen aangelokt door het pak verslagen, dat me herinnerde aan wat ik de laatste keer had gelezen over de onfortuinlijke koning Karel II van Spanje. Misschien zou ik er andere sporen van gravin de S. in kunnen vinden en begrijpen of en hoe zij te maken had met de contingente lotgevallen van abt Melani. Ik opende het verslag van de Connétablesse dat Atto in een hoekje met nummer twee had gemerkt.

Opmerkingen
om de Spaanse aangelegenheden te dienen

Voor de staat waarin de Katholieke Koning verkeert, en het gebrek aan een erfgenaam, heeft men in Madrid aan slechts één verklaring kunnen denken: toverij.

Reeds lange tijd spreekt men erover. Twee jaar geleden heeft el Rey zich persoonlijk tot de machtige grootinquisiteur gewend, Tomás Rocaberti.

Nadat de inquisiteur de biechtvader van Zijne Majesteit, de dominicaan

Froilán Diaz, had geraadpleegd, heeft hij de kwestie doorgespeeld aan een andere dominicaan, Antonio Alvárez de Argüelles, een bescheiden geestelijk leider van een afgelegen klooster in Asturië, maar een uitstekende duiveluitbanner.

Men zegt dat Argüelles op het punt stond te bezwijmen toen hij de brief van Rocaberti ontving. In de brief legde de grootinquisiteur hem de situatie tot in de finesses uit, en verzocht hem de Duivel aan te roepen en zich te laten onthullen welke hekserij de vorst was toegeslingerd.

Argüelles liet het zich geen tweemaal zeggen. Hij riep in een kapel een van de nonnetjes bij zich die hij vroeger van een duivelse gave had bevrijd. Hij liet haar zijn hand lezen op het altaar en sprak vervolgens de voor dat doel geëigende formules uit.

Uit de mond van het nonnetje hoorde hij zo het Kwaad spreken. De stem onthulde dat koning Karel op veertienjarige leeftijd door een toverdrank het slachtoffer van toverij was geworden. Het doel was ad destruendam materiam generationis in Rege et ad eum incapacem ponendum ad regnum administrandum*: dat wil zeggen, om hem onvruchtbaar te maken en niet in staat tot regeren.*

Argüelles vroeg toen wie de hekserij had aangewend. Bij monde van het nonnetje antwoordde de Duivel dat een vrouw met de naam Casilda de toverdrank had bereid en dat deze de kwaadaardige vloeistof had gehaald uit de beenderen van het lijk van een terdoodveroordeelde. Het vocht was de koning vervolgens toegediend in een kop chocolade.

Er was wel een manier om de duivelse aandoening te behandelen: el Rey zou éénmaal daags op zijn nuchtere maag een half kwart gewijde olie moeten drinken.

Men toog meteen aan het werk. Alleen de eerste keer slikte Karel echter wat olie door: meteen werd hij door zulke vreselijke braakneigingen overvallen dat het handjevol geestelijken, duiveluitbanners en artsen het ergste vreesde. Men moest de olie dus uiteindelijk alleen uitwendig gebruiken en zijn hoofd, borst, schouders en benen zalven; waarna formules, litanieën en bezweringen over het geval werden uitgesproken.

Net een jaar geleden is Rocaberti evenwel plotseling gestorven. Iedereen vreesde uiteraard dat het om de wraak van Satan ging. Froilán Diaz, de biechtvader van de koning, moet alleen doorgaan. Er komt onverwachts hulp: vanuit Wenen heeft ook de keizer zich met de kwestie beziggehouden. In de hoofdstad van het keizerrijk was namelijk een ongehoord feit voorgevallen: in de Sint-Sofiakerk had een jongetje dat door boze geesten bezeten was en aan duiveluitdrijving was onderworpen, onthuld dat de Katholieke Koning van Spanje het slachtoffer van hekserij was. Het knaapje (of de geesten die bij monde van hem spraken) had zelfs verklaard dat de tovermiddelen ergens in het koninklijk paleis verborgen werden gehouden.

In Madrid barst de heksenjacht los; groepen speurneuzen beginnen in de koninklijke vertrekken planken los te wrikkken, in kozijnen te boren, tussenschotten neer te halen, marmeren platen los te trekken. Ten langen leste werd er ook iets gevonden: een paar poppen en een hoopje papierrollen.

Er zijn geen twijfels: de pop is een fetisj waarmee hekserij verricht wordt. Wat er echter in de rollen stond weet niemand.

De keizer stuurt dan een pater kapucijn naar Madrid, een befaamd en gevreesd duiveluitbanner, om de invloed van het Kwaad uit de vertrekken van el Rey uit te bannen. Maar intussen wordt een en ander steeds gecompliceerder; er gaat geen dag voorbij zonder geruchten dat er nog een hekserij is ontdekt, dat er een priester in dienst is genomen om die te bestrijden enzovoort. De situatie begint uit de hand te lopen. Het gebeurt zelfs dat een vrouw, een zwakzinnige, zich schreeuwend en tierend aandient bij het paleis en dat niemand in de duistere, verontrustende sfeer van die dagen de moed heeft om haar te arresteren, uit angst dat de dwaas een boodschapster is van het Bovennatuurlijke.

De gekkin weet door een kordon wachters te komen en zelfs de koninklijke vertrekken te bereiken, al schreeuwend dat el Rey het slachtoffer is van zwarte magie, dat de toverij hem is toegediend via een snuifdoosje en dat het brein achter de betovering zijn vrouw is.

De onthulling heeft meteen veel geloof geoogst, want de tweede vrouw van de koning, Maria Anna van Palts-Neuburg, heeft een heel slecht karakter dat haar soms tot het gedrag van een bezetene heeft gebracht.

Wanneer Karel haar een plezier ontzegt, onthult zij hem dat de verlangde gunst eigenlijk bedoeld is voor iemand die het boze oog heeft (el Rey is daar doodsbang voor) en ingeval van een weigering wraak zal nemen: niet door Karel ter dood of tot een ziekte te veroordelen, maar door hem in het niets te laten oplossen als een verdord bloempje. De Katholieke Koning gaat bevend van angst altijd weer door de knieën.

Toen de geruchten over hekserij en duiveluitbanning verspreid zijn, heeft de koningin besloten stappen te ondernemen tegen de verantwoordelijke voor al die chaos, naar haar mening niemand anders dan de arme Froilán Diaz, die weldra is gearresteerd. Hij wist te ontkomen en Rome te bereiken, waar hij echter weer is opgepakt en werd teruggestuurd naar Spanje.

In het Jubeljaar waarin we ons bevinden duiken nu elke dag in Madrid krankzinnigen, heksen en bezetenen op, die, overmand door hun nachtmerries, schreeuwen, hun haar uittrekken of over de grond rollen, en op de pleinen onder de angstige blikken van het volk de hekserijintriges van de koninklijke familie rondbazuinen. Niets lijkt de Katholieke Koning en zijn gemalin en vooral de eer van het koninkrijk te kunnen beschermen tegen de blamerende aanvallen van de bezetenen.

Uitgeput en verward door die infernale maalstroom heeft de koning te kampen met schuldgevoel, schaamte en diepe somberte. Hij gaat steeds vaker naar de crypte van het Escorial, laat de kisten van zijn voorouders openen om hun gelaat te zien, waarmee hij de koninklijke lijken echter tot onmiddellijke ontbinding veroordeelt. Toen de deksel van de kist van zijn eerste vrouw, Marie Louise d'Orléans, was geopend, kreeg hij een aanval van wanhoop: hij omhelsde het lijk en wilde het meenemen, onverschillig of het in zijn handen uiteen zou vallen. Men heeft hem met geweld de crypte uit moeten sleuren, terwijl hij in tranen de naam van Marie Louise aanriep en schreeuwde dat hij snel bij haar zou zijn in de hemel.

El Rey is in dezen een echte Habsburger, een opvolger van Johanna de Waanzinnige, die nooit scheidde van de baar van haar man Filips de Schone; en van Karel V, die zich na zijn aftreden en terugtrekking in het klooster naakt en gehuld in een zweetdoek in een kist opsloot om naar zijn eigen begrafenismis te luisteren. Filips II sliep naast zijn kist met een schedel boven de kroon van Spanje. Filips IV ten slotte bezocht evenals zijn zoon de crypte van het Escorial: hij sliep elke nacht in een andere nis.

Ook koningin Maria Anna is wanhopig. Voor haar zou de oplossing zijn: eindelijk zwanger worden. Als de monarchie op een erfgenaam kon rekenen, zou er eindelijk een straaltje licht in het donkere verschiet van haar toekomst zijn. De vorstin heeft zich al een paar jaar onderworpen aan de speciale kuren van een monnik uit Jeruzalem die vrij toegang tot haar vertrekken had.

Het is eigenlijk nooit duidelijk geweest hoe die oefeningen tegen onvruchtbaarheid in hun werk gingen. Men is er wel achter gekomen dat de monnik op een dag in het vuur van het gebed een grote sprong maakte waardoor de koningin (die onder de dekens lag) zich doodschrok en op haar beurt uit het bed sprong. De weinig duidelijke gebeurtenis zaaide aan het hof zo'n verwarring dat de monnik onmiddellijk verwijderd moest worden. Menigeen insinueert dat de vorstin in haar koortsachtige streven naar een zwangerschap haar lichaam handelingen heeft kunnen opleggen die de ongebreideldste wellust waardig zijn.

Helaas is alles mogelijk. Te veel bitterheid rust inmiddels op de schouders van de koningin. Haar gemoed, dat al jaren bezwaard is door echtelijke ontgoochelingen, is tot het uiterste gedreven door de bittere, verontrustende sfeer waarvan het hof doortrokken is. Maria Anna zoekt begrip; het is bekend dat ze aan haar Duitse correspondenten gekwelde brieven stuurt, waarin ze uitleg en rechtvaardiging probeert te geven voor de dwaasheid waarin het eens grootste en meest gevreesde rijk ter wereld is gestort, dat nu door iedereen wordt beklaagd en bespot.

Maar zij schrijft tevergeefs. Het leed vergiftigt haar gedachten en maakt ze vijandig aan het geschreven woord. Men zegt dat ze zich vaak per brief uitspreekt tegenover de landgraaf van Hessen. Maar de landgraaf aarzelt haar te antwoorden: naar men zegt zijn de brieven van de vorstin een betekenisloze puinhoop, het onmiskenbare resultaat van een ontwrichte geest, waarin woorden en onderwerpen als een dolle rondwaren, net als de bezetenen en krankzinnigen die jammerend door de donkere nacht van Madrid dwalen.

Hier eindigde het verslag van de Connétablesse, dat het troosteloze beeld van de arme Katholieke Koning bevestigde en uitbreidde.

Ik zocht opnieuw de laatste twee brieven, die de abt duidelijk ergens anders had opgeborgen. Waarom, vroeg ik me af, had hij dat gedaan? Begon hij soms lucht te krijgen van mijn uitstapjes?

Ik wroette even tussen de papieren van Buvat; geen resultaat. Toen keek ik tussen zijn kleren. Ik ontdekte een curieuze reeks vellen papier, slecht opgevouwen en opgeborgen in de zakken van zijn broek, elk gevuld met een andere letter. Eén vel was vol met de *e*, een met de *o*, een met de *y*, en ten slotte een met de *l* en een met de *R*. Verbijsterd hield ik die papieren in mijn handen; ze leken op de proefjes die je maakt wanneer je leert schrijven. Maar het was bepaald geen mooi handschrift: de haal was moeizaam en onzeker. Ik grinnikte: het had alles van een zonderlinge oefening waaraan de secretaris van Melani zich wijdde om de wijndampen af te voeren voordat hij snel weer aan het werk toog; iets wat nogal eens voorkwam op die feestdagen, waarop niet alleen de adellijke gasten maar ook hun begeleiders doorzakten.

Kort daarna vond ik zonder veel moeite in een kostuum de twee brieven die ik zocht. Ik stelde me gerust: misschien had abt Melani ze gewoonweg aan Buvat gegeven opdat deze eraan dacht een archiefkopie van het antwoord aan de Connétablesse te maken alvorens het te versturen. Ik ging dus lezen.

Maar de brief van de Connétablesse schopte mijn ideeën in de war in plaats van ze er duidelijker op te maken.

Mijn geliefde vriend,

de koorts lijkt niet af te nemen en ik betreur het zeer dat ik mijn komst naar Villa Spada zo lang moet uitstellen. De arts verzekert mij evenwel dat ik over een paar dagen eindelijk weer op reis kan gaan.

Hier blijf ik intussen nieuws ontvangen. Het schijnt dat Karel II nogal een droeve toon aansloeg toen hij bij de paus om bemiddeling smeekte. De arme Katholieke Koning zit in een wurggreep: zoals ik reeds kans gezien heb U mee te delen, heeft hij zijn neef Leopold I gevraagd om hem vanuit Wenen zijn jongste zoon te sturen, de vijftienjarige aartshertog Karel. El Rey wil hem in Madrid hebben. Hij had zelfs een vlooteskader laten wapenen in de haven van Cádiz, gereed om het anker te lichten en de aartshertog te gaan halen. Het is duidelijk dat el Rey hem tot zijn opvolger zal benoemen. Maar zoals U weet is de allerchristelijkste koning erbij betrokken: zodra hij ervan hoorde, heeft hij ambassadeur Harcourt gestuurd om te zeggen dat hij een dergelijk besluit zal opvatten als een formele vredesbreuk, en om die woorden te onderstrepen heeft hij in Toulon meteen een vloot schepen laten toerusten die veel degelijker zijn dan de Spaanse, gereed om uit te varen en het schip van de zoon in kwestie te gaan beschieten. Leopold durft niet zoveel te laten riskeren voor zijn zoon. El Rey heeft toen voorgesteld hem naar de Spaanse gebieden van Italië te sturen. Maar Leopold aarzelt: na jaren strijd in het oosten met de Turk heeft het keizerrijk geen zin meer om zijn onderdanen uit te zuigen teneinde zich te verdedigen. En de Franse koning weet dat.

De allerchristelijkste koning heeft juist begrepen dat het moment gekomen is om de beslissende slag toe te brengen: zoals U weet heeft hij om de Spanjaarden nog meer schrik aan te jagen een maand geleden het geheime verdrag van verdeling van Spanje openbaar gemaakt dat hij twee jaar geleden met Holland en Engeland ondertekende. Op het nieuws is het koninklijk paar, geschokt, van het Escorial overijld naar Madrid teruggekeerd. De koningin heeft een woedeaanval gehad en heeft in haar kamer alles kort en klein geslagen. Zelfs ik ben er niet in geslaagd haar tot bedaren te brengen. Aan het hof is de nood aan de man: de Raad van de Grandes is bang voor Frankrijk en gereed om een neef van de allerchristelijkste koning als opvolger te ontvangen om een Franse invasie te voorkomen.

El Rey van zijn kant heeft onmiddellijk zijn neef Leopold I in Wenen geschreven om hem te bedanken dat hij niet heeft deelgenomen aan het verdelingsverdrag en om hem te verzoeken dat ook in de toekomst niet te doen.

Vergeeft U mij als ik voor U reeds bekende feiten heb samengevat, maar ik moet U bevestigen dat de situatie zeer ernstig is. Als Zijne Heiligheid Innocentius XII er niet in slaagt de allerchristelijkste koning tot rede te brengen, betekent dat het einde voor iedereen.

Maar zal de Heilige Vader nog in staat zijn zich met zo'n gevoelige, zware taak bezig te houden? We weten allemaal dat hij erg ziek is en dat het conclaaf mogelijk voor de deur staat. Ik heb zelfs gehoord dat hij zich niet met de zaak zou willen bemoeien. Wat weet U ervan? Het schijnt ook dat hij niet meer bij zijn volle verstand is en bij iedere kwestie antwoordt: 'Wat kunnen we eraan doen?' Het schijnt zelfs dat hij op momenten van meer helderheid graag herhaalt: 'Men onttrekt zich aan het gezag dat de Stedehouder van Christus toekomt en bekommert zich niet om ons.'

Het zou ongehoord zijn als iemand echt de hand van Zijne Heiligheid durfde te dwingen en van zijn ziekte gebruik durfde te maken.

Ik prijs wel, Silvio, het vereren van de goden. Maar het lastigvallen van hen die dienaren van de goden zijn prijs ik niet.

Ten slotte, hoffelijke Silvio, die buigt voor haar wier heer ge zijt, als ge ook de dienaar van Dorinda wilt zijn, richt u dan op het teken van haar op.

Mijn hoofd zat vol gissingen. Ik probeerde overzichtelijk te werk te gaan. Allereerst had de Connétablesse het weer over een bemiddeling. Naar haar zeggen had de koning van Spanje de paus om hulp gevraagd om aartshertog Karel tot zijn erfgenaam te kunnen benoemen en hem van Wenen naar Madrid te kunnen laten voeren zonder een oorlog te ontketenen. De allerchristelijkste koning dreigde echter het schip van de aartshertog tot zinken te brengen.

Ik wist nog wel dat abt Melani in zijn eerste brief duidelijk had geschreven dat de paus de koning van Spanje een oordeel moest geven over wie tot erfgenaam gekozen moest worden: de hertog van Anjou, de neef van de allerchristelijkste koning van Frankrijk, of aartshertog Karel, de jongste zoon van de keizer van Oostenrijk. Dus wel iets anders dan de bemiddeling waarop de Connétablesse doelde, die de abt overigens in haar slotzin, hem aansprekend met de bekende naam Silvio, een versluierd verwijt vanwege de druk waaraan de paus zou worden onderworpen, niet leek te besparen.

Maar waarom zou de Connétablesse Atto iets moeten verwijten? Was de oude castraat dan nog zo invloedrijk aan het pauselijk hof?

Ten slotte antwoordde de Connétablesse op Atto's vorige brief, waarin de abt haar met talloze buigingen herinnerde aan zijn eeuwige, platonische liefde. En daar kwam het nieuwe mysterie. Maria reageerde met een zinsnede waarin ze ook zichzelf een schuilnaam gaf: Dorinda.

Dorinda: waar had ik die naam eerder gehoord? In tegenstelling tot Silvio was Dorinda een allesbehalve gewone naam. En toch leek het me dat ik hem al eens had gehoord of misschien gelezen. Maar wanneer?

Op dat punt prikkelden vele vragen mijn gemoed. Inmiddels voortgetrokken door het lichte schichtende tweespan van de nieuwsgierigheid haastte ik me om abt Melani's antwoord te lezen.

Hier moest ik echter de gênante lectuur ondergaan van een eindeloze, aanstellerige jammerklacht aan het begin over de vertragingen van de Connétablesse, die zelfs het leven van de abt in gevaar zouden brengen en meer van dat soort weeë taal, alsmede een gedetailleerde beschrijving van het huwelijk van Maria Pulcheria Rocci met Clemente Spada, waarin de abt de onbevallige bruid niet ontzag in de oneerbiedigste opmerkingen over haar platvissenkop.

Vervolgens kwam ik eindelijk bij wat ik zocht:

Zorg dat U snel weer gezond wordt. Alstublieft! Spant U zich niet in met zinloze zorgen. Zijne Majesteit de koning van Spanje Karel II *van Habsburg heeft heel verstandig besloten zich op de Heilige Vader te verlaten. Kiezen aan wiens handen hij de toekomst van zijn schitterende rijk, dat wel twintig kronen in zich verenigt, zal toevertrouwen verlangt zonder meer goddelijke raad.*

Weest U niet bang: Innocentius XII *is een Pignatelli, familie van trouwe onderdanen van het Koninkrijk Napels en dus van Spanje. Hij zal zich niet onttrekken aan het verzoek van de Katholieke Koning, weest U daar zeker van. Zijn beslissing mag langzaam zijn, maar is ook overdacht en wordt zonder meer gedicteerd door de liefde voor de Spaanse kroon.*

We weten hier allemaal zeker dat het, wat Zijne Heiligheid ook zal besluiten, voor de koning van Spanje iets heiligs zal zijn. En niemand in Europa zal zich tegen het oordeel van de paus durven verzetten. Tegen de bliksemflitsen van de hemel vermogen de machthebbers der aarde niets. De hand van de Almachtige, die zich beschermend uitstrekt over de opvolgers van Petrus volgens de woorden qui vos spernit, me spernit, *zal aan het woord van Zijne Heiligheid de juiste zege brengen.*

Ik begreep er niets meer van: het was net of abt Melani en de Connétablesse elkaar in twee verschillende talen toespraken, onverschillig of ze elkaar al dan niet verstonden. Had de Katholieke Koning nu besloten voor de aartshertog, zoals de Connétablesse zei, en smeekte hij om de steun van de paus? Of wist hij niet voor welke erfgenaam hij zich moest uitspreken en vertrouwde hij de beslissing aan het pauselijk oordeel toe?

Melani's brief eindigde aldus:

En U, genadige, maakt U zich geen zorgen over de gezondheid van de paus: hij wordt omringd door uitstekende lieden die zorg dragen voor hem en zijn verplichtingen, maar zonder het te wagen aan de bisschopsstaf te komen die Zijne Heiligheid door goddelijk recht in zijn hand houdt. Allereerst de kardinaal-staatssecretaris Fabrizio Spada, die U ook waardeert en die U met spanning verwacht op dit verrukkelijke landgoed van hem, Villa Spada, op de Janiculus.

Dierbare vriendin, vanaf deze heuvel kijkt men uit over Rome, heel Rome en misschien ook wel wat verder. Draal niet langer.

Tot over twee dagen, derhalve?

En onder aan de brief:

Laat het zo zijn, Dorinda. Gij, Silvio, wat wilt ge meer van haar? Wat kan deze Dorinda u meer geven? Maar gij, Dorinda, godin van de hoogste hemel, betoon u nu aan Silvio met eeuwig mededogen, niet met woede.

Atto bezweek voor de uitnodiging van de Connétablesse om niet meer, al was het maar symbolisch, voor haar te buigen: wat, zei hij bij zichzelf, kon hij ook ooit nog verlangen? Zijn liefde voor haar was zonder hoop. Toch reageerde de abt, zij het met een zachte smeekbede, op het gefoeter dat de Connétablesse regelmatig voor hem in petto had wanneer ze hem Silvio noemde: hij verzocht haar voortaan medelijdend te zijn en niet boos.

Ik moest toegeven dat abt Melani helemaal geen gekke dichtader had waar het om de liefde ging.

Ik piekerde nog even over de naam Dorinda, maar zonder me te herinneren waar ik die eerder had gezien of gehoord.

Bovendien kwam ik algauw weer op ernstiger overwegingen: Atto bleef zwijgen over de Spaanse troonopvolging, maar in zijn brieven aan de Connétablesse ging het over niets anders (afgezien van de liefde). Ik had dat al gemerkt vanaf de dag van aankomst van de abt in Villa Spada. Sindsdien had ik tot nu toe evenwel niets kunnen ontrafelen. Ik was er niet eens in geslaagd meer te weten te komen over gravin de Soissons, als zij en de geheimzinnige gifmengster gravin de S. althans een en dezelfde persoon waren.

Ik schudde moedeloos mijn hoofd: de nevelen van het raadsel leken niet te willen optrekken.

Eén ding was zeker: op de een of andere manier was ook mijn baas, kardinaal Spada, bij de kwestie betrokken. Zowel de Connétablesse als Melani berichtte dat de staatssecretaris bij de Spaanse ambassadeur was geweest vanwege het verzoek van de Spaanse koning aan Innocentius XII, en dat de kardinaal zich, gezien de slechte gezondheid van de paus, in diens plaats persoonlijk bezighield met de af te handelen verplichtingen. Ik voelde me dus eens te meer gedwongen mijn ideeën over die aaneenschakeling van mysteriën op te helderen. Derhalve nam ik me voor de volgende dag Atto ten minste over de identiteit van gravin de Soissons uit te horen.

De aanwijzingen van de Rooie waren nauwkeurig genoeg. De plaats was bepaald niet uitnodigend, maar volgens de instructies die we hadden gekregen was het noodzakelijk er juist in de nachtelijke uren heen te gaan om niet gezien te worden. Een onontbeerlijke truc; we moesten de ondoorgrondelijke Duitser overrompelen.

Eigenlijk had ik een afgelegen plek op het land verwacht, misschien tussen de tuinen en bosschages, buiten het bereik van mensen en handelsverkeer. Maar de Rooie had ons juist naar het hart van de Heilige Stad gestuurd. 'Ik ben er nog nooit geweest, hè!' had hij gewaarschuwd. 'Maar ik weet van anderen uit mijn groep dat hij daar zit.'

De weg was niet lang: vanaf Villa Spada bereikten we de Piazza di Monte Cavallo en stonden ten slotte tegenover de heilige, imposante muren van het Pauselijk Paleis. Vandaar gingen we naar rechts en bogen daarna af naar de Strada di San Vitale. Aan de linkerkant, achter de hoge muur die aan beide zijden langs de weg liep, verhief zich de klokkentoren van de jezuïeten van San Vitale in de Valle Quirinale. Het fraaie ranke silhouet deed me weer denken aan het kerkje dat je vanaf ons akkertje soms, op heldere dagen, in de verte kon zien, en ik bad God of ik gezond mocht blijven, niet alleen voor mezelf maar ook voor mijn lieve Cloridia, die ik inwendig smeekte, gezien de talrijke onvoorzichtigheden die zich in die dagen afspeelden en die welke waarschijnlijk nog zouden volgen, te bidden voor de gezondheid van niet alleen mijn geest maar ook mijn lichaam.

Eindelijk op de Strada Felice gekomen, die met een evenwichtige afwisseling van klimmen en dalen het strenge gevaarte van de Santa Maria Maggiore met de liefelijke hoogten van de Monte Pincio verbindt, sloegen we rechtsaf en lieten de Quattro Fontane achter ons. Kort voor de kerken van de monniken van Paulus I de Kluizenaar en van de heilige Norbert van de Paters Premonstratenzers, op een steenworp afstand van de Santa Maria della Sanità de' Bonfratelli, begon rechts een kleine naamloze zijweg. Daar schoot het terrein als het ware omhoog en vormde een soort rijzend bergje dat zich bijna uitstrekte als de rug van een begraven reus. Naarmate we langs dat langwerpige bergje liepen, zagen we dat aan de zijkant, onderaan en rechts van ons, eerst een gat zat, toen een grotere opening, ten slotte een heuse grot en toen nog een. Het was een reeks kunstmatige holen, oorspronkelijk gemetseld, nu bedekt met aarde, heesters, klimplanten, zwammen, korstmos en allerhande schimmels.

De holen waren in twee evenwijdige rijen opgesteld: één lager, op de hoogte waar wij ons bevonden; de andere gevormd door grotere grotten, boven de vorige en vrij achteraf, en wel zo dat er een soort gang van diverse roeden breed voor lag. Aan de rechter buitenkant van die reeks spelonken was zelfs een groep holen op een derde niveau, met daarop een landhuisje met een torentje, waarachter het klooster van de nonnen van Sint-Franciscus in de Thermen zich uitstrekte. De naam van het klooster was niet toevallig.

'Wie had dat kunnen denken,' zei Atto, van wie ik sinds onze eerste ontmoeting zijn bekendheid met de oudheid kende, 'de Thermen van Agrippina. Ik had nooit gedacht dat ik op zo'n hoogstaande plaats zulke smerig volk zou zoeken als de cerretanen.'

Hij zwierf bijna op zijn tenen tussen die oeroude resten uit de keizertijd alsof hij vreesde dat hij al struikelend een eeuwenoude steen zou kunnen beschadigen: met sidderende behoedzaamheid en een nauw merkbare zweem van weemoed in zijn stem keek hij rond. Zeventien jaar terug had ik hem een onderaards Mithras-heiligdom zien herkennen en bewonderen, en ik wist dat hij voor de liefhebbers van oude bezienswaardigheden een gids van Rome had geschreven; ondanks alle tijd die er verstreken was had hij, naar het zich liet aanzien, zijn oude voorkeuren niet verloren.

'We zijn er,' zei Sfasciamonti, en hij wees met zijn wijsvinger tegenover ons: 'Dat is de plek.'

Aan het eind van de rij holen, voor het laatste stuk muur van het klooster, tekende zich onaangedaan en duister een toren af.

Het was een van de legio spitsen die Rome voorheen tot een *Urbs turrita* hadden gemaakt, in overvloed getooid met torens en spitsen: in de Middeleeuwen ontstane uitkijk- en verdedigingsposten die de stad een antiek, krijgshaftig aanzien verleenden. Hij was niet hoog: hij moest afgekapt zijn, zoals dikwijls gebeurde tijdens barbaarse invallen, of de top was door een brand ingestort.

'Niemand zal u tegenhouden,' had de Rooie er raadselachtig aan toegevoegd toen hij ons de aanwijzingen gaf voor het hol van de Duitser; 'eventueel beslist u zelf om weg te gaan.'

Een eerste bevestiging kwam toen we tegenover de toren stonden. We gingen eromheen, speurden de hele voorgevel af. De ramen waren allemaal afgesloten. Tegen de toren aan troffen we een huisje met daarin de voordeur. Het was van hout, kraakte en was krakkemikkig. We duwden. Het was open.

Eenmaal binnen stonden we in een ruim, donker, stinkend vertrek. Ratten en allerhande zwervers moesten dat varkenskot sinds lang hebben uitverkoren voor hun ontlasting. Door het licht van de lantaarn konden we nog net de kolossale spinnenwebben vermijden die door heel de krocht heen liepen, alsmede de misselijk makende boel (rommel, puin, afval) op de grond.

Plotseling struikelde ik met de neus van mijn schoen over iets dat stevig vastzat in de grond. Ik wreef mijn pijnlijke grote teen. Het was een tree.

'Signor Atto, een trap,' kondigde ik aan.

Ik lichtte bij met de lantaarn. Tegen de rechterwand liep een trap naar een deur.

Ook ditmaal was er geen kettinkje of slot om de doorgang te verhinderen.

'De Rooie had gelijk,' merkte Sfasciamonti op, 'er zijn geen hinderpalen of veiligheidsmaatregelen om ons de pas af te snijden. Wie er zich ook achter deze deuren en trappen schuilhoudt, hij is zeker niet bang voor indringers. Heel interessant.'

Achter de tweede deur wachtte ons nog een trap die heel steil was. Melani stond vaak stil om adem te scheppen.

'Wanneer zijn we er nou eens?' vroeg hij zich moedeloos af, terwijl hij met behulp van de lantaarn vergeefs probeerde de afgelegde weg achter zich te bekijken.

'We klimmen naar de top van de toren,' antwoordde ik.

'Dat had ik ook wel door,' wierp Atto zuur tegen, 'maar mag ik ook weten waar verdorie het hol van die Duitser is? In de nok?'

'Misschien is de Duitser wel een ooievaar,' grijnsde Sfasciamonti met een onderdrukt lachje.

Intussen ging ik in mijn herinnering terug naar jaren geleden, toen Atto en ik hele nachten lang onderaardse gangen en tunnels in het duistere ingewand van de stad hadden verkend, waarbij we op allerlei gevaren waren gestuit en gevaarlijke hinderlagen hadden overwonnen. We waren nu weer in een donkere gang, maar dan een die leidde naar de hemel en niet naar het binnenste der aarde.

We liepen nog een paar minuten zo verder, bijgelicht door het zwakke schijnsel van de lantaarn, totdat we ons in een klein vierhoekig hol bevonden. De vloer was belegd met planken. Tegenover ons leidden een paar treden naar een deurtje dat er helemaal naar uitzag dat het naar een nog hoger plan voerde. We keken elkaar argwanend aan.

'Het bevalt me niet, duizend bommen nog an toe,' commentarieerde Sfasciamonti.

'Mij ook niet,' echode Melani, 'als we daar naar boven gaan, is het onmogelijk om om te keren en snel buiten te komen.'

'Had die toren maar een raampje of anders een kijkgat, dan konden we misschien zien hoe hoog we zitten,' zei ik.

'Ach wat, het is buiten stikdonker,' wierp de abt tegen.

'Wat gaan we doen?'

'Laten we verder gaan,' zei Atto, terwijl hij doorliep naar het hol. 'Wat gek, er hangt hier een geur als van...'

Hij onderbrak zichzelf. Toen zette alles zich in gang en met een te grote snelheid om de gebeurtenissen te kunnen bijhouden. Terwijl we Melani volgden, hoorden we onder onze voeten de planken lichtjes dreunen en met een kleine maar vastberaden schok zakten ze een halve palm.

We schrokken op, ons bewust van de onverwachte dreiging.

'Achteruit! Het is een va...' riep Sfasciamonti.

Het was te laat. Een deur van hout en ijzer, massief en loodzwaar, kwam met veel geraas achter ons naar beneden, zodat we gescheiden waren van het trapje waar we vandaan kwamen, en drong zich als de spade van een boer in de droge, kale aardkluit bruut in de bodem. Gelukkig was de lantaarn niet uitgegaan, maar wat het licht ons ging onthullen zou me nog naar het donkerste duister doen terugverlangen.

Infernale vuurdruppels dansten voor en om ons heen en beschenen ons met hun ellendige schijnsel, waardoor onze gezichten eruit kwamen te zien als die van verdoemde zielen. Als ze eenmaal onze huid raakten, waren ze vast in staat onuitsprekelijk leed toe te brengen.

'Almachtige God, help ons! We zijn in de hel beland,' riep ik in paniek uit.

Atto sprak niet: hij probeerde die helse glimwormen uit zijn gezicht te krijgen en joeg ze weg als vliegen, maar wanhopig en drie keer zo driftig.

'Vervloekt, mijn voeten!' brulde Sfasciamonti.

Op dat moment voelde ik het ook: een onverdraaglijke hitte drong in mijn schoenen door. Ik moest een voet opheffen, en toen de andere, en toen weer de eerste, omdat ik ze niet op de grond kon houden. Ook Atto en de smeris stonden te dansen als bezetenen, terwijl ze de vuurdruppels van zich af sloegen en tevergeefs probeerden iedere voet zo min mogelijk op de grond te houden.

'Eruit, vervloekt!' schreeuwde Atto en hij haastte zich met Sfasciamonti naar het deurtje waar we eerst niet door hadden willen gaan en dat nu onze enige uitweg was geworden.

Gelukkig was ook deze doorgang open, net als de andere hiervoor. Ditmaal posteerde zich voor ons een rij haken van verroest ijzer. De smeris ging als eerste naar binnen. De opening was zo nauw dat we diep moesten bukken en met onze neus bijna onze knieën raakten. We liepen moeizaam verder, achter elkaar aan, onze voeten nog half verbrand, terwijl enkele boosaardige vuurdruppels spottend de gang binnen drongen. Zo zag ik me tussen de machtige omvang van Sfasciamonti en het reeds uitgeputte, dunne silhouet van Atto geklemd; ik kneep hem als een ouwe dief en smeekte Onze-Lieve-Heer erbarmen met mijn ziel te hebben.

'Neeee!'

En toen, terwijl Sfasciamonti die wanhoopskreet slaakte, zag ik hem verdwijnen, opgeslokt door een onverwachte diepte, en ik voelde hem mijn rechterarm grijpen en mij met wonderbaarlijke kracht meesleuren de afgrond in.

Het onzichtbare, natuurlijke mechanisme dat het menselijk handelen in een dergelijke verwarring beheerst bewoog zijn radertjes en zette mij ertoe aan, zonder het me bewust te zijn, op mijn beurt Atto vast te grijpen, die zo met mij viel. Aan elkaar gekoppeld in een beklagenswaardig konvooi van vlees en bloed werden we door een onoverwinnelijke kracht opgezogen in een duizelingwekkende val zonder einde.

'... *Et libera nos a malo*,' had ik nog de kracht om in gedachten te citeren, terwijl de vreemde maalstroom me bijna de adem benam.

Die val leek me een eeuwigheid te duren. Ineens lagen we over elkaar heen, alsof de hark van Lucifer ons had geoogst in de massa verdoemden en voor het aangezicht van de hellerechters had gesmeten.

Sfasciamonti, die roerloos onder me lag, was verstijfd van angst, alsmede door het gecombineerde gewicht van Atto en ondergetekende. Melani kreunde van de pijn, was van de kaart en bewoog zich nauwelijks. Met grote moeite gleed ik uit dat dubbele mensentapijt weg en was de Heer dankbaar dat ik op de grond kon zitten: de vloer gloeide niet meer. Een bijtende, bekende lucht die alleen in die omstandigheden verontrustend was, was in mijn kleren getrokken en op mijn huid gaan zitten. Ik werd me weer bewust van de omgeving om me heen en angst beheerste mijn hart.

De lantaarn was uiteraard half kapot. Toch was het mogelijk overal een mysterieus schijnsel te ontwaren, een mengeling van mist en blauwige gloed, zoals glimwormen na zonsondergang in de tuinen afgeven en daarmee fijntjes alles bedekken.

Was ik nog helemaal heel? Ik keek naar mijn handen en beefde. Ze gaven licht af, ja, ze waren zelf van licht gemaakt.

Ik was geen mens meer. Een schijnsel met opaalachtige glans verspreidde zich vanuit ieder punt van mijn lichaam, zoals ik kon constateren toen ik mijn benen en buik onderzocht. Mijn stoffelijk overschot was elders. Daarvoor in de plaats was er nu een arme verloren ziel, een deerniswekkend beeld dat in het hiernamaals ronddoolde, een doorschijnende, onstoffelijke substantie.

Op dat moment kwam Sfasciamonti overeind en zag me.

'Jij... jij bent dood!' siste hij vol huivering tegen wat er van me over was.

Hij keek met dwaze, verdwaasde ogen om zich heen. Vervolgens richtte hij zijn blik op zichzelf, op handen en armen. Ook hij gaf het blauwe licht af dat overal was, binnen en buiten ons.

'Ik dus ook... wij allemaal... o, mijn God,' snikte hij.

Daarna was het de beurt aan de verschijning. Een wezen van de Duisternis met een dreigende zwarte pij aan en zijn gezicht verborgen in een grote mystieke kap keek roerloos naar ons vanuit een nis in de muur met tralies ervoor.

Ook Atto stond op van de grond en zag het. Bij ons alledrie stokte eindeloze ogenblikken lang de adem, we zweefden tussen hoop en wanhoop, leven en dood. Andere wezens met kappen op verschenen achter het wezen in de nis, die in werkelijkheid, zoals duidelijk werd, een kleine galerij was. Het waren boosaardige afgezanten van de Avernus Lacus. Ze zouden ons bespringen, dat was duidelijk, om ons te verslinden.

Het traliehek ging omhoog. Niets stond nu meer tussen ons en de demonen. Hun leider, degene die als eerste was verschenen, deed een stap naar voren. Instinctief deinsden we terug. Zelfs Sfasciamonti, of liever het grote blauwige fantoom dat zijn plaats had ingenomen, beefde als een espenblad.

Alles voltrok zich in een paar seconden. Uit de windingen van zijn pij haalde het satanische wezen een langwerpig fel oranje voorwerp te voorschijn. Het was een gloeiende dolk, gemaakt in de blanke hitte van de vlammen van de Hades, die hij tegen ons richtte als een vloek. Zo dadelijk, zei ik bij mezelf, zal er de vuurtong uit komen die ieder overgebleven sterfelijk deeltje uiteen doet vallen en ons (als onze lichtende omhulsels nog materie waren) tot een pover dwalend ectoplasma maakt.

Hij stak de glinsterende dolk mijn richting uit, ten teken van veroordeling. Wat had ik ooit gedaan, vroeg ik me jammerend af, dat ik niet tenminste het Vagevuur verdiende in plaats van die huiveringwekkende Hel, zonder weg terug? Vier duivelen snelden op me af, hielden me in bedwang en dwongen me met hun gemene klauwen met mijn rug op de grond. Ik gilde het niet uit: de angst snoerde me de keel. Trouwens, zei ik bij mezelf in een flits van galgenhumor, wie kan de klacht van verdoemden ook horen?

Hun voorman kwam naar me toe. Ook nu was het niet mogelijk om zijn gezicht te ontwaren, alleen de macabere, gekromde hand (ook die was lichtgevend blauw) waarmee hij de dolk van vuur toonde. Ik wist niet wat Atto en Sfasciamonti intussen overkwam; ik hoorde alleen een onbestemd rumoer: waarschijnlijk werden zij op hun beurt ook overweldigd.

De engel des kwaads boog zich naar voren en was boven mij. Hij wees met zijn dolk recht op mijn voorhoofd. Hij richtte de punt net boven mijn ogen, precies in het midden. Hij zou het bot (of de schijn ervan) met de allesoverheersende kracht van het vuur doorboren. Vervolgens zou hij, steunend op het gat, het gloeiende lemmet ronddraaien in mijn hersenpan, zodat hij mijn grijze hersenen netjes zou omroeren en bakken.

'Nee,' smeekte ik, ik weet niet meer of het alleen in gedachten was of met het dunne stemmetje dat me na het aardse leven nog was vergund.

In de lichtloze diepte die de kap van mijn beul was, meende ik (de kracht van het Kwaad en zijn trawanten) een boosaardige glimlach te zien die genoot van mijn angst en naderend einde. De absurde hitte van het lemmet droogde mijn ogen uit (had ik ze nog?), zodat alleen mijn dierlijke levensdrang ze nog open hield.

De punt van het gloeiende lemmet was nog minder dan een haarbreed van mijn voorhoofd verwijderd. Het kon er elk moment in gaan. Nu: over minder dan een seconde. Daar heb je het, ja. Cloridia mijn schat, mijn lieve meisjes...

En toen, als een zoet voorspel op de dood, raakte ik buiten kennis. Alvorens te bezwijmen klopten hart en ziel nog een laatste moment tegelijk. Net lang genoeg om te horen:

'Een ogenblikkertje: gevaarlijker vergissering.'

'Waaaat? Vervloekte idioot, ik hak jullie aan mootjes!'

Vervolgens heftige geluiden, als van een handgemeen, en het schot.

'Kom op, held, overeind.'

Een oorvijg. Snel, hard en bedrieglijk als een emmer water. Hij had me gewekt en riep me terug uit de slaperigheid van de bezwijming. Nu hoorde ik Atto's stem tot mij spreken.

'Ik... ik heb niet...' prevelde ik nog languit, terwijl mijn hoofd leek te barsten. Ik hoestte meermalen. Er hing een brandlucht en overal was rook.

'Kom terug in het land der levenden,' zong Melani voor mij, 'we moeten hier weg voordat we stikken. Maar eerst stel ik je Beëlzebub voor. Het zal je verbazen, denk ik, dat je hem nog niet hebt herkend.'

Nog trillend ging ik rechtop zitten. Het blauwige licht doortrok niet meer het helse hol. Alles was nu geel, rood en oranje: een fakkel brandde en verlichtte de omgeving. Ik keek naar mijn handen. Ik gaf ook niet meer dat rare lichtgevende schijnsel af.

'Ik heb opnieuw geladen,' hoorde ik Sfasciamonti's stem aankondigen.

'Goed,' antwoordde Atto.

Ik keek mijn ogen uit. Het tafereel van zo-even, waarin ik dacht het leven vaarwel gezegd te hebben, was helemaal veranderd.

Sfasciamonti zwaaide in zijn rechterhand de dolk waarmee ik terechtgesteld zou worden. Hij richtte hem op het groepje bekapte demonen, die allemaal netjes naast elkaar tegen de muur aan stonden zonder iets van opstand te vertonen. Al die discipline was niet zomaar: in zijn linkerhand hield de smeris zijn dienstpistool. Atto echter klemde in zijn hand een geïmproviseerde fakkel: een kegel van papieren die hij met de gloeiende dolk moest hebben aangestoken en die nu de nauwe ruimte waarin we ons bevonden verlichtte, maar ook niet in te ademen dampen verspreidde.

'Vooruit, ellendeling, haal ons hier uit,' zei Atto tegen de demonenleider, waarna hij een zakdoek voor zijn neus hield om niet te veel rook in te ademen.

En toen herkende ik degene die aan het hoofd van die helse bende stond. Die smerige, veel te grote pij, die geur van vuil die hij om zich heen verspreidde, die klauwhanden...

De kap verschoof even. En zo vond ik dat perkamentachtige gezicht terug, het ellendige mozaïek van verlopen huid die alleen van vermoeidheid nog bijeengehouden werd, de opgezwollen, verkankerde neus als een beschimmelde wortel, de leugenaarsogen, wantrouwend en bloeddoorlopen, de paar zwartige stompjes van tanden, de diep gegroefde rimpels, de benige schedel en de gelige huid waar gelaten een paar ijzerkleurige haren uit hingen.

'Ugonio!' riep ik uit.

Op dit punt is het nodig de aard en de misstappen te belichten van de persoon in kwestie, alsmede van zijn kameraden met wie het mij jaren geleden beschoren was nogal wat tegenslagen te delen.

Ugonio was een heilige-lijkenpikker, dat wil zeggen een van die wonderlijke kerels die al hun tijd doorbrengen in het ondergrondse van Rome op zoek naar relikwieën van de heiligen en eerste martelaren van het Christelijk Geloof. De lijkenpikkers waren, zeg maar, heuse wezens van de duisternis, die al hun tijd besteedden aan graven onder de grond met hun handen, daarbij modder scheidden van brokken, aarde van stenen, scherven van schimmel, en juichten als dat hardnekkige, pietepeuterige filterwerk uiteindelijk één stukje Romeinse kruik, één muntje uit de keizertijd, één stukje bot te zien gaf.

Ze waren gewoon de relikwieën (of heilige lijken, zo u wilt, en vandaar hun naam) die ze onder de grond ontdekten voor een hoge prijs te verkopen en de goedgelovigheid of liever de onvergeeflijke naïviteit van de kopers uit te buiten. Het stukje kruik lieten ze doorgaan voor een fragment van de bokaal waarmee Onze-Lieve-Heer zijn dorst leste tijdens het laatste avondmaal; het muntje werd een van de dertig zilverlingen waarvoor Judas de Zoon van God verried; het stukje bot was weer een deel van het sleutelbeen van de heilige Johannes. Van al het minne spul dat de lijkenpikkers onder de grond bij elkaar scharrelden werd niets weggegooid: een half verrot houtje werd duur verkocht als echt stukje hout van het Heilig Kruis, een gewone veer van een dode vogel kwam onder de hamer als een echte veer uit een engelenvleugel. Het simpele feit dat ze al hun tijd doorbrachten met graven, verzamelen en smerige boel ordenen, had hun de naam van onfeilbare jagers op Heilige Voorwerpen bezorgd, en de garantie van een groot aantal klanten om te bedriegen. Mettertijd en dankzij sluwe omkoping hadden ze kopieën bemachtigd van de sleutels van kelders en magazijnen van de halve stad, waarmee ze toegang kregen tot alle geheimste uithoeken van het onderaardse Rome.

De lijkenpikkers lieten hun verwerpelijke praktijken onverwachts gepaard gaan met een oprechte, intense en bijna fanatieke gelovigheid, waar ze op de ondenkbaarste momenten mee te koop liepen. Voorzover ik me herinnerde, hadden ze in de loop der tijden aan meerdere pausen gevraagd zich te mogen organiseren in broederschappen; maar op dit verzoek was nooit ingegaan.

Ugonio was dus een van hen. Omdat hij geboortig was uit Wenen sprak hij mijn taal met stembuigingen en accenten die het soms problematisch maakten om een uitgewerkte gedachte met de woorden te laten overeenstemmen. Daarom was hij dus herdoopt met de naam Duitser.

'De Duitser...' riep ik verbaasd tegen Ugonio uit, 'dat ben jij dus!'

'Ik erkenner dezer bijernaam niet, waarvan ik met mijn ganse wezeren afstanding nemer,' protesteerde hij. 'Ik ben afkomstiglijk uit Wenen, maar ik ben de Italiaanser spraak machterig als een moedertaler.'

'Houd je mond, beest,' bracht Atto hem tot zwijgen; hij had jaren geleden al gehoord hoe graag Ugonio mocht opscheppen over zijn krakkemikkige manier van spreken. 'Ik word al beroerd als ik je hoor. Je hebt dus fortuin gemaakt met het Jubeljaar: de Romegangers beroven of oplichten met je zogenaamde relikwieën, misschien wel door voor duur geld een hambot te laten doorgaan voor het scheenbeen van de heilige Callistus. Ik heb gehoord dat je een grote jongen geworden bent. En nu heb je je verkocht aan Lamberg, hè? Nee, jij bent natuurlijk een patriot, hoezo verkocht: je bent een Wener en als zodanig een trouw onderdaan van Zijne Keizerlijke Majesteit Leopold I, net als die vervloekte ambassadeur. Tja, wie had kunnen denken dat ik in mijn leven nog een keer jouw weerzinwekkende aanwezigheid zou moeten dulden,' besloot Melani laaiend van verontwaardiging en spuwend op de grond.

Intussen keek ik naar Ugonio en talloze herinneringen wervelden door mijn hoofd. De vermoedens van de abt leken volledig bevestiging te vinden: als de beruchte Duitser, die gemene zaak maakte met de cerretanen, een Wener was, hadden ze allemaal tegen ons samengespannen in dienst van het

Weense keizerrijk. Ondanks alles was ik blij de oude lijkenpikker, kameraad in vele avonturen, terug te zien en ik bevroedde dat zelfs de abt dat niet erg vond, ondanks zijn verontwaardigde reactie.

'Wat zeg je van de dolksteek die ik aan mijn arm heb moeten oplopen van die cerretaan van jou? Was die soms voor mijn borst bedoeld? Zeg op!' drong Atto aan.

'Ik ontkenner en miskenner ten stellerigste uwer absurdere aantijgeringen. En ik wister niet dat iemand uwer een ongeluk had gemaakt mit een steekwagentje.'

'Ik begrijp het, je wilt niet meewerken. Daar zul je spijt van krijgen. En nu weg hier,' hervatte Atto, 'laat ons zien hoe we eruit moeten. Sfasciamonti, geef mij het pistool en houd Ugonio met de dolk in de gaten. Wie een verkeerde beweging maakt, krijgt een gat in zijn buik.'

De groep bekapten, die ik in de kortstondige paniek voor duivels had aangezien, glipte de nis in waar ze eerst uit opgedoken waren. We liepen hen achterna en hielden hen onder de bedreiging van het pistool en de dolk, alsmede uiteraard Sfasciamonti's spiermassa. We gingen zo een stinkende, smalle gang in die tot buiten de vermeende hellekring leidde, wederom naar het onbekende.

'Maar... we zitten onder de grond!' riep ik op een zeker moment uit toen ik een merkwaardige vochtigheid en het *opus reticulatum*, de typische stenenstructuur van de oude Romeinse muren in de gaten kreeg.

'Ja,' stemde Sfasciamonti in, 'waar is de toren gebleven?'

'We zitten in een zijgang van de Thermen van Agrippina,' antwoordde abt Melani, 'wie weet was het vroeger wel een gang op de tweede verdieping, met ramen en balkons en al, en ademde je frisse lucht in. De rest leg ik later wel uit.'

Zoals nu volledig duidelijk zal zijn, maakte het halfslachtige gilde van de lijkenpikkers hen *de facto* gelijk aan een andere groep verwerpelijke lieden: de cerretanen. Niet toevallig waren we bij het zoeken naar de beruchte Duitser op hen gestuit.

Terwijl we de gang door gingen, zwakjes bijgelicht door de toorts van Atto (die hem brandende hield met een stukje stof dat hij op de grond had gevonden), begon Sfasciamonti Ugonio uit te horen:

'Waarom word je de Duitser genoemd? En waarom heb je bevel gegeven tot de diefstal van abt Melani's manuscript en relikwie?'

'Dat is een goorlijke, valsere leugenheid. Ik ben algerheel onschulderig, dat zweer ik van nu af aan, of bijna nooit, welteverstaan.'

Sfasciamonti zweeg even, verbijsterd door het losse, rammelende taaleigen van de lijkenpikker.

'Hij zei dat het niet waar is. Hoe dan ook wordt hij de Duitser genoemd omdat hij in Wenen geboren is, en Duits is zijn moedertaal,' lichtte ik toe.

In de tussentijd waren we van de gang overgegaan op een trap. Ik was nog onder de indruk van de ervaringen van zo-even. Geschokt dat ik van het leven naar de dood was overgegaan (zo had het althans echt geleken), en toen weer naar het leven. Ik was bekaf en voelde pijn door de talloze schoppen, duwen en rukken. Mijn kleren zaten onder allerlei rare luchtjes en bovendien had ik het onverklaarbare gevoel dat mijn rug bedekt was met een laag reuzel. Uiteindelijk gloeide ik van schaamte dat ik als enige in heel de groep van angst van mijn stokje was gegaan, en dan ook nog eens op het beslissende moment dat Atto en Sfasciamonti de situatie weer onder controle hadden gekregen.

Atto's toorts had zijn korte leven beëindigd; zodoende moesten we ineens weer in het pikkedonker verder, met onze voeten de grond en met onze handen de muren aftastend. Ik beefde bij de gedachte dat op die verstikkende trap een nieuwe slag zou kunnen uitbreken, met onvoorspelbare en bijna zeker bloedige uitkomsten. De troep bekapten liep echter keurig door op de trap; Atto en Sfasciamonti hoefden geen opstand te bedwingen. Zo waren de lijkenpikkers: sluw en misleidend, startklaar om allerlei list en bedrog in het werk te stellen, maar niet in staat door middel van geweld kwaad te stichten; tenzij het er welteverstaan (zoals zeventien jaar geleden) om ging een hoge geestelijke te hulp te schieten, een taak waarvoor hun christenijver zich inzette met een moed en onverschrokkenheid, christenhelden waardig.

'Vervloekte schooiers,' voer Atto uit, 'eerst die hele grap van de hel, en nu deze ommelandse reis.'

'Signor Atto,' vond ik de moed te vragen, 'we waren bedekt met een merkwaardig blauw licht. Hoe hebben ze ons in 's hemelsnaam op spoken kunnen laten lijken?'

'Dat is een ouwe truc, jongen. Ja, als ik me wel herinner, zijn het er twee. In het eerste hol, waar het leek of je in een regen van brandend vulkaangruis liep, lag op de grond een ijzeren vloer, waaronder gloeiende kolen waren gelegd. De vloer was gloeiend heet, maar dat merkten we pas nadat onze schoenen behoorlijk waren opgewarmd. Onder de vloer, op de kolen, hebben ze waarschijnlijk een bak van geglazuurd aardewerk gezet vol alcohol van wijn met een stuk kamfer erin, dat de kleine ruimte met zijn uitwasemingen heeft gevuld.'

'Ik snap het! Daarom zit ik dus onder die rare luchtjes: het leek inderdaad of het...'

'Het is net wat je dacht: kamfer,' kapte Atto af, 'die je tegen de motten gebruikt. Maar laat me uitpraten: op een zeker punt van onze tocht hebben we op een ijzeren vloer getrapt die al zakkend een mechanisme in werking stelde. Dat heeft op zijn beurt ineens met een gigantisch kabaal van boven af een deur doen vallen en de ruimte verticaal afgesloten. Intussen drong de vlam van onze lantaarn het hol vol alcolhol- en kamferdampen binnen, die onmiddellijk vlam vatten. De verrassing en het vreselijke branderige gevoel aan onze voeten hebben uitstekend gewerkt: met al dat dansende vuur en de hitte die van onder kwam, dachten we dat we in de hel zaten. Toen zijn we ontsnapt door het deurtje en het trapje met haken, de enige vluchtweg die ons naar beneden toe gezogen heeft zoals Scylla en Charybdis niet eens zouden kunnen.'

'Precies! Hoe is dat verdikkeme gebeurd?'

'Dat hebben Sfasciamonti en ik begrepen terwijl jij je dutje deed. Aan het eind van de trap met haken zat een metalen glijbaan, glad en goed ingesmeerd met royaal keukenreuzel.'

Ik voelde aan mijn achterwerk. Ja, het was echt de reuzel die ik, toen ik knechtje in de herberg was, ook had gebruikt om pannen en potten in te vetten voor ik een kip ging bereiden in wijnsaus en noten, of een vogeltje in ragout.

Door die reuzel, vervolgde Atto, waren we in topsnelheid de glijbaan af gegaan, waarmee we de hele hoogte van de toren omgekeerd aflegden.

'De hele hoogte? Wat bedoelt u?' kwam Sfasciamonti tussenbeide, die met stomheid geslagen Atto's uitleg had aangehoord.

'De toren is niet zo laag als we dachten: hij is juist heel hoog, maar in de loop van de eeuwen is hij gedeeltelijk met aarde gevuld. Wij zijn naar binnen gegaan via het huisje dat in recenter tijden is gebouwd en dat als zodanig geen toegang biedt tot de begane grond van de toren, maar tot ongeveer halverwege de oorspronkelijke hoogte. De glijbaan daarentegen heeft ons helemaal naar beneden gestort tot op de oude, echte vloer van de toren, die tegenwoordig opgenomen is in de ondergrond op verschillende meters diepte.'

'En ondergronds is de toren verbonden met een heel gangenstelsel,' concludeerde ik dankzij mijn oude kennis omtrent Romeinse ondergrondse gangen, die allemaal geheid met elkaar in verbinding stonden.

'Ja. En hier wachtte ons de tweede truc. Zodra ze zagen dat we in de Thermen van Agrippina waren aangekomen, en dan ook nog eens op een laat tijdstip en dus met het oog op een inval in de gangen, hebben ze in deze tweede ruimte een glas brandewijn of een soortgelijke sterke drank laten branden. In de brandewijn was, als ik het recept nog goed weet, een beetje gewoon zout opgelost.'

'Wacht even,' kwam ik tussenbeide, 'hoe kunt u al die bijzonderheden weten?'

'Dat is kinderspel. In Frankrijk kent iedereen die; je hoeft er maar een boek over op te slaan, zoals van abt de Vallemont, waar ik het volgens mij al over heb gehad.'

'Waar u van sprak in Het Schip?' vroeg ik, vagelijk verontrust.

'Precies.'

De volgende kunstgreep, voltooide abt Melani, werkte niet in aanwezigheid van vuur, maar juist als je een kaars aanstak en dan weer uitdeed. En onze lantaarn, zoals eenvoudig was te voorspellen voor iemand die heel die poppenkast had georganiseerd, was nog brandend onder aan de glijbaan gekomen om pas op de grond kapot te gaan. Als de ruimte goed doortrokken was met dampen van het brandewijn-en-zoutmengsel, zouden de gezichten die in die kunstmatige sfeer gezien werden het bleke, grauwe, rouwachtige aannemen van opgegraven lijken of dolende zielen. Zo was het gebeurd.

'Neemt u me niet kwalijk,' vroeg ik toen, terwijl ik merkte dat de klim in het donker van het hol bijna ten einde was en we weer op vlak terrein kwamen, 'waarom had u niet meteen door dat dat allemaal doorgestoken kaart was?'

'De verrassing. Ze hebben alles tot in de puntjes georganiseerd: eerst het dansende vuur, daarna onze gezichten veranderd in spoken, ten slotte het leger duivels, de vlammende dolk die in werkelijkheid op een stom vuurtje was verhit... Helaas werd ik eveneens gegrepen door de schrik en heb ik te laat de kamfergeur bespeurd, anders zou ik het op tijd gemerkt hebben.'

'Waardoor kwam u er dan achter wat er aan de hand was?'

'Toen die idioot van een Ugonio, alias de Duitser, zijn mond opendeed. Ik moest hem wel herkennen, zelfs na al die tijd. Hij heeft jou ook herkend. Hij zei "gevaarlijker vergissering", hij heeft dus beseft dat wat hij op het punt stond te begaan een gevaarlijke vergissing was. Ik zou zeggen dat hij betere ogen en een beter geheugen heeft dan jij, ha ha,' grinnikte Atto.

'Heeft hij me daarom niet geraakt?'

'Ik rakker nooit,' kwam de gepikeerde stem van Ugonio van de heel andere kant van de rij tussenbeide.

'Nooit?' vroeg ik niet zonder een zweem van woede in mijn stem, de angstaanjagende momenten indachtig dat ik aan de gloeiende dolk overgeleverd was.

'Alle indringeraars arriveren nadatter ze zich genoegzaam ondergepisserd hebberen,' kreunde Ugonio, ternauwernood een monkelend, kwaadaardig lachje onderdrukkend.

Hij had gelijk. Voor ik in katzwijm viel had ik ook een onwillekeurige, kinderlijke, doodsbange plas niet tegen kunnen houden.

Het doel van dat hele helse theater was duidelijk. Daaronder, tussen de gangen van de Thermen van Agrippina, had de Duitser zijn hol. Niemand mocht zonder uitnodiging naar binnen; de weinigen die er zich waagden zouden zich in die carrousel van angst in een lelijk parket werken en pijlsnel vluchten, eruit geschopt als honden, hun onderbroek onder de pis.

Het was na zeventien jaar voor het eerst dat ik me weer in de onderaardse gangen van Rome waagde, en ik vond er Ugonio terug, net als de keer dat ik eruit gekomen was. Wat had me daar gebracht? De onderzoeken naar de diefstal ten koste van abt Melani. Een buit van papieren, een kijker en ten slotte de relikwie van Onze-Lieve-Vrouwe van de Karmel met mijn drie oude Venetiaanse pareltjes erin. Tja, de relikwie: die was ik haast vergeten. Ik had het eerder door moeten hebben, bedacht ik met een lachje: relikwieën en onderaardse gangen... het dagelijks brood van de lijkenpikkers. Nu hoefden we alleen nog de gestolen waar terug te vinden.

We waren intussen aan het einde van de trap gekomen die ons had weggevoerd uit de tweede helse krocht. Daar had de verrassing plaats.

We bevonden ons weer in een ruim magazijn, breed en minstens dertig roeden lang, de vloer goed geëffend, de wanden verstevigd in steen, voorzien van enkele deuren (vermoedelijk naar andere gangen) en van een trap met haken die naar een valluik in het plafond leidde. Er heerste een onbeschrijflijke chaos: stapels en nog eens stapels voorwerpen in de meest onverwachte vormen domineerden het beeld en maakten het magazijn tot één groot Babel van snuisterijen, souvenirs, relikwieën, beuzelarijen, prullen, spullen, rommeltjes, aandenkens, bagatellen, speeltjes, schroot, huisraad, scherven, troep, restjes, frutsels, deeltjes, afval, afdankertjes en ladingen andere minne materie die door diefstallen en roofovervallen in de smerigste stegen van Rome was uitgespuugd.

Zo zag ik bergjes door de tijd aangevreten munten, oneindige hopen oud papier, samengeperst en bijeengebonden met een touw, manden met vuile, vettige kleren, hoge stapels tot aan het plafond van half weggevreten meubels, tientallen, ja honderdtallen paren schoenen in alle soorten en maten, van landlaarzen tot het elegantste damesmuiltje, beenwindselen en gordels, boeken en schilderijen, pennen en inktpotten, potten en pannen, distilleerkolven en retorten, opgezette adelaars en gebalsemde vossen, rattenvallen, berenvellen, kruisbeelden, missalen, liturgische kerkgewaden, bijzettafeltjes en schrijfbureaus, hamers, zagen en beitels, hele verzamelingen spijkers in alle maten, en vervolgens rijen houten planken, stukjes ijzer, bezems en borstels, stoffers en rijsbezems, stofdoeken en dweilen, schedels en ribben, emmers olie, balsems, zalven en vele andere walgelijkheden meer.

Het geheel was echter gemengd met potten vol ringen, armbanden en oorhangers in goud, lades met penningen en Romeinse munten, lijsten en snuisterijen van het fijnste schrijnwerk, zilverwerk, porseleinen tafel- en koffieserviezen, kristallen schrijnen, karaffen, bekers en glazen van de zuiverste Boheemse makelij, tafellakens uit Vlaanderen, fluweel en passementwerk, haakbussen, degens en dolken, complete kostbare schilderijenkabinetten met landschappen, portretten van dames en pausen, geboorten van Christus en Maria-Boodschappen, allemaal grofweg op elkaar gestapeld, ten prooi aan het stof.

'Goeie genade,' liet Sfasciamonti zich ontsnappen, 'dit lijkt haast wel...'

'Geraden,' viel Atto hem in de rede, 'het gestolen goed van de laatste driehonderdduizend diefstallen in Rome tijdens het Jubeljaar.'

'Om van te kotsen,' antwoordde de smeris.

'Het was waar wat ze van je zeiden,' hervatte Melani minachtend tegen Ugonio, 'tijdens het Heilig Jaar lopen je zaken nog beter dan anders. Je zult ook wel een speciale gelofte hebben afgelegd aan de Heilige Maagd, denk ik zo.'

De lijkenpikker reageerde niet op de ironie. Ik liep intussen voorzichtig rond tussen die ontzaglijke hoop, goed oplettend dat ik niet ergens tegenaan stootte. Tussen de stapels door moest je in smalle paadjes verder zonder iets aan te raken. In het omgekeerde geval dreigde je niet alleen een kop of een pot te breken, maar ook een stapel boeken over je heen te krijgen of een piramide kruiken die zo'n beetje tegen een oude wankele kast aan stond. In een donker hoekje, half verscholen tussen een berg oude lakens en een kostbare gouden hostiekelk, trok iets mijn aandacht. Het was een oude warwinkel van ijzeren spullen, haast een struik van gebogen stukken blik en ijzer. Ik nam hem in de hand en liet hem aan Atto zien, die aan kwam lopen.

Hij pakte het kluwen ijzer aan en bekeek het met grote ogen.

'Dit waren twee armillaria. Of misschien drie, ik weet het niet. Die beesten hebben er bijna gehakt van gemaakt.'

Het waren inderdaad twee of drie van die speciale bolvormige instrumenten, bestaande uit meerdere concentrisch om een as draaiende ijzeren ringen op een voetstuk. Ze dienen voor de wetenschappers om de beweging van de hemellichamen te berekenen.

'De onteigenheid is bemoeilijkerd door een onvoorzienering,' rechtvaardigde Ugonio zich, 'jammer genoeglijk zijn de spulledingen blijven stekeren.'

'Ja, blijven stekeren,' zong Atto vol walging, terwijl hij het metallieken kluwen wegwierp en rondliep in de massa prullen, 'ik kan me wel voorstellen waarom. Na de diefstal zijn jullie vast ergens gaan zuipen. Ik stel me zo voor dat hier ook wel... O, daar heb je het.'

Het was een rij cilindervormige voorwerpen, verticaal naast elkaar op de grond. Atto pakte er een op die wat minder stoffig en gammel leek dan de andere.

'Heel goed,' zei Melani, terwijl hij de cilinder met zijn onderarm wat afstofte, 'al wat verdwijnt dat komt weerom.'

Vervolgens reikte hij me het met een triomfantelijk lachje aan.

'Uw kijker!' riep ik uit. 'Dan klopt het dat het de Duitser was geweest.'

'Natuurlijk, hij heeft hem gestolen. Net als alle andere uit deze collectie.'

Op de grond lag een klein woud aan kijkers in alle soorten en maten, sommige gloednieuw, andere smerig en half kapot.

Ook Sfasciamonti kwam erbij en begon in de buurt van de kijkers rond te snuffelen. Uiteindelijk tilde hij een groot instrument van de grond op dat er bekend uitzag en liet het me zien:

MACROSCOPIUM HOC
JOHANNES VANDEHARIUS
FECIT
AMSTELODAMII MDCLXXXIII

'Dat is de andere macrosloop die van de geleerde Hollander is gestolen, waar mijn collega-smerissen me over hadden gesproken, weet je nog?' zei hij. 'Dit is het evenbeeld van wat jij en ik een paar nachten geleden uit de handen van de cerretaan terugkregen.'

De groep bekapten was machteloos en gegeneerd getuige van de ontmaskering van hun handel.

Eensgezind keken we Ugonio aan.

'Je hebt ook mijn manuscript gestolen,' siste Melani nijdig.

De bochel van de lijkenpikker was steeds meer verstijfd, alsof dat zijn wens uitdrukte om te vluchten voor de gevolgen van zijn misdaad, terwijl hij zich nog kleiner en donkerder maakte.

Sfasciamonti pakte de dolk en greep Ugonio bij het kraagje van zijn smerige mantel.

'Au!' brulde hij, meteen loslatend.

De smeris had zich in een vinger geprikt. Hij keerde het kraagje van Ugonio's gewaad om en er kwam een speldje te voorschijn. Ik herkende het direct: het was de scapulier van Onze-Lieve-Vrouwe van de Karmel, het *ex voto* dat van abt Melani was gepikt. En mijn drie Venetiaanse pareltjes, die Atto al die jaren liefdevol had bewaard, zaten er nog op genaaid.

De smeris rukte de relikwie van Ugonio's borst en gaf hem aan Atto. De abt pakte hem met twee vingers aan.

'Hm, volgens mij kun jij die beter houden,' zei hij met een spoor van verlegenheid tegen mij, terwijl hij hem me gaf zonder me aan te kijken.

Ik was blij. Ditmaal zou ik mijn pareltjes zorgvuldig bewaren ter herinnering aan abt Melani, want van tijd tot tijd was hij ook in staat tot een mooi gebaar. Ik pakte de relikwie aan, niet zonder een uitdrukking van afkeer vanwege de ellendige stank die ervan af kwam na het lange verblijf bij de lijkenpikker.

Sfasciamonti was intussen weer aan de slag gegaan en richtte de dolk op Ugonio's wang:

'En nu het traktaat van abt Melani.'

Atto omklemde het pistool. De lijkenpikker liet het zich geen tweemaal zeggen:

'Ik heb geen niksigheid gestoleren: voor de wegname heb ik verhandeld in afdracht,' fluisterde hij.

'Ah, een diefstal in opdracht!' vertaalde Atto tot ons gewend. 'Net wat ik steeds al dacht. En van wie? Van de keizerlijke ambassadeur soms, die ellendige landgenoot van je, graaf von Lamberg? Laat maar eens horen, voer je ook messteken in opdracht uit?' vroeg hij nadrukkelijk, en hij liet Ugonio de arm zien die door de vluchtende cerretaan was verwond.

De lijkenpikker aarzelde even. Hij keek om zich heen en schatte de mogelijke gevolgen van zijn eventuele zwijgen in: Atto's pistool, de dolk van Sfasciamonti, de corpulente massa van de laatste, en anderzijds zijn schare vrienden, talrijk maar allemaal scheefgegroeid...

'Ik had afdracht van de Kiezers van de Baas,' antwoordde hij uiteindelijk.

'Wie zijn dat nou weer?' vroegen wij in koor.

Ugonio's uitleg was lang en warrig, maar dankzij aardig wat geduld en de herinneringen aan zijn bizarre spreektrant die we nog bewaarden aan de gebeurtenissen van jaren geleden, wisten we zo niet alle details, dan toch de voornaamste uitspraken te vatten.

De zaak was simpel. De cerretanen kozen regelmatig een vertegenwoordiger, een soort voddenkoning. Hij werd de Grote Baas genoemd en in een grote vergadering van alle cerretanensekten gekroond. Toevallig was de vorige Baas onlangs naar een beter leven overgegaan.

'En wat heeft dat met de diefstal te maken die ze je hebben opgedragen?'

'Dat weter ik niet, met aller respect voor uwer fiere gezaggerigheid. Je kommert nooit met het hoe en wat van de wegname. Het is ener kwestie van geheimerigheid!'

'Je praat niet omdat het een kwestie van geheimhouding is tussen jou en je klant? En daarmee denk je er onderuit te komen?' gromde Melani.

Het stoffige, verstikkende magazijn waar we stonden, werd verlicht door enkele fakkels aan de muur, waarvan de rook ontsnapte in naar boven toe uitgegraven kanalen die begonnen boven de vlam van de fakkels zelf. Atto pakte er plotseling een in de hand en liep ermee naar een stapel oud papier vlakbij, die mij leek te bestaan uit gerechtelijke en notariële stukken en die wie weet waar door de lijkenpikkers waren ontvreemd.

'Als je me niet vertelt aan wie je mijn manuscript hebt gegeven, dan steek ik zowaar God bestaat hier binnen alles in de fik.'

Het was Atto menens. Ugonio schrok op. Zodra hij zijn schat aan vondsten in gevaar gebracht zag, trok hij wit weg, voorzover de perkamentachtige huid van zijn gezicht dat toeliet. Eerst probeerde hij Melani te vleien, vervolgens hem duidelijk te maken dat hij een gevaarlijke onderneming aanging, want het moment was buitengewoon gespannen omdat ook de cerretanen een ernstige diefstal hadden geleden.

'Een ernstige diefstal? Dieven worden niet bestolen,' spotte Atto. 'Wat is er van de cerretanen gestolen?'

'De nieuwere taligheid.'

'De nieuwe taal? Talen worden niet gestolen want die heb je niet in bezit, die spreek je alleen maar. Verzin iets anders, idioot.'

Ten langen leste ging Ugonio door de knieën. En hij zette de abt zijn aanbod uiteen.

'Akkoord,' zei Atto uiteindelijk, 'als je je belofte houdt, zal ik deze plek niet verwoesten. Je weet dat ik het kan,' zei Atto voordat we werden uitgelaten. 'Smeris, heb je die beesten nog meer te vragen?'

'Nu niet; ik ben benieuwd of ze woord zullen houden. Laten we nu maar gaan; ik wil niet te lang bij Villa Spada wegblijven.'

Terwijl we de Thermen van Agrippina verlieten, discussieerden we nog over de net beleefde, veelbewogen gebeurtenissen.

'Toen hij me van dichtbij zag, heeft Ugonio me herkend. Zou het kunnen dat hij niet wist van wie hij het traktaat en de kijker gestolen had?' vroeg ik aan Melani.

'Natuurlijk wist hij dat. Steekneuzen als hij weten altijd waar ze de hand op moeten leggen.'

'Maar hij heeft zich niet bedacht.'

'Nee. De druk van zijn opdrachtgever was te groot. Hij had een hoop geld geboden gekregen; of misschien was hij te bang om te falen.'

'Nu begrijp ik het! Daarom leek het of ik me in Villa Spada steeds bekeken voelde,' liet ik me ontvallen.

'Wat zeg je?' vroeg Atto verbaasd.

'Ik heb het u nooit verteld omdat ik niet zeker wist wat ik om me heen zag. We hebben al zo veel rare dingen meegemaakt,' vervolgde ik, doelend op de verschijningen in Het Schip, 'ik wilde u niet doen geloven dat ik helderziende was geworden. Maar de afgelopen dagen heb ik meermalen de indruk gehad dat ik werd bespioneerd. Het was net of... nou ja, of ik constant vanachter de heggen in de gaten werd gehouden.'

'Allicht! Dat zou een kind nog begrijpen: dat moeten Ugonio en de andere lijkenpikkers geweest zijn,' concludeerde Atto, nerveus geworden door mijn traagheid van begrip.

'Wie weet,' peinsde ik hardop, 'of ze ons ook niet hebben gevolgd op de avond dat we zijn bedwelmd. In de kroeg waar we waren neergestreken, kwamen er een beetje rare types binnen, nogal ruziemakerige bedelaars. Er is een handgemeen uit ontstaan waardoor we onze tafel moesten verlaten. Ze wilden zelfs onze kruik wijn omkieperen.'

'Kruik wijn?' vroeg Atto met grote ogen.

Ik vertelde hem van de vechtpartij die was uitgebroken in de kroeg en waarvan Buvat en ik getuige waren geweest, waardoor we even onze tafel uit het oog hadden verloren. Atto ontplofte:

'En nu kom je pas op het idee om me dat te vertellen?' kreunde hij geërgerd. 'Lieve hemel, begreep je dan niet dat Buvat en jij in slaap zijn gebracht door een slaapmiddel in jullie wijn?'

Ik zweeg, gekwetst. Het was waar, zo moest het gegaan zijn. De bedelaars (een groep cerretanen uiteraard) hadden een zogenaamde ruzie op touw gezet om heibel in de tent te schoppen; zodoende kregen ze ons van onze tafel weg om vervolgens buiten het zicht een bedwelmend middel in de wijn te gooien. Ten slotte waren ze er zonder slag of stoot vandoor gegaan.

'Toen jullie eenmaal waren gaan slapen,' concludeerde Atto, enigszins bedarend, 'zijn Ugonio en zijn boevenvriendjes in jouw huis en Buvats kamer binnengedrongen. Vervolgens hebben ze het zodra ze konden weer bij mij geprobeerd.'

'Het is een wonder dat ze erin geslaagd zijn binnen de ommuring van de villa te komen en met de gestolen waar weer naar buiten zonder gezien te worden,' luidde mijn commentaar.

'Inderdaad,' sprak Atto, schuins naar Sfasciamonti kijkend, 'dat is echt een wonder.'

De smeris sloeg gegeneerd zijn ogen neer. Ja, als ik het figuur van een slappeling had geslagen, dan liep Sfasciamonti het gevaar om voor incompetent door te gaan. Daarentegen was Atto door Ugonio terug te vinden er niet alleen achter gekomen wie Buvat en mij met een slaapmiddel had uitgeschakeld, maar ook wie de dief was van zijn manuscript over de Geheimen van de Conclaven, van de relikwie alsmede de kijker, die hij nu in zijn hand geklemd hield, schuimbekkend van verontwaardiging én krijgslustige voldoening.

Eenmaal de Tiber over deelde Sfasciamonti mee dat hij zich zou haasten om eerder terug te zijn en liet ons het voorrecht van een rustiger, gematigder tempo.

'Ik ga jullie vooruit, het is waarachtig laat geworden, duizend knoeten nog an toe. Ik kan niet te lang van de villa weg zijn. Ik wil niet dat kardinaal Spada denkt dat ik mijn snor druk,' verklaarde hij.

'Beter, veel beter zo,' commentarieerde Atto zodra we alleen waren.

'Hoezo?'

'Als we terug zijn, zullen we het nodige te doen hebben.'

'Op dit nachtelijk uur?' riep ik uit.

'Buvat moet eigenlijk het karwei afmaken dat ik hem had opgedragen.'

'Het onderzoek naar de bloem in adellijke wapens?'

'Niet alleen dat,' antwoordde de abt laconiek.

Tja, Buvat. De vorige avond had ik hem na lange tijd teruggezien, en nadat hij hem had opgedragen in adellijke wapens naar sporen van de Tetràchion te zoeken, had Melani hem aangeraden zich ook met een niet nader aangeduide 'andere zaak' bezig te houden. Wat voerde hij in zijn schild? De eerste dagen was hij voortdurend en constant aanwezig geweest. Maar sinds enige tijd dook hij even op om daarna weer te verdwijnen, en wel voor langere tijd. Nu wist ik dat Melani hem met een opdracht had opgezadeld, waaraan de klerk zich duidelijk buiten de villa wijdde. Ik begreep dat de abt vooreerst geen zin had om mij het mysterie te onthullen.

Toen we echter in Villa Spada waren, was Atto's secretaris nog niet terug.

'Nou! Je ziet dat het spoor dat ik hem gewezen heb vruchtbaar is. Misschien mist hij nog de laatste details.'

'Details? Waarvan dan?' drong ik aan.

'De beschuldigingen waarmee we Lamberg in het nauw gaan brengen.'

Den 12den juli 1700, zesde dag

'Jij sluit ook nooit de deur, hè?'

Ik deed mijn ogen open. Ik was thuis. Het daglicht dat zich door de wijdopen deur van het vertrek op me had gestort, verblindde me. Ik herkende evenwel buiten iedere twijfel de stem die me zo onaangenaam had gewekt: abt Melani kwam me bezoeken.

'Aardig, dat huisje van je. De hand van de vrouw is zichtbaar,' meende hij.

Toen ik die nacht doodop bij mijn bed kwam, had ik nog net de kracht om me ervan te vergewissen dat mijn twee dochters vredig in hun bedje sliepen, want Cloridia overnachtte nog in de vertrekken van prinses Di Forano, en daarna had ik me laten vangen door de zwarte sluimer.

'Hup, hup, opstaan want ik heb haast. We moeten aan de slag: Buvat heeft in de wapenboeken helemaal niets gevonden over die vervloekte Tetràchion. We moeten meteen Romaùli aan de tand voelen.'

'Nee, niks, afgelopen, pardon, signor Atto. Ik wil slapen,' antwoordde ik zonder veel omhaal.

'Ben je gek geworden?' trilde Atto's castratenstem.

Ik had nog niet gevraagd of hij zijn stem wilde dempen vanwege de kleintjes die op de bovenverdieping lagen, of ze werden wakker en kwamen nieuwsgierig aanzetten. Met verbazing blikten ze naar dat eigenaardige heerschap met zijn rode kousen, bepruikt, bepoederd en vanaf zijn pruik tot en met zijn schoengespen getooid met kwikjes en strikjes volgens de Franse mode, zoals ze nog nooit hadden gezien. De kleinste, die ook het minst verlegen was, rende pardoes op hem af omdat ze al die wonderen van abt Melani's kleding wilde aanraken.

'Vaders!' riep Atto verrukt uit, terwijl hij het meisje in zijn armen nam. 'Wanneer jullie moe van het onderhandelen weer thuiskomen, wat is er dan schattiger dan het lieve dochtertje boven aan de trap te zien springen en met zo veel vreugde op je te zien wachten, je te zien verwelkomen, omhelzen en kussen, om je van alles en nog wat te vertellen en om iedere droeve gedachte te doen verdwijnen, met haar te gaan spelen en jouws ondanks blij te zijn?'

In allerijl opgestaan haastte ik me om mijn dochters op het hart te drukken de abt niet lastig te vallen, maar Atto hield me met een hand tegen.

'Ho! Denk niet dat een ernstig man geen plezier met de jeugd kan hebben,' wierp hij me quasi-verwijtend toe, al niet meer denkend aan de reden waarom hij daar was, 'want ik antwoord dat Hercules, zoals te lezen is in het werk van Aelianus, zich na het zweet van de veldslagen ontspande in het spel met de kleintjes; van Socrates werd door Alcibiades ontdekt dat hij met kinderen speelde en Agesilaus bereed een stok om kinderen te vermaken. Profiteer er liever van door je aan te kleden terwijl ik voor deze twee engeltjes oppas speel: je weet wat ons te wachten staat.'

En na die woorden liet hij zijn strikken en kant door de nieuwsgierige handjes van mijn meiskes verfrommelen, en dat met een rust waarvan ik nooit had gedacht dat abt Melani ertoe in staat was.

Ja, ik wist wat ons te wachten stond: de zoektocht naar de Tetràchion. Of liever, het dienblad dat Capitor Mazarin geschonken had en dat de helderziende gekkin 'Tetràchion' had genoemd. Een naam die volgens de dienstbode van de Spaanse ambassade, een vriendin van Cloridia, een niet nader aangeduide 'opvolger' voor de troon van de Katholieke Koning van Spanje aanduidde. Dezelfde naam had Atto echter gehoord op de lippen van Tranquillo Romaùli, de meester tuinman van Villa Spada, wat wel eigenaardig was, omdat Romaùli nooit over iets anders leek te willen praten dan bloemblaadjes en -kronen. Daar hij de weduwnaar van een vroedvrouw was, was het vermoeden dat de geheime tamtam van de vrouwen, veroorzaakt door Cloridia, juist bij monde van de meester tuinman tot ons kwam. Toen ik hem dus had aangespoord had Romaùli maar even iets aangestipt: het Escorial verdroogde, had hij gezegd, en hij had ook raadselachtig Versailles vermeld, de residentie van de allerchristelijkste koning, en het Weense Schönbrunn. Ik had alles tot in de finesses aan abt Melani verteld, en Buvat was met de veronderstelling gekomen dat de Tetràchion de naam was van een bloem in een adellijk wapen. Maar het zoeken in de wapenboeken had, zoals de abt mij zo-even had meegedeeld, geen resultaten opgeleverd, en daarom popelde Atto om Romaùli in een gesprek nader aan de tand te voelen.

Een dienblad, een opvolger, een meester tuinman: drie sporen die ons elk op een ander pad leken te brengen.

'Aangezien jouw Romaùli de enige schijnt te zijn die weet wie of wat de Tetràchion is,' zei Atto, alsof hij de draad van mijn gedachten volgde, 'zou ik zeggen dat we daar moeten beginnen.'

Bij Villa Spada aangekomen dwong ik de abt een kleine omweg te maken alvorens naar Tranquillo Romaùli te gaan, van wie ik wist dat hij op dat tijdstip al bezig was de tuinen schoon te maken met het oog op de middagfestiviteiten: ik moest de kleintjes naar het Zomerverblijf en naar Cloridia begeleiden, opdat ze mijn eega assisteerden bij haar vroedvrouwentaken bij de kraamvrouw en het pasgeboren kind, en tegelijkertijd genoten van de liefdevolle zorgen van hun moeder.

We bereikten meester Romaùli toen hij gebogen boven een perk zat, druk in de weer met een schaar en een gieter. Zodra hij ons zag, klaarde zijn gezicht op. Na de gelegenheidsformules kwam Atto ter zake.

'Mijn jonge vriend vertelde me dat het u een genoegen zou zijn een bepaald gesprek voort te zetten,' zei Melani met berekende ongedwongenheid. 'Maar misschien bent u nu liever met ondergetekende alleen, en daarom...' vervolgde hij, zinspelend op de mogelijkheid om mij weg te sturen.

'O, helemaal niet,' antwoordde de meester tuinman, 'voor mij is het net alsof mijn eigen zoon meeluistert. Laat hem gerust blijven.'

Romaùli kende dus geen enkele vrees om in mijn bijzijn over gevoelige kwesties te spreken, zoals de Tetràchion. Maar goed ook, zei ik bij mezelf; hij voelde zich duidelijk zo zeker van zijn zaakjes dat hij de aanwezigheid van getuigen niet vreesde.

Omdat de meester tuinman niet had aangegeven dat hij zijn werkopstelling wilde veranderen en nog op zijn knieën zat, moest Atto om het gesprek te vergemakkelijken eveneens gaan zitten, en hij nam op een stenen bankje plaats dat gelukkig net daarnaast stond. Ik keek om me heen: niemand sloeg ons gade of liep in de buurt. De situatie leek gunstig om alles wat Romaùli wist uit hem te krijgen.

'Welnu, waarde meester tuinman,' stak Atto van wal, 'u moet in de eerste plaats weten dat de lotgevallen van het Escorial me op het huidige moment haast meer aan het hart liggen dan die van Versailles, waarvan ik de eer heb een trouw vereerder te zijn. Juist om die reden...'

'O ja, ja, wat hebt u gelijk, mijnheer de abt,' viel de ander hem in de rede, druk bezig met een laagstammige rozenplant, 'kunt u even de schaar voor me vasthouden?'

Atto gehoorzaamde, niet zonder een uitdrukking van verbazing en misnoegen, terwijl Romaùli met blote handen de stam van de plant hanteerde; vervolgens hervatte hij zijn rede.

'... Juist om die reden, zei ik,' ging Melani verder, 'weet ik zeker dat u zich ook bewust zult zijn van de ernst van het moment en dat het daarom van het hoogste belang is voor alle... gebieden, zeg maar, om op een pijnloze manier de ernstige, ja zeer ernstige crisis op te lossen, die zou kunnen...'

'Kijk eens even,' onderbrak de ander hem, terwijl hij hem een juist van de stam geplukte roos in de hand legde, 'ik weet waar u naartoe wilt: de Tetràchion.'

Van verbazing hield de abt even zijn mond.

'De meester tuinman is een man van intuïtie en weinig woorden,' sprak Atto vervolgens minzaam, maar bliksemsnel om zich heen kijkend om te controleren of hij niet bespioneerd werd.

'O, dat was zo duidelijk,' luidde het antwoord, 'onze gemeenschappelijke vriend hier heeft me verteld dat u de richtingen van ons eerste gesprek weer wilde opnemen, waarin ik had gedoeld op de Tetràchion, en waarin ik u ook de jonquille uit Spanje had genoemd en de jasmijn uit Catalonië. En nu begint u over het Escorial: met een beetje verstand is het wel duidelijk waar u naartoe wilt.'

'Eh, ja, precies,' aarzelde Atto, enigszins van zijn stuk gebracht door de snelle conclusie van zijn gesprekspartner, 'welnu, die Tetràchion...'

'Laten we stapsgewijs gaan, mijnheer de abt, laten we stapsgewijs gaan,' zei de ander, wijzend op de roos die hij hem zojuist in de hand had gestopt. 'Ruikt u nu eens!'

Zonder goed te begrijpen waar dat merkwaardige geschenk op sloeg, draaide Atto de bloemkroon van de roos rond in zijn handen; uiteindelijk bracht hij de bloemblaadjes naar zijn neus en snoof diep.

'Maar dat ruikt naar knoflook!' riep hij met een walgend gezicht uit.

Tranquillo Romaùli grinnikte verrukt:

'Nou, u hebt zelf laten zien dat als de adem van zowel de mond als de bloem niet goed is, iedere schoonheid krachteloos is en als het ware dood. Daarom is het geven van een zoete geur aan bloemen die daar verstoken van zijn of een slechte geur hebben, dezelfde weldaad en hetzelfde wonder als ze het leven schenken.'

'Dat kan zijn; maar aan dit, hm, onbeschaamde bloempje,' wierp Melani tegen, terwijl hij een kanten zakdoekje naar zijn neus bracht en nog rilde van de onaangename reuk, 'is niet het leven geschonken maar de dood.'

'U overdrijft,' sprak de meester tuinman beminnelijk, 'het is eenvoudig een behandelde bloem.'

'Dat wil zeggen?'

'Om bloemen te behandelen neem je schapenmest, die week je in azijn, je doet er muskus in poedervorm, civet en amber bij en je zet de zaden twee of drie dagen in de week. De bloem die daaruit voortkomt zal ruiken naar die frisse, verrukkelijke geuren, muskus en civet dus, die de neusgaten van de geachte ruiker versterken en verkwikken.'

'Maar deze roos stonk naar knoflook!'

'Zeker! Hij is dan ook anders behandeld, om hem bestand te maken tegen parasieten. Maar zoals Didymus en Theophrastus leren, hoef je maar knoflook of ui te planten in de buurt van willekeurig welke guirlandebloem en vooral van rozen, want die laatste raken onherstelbaar doortrokken van de knoflooklucht.'

'Walgelijk,' fluisterde Atto bij zichzelf, 'maar wat heeft dit met de Tetràchion te maken?'

'Wacht, wacht. Met de behandeling,' vervolgde Romaùli onverstoorbaar, 'kun je zelfs de slechte geur bij bloemen die wat hinderlijk voor de neus zijn wegnemen, zoals Afrikaantjes of Indische anjers, zo u wilt. U hoeft de zaden maar te weken in rozenwater en ze in de zon te laten drogen voor u gaat zaaien. Als de bloem uit is moet u de zaden ervan nemen en de operatie herhalen enzovoort.'

'Aha. En hoe lang duurt het voor er resultaat wordt behaald?' vroeg Atto vagelijk nieuwsgierig geworden.

'O, een kleinigheidje. Niet meer dan drie jaar.'

'Ja, ja, een kleinigheidje,' antwoordde Atto zonder dat de ander de ironie ervan doorhad.

'En nog minder is er nodig voor deze deugnieten,' zei Romaùli, die bevallig op zijn tenen rondhuppelde en Melani aanspoorde om voorover te buigen en naar een vochtige, schaduwrijke rotsspleet achter het bankje te kijken, tussen de stam van een palm en een muurtje.

'Maar die bloemen zijn... zwart!' riep Atto uit.

Hij had gelijk: de bloemblaadjes van een groepje anjers, verscholen in de rotsspleet (waar ik de meester tuinman de laatste tijd vaak bezig had gezien), waren van het zwartste zwart dat ik ooit had gezien.

'Ik heb ze daar laten groeien om ze niet op te laten vallen,' zei Romaùli.

'Hoe hebt u dat gedaan?' vroeg ik. 'In de natuur heb je geen zwarte bloemen.'

'O, dat is een peulenschil voor iemand die het geheim van de smid kent. Je neemt de geschubde vrucht van de els, mits hij aan de boom verdroogd is, maakt er fijn poeder van dat je opneemt in een beetje goede schapenmest met wijnazijn en je maakt het geheel zacht. Vervolgens doe je de wortels van de jonge anjer erin, en klaar is Kees.'

Hoewel verveeld door de uitleg van de meester tuinman stonden Atto en ik beiden te kijken van de beminnelijke, vernuftige ontaarding waarmee hij dergelijke bloemenwonderen wist voort te brengen. Zelfs mij, zijn trouwe assistent, had hij het bestaan van die zwarte anjers niet onthuld. Wie weet, zei ik bij mezelf, welke andere duivelse uitvindingen hij in de bloemperken van Villa Spada had gezaaid. En inderdaad vertrouwde hij ons toe dat hij net een heel perk lelies had voltooid met bloemblaadjes beschilderd met de achternamen van het bruidspaar (SPADA en ROCCI) in gouden en zilveren letters; een tweede met rozen die waren behandeld met zeldzame oosterse essences; een derde met tulpen uit bollen die doordrenkt waren van kleur (lichtblauw, saffraangeel, karmijn) en aldus gekleurd met bonte strepen, als een op aarde neergedaalde regenboog; weer een ander met monsterlijke planten, ontstaan uit verschillende zaden die in dezelfde bal mest waren geduwd, of met pieterseliebeesters met ineengekrulde, cilindervormige blaadjes, verkregen door de zaden in een vijzel te stampen en het buisje te verstikken, en talloze, talloze wonderen meer van zijn vak.

'Ik kan niet wachten,' besloot hij, 'tot kardinaal Spada zijn gasten van het feest een kijkje laat nemen naar mijn werkjes.'

'Ah, wel. Ik begrijp alleen niet waarom u nu niet meer praten wilt over de Tetràchion, en ik begin te vrezen dat ik u ophoud,' zei Atto op een toon die eigenlijk te kennen gaf dat hij zijn tijd aan het verspillen was, en hij stond vastberaden op van het bankje.

Ook ik keek verloren om me heen. Had de meester tuinman zich bedacht?

'En toch kom ik er nu op,' antwoordde hij, 'de tuinen van het Escorial zijn erbarmelijk aan het verwelken, zoals ik al kans zag de vorige keer aan te stippen.'

'De *tuinen* van het Escorial, zei u?' vroeg Atto met een lichte schok.

'Velen die verkeerd zijn voorgelicht beweren dat die Spaanse tuinen, die vroeger schitterend waren, geen toekomst meer zouden hebben door het klimaat dat 's winters killer en zomers droger is geworden. Maar, zoals ik al tegen uw protégé hier zei, ik hoop dat u die onjuiste mening niet deelt. Ik heb veel gelezen over die ongelukkige tuinen, weet u? Met een goede meester tuinman zouden ze gered zijn. Ik ben nooit in Spanje geweest, ik heb geen voet buiten Rome gezet. En toch trek ik graag de vergelijking met de tuinen van Versailles, waarvan ik weet dat ze volop in bloei staan ondanks de vochtige, ongezonde lucht van de streek, en met de veelkleurige weiden van Schönbrunn, waarvan ik heb gelezen dat ze onlangs zijn verwezenlijkt in het toch strenge klimaat van het Weense bos.'

Abt Melani draaide zich om voor een blik vol haat naar mij, terwijl de meester tuinman zich even gereedmaakte voor een van zijn tuinoperaties.

'Het komt doordat ik,' trachtte ik mij fluisterend te rechtvaardigen, 'toen ik hem vertelde dat u bezorgd was omdat de dood rondwaarde in het Escorial, niet heb bedacht dat hij het zou opvatten...'

'Zo heb je het hem gezegd, hè? Wat een geraffineerde beeldspraak,' siste Atto.

'Ik heb het recept om die tuinen te redden,' hervatte intussen Romaùli zonder iets te merken, 'en het is een geluk dat u hier bent, die, zoals ik van uw protégé hoorde, de kwestie zo na aan het hart ligt.'

'Ja, maar de Tetràchion?' stamelde ik in de hoop nog iets bruikbaars uit de meester tuinman los te krijgen.

'Precies. Maar laten we stapsgewijs gaan. Het is een gevoelige kwestie,' oordeelde Tranquillo Romaùli, 'denk eens aan de anemonen. Opdat er dubbele komen, zal het zaad van de bloemen moeten worden gekozen die niet vroeg maar ook niet laat zijn: ze mogen geen kou en geen hitte hebben geleden, en zo laten ze een zaad groeien dat helemaal perfect is.'

'Dubbele bloemen, zei u?' vroeg ik, en ik begon te bedenken en te vrezen wat hij bedoelde.

'Welzeker. Van een enkelvoudige anjer zal een dubbele komen als je een kiem ervan in een pot uitstekende aarde plant en wel binnen dertig dagen vanaf de vijftiende augustus, het feest van Maria Tenhemelopneming; zo geplant wordt ze op een zoele plaats in de luwte gehouden. Van een dubbele anjer komt een tweedubbele als je twee of drie zaden van de dubbele soort neemt, die in een buisje van was doet of in een veer die aan de onderkant iets breder is dan aan de bovenkant, en ze zo in de grond stopt. Zo heb ik ook gedaan, ziet u wel?'

Hij wees ons liefdevol op een paar bloemen met een vrij bizarre vorm; het waren spierwitte anjers met vier bloemen aan dezelfde steel, die ze met hun lieflijke, geurige gewicht haast tot een boog lieten doorbuigen.

'Dat is mijn recept om het Escorial te redden. Het zijn bloemen die goed bestand zijn tegen iedere schok in temperatuur en klimaat; ik heb ze bedacht. Het zijn mijn *tetràchion*-anjers.'

'U bedoelt...' stamelde Atto verblekend en licht terugdeinzend, 'dat uw Tetràchion... deze plant is?'

'Jawel, mijnheer de abt,' sprak Romaùli vagelijk verbaasd over de klaarblijkelijke teleurstelling van Atto. 'Ze zijn zo nobel, deze viervoudige bloeiwijzen, dat ik er een verfijnde naam aan wilde verbinden: *tetràchion*, van het oud-Griekse "tetra" dat dus "vier" betekent. Maar misschien deelt u mijn mening en mijn verwachtingen omtrent het Escorial niet. Als dat zo is, verzoek ik u het mij direct te zeggen, opdat ik u niet langer verveel; wellicht zou het meer bij u in de smaak vallen om mijn laboratorium van bloemenessences te bezoeken. Ik kan u er zelf rondleiden; dan komt u me een dezer dagen een bezoekje brengen, nietwaar?'

Het onderhoud met Tranquillo Romaùli had ons een grafstemming bezorgd.

'Jij en je vrouw kunnen me wat!' voer abt Melani tegen me uit toen we op afstand waren. 'Ze had ons wie weet welke informatie beloofd via haar vermeende vrouwennetwerk, maar hier staan we dan met lege handen.'

Ik boog het hoofd en zweeg: Atto had gelijk. Eigenlijk begon ik te vermoeden dat Cloridia, nadat ik mijn leven in de waagschaal had gesteld om Atto te dienen, stiekem van het idee over de aanvankelijk gegarandeerde hulp was afgestapt en had besloten me geen of vrijwel geen ander nieuws meer te verstrekken uit vrees dat het me tot roekeloze daden zou aanzetten.

Uiteraard verzweeg ik mijn vermoedens tegenover de abt.

'Natuurlijk heeft de meester tuinman,' wierp ik tegen, 'niets te maken met de vrouwentamtam; niettemin heeft hij ons wel een goede inlichting gegeven: Tetràchion betekent "vierledig".'

'Maar je wilt me toch niet vertellen dat dat pot-ver-do-rie te maken zou hebben met het dienblad van Capitor?' scandeerde Melani met een hysterisch lachje.

'Ik vertel niets, signor Atto. Maar nogmaals, nu weten we tenminste wat dat woord betekent.'

'Om te weten dat "tetra" in het Grieks "vier" betekent, had ik heus jouw meester tuinman niet nodig,' wierp de abt gepikeerd tegen.

'Maar dat Tetràchion gewoon "vierledig" betekende wist u niet...' waagde ik.

'Ik herinnerde het me niet meer, onderhand, op mijn leeftijd. Ik ben ook geen bibliothecaris zoals Buvat,' corrigeerde Atto.

'Misschien zat er iets vierledigs in het blad van Capitor.'

'Zoals ik je zei, beeldde het Neptunus en Amphitrite af die op een wagen over de golven rijden.'

'Weet u zeker dat er verder niets anders op stond?'

'Dit is alles wat ik heb gezien, tenzij jij me helemaal voor kinds verslijt,' protesteerde Atto. 'Hoe dan ook, we zullen het pas zeker weten als we de drie geschenken van Capitor hebben teruggevonden. En je weet waar we moeten zoeken.'

Terwijl we ons zodoende met vermoeide begrafenistred voor de zoveelste keer naar het geheimzinnige Schip van Elpidio Benedetti begaven, herinnerde ik me dat ik iets vrij dringends aan abt Melani te vragen had: wie was eigenlijk gravin de S. geweest, degene die tweedracht had gezaaid tussen Maria en de koning? Aangenomen dat zij de geheimzinnige gravin de S. was, de gifmengster op wie de Connétablesse zo terughoudend had gedoeld.

Ik voelde een felle steek van wrok tegen de abt: hij bleef tegenover mij maar zwijgen over de Spaanse troonopvolging, terwijl hij het in zijn brieven aan de Connétablesse over niets anders had. Atto sprak tegen mij over een ander Spanje, van meer dan vijftig jaar terug, het Spanje van don Juan de Bastaard en Capitor met haar raadselachtige geschenken aan Mazarin. Hadden het ene en het andere Spanje met elkaar te maken? Misschien was er een samenhang, en lag het opgesloten in het geheimzinnige wezen van de Tetràchion.

'Je bent in gedachten, jongen,' merkte Atto op, die dat tot dan toe eigenlijk meer was geweest dan ik.

De abt keek met iets van bezorgdheid naar mijn peinzende, gefronste voorhoofd; zoals alle beroepsleugenaars vreesde hij steeds dat zijn gesprekspartner vroeg of laat de gebroken draden van zijn halve waarheden aaneen zou knopen.

'Ik dacht aan de Tetràchion en ook, nu we op weg zijn naar Het Schip, aan Maria Mancini,' zei ik met een diepe zucht.

Het was duidelijk een leugen. Ik dacht wel aan Maria, maar alleen omdat een paar dingen in de brieven die zij met Atto wisselde en die ik inmiddels meermalen had geïnspecteerd, me ontgingen.

'Om precies te zijn was ik me vragen aan het stellen over de boosaardigheid van het hof ten aanzien van dat meisje, zoals bijvoorbeeld die gravin de S... wie is dat trouwens?' vroeg ik met gespeelde argeloosheid.

'Ik zie dat je door de toch volle gebeurtenissen van de laatste uren en de weinige nachtrust mijn verhalen niet bent vergeten,' antwoordde de abt zelfgenoegzaam, waarschijnlijk in de waan dat ik zozeer was meegevoerd in de vertelling over de amoureuze wederwaardigheden van de jonge allerchristelijkste koning, dat ik hem nu om meer details smeekte. Hij verwachtte niet anders.

Gravin de S., verklaarde abt Melani, was eenvoudig de oudste zus van Maria. Ze heette Olimpia Mancini en was volgens sommigen een van de vrouwen die de jonge koning in de liefde hadden ingewijd.

In het voorjaar van 1654, zij was zeventien en Lodewijk vijftien, dansen ze vaak samen op feesten. En zij koestert voorspelbare verwachtingen...

Maar oom Mazarin belooft haar weldra aan graaf de Soissons, een Savoye die geparenteerd is aan de koninklijke familie. Ze trouwen in 1657.

'Olimpia had een zeer jaloers temperament,' kraste Atto, terwijl hij die duidelijk onaangename herinnering ophaalde; 'een lang, spits gezicht zonder enige andere schoonheid dan de kuiltjes in haar wangen en twee levendige, maar kleine oogjes. Het hof vroeg zich af: Is zij ooit de maîtresse van de koning geweest?'

'Was ze dat?' drong ik aan in de hoop dat Melani met een paar details over de brug zou komen die nuttig waren voor mijn onderzoeken.

'De vraag is slecht gesteld. Je kunt niet spreken van maîtresses voor een knaap van vijftien. Je kunt je hooguit afvragen: Hebben ze toegegeven aan jeuk? En het antwoord is: Wat maakt dat uit?'

Volgens Atto wist men zeker dat het al dan niet platonische tijdverdrijf met Olimpia voor de jonge koning geheel zonder gevolgen was geweest: niet iets wat zijn gemoed raakte. En toen de harten van Maria en Lodewijk de eerste kloppingen aan elkaar wijdden, was Olimpia al zwanger van haar eerste zoon.

'Maar die zwangerschap beëindigde helaas niet de vreselijke jaloezie op haar zuster, die erin geslaagd was op de meest natuurlijke manier te verkrijgen wat zij tevergeefs, maar wel berekend voor haar had geprobeerd: het hart van de koning winnen.'

Nijd brengt Olimpia dus weer aan het koketteren met de vorst, tussen de eerste en tweede zwangerschap in. Maar ook ditmaal tevergeefs. Dan steunt ze op de heimelijke bijval van de koningin-moeder, die de liefde tussen Lodewijk en Maria vreest, en is blij met de verwarring van haar zuster nadat ze haar per brief de tegenstand van Lodewijks moeder heeft onthuld.

'Zij was het dus die Maria bij de koning zwart maakte toen hij net na het

Spaanse huwelijk terug was in Parijs!' realiseerde ik me verbaasd.

Als vondeling, iemand die nooit broers en zussen heeft gekend, had ik er altijd van gedroomd en over gefantaseerd dat ik ze bij bosjes had. En in mijn dromen stelde ik me ze voor als mijn beste, trouwste vrienden.

'Verbaast je dat? Al sedert Kaïn en Abel gaat het zo,' antwoordde Melani met een verwaten gezicht en hij droeg voor:

'Wanneer verwanten in woede ontsteken,
Zijn ze harder nog dan vreemden gebleken.
Welk gif er schuilgaat in haat en in nijd
Wordt aangetoond door broeders in de strijd.
Zoals daar zijn een Kaïn en Ezau,
Thyestes en Eteocles. Beschouw
Vooral Jacobs zonen: door nijd zozeer
Verteerd zijn ze haast geen verwanten meer.'

'Zoals je hebt gehoord,' verklaarde hij toen, 'wijdde Sebastian Brant, die Albicastro zo dierbaar is, in zijn *Narrenschip* niet toevallig verzen aan de broederhaat. Maar gelukkig is het geen onfeilbare regel,' preciseerde de abt. 'Aan een andere zus van haar, Ortensia, bleef Maria altijd heel gehecht.'

Tja, bedacht ik: was Atto zelf geen levend voorbeeld van broederliefde? Hij was zijn leven lang met zijn broers verenigd door een onvernietigbaar *foedus* van wederzijdse hulp. Dat had ik jaren geleden al gehoord, in herberg De Schildknaap, toen een gast afkeurend had gesist dat de gebroeders Melani altijd 'groepsgewijs, als wolven' opereerden.

'Olimpia dus, zoals ik zei, fluisterde de koning kwaadaardig in het oor dat Maria zich in zijn afwezigheid, toen hij in de Pyreneeën was om te trouwen, het hof had laten maken door de jonge Karel van Lotharingen en zelfs bereid was met hem te trouwen.'

'Wat moest ze ook anders, de stakker?' luidde mijn commentaar. 'Inmiddels was de koning aan de vrouw.'

'Juist. Maria zocht een Franse partij om een gezin te stichten: ze wilde niet terug naar Italië, waar vrouwen van stand door hun man gedwongen worden als snuisterij in huis weg te rotten.'

Met kwaadaardige vreugde was Olimpia, meteen na haar verderfelijke daad, getuige van het resultaat van haar kwaadsprekerij. Het gebeurde toen Maria aan de kersverse bruid van Lodewijk werd voorgesteld. Het was de dag waarop ze na lange tijd eindelijk de koning weer zou zien: daartussenin was de scheiding geweest, het geweld van Mazarin, de tranen van Lodewijk in het slot van Brouages. De liefde, en daarmee de jaloezie, was niet afgelopen; die was alleen in de ketenen geslagen.

Welnu, toen Maria zich weer aandiende, wierp Lodewijk, verteerd door jaloezie, een blik zo vol kilheid en misprijzen op haar dat zij er nauwelijks in slaagde de drie rituele revérences te voltooien. Olimpia's slechtheid had gezegevierd.

Op zijn sterfbed beloonde Mazarin Olimpia's ijver om Lodewijk en Maria uiteen te drijven ruimhartig: hij benoemde haar tot hoofd van het huis van de koningin, tot groot ongenoegen van Maria Theresia, die helemaal niet blij was om haar altijd hoopvol om haar man heen te zien fladderen.

'Arme Maria Theresia: Olimpia buitte haar positie bij haar uit om het hardvochtige genoegen te smaken haar als eerste het overspel van de koning te onthullen.'

Het gebeurde met de eerste officiële favoriet van Lodewijk XIV, Louise de la Vallière. Olimpia, die zich altijd met alles bemoeide, had haar aan de koning geopperd als 'pseudo-liefde' om zijn nachtwandelingen met schoonzus Henriëtte af te dekken, terwijl ze er stiekem van genoot dat hij, die zij niet had gekregen, nu zijn eigen gemalin bedroog.

Maar de scheidsmuur tussen kunnen en willen van vorsten is te dun, en het draaide erop uit dat Louise de echte maîtresse van de koning werd. Toen bestreed Olimpia haar met een onuitsprekelijke haat door een andere hofdame van de koningin in het bed van de vurige vorst te duwen, Anne-Lucy de la Motte, waarna ze met een anonieme brief de onschuldige Louise hiervan op de hoogte stelde. Toen ze er niet in slaagde de twee geliefden te scheiden, vroeg Olimpia een geheime audiëntie aan bij koningin Maria Theresia en vertelde haar alles door: van de slippertjes van de koning tot zijn vaste relatie met Madame de la Vallière. Vervolgens genoot zij van het schouwspel: stromen tranen, een gedenkwaardige scène tussen de koning en zijn moeder en ten slotte de paleisstorm tussen de eredames.

Voor dit alles kwam de oplossing van de koning zelf, die, weliswaar geïrriteerd, de gelegenheid aangreep om zich van het moederjuk te bevrijden en Madame de la Vallière aan zijn vrouw, zijn moeder en heel het hof op te leggen als zijn eerste officiële maîtresse.

'Onbewust had Olimpia zich in de vingers gesneden,' grinnikte de abt. 'Daar begon haar ondergang, die, om alles wat ze had uitgehaald, al te lang op zich had laten wachten.'

'Moet u kijken!' riep ik uit, het verhaal onderbrekend.

We waren voorbij de Sint-Pancratiuspoort en hadden bijna Het Schip bereikt. Voor de ingang van de villa stonden drie schitterende koetsen.

'Eén is er van kardinaal Spada,' constateerde ik.

Plotseling zetten de drie voertuigen zich in beweging en sloegen rechtsaf. Terwijl ze wegreden, konden we duidelijk zien dat ze leeg waren. De passagiers (Spada, Spinola en Albani) waren in Het Schip uitgestapt, waar hun lakeien hen later waarschijnlijk weer zouden komen ophalen.

'Kom op, jongen, misschien hebben we ditmaal geluk: de drie zijn "aan boord",' commentarieerde Melani.

De drie kardinalen waren dus weer bijeengekomen in de villa van Benedetti. De vorige keer hadden we geprobeerd ze op te sporen, maar tevergeefs. Nu hadden we ze bij toeval gevonden: misschien zou het nu beter gaan.

Omdat we bijna op de plaats van bestemming waren, maakte Atto het verhaal snel af:

'Olimpia verloor zich in haar jaloerse woede. Het draaide erop uit dat ze tevergeefs vervloekingen en vergiften tegen de maîtresses van de allerchristelijkste koning bestelde en liefdesdrankjes voor Lodewijk. Intriges die aan het licht kwamen toen de Gifzaak losbarstte, en haar op een arrestatiebevel en een overijlde vlucht naar Brussel kwamen te staan. Ze doolt nu nog steeds door Europa, ten prooi aan een hardnekkige haat tegen Frankrijk, en probeert de regering van de allerchristelijkste koning op alle mogelijke manieren schade te berokkenen. Ze is er onder meer van verdacht haar man te hebben vergiftigd, en zelfs Madame Henriëtte en haar dochter.'

'Madame Henriëtte en haar dochter?' herhaalde ik met onvaste stem.

'Lieve hemel, daar gaan we weer; ik moet je altijd alles herhalen. Henriëtte, dat zei ik net, was de schoonzuster van de koning; bovendien hebben we hier op de begane grond haar portret gezien. Ze was de moeder van Marie Louise d'Orléans, de eerste vrouw van koning Karel II van Spanje. Maar dat is een ander verhaal,' kapte de abt af, die wonderlijk genoeg steeds grote haast vertoonde wanneer ons gesprek aan de huidige situatie in Spanje raakte.

Nu had ik eindelijk de identiteit ontdekt van de geheimzinnige gravin de S.: la Soissons was dus een zuster van Maria Mancini. De Connétablesse had in haar brief ook gezinspeeld op de verdenking van vergiftiging die haar boven het hoofd hing na de dood van de koningin van Spanje; Marie Louise d'Orléans dus. Haar discretie om erover te praten was helaas niet te wijten aan een optreden van Olimpia in de huidige verwikkelingen, maar alleen aan het feit dat ze haar zuster was. Daarom had Maria haar genoemd en zo veel leed uitgedrukt om haar wandaden. Ik had kortom een mooie blunder begaan (de tweede van de dag na die bij de meester tuinman): de geheimzinnige gravin de S. was helemaal niet geheimzinnig en had ook niets te maken met de gevaren die abt Melani boven het hoofd leken te zweven.

Terwijl Atto zijn verhaal beëindigde, werd ik weer somber, al wilde ik dat niet laten blijken. Nu al dagen en dagen bespioneerde ik de briefwisseling tussen Atto en de Connétablesse over de Spaanse troonopvolging en ik was nog geen haar wijzer geworden. Bovendien wijdde Melani nog steeds geen woord aan het Spaanse onderwerp, noch leek hij van zins om dat in de toekomst te doen. Al zijn aandacht leek erop gericht om met het oog op het volgende conclaaf naspeuringen te doen naar de ontmoetingen à trois tussen mijn baas, kardinaal Spada, kardinaal Albani en kardinaal Spinola van San Cesareo. Ontmoetingen die gehouden werden in Het Schip, of zo was het ons althans voorgekomen, aangezien we daar per slot van rekening, ondanks onze herhaalde bezoeken aan die merkwaardige villa waarnaar we nu wederom op weg waren, nooit bevestiging van gekregen hadden. Het Schip met zijn onverklaarbare, verontrustende verschijningen had de abt echter op het spoor van verre herinneringen gebracht: Maria Mancini, de jonge allerchristelijkste koning en zelfs minister Fouquet, om uit te komen bij Capitor, de gekkin van don Juan de Bastaard (en dan waren we dus weer bij Spanje), die veertig jaar geleden drie geschenken aan Mazarin had gebracht, waaronder het blad dat Capitor de Tetràchion had genoemd.

De Tetràchion: alsof ik verdwaald was in een cirkelvormige doolhof, dacht ik er weer over na. De dienstbode van de Spaanse ambassade, op wier lippen deze naam met de duistere betekenis totaal onverwachts was verschenen, was door Cloridia handig uitgehoord om mij te helpen licht te werpen op de verbanden tussen de messteek in abt Melani's arm, de dood van Haver de boekbinder en de drukke briefwisseling tussen Atto en Maria Mancini over het onderwerp van de Spaanse troonopvolging, waarin overigens ook mijn baas kardinaal Fabrizio Spada werd genoemd. De brieven berichtten dat kardinaal-staatssecretaris Fabrizio Spada bij de Spaanse ambassadeur was geweest vanwege het verzoek om hulp van de Spaanse koning aan Innocentius XII en dat Spada, gezien de slechte gezondheid van de paus, zich persoonlijk in zijn plaats bezighield met af te handelen verplichtingen.

En daar was ik weer terug bij af: de Spaanse troonopvolging, waarin de Tetràchion, die onbestemde entiteit zonder gezicht of vorm, dus de wettige opvolger zou zijn.

Sinds de abt en ik op weg waren gegaan, bleef ik dezelfde overwegingen maken zonder dat het ergens toe leidde. Alles leek met elkaar verbonden, maar hoe? Misschien lag de oplossing voor de hand, maar wist ik die niet te grijpen. Dat kluwen aan aanwijzingen was een beetje als de folía: een cirkelvormig motief, doordringend maar ongrijpbaar, een soort zeeslang, eigenzinnig en verleidelijk, die uiteindelijk de welwillende luisteraar in een hybride omhelzing dwingt en hem in zijn windingen onschadelijk maakt.

De folía. De abt en ik liepen het hek van de villa door en de muziek ontving ons al in de Lethe van haar warme, pikante omhelzing.

We troffen Albicastro opnieuw op de daklijst aan, terwijl hij uit de magische pijlkoker van zijn viool de fonkelende klanken van de folía te voorschijn haalde.

'Is die vent er nou altijd?' bromde Atto. 'Hij is niet bang om voor gek te staan!'

Albicastro hield op met spelen en keek naar ons. Ik schrok omdat ik bang was dat de muzikant de weinig eervolle waardering van abt Melani had gehoord, al had hij die maar net gefluisterd.

'De menselijke aangelegenheden hebben, gelijk de Silenen van Alcibiades, altijd twee kanten, en de ene staat haaks op de andere, mijnheer abt Melani, wist u dat?' begon de Hollander raadselachtig. 'Zoals die ridicule, groteske beeldjes afbeeldingen van goden bevatten, zo is wat vanbuiten dood lijkt, als je het vanbinnen onderzoekt leven; en omgekeerd is wat leven lijkt dood.'

De muzikant had Atto's bijtende woorden helaas gehoord.

'In de menselijke aangelegenheden,' vervolgde hij, 'blijkt wat mooi is vormeloos, de rijke arm, de minne glorieus; de geleerde kan onwetend blijken, de sterke zwak, de grootmoedige verachtelijk, de opgewekte somber, de voorspoed tegenslag, de vriendschap haat, het nuttige schadelijk. Kortom, als je de Silene openmaakt tref je alles onverhoeds in het tegendeel veranderd aan.'

'Bedoelt u dat wat mij lachwekkend voorkomt, soms goddelijk is?' zong Melani.

'Ik ben verbaasd, mijnheer de abt. Juist u, die uit Frankrijk komt, ondervindt moeilijkheden om mijn woorden te vatten. En toch hebt u het voorbeeld voor u. Wie van u Fransen zou ooit zeggen dat uw koning niet rijk is en de baas over alles? Maar is hij, als hij overgeleverd is aan vele slechte gewoonten, niet gelijk aan de verachtelijkste der dienaren? En moet men hem dan vooral, als zijn hart verstoken is van het goede voor de ziel en als hij sterft zonder de begeerte te hebben kunnen stillen, niet straatarm noemen? U kent ongetwijfeld wat Solon tegen Croesus, de koning van Lydia, zei: De met aardse goederen rijk gezegende is volstrekt niet gelukkiger dan de man die slechts voor één dag eten heeft, indien het lot hem niet vergunt in het bezit van al zijn zegen en voorspoed ook zijn leven op schone wijze te besluiten.'

Bij het horen van die laatste woorden schrok Melani op en liep misprijzend weg zonder zijn gesprekspartner ook maar gedag te zeggen.

Terwijl ik hem achternaging, raakte ik ook in gedachten verzonken. Croesus, de koning van Lydia: de naam van die beroemde monarch uit het oude Griekenland deed me aan iets denken. De bleekheid die ik op Atto's gelaat ontwaarde toen ik hem steels begluurde terwijl hij zwijgend en gespannen liep, deed bij mij het vermoeden rijzen dat de Hollander een gevoelige snaar had geraakt. Ik probeerde in mij een andere snaar te laten klinken, die van de herinnering, en erop te komen waar ik het verhaal van de wijze Solon en de Lydiër Croesus eerder had gehoord; maar tevergeefs. Waar het geheugen niet vermag, zei ik toen bij mezelf, komt de redenering: Albicastro had Croesus vergeleken met de allerchristelijkste koning...

Een paar seconden waren toen genoeg om me de naam Lidio, die raadselachtig genoeg in de brieven van Atto en de Connétablesse voorkwam, weer te binnen te brengen. Croesus was de koning van Lydia, dus ook 'Lidio, Lydiër'. Dat mysterieuze personage stuurde via Atto boodschappen naar Maria en via dezelfde bemiddeling gaf ze hem antwoord. Wat liet de Connétablesse zeggen? 'Van alles moet men eerst het einde afwachten. Vele mensen immers kregen eerst een glimp van het geluk te zien om daarna door de godheid in de diepste ellende gestort te worden.' En ook: 'Wat uw vraag betreft, Lidio, gelukkig noem ik u nog niet, voordat ik vernomen heb dat ook uw levenseinde schoon was.' Als je er goed over nadacht, leek het allemaal wat weg te hebben van citaten uit een of ander boek uit de oudheid. Leken die zinsneden soms ook niet op wat Solon tegen Croesus zei en wat Albicastro had geciteerd? Ik nam me voor zo snel mogelijk de bibliotheek van Villa Spada door te pluizen om de episode van Croesus en Solon en daarin de bevestiging van mijn vermoedens te vinden.

Ik haalde Atto in en we keken om ons heen. Van de drie kardinalen was geen spoor te bekennen.

'Nee, ze zijn niet hier. Anders zou je wel iets horen, of je zou ten minste een secretaris zien.'

Maar nee, niets. Het was alsof de drie purperdragers in het niets waren verdwenen.

'Er klopt alleen iets niet,' zei Atto, peinzend in het kuiltje van zijn kin knijpend. 'Laten we opschieten. Hier stokstijf blijven staan haalt niets uit. En we hebben veel te doen.'

Het doel was het dienblad. Te oordelen naar het schilderij met de afbeelding van de drie geschenken van Capitor dat we twee dagen geleden in Het Schip hadden gevonden, en volgens Atto's herinneringen ging het om een vrij omvangrijk voorwerp. Het was van goud, verfijnd uitgevoerd en schitterend van vorm. Het zou in Benedetti's belang zijn het goed zichtbaar uit te stallen in een of andere zaal; maar gezien de staat van kennelijke verlatenheid van Het Schip was het niet onmogelijk dat iemand de moeite genomen had om het veilig te stellen voor diefstal.

'We hebben het schilderij op de tweede verdieping gevonden,' zei Atto, 'ik zou daar beginnen.'

Het was de verdieping van de vier appartementen met badkamer en gemeenschappelijk zaaltje. Het zoeken verliep tamelijk minutieus. We inspecteerden bedden, kasten, buffetten en kabinetjes, zonder enig resultaat.

Om iedere mogelijke krocht de revue te laten passeren moesten we elk van de vier kleine boekenkasten doorzoeken waarover de vier appartementen beschikten. Boven op een stoel begon ik achter iedere rij boeken te snuffelen, het nodige aan stof verwerkend dat wie weet hoeveel jaar daar al lag. Ook deze fase van het zoeken kende geen voorspoed, behalve dan één detail.

Terwijl ik de boeken van de vierde en laatste boekenkast inspecteerde, viel mijn blik op de derde plank van boven. Het was een lange rij allemaal identieke banden met in goud op de rug:

HERODOTUS
HISTORIËN

Op het eerste deel las ik onder de titel:

Boek I
Lydia en Perzië

Ik kende uiteraard de naam van de beroemde Griekse historicus en zijn werk. Maar wat in het oog sprong was het kopje: daar was Lydia. Het land van Croesus.

'Ik ga naar de eerste verdieping, hier is niets,' riep Atto me toe, terwijl hij de trap af ging.

'Ik ben nog even bezig, ik kom zo bij u,' reageerde ik.

O ja, ik was bezig. Ik kwam van de stoel af waar ik op geklauterd was en ging in een fauteuil zitten. Ik sloeg het boek open om de passages te zoeken die over de geschiedenis van Croesus gingen.

Al bladerend sprak ik een stilzwijgende dankzegging uit aan de muren waarbinnen ik me bevond. Wederom had Het Schip via duistere, onuitsprekelijke wegen een verzoek om uitleg, een zucht naar kennis waargenomen. Ditmaal echter had het niet met zijn inscripties geantwoord: om aan mijn vraag te voldoen had het me een boek voorgeschoteld.

De zoektocht was voorspoediger dan die naar het blad. De passage die alles verklaarde begon in het zevenentwintigste hoofdstuk.

De schatrijke Croesus, koning van Lydia, ontving op een dag bezoek van Solon, de Atheense wijsgeer. Croesus zei: 'Waarde gast uit Athene, groot is de roep die ons over u heeft bereikt met betrekking tot uw wijsheid en uw verre reizen; men zegt dat ge uit weetgierigheid grote afstanden hebt afgelegd. Nu is bij mij de begeerte opgekomen u te vragen of ge wel eens iemand hebt gezien, die volgens u de gelukkigste van alle mensen is?'

Croesus, die buitengewoon rijk, aanzienlijk en machtig was, dacht uiteraard dat Solon zou zeggen dat hij, de grote vorst der Lydiërs, de gelukkigste mens was.

Maar Solon haalde als voorbeeld van geluk een onbekende aan, een zekere Tellos uit Athene, die een voorspoedig leven, vele kinderen en kleinkinderen had gehad, en die in de strijd tegen de vijanden van zijn stad was gesneuveld. Op de tweede plaats zette Solon de Argivische gebroeders, Kleobis en Bitoon, de twee atleten die maar liefst vijfenveertig stadiën lang de wagen met hun oude moeder trokken tot aan de tempel waarin het feest van de godin Hera werd gevierd. Bij de tempel aangekomen bad hun moeder Hera om haar zoons te vergunnen wat voor een man het beste lot is. Na het feestmaal en de heilige ceremoniën vielen Kleobis en Bitoon in de tempel in slaap en werden nooit meer wakker: voor hen was dit het einde. Het volk richtte standbeelden met hun beeltenis voor hen op en vereerde hen omdat zij zulke voortreffelijke mannen waren geweest.

Croesus barstte toen in woede uit: 'Waarde gast uit Athene, is ons geluk in uw ogen dan zo helemaal niets waard, dat ge ons zelfs niet met gewone mensen op één lijn stelt?' Solon antwoordde met wijze woorden:

Ik heb de indruk dat gij zeer rijk zijt en koning over vele mensen; maar wat uw vraag betreft, gelukkig noem ik u nog niet, voordat ik vernomen heb dat ook uw levenseinde schoon was. Want de met aardse goederen rijk gezegende is volstrekt niet gelukkiger dan de man die slechts voor één dag eten heeft, indien het lot hem niet vergunt in het bezit van al zijn zegen en voorspoed ook zijn leven op schone wijze te besluiten.

...

Als hij zijn leven op gelukkige wijze besluit, dan is hij de man naar wie gij zoekt: de man die men waarlijk gelukkig mag noemen. Maar voordat hij gestorven is, kan men beter zijn oordeel opschorten en hem niet gelukkig noemen maar welvarend.

...

Wie de meeste hoedanigheden zijn hele leven lang bezit en dan ook nog op bevredigende wijze dat leven afsluit, die man, o koning, heeft volgens mij het recht die naam te dragen. Van alles moet men eerst het einde afwachten. Vele mensen immers kregen eerst een glimp van het geluk te zien om daarna door de godheid in de diepste ellende gestort te worden.

'Jongen, kom je nog? Het werk is nog nauwelijks begonnen!'

Atto's stem riep me plompverloren weer naar het heden; het boek van Herodotus schokte in mijn hand.

Ik had voldoende gelezen, bedacht ik. Nu begon ik te begrijpen.

Als mijn overwegingen juist waren, moest achter de naam Lidio niemand minder dan de Zonnekoning in eigen persoon schuilgaan, net zoals die aan de dag trad achter de metafoor van Croesus in de woorden van Albicastro. Had Atto zelf me anderzijds ook niet verteld dat Herodotus tot de lievelingslectuur van Lodewijk en Maria behoorde?

Daar was het geheim dat ik zo vergeefs had onderzocht: de Connétablesse en de allerchristelijkste koning schreven elkaar stiekem, en Atto trad voor de twee op als tussenpersoon!

Het waren natuurlijk niet meer Maria en Lodewijk, het lelieblanke meisje en de schroomvallige jongeman van de verschijningen in Het Schip; hun geschriften waren geen liefdesfluisteringen meer. Maar de koning van Frankrijk had nog grote waardering voor de adviezen van la Mancini, zozeer dat hij de risico's van een geheime briefwisseling liep om te genieten van de weldaad van haar geest. Ik herinnerde me nog goed dat Atto haar in een kanttekening had geschreven:

U weet hoezeer hij behagen schept in Uw oordeel en Uw instemming.

In dezelfde brief had Atto eigenlijk ook geschreven dat hij iets aan de Connétablesse te overhandigen had. Iets wat, beweerde hij, haar mening over Lidio zou veranderen. Wat zou dat geweest kunnen zijn?

Toen de eerste momenten van geestdrift voorbij waren, doemden echter de twijfels op: de verwijzing naar Herodotus was duidelijk; minder duidelijk was dat achter het pseudoniem Lidio de allerchristelijkste koning schuilging. Het was misschien ook geen toeval dat Lodewijk graag met zijn geliefde Herodotus las. Overigens had Albicastro wel een heel eenvoudige vergelijking getroffen tussen Croesus en de Franse koning. Kortom, ik kon nog niet helemaal uitsluiten dat in Atto's en Maria's brieven achter de naam van de koning van Lydia iemand anders schuilging. En ik wist te weinig van het leven van la Mancini na haar vertrek uit Parijs om te kunnen onderzoeken wie dat geheimzinnige personage was.

Kortom, ik had nog een bevestiging nodig. Ik wist al welke: Silvio.

Maria Mancini schreef aan Atto en noemde hem soms Silvio, en in die passages van haar brieven richtte ze waarschuwingen, adviezen en zelfs verwijten met een voor mij wat duistere betekenis aan hem.

Stel, vroeg ik me af, dat dat ook literaire citaten waren, net als van die Herodotiaanse Lydiër (Lidio)? Ik begon te fantaseren dat Silvio ook een personage uit een boek was, misschien een liefdesboodschapper, wellicht uit de mythologie.

Kijk, zei ik bij mezelf, als ik erin slaagde uit te vinden waar die naam Silvio vandaan kwam, zou ik misschien ook zover komen dat ik een verder spoor omtrent de identiteit van Lidio kreeg of zelfs, zo hoopte ik althans, het definitieve bewijs: de allerchristelijkste koning en de Connétablesse waren nog steeds in liefdevol gesprek.

Maar algauw liet ik de moed zakken: ik had alleen maar een naam, Silvio. Het was zoeken naar een naald in een hooiberg. Waar moest ik beginnen?

Onverwachts kwam er een hand op mijn schouder die me uit mijn bespiegelingen losrukte.

'Is het nou eens afgelopen met dat peinzen met dat boek in de hand als een heilige Ignatius? Help eens.'

De abt, bestoft en bezweet, was gekomen om me weer aan de slag te krijgen.

'Tot nu toe heb ik niets gevonden. Ik wil de eerste verdieping verder uitkammen. Kom helpen.'

'Ik kom eraan, signor Atto, ik kom eraan,' zei ik, terwijl ik weer op de stoel klom en het boekje van Herodotus op zijn plaats zette.

Ik zou mijn overpeinzingen even moeten uitstellen.

We gingen dus naar beneden, naar de eerste verdieping, waar de spiegelgalerij met het bedrieglijke perspectief was, met aan de zijkanten het kapelletje, de badkamer en de twee vertrekjes, het ene gewijd aan het pausschap en het andere aan Frankrijk.

Meteen stond ik weer oog in oog met de bekoorlijke afbeelding op een gobelin van een prachtige nimf, gekleed in een wolvenvacht, die in haar zij gewond geraakt was door de pijl van een jagertje. Het zachte gelaat van de nimf met haar lelieblanke huid en zachte krullen van ebbenhout stond in fel contrast met de aanblik van het bloed dat uit haar zij stroomde en met het gevoel van wanhoop op het gezicht van het knaapje. De bloemenlijst met veel cartouches en medaillons in reliëf versierde ten slotte het wandtapijt met een verrukkelijke elegantie.

Toen herkende ik het: het was een van de twee Vlaamse wandtapijten, waarvoor abt Melani in extatische bewondering was blijven stilstaan bij ons eerste bezoek aan Het Schip. Atto had me uitgelegd dat hij het Elpidio Benedetti zelf had laten aanschaffen toen deze zo'n dertig jaar geleden naar Frankrijk was gegaan.

Wat had de abt nog meer verteld? vroeg ik me af, terwijl de gedachten in mijn hoofd over elkaar heen buitelden en als Bacchanten in een stoet maar doorgingen naar een aangrijpend, onbekend doel. Oorspronkelijk waren het vier gobelins – dat had Melani verteld – maar twee had hij door Benedetti aan Maria Mancini laten schenken, omdat de erop afgebeelde taferelen uit een liefdesdrama kwamen, *Il pastor fido*, dat zeer geliefd was bij haar en de jonge koning (maar dit detail had ik haast uit hem moeten trekken want Atto was op dat punt bepaald terughoudend). Een liefdesdrama...

Met een argeloze glimlach naar abt Melani vroeg ik, terwijl ik mijn best deed een heftige hoestaanval vanwege het vele stof te huichelen, toestemming om uit al dat stof van onze onderzoeken weg te mogen.

Zonder toestemming af te wachten vloog ik vervolgens als een nieuwe Mercurius met gevleugeld schoeisel de trap op naar de tweede verdieping, en in luttele seconden was ik weer bij de vier boekenkasten, waarvan ik er in één de *Historiën* van Herodotus had achtergelaten.

Boven op de stoel krabden mijn vingers haast de ruggen van de banden bij het doorlopen van de titels, alsof mijn ogen bijgestaan moesten worden door mijn tastzin om bevestiging te vinden van wat ze lazen.

Eindelijk vond ik het. Het was in donker leer met gouden randen gebonden en met Florentijnse lelies op de rug. Ik sloeg het open:

Ik verliet me vervolgens op het leeslint van dun inmiddels verschoten granaatkleurig satijn; ik trok eraan en las toevallig op de pagina's waar hij al sinds mensenheugenis lag:

O, gelukkige Dorinda. De hemel zendt u
Dat goed waarnaar ge op zoek bent.

Ik juichte. Dorinda, dat was de naam van de gewonde nimf die ik net op het gobelin had gezien: dat had abt Melani me verteld toen we het voor het eerst zagen. En Dorinda was ook de naam die de Connétablesse zichzelf had gegeven in haar laatste brief, terwijl ze Atto Silvio noemde.

Ik had gevonden wat ik zocht. Nu restte mij nog de naam Silvio te zoeken. Als die, zoals ik dacht, bij de personages van *Il pastor fido* zat, had ik gewonnen. Ik liet dus met kloppend hart van opwinding mijn blik over de pagina's van het boekje gaan, op zoek naar een Silvio die misschien een liefdesboodschapper was tussen Dorinda en haar geliefde, zoals Melani dat misschien was tussen de Connétablesse en de allerchristelijkste koning.

Weldra vond ik het:

Kent gij niet Silvio, de enige zoon
Van Montan, de priester van Diana,
De thans zo befaamde en rijke herder?

Die Silvio was dus geen boodschapper, zoals ik had gehoopt, maar een rijk, beeldschoon knaapje. Afgezien van de rijkdom leek het me niet echt een portret van abt Melani...

Wat ik daarna las overtrof mijn verbeeldingskracht:

O Silvio, Silvio! Waartoe gaf de natuur
U in uw schoonste jaren
Zo'n tere, bekoorlijke schoonheid,
Als ge zo bezig zijt haar te vertrappen?

Het was een dialoog tussen Silvio en zijn oude dienaar Linco, die de jongen verwijt dat hij een hart van steen heeft. Ik bladerde verder:

LINCO
O dwaze gezel, waartoe een ver
En gevaarlijk wild dier zoeken,
Als ge het meer dan ieder ander
Dichtbij en getemd en betrouwbaar hebt?
...

SILVIO
In welk bos huist het?

LINCO
Het bos zijt gij, Silvio,
En het wrede dier dat erin huist,
Is uw hardvochtigheid.
...
En zal ik niet zeggen dat gij een hart
Van steen, ja, een gemoed van ijzer hebt?

Nee, Atto kon niet schuilgaan achter de bijnaam Silvio. Eerder drong zich duidelijk, ja bijna dwingend iemand anders op bij het portret van dat rijke, misprijzende herdertje:

Kijk om u heen, Silvio:
Wat de wereld aan bekoorlijks en schoons heeft,
Is het werk van Amor. Minnend is de lucht, minnend
De aarde, minnend de zee.
...
Ten langen leste mint ieder ding,
Behalve gij, Silvio; en zal Silvio alleen
In de lucht, op aarde, in de zee,
Een ziel zonder liefde zijn?

Ik dacht weer aan de verhalen van abt Melani: paste die reeks verwijten niet perfect bij Zijne Majesteit de allerchristelijkste koning van Frankrijk? Was het hart van die vorst na de scheiding van Maria Mancini niet van ijs geworden?

Gij zijt wel hard voor wie u aanbidt, Silvio!
Wie zou denken dat een zo zacht gelaat
Met zo veel wreedheid was behept?

En wederom:

O meedogenloze Silvio, o harteloze gezel!

Ik ging weer naar de titelpagina. Ik wilde eerst het *argumentum* van het begin lezen, oftewel de samenvatting van het drama, en vervolgens ontdekken welke rol Dorinda daarin had, de nimf waarachter de Connétablesse zich verschool. Zo kwam ik erachter dat Silvio de verloofde was van Amarilli, maar niet van haar hield. Hij hield van geen enkele vrouw: hij wilde alleen maar op jacht gaan in de bossen. Toen verwonde hij echter per ongeluk een op hem verliefde nimf, Dorinda dus, die hij voor een wild dier had aangezien omdat zij gekleed ging in een wolvenvacht. Op dat punt wordt Silvio verliefd op haar, hij breekt zijn pijl en boog, verzorgt de wond en de twee treden in het huwelijk.

Vertoonde dat verhaal niet veel overeenkomsten met dat van de jonge Franse koning, die verloofd was met de Spaanse infante maar verliefd op la Mancini? Alleen de uitkomst van hun liefde was, zoals ik van Atto wist, heel anders geweest dan de gelukkige afloop van *Il pastor fido* die zij zich zeker wensten.

De tijd begon te dringen. Atto zou me weldra boven komen zoeken. Ik begaf me op de wenteltrap, waar ik een vreemd gezoem hoorde. Voorzichtig ging ik een paar treden af en stak mijn hoofd uit om abt Melani te begluren: Atto was in afwachting van mijn terugkeer vermoeid in een fauteuiltje in slaap gesukkeld.

Ik ging op een tree zitten en trok mijn conclusies: niet alleen achter de naam Lidio, ook achter die van Silvio ging de allerchristelijkste koning schuil. De Connétablesse was dus voor de koning niet alleen wat Solon voor Croesus was geweest, maar ook nog altijd de Dorinda die Silvio bemint...

Veel in de brieven van Atto en Maria was me eindelijk duidelijk.

Die brieven verborgen geen staatsspionage, geen duistere politieke manoeuvres, noch de troebelheden van de internationale diplomatie, zoals ik had gevreesd tijdens al die dagen dat ik, wel troebel genoeg, Atto en Maria had bespioneerd.

Nee, die brieven bevatten een groter, onvoorstelbaarder en zuiverder geheim: Lodewijk en Maria schreven elkaar om veertig jaar na hun laatste vaarwel nog over liefde te spreken.

Eindelijk begreep ik hoe het kwam dat de abt met zo veel zekerheid over de gevoelens van de Franse koning voor de Connétablesse sprak, en hoezeer het leed door het verlies van zijn geliefde zijn hart had verkild. En ik begreep waarom hij erover vertelde alsof het iets van vandaag de dag was, springlevend: hij had voortdurend de geheimste details bij de hand en uit de eerste hand over de nooit gedoofde affaire tussen de twee geliefden!

Dat kwam Atto dus in Rome doen: na dertig jaar Maria Mancini ontmoeten, om haar wie weet welke liefdesmissie namens de allerchristelijkste koning te brengen. Ik had er op dat moment een lief ding voor overgehad om te weten wat de koning haar stuurde via abt Melani. Wat kon een ontmoeting onder vier ogen vereisen? Een handgeschreven brief van de koning? Een liefdespand?

Ik begreep eindelijk ook waarom abt Melani zo geaarzeld had tegenover mijn vragen, de eerste keer dat we die gobelins in Het Schip hadden gezien. *Il pastor fido* was niet alleen de lievelingslectuur van de twee oude geliefden geweest, maar was dat nog steeds. Het was hun geheime code. En Atto fungeerde als tussenpersoon, nu evenzeer als toen.

Maar wat voor liefde was dat tussen twee oude mensen die elkaar al veertig jaar niet hadden gezien? Het antwoord kwam van de woorden in een brief van Atto aan Maria, die ik me op dat moment herinnerde:

Silvio was wel hoogmoedig, maar hij vereert de goden, en door Uw Cupido werd hij op een dag overwonnen. Sindsdien buigt hij weer voor U en noemt U de zijne.
Ook al was U de zijne niet.

Een liefde dus van herinneringen en gemiste kansen, die van de koning voor la Mancini.

En ik maar denken dat Atto daar op zijn ongelukkige castraat-zijn doelde! Nee, hij doelde op de nooit verbroken kuisheid van die liefde. En op hoezeer die nog aanwezig was in het gemoed van de oude vorst.

Ik dacht vervolgens terug aan al die passages in de brieven van Maria waarin zij aan Silvio schreef en eindelijk begreep ik de betekenis van de waarschuwingen en verwijten die zij ontleende aan *Il pastor fido*:

Ach, Silvio, Silvio! Uw lot
Vond ge rijp in een zeer bittere zomer.

Maar opgepast! Wie het verstand onrijp gebruikt,
Heeft altijd een rijpe vrucht van onwetendheid.

Die woorden, ondoordringbaar toen ik dacht dat ze verwezen naar abt Melani, openbaarden me nu gewillig hun betekenis. De allerchristelijkste koning was inderdaad heel jong op de troon gekomen; hij had zijn lot dus rijp gevonden in 'een zeer bittere zomer'. Maar wie de macht te vroeg ontvangt, 'heeft altijd een rijpe vrucht van onwetendheid', oftewel blijft zijn leven lang aanmatigend. En nu de kwestie van de Spaanse troonopvolging in het geding was, waarschuwde Maria Lodewijk XIV dus om zich wijs te gedragen.

Beschuldigde la Mancini er de vorst niet evengoed van dat hij met zijn aanmatigende levens- en regeringswijze zelf in zekere mate verantwoordelijk was voor de keten van tegenslagen die de vrienden van Frankrijk in Spanje hadden ondervonden?

Denkt gij, ijdele gezel,
Dat deze rampzalige lotgevallen u zomaar zijn

Overkomen? O, wat ziet gij slecht!
Zonder goddelijk wezen gebeuren zulke
Monsterlijk ongewone ongelukken
De mensen niet. Ziet gij niet
Dat de hemel verveeld raakt
Door zo veel blufferige, onverdraaglijke verachting
Van liefde, de wereld en ieder menselijk gevoel?
De oppergoden hebben niet graag
Makkers op aarde,
Evenmin houden zij van zo veel eigendunk
In de deugd.

Weldra was het mechanisme me volkomen duidelijk. De Connétablesse sprak met bedreven gemak over Lidio tegen Atto in de derde persoon en zond hem boodschappen en reacties via de abt, en dan richtte ze zich weer tot Atto en noemde hem Silvio, maar met de bedoeling om tot de koning te spreken. Twee identiteiten om vreemde ogen in de war te brengen en zich zo tegen eventuele spionnen te beschermen. Bij mij had de truc tot in de perfectie gewerkt. Ik zou nooit de waarheid hebben ontdekt als Albicastro er niet eerst was geweest, en daarna Het Schip, om me de weg te wijzen die naar Lidio leidde. De Vliegende Hollander met zijn Spookschip, zoals Melani ze had genoemd.

Ja natuurlijk, merkte ik op, terwijl ik *Il pastor fido* in mijn handen ronddraaide, al die lumineuze ideeën waren me geschonken door Het Schip. Eerst was de zinsnede van Albicastro gekomen, de excentrieke bewoner van de villa, die met opvallend inzicht Croesus naast de Franse koning had gezet. Daarom was Atto dus opgeschrikt en had hij zich bruusk op zijn hakken omgedraaid zonder de Hollandse muzikant antwoord te geven: dat geheimzinnige orakel verontrustte hem. Vervolgens kwam het boek van Herodotus aan de beurt, en toen cavalier Guarini, dankzij wie ik mijn gedachten helemaal op een rijtje had gekregen. De mysterieuze villa van Benedetti had wederom blijk gegeven van zijn ondoorgrondelijke vermogens.

Maar meteen moest ik om mezelf glimlachen: het lag voor de hand dat zijn overleden eigenaar, abt Elpidio Benedetti, in de hoedanigheid van agent van kardinaal Mazarin in Rome, in zijn villa alle boeken, schilderijen en kunstvoorwerpen had verzameld die een modebewuste francofiel moest hebben en kennen.

Eén ding was nu zeker: niet het conclaaf, niet de Spaanse troonopvolging waren het onderwerp en het doel van de aangekondigde ontmoeting tussen Atto en Maria, maar de liefde. De politieke manoeuvres stonden wel aan de basis, maar niet in het middelpunt van hun epistolaire gesprekken. Die vormden slechts een dekmantel en konden de belangstelling wekken van iemand die gewend is aan intriges, maar verder niets.

Daarom raakte Atto dus zo verhit bij onze uitstapjes in Het Schip als hij vertelde van die gebroken koninklijke liefde. Voor hem was het iets actueels, en je kon zelfs denken dat de verschijningen en fantomen uit het verleden waarvan wij in Het Schip getuige waren geweest, niet meer waren dan geestelijke emanaties van die verwijderde (maar altijd nog heel krachtige) hartstocht tussen de Connétablesse en de rijpe vorst.

Dit was waarschijnlijk de ware reden van Melani's aanwezigheid die dagen in Villa Spada: de Connétablesse en hij profiteerden van de uitnodiging voor het huwelijk die beiden van de Spada's hadden ontvangen om elkaar weer te treffen.

Maar Maria kwam te laat. Inmiddels had ze ook de dag van de plechtigheid al gemist. Wat hield haar op? Misschien echt een hardnekkige koorts, zoals zijzelf in haar brieven verklaarde; of, kwam ik erbij te fantaseren, een natuurlijke tegenzin in de amoureuze woordenwisseling, die haar ertoe bracht zich 'per procuratie' te laten begeren, alsof Atto zich persoonlijk met haar oude geliefde identificeerde in plaats van slechts zijn boodschapper te zijn.

Ik hoorde de voetstappen van abt Melani. Hij was wakker geworden en kwam naar boven om te zien wat er van mij geworden was.

Ik keek weer naar het boekje van *Il pastor fido*: het was echt van minuscuul formaat, bedacht ik; het zou kinderspel zijn om het in mijn zak te steken en mee te nemen zonder dat de abt het merkte. Ik zou het later wel terugzetten. Nu had ik het nodig: ik zou Maria's brieven lezen in het licht van die versregels.

'Eindelijk! Wat ben je allemaal aan het doen?' riep hij uit toen hij mij boven aan de trap zag.

'U was in slaap gevallen en ik dacht u even te laten rusten.'

'Dat was niet goed van je, want zonder jouw hulp heb ik bijna niets kunnen doen,' wierp Atto tegen in een poging zijn gêne te verdoezelen.

Het was een elegante manier om te bekennen dat hij, zodra hij alleen was gelaten, was weggedommeld.

'We houden op met lukraak zoeken,' hervatte de abt. 'Ik wil Het Schip systematisch verkennen, van onder tot boven: het dienblad moet toch ergens zijn. De tweede verdieping hebben we al meer dan voldoende uitgekamd. We beginnen dus op de begane grond, daarna gaan we naar de eerste verdieping en ten slotte kijken we op de derde, de verdieping van het personeel.'

Terwijl hij me op de wenteltrap voorging naar de eerste verdieping, peilde ik van achter zijn gebogen en door de jaren getekende gestalte die nog altijd graag de uitdaging aanging. Bij die aanblik raakte ik ontroerd door de gedachte aan de aard van zijn missie. Voor één keer had Melani me verbaasd door hoogstaander gevoelens en voornemens dan ik hem had toegeschreven, en geen lagere zoals, helaas, in het verleden maar al te vaak was voorgevallen.

Aldus, met mijn gemoed vol emotie, drong ik de andere ruimten van de villa binnen om Atto te helpen bij het zoeken naar de drie geschenken van Capitor, met name het blad.

We inspecteerden de grote zaal op de begane grond, de boekenkasten, de buffetten, de laden. Ieder voorwerp (bestek, glazen, snuisterijen) bevond zich op de plaats waar we het bij ons eerste bezoek hadden aangetroffen. In genoemde zaal waren ook, zoals we wisten, enkele portretten van schone, bekoorlijke dames uit Frankrijk opgehangen (waaronder het portret van Maria dat ik tijdens ons eerste verblijf had bewonderd).

Terwijl ik, na tevergeefs het stof dat onder een divan sluimerde te hebben doen opstuiven, weer overeind kwam, stond ik bijna oog in oog met een van die portretten, waaraan ik tevoren geen aandacht had besteed.

'Madame de Montespan,' deelde Melani mee, en hij kwam eveneens op dat damesgezicht van buitengewone, verontrustende schoonheid af. 'Vroeger de favoriet van de Franse koning. Een relatie die tien jaar heeft geduurd en zeven kinderen heeft voortgebracht: bijna een tweede koningin.'

Ik kreeg amper de tijd om stil te staan bij het weelderige beeld van haar boezem, de zeegroene ogen waar de wil om begeerte te wekken van afspatte, de zoenlippen, de welgevormde armen. Atto was al naar het volgende schilderij gelopen.

'Louise de la Vallière,' kondigde hij aan, 'het eerste officiële overspel van Zijne Majesteit, zoals ik al zei,' vervolgde hij in zijn toelichting bij dat hoofd van opvallende, unieke zuiverheid, bekroond door de dikke bos zilverblond haar, een zo sprekende synthese van fijnzinnigheid, elegantie en lichtheid dat het door de Heer gebeeldhouwd leek om de mensheid de gezegende triade van Gratie, Bescheidenheid en Tederheid duidelijk te maken en via welhaast magische weg met haar zeekleurige ogen het hart en het vertrouwen in verrukking te brengen.

'Wat zijn ze verschillend!' riep ik uit. 'Deze zo zuiver en die zo... hoe zeg je dat...'

'Troebel en zondig? Zeg het maar: dat la Montespan niet echt een engel was zie je al met een half oog,' grinnikte de abt, 'maar vooral zijn ze beiden mijlenver verwijderd van de open, onstuimige aard die Maria's persoon uitstraalde. Dit zijn twee Franse vrouwen, al zijn ze elkaars tegenpolen. Maria was een Italiaanse,' besloot Atto met nadruk op de laatste woorden, terwijl zijn blik opnieuw oplichtte bij de herinnering aan la Mancini.

Eindelijk zag ik in van welke vertrouwelijke, bevoorrechte waarnemer ik tot dan toe het verhaal van het drama had mogen vernemen dat het gemoed van de allerchristelijkste koning had geschokt. Ik brandde dus van verlangen naar het vervolg van die oude, rampspoedige relatie, nu ik wist dat die nog levend was. Maar vooral was ik er inmiddels van overtuigd dat Atto Maria zou ontmoeten om haar een belangrijke liefdesboodschap van de allerchristelijkste koning over te brengen, en ik wilde per se uitvinden welke dat was.

'De Franse koning heeft, als ik me goed herinner, na Maria Mancini's vertrek vele liefdes gehad,' roerde ik aan, terwijl de abt me naar het zaaltje leidde met de portretten van koningen en prinsen.

'Hij had veel favorieten,' corrigeerde Atto, 'en nooit minder dan twee tegelijk.'

'Twee? Is dat de gewoonte onder Franse vorsten?'

'Zeker niet,' glimlachte de abt, terwijl hij een buffet vol Venetiaans kristal en porselein uit Savona opentrok en erin wroette, 'integendeel. Nooit hadden ze in Frankrijk zoiets meegemaakt: een koningin en twee officiële maîtresses. Alledrie gedwongen om zij aan zij te leven. Daarbij komt nog dat la Montespan ook getrouwd was. Hendrik IV, Lodewijks grootvader, had ook een maîtresse, maar hij waagde het nooit haar aan zijn gemalin de koningin op te dringen.'

'Ook dit, stel ik me voor, zou volgens u het noodlottige gevolg van de breuk met Maria zijn,' wierp ik een visje uit, verlangend en vol ongeduld om mijn nieuwsgierigheid omtrent de huidige betrekkingen tussen de allerchristelijkste koning en de Connétablesse te bevredigen.

'De vloed aan verdriet die het hart van de jonge koning was binnengestroomd, was door hem veranderd in een zondvloed, in staat om generaties en generaties lang hele volkeren te overspoelen,' sprak de abt nadrukkelijk. 'Mocht Lodewijk Maria niet als koningin hebben? Dan mogen de andere koninginnen boeten! Mocht hij Maria niet als vrouw aan zijn zijde hebben? Dan zal zijn zijde zich lenen aan oneindig veel vrouwen, allemaal tegelijk.'

De koning, verklaarde Atto, zal altijd ten minste twee maîtresses tegelijk hebben, die op hun beurt weer bedrogen en verlaten zullen worden voor andere, in een voortdurende afwisseling, en nooit zullen ze zeker zijn van de gevoelens van de koning en zijn plannen met hen. 'De drie koninginnen: zo werd dat voortdurende drietal genoemd.'

'Wie schade heeft opgelopen moet die zelf ook weer toebrengen, tot in het oneindige,' vatte Melani samen. 'Omdat hij niet van Maria mocht zijn, verkoos Lodewijk zich onder velen te verdelen en dus van niemand te zijn. Met kille berekening en tegelijkertijd ijzige woede verdeelde hij zijn leven tussen zijn talrijke vrouwen: zijn echtgenote, zijn favorieten op lange termijn, zijn talloze liefjes voor een maand of een nacht, en hij maakte ze allemaal kapot van verdriet. Help me eens dit tapijt op te lichten, alsjeblieft.'

Hij hield ze allemaal in grote spanning, vervolgde Atto, en zelfs het hof was er nooit zeker van of de dames met wie Lodewijk zich graag vertoonde echt de favorieten van het moment waren of dat hun ster weer dalende was en ze de vorst nu alleen nog dienden om een nieuwe, geheime voorkeur te verhullen. Allemaal streng onder de knoet van de koning. En niemand moest het wagen haar hoofd op te heffen.

'De radicale verandering in het karakter van de koning was vanaf de eerste dag na het huwelijk zonneklaar aan het hof,' zei de abt. 'Lodewijk stuurde het hele Spaanse gevolg van Maria Theresia terug naar Madrid.'

De koningin, vervolgde Atto, die inmiddels midden in de herinneringen zat, biedt niet het minste verzet, maar vraagt haar bruidegom in ruil daarvoor om een gunst: altijd bij hem te mogen zijn. Altijd. Lodewijk stemt ermee in. Terstond gebiedt hij de grootofficier van het huis des konings hen nooit te scheiden. Tot haar dood houdt hij zijn belofte: in het Louvre, in Fontainebleau, Saint-Germain en ten slotte Versailles slaapt hij altijd naast haar en verlaat in het holst van de nacht het bed van de maîtresses om naar de slaapkamer van zijn wettige echtgenote te gaan en daar tot het daglicht te blijven. Dat alles zonder uitzondering, zonder verklaring en zonder enige opwinding; zelfs wanneer Maria Theresia's slaapkamer wordt doorkruist door hijgerige vroedvrouwen met een bundeltje op de arm: de zoveelste bastaard die net door de maîtresse van de koning in de vertrekken ernaast is gebaard. Juist de instemming die de arme koningin een gunst had geleken (de koning dus altijd aan haar zij te hebben) was door Lodewijk in een gemene, meedogenloze wedervergelding veranderd.

'Wat! Baarden de maîtresses van de koning in de vertrekken naast die van de koningin?'

'Nu komt het mooiste,' antwoordde abt Melani met droeve ironie, 'het lievelingsjachtgebied van Zijne Majesteit was juist onder de hofdames van de vorstin. En omgekeerd, wanneer Lodewijk een concubine beu was, kende hij haar vaak een positie toe in het gevolg van zijn gemalin. Zodat Maria Theresia vaak verzuchtte: "Het is mijn lot om door de maîtresses van mijn man te worden gediend".'

De abt gluurde nieuwsgierig in een reusachtige izabelkleurige soepterrine, gedecoreerd met granaatappelen van glanzend groen en karmijnrood porselein.

'Twee decennia lang heeft de koning een kind per jaar geleverd, en dan beperk ik me tot degenen die hij heeft erkend; slechts zes ervan zijn kinderen van de koningin. Zeven komen van la Montespan. De rest van de andere maîtresses,' herinnerde Atto zich met opgetrokken wenkbrauwen. 'Colbert, zijn eerste minister, was bij zijn leven een stille dienaar van de koning. Hij was zijn koppelaar, leverde hem vroedvrouwen, baby-uitzetten en bereidwillige chirurgijnen om zijn maîtresses te helpen bevallen; hij vond zelfs onder zijn oude knechten adoptiegezinnen waar de geheime bastaarden oftewel de kinderen van de kortstondige concubines konden opgroeien,' vervolgde de abt, terwijl hij overging op het doorzoeken van de bekleding van een fauteuiltje.

De koning vindt het niet genoeg om de koningin te dwingen tot het pijnlijk samenwonen met zijn maîtresses en hun hummels. Wanneer hij reist propt hij haar in hetzelfde rijtuig en dwingt haar zelfs zij aan zij te eten. Dan komt het ergste: Lodewijk wettigt de nieuwe bastaarden en benoemt hen tot prinsen van Bourbon. Hij regelt koninklijke huwelijken voor hen, waarmee hij zelfs een ongehoorde vermenging met wettige Bourbons tot stand brengt. Hij komt ertoe een bastaarddochter uit te huwelijken aan een 'neef van Frankrijk': hij dwingt de zoon van zijn broer Filips om met de laatste dochter bij la Montespan te trouwen. Het hof gonst; de ouders van de jongen zijn de wanhoop nabij met scènes, geschreeuw en tranen; de koning glundert.

'Waar gaat dat zo naartoe?' siste Atto fel.

'Volgens u moeten we dus bezorgd zijn voor de toekomst van de troon.'

Hij haalde even adem, nadat hij een groot schilderij van de muur had genomen waarvan de lijst ons (abusievelijk) te massief had geleken om geen dubbele bodem te hebben.

'Ik vrees dat de koning zijn bastaarden op een dag kan invoegen in de lijn van troonopvolging. En dat zal het einde zijn. Het zal betekenen dat niet langer degene die de zoon van de koningin is, maar iedereen, echt *iedereen* koning kan worden. Op dat punt zal elke man uit het volk zich afvragen: waarom ik niet?'

'Laten we even gaan zitten,' opperde Atto, terwijl hij met een zucht van vermoeidheid op een chaise longue neerzeeg. 'Laten we even rust nemen. Daarna zoeken we verder.'

Ik ging eveneens in een fauteuil zitten en moest meteen erg geeuwen.

'Natuurlijk heeft de allerchristelijkste koning,' merkte ik op, terwijl ik de draden van Atto's herinnering weer oppakte, 'zich na Maria's vertrek weldra met al die maîtresses getroost.'

Het was een provocatie in de hoop dat hij iets over de huidige contacten tussen de vorst en de Connétablesse zou verraden. Atto Melani sprong overeind:

'Wat zeg je nou? Luister je dan niet wanneer ik aan het woord ben? Zijn eerste favoriete, Louise de la Vallière, had hij alleen nodig om zich te wreken op de koningin-moeder, die hem van Maria gescheiden had en hem had wijsgemaakt dat hij haar snel weer vergeten zou zijn. Maar het was een late overwinning die Lodewijk met Louise bereikte: een zinloze wraak op zijn oude moeder, het resultaat van postume dapperheid, een woedend drinkgelag op het graf van haar hart,' declameerde hij met droeve nadruk.

Welke ijdele bevrediging, vervolgde de abt, kon de koning eruit halen om zijn gemalin de koningin en de koningin-moeder te dwingen aan dezelfde tafel met zijn maîtresse te eten? Of om haar stiekem binnen te brengen in de vertrekken van zijn moeder en haar aan de speeltafel met hem, zijn broer en zijn schoonzuster te laten zitten, en dat dan te laten weten aan de oude koningin, als een pesterig zoontje? Maar Lodewijk XIV hechtte er maar al te zeer aan zijn eigen reputatie te verdedigen toen hij Louise dwong te bevallen met een masker voor, bijgestaan door een chirurgijn die geblinddoekt bij haar was gebracht!

Schuw en van nature bescheiden was de arme Louise een gewillig instrument in de handen van de koning, bij wie op de plaats van zijn hart alleen nog maar hoogmoed te vinden was. Lodewijk wilde haar aan zijn moeder opdringen zolang deze in leven was, in een strijd voor twee, waarin de ware wraak – zoals in de haat waarmee hij Fouquet achtervolgde – tegen de grote afwezige, Mazarin, was gericht.

Toen er niets meer te strijden viel, zei hij haar vaarwel, inmiddels verveeld, ondanks de drie kinderen die ze hem had geschonken.

'Louise was niet iemand voor mondaine zaken, de spelen, de roddels, de intriges en de manipulaties van de hofkoketterie,' verzuchtte Melani, terwijl hij zich uitrekte op de chaise longue; 'ze was allesbehalve dom, ze hield van lezen, maar ze had haar woordje, een kwinkslag, een ad rem antwoord niet klaar. Kortom, het was geen Maria,' concludeerde hij met een sluw lachje.

We stonden op en zetten de zoektocht naar het blad van Capitor voort. Nu begonnen we vanuit de kamer waar de biljarttafel stond. Aan de wanden was die versierd met verschillende prenten in de vorm van schilderijen; sommige vertoonden oude bas-reliëfs, andere waren uitgevoerd op de manier van Annibale Carracci en stelden diverse portretten van vermaarde lieden voor. We haalden ze van de muur om te controleren of er een geheime opening achter zat, maar werden teleurgesteld. Het laken van het biljart, geheel bestoft, was met het verstrijken der jaren van smaragdgroen dauwkleurig geworden. Eén enkele biljartbal van been lag in het midden van de tafel, verlaten en gevangen, als een metafoor van het hart van la Vallière, de gijzelaarster in de woestenij van Lodewijks onverschilligheid. Atto gaf hem droevig een tikje, liet hem op de tegenoverliggende kant stuiten en hervatte zijn verhaal:

'Zodoende ging de koning weldra alleen naar la Vallière om te genieten van de koketterieën en provocaties van een collega van haar, Madame de Montespan, die Athénais genoemd werd. Toen hij op een dag naar de oorlog in Vlaanderen moest vertrekken, liet hij de vier maanden zwangere Louise alleen achter in Versailles en nam in het gevolg van de koningin Madame de Montespan mee.'

'Hofdames in de oorlog? En zelfs de koningin?'

'Met alles wat je in deze jaren hebt gelezen en bestudeerd weet je dat nog niet?' vroeg hij, terwijl we de biljartkamer uit liepen en weer naar de grote eetzaal gingen.

Vandaar betraden we een ruimte die in oostelijke richting naar de achterkant van de tuin voerde. We gingen naar buiten. Hier begon een laan die, zoals we even later zouden ontdekken, naar een kleine, bekoorlijke grot leidde.

'Ik zeg het u nogmaals: ik heb boeken gelezen, geen valse, leugenachtige couranten,' antwoordde ik ongeduldig, terwijl ik een zweem van gêne verhulde.

'Nou, de koning mocht graag op zijn Turks alle gemakken die hem aan het hof dienden achter zich aan slepen de oorlog in: de fraaiste meubelen van de kroon, het porselein, het gouden bestek, al het nodige om balletten en vuurwerk te organiseren in iedere stad waar ze door kwamen, en natuurlijk de vrouwen.'

Wat een sensatie voor de inwoners van stad en land, bedacht ik, om van nabij de dwaze mengeling van oorlog en feestgedruis van de koninklijke stoet waar te nemen, met gepluimde ridders die voorop en achteraan de vergulde rijtuigen begeleidden, de onwerkelijke schrijnen die de schoonste dames van het rijk verborgen hielden!

'Alleen door de modder die de decoraties bezoedelt, door het vermagerde en zonverbrande gelaat van de koning,' vervolgde Atto, 'en ten slotte door de vermoeidheid van zijn dames, uitgeput van de reis en de onmenselijke tijden, wordt duidelijk dat je je niet in een defilé in het park van Versailles bevindt, tijdens een komedie van Molière. Ik herinner me één reis in het bijzonder. Toen we langs Auxerre kwamen, waar de vrouwen heel knap zijn, hadden de inwoners zich verdrongen om de koninklijke familie en de dames die bij de koningin in de koets zaten te zien. De dames zelf staken hun hoofd uit de koets om te kijken. En toen begon het volk van Auxerre te grijnzen: *Ah, qu'elles sont laides*! "Wat zijn ze lelijk!" De koning lachte zich een ongeluk en raakte er de hele dag niet over uit gepraat,' grinnikte de abt.

De allerchristelijkste koning nam dus het hele hof mee, ook in de devolutieoorlog die Lodewijk na de dood van zijn schoonvader Filips IV ondernam om een deel van de Spaanse Nederlanden als erfenis van Maria Theresia op te eisen.

'Hij nam iedereen mee behalve Louise, zei u. En de koningin?'

'Maria Theresia moest als eerste mee, omdat die oorlog althans in naam voor haar gevoerd werd. En zodra er een stad in Franse handen viel, moest zij erheen om er officieel bezit van te nemen.'

Maar Louise, vurig en eenvoudig als ze was, besluit op een zeker moment haar zwangerschap op het spel zetten en de woede des konings te riskeren en naar het hof in Vlaanderen te reizen. Uitgeput komt ze aan; tegenover de koning, die totaal niet onder de indruk maar juist geamuseerd is, wordt het schouwspel beschreven van het arme, halfdode zwangere meisje samen met haar begeleidsters, ineengedoken op de dekenkisten in de antichambre van Maria Theresia, terwijl deze op haar beurt in tranen moet kotsen van de schande en van woede.

Intussen waren we bij de kleine grot aangekomen. Capitors dienblad was zeker niet daar, maar we voelden beiden de behoefte om schone lucht in te ademen na al het stof dat we in onze longen hadden gekregen.

In de zuiverheid van de windvlagen die mijn borst opving in de tuin was het of ik de beschrijving van la Vallière terugvond: Louise, de naïeve, de geestdriftige; een schroomvallige snel weggeblazen zefier.

'Was de koning niet kwaad dat zijn maîtresse hem ongehoorzaam was geweest?' vroeg ik, terwijl we de grot verlieten en over een klein pad verder liepen.

'Kennelijk niet; integendeel, toen de koningin hem aanspoorde om in de koets te stappen, weigerde hij en ging weer te paard naast Louise rijden. En de volgende dag op weg naar de mis zag de arme Maria Theresia Louise ook nog eens in haar rijtuig belanden, al moest men wat opschikken om plaats voor haar te maken, en die avond moest ze haar aanwezigheid bij het diner dulden. Maar de volgende dag brengt de koning, die maling heeft aan zowel zijn gemalin als zijn maîtresse, bijna de hele dag door in zijn slaapvertrek met de deur op slot. La Montespan doet hetzelfde. En heel toevallig staan de twee kamers met elkaar in verbinding.'

De koningin weet nog niet dat ze met de komst van Athénais zal moeten berusten in een pijnlijke promiscuïteit: de reizen per koets met de twee favorieten van haar gemaal zullen regel worden, en ook voor het overige zal ze gedwongen zijn officieel gedrieën samen te wonen.

De maîtresses waren niet beter af dan de koningin. Lodewijk, vervolgde de abt, hield ze achter slot en grendel, in strikte gehoorzaamheid, en al stak een van de twee de ander altijd de loef af, hij deed wel zijn best om hen scherp te houden met een hele reeks naamloze concubines die zijn vertrekken in en uit gingen. Elke dag stikten de officiële favorieten van de onzekerheid, en het armzalige schouwspel van getreiter en rivaliteit verlichtte Maria Theresia's jaloezie.

Intussen had het pad ons naar een amfitheater geleid, veel kleiner dan dat wat in die dagen in Villa Spada was gereedgemaakt voor de voorstellingen van het feest, maar zeer charmant en vol bekoorlijke geheimzinnigheid. Het werd omgeven door een kleine zuilengalerij, versierd met bas-reliëfs en veel potten met bloemen; in het midden stond een kleine fontein die aan de galerij de taak toevertrouwde om tussen de bogen door het lieflijke geklater te laten weerkaatsen.

'De koning had een toren van ijs om zijn hart gebouwd,' vervolgde Atto, diep verzonken in het verhaal en zo goed als onverschillig voor zo veel schoonheid. 'Alleen groot verdriet wist hem een beetje door elkaar te schudden. Zoals toen zijn kinderen stierven, en dat waren er vele. Van de zes wettige leeft er nog maar één, de Grand Dauphin. Toen zo'n dertig jaar geleden zijn jongste zoon stierf, de kleine hertog van Anjou, zag ik hem gebroken: hij vreesde dat het een teken van de toorn Gods was, maar dat duurde maar kort. Zelfs toen Louise de la Vallière besloot het klooster in te gaan, wist de koning met geen andere emotie te reageren dan met woede.'

'Het klooster in?' vroeg ik, terwijl ik flinke slokken lekker fris water uit de fontein nam.

'Ja; arme vrouw, het was een oprechte ziel, en eigenlijk had ze nooit anders verlangd dan de koning lief te hebben en door hem te worden liefgehad. Het was de enige favoriet die Lodewijk om zichzelf heeft bemind, iets wat hem zeer vleide, maar meer ook niet. Zij had dat gevoel echter au sérieux genomen, en hoe: toen ze besloot karmelietes te worden, wilde ze de koningin publiekelijk om vergeving vragen: "Mijn zonden zijn openbaar geweest: dan moet mijn boetedoening dat ook zijn." En ze knielde aan de voeten van Maria Theresia, die haar aangedaan meteen weer overeind liet komen en haar kuste. Er waren een hoop mensen bij. Het was een moment van diepe ontroering. Alleen de koning was er niet.'

We gingen weer naar binnen. In korte tijd hadden we de begane grond uitgekamd. De abt keek mismoedig naar onze spiegelbeelden in een salonspiegel. Met onze wit geworden kleding en de spinnenwebben in onze haren leken we wel twee uitdragers.

'Wat gaan we nu doen, signor Atto? Gaan we naar de eerste verdieping?'

'Ja, en niet alleen om het dienblad te zoeken.'

Op de eerste verdieping gekomen leidde Atto me naar de badkamer bij het kapelletje.

'*Hic corpus*!' riep Atto uit, het devies herhalend dat boven de ingang stond en dat we drie dagen geleden al hadden gelezen. 'We zullen de wonderen van de hydraulische techniek uitbuiten; als ze nog werken.'

Hij draaide het kraantje met het opschrift *calida*, warm water, open, maar er kwam niets uit. Hij probeerde het met *frigida*, koud water, en toen hadden we meer geluk.

'Doe die dekenkisten eens open: misschien zitten er nog handdoeken in.'

Atto had het bij het rechte eind. De doeken waren weliswaar oud en uitgedroogd, maar buiten het bereik van stof gebleven. Ik ontdekte zelfs een paar harde vlokken zeep. Zo konden we ons, eerst hij en toen ik, netjes wassen en schoonmaken.

Daarna gingen we weer op zoek naar de geschenken, maar vooral naar het blad van Capitor.

Op de eerste verdieping, bestaande uit vier zaaltjes, alsmede de grote galerij die zich door het spiegelspel tot aan de Vaticaanse paleizen leek uit te strekken, viel wel het nodige te inspecteren. We trokken de laden open van massieve met ivoor en messing ingelegde ladekasten van ebbenhout of van wortelnotenhout en eikenhout met inlegwerk van rozenhout, boordevol oude porseleinen kopjes; we keerden felbeschilderde luiken om en verschoven met veel moeite strenge donkere kasten, besneden met spiralen en bladeren, met aan weerszijden hertenkoppen of plechtige ingelegde pilaren in satervorm, de norse bewakers van geheime laden en stoffig kristalwerk.

We zetten de imposante salonspiegel van de haard opzij, op de console waarvan zich beeldjes van het fijnste porselein verdrongen, zoals een blond, teer herderinnetje met een draagkorf op haar rug, en tot de wonderlijkste behoorde een jonge schoorsteenveger, voorzien van muts en trap, en zelfs een Chinese mandarijn met zijn wijsvinger (die er duidelijk met lijm weer was aangezet) waarschuwend in de lucht.

In de dekenkisten onder de ramen wroetten we tussen zwart geworden zilveren theepotten, koorden en pluimen van passementwerk voor gordijnen, en zowaar een pak speelkaarten uit Parijs. Abt Melani stak zijn neus zelfs in de kachels, waar hij onder het roet weer uit kwam.

Hoestend van het vele stof rolden we tapijten met Franse dessins op, tilden enorme gobelins met mythologische en herderstaferelen omhoog in de hoop een geheime opening, een verborgen deur te ontdekken die ons een of ander onuitgesproken binnenkamertje zou binnenleiden (aangezien het niet eenvoudig is een globe te verbergen!), in de hardnekkige zoektocht naar een teken dat ons bij Capitors geschenken zou brengen.

Na Louise de la Vallière, hervatte Melani met een besmuikt lachje, komt Madame de Montespan aan het bewind. Uitzonderlijk knap, geestig en altijd modieus, met een zinderende sensualiteit en een hart van ijs, wil la Montespan de koning tot elke prijs veroveren, en dat is te zien. Hij heeft het direct door en weerstaat haar. Sterker nog, hij houdt haar voor de gek: "Madame de Montespan zou mij wel willen, maar ik wil niet".

Maar de zinnen van de koning en zijn verstand, de weeskinderen van zijn hart, zwichten toch voor haar. De opmars van la Montespan valt samen met de dood van ieder gevoel of de schijn ervan. Niet alleen is Lodewijk niet meer tot liefhebben in staat; vanaf la Montespan wordt hij zelf ook niet meer bemind.

'Maar pas veel later zal de allerchristelijkste koning begrijpen dat geen vrouw hem echt heeft liefgehad,' zei Atto raadselachtig.

Met Athénais begonnen de tien topjaren van Lodewijk XIV, de periode van schittering en arrogantie die zou eindigen met de vergiftigingszaak, toen de koning zou merken dat hij de prooi van zijn maîtresses was, en niet omgekeerd. Jaren waarin hij het slechtste van zichzelf zal geven en in zijn bed weer hele scharen meisjes zal verzamelen met drieste verwachtingen en altijd bereid en altijd weer verschillend. Niet allen waren te veroordelen: sommigen verkeerden in de waan dat ze hun jonge echtgenoot of hun verloofde redden van de oorlog, of probeerden voor hun vader het familievermogen terug te winnen dat onterecht door de trouweloze Colbert was geconfisqueerd. Maar vooral die laatsten liet Lodewijk nooit na met wellust eigenhandig te vermorzelen.

'Jongen,' sprak de abt me aan, toen hij het afgrijzen op mijn gezicht zag, 'de allerchristelijkste koning had op een dag in een ver verleden geleden, zoals hij nooit had gedacht dat mogelijk was; hij had de terreur van de Fronde al meegemaakt.'

Dus als een wreed kind dat vanuit simpele nieuwsgierigheid een vogeltje onnoemelijk leed berokkent, sloeg de koning nu de armzalig verstoorde illusies van die stakkers gade om te zien of ze net zo leden als *hij* had geleden, en hoe het mogelijk was zoveel te lijden. Hij wilde kortom die harten het geheim van hun verdriet ontfutselen: het enige dat de luisterrijke Zonnekoning ooit had verslagen.

'Maar dat alles gebeurde in het geheim in de vertrekken van de koning,' waarschuwde Atto, terwijl we verder liepen in de galerij en het grote gewelf de echo van onze voetstappen weerkaatste.

Aan het hof heerste Athénais onverstoord: 'de regerende maîtresse' noemden ze haar met een variant op 'regerende koningin', waarmee de gemalin des konings wordt onderscheiden van de koningin-moeder. Ze hadden niet helemaal ongelijk. Met Madame de Montespan had Lodewijk het hof een surrogaatkoningin geschonken: zij had eindelijk de gewenste uitzonderlijke schoonheid en bijpassende esprit om de schittering van het Franse hof beter uit te laten komen.

'Ze straalde luxe en luister uit, net als de Aurora van Pietro da Cortona,' zei de abt, wijzend op het schitterende fresco op het plafond van de galerij.

Het fresco van de Middag, dat tussen Aurora en de Nacht in het midden van de galerij prijkte, trok onverwachts Atto's aandacht. Het stelde de val van Phaëton voor, die door Jupiters bliksem was getroffen omdat hij de Zonnewagen had willen besturen.

'De eerste keer dat we hier kwamen, heb ik er niet op gelet: om het hoogtepunt van de dag te vieren koos Benedetti een gebeurtenis van bestrafte hoogmoed. Maar op de wanden eronder heeft hij weer deviezen gezet die de Franse koning verheerlijken. Bepaald opmerkelijk.'

'Ja,' erkende ik verbaasd, 'het lijkt wel een waarschuwing aan de Zonnekoning.'

'"Je bent een mens, Phaëton, maar wat jij wenst is niet meer menselijk",' citeerde Atto uit zijn hoofd, als bevestiging van mijn opmerking: 'Ovidius, de *Metamorphosen*.'

De abt ging verder met zijn verhaal. Athénais verving de vorstin zonder het te zijn: ze ontving, onderhield, fascineerde alle ambassadeurs. Met het grootste genoegen vertoonde de koning zich in haar gezelschap en pronkte met haar: een dienstverlening aan de monarchie, kortom.

'Ze wist perfect dat de koning eigenlijk niet van haar hield,' zei Atto bitter, 'maar dat hij haar nodig had "om te laten zien dat hij bemind werd door de mooiste vrouw van het koninkrijk", zoals zij zelf graag zei. Een versiering als vele andere, kortom.'

Terwijl Atto zo sprak, waren we in de buurt van de glaswand gekomen. In een herbeleving van de optische illusie van het spiegelspel zag ik hoe de galerij zich vermenigvuldigde en zich tot in het oneindige projecteerde tot hij de koepel van de Sint-Pieter raakte. Dat fascinerende, verfijnde bedrog leek op het lot van Madame de Montespan, de denkbeeldige koningin van Frankrijk.

'Met Maria had Athénais de moed gemeen om tegen de koning in te gaan,' vervolgde Atto, 'ze was niet bang om haar zegje te doen en had een resolute smaak, als een ware koningin.'

In het decennium van haar 'bewind' wordt het slot Versailles wat het nu nog is. Het papier-maché van de kunstige bouwsels die in Louises tijd één feest meegingen, verandert in steen, travertijn, brons, marmer, opgesteld in de geheimzinnige volgorde van het onvoorziene en de verrassing, en roept bosschages, fonteinen en bloemperken in het leven. Het grote kanaal wordt bevolkt door een dwergvloot aan gondels, feloeken, brigantijnen en galeien. Het park, dat zucht onder de mantel van de zomertemperaturen, vormt blauw met witte stipjes van Chinese paviljoens.

Maar Athénais wijdt zich vooral aan haar persoonlijke residentie, die niet ver van Versailles gelegen is en in miniatuur de schittering ervan weergeeft: de grote Le Nôtre (het vooraanstaande genie van de architectuur, de ontwerper van het paleis en daarvoor nog van Vaux-le-Vicomte, het arme kasteel van minister Fouquet) wordt erbij gehaald om zichzelf te overtreffen: tuinen vol tuberozen, narcissen, jasmijn, violieren, anemonen, en bekkens met lauw water, geparfumeerd met aromatische kruiden...

'... En wat je niet eens kunt bedenken zonder het te hebben gezien. Helaas.'

'Waarom zegt u dat zo?' vroeg ik, toen ik hem hoorde steunen van weemoed.

'Omdat al die grandeur geen beter lot beschoren was dan het kasteel van Fouquet. Het paleis is met de val van zijn meesteres volledig te gronde gegaan, net zoals Vaux is opgeslokt door de ondergang toen zijn meester werd gearresteerd. En ook dit bewijst wat ik zeg.'

'Waarom? Wat gebeurde er?'

'De gifaffaire brak uit, jongen, het grootste proces van de eeuw, zoals ik al heb aangestipt. Bijna iedereen had ermee te maken. En na Olimpia Mancini was Athénais er het nauwst bij betrokken. Er doken getuigen op die haar hadden zien deelnemen aan zwarte missen met kinderoffers en al om de liefde van de koning te behouden. Alles werd in de doofpot gestopt, maar voor haar betekende het het einde. En de jager begreep dat hij het wild was geweest.'

Toen hij vernam tot welke laagheden zijn maîtresses in staat waren en hoorde van de satanische rituelen en hekserijen om in zijn bed te komen, begreep

Lodewijk dat er achter al zijn liefdes bitter weinig liefde school. Van die ontdekking herstelde hij nooit meer. Hij dacht de rollen te hebben omgekeerd ten opzichte van de tijd van Maria Mancini, toen hij door zijn ouders was geofferd op het altaar van de macht. Maar zijn lot had zich herhaald: wederom was hij een pion op het schaakbord geweest van iemand die hem trouw zwoer. En ditmaal was hij alleen: hij had niet eens de troost zijn treurige lot te delen met de vrouw van zijn leven. Zo ontsloten de poorten van de ouderdom zich voor hem.

We hadden de verkenning van de eerste verdieping voltooid en gingen nu de eretrap weer op. We beklommen hem helemaal en kwamen zo uit op de derde verdieping, waar vroeger het personeel zijn onderkomen had gevonden. Vergeleken bij de rest van de villa leek het een andere wereld: geen meubels, geen stucwerk aan wanden en plafond, geen enkele versiering. Er waren een paar mezzanino's voor de bedienden, andere voor de zadelopslag, en verschillende dienstkamers. Spinnenwebben, muggen en muizen waren ongestoord heer en meester in die kale, sombere kamers. Het riep hetzelfde naargeestige beeld op als de oude dag van de allerchristelijkste koning.

We begonnen geduldig met onze knokkels op de muren te tikken op zoek naar geheime vertrekken, om te controleren of een houten vloer een valluik bevatte, of dat het lijstwerk van een raam een kluis verborg.

Vervolgens gingen we over op een ladenkast. Hij wilde niet open: in tegenstelling tot al het meubilair van Het Schip dat we tot nu toe hadden geïnspecteerd, zat hij op slot.

'Ha ha, misschien zijn we er!' riep de abt met hervonden goede luim. 'Ga eens naar beneden, naar de eerste verdieping, en zoek een mes in de bestekladen. Volgens mij heb ik ze gezien in die grote kast die overeind gehouden wordt door groot-generaal Bokkenpoot,' grinnikte hij, doelend op de imposante, strenge houten sater die op het meubel gebeeldhouwd was.

Op de eerste verdieping vond ik niets. Ik ging verder naar de begane grond en vond daar het mes. Voor ik weer naar boven ging kon mijn blik even verwijlen op een van de damesportretten aan de wanden, dat tot dan toe mijn aandacht nog niet getrokken had.

Het was een niet meer zo jonge dame, wat al te veel aan de mollige kant, met niet afstotelijke maar toch zulke fletse, ordinaire trekken dat die nogal detoneerden bij de pracht en praal van het portret, waaruit je zonder een spoor van twijfel kon opmaken dat het personage van groot aanzien moest zijn. Ik las onderaan op de lijst:

Madame de Maintenon

Dit was nu de derde keer dat ik op die naam stuitte. Was dit niet de dame die de allerchristelijkste koning in het geheim had getrouwd, zoals Atto Melani had verteld? Dat was ze. Ik bekeek het portret opnieuw: het volstrekt anonieme gelaat, als van een volksvrouw, stak heel ongunstig af tegen de levendigheid en de aristocratische gratie van de andere koninklijke favorieten die ernaast hingen. Ik ging weer naar boven, naar de derde verdieping.

'Madame de Maintenon...' mompelde ik, 'hoe heeft de Franse koning met haar kunnen trouwen? Ik bedoel, na vrouwen met charme...'

'Heb je beneden haar portret gezien? Ongelooflijk, hè?' merkte Atto op, terwijl hij het mes pakte dat ik hem aanreikte. 'Op een oktobernacht zeventien jaar geleden, net twee maanden na de dood van koningin Maria Theresia, is de koning in het geheim met haar getrouwd.'

'In het geheim...' herhaalde ik, 'dat zei u een paar dagen geleden ook al, de eerste keer dat we hier in Het Schip waren. Toch vrees ik dat ik die zin niet goed begrepen heb: het zou dan een soort echtgenote zijn die alleen geen koningin is. Volgens mij heb ik al eens gehoord van zo'n soort koninklijk huwelijk waarbij de vrouw van de koning niet aan zijn zijde regeert en geen troonopvolgers baart...'

'Nee, dat is een morganatisch huwelijk: je bent op de verkeerde weg. La Maintenon is, bescheidener gezegd, een 'niet verklaarde', niet officiële echtgenote, zeg maar. Iedereen aan het hof weet van het huwelijk, en de koning vindt het prima. Alleen wil hij niet dat er ooit op gezinspeeld wordt. *Tamquam non esset*, alsof het niet bestond.'

'Maar wie was zij eerst?' hield ik aan, me herinnerend dat de abt haar had bestempeld als 'sociaal niet presentabel'.

'Een gouvernante die, zoals ik je zei, in haar jeugd nog heeft gebedeld,' zei hij, zijn wenkbrauwen optrekkend en me met een lachje aankijkend, terwijl hij met het lemmet in de spleet van de lade probeerde het slot ervan te laten openschieten.

Françoise d'Aubigné, later door de koning met de titel Madame de Maintenon begiftigd, vervolgde abt Melani, was al tien jaar de gouvernante van de vele kinderen die la Montespan de allerchristelijkste koning had geschonken. Ze was drie jaar ouder dan de vorst en had geen druppel blauw bloed. Ze was een wees van lage komaf die in een portiershokje was gebaard, waar haar moeder, de vrouw van een Hugenoot die van de ene gevangenis naar de andere ging, uit barmhartigheid onderdak had gekregen. Met haar broers had ze haar jeugd in lompen doorgebracht met bedelen om een kom soep aan de poorten van de kloosters. Het lot wilde dat ze midden in de Fronde een oude mankepoot tegenkwam, Scarron, een satirische, ondeugende dichter die in die tijden van barricaden in de mode was. Scarron was veroordeeld tot een stoel met wieltjes, kon zich niet zelf redden en was eng om te zien: zonder veel omhaal stelde hij de zestienjarige Françoise voor om zijn verpleegster te worden en met hem te trouwen. Zonder zich tweemaal te bedenken ging zij erop in.

Maar wanneer het vuur van de Fronde is gedoofd, vergaat het de Scarrons slecht. Hij vervalt tot het schrijven van lofdichten in opdracht van verschillende mensen. Het meisje en kersverse echtgenotetje moet de klandizie binnenhalen: ze lokt aan, geeft zich niet (naar het schijnt...), maar geeft hoop. In ruil onderhoudt en onderricht hij haar.

Toen hij stierf, was zij net vijfentwintig. Ze erfde alleen een hoop schulden. Nadat de weinige meubels bij opbod waren verkocht, stond de jonge weduwe op straat. Maar iets had ze eraan overgehouden: ze bezat nu het talent van de koketterie, en de nodige scholing om een rijke beschermer te paaien die haar uit het slop kon halen.

'Het bewijs vormde haar vriendschap met Ninon de Lenclos, de machtige koppelaarster van de elite,' grinnikte de abt, 'van wie ze een paar vurige minnaars erfde, dankzij wie ze kennismaakte met Athénais de Montespan.'

Deze had de koning net haar eerste kind geschonken: een meisje. Omdat ze haar in het diepste geheim moest grootbrengen, bood ze Françoise aan haar gouvernante te worden. Daarna kwamen er meer kinderen en na een paar jaar was daar het onverwachte geluk: de wettiging van de bastaarden. Op last van de koning verhuisden la Montespan en haar kinderen hun hele hebben en houden naar het hof. Uiteraard mét gouvernante.

'Zij was toen zo sluw om zich op te werpen als vrome, zelfs bigotte dame,' meende Atto scherp. 'Nogal onbeschaamd als je bedenkt dat la Montespan haar nog maar een paar jaar eerder had losgelaten op Louise de la Vallière om die ervan af te brengen karmelietes te worden, gezien het leven van ontberingen dat ze tegemoet zou gaan.'

'Maar ze kon niet hopen bij de koning in de smaak te vallen als heilige!'

'Ze had vooruitgekeken. Al jaren morden de geestelijkheid en de kwezels van het hof over la Montespan en de uitspattingen van de koning. Zij werd hun spreekbuis en werkte op de achtergrond. Ze leefde al jaren zij aan zij met Athénais: de klassieke adder aan de boezem. Toen de gifaffaire zijn hoogtepunt bereikte, kwam haar grote moment: la Montespan was inmiddels verloren en de koning had een plotselinge opleving gehad.'

'Bedoelt u dat de koning zich tot een zediger leven bekeerde?'

'Niet echt,' aarzelde Atto; 'eigenlijk was het gedrag van de allerchristelijkste koning nooit zo vrij als in de tijd van de gifaffaire, alsof hij op die manier de angst wilde uitbannen. Hij ging van de ene naar de andere onbekende, elke nacht een ander, en allemaal piepjong, mopperde men. En toen trof hem, te dicht op de eerste, een tweede fatale klap: zijn recente favoriete, de beeldschone Angelique de Fontanges, baart hem een doodgeboren kind en overlijdt kort daarop zelf, gestikt in de stroom bloed van een gruwelijke longziekte. Ze was pas twintig, ze had zijn dochter kunnen zijn.'

De gezondheid van de koning wankelt onder zo veel tegenslagen. In die jaren was hij bovendien door een val van het paard en voortdurende abcessen in zijn lendenen die met gloeiende ijzers werden verwijderd, gedwongen zich door de lanen van Versailles te bewegen op een fauteuil met houten wielen. Hij voelt zich omsingeld: eerst het verraad en nu ook de dood en zijn ziekte, ze schreeuwen hem toe dat hij dramatisch alleen is.

'Wie kon hij met al die gifmengsters en heksen nog vertrouwen? Hij heeft wanhopig iemand nodig. Maar het is afgelopen met de schone favorieten. Op middelbare leeftijd zijn ze een te gevaarlijk spel gebleken.'

Nadat we intussen de lade van de ladekast open gekregen hadden, gooiden we alle ramen open om de schone lucht en de zoete geluiden van het Romeinse middaguur binnen te laten. We gingen even in een vensterbank op het westen zitten. Onder onze ogen strekte zich het zachte, vriendelijke lover van de hoogste bomen uit. Ik wendde opnieuw mijn blik naar de personeelsruimten: misschien leken ze door abt Melani's verhaal minder naargeestig. Evenals Madame de Maintenons gezicht waren ze uiterst sober, en juist daarom droegen ze duidelijker sporen van de tijd; maar de afwezigheid van pracht en praal bracht in het hart van de bezoeker eindelijk de gevoelens van opwinding en verwondering tot rust en boezemde kalmte en vertrouwdheid in.

Françoise de Maintenon, vervolgde Atto, was intussen een ware moeder voor de koninklijke bastaarden geworden en dat gaf de koning een gevoel van weergaloze zekerheid. Zij was in die beperkte kring van het hof de enige van gewone komaf dat ze niet eens kon hopen op de rol van officiële favoriete, die altijd onder de bedienden van de hoogste adel moest worden gekozen. Ook haar conversatie kon plezierig zijn, maar niet erg briljant. De koning voelde zich kortom niet aangetrokken noch bedreigd, en dat beviel hem buitengewoon. Hij genoot zodoende steeds regelmatiger van een uurtje zorgeloos babbelen met haar, waarbij ze spraken over de kinderen of andere nooit erg zware onderwerpen: hij ontspande zich met die gouvernante, die hem lichamelijk helemaal niet aantrok, maar ook niet afstootte.

'Kortom,' vatte Melani samen, 'Françoise schonk hem rust zonder een plaats in zijn hart in te nemen. Zijn zinnen waren vermoeid, zijn geest was argwanend. Daarbij gruwde hij toen hij weduwnaar werd bij de gedachte dat hij overal zou worden geprest om te hertrouwen en Frankrijk een nieuwe koningin te geven. Hij had al een huwelijk onder dwang aangegaan. Daarom besloot hij dat het moment gekomen was om wraak te nemen: zoals ik al zei, hij drong die bedelares en ex-prostituee hetzelfde rijk op als hij Maria Theresia had opgelegd en aan Maria had onttrokken. En hij genoot zeer van het schandaal dat zijn keuze aan het hof verwekte: minister Louvois wierp zich zelfs aan zijn voeten om hem te bezweren niet met haar te trouwen.'

We stapten van de vensterbank waarop we hadden gezeten af en gingen verder met zoeken.

'Maar ook ditmaal wachtte de allerchristelijkste koning een lelijke verrassing. Zijn bruid was veel minder rustig dan hij had gedacht...'

'Dat wil zeggen?'

'Een paar jaar geleden heeft de koning ontdekt dat la Maintenon informatie die ze in vertrouwen van de koning zelf kreeg, al jaren doorspeelde aan een eigen kring van priesters, bisschoppen en verschillende vromen, van wie sommigen zelfs verdacht werden van ketterij. Het doel was de "bekering" van de koning. Of, in helderder bewoordingen: de infiltratie van de geestelijkheid in de regering.'

Ik was met stomheid geslagen. Zeker, bedacht ik, je kon niet zeggen dat de Franse koning echt geluk had gehad met zijn vrouwen: eerst la Montespan met haar zwarte missen, en nu verried die Madame de Maintenon, die hij zelfs de gunst van een huwelijk had verleend, de staatsgeheimen aan geestelijken om ze aan de regering van het land te brengen. Opnieuw kwam me de omgeving waarin we ons bevonden naargeestig en vijandig voor, ik wilde weer terug naar de luisterrijke zalen beneden. Op dezelfde manier had de koning van Frankrijk misschien het knappe gezicht van la Montespan betreurd toen hij had ontdekt dat zijn fletse vrouw in feite niet minder giftig was dan zij.

'Stel je voor,' hervatte Atto, 'de koning had al genoeg te stellen gehad met Mazarin. Hij werd witheet: hoe durfde dat gewone vrouwtje dat hij voor de lol als zijn echtgenote aan het hof had opgedrongen, achter zijn rug om samen te spannen en die bende kwezels de geheimste staatszaken te onthullen? Zij, aan wie de koning niet eens ooit toestemming gegeven had om aan zijn tafel te eten! Zij, die tegenwoordig nog steeds in het paleis van Versailles een maîtresseappartement bewoont. Zij, die dan privé wel "majesteit" wordt genoemd, maar in het openbaar genoegen moet nemen met de laatste plaatsen.'

'Heeft hij haar niet weggejaagd, zoals hij met la Montespan deed?'

'Hij had haar een proces kunnen aandoen. De beschuldiging die in de lucht hing was die van een politiek complot. Maar dat zou betekenen dat juist degene die tegen ieder gezond verstand in met haar had willen trouwen te kijk werd gezet.'

Dus wat doet de koning tegenover het hof dat met ingehouden adem zijn reactie afwacht? Hij verbaast vriend en vijand en doet alsof er niets aan de hand is: in plaats van de verraadster te verbannen, verlegt hij zijn dagelijkse besprekingen met de ministers naar... haar kamer!

De koning en de minister zitten tegenover elkaar. Achter de rug van de tweede zit Madame de Maintenon, ineengedoken in de schaduw van haar 'nis', het met hout beschotte hokje dat ze voor zichzelf heeft laten maken, hypochondrisch als ze is, om uit de tocht te blijven. Nu en dan vraagt de koning haar zelfs haar mening. Maar dat zijn alleen maar demonstratieve gebaren. Het bewijs daarvan moge zijn dat zij per se in algemene bewoordingen moet antwoorden. En o wee, als ze zonder nadrukkelijk verzoek van de vorst tussenbeide komt: onmiddellijk bestookt de toorn van de bruidegom haar dan met ongehoorde heftigheid.

'Zijne Majesteit is niet bereid tegenover het hof te erkennen dat hij door dat heilig boontje is beetgenomen, en heeft er daarom voor gekozen haar nog meer op te dringen dan voorheen. Maar tussen hen is het uit,' stelde abt Melani apodictisch.

Achter een oude kachel ontdekten we een geïmproviseerde strozak met daarnaast een papieren zakje verse vijgen waarvan sommige nog heel waren, een juten zakje met een paar sneden brood en nog een grotere zak vol met soorten kaas. Daarnaast een halfvolle fles rode wijn met een fraai blauw versierd glas. De schuilplaats werd gecompleteerd door een dikke halfopgebrande kaars.

'Hier slaapt de Vliegende Hollander dus,' merkte Atto misprijzend op, 'daarom komen we hem om de haverklap tegen. Kijk eens wat een kaas hij eet: te veel, zoals alle Hollanders. Vind je het gek dat hij dan onzin uitkraamt.'

De honger had evenwel de overhand. De abt greep lusteloos een lekker stuk paardenkaas, belegde er een snee brood mee, deed er een halve vijg bovenop (aangezien niets aangenamer is dan zoet fruit op het pikante van de kaas) en zette er begerig zijn tanden in. Ik had ook nogal een wee gevoel in mijn maag, nam dezelfde bestanddelen en volgde hem na, waarbij ik zowel de wijn als het glas met hem deelde. Maar terwijl ik de karige dis al in luttele minuten had verslonden, zag ik Atto steeds meer kieskauwen, ten slotte de kaas weggooien en zich tevredenstellen met het brood met de vijg:

'Ik kan geen kaas meer zien. In Frankrijk doen ze die ook overal in. Ik heb er onderhand de pest aan.'

Terwijl ik afat, rommelde Melani onder de strozak, waarvandaan een haarkam, een paar sloffen en een potje gezouten sardines opdoken.

'Spullen die hij gekocht heeft van marskramers,' merkte Atto op zonder de zweem van minachting te verhelen voor de sobere gewoonten van Albicastro.

Ten slotte kwamen we in beweging. Aan het noordelijk uiteinde van de verdieping gekomen vonden we een grote notenhouten tafel met een enorme lade die er evenals de vorige verdacht uitzag.

'Die is lekker massief,' vond Atto, 'daar zou iets in kunnen zitten.'

De abt probeerde het met zijn mes.

'Hij zit niet op slot. Hij zit alleen vast,' merkte ik op.

We probeerden hem toen met onze blote handen uit de schuif te trekken, iets wat ons volop tijd en kracht kostte.

'Gif, samenzweringen en verraad,' commentarieerde ik, 'daarmee is de galerij bruiden en maîtresses van de allerchristelijkste koning niet bijster waardig.'

'Toch moet ik het hof nu nog steeds met verachting en hoon horen spreken over mijn Maria,' hervatte Atto fel en snuivend, terwijl hij de la die in de tafel vastzat met kracht probeerde los te rukken; 'de mislukking van haar leven zou haar ontmaskeren, volgens hen, als de kille, ambitieuze, berekenende intrigante die iedereen achter haar zocht. De meest toegeeflijken beweren dat zij uiteindelijk minder intelligentie te zien zou geven dan haar briljante conversatie deed vermoeden. "Ze had humor," lachen ze, "maar totaal geen onderscheidingsvermogen. Vurig, impulsief als ze was, verleidden haar aanvallen van woede even, maar boezemden vervolgens afkeer in." Dit alles krijg ik te horen in die kwade uitlatingen. De wrok tegen Maria is nooit het zwijgen opgelegd. Zelfs nu niet, na vijftig jaar en nog meer maîtresses in het bed van de koning.'

'Hoe verklaart u dat?'

'Maria was een buitenlandse, en dan ook nog eens een Italiaanse, net als Mazarin. En de Fransen konden de Italianen die bij bosjes door de kardinaal werden ingevoerd niet meer lijden. Laat staan een nicht van hem die de koning het hoofd op hol had gebracht!'

'Maar daarna heeft de koning heel veel maîtresses gehad, zoals u net zei: bestaat het dat het hof zich de Connétablesse nu nog herinnert?' hield ik aan, in de hoop Atto enige verwijzing naar de huidige geheime contacten tussen de koning en Maria Mancini te ontfutselen.

'Hoe konden ze haar vergeten? Een voorbeeld: bij één gelegenheid sloegen Maria Theresia en la Montespan de handen ineen. Het was ongeveer dertig jaar geleden en het was tegen Maria Mancini gericht. Maria was op de vlucht voor haar man en vroeg of ze zich mocht terugtrekken in Parijs. Maar de koning was niet aan het hof: hij was naar de oorlog tegen Holland en had de regering, volgens traditie, aan Maria Theresia toevertrouwd. Maria's verzoek ging dus door de handen van de koningin, die haar veto uitsprak. Maar het was Athénais geweest die haar overtuigde. Die had alles door: Maria was niet alleen de eerste, maar ook de laatste liefde van de koning geweest; er kon nog enig vuur zijn overgebleven.'

Intussen hadden we het (in wezen vrij hardhandige) onderzoek van de notenhouten tafel afgerond. In de poging om het binnenste te forceren hadden we onze handen en polsen geschaafd. Binnenin zat, zoals we uiteindelijk ontdekten, niets verborgen.

'Toen de koning van Maria's verzoek op de hoogte kwam,' ging mijn gezel verder, terwijl hij zijn schrammen met een zakdoekje afwiste, 'was het al te laat om het veto van Maria Theresia ongedaan te maken.'

Maar Lodewijk besluit Maria niet weer uit te leveren aan haar man, die haar opeist. Hij draagt Colbert op haar onder te brengen in een klooster ver van Parijs en kent haar een pensioen toe. Maria, die niets van de intriges van Maria Theresia en Athénais af weet, roept uit: 'Ik heb wel gehoord dat men vrouwen geld gaf om ze te zien, niet om ze helemaal niet te zien!'

'Maar dit gebeurde dertig jaar geleden, zei u,' prikkelde ik hem.

'Dan moet je dit weten,' bracht Atto geërgerd uit door mijn terughoudendheid tegenover zijn vurige uitspraken. 'Ik weet zeker dat la Maintenon ook al een tijd probeert de koning over te halen om Maria officieel in Parijs uit te nodigen. Waarom denk je dat ze dat doet, zij die zo jaloers is?'

'Ik zou het niet weten,' antwoordde ik met gemaakte weifeling.

'Dat doet ze omdat hij zich nu, nu de terleurstellingen hem op zijn tweeënzestigste hebben verzwakt en hij de balans van zijn leven opmaakt, steeds vaker halve woorden en halve verzuchtingen laat ontvallen over Maria. Maria is even oud: als de koning haar nu zou terugzien, hoopt la Maintenon, zal hij de engelachtige herinnering die hij aan haar bewaart misschien loslaten. Maar ze heeft geen rekening gehouden met de tijdloze charme van Maria,' was het nadrukkelijke weerwoord van Atto, die toch van het huidige fysieke voorkomen van de Connétablesse niet veel bijzonders kon weten, aangezien hij haar ook al dertig jaar niet had ontmoet.

'Heeft Madame de Maintenon haar nooit gezien?'

'Integendeel. Ze kenden elkaar en waren vriendinnen. Maria nam haar zelfs mee om vanaf een balkonnetje getuige te zijn van de luisterrijke intocht van de koning en Maria Theresia in Parijs, meteen na het huwelijk. Maar je moet zij aan zij met Maria leven om te begrijpen dat duizend jaren tijd noch duizend mijlen afstand ooit de herinnering aan haar kunnen doen verbleken,' zei de abt in één adem.

'De ironie van het lot: de eerste en de laatste vrouw van Zijne Majesteit samen op hetzelfde balkon,' commentarieerde ik. 'Maar, signor Atto, als ik zo vrij mag zijn aan te dringen: bestaat het dat de gevoelens van de koning al dertig jaar onveranderd zijn gebleven? Hij heeft haar nooit meer teruggezien,' hield ik aan in de hoop dat hij zich nog iets zou laten ontsnappen.

Hij hield zich even in, in gedachten verzonken.

'Ik heb haar ook al dertig jaar niet meer gezien,' antwoordde hij met tegenzin.

En toch hield hij nog van haar, besloot ik voor mezelf.

'Nu zal ze wel komen,' bemoedigde ik hem.

'Ja, daar lijkt het op.'

De daaropvolgende minuten verstreken in de meest totale stilte. Atto piekerde.

'Ik ga weer buiten een luchtje scheppen,' zei de abt onverwachts, 'ik hou al dat stof niet meer uit. Doe jij maar wat je wilt; we zien elkaar hier over zo'n twintig minuten.'

Ik keek hem vragend aan.

'Ach ja. Je hebt geen horloge,' herinnerde hij zich. 'Kom, we gaan naar beneden.'

We hielden halt op de tweede verdieping, waar Melani de laden van een commode opentrok:

'Ik had ergens een kleine reispendule gezien. Hier is hij.'

Hij zette hem op de secretaire ernaast en begon hem op te winden. Vervolgens zette hij hem gelijk en stopte hem in mijn hand.

'Kijk, zo kun je je niet vergissen. Tot straks.'

Atto was uitgeput. We hadden urenlang rondgesnuffeld. Maar de ware reden dat hij naar buiten ging was een andere: de opwelling aan herinneringen had zijn hart bezwaard en nu wilde hij even alleen zijn om de emoties te laten zakken.

Zo was ik weldra weer in de volstrekte stilte gehuld, met de kleine pendule als een lantaarn in mijn hand.

Gezeten op een oude leren kruk begon ik daarom na te denken over het lange verhaal van abt Melani. Over drie vrouwen van de Zonnekoning had hij me verteld, en drie verdiepingen van Het Schip hadden we geïnspecteerd. Het kon misschien een gewaagde sprong van de fantasie lijken, maar zoals ik al had voorvoeld geleken de drie verdiepingen van Het Schip op die drie vrouwen: de tuinen van de begane grond, de grot en de geheime tuin waren bekoorlijk, licht en luchtig als la Vallière; op de eerste verdieping waren de bedrieglijkheid en het raffinement van de schitterende spiegelgalerij en de adembenemende pracht van de Aurora van Pietro da Cortona als la Montespan, 'de knapste vrouw van het koninkrijk', 'de regerende maîtresse', terwijl naast de Aurora het fresco van de Middag met de val van Phaëton van de Zonnewagen een waarschuwing leek aan de hoogmoed van Lodewijk XIV, die ten tijde van la Montespan op het hoogtepunt van zijn regering was. De derde verdieping ten slotte was kaal en gewoontjes als het gezicht van la Maintenon, treurig als het leven van de koning naast haar, leeg als de ouderdom van de vorst.

Enfin, inmiddels wist ik alles, of bijna alles, over wat er was misgegaan in het gevoelsleven van de allerchristelijkste koning; behalve wat me het meest interesseerde: zijn huidige betrekkingen met de Connétablesse en het doel van de liefdesmissie die de koning (zoals ik inmiddels had geraden) aan Atto had toevertrouwd. Maar juist toen ontdekte ik dat ik niet meer alleen was.

'Bestond er eerst de dag en toen de nacht?
En hoe heeft de mens de ezel bedacht?
Baarde Socraat Plato of omgekeerd?
Die leer is op de scholen felbegeerd.
Maar dwaas is het piekeren van de man
Over wat niemand anders maken kan.'

Ik draaide me met een ruk om: de stem die die verzen had voorgedragen was van Albicastro, die op de drempel van de zaal stond met zijn viool in de hand.

'Maakt u mij nu ook al voor dwaas uit?' vroeg ik, verbaasd door die rede. 'Heb ik u soms op de een of andere manier beledigd?'

'Integendeel, mijn jongen, integendeel. Ik maakte maar een grapje. Ik wilde je juist een compliment maken. Dankt Christus niet God dat Hij het mysterie van de zaligheid voor de wijzen verbergt, maar wel aan de kinderkens openbaart, dus aan de onnozelen? Want in het Grieks betekent *nepìois* zowel "onnozelen" als "kinderlijken", en staat tegenover *sofòis*, hoogontwikkelden.'

'Misschien plaatst mijn postuur me bij de kleintjes, meneer, maar u moet weten dat u en ik ongeveer even oud zijn,' zei ik met een zweem van verlegenheid. 'U moet overigens weten dat u mij daarmee niet beledigd hebt...'

'Ik dank je, mijn jongen,' hield Albicastro aan, terwijl hij losjes op een porfieren *consolle* ging zitten, 'maar ik verwijs naar je geest, die ik nog zo zuiver als die van een kind aantref. Of van een onnozele, als je dat liever hebt,' vervolgde hij met een lachje.

'In dat geval zou ik in uitstekend gezelschap verkeren. Werd de heilige Franciscus niet "Gods troubadour" genoemd?' wierp ik tegen, inmiddels definitief van mijn eerdere overpeinzingen afgebracht.

'Nog beter, zoals de apostel zei: "Wat voor de wereld dwaas is, heeft God uitgekozen" en "daarom heeft God besloten hen die geloven te redden door de dwaasheid".'

'Wat zou men dan moeten doen? Gek worden?'

'Nee, het niet worden, maar alleen veinzen.'

'Ik begrijp u niet.'

'In de eerste plaats is iedereen het eens over het beroemde spreekwoord: "Waar de werkelijkheid ontbreekt is veinzerij het beste." Dus terecht wordt kinderen bijtijds het versje geleerd: "Dwaasheid veinzen op het goede moment is de hoogste wijsheid".'

'Veinzerij lijkt mij geen grote deugd.'

'Dat is het wel, als het dient om je te hoeden voor sluwe vossen. En net doen of je dwaas bent is een teken van de hoogste wijsheid, zoals de jonge Telemachus, de zoon van Odysseus, wel wist. Hij was de schepper van de triomf van zijn vader, en weet je hoe? Op het juiste moment veinsde hij dwaasheid.'

Ik begreep niet wat hij bedoelde, maar op dat moment drong zich iets anders aan me op:

'Signor Albicastro,' onderbrak ik hem, 'staat u mij een vraag toe: waarom hebt u het altijd over de zotheid?'

Bij wijze van antwoord nam de Hollandse muzikant zijn viool op en begon zijn folía te spelen.

'De apostel Paulus schreef in zijn eerste brief aan de Corinthiërs,' sprak hij langzaam, terwijl hij de eerste trage klanken van zijn strijkstok liet komen, '"Als iemand onder u wijs meent te zijn – wijs volgens de opvattingen van deze wereld – dan moet hij dwaas worden om wijs te kunnen zijn." En weet je waarom? Omdat de Heer bij monde van Jesaja heeft gewaarschuwd: "Dan gaat de wijsheid van zijn wijzen verloren, en verdwijnt het verstand van de verstandigen".'

Ik was nieuwsgierig en geboeid geraakt door die goedmoedige, wonderlijke strijd over het thema van de zotheid, waar de Hollander me naar het leek met plezier in meesleepte, terwijl hij op de achtergrond de noten van de folía bleef spelen. Misschien had Atto gelijk: hij at te veel kaas.

'Dus naar uw mening zou de ware wijsheid zich onder de schijn van dwaasheid verbergen. Waarom dat?' vroeg ik, terwijl ik overeind kwam en op hem toe liep.

'Zoals Sertorius goed aantoont, is het onmogelijk de staart van een paard in één klap te verwijderen, maar je kunt het doel wel bereiken door de paardenharen een voor een uit te trekken,' antwoordde Albicastro argeloos, terwijl hij drie tikjes met de strijkstok op de vioolsnaren gaf, alsof hij het geluid van de een voor een uitgerukte haren wilde nabootsen.

Bij die komische vondst kon ik een lach niet onderdrukken.

'Als iemand een toneelspeler tijdens een stuk zijn masker afrukt om de toeschouwers zijn ware gezicht te tonen, zou dat niet de hele voorstelling bederven?' verklaarde de violist weer. 'En zou hij het niet verdienen om met stenen uit het theater verjaagd te worden? De sluier van dat bedrog oplichten betekent het toneelstuk verpesten. Alles op deze aarde is een maskerade, jongen, maar God heeft bepaald dat de komedie nu eenmaal zo gespeeld moet worden.'

'Maar waarom?' drong ik aan, terwijl in mijn hart een plotselinge, ongeduldige dorst naar kennis vrijkwam.

'Denk je eens in: als een uit de hemel gevallen wijze ineens begon te roepen en schreeuwen dat bijvoorbeeld een der velen die in de hele wereld aanbeden wordt als Heer en Meester, dat in feite niet is en zelfs geen mens is, maar enkel een stuk levend vlees dat zich als een dier door lage hartstochten laat regeren; of, erger nog, slechts een slaaf van de meest verdierlijkte mensen, omdat hij zich eigener beweging onderwerpt aan andere verachtelijke Heren en Meesters boven hem, die wij ons hiervandaan niet eens kunnen voorstellen; zeg mij dan: wat anders zou hij oogsten dan de haat van alle volkeren, terwijl hij bovendien niet gehoord wordt? Niets is schadelijker voor zichzelf en voor anderen dan een ontijdige wijsheid.'

Na die woorden stapte Albicastro van de porfieren *consolle* af, en ronddraaiend op de noten van zijn folía begaf hij zich naar de wenteltrap.

'Ofschoon Terentius zegt, inderdaad:
Degeen die waarheid spreekt oogst nijd en haat.'

Na het declameren van de regels die naar mijn idee behoorden tot dat geliefde dichtwerk dat hij altijd citeerde, *Het narrenschip* van Sebastian Brant, wendde hij zich nog een laatste keer om:

'De wereld is één groot gastmaal, jongen, en de wet van gastmalen is: zuipen of wegwezen!'

Ik hoorde Albicastro de trap af gaan. Ik bleef even beweginloos: zijn woorden gonsden nog in mijn hoofd.

'We moeten ons bij de feiten neerleggen.'

Ik hief mijn hoofd op. Atto Melani was terug.

'De geschenken zijn niet hier,' sprak hij nadrukkelijk.

'Misschien hebben we niet goed genoeg gezocht, zouden we moeten proberen om...'

'Nee, dat helpt niet. Het is geen kwestie van zoeken. Het idee is verkeerd.'

'Wat bedoelt u?'

'Je zei dat Virgilio Spada, de oom van je baas de kardinaal, de eerste eigenaar van de papegaai was.'

'Ja en?'

'De goede Virgilio had, zoals jij ook wel weet, een verzameling curiosa.'

'Dat klopt, ja, in Villa Spada weet iedereen dat. Virgilio Spada was heel godsdienstig, maar ook een geleerde, een hoogontwikkeld man, en hij had die verzameling *mirabilia*, eigenaardige, zeldzame voorwerpen, die vrij befaamd was en...'

'Juist. Ik geloof dat het jou nu ook wel duidelijk is: op het moment dat Benedetti besloot zich van de drie geschenken te ontdoen en ze aan iemand te geven, was Virgilio Spada de ideale kandidaat.'

'Moment: waarom had Benedetti die geschenken weg moeten geven? Had Mazarin hem niet opgedragen ze hier in Het Schip te bewaren?'

'Te bewaren wel, maar... er is een detail.'

En zo ontvouwde Atto me wat hij had verzwegen toen we vier dagen eerder voor het eerst in Het Schip waren gekomen en hij me over Elpidio Benedetti, de bouwer en heer des huizes van Het Schip, en diens contacten met hem gesproken had.

'Nu dan, jongen, iedere invloedrijke persoon moet dagelijks de meest uiteenlopende, onvoorziene intriges het hoofd bieden,' zei hij bij wijze van inleiding, 'en daarom heeft hij trouwe en vertrouwde lieden nodig die hem begeleiden in de talloze onzekerheden van de dagelijkse gang van zaken.'

'Ja, signor Atto. Dus?' antwoordde ik, zonder mijn ergernis over die breedvoerige inleiding, die alleen zinvol was om Atto's eerdere terughoudendheid te verbloemen, al te veel te verhelen.

'Welnu, kardinaal Mazarin had, behalve de secretarissen en officiële medewerkers, een schare... vertrouwelingen, laten we het maar zo noemen, waarvan ik deel heb mogen uitmaken.'

Die vertrouwelingen, zoals Atto in een reeks elegante omschrijvingen uitlegde, waren niets anders dan spionnen, stromannen en bedriegers die de kardinaal inzette voor de geheimste, gevoeligste persoonlijke kwesties. Geld was er een van; ja, stond voorop.

'Als ik je zei dat de kardinaal rijk was, wel, dan zou ik een leugen vertellen. Hij was, hoe zeg je dat,' zei Atto met zijn blik ten hemel geslagen, 'de vleesgeworden rijkdom.'

Jaren en jaren aanwezigheid op het hoogtepunt van het koninkrijk Frankrijk hadden hem waanzinnig, duizelingwekkend, uitzonderlijk – en vooral onrechtmatig – rijk gemaakt. De kardinaal had zo'n beetje overal gejat: van de belastingen, de accijnzen, de vergunningen, de exporten. Hij had zijn goederen naar believen met die van de kroon gemengd en op het moment dat hij ze moest scheiden was er veel geld uit de koninklijke schatkisten aan zijn vingers blijven kleven.

Dat enorme vermogen (na Mazarins dood sprak men van tientallen miljoenen *livres*, maar niemand zal ooit precies weten hoeveel) moest uiteraard met grote discretie geïnvesteerd worden.

'Mijn arme vriend Fouquet werd belasterd, gearresteerd wegens malversatie, uit zijn liefdevolle gezin geplukt en ten slotte levenslang opgesloten. Maar de kardinaal, de ware verantwoordelijke voor alles, heeft nooit geboet voor zijn vrijheden, als we het zo willen uitdrukken, en dat waren er ontelbare en heel ernstige,' commentarieerde de abt bitter, 'maar men moet hem nageven dat hij de gevaren wist te omzeilen.'

Mazarin verborg zijn clandestiene, onrechtmatige vermogen. De geheime kapitalen werden dus toevertrouwd aan een netwerk van bankiers en stromannen, grotendeels in het buitenland, om te verhinderen dat wie dan ook Zijne Eminentie in de val liet lopen. Het geld werd niet alleen bij bankiers gedeponeerd. Mazarin droeg zijn bandieten op om het te investeren in schilderijen, kostbaarheden, onroerend goed. Ze hoefden maar te kiezen. Zijne Eminentie kon zich alles veroorloven, en de schare van zijn vertrouwelingen opereerde in heel Europa.

'Hier in Rome, bijvoorbeeld, verwierf Mazarin zestig jaar geleden van de familie Lante het grootse Palazzo Bentivoglio in Monte Cavallo, dat zodoende Palazzo Mazarin werd. Al twintig jaar is de familie Rospigliosi er woonachtig, en mijn goede vriendin Maria Camilla Pallavicini Rospigliosi is zo welgevallig me er van tijd tot tijd uit te nodigen.'

'Dus Palazzo Rospigliosi is eigenlijk Palazzo Mazarin!' zei ik enigszins opgewonden bij de gedachte aan het schitterende bouwwerk bij Monte Cavallo, dat ik had teruggezien toen ik met Buvat was meegegaan om zijn schoenen op te halen.

'Precies. Hij betaalde er 75.000 scudo's voor.'

'Een flink bedrag!'

'Dit alleen maar om je één kleine proeve te geven van de mogelijkheden van de kardinaal. En weet je wie hem overtuigde het paleis te kopen?'

'Elpidio Benedetti?'

'Goed zo. Namens hem kocht hij boeken, schilderijen, waardevolle voorwerpen. Ik herinner me onder andere mooie tekeningen van Bernini, die hij alleen wel voor een te hoge prijs liet aanschaffen. En wat te zeggen van Palazzo Mancini in Corso, waar Maria opgroeide? Benedetti liet het voor hele bedragen restaureren en uitbreiden; alles in opdracht van Mazarin, uiteraard.'

'Toen Zijne Eminentie de heer van Chantelou hier naar Rome stuurde om een paar fraaie objecten te kopen, was het Elpidio Benedetti die hem naar Algardi, Sacchi, Poussin... stuurde. Ik weet niet of die namen je iets zeggen.'

'Het zijn beroemde kunstenaars, volgens mij.'

'Precies. Vervolgens nam hij namens zijn baas ook muzikanten in dienst om naar Parijs te sturen, zoals die aanstelster van een Leonora Baroni.'

Hier vroeg Atto me niet of ik die naam kende, maar uit zijn verhalen van jaren geleden wist ik nog dat die vrouw een talentvolle zangeres was geweest, en dat Atto een felle rivaliteit met haar had gekend.

'Elpidio Benedetti fungeerde ook als geheime stroman voor Mazarin. Bij diens dood heeft er ongetwijfeld geld op zijn naam gestaan, waarvan niemand anders de ware eigenaar kende. Het Schip is te groot en te fraai om uit Benedetti's zak betaald te zijn. Niet toevallig heeft hij de bouw meteen na de dood van de kardinaal gepland.'

'Dus Het Schip is...'

'Gebouwd van het geld van Mazarin. Zoals alles wat Elpidio Benedetti bezat, zijn huisje in de stad inbegrepen. Niet toevallig, zoals ik al zei, liet Benedetti het na aan de hertog van Nevers, de neef van Mazarin en de broer van Maria.'

'Hij heeft de buit teruggegeven.'

'Nou, laten we niet overdrijven: is iemand die van een dief steelt een dief?' grinnikte Melani.

Toen de kardinaal Benedetti vervolgens had opgedragen om de geschenken van Capitor te bewaren, had hij daar een voorwaarde aan verbonden: die drie boosaardige voorwerpen mochten niet in zijn bezit blijven. Eeuwig achtervolgd door zijn zonden en door de fantomen die ze opriepen, had hij het duistere voorgevoel dat niet alleen zijn persoon, maar ook zijn goederen concreet van die infernale dingen gescheiden moesten blijven.

Elpidio Benedetti had het letterlijk uitgevoerd: hij was zelf ook niet ongevoelig voor bijgeloof. Dus op het moment dat er een plaats voor de drie geschenken gekozen moest worden had hij ervan af moeten zien ze in zijn huis in de stad te houden, dat eigenlijk van Mazarin was. Het Schip bestond nog niet eens (het zou zes jaar na de dood van Zijne Eminentie worden voltooid) en Benedetti had dus geen andere keus dan de geschenken aan iemand anders te geven: Virgilio Spada.

'Weet je nog het opschrift dat we in deze villa hebben gelezen? "Ik bouwde voor slechts drie goede vrinden, maar daarna kon ik ze nooit meer vinden": we hadden al vermoed dat de drie vrinden de drie geschenken van Capitor waren, maar dat "kon ik ze nooit meer vinden" verwijst misschien naar het feit dat hier alleen hun portret is, terwijl de voorwerpen onvindbaar blijven.'

'Omdat ze bij pater Virgilio terechtkwamen,' concludeerde ik kortweg.

'Waarschijnlijk was het geen kwestie van verkopen, maar van in bewaring geven,' specificeerde Melani, 'aangezien de kardinaal, zoals ik je al zei, de drie voorwerpen altijd ter beschikking wilde hebben, voor alle zekerheid. Daarom is het mogelijk dat de geschenken van Capitor zich nog tussen de spullen van Virgilio Spada bevinden.'

'Waar dan?'

'Villa Spada is klein. Als de grote globe van Capitor daar was, zou ik hem beslist gezien hebben.'

'Ja,' stemde ik in, 'maar wacht even: ik weet zeker dat Virgilio Spada een wereldbol bezat en als ik het wel heb van Vlaamse makelij.'

'Net als die van Capitor.'

'Precies. Die is nu in Palazzo Spada. Ik heb hem nog nooit gezien, maar er wel over gehoord: ik weet dat er uit de hele wereld bezoekers komen om de rariteiten van het paleis te bewonderen; kardinaal Fabrizio is er erg trots op. Als de globe in het curiositeitenmuseum van pater Virgilio staat, vinden we er zeker ook het blad van Capitor. Maar dat zou u moeten weten,' vervolgde ik, 'toen we elkaar leerden kennen in De Schildknaap, was u volgens mij een gids van Rome aan het schrijven...'

'Helaas,' zei Atto met een trek van ongenoegen, 'weet je nog dat ik dat onderbroken heb? Sindsdien heb ik het nooit meer opgepakt. En van alle paleizen van Rome die ik heb bezocht, is dat van de Spada's een van de weinige die me nog ontbreken. Uit de boeken en andere gidsen van Rome ken ik wel de architectonische wonderen die het rijk is, maar verder niets. Nu zullen we een manier moeten vinden om erin te komen.'

'U zou gebruik kunnen maken van het bezoek aan het paleis dat kardinaal Fabrizio alle gasten komende donderdag, de laatste feestdag, aanbiedt.'

'Om mijn gids van Rome voort te zetten wel; maar niet om het blad van Capitor terug te vinden. Het duurt nog drie dagen voor het donderdag is. Zo lang kan ik niet wachten. Bovendien, fraai idee! Met Palazzo Spada vol gasten begin ik doodgemoedereerd van kamer tot kamer in laden te snuffelen en stipo's open te maken,' sprak de abt, terwijl hij met zijn armen het gefladder van een nieuwsgierige vlinder nabootste.

'Palazzo Spada, zei u? Wat is daarmee?' zei een zilverige stem die ik goed kende.

Abt Melani schrok op.

'Eindelijk hebben we ze gevonden, signor Buvat! Ik had u al gezegd dat ze vast allebei hier waren, mijn aanbeden echtgenootje en uw baas.'

Cloridia was mij met Buvat in haar kielzog komen zoeken, en had mij gevonden.

Ze had nieuws voor ons. Ze had zich daarom grondig op de hoogte gesteld van mijn en Atto's doel bij onze twee meiskes (die in afwezigheid van hun moeder altijd hun oren wijdopen hielden, gereed om alles wat ze hoorden tot in de finesses na te vertellen), had de secretaris van abt Melani erbij gehaald, die ook naar ons op zoek was, en was Het Schip binnen gedrongen.

In die wonderlijke situatie ontmoetten Cloridia en Atto elkaar dan eindelijk, nadat ze elkaar meermalen hadden ontweken. Bij het horen van haar stem wilde Melani een gebaar van misnoegen onderdrukken, toen zijn gezicht plotseling van uitdrukking veranderde. Hij stond naar haar toe gewend en keek haar na zo veel jaren voor het eerst aan.

'Goedendag, monna Cloridia,' begroette Atto haar na een moment van stilte met een buiging en onverwachts wellevend.

In herberg De Schildknaap had de oude castraat een vroegrijpe, onbeschaamde courtisane van negentien achtergelaten, en nu stond hij tegenover een getrouwde vrouw en moeder van een kalme, stralende bekoorlijkheid. Mijn vrouw was beeldschoon, veel knapper dan toen ik haar had leren kennen, maar alleen op dat moment, via de bewonderende blikken van de abt, zag ik haar werkelijk in al haar pracht, voor het eerst ontdaan van het toch lieflijke waas van de echtelijke gewoonte. Haar krullen, niet meer blond en niet meer gefriseerd, maar in hun natuurlijke bruin, vielen vanzelf in haar nek en omlijstten vrijuit Cloridia's gezicht. Haar oogleden zonder blanketsel en haar bleekroze lippen verleenden haar een frisheid die Atto niet meer deden denken aan de jonge lichtekooi van jaren her.

'Vergeeft u mij mijn inbreuk,' begon mijn eega, die Atto's groet met een buiging beantwoordde; 'ik heb nieuws. Overmorgen zal hier weer een ontmoeting plaatsvinden tussen de drie kardinalen in wie u belang stelt,' kondigde ze zonder veel omhaal aan.

'Wanneer precies?' vroeg Atto direct.

'Op het middaguur. Kijk uit, alstublieft,' zei Cloridia met een lichte ondertoon van angst in haar stem.

Ik glimlachte bij mezelf. Dat nieuws was zo belangrijk dat mijn vrouw het ons wel moest vertellen. Maar wat ik al van Cloridia had vermoed werd nu bevestigd. Haar aanvankelijke aandrift om ons bij alle informatie te helpen was bekoeld: ze was bang om mij.

'Wees gerust, ik zal over uw man waken,' bezwoer Melani honingzoet en met een ongelofelijk stalen gezicht.

'Dank u wel,' antwoordde mijn eega, waarbij ze lichtjes haar hoofd boog. 'Het is voor het eerst dat ik hier voet in Het Schip zet; wat een grandeur,' vervolgde ze meteen daarna, terwijl ze verbaasd om zich heen keek.

De schoonheid van de villa had haar vrees gelukkig wat doen wijken.

'Onze Buvat kan dat zeker beamen, ook al heeft hij de vorige keer volgens mij niet veel gezien,' lachte de abt bij de herinnering hoe Buvat zich onder het bloed bij ons had aangediend, nadat hij de bevalling van prinses Di Forano had overleefd.

Atto's secretaris hoorde het niet: hij had zich al laten afleiden door de talrijke opschriften aan de muren van de zaal waar we ons bevonden.

'Deze villa verkeert wel in goede staat als hij al jaren verlaten is: je zou zeggen dat zijn vaderland ligt op de Eilanden der Gelukzaligen, ook wel de Eilanden der Dwaasheid genoemd, waar de dingen groeien zonder dat er gezaaid of geploegd is, waar geen moeite of ouderdom of ziekte heerst; althans naar wat de geleerde Erasmus, mijn landgenoot, vertelt,' vervolgde Cloridia doodgemoedereerd.

Atto en ik sprongen op. De vermetele opmerking van Cloridia sloeg me met stomheid. Ik had nog geen kans gezien om haar op de hoogte te brengen van de ontmoeting met de buitenissige Hollandse muzikant, noch van het motiefje van de folía dat almaar door hem werd gespeeld, doorspekt met stelregels over de dwaasheid. Zij leek dat evenwel allemaal al voorvoeld te hebben, en dan ook nog eens met de grootste ongedwongenheid: Het Schip en de Dwaasheid. Niet alleen dat: ook zij, die opgegroeid was in Amsterdam, had net als Albicastro dikwijls horen praten over de lofzangen die haar landgenoot uit Rotterdam had aangeheven ter ere van de waanzin. De vroegere vertrouwdheid van mijn bruid met voorspellende gaven speelde vast een rol. Atto leek dezelfde mening toegedaan:

'U was vroeger een meesteres in handlezen, als ik me wel herinner,' zei hij, zijn verwarring verbergend. 'Mag ik u nu vragen wat volgens u de eeuwige jeugd van deze onbewoonde villa veroorzaakt?'

'Simpel: dat is wat de Grieken wel "goede gemoedsstemming" hebben genoemd en wat wij tot ons genoegen dwaasheid kunnen noemen.'

'Bezit u dan een geheimzinnige gave om te beoordelen of de plaats waarin wij ons bevinden een ziel heeft?' wierp Atto tegen zonder zijn scepsis te verhelen.

'Welke vrouw die zo genoemd mag worden, zou die gave niet hebben?' antwoordde Cloridia met een grappig lachje. 'Maar vertelt u mij nu liever, ik hoorde dat u in Palazzo Spada moet zijn.'

Ik vatte voor haar de ingewikkelde situatie waarin we ons bevonden samen (iets wat haar veelvuldige uitroepen van verbazing ontlokte), en legde haar uit van de Vlaamse globe en het dienblad dat we zouden moeten zoeken in het curiositeitenmuseum dat nagelaten was door wijlen Virgilio Spada.

'Toevallig hebben jullie de juiste persoon voor je: over een paar dagen moet de vrouw van de onderhofmeester van Palazzo Spada bevallen. Al maanden ga ik haar regelmatig controleren. Het wordt een langdurige, lastige kwestie, de vrouw is heel dik en zal zeker de hulp van haar man nodig hebben. Het palazzo zal dus onbeheerd blijven.'

'Er zullen nog wel andere bedienden rondlopen,' merkte ik op.

'Vergeet je dat die in deze week van festiviteiten allemaal naar Villa Spada zijn verhuisd, als versterking voor het personeel in vaste dienst?' wierp Cloridia met een uitgekookt gezicht tegen. 'Ik zal je nog sterker vertellen: de onderhofmeester en zijn vrouw verblijven tijdelijk in een vertrekje op de begane grond, zodat hij beter kan waken nu het palazzo leeg is. Zij moesten eigenlijk ook naar Villa Spada, maar vanwege de zwangerschap zijn zij achtergebleven in plaats van de bewaker. Het is een buitenkansje voor ons,' besloot ze overmoedig.

Wat was mijn Cloridia nu zeker van zichzelf, bedacht ik geamuseerd. Ze vreesde alleen voor mijn lot wanneer ik er zonder haar opuit ging. Maar als ze, zoals in dit geval, me kon vergezellen of in de buurt kon zijn, dan werd ze zelfs roekeloos, alsof ze zich een oppermachtige godin voelde, wier aanwezigheid voldoende was om mij onoverwinnelijk te maken.

'Is er verder echt niemand in het palazzo?' vroeg Atto weifelend.

'Uiteraard zijn ook de wachters gebleven. Maar die patrouilleren alleen maar rond het gebouw,' verklaarde Cloridia.

'Maar wij moeten Palazzo Spada zo snel mogelijk binnen zien te komen,' wierp Atto tegen, 'we kunnen niet wachten tot die zwangere dame van u is uitgeteld.'

'Waarom zou u? Vandaag ga ik haar een controlebezoekje brengen: een kruidendrankje met opwekkende kruiden... en klaar is Kees.'

'Bedoel je dat je haar eerder kunt laten bevallen?' was ik verbaasd, want mijn vrouw had me nog nooit verteld dat vroedvrouwen dat vermogen hadden. 'Hoe kan dat?'

'Gemakkelijk. Ik zal haar moederschoot laten niesen.'

Atto en ik zwegen, uit angst dat Cloridia ons voor de gek hield.

'Bedoelt u dat een baarmoeder kan niesen?' vroeg de abt omzichtig.

'Natuurlijk. Alsof het een neus was. Men neme van mariolein een drachme, en een halfje van juffertje-in-het-groen, daarbij van kruidnagelen en fijngekneusde witte peper een scrupel van elk, een halve scrupel muskaat, witte helleborus en bevergeil, men menge alles dooreen en make een welhaast ongrijpbaar poeder. Met een veer moet men meermalen iets in de moederschoot waaieren, zodat het niesen bewonderenswaardig wordt opgewekt. Mocht dat niet genoeg zijn, dan werpe men op een ovenschaal hetzelfde poeder, vermengd met vet, opdat het dampen veroorzaakt die de moederschoot laten niesen. Vanzelf moet eerst de baarmoeder geopend worden opdat de damp goed naar binnen dringt, en dit bereikt men door de vrouw een laken flink strak om de navel te doen.'

'Pardon,' onderbrak Melani bezorgd, 'het is toch niet gevaarlijk, hè?'

'Natuurlijk niet. Integendeel, er zijn remedies die hoogst gewenst zijn voor de moederschoot, zoals muskus en amber ervoor aanbrengen: die veroorzaken het effect dat ze naar omlaag trekt, omdat ze verzot is op die geuren. Met al die foefjes weet ik zeker dat de onderhofmeester van Palazzo Spada me snel in allerijl zal ontbieden, omdat het kind ter wereld staat te komen.'

'En mocht het niet werken?'

'Het werkt wel. Anders zal ik een paar eenvoudige middelen gebruiken die pijlsnel werkzaam zijn door geheime krachten, zoals de adelaarssteen aan de dij bevestigd, of hertenleer, of het zaad van postelein dat de kraamvrouw moet drinken in witte wijn, of ook verpoederde hondenmoederkoeken uitgesmeerd over de mond van het geslacht, of de afgestroopte huid van slangen in de maand maart, die in de moederschoot wordt gedaan. Maar deze laatste remedie is minder voorzichtig.'

Abt Melani was bleek om de neus geworden toen hij hoorde hoe Cloridia losjes al die geslachtskunstgrepen opsomde.

'Wanneer zou je denken te...' begon ik mijn vraag.

'Zo op het oog, want ze is erg dik, krijgt ze niet eerder dan morgenmiddag weeën: is dat te laat?'

'Nee, dat kan wel. Maar hoe komen we erin en eruit?' vroeg de abt.

'Vandaag als ik naar Palazzo Spada ga, zal ik voorzichtig informeren en de situatie bestuderen; morgenochtend kan ik u meer zeggen. Maar één ding moet u zelf uitzoeken: de sleutels van de vertrekken.'

'Dat hoeft geen probleem te zijn,' antwoordde Atto met een lachje.

Ik wist aan wie hij dacht.

Den 12den juli 1700, zesde avond

Ditmaal was mijn werkplek in de tuin; uiteraard weer gekleed als janitsaar was ik de kunstlichten aan het gereedmaken voor de galante operette die zo dadelijk zou worden opgevoerd. Ik zou werken onder leiding van de hofmeester, don Paschatio Melchiorri, die op zijn beurt weer grondig was geïnstrueerd door de toneelontwerper. Deze had dan ook een enigszins origineel idee gekregen: van die bepaald opmerkelijke voorbereidingen een voorstelling op zich te maken die de gasten in afwachting van het begin van het toneeldrama zou aanlokken en amuseren.

Het terrein was in orde gemaakt met een werktafel en een vuur in het midden, waarboven een ketel met kokend water was geplaatst. Een groepje kardinalen kwam nieuwsgierig aangelopen.

'We zullen nu verschillende transparante kleuren aanbrengen voor de verfraaiing van het blijspel van vanavond, en allereerst saffier, oftewel hemelsblauw, dat ook het mooist is,' zei don Paschatio met een omroepersstem en uitgedost in hoog livrei, terwijl ik hem volgde met een kappersbekken en een koperen pot onder de arm, alsmede een zak over mijn schouder.

'Meester Vogelaar, haal een stuk ammoniakzout uit de zak. Wrijf het uit over de bodem en de wanden van het bekken totdat het volledig is opgelost, en doe er af en toe wat water bij, maar niet te veel, alstublieft, want hoe meer zout er is, hoe schitterender de kleur wordt.'

Ik gehoorzaamde, waarna hij me het water met een viltdoek liet filteren en in de koperen pot gieten. Ik was enigszins verbaasd bij de constatering dat het water dat eruit kwam saffierkleurig was. Vervolgens liet hij me een deel ervan in twee grote glazen karaffen met de eigenaardige vorm van halvemanen gieten: de ene helft was bol, de andere hol.

'En nu gaan we smaragdwater maken,' kondigde don Paschatio aan, en hij haalde uit de zak een flesje met daarin een geel poeder dat er helemaal uitzag als saffraan.

Uit een van de hemelsblauwe karaffen goot hij een beetje in het water, roerde vlug met een lepel, en de vloeistof veranderde onverwijld van kleur en werd groen.

Vervolgens lieten we wat mineraalaluin in de ketel met kokend water oplossen, schuimden het af en hevelden het met behulp van een viltdoek over in vijf verschillende glazen karaffen, waarvan de laatste bijna zo groot was als een kookpot.

'En daar hebben we de robijnkleur,' reciteerde don Paschatio tegenover de omstanders, terwijl hij in de eerste karaf een paar druppels scharlakenrode wijn vol kleur goot, die het water meteen felrood tintte.

'En nu die van rode spinel!' riep de hofmeester uit, en hij goot rode en witte wijn in de tweede karaf.

In de laatste twee karaffen goot hij vervolgens een lichte wijn uit Frascati en een flesje rood uit Marino:

'En ten slotte is hier voor u pagegrijs en topaas!' sprak hij verheugd, terwijl op de gezichten van al die edele heren en eminenties de verbazing te lezen was.

'En dit?' vroeg kardinaal Moriggia, wijzend op de grootste karaf.

'Dit blijft zo: het bootst de diamantkleur na die de dagster op de Griekse eilanden heeft,' antwoordde don Paschatio, die nooit in Griekenland was geweest maar feilloos de instructies van de toneelontwerper napapegaaide.

Het voorstellinkje van de kleurenvoorbereiding was aldus ten einde. Wat ons nu te doen stond, legde don Paschatio uit, moest buiten het bereik van indiscrete blikken blijven.

'Anders is er niets aan, als ze de truc zien,' zei hij steels.

Met behulp van de andere bedienden droegen we de karaffen achter het geschilderde toneeldecor, dat het platteland van Cyprus voorstelde. Daar bevond zich een houten wand met gaten erin. We plaatsten de karaffen op driepoten, zodat we de gaten dichtten met hun bolle helft; om beter het licht te vangen zetten we achter iedere karaf aan de holle kant een lamp die licht gaf met een constante sterkte.

'Hijs de grootste karaf daar maar bovenop,' beval de hofmeester, wijzend op de bovenkant van het geschilderde decor, 'en zet er in plaats van een lamp een grote fakkel achter. Zet daar weer een mooi glimmend kappersbekken achter dat het licht van de vlam goed naar voren weerkaatst.'

Hoe groot was mijn verbazing toen ik vanachter de coulissen het resultaat van zo veel voorbereidingen ging bewonderen en zag dat aan de Cypriotische hemel van het geschilderde decor een levendige, diamanten zon kunstig schitterde, vaderlijk boven het feestelijke platteland van fris en lichtend smaragdgroen, van bloeiwijzen met de kleuren robijn, rode spinel en topaas, terwijl in de verte de saffierblauwe schijnsels van de zee opdoken uit de schuimende golven van parelkleurig pagegrijs.

Het toneel was bovendien versierd met bomen, kiezels, heuvels, bergjes, kruiden, bloemen, fonteintjes en zelfs plattelandshutjes, alles van de fijnste zijde in uiteenlopende kleuren, want de onbekrompenheid van de vrijgevige kardinaal Spada en het oordeel en vakmanschap van de ontwerper, beiden vijanden van de nare Gierigheid, hadden besloten een goed deel van het werk van de meester tuinman met de grond gelijk te maken om alle elementen in zijde te herscheppen, zodat die nog meer geprezen zouden worden dan de natuurlijke. De zee, al net zo kunstmatig, was rijk aan oevers, inhammen, slakken en andere diertjes, aan koraalstronken in allerlei kleuren, aan parelmoer en zeekrabben op kiezels, met een grote verscheidenheid aan fraaiheden, waarover ik te veel zou uitweiden als ik ze allemaal wilde beschrijven.

Het podium was eenvoudig verlicht met lieftallige paren hangende fakkels, aangezien de voorstelling in de namiddag zou aanvangen, wanneer er nog volop daglicht was. Andere lampen verschaften de toneelspelers en de toeschouwers niet alleen schitterend licht, maar ook fantastische geuren: bekers kamferwater waren boven kaarsenstandaards of toortsen opgehangen en verspreidden zo, zoals Serlio leert, rondom fraaie schijnsels en zachte geuren, waarmee ze het hart en hoofd der aanwezigen voorbereidden op het genieten van de uitvoering.

Intussen waren de tribunes, toegerust met geriefelijke stoeltjes van satinet, vol geraakt met adellijk publiek. Ik ging de voorstelling ook meemaken, uiteraard op de grond gezeten. Vanuit mijn oncomfortabele opstelling, veel te veel opzij, kon ik evenwel enkele commentaren horen van de gasten op de eerste rijen. Een drietal cavaliers was bijzonder praatgraag; ik hoorde hen een grap uitwisselen, terwijl de acteurs inmiddels opkwamen op het podium.

'De laatste voorstelling die ik me herinner te hebben bezocht was in maart, in het paleis van de Kanselarij: het oratorium van Scarlatti, *La Santissima Annunzata*,' zei een van de drie.

'Waarvoor kardinaal Ottoboni de tekst heeft geschreven?'

'Dat.'

'Hoe waren de verzen van de kardinaal? Waren ze... Otto-goed?'

'Otto-belabberd,' antwoordde de ander.

De drie heren barstten in een vette lach uit, zich intussen aansluitend bij het applaus waarmee het publiek de acteurs verwelkomde.

'Over ottobelabberde zaken gesproken, wat te zeggen van het blijspel van Giovan Domenico Bonmattei Pioli?'

'Dat in januari vorig jaar is gedrukt?'

'Een ware verschrikking. Ottoboni heeft het gesteund, en die is lid van de zeer geleerde Accademia dell'Arcadia, terwijl de blijspelen van Pioli eindeloos grof zijn.'

'Zijne Heiligheid moet weer in slechte gezondheid verkeren,' zei de derde cavalier, een ander punt aansnijdend, 'vandaag is hij negen jaar paus. Op het Quirinaal hebben ze Pauselijke Kapel gehouden, maar hij is er niet heen geweest.'

'Nee, ik zal u vertellen wat hij had: hij was door de knieën gegaan voor de slagen van de Spaanse ambassadeur en zijn trawanten.'

'Echt waar?' echode een van de andere twee. 'Bedoelt u dat ze hem eindelijk hebben weten te overtuigen?'

'Een zieke oude man als hij kan niet lang weerstand bieden aan vier sluwe vossen van dat kaliber.'

'Arme man, het moet geduurd hebben tot aan etenstijd,' completeerde de derde gesprekspartner. 'Zijne Heiligheid is pas 's middags gezien, toen hij de stad in ging en veel applaus kreeg.'

'Helemaal verdiend voor die arme, vrome martelaarpaus.'

'Laten we hopen dat de Heer God hem snel bij Zich roept om een einde aan zijn lijden te maken: hij telt nu toch niet meer mee...'

'Stil, *lupus in fabula*,' zei de tweede, wijzend op de laan waaruit kardinaal Spada en het jonge bruidspaar kwamen, begroet door een nieuw salvo aan applaus.

Met een kort gebaar liet de heer des huizes de komedie beginnen. Het ging om een blijspel, ontsproten aan de pen van de Romein Epifanio Gizzi met de titel *Amore premio della costanza*, Liefde als beloning voor standvastigheid. De titel en het onderwerp waren terecht in overeenstemming met hoogstaande gevoelens en de gaven van trouw en volharding die door de heilige huwelijksband worden verlangd.

Het toneel dat nog zonder voordragers was, ontvouwde zich voor de toeschouwers met enkele fraaie effecten. De ontwerper had een paar rijen figuurtjes laten maken uit dik gekleurd karton, welke door een op het toneel geplaatste boog gleden en over een houten haak die met een zwaluwstaart in de grond stak. De bestuurder, en dat was de ontwerper zelf, bleef verscholen achter de boog en werd begeleid door een muziek van stemmen en gedempte instrumenten. Tegelijkertijd gingen met dezelfde techniek van uitgeknipt karton de maan en de andere planeten door de lucht, ongezien voortgetrokken door een dunne draad van zwart ijzer.

Het werkje was goed geslaagd en het publiek genoot met volle teugen. Plaats van handeling was het eiland Cyprus. De spelers waren twee ridders, Rosauro en Armillo, de laatste vergezeld van zijn ruwe knecht Narafone, die met elkaar in verschillende lotgevallen de gunsten van evenzovele dames betwistten, Florinda en Celidalba. Na talloze kenteringen van het lot (duels, schipbreuken, hongersnood, vermommingen, herkenningen, zelfmoordpogingen) wordt ontdekt dat Armillo Alceste heet en de broer is van Celidalba, van wie de ware naam Lindori is. Florinda intussen zwicht uiteindelijk, nadat ze er steeds verontwaardigd over was, voor Rosauro's liefdesbetuigingen en trouwt zelfs met hem, waarmee ze laat zien dat Liefde altijd de beloning is voor Standvastigheid.

De ridders droegen geweldige kledij, gemaakt van weelderige gouden stof en zijde, en zelfs de jas van de knecht was met het fijnste leer van wilde dieren gevoerd. De netten van de vissers die figureerden op het strand, waren van fijn goud, en ook de kleding van de nimfen en herderinnetjes tartten alle Gierigheid.

Terwijl de acteurs het adellijke publiek applaus en gelach ontlokten, werkte ik achter het toneel met andere bedienden samen om de uiteenlopendste toneeleffecten te bewerkstelligen. We deden een schipbreuk na die mocht verbazen om zijn waarachtigheid: voor de donder lieten we over de houten vloer een grote steen rollen; voor het weerlicht lieten we van opzij op het toneel een klosje met fel goud zakken dat precies zo flikkerde als het echte weerlicht. Voor de bliksem stelde ik me achter de schermen op met in mijn hand een doosje met lakdeeltjes en het deksel vol gaatjes; midden in het deksel stond een brandend kaarsje, van het soort dat heel goed flikkert. We gebruikten donder, weerlicht en bliksem allemaal tegelijk en je kreeg een prima effect.

De schipbreukelingen op het strand van Cyprus warmden zich op het toneel bij een vuur dat we aanstaken met een kaarsje en de krachtigste brandewijn, en dat ging zo even door, tot aller verbazing.

Terwijl ik zo op de achtergrond in de weer was, was ik met mijn hoofd bij heel iets anders. Waarop doelden de heren die ik had horen kletsen toen ze zeiden dat de Spaanse ambassadeur, hertog d'Uzeda, eindelijk de paus had overtuigd? Uit wat ze zeiden leek het of hij en anderen druk op de stervende paus hadden uitgeoefend om hem tot iets te bewegen waarvan Innocentius XII duidelijk niet overtuigd was. Van Uzeda wist ik alleen wat ik in de brieven tussen Atto en de Connétablesse had gelezen: de Spaanse ambassadeur had Zijne Heiligheid het verzoek van Karel II om hulp doorgegeven.

Wat had hem nu moeten overtuigen? En wie waren die andere 'sluwe vossen' die zonder veel omhaal met Uzeda zouden hebben samengewerkt om de oude paus te laten zwichten? De drie cavaliers die ik zo-even had gehoord hadden oprecht te doen met de paus, die leed en geen enkele macht meer leek te hebben. Die woorden deden me denken aan de overeenkomstige overwegingen van de Connétablesse. Ze had geschreven dat de paus dikwijls zei: 'Men onttrekt zich aan het gezag dat de Stedehouder van Christus toekomt en bekommert zich niet om ons.' Wie durfde dat bij de opvolger van Petrus te doen?

'*Lupus in fabula*', had ten slotte een van de drie cavaliers gesist bij het verschijnen van kardinaal Spada, en het gesprek was bruusk onderbroken. Wat betekende dat? Dat mijn welwillende meester, kardinaal Fabrizio, misschien een van de sluwe vossen in kwestie was?

'Ik ben blij te constateren dat het nog waar is wat de hooggeleerde pater Mabillon over de bibliotheken van Rome zegt, die nog in dezelfde uitstekende staat verkeren als toen ik jaren geleden in Italië kwam,' begon Buvat met geestdrift.

Aan het einde van de voorstelling van het blijspel was abt Melani naar zijn verblijf teruggekeerd met mij in zijn kielzog, en hij had zijn secretaris op het rapport geroepen om te vernemen welke gegevens hij tijdens zijn onderzoeken had vergaard. Eindelijk was het moment gekomen om te snappen wat Atto's trouwe dienaar her en der in de stad was gaan doen.

'Buvat, laat die pater Mabillon voor wat hij is en zeg me wat u hebt klaargespeeld,' drong Atto aan.

De secretaris onderzocht een stapeltje papier met aantekeningen die haastig in een minuscuul, nauwgezet handschrift waren opgetekend.

'Ik heb me allereerst laten adviseren door Benedetto Millino, de voormalige bibliothecaris van Christina van Zweden, die...'

'Het interesseert me niet wie u heeft geadviseerd, maar wat u hebt gevonden.'

Buvat antwoordde dat hij dat dus wilde uitleggen en zei dat hij naar de bibliotheek van de Sapienza was gegaan, naar de Angelica, naar de Barberina in de Quattro Fontane, naar die van het College van de Penitentiarie in de Sint-Pieter, naar het College van de Minderbroeders in de Sint-Jan in Lateranen, vervolgens naar de Penitentiarissen van de Basiliek van Santa Maria Maggiore, naar de Vallicelliana bij de Nieuwe Kerk, naar de bibliotheek van het Clemens College, naar de Colonnese oftewel Sirleta, naar de bibliotheken van de heilige Andreas van het Dal van de Paters Theatijnen en de Drie-eenheid van de Bergen van de Paters Miniemen van de heilige Franciscus van Paola, alsmede naar die van de uitnemende kardinaal Casanate zaliger gedachtenis, nu geërfd door de Paters Dominicanen, behalve naar...'

'Goed, goed. De hoofdzaak is dat u geen voet gezet hebt in de boekerijen van de jezuïeten of het Vaticaan. Die zitten vol spionnen, die alles gecontroleerd en geregistreerd zouden hebben.'

'Ik heb gehandeld zoals u mij hebt opgedragen, mijnheer de abt.'

'En ik hoop wel dat u zich in de derde plaats er ook van hebt onthouden u aan te dienen in de privé-bibliotheken van de kardinalen, zoals de Chigiana of de Pamphiliana.'

'Jawel, mijnheer de abt. Het zou te veel opgevallen zijn, zoals u mij inderdaad onder de aandacht hebt gebracht.'

Die drievoudige onthouding had hem in werkelijkheid nogal wat ongemak gekost, want Buvat had de boeken en de manuscripten die hij zocht veel eenvoudiger kunnen vinden in de Vaticaanse Bibliotheek, alsmede bij de jezuïeten en in de paleizen van de kardinaalsfamilies.

Gelukkig was hij, toen hij zich bekendmaakte als klerk van de Koninklijke Bibliotheek in Parijs, meteen welwillend ontvangen in de andere kostbare boekerijen waar hij zich had aangediend. Hij had een acht eeuwen oude Griekse codex mogen aanraken en zelfs doorbladeren, met het befaamde *Commentaar op de droom van Nebukadnesar*, geschreven door de heilige Hippolytus, de bisschop van Porto; vervolgens had hij voor het eerst de beroemde *Oudheden* van Pirro Ligorio in achttien delen kunnen raadplegen; en verder de verzameling gewijde en profane eruditie van cavalier Giacovacci en een Latijnse codex met de *Handelingen van het Concilie van Chalcedon*, gecorrigeerd aan de hand van de Latijnse originelen. Zijn vingertoppen hadden verder trillend de persoonlijke boekerij van de heilige Philippus Neri beroerd bij de Vallicelliana-bibliotheek, waarin zich het *Leven van de heilige Erasmus de Martelaar* bevindt, geschreven door Giovanni Caetani, een monnik uit Monte Cassino, later paus geworden onder de naam Gelasius II (waarvan het achttiende deel, benadrukte Buvat, zoals bekend de oude *Collatio* van Cresconius bevat), een heel belangrijke codex van Beda Venerabilis over de Maancirkel en de Zes Tijdperken van de Wereld, en de collecties van Achille Stazio Portoghese, Giacomo Volponi uit Adria en Vincenzo Bandalocchi, naast de beroemde verzamelingen van meester Ercole Ronconi.

Maar het opwindendste bezoek was dat aan de bibliotheek van de Congregatie der Propaganda Fide geweest, zeer befaamd om zijn drukkerij, waar met grootmoedige, bedachtzame ijver voor het gemak van alle naties boeken in wel tweeëntwintig talen worden gedrukt. De bijzondere trots van deze bibliotheek, dreunde Atto's secretaris op, vormen de zeer nauwkeurige indexen van de boeken uit het bezit, inclusief de zonderlingste die gedrukt zijn in het buitenland, geordend naar taal, variëteit van zeden, vreemde gebruiken op het gebied van godsdienst en kleding, en geschreven met de meest exotische letters, emblemen, getallen, hiërogliefen, kleuren of met geheimzinnige lijnen op olifantenleer, vissenhuid of drakenleer.

'Hou op, Buvat, hou op, vervloekt nog an toe!' foeterde Atto, terwijl hij met zijn vuist op zijn knie sloeg. 'Boeken gedrukt op vissenhuid kunnen me geen barst schelen. Waarom laten jullie je altijd weer meeslepen als het over boeken en manuscripten gaat?'

Een stilte daalde over ons drietal neer. Buvat zweeg gekwetst. Ik was onder de indruk van het aantal bibliotheken dat de Franse klerk had bezocht; in korte tijd had hij een groot deel van de boekenvoorraden van de stad uitgekamd, die niet bij elkaar in de buurt lagen en naar iedereen wist immens groot waren, dankzij de eeuwenoude verzamelwoede van drukwerken en manuscripten door tientallen pausen en kardinalen. Uitsluitend een tomeloze passie voor lezen en schrijven, dat was duidelijk, kon tot zo'n omvangrijk, bondig onderzoek hebben geïnspireerd. Jammer dat Atto's secretaris maar met moeite van de analyse tot de synthese over kon gaan.

'Buvat, ik heb u op boeken uitgestuurd omdat iedereen het in deze stad over bepaalde onderwerpen heeft, maar niemand er heldere ideeën op na houdt. Vertel alleen over hetgeen ik u heb opgedragen te onderzoeken: de cerretanen,' verzocht de abt. 'Wat kunt u over hun geheime taal zeggen?'

'Die is erg lastig,' antwoordde Buvat, ditmaal op minder geestdriftige toon. 'De smerissen kunnen weliswaar wat grondbeginselen leren, maar alleen door de dagelijkse praktijk kun je vloeiend verstaan wat ze tegen elkaar mompelen. Het is een eeuwenoude taal, maar af en toe, als ze merken dat hij niet meer zo ontoegankelijk is, lappen ze hem een beetje met kleine trucjes weer zoveel op dat hij weer helemaal onverstaanbaar wordt. De strenge cerretanentraditie wil dat hun koning, dat wil zeggen de Grote Baas, en alleen hij, de nieuwe regels dicteert. Hij schrijft ze eigenhandig op (reden waarom hij geen analfabeet mag zijn) en het geschrevene wordt voorgelezen op een algemene vergadering met alle vertegenwoordigers van alle sekten, die er dan voor zorgen dat de nieuwe codex overal verspreid wordt. Zodoende spreken alleen zij al eeuwenlang hun taal, en niemand kan ze verraden. Zelfs niet wanneer ze militaire geheimen van de landen waarin ze leven bemachtigen en overdragen aan de vijand.'

'Spionage!' gromde Atto. 'Ja, ik wist het! Vervloekte Lamberg!'

'Maar hoe kunnen ze aan die geheimen komen?' vroeg ik.

'Eerst van al komen ze altijd ongezien ergens door. Niemand let op een oude bedelaar die ineengedoken op straat zit, ogenschijnlijk half kinds,' zei Buvat, 'die evenwel altijd maar met één oog dicht slaapt, de tijden dat je je huis in en uit gaat bijhoudt, ziet in welk gezelschap je verkeert, van onder het raam je gesprekken afluistert en, als het nodig is, de spullen onder je neus wegkaapt. Bovendien zijn het er veel, heel veel, en de tamtam gaat pijlsnel. Hoort er een wat? Dan weten ze het meteen met zijn tienen, en daarna met honderd tegelijk. Niemand kan ze uit elkaar houden omdat ze allemaal hetzelfde lijken, afzichtelijk en smerig, en bovenal verstaat niemand een woord van wat ze zeggen. Hun sekten...'

'Ho, hebt u het boek gecontroleerd dat ik u had genoemd?'

'Ja, mijnheer de abt. Zoals u zich meende te herinneren bevat *Het narrenschip* van Sebastian Brant een hoofdstuk over de Duitse cerretanen. Die hebben ook een geheime taal en staan in nauw contact met de Italiaanse cerretanen. Onder de Italiaanse zwervers bestaan immers groepen die 'lanzi', 'lancresine' of 'lanchiesine' genoemd worden, waarschijnlijk omdat die namen van het Duitse *landreisig* komen, dat dus dolend en dakloos betekent. Bovendien, elke groep...'

'Ah, ze staan in nauw contact? Goed, heel goed, ga door.'

'Ja dus. *Het narrenschip* is een zeer interessante bron voor de bestudering van de cerretanen en hun gebruiken, misschien de eerste in zijn soort, aangezien het voor het carnaval van 1494 in Bazel werd gepubliceerd, terwijl het zogeheten *Liber vagatorum*, beschouwd als het oudste document over het cerretanendom dat tot ons gekomen is, wel vanaf eind vijftiende eeuw in omloop was, maar pas in 1510 werd gedrukt...'

'Ter zake.'

Buvat haalde haastig een papiertje uit zijn zak en las voor:

'Onderling spreken ze in dieventaal,
Door het bedelen zijn hun buiken rond,
Hun *pelsta* huisvest en kleedt ze terstond.
Mank en kreupel *focken* ze door de stad,
Alsof ze ziek en straatarm zijn, ach wat!
Om aan *lood* te komen voor hun *nekeive*.
Hij *bebekst*, glipt naar binnen en wil blijven
Waar wat valt te zuipen en te *vazelen*
Met dobbelstenen en slap te bazelen;
En heeft hij *bedibberd* zo hier en daar,
Dan gaat hij weer, is *asjeweine* naar
De *medine* waar hij *platvoetjes* steelt
En *splitspootjes,* die hij *scheefhalst* en *kikt*,
Iets wat hij samen met *grantneeren* flikt.'

'Daar heb je eindelijk de dieventaal, hun geheimtaal. Vertaal!' beval Melani.

'Een pelsta is een koppelaarster, focken is lopen, lood is geld, een nekeive is een maintenee, bebeksen is bedriegen, vazelen is valsspelen, bedibberen is ook bedriegen, asjeweine is verdwenen, de medine is het platteland, platvoetjes zijn ganzen en eenden, splitspootjes zijn kippen, scheefhalzen is de nek omdraaien, kikken is doden en grantneeren zijn cerretanen die net doen of ze krankzinnig zijn.'

Buvat had alles in één adem opgesomd zonder dat de abt en ik er een jota van begrepen.

'Goed, goed,' luidde haastig Atto's commentaar, 'heel goed, gefeliciteerd. Op die manier heeft de dieventaal voor ons geen geheimen meer.'

'Ehm, nou ja, mijnheer de abt,' stamelde de secretaris, 'ik heb de geheimtaal zoals Brant die citeert niet zelf vertaald: de uitgave die ik heb geraadpleegd was geannoteerd.'

'Wat? Bedoel je dat je voor de andere termen van de dieventaal niets hebt gevonden?' bestookte Melani hem.

'Geen woordenboek, handboek of lijst. Helemaal niets, mijnheer abt Melani,' bekende Buvat fluisterend. 'Om die reden is de taal van de cerretanen niet te ontcijferen. Ik garandeer u: er bestaat geen woordenboek dat...'

'Bedoel je dat je op mijn kosten dagen en dagen lang de bibliotheken bent af geslenterd,' brieste Atto, 'om papieren en kladjes uit te pluizen, om kostbare tijd te verdoen met Griekse codices, handelingen van Concilies en andere idioterieën meer, en met dit resultaat hier weer aan komt zetten?'

'Nou ja...' probeerde de secretaris tegen te werpen.

'En ik heb bij die vrek van een hoofdbibliothecaris nog wel een goed woordje voor je gedaan om je opslag te geven!'

'Dat heeft hij toch niet gedaan...' durfde Buvat met een dun stemmetje in te brengen; 'maar om terug te komen op het woordenboek dat u wilt, mijnheer de abt, u moet mij geloven...'

'Er is geen tijd voor: het wordt tijd om te handelen.'

Ugonio had woord gehouden. Volgens de afspraken had hij Sfasciamonti via een voddig jongetje dat voor zijn koerier speelde laten weten waar we moesten zijn.

Het traject te paard was aanvankelijk weinig gevaarlijk en lastig. De overeengekomen plaats lag buiten de stadsmuren, voorbij de Porta del Popolo, op het hoerenkerkhof.

Terwijl we gezeten in het zadel van onze rossen voortreden, kreeg ik de kans om Atto te ondervragen zonder gehoord te worden door Sfasciamonti, die op een aardig afstandje voor ons uit ging, terwijl Buvat vermoeid achteraan reed.

'Gisteren zei u dat Buvat de bewijzen aan het verzamelen was om Lamberg in het nauw te brengen. Ik moet u bekennen dat uw woorden me duister zijn gebleven.'

'Het is duidelijk. Als je niet het brandende verlangen voelt om bij de waarheid uit te komen, kom je er nooit,' antwoordde hij met een uitdagend lachje. 'En toch is het simpel, luister maar. De cerretanen hebben een hinderlaag gelegd voor de boekbinder die, al dan niet onvermijdelijk, is gestorven. Wat wilden ze van de arme Haver? Mijn traktaat over de Geheimen van de Conclaven. Het ging om een diefstal op bestelling, aangezien die schooiers van een cerretanen niet weten wat ze met dat soort dingen aan moeten. Van Haver hebben de cerretanen alles meegenomen wat ze maar konden. Maar toen hij de buit later naliep, merkte hun opdrachtgever dat mijn traktaat er niet bij zat.'

'Omdat u het al door de rozenkranser had laten ophalen.'

'Precies.'

'En u weet zeker dat graaf Lamberg achter alles zit?'

'Natuurlijk. De opdrachtgever, zoals je uit het hele plaatje vermoedt, beschikt in Rome over uitstekende middelen – mensen, geld, bescherming – en interesseert zich voor hoge diplomatie. Hij weet heel goed dat abt Melani op zijn beurt flink wat steun heeft, en feiten en personen kent die een doorslaggevende rol zouden kunnen spelen in het volgende conclaaf. Een portret dat volmaakt met dat van graaf Lamberg samenvalt.'

Terwijl het getrappel van de paarden tussen ons opklonk, herkauwde ik bij mezelf Atto's uitleg. Ik dacht weer aan de grimmige figuur van de keizerlijke ambassadeur, aan zijn sfinxenblik, aan de sinistere faam die samenging met de manoeuvres van het keizerrijk in de Spaanse aangelegenheden: de samenzweringen, de geheimzinnige doden, de vergiftigingen...

'De overval bij Haver is door de cerretanen gepleegd,' hervatte Atto, 'en toevallig bestaan er in de Duitstalige landen ook cerretanensekten, die op de een of andere manier met de Italiaanse zijn verbroederd. Lamberg kan heel goed bekend zijn met dit soort schurken, die dankzij hun ongelukkige gaven tot alles in staat zijn. Daarbij komt nog dat onze dierbare lijkenpikker Ugonio, alias de almachtige Duitser, handlanger van de cerretanen, uit Wenen afkomstig is. En dit brengt ons bij het vervolg. Omdat de overval op de boekbinder is mislukt, is Ugonio mijn traktaat over de Conclaven komen zoeken in Villa Spada. En ditmaal is het gevonden.'

'En die wond aan uw arm?' vroeg ik, terwijl ik de verklaring al kon raden.

'Gemakkelijk. Lamberg heeft me willen intimideren. En zwaar ook. Hij hoopte dat hij me angst zou aanjagen en dat ik zou maken dat ik wegkwam.'

'Hij wilde u dus niet ombrengen. Maar ik begrijp het niet: waarom heeft Lamberg het van alle diplomaten en agenten van de allerchristelijkste koning, die nu hier in Rome zijn, juist op u gemunt?'

'Dat is toch duidelijk, jongen! Hij weet dat mijn woorden en geschriften door invloedrijke personen worden gehoord en gelezen, en dat ik op sommige van de uitnemendste leden van het Heilige College kan inwerken, die... enfin, die dus de volgende pausverkiezing voorbereiden, wat Lamberg uiteraard aan het hart gaat.'

Ik vond Atto's aarzeling bij zijn uitleg waarom graaf Lamberg had moeten proberen zijn traktaat te ontvreemden opmerkelijk. Ik had daar mijn redenen voor: doordat ik stiekem de brieven van Atto en Maria had gelezen wist ik dat rond de paus niet alleen het spel van het conclaaf gespeeld werd, zoals Atto me probeerde te doen geloven, maar ook dat van de Spaanse troonopvolging.

En juist dat aspect van de kwestie bleef me onduidelijk. Waarom verzweeg Atto bij de reconstructie van wat hem was overkomen (de diefstal, de wond aan zijn arm) iedere verwijzing naar de Spaanse troonopvolging? Lamberg, de ambassadeur van de Habsburgers, moest zeker in de kwestie geïnteresseerd zijn, aangezien het Oostenrijkse huis ernaar streefde een eigen telg op de troon van Madrid te plaatsen!

Ik deed net of ik met abt Melani's verklaring genoegen nam en zwijgend vervolgden we de rest van de tocht.

Somber en godvergeten was de plaats die was afgesproken voor de ontmoeting, en het lugubere bekapte silhouet van Ugonio, die midden op die grafstenenvlakte op ons stond te wachten, paste daar volmaakt bij. Een enkele nachtroofvogel beproefde de lucht met zijn rauwe roep; als het ware doortrokken van een zwart vocht van stoffelijke overschotten was de warme avondlucht op die verwaarloosde dodenakker nog dikker, donkerder, verzengender. Ugonio had een goede keus gemaakt: voor een heimelijke ontmoeting was er geen aangewezener plaats dan het hoerenkerkhof.

De lijkenpikker kwam aanwankelen onder het gewicht van een grote juten zak die hij over zijn schouder droeg.

'Wat zit daarin?' vroeg Atto hem verwijtend.

'Een kleinigheid van niksigheden. Voorwerperen van het Jubelend Jaar.'

Atto draaide om hem heen en bevoelde de zak. De bundel gaf een krakend gekreun te horen, alsof hij onwaarschijnlijk vol zat en houten, metalen en benen voorwerpen platdrukte.

'Je doet goeie zaken nu het Jubeljaar is, hè?' zei Atto.

Ugonio knikte met valse bescheidenheid.

'Dit is een damesspiegeltje,' diagnosticeerde abt Melani, terwijl hij met zijn vingertoppen een hoek van de bedelzak voelde, 'gestolen van een arme dame, terwijl ze in de kerk aan het bidden was. Het hoopje munten meteen ernaast zullen aalmoezen zijn, met een van je vuile trucjes ontfutseld aan goedgelovige mensen, of koppelaarsloon omdat je een gezelschap uitgeputte Romegangers naar een varkenskot hebt gesleept. En dit moet een heilig sacrament wezen dat een verstrooide pastoor afhandig is gemaakt; hier ten slotte lijkt het of er een kruisbeeld zit, wellicht afgepikt van een broederschap die een bezoek bracht aan de vier basilieken, nietwaar?'

De lijkenpikker onderdrukte een dierlijke, halfglimlachende grimas die schaamte voor de ontmaskering van zijn wandaden verenigde met glunderende voldoening over het Jubeljaar, waardoor hij zo gemakkelijk zijn lage verlangens kon bevredigen.

Vervolgens haalde hij een boekje uit zijn mantel en reikte dat Melani aan. Het was een vrij krakkemikkig bandje, zo goed en zo kwaad als het ging ingebonden; zo op het oog telde het niet meer dan zo'n tachtig bladzijden.

Atto draaide het schutblad om en kreeg zo de titelpagina onder ogen, terwijl ik op mijn beurt eveneens mijn hals rekte en las:

Nieuwe manier om
de dieventaal te begrijpen
Oftewel Bargoensch te spreken
Voor het eerst aan het licht gebracht
op Alfabetische orde. Een niet minder
aangenaam als nuttig boek
MDXLV
In Ferrara door Giovanma-
ria di Michieli en Antonio Maria di Si-
vieri compagni. Anno MDXLV

'Ha, ha!' grijnslachte de abt, en hij zwaaide ermee onder Buvats neus.

'Wat is dat?' vroeg ik.

'Wat mijn brave secretaris had moeten vinden. Een woordenboek om het Bargoens of de dieventaal, zo je wilt, te begrijpen. Daardoor kunnen we verstaan wat de cerretanen zeggen. Gelukkig had ik Ugonio ook opgedragen om het ergens op te snorren,' antwoordde Atto, die een paar zilveren munten in de klauwen van de lijkenpikker liet glijden.

'Ik heb het ener bestere vriendevriend van mijn gedieverd,' grinnikte Ugonio onbeschaamd.

'Voorzover ik zie is het een oude uitgave, hij lijkt me niet erg betrouwbaar,' kwam Atto's secretaris tussenbeide, terwijl hij nerveus naar het boek tuurde.

'Houd uw mond, Buvat, en laat mij lezen,' kapte Atto hem af.

We begonnen te bladeren:

A

Aalmoes	Seys
Aandacht	Sjoege
Aandeel	Rewoghen
Aanklagen	Versmiechelen
Aankijken	Aankneisen. Aanknooien
Aanprijzen	Bolstoveren
Aanstoker	Oorblazer
Aanstoot geven	Risches maken
Aanvallen	Aanschieten
Aanwezig	Pekaan
Aardappel	Pieper
Aardig	Kiewig
Aas [lokaas]	Peiger
Acht	Get
Achtentwintig	Likmehol
Achterbaks handelen	Ondermakkeren
Achterjaszak	Kontslinger
Achterkamer	Achterklapper
Advocaat	Bemoeyal
Afbetalen	Stotteren
Afdingen	Fiedelen
Afgunst	Kinnesinne
Afpikken	Schoepen
Aframmeling geven	Cuysen
Afstaan	Afdokken. Afdokkeren. Stuiken
Aftroggelen	Schransen
Afval	Zootje tinnef
Angst	Begiet
Antwoord	Sjoechem
Appel	Bimps
Armelijk	Benagus

Armoedig	Gedallast
Armoedzaaier	Dallastdekker
Avond	Scheemering
Avondeten gebruiken	Haggelen
Avontuur	Grootlef
Avontuurtje	Hip

A OMGEKEERD

Aanfeilen	Beroven
Aanfocken	Komen toesnellen
Aankatsen	Praten
Aankneisen, aanknooien	Aankijken
Aanschieten	Aanvallen
Aapje	Bedelaar
Aaszak	Valsspeler
Ababbel	Oorvijg, oplawaai
Aberdoedas	Oplawaai
Aboe	Elf
Achterklapper	Achterkamer
Adje	Politieagent
Afgeknoedeld	Zeer dronken
Afgelooid, Afgeluisd	Van alles beroofd
Aftuygen	Mishandelen, beroven
Albert is dronken	Koperen emmer met water
Alionoves porum	Uitgestreken gezicht
Altijd durende, de	Ziel
Amper	Nauwelijks
Asjeweine	Verdwenen

B

Baard	Babberik
Baas	Ballebof, Balleboos
...	...

Zo volgden alle letters van het alfabet, elk met zijn dubbele lijst woorden in de gewone taal en de bijbehorende vertaling in de taal van de cerretanen, en omgekeerd.

'Het is wel een raar woordenboek,' hield Buvat met een sceptisch gezicht vol, 'soms staat er een hele zin. Bovendien zaait het verwarring: *Albert*, een persoonsnaam, betekent "koperen emmer", Ababbel betekent "Oplawaai", maar Aberdoedas betekent hetzelfde.'

'Het is altijd beter dan niets,' legde Atto hem het zwijgen op. 'Ja, laten we de proef op de som nemen. Wat riep die cerretaan, die Rotte, toen we hem en de Rooie gingen zoeken?'

'"De kallebakken" en... "schaaf de fok",' zei ik.

We bladerden en vonden het meteen.

'Kijk, zie je wel?' glunderde Atto naar zijn secretaris. 'Zoals ik al dacht: de kallebakken zijn de smerissen. De fok schaven betekent je uit de voeten maken. De Rotte had de Rooie gewaarschuwd dat we in de buurt waren. Dit boekje is helemaal niet nutteloos. Maar er is nog iets anders wat je me zou moeten lenen. Ik weet toch zeker dat je er wel een paar van hebt,' zei Atto tegen de lijkenpikker, terwijl hij met zijn hand nadeed hoe je een sleutel in een slot omdraait.

Ugonio begreep het gelijk. Hij knikte, haalde met een smerig, samenzweerderig lachje uit zijn mantel een dikke ijzeren ring te voorschijn waaraan tientallen oude sleutels in alle soorten en maten rinkelden, en reikte hem aan. Het was het geheime arsenaal waarvan ik eerder sprak en waarmee de lijkenpikkers toegang hadden tot alle kelders van Rome, om in het ondergrondse te zoeken naar de heilige relikwieën waar ze handel in dreven; maar vaak gebruikten ze het ook om in privé-woningen binnen te sluipen en daar alles leeg te halen.

'Goed, goed,' commentarieerde Atto, de zware bos bewonderend, 'die zullen me in Palazzo Spada zeker van pas komen.'

Vanuit mijn ooghoek zag ik dat Sfasciamonti, zoals iedere goede smeris, brandde van verlangen om op zijn beurt wat informatie uit de lijkenpikker te krijgen. Hij was nog wat verbijsterd door dat wezen dat de gedachte opriep aan een dier, iets tussen een mol en een steenmarter in, zo anders dan de gewone misdadigers die hij had leren kennen, en met een hard gezicht kwam hij ter zake:

'En, wat heb je gehoord?'

'Ik heb gesprokeren met twee Bazeren,' antwoordde de lijkenpikker, 'het trakkertaat zal donderdag worden overhandelijkt aan de Groot Legator, die het zal brengen naar Albanum.'

Ik zag Atto wit wegtrekken. Het nieuws was dubbel ernstig. Niet alleen zouden de cerretanen Atto's traktaat aan een mysterieuze Groot Legator geven, maar deze zou het op zijn beurt aan een zekere Albanum overhandigen. En wie kon dat anders zijn dan kardinaal Albani, de machtige kanselier van de breven van Zijne Heiligheid, de man met wie Atto al een een paar keer een venijnige aanvaring had gehad in Villa Spada?

'Waar zullen ze voor donderdag mijn traktaat bewaren?'

'In de Heiliger Bol.'

'De Heilige Bol?'

Ik keek naar Sfasciamonti. Hij had dezelfde verbaasde en verblufte blik als Atto Melani.

'Zo hebben ze gezeggerd,' hervatte Ugonio, schokschouderend; 'daarna zal de Groot Legator bij Albanum de insinuering, beschuldigering en fouillering tegen het trakkertaat uiteenzetteren.'

'Wie is die Groot Legator?'

'Dat weter ik niet. Ik heb gesnoven dat ze me dat niet willeren zeggeren.'

Enkele munten (nogal wat) gleden snel van Atto's handen naar die van Ugonio. Terwijl hij ze met een getinkel in een vettig zakje liet verdwijnen, duwde de lijkenpikker zijn kap goed over zijn voorhoofd ter voorbereiding op zijn verdwijning in het duister.

'Uw trakkertaat bevattert een gevarige wijsheid en wekkert achterdocht,' zei hij nog tegen Atto voor hij afscheid nam.

'Wat bedoel je?'

'Wanneer ze erover sprekeren, worden de Bazeren onrustiek, drukkerig... bijna zenuwlijerig. Wees wijsgerig, Uwer Enormiteit. En vragert mij niet steeds om nieuwigheid en verder berichtigheid: ik willer niet mijn nek brekeren.'

Op de terugweg durfde ik niet eens het woord tot Atto te richten. Het was niet het moment: voorzover we uit het kronkelige verslag van Ugonio hadden kunnen opmaken stond het de cerretanen helemaal niet aan wat Atto op die bladzijden had geschreven. Duidelijk leek dat zij op donderdag een geheimzinnige

Groot Legator voor de zaak zouden interesseren. Deze zou zich bij Albanum, dat wil zeggen kardinaal Albani, aandienen, met een tot in de puntjes verzorgde akte van beschuldiging tegen Atto.

Wie kon de Groot Legator anders zijn dan graaf Lamberg? Iemand van hoge afkomst kon niet anders worden aangeduid dan met een omschrijving, precies zoals de cerretanen hadden gedaan.

Wat zou Albani dan doen? Zou hij Atto vervolgens beschuldigen als Franse spion? Na de conflicten tussen de twee in Villa Spada zou niets voor de gewiekste purperdrager eenvoudiger zijn dan modder gooien naar abt Melani, zijn politieke tegenstander (want zo kon je hem nu wel noemen), en hem verpletteren door hem eindeloos ellende te berokkenen, waaronder misschien wel onmiddellijke arrestatie wegens spionage en politieke samenzwering.

Er kwamen steeds meer vraagtekens bij: wat en waar was in 's hemelsnaam de Heilige Bol, die volgens Ugonio Atto's traktaat zou bewaken tot aan die noodlottige donderdag? Sfasciamonti zweeg: hij was evenmin in staat ons te helpen het raadsel op te lossen.

'Ik vergat nog: Lamberg heeft toegezegd mij te ontvangen,' kondigde Melani aan.

'Hoe heeft hij u dat laten weten?'

'Heb je gezien dat ik hem een briefje bracht toen er chocolade werd geschonken?'

'Ja. Ik weet nog dat hij zei: "Het is goed, het is goed." Dus op dat briefje vroeg u hem om audiëntie?'

'Precies. Daarna heb ik ook zijn secretaris gesproken en die heeft met mij de afspraak gemaakt: donderdag ben ik bij Lamberg.'

Toen Atto dat noodlottige woord uitsprak, de dag dat hij misschien de waarheid over zijn messteek zou vernemen, hoorde ik zijn stem een beetje trillen. Terwijl ik hem verder zag rijden op zijn knol, wist ik dat zijn gemoed door de zoveelste zorg werd bezwaard. Hij voelde zich overgeleverd aan twee giganten: graaf Lamberg, de ambassadeur van de keizer, en kardinaal Albani, de kanselier van de breven.

En dan te bedenken dat hij naar Rome was gegaan (zo had hij althans gezegd) om de lotgevallen van het conclaaf te sturen en zijn stempel op het pausdom te drukken!

Van stuurman was hij bezig in schipbreukeling te veranderen; en het Lot, dat hij had willen temmen, was bezig het schip van zijn ziel te vermorzelen, zoals de wrede Scylla had gedaan met de scheepsromp van Odysseus.

Den 13den juli 1700, zevende dag

'De vroedvrouw, ik zoek de vroedvrouw! Doe open, snel!'

Ik weet niet hoe lang er al op de deur van mijn huisje werd gebonsd. Toen ik ten slotte mijn ogen opendeed, zag ik dat het nog stikdonker was. Mijn eega had haar jurk al aangeschoten en was op weg naar de deur.

Ik kleedde me in allerijl aan, terwijl de tintelfrisse lucht me influisterde dat we in de uren vlak voor het ochtendkrieken leefden, wanneer de temperatuur zijn minimum bereikt. Ik voegde me bij Cloridia. In de deuropening stond een jongetje dat net van zijn kar was gestapt: bij de vrouw van de onderhofmeester van Palazzo Spada waren de vliezen gebroken.

'Kom snel, vroedvrouw Cloridia,' drong de jongen aan, 'een van de wachters van Palazzo Spada heeft me betaald om u te halen. De kraamvrouw is alleen met haar man, die niet weet wat hij moet beginnen: er is dringend behoefte aan uw hulp.'

'Dat was nou niet nodig, dat was nou echt niet nodig,' mopperde mijn vrouw, die even stampvoette, terwijl ze in vliegende vaart haar instrumenten vergaarde. 'Hup, maak de meiden wakker,' beval ze mij, 'en kom meteen naar ons toe in Villa Spada.'

'*Palazzo* Spada, bedoel je,' verbeterde ik.

'In de villa, zei ik, we zien elkaar voor de achteringang; en neem ook je grote juten mantel mee.'

'Maar ik heb het niet koud.'

'Doe wat ik zeg en laat me geen tijd verliezen,' wierp Cloridia geërgerd tegen, want door mijn traagheid van denken in noodsituaties sprong ze bijna letterlijk uit haar vel.

Nog versuft van de slaap zag ik mijn vrouw met lege blik van de ene naar de andere kant van het vertrek lopen, omdat ze nu eens bedacht dat ze een handdoek nodig had, dan weer een potje olie. Ze bleef even staan om na te denken, haalde toen uit de kist een schort en een rok die ze gedragen had toen ze zwanger was, maakte er samen met een paar sloffen en andere kleding een bundeltje van en zat in een oogwenk op de kar de jongen aan te sporen naar Villa Spada.

❧

'Die gebreide kousen ook? Ah, die niet, hoor. Vind maar een andere oplossing, monna Cloridia.'

'Wilt u dat de onderhofmeester me vraagt hoe het komt dat mijn hulpvroedvrouw fraaie rode abtkousen draagt onder haar rok?'

Toen ik op de afspaak met Cloridia verscheen, kon ik niet geloven wat de asgrijze weerschijn van de maan mijn ogen voorschotelde: Atto's gladde, hangende gelaat ging half verborgen in een wit vroedvrouwenkapje, hij droeg wijde vrouwenkleding, de erfenis van de verleden zwangerschappen van mijn vrouw, en bood het laatste, vergeefse verzet tegen de bedreven handen van Cloridia, die de rok van zijn vermomming optilden.

Cloridia had hem netjes aangekleed als een oude vroedvrouw en nu ze had ontdekt dat de abt onder zijn gewaad stiekem zijn geliefde rode kousen had aangehouden, liet ze hem die vervangen door een paar grofgebreide dat onder volksvrouwen in zwang is. En juist die hadden Atto's protest uitgelokt. De oude castraat, die een lange zangcarrière achter de rug had in de theaters van de halve wereld, waar hij de meest uiteenlopende vrouwenrollen speelde, voelde zich niet eens zo slecht op zijn gemak in vroedvrouwenkledij; maar als een ware primadonna duldde hij niet de platvloersheid van grofgebreide kousen, die kenmerkend waren voor gewone vrouwtjes.

'Wilt u dan liever met blote voeten in uw sloffen, als een bedelares?' foeterde Cloridia hem ongeduldig uit.

'Goed idee, u zou een perfecte cerretaanse zijn,' kwam ik tussenbeide, bij wijze van groet gekscherend tegen Atto, die een boze blik opzette.

Terwijl het tweewielige voertuig buiten het hek op ons wachtte, vatte mijn eega de situatie snel samen. Helaas hadden haar kruiden sneller gewerkt dan voorzien: Cloridia had erop gerekend dat de zwangere vrouw van de onderhofmeester van Palazzo Spada pas in de middag zou bevallen, zodat ze ons 's ochtends fatsoenlijk kon instrueren over wat ze daags tevoren in het palazzo had kunnen zien en bestuderen.

'Maar nu hebben we geen tijd,' zei ze bezorgd. 'Intussen heb ik wel gehoord dat er op de eerste verdieping een galerij is, die op slot zit en die pater Virgilio persoonlijk heeft laten bouwen; er staan verschillende voorwerpen, waaronder de Vlaamse globe waarover u het gisteren had. Misschien vindt u in die galerij wat u zoekt. Het verblijf van de onderhofmeester is op de begane grond, rechts van de hal in drie zijbeukjes; meteen daarna treft u de trap aan. De rest zal ik u laten zien als we er zijn.'

We liepen naar de uitgang met de kleintjes achter ons aan. Onderweg legde Cloridia mij haar plan uit:

'Ik zal tegen de onderhofmeester zeggen dat ik, omdat zijn vrouw zo dik is, behalve mijn dochters ook een oude vertrouwensvroedvrouw bij me moet hebben', en ze wees naar Atto, 'omdat ik iemand nodig heb die de kraamvrouw samen met mijn man vasthoudt wanneer ik haar laat bevallen, terwijl onze twee meiskes zich bezighouden met de instrumenten, de handdoeken en de rest.'

'Zal hij erin trappen?' vroeg Atto, terwijl hij weifelend naar zijn jurk keek.

'Zit er maar niet over in, mijnheer de abt,' stelde Cloridia hem met zachte stem gerust, 'het komt allemaal goed.'

Uit haar glimlachje was duidelijk dat Atto zich ook weer niet zo zou hoeven inspannen om meer dan overtuigend de stem en houding van een vrouw na te bootsen.

Atto zou dus moeten doen alsof hij de hulpvroedvrouw was: de zaak was allesbehalve zonder gevaar, nog afgezien van de afkeer die Atto voor het onderwerp voelde. Hoe had Cloridia hem verdorie zover gekregen dat hij die maskerade aandurfde? Ik betreurde het dat ik er niet bij had kunnen zijn toen mijn eega hem overtuigde.

'Jullie hebben mooi praten,' wierp Melani tegen, 'maar jullie hebben me nog niet uitgelegd hoe ik uit het verblijf van de onderhofmeester weg kan glippen. Ik loop niet graag het risico dat ik echt bij de bevalling assisteer en dan met lege handen hier terugkom.'

'Heb vertrouwen in mij,' antwoordde Cloridia met een fluisterstem, aangezien we inmiddels bij het hek waren, 'nu is er geen tijd meer om het u uit te leggen: ik maak wel duidelijk wanneer voor u het moment is om te gaan.'

'Maar...' sputterde Atto.

'Stil nu.'

'En ik?'

'Jij doet net of je ons gedag zegt, en zodra de jongen die de kar rijdt even afgeleid is, duik je goed in je mantel en ga je op de achterplank zitten.'

Voor ondergetekende had mijn lieve bruid een verkleedpartij niet nodig geacht: en inderdaad, bedacht ik met een zweem van weemoed, door mijn kleine postuur was het eenvoudig om stiekem ergens binnen te komen...

Toen iedereen eenmaal op de kar zat, sprong ik met de grootste snelheid en voorzichtigheid achterop. Gelukkig, bedacht ik met een lachje, veroorzaakte de aanwezigheid van mijn twee meiskes, die wel netjes bleven zitten maar toch wat druk waren, het nodige geroezemoes om mijn aanwezigheid voor de jonge wagenrijder goed verborgen te houden.

Toen het karretje de binnenplaats van het palazzo op reed, trok ik mijn mantel nog meer over mijn hoofd. De wachters lieten ons met een knikje door.

Zoals Cloridia reeds had aangekondigd, logeerden de onderhofmeester en zijn vrouw, die kort voor de zwangerschap uit Milaan waren aangekomen om bij de Spada's in dienst te treden, tijdelijk in een vertrekje op de begane grond, zodat zij de ingang van het gebouw in het oog konden houden nu het personeel vanwege het huwelijk was overgeplaatst naar Villa Spada.

Ik wachtte stiekem in de schuur. Zoals afgesproken kondigde Cloridia weldra aan dat zij een tas op de kar had laten liggen, en terwijl de onderhofmeester en Melani de dienstingang in sloegen op weg naar de kraamvrouw, liet ze mij stilletjes binnen. We liepen naar de eerste verdieping. Allereerst probeerde ik de ring sleutels van Ugonio uit: zoals ik had voorspeld, was een paar keer proberen genoeg en vond ik de juiste sleutels. De sloten van de deuren gaven zich het een na het ander zachtjes over.

'Hier wachten en niet praten,' beval mijn vrouw met een kus op mijn voorhoofd. 'Zo dadelijk stuur ik je "vroedvrouw" Melani. Kijk eens hier buiten,' zei ze, terwijl ze een raam in de grote gang openmaakte dat uitkeek op de binnenplaats die nog in het duister van de nacht was gehuld; 'daar heb ik dus gisteren aan gedacht, toen ik hier kwam.'

Vanuit dat raam, wees Cloridia, kon ik alles zien wat zich in het vertrek van de kraamvrouw afspeelde. Het was uiterst praktisch: tijdens ons onderzoek zouden we ons regelmatig kunnen vergewissen van de aanwezigheid van de onderhofmeester aan de zijde van zijn vrouw en er zo zeker van zijn dat de kust vrij was. Ik keek even: Atto en de onderhofmeester waren al binnen, op bed lag de vrouw te zuchten en te steunen. Ik moest lachen toen ik abt Melani zo uitgedost zag: hij wachtte vol spanning op Cloridia; om zich een houding te geven haalde hij de instrumenten voor de bevalling uit de zak, maar hield ze vol afkeer tussen twee vingertoppen, alsof het dode ratten waren.

Cloridia ging weer de trap af, liet mij in het donker achter en liep het onderkomen van de onderhofmeester binnen. Ik zag haar drie hoofdkussens pakken en op de grond leggen. Daarna zorgde ze tot mijn grote verbazing dat de kraamvrouw zich daarop uitstrekte op haar rug; ze schikte de drie kussens goed onder haar zodat haar hoofd achterover rustte op de grond.

Die houding was al vrij ongemakkelijk en de arme vrouw jammerde, maar Cloridia maakte het haar nog lastiger, of zo leek het althans in mijn lekenoog, door haar knieën zo te buigen dat haar voeten onder haar achterwerk en rug terechtkwamen, volgens de tekening die ik hier weergeef:

'Wat een hitte hier binnen!' riep Cloridia uit, en ze deed het raam van de kamer open, zodat ik vanuit mijn positie behalve zien ook kon horen wat er daarbinnen gebeurde.

'Moet mijn vrouw nou echt zo bevallen?' steunde de onderhofmeester, die het niet verdroeg om zijn vrouw zo gebogen te zien.

'Het is echt niet mijn schuld dat je vrouw dik is. Al het varkensvet dat in haar buik zit, drukt de moederschoot dicht en maakt haar zo smal. Alleen deze positie kan de baarmoeder zo verwijden dat ze, hoe dik en gezet ze ook is, gemakkelijk kan bevallen.'

'Hoezo?' vroeg de echtgenoot weifelend, zich ook tot Atto wendend, die meteen met een vaag gezicht zijn blik elders richtte.

'Simpel: de dikte van het lichaam verplaatst zich naar de heupen,' antwoordde mijn bruid vanzelfsprekend, 'en staat het kind niet in de weg om eruit te gaan, zoals wel gebeurt met de kraamstoel, waar de buik, het vet en de ingewanden, die boven de baarmoeder zitten, haar samendrukken, het kindje bijgevolg nogal klemzetten en de geboorte dwarsbomen.'

Nadat ze de kreunende vrouw zo had geïnstalleerd, beval Cloridia de onderhofmeester en abt Melani (die overigens bleef wegkijken van de schaamdelen van de kraamvrouw) de vrouw vast te houden bij haar armen, en ze knielde tussen haar benen en deed ook onder de knieën een kussen.

Ze bedekte de geslachtsdelen van de kraamvrouw en liet zich vervolgens door onze oudste dochter een aardewerken kruikje aanreiken vol olie van witte lelies; ze smeerde allebei haar handen er tot aan de ellebogen mee in en begon de buik en het geslacht van de vrouw te zalven. Daarna stak ze met de grootste voorzichtigheid haar rechterhand in de baarmoeder en maakte de binnenkant ervan rijkelijk zacht met olie. Ten slotte beval ze haar op een zij te draaien en zalfde eveneens vier vingers boven het einde van de ruggengraat, het staartbeen geheten, dat zich bij de bevalling nogal terugtrekt, zoals ikzelf kans gezien had waar te nemen toen Cloridia onze twee dochtertjes ter wereld had gebracht. Vervolgens maakte ze een manoeuvre die de arme kraamvrouw een welluidende gil ontlokte.

'Verdorie, de baarmoeder is bepaald nauw,' mopperde Cloridia. 'Beste vroedvrouw,' commandeerde ze vervolgens tegen abt Melani, 'vooruit, breng me de gele-viooltjesolie die in dat glazen flaconnetje zit.'

Ze ging verder zoals eerst en meende toen een lesje in verloskunde in te moeten voegen ten behoeve van onze meiskes:

'Als de kraamvrouw een nauwe baarmoeder heeft, dient die eveneens overvloedig te worden ingesmeerd met gele-viooltjesolie. En omdat één of tien zalvingen het gebrek van de baarmoeder niet kunnen goedmaken, dient dit wel twintig tot dertig keer te worden toegepast, totdat – zoals Hippocrates en Avicenna voorstelden – het vakmanschap de natuur corrigeert. Avicenna beveelt zelfs het spuiten van een paar straaltjes olie in de moederschoot aan opdat de inwendige delen zich beter ontspannen.'

De meisjes knikten, terwijl de onderhofmeester en zijn vrouw, die in haar gezicht bedekt was met zweet, elkaar bewonderend en dankbaar aankeken bij de kennis van zo'n goede, gerenommeerde vroedvrouw.

Ik begon te popelen: Cloridia had beloofd abt Melani vrij te laten, maar ze schoot nog niet op. En ik zag dat ook Atto in toenemende opwinding verkeerde en veelzeggende blikken in de richting van mijn eega wierp.

'Helaas is deze olie niet genoeg,' sprak Cloridia. 'Beste vroedvrouw, ga nog wat voor me halen uit de kruik die ik in mijn tas heb gelaten.'

Atto gehoorzaamde. Toen hij terugkwam, keek Cloridia hem bezorgd aan:

'Beste vroedvrouw, u lijkt me niet goed.'

'Nou, ik, inderdaad...' kreunde Atto, die niet wist waar Cloridia op doelde.

Mijn vrouw keek hem vorsend aan en vroeg intussen:

'Voelt u soms een lichte kwaal? Slapte? Draaierigheid in het hoofd?'

Terwijl abt Melani Cloridia's onderzoekende blik beantwoordde met een onzeker gezicht en vaagjes knikte op het spervuur van vragen, stond mijn eega plotseling op en wierp zich met haar handen op zijn hals. Atto zette, overrompeld, grote ogen op en wilde zich instinctief verdedigen toen Cloridia energiek het bovenstuk van zijn schort opschoof en er haar neus in begroef, veinzend dat ze zijn borsten bekeek:

'Die rode vlekken...' mompelde ze in gedachten, nu eens zijn ene dan weer zijn andere borst bevoelend, waarvan ik wist dat die waren gevuld met lappen, terwijl zelfs de vrouw van de onderhofmeester het jammeren om de weeën had gestaakt en haar adem inhield, '... en die andere hier, paars... Arme vriendin, ik vrees echt dat u petechieën hebt!'

'Pete wat?' vroegen de andere twee in koor.

'In Milaan worden ze *segni* genoemd,' oordeelde Cloridia tegenover de twee, die opschrokken.

Bij die zin begreep ook Atto eindelijk wat mij al een paar minuten duidelijk was. Ik zag zijn gezichtsuitdrukking veranderen en hem ternauwernood een zucht van verlichting onderdrukken.

'Het is een ziekte die ontstaat door te veel warmte en droogte,' vervolgde mijn vrouw, 'en daarom komt ze *facillime* voor bij cholerische temperamenten, zoals ik weet dat mijn vroedvrouw alhier heeft. Arme schat, u kunt echt beter zo snel mogelijk naar huis gaan, en probeer uw kalmte te bewaren. Eet koud voedsel zodat de cholerische inborst afkoelt, en u zult zien dat u snel weer opknapt. Wij kunnen het hier alleen wel af.'

'Neemt u mijn muildier maar, in de stal van het personeel,' kwam de onderhofmeester tussenbeide, hoogst ongerust vanwege het besmettingsgevaar, 'er staat er nog maar één, het kan niet missen.'

'En de wachters?' vroeg Atto met een klaaglijk stemmetje.

'U hebt gelijk. Ik loop wel even mee.'

'Geen sprake van!' kwam Cloridia rap tussenbeide. 'Ik heb u hier nodig. Bovendien moet u zich indekken tegen aansteking. Er is vast wel een dienstuitgang waarvan u de sleutels hebt, denk ik zo...'

Mijn listige eega had alles gezien en voorzien. De onderhofmeester trok een la open en haalde er een sleutel uit.

'Ik heb er wel een reserve-exemplaar van,' zei de onderhofmeester aarzelend tegen Atto, 'maar ik verzoek u om...'

'U krijgt hem zo snel mogelijk terug, wees gerust,' kapte mijn bruid af, terwijl ze hem afpakte en aan de abt gaf.

Eigenlijk hadden we die sleutel niet nodig: er zat vast ook een exemplaar aan Ugonio's ring. Maar dat konden we natuurlijk niet tegen de onderhofmeester zeggen.

Met een rancuneuze en tegelijkertijd geamuseerde blik op Cloridia stak Melani een kaars aan, ging de deur door en verdween in allerijl.

Ik verscheen even op de donkere trap om te controleren of Atto zich Cloridia's aanwijzingen nog wel herinnerde en niet verkeerd liep.

'Je vrouw houdt wel van een dolletje,' commentarieerde hij zodra hij bij me was, 'ze heeft me overrompeld met dat verhaal van de petechieën. In elk geval heeft ze een uitstekend geheugen.'

Cloridia had in haar opzet omtrent de petechieën niets anders gedaan dan de uitspraken citeren die ze zeventien jaar eerder van Cristofano had gehoord, de Sienese arts en chirurgijn die met ons allemaal in quarantaine zat in de herberg waar ik werkte en waar ik Atto had leren kennen. Onvergetelijke woorden voor ons, die van de arts die ons toen behandelde: we hingen allemaal aan zijn lippen en beleefden elk moment de angst voor besmetting.

Omdat ze dus niets van tevoren met Atto had kunnen afspreken, had mijn vrouw zich van die woorden bediend om hem een duidelijk signaal te geven; ze wist zeker dat de abt, zodra hij ze had opgevangen, zonder commentaar zou gehoorzamen.

Ik leidde Atto naar het raam in de gang en legde hem uit dat we daarvandaan de situatie gemakkelijk in het oog konden houden, om te voorkomen dat we ontdekt werden.

'En nu,' beval Cloridia heerszuchtig, 'moeten we de tocht die er staat mijden als de pest! We zetten je vrouw bij het open raam,' zei ze tegen de onderhofmeester, 'opdat ze de goede eerste-ochtendlucht inademt. Maar laten we de kamerdeur goed vergrendelen, alsjeblieft, want we moeten iedere tocht vermijden. We doen hem pas weer open als het kind geboren is.'

'Maar ik moet elk halfuur mijn ronde maken,' protesteerde de onderhofmeester.

'Uitgesloten.'

'Maar...'

'U zult inzien hoe belangrijk het is dat opwinding en rusteloosheid vermeden moeten worden teneinde besmetting uit de weg te gaan. De ziekte droogt uit en blust in korte tijd het fundamentele vocht in de lichamen, en ten slotte kan ze dodelijk zijn,' sprak de goede vroedvrouw, die alweer, ditmaal alleen voor haar plezier, de woorden van de arts citeerde die ze zo veel jaar eerder in herberg De Schildknaap had gehoord.

Op die woorden ging de onderhofmeester lijkbleek de deur van het vertrek sluiten, vergezeld van de vredige glimlach van mijn vasthoudende bruid, die alweer op haar knieën tussen de benen van de kraamvrouw lag.

'We zijn er.'

Zo was abt Melani's commentaar op de korte beweging van de deur, die met een kort gepiep was opengegaan naar een donker vertrek.

We liepen naar binnen en deden de deur onmiddellijk achter ons dicht. We wisten niet hoeveel tijd we ter beschikking hadden: dat hing van de weeën van de kraamvrouw af, waarna Cloridia door de onderhofmeester weer zou worden thuisgebracht. Op dat punt moesten wij al klaar zijn met onze onderzoeken en het muildier uit de stal hebben meegenomen, anders zou de onderhofmeester argwaan krijgen.

Met onze zintuigen probeerden we de donkere ruimte om ons heen de baas te worden. We lichtten ons met Atto's kaarsstompje bij, waarmee ik zelf op en neer zwaaide om voorzichtig lopen en koortsachtig kijken samen te laten gaan. De zaal waarin we ons bevonden leek enorm.

'Dit lijkt me niet echt de galerij waar je vrouw het over had,' meende abt Melani.

'Er zijn in elk geval geen globes,' merkte ik op.

We liepen de zaal door, toen een andere en weer een andere. Alle weelderig voorzien van muurschilderingen en vol schilderijen, die de abt verbaasden.

'Goh, deze doeken hier herken ik, die zijn van een Vlaamse schilder, Van Laer, ik heb ze jaren geleden gezien in het schilderijenkabinet van kardinaal Casanate, hij ruste in vrede,' zei hij, terwijl hij bleef stilstaan voor vier doekjes met daarop een koe, een herberg en twee moordtaferelen in het bos. 'De kardinaal is net vier maanden geleden gestorven en de dominicanen van de Minerva, die hij alles heeft nagelaten,' grinnikte hij, 'zijn nu al begonnen de erfenis te verkopen.'

Terwijl Atto met de kaars in de hand voortdurend voor al die doeken bleef staan, keerde ik snel weer om, als een kat in de nacht, om Cloridia vanuit het raam te begluren.

De weeën van de kraamvrouw werden steeds heviger en de stakker had het zwaar, maar zoals mijn vrouw had voorzien, leek de geboorte van het kind uiterst traag te verlopen.

Gezien de stagnerende situatie en hoewel zijn vrouw hem verzocht haar hand vast te houden, was de onderhofmeester zijn plichten als bewaker niet vergeten en had hij het voornemen de verplichte ronde langs de vertrekken van het palazzo te maken helaas opnieuw te berde gebracht.

Zo zag en hoorde ik op een van mijn controle-uitstapjes vanuit het raam dat Cloridia om hem bezig te houden haar favoriete onderwerp had aangesneden: het zogen.

'U wilt een min in dienst nemen, zei u? Ach, alsof u zo rijk bent! En wat moet uw vrouw dan met haar borst?'

'Maar, vrouw Cloridia,' stamelde de onderhofmeester, 'mijn vrouw moet weer snel aan het werk...'

'Ja, om te verdienen wat ze de min moet betalen! Is het dan niet beter dat u het kindje thuishoudt?'

'We hebben het er nog wel over, nu moet ik de ronde maken van...'

'Het is ongelofelijk,' begon mijn vrouw, terwijl ze opstond van haar plaats bij de kraamvrouw en de onderhofmeester de weg naar de deur versperde, 'inmiddels durven zelfs de handwerksvrouwtjes hun kinderen naar een min buitenshuis te sturen, alsof we allemaal prinsen en gevoelige prinsessen zijn, want die, ja, de stakkers, kunnen zich niet de luxe veroorloven om geschreeuw over huis te hebben omdat ze altijd vol zorgen zijn over de publieke zaken.'

De onderhofmeester was verbijsterd.

'Wie weet niet,' vervolgde Cloridia, 'dat het in alle omstandigheden beter is om kinderen thuis groot te brengen dan ze uit te besteden aan een min? Aulus Gellius beweerde dat al!'

De man, die vast niet het flauwste benul had wie Aulus Gellius was, leek door het citaat geïntimideerd.

'In dezen overtreffen de vrouwen van tegenwoordig de onmenselijke natuur van welke tijgerinnen of andere wredere dieren dan ook,' vervolgde ze haar betoog. 'Ik weet ook niet welk ander dier, behalve de vrouw, niet haar eigen kinderen wil zogen. Hoe bestaat het dat zij het in haar buik graag met haar bloed heeft gevoed, toen ze nog niet wist of het een jongetje, een meisje of een monster was, en wanneer ze het ziet en erkent als haar kind en zijn gehuil en geroep om haar hulp hoort, dan bant ze het van haar borst, en vergenoegt ze zich ermee dat ze het het zijn heeft gegeven, maar het *wel*zijn heeft ze het ontzegd, alsof ze van God en de natuur haar borsten alleen had gekregen als opsmuk van haar bovenlijf, zoals ze aan de man zijn gegeven, en niet om kinderen te voeden...'

Ik had genoeg gehoord. Ik wist uit ervaring dat Cloridia, als ze dat onderwerp eenmaal bij de kop had gepakt, de onderhofmeester zonder veel moeite nog wel even bezig kon houden.

Ik keerde terug naar Atto. Inmiddels bij het eerste ochtendgloren hervatten we onze weg. Na een tijdje hadden we een lange reeks kamers achter ons gelaten die schitterend verfraaid waren met mythologische en historische onderwerpen: het vertrek van Amor en Psyche, de zaal van Perseus, de galerij van het Stucwerk, en verder de vertrekken van Callisto, Aeneas en de Leengoederen.

'Niets aan te doen. Geen spoor van de globe waarover je het had.'

Op dat punt hoorden we een onstuimige serie kreten en uiteindelijk een verscheurende, eindeloze gil, waardoor abt Melani bijna onderuitging. We gingen snel kijken: de vrouw van de onderhofmeester had gebaard. De door Cloridia gebruikte kruiden om de bevalling op te wekken hadden sneller resultaat geboekt dan onze onderzoeken.

'Wee die vrouw van jou en dat we op haar vertrouwden,' mopperde abt Melani, 'nu zitten we hier vast en hebben we mooi niets bereikt.'

Op dat moment keek Cloridia, met in haar armen het pasgeboren krijtende kind, een meisje dat al in een handdoek gewikkeld was, naar het raam en gaf snel een teken in onze richting alsof ze zeggen wilde: Ga maar door, maak je geen zorgen.

Daarom keerden we, onzeker en behoedzaam, naar onze onderzoeken terug. We bezochten de zaal van Achilles, de salon met de verhalen van het Oude Rome, die van de Vier Elementen en van de Vier Jaargetijden, de grote galerij, de kleine studeerkamer en zelfs de kapel.

'Iets bevalt me niet,' zei Atto, 'laten we teruggaan naar de trap.'

'Waarom?'

'Eerst, toen we net van de begane grond boven kwamen, zijn we rechtsaf gegaan. Nu wil ik linksaf proberen. Ik zeg zo wel waarom.'

Zoals ik spoedig zou constateren, had de abt zijn redenen. Nadat we op onze schreden waren teruggekeerd, merkten we dat er, toen we boven aan de trap meteen naar links gingen, een galerij was die we nog niet hadden verkend. Door het daglicht dat geleidelijk aan steeds vastberadener en duidelijker werd, konden we nu niet alleen muren, deuren en ramen zien, maar ook de hoge plafonds, zoals die op de eerste verdieping van ieder herenhuis te vinden zijn.

Toen we net de nieuwe omgeving binnen traden, posteerde zich voor ons ineens een grote kandelaber, waarvan we de kaarsen met ons stompje aanstaken, zodat we ons zo overal konden bijlichten. Groot was mijn verbazing toen we tegenover een ruime galerij stonden, rijk aan allerhande fresco's, en versierd door kunstwerken en meubelen van zeer grote waarde.

Het was ook voor onbedachtzame geesten duidelijk dat het om een van de schitterendste en uitnemendste ruimten van heel Palazzo Spada ging, die de welwillende gast wel tot een nederige bezichtiging moest verleiden.

De galerij was een heel uitgestrekte ruimte in een lange rechthoekige vorm. Aan één zijde was ze helemaal bedekt met fresco's en schilderijen; de tegenoverliggende zijde was onderverdeeld door een reeks grote ramen, die overdag voor licht zorgden en waartussen een reeks nobele marmeren bustes stond opgesteld. Het plafond ten slotte was een gebogen gewelf voorzien van een indrukwekkend fresco, waarvan ik echter op het eerste gezicht niet de volgorde noch de betekenis had kunnen begrijpen als de toelichtingen van abt Melani me niet te hulp waren gekomen.

Bij de luisterrijke voorstellingen van het gewelf, legde Atto uit, ging het om astronomie en astrologie. Ik zag engeltjes een wit velarium ophouden waarop de lijnen waren aangegeven die elkaar kruisten op het aardoppervlak; aan de ene kant van het fresco zag je Mercurius, terwijl hij een zonnewijzer meeneemt naar de hemel, en de vergadering van de heidense goden die hem met bewonderende verbazing gadeslaat. Aan de andere kant stonden vier vrouwenfiguren die de Optica, de Astronomie, de Kosmografie en de Geometrie voostelden en allemaal bezig waren een katoptrische zonnewijzer te maken, en verder nog veel andere allerwaardigste antropomorfe figuren die lof verdienden.

Aan de wanden was een ongewoon grote overvloed aan schitterende schilderijen te zien, grotendeels getrouwe, goedlijkende portretten van illustere lieden, waarvan ik nog niet de details ontwaarde, maar waaruit bijna echte gezichten opflitsten.

Doch de ware verbazing kwam toen we merkten dat we werden bespioneerd, en dan niet door mensenogen. Hoog boven onze hoofden was een grote wittige kreeft op het gewelf neergestreken en die sloeg ons knorrig gade.

'Lieve hemel, mijnheer de abt, moet u eens naar boven kijken. Ik heb nog nooit zo'n grote kreeft gezien, die ook nog eens op het plafond klimt. En dan wit!' zei ik huiverend.

'Nou jongen, ik denk dat je nu de gelegenheid hebt om iets te leren. Dit is de beroemde galerij van het anakamptische astrolabium van Palazzo Spada.'

'Anakamptische astro... wat?' deed ik tevergeefs mijn best om te herhalen, terwijl ik steeds verontrust de grote wittige kreeft in het oog hield die, voor het moment althans, niet van plan leek zich op ons te werpen.

'Of de katoptrische zonnewijzer, als je dat liever hebt, zoals de geleerde Kircher het noemde.'

Ik zweeg verbijsterd.

'Kircher zei u?' vroeg ik, me herinnerend dat we zeventien jaar geleden in ons avontuur op dat personage waren gestuit, en wel van heel nabij.

'Als jij af en toe eens de couranten las,' volstond Melani me te antwoorden, 'zou je vroeg of laat iets leren over de schatten van je stad.'

'Ja, ik weet dat Palazzo Spada vol schatten van architectuur is, en dat mensen uit heel de wereld ze komen bewonderen, maar...'

'Ik denk zo dat jij nog wel weet wat een zonnewijzer is,' kapte de abt af.

'Natuurlijk, signor Atto. Dat is een zonneklok, waardoor het mogelijk is de tijd af te lezen aan de schaduw die een bepaald voorwerp, zoals een steen of een ijzeren instrument, op bepaalde punten werpt.'

'Precies. Maar dit is een speciale zonnewijzer: hij werkt op katoptrische wijze, zoals Kircher zei, dus niet dankzij de zonnestralen, maar door de weerkaatsing. Weet je wat daar buiten zit, onderaan?' zei hij, wijzend op een soort raampje dat uitkeek op de onderliggende binnenplaats.

'Dat weet ik niet.'

'Een steun met een spiegel die het licht van de zon en de maan opvangt. De Spada's hebben salonspiegels in diverse vormen en ontwerpen, die de zonne- of maanstralen terugkaatsen en lichtsilhouetten projecteren zoals jouw witte kreeft. Die, zoals je ziet, alleen maar een schijnsel is dat gebroken wordt op het gewelf van de galerij, dat op die manier het precieze tijdstip aangeeft.'

Ik keek opnieuw omhoog: hij had gelijk, het diertje was wit omdat het door een lichtstraal op het gewelf van de galerij werd getekend.

'En dat geeft het precieze tijdstip aan?' vroeg ik ongelovig.

'Zeker; je ziet ook vast wel die lijnen die op het gewelf staan aangegeven en waaraan iemand die ze kent, als het licht maar iets minder zwak is dan deze kandelaber, het verloop van de uren en minuten kan aflezen op het gewelf van de galerij, dat zelf dus een enorme zonnewijzer is, maar dan op zijn kop: de straal komt niet van boven naar beneden, zoals bij normale zonnewijzers, maar omgekeerd. Die kreeft is weerspiegeld maanlicht, en ik vermoed dat hij die vorm heeft omdat we ons in deze julidagen in het teken van de kreeft bevinden; waarschijnlijk wordt er een spiegel met een aangepaste vorm voor gebruikt.

Atto's uitleg was interessant, maar ik viel hem met een kreetje van verbazing in de rede:

'Moet u kijken! Daar is de Vlaamse globe. Of nee, het zijn er twee.'

We liepen erop af om de vondst beter te onderzoeken. Verderop in de galerij bevonden zich inderdaad twee grote houten globes, de ene van de aardse gebieden, de andere van de hemelse. We lazen de naam van de maker, ene Blaeu uit Amsterdam.

'Als dit de wereldbol is waarover jij hebt gehoord, dan heeft hij helaas niets met de wereldbol van Capitor te maken,' zei hij op vermoeide, matte toon.

'Is het hem niet?'

'Nee.'

Inderdaad leek de globe die we voor ons hadden niet veel op die van het schilderij, en hij had ook geen gouden voetstuk.

'Nou?' vroeg ik.

'Nee hoor. We zitten ernaast. Wederom zitten we er helemaal naast,' kreunde Atto, terwijl hij op een dekenkist ging zitten.

Hij sloeg zijn blik weer op, aangelokt door iets op de muur aan de overkant. Hij liep op de reeks portretten toe die de raamloze muur sierde en bleef peinzend tegenover één ervan staan. Het was de afbeelding van een man met een streng gelaat, een sterke maar zachte blik, een breed voorhoofd, een vastberaden mond en een peper-en-zout-kleurige baard, een driekantige steek zoals die van de jezuïeten, en een bovenkleed dat op de borst geborduurd was met een hart tussen twee takjes in.

'Daar heb je hem. Mag ik je voorstellen: Virgilio Spada. Zoals ik je al zei sloot hij zich aan bij de Orde van de Oratorianen. Volgelingen van de heilige Philippus

Neri, en hij is hier volgens hun regels afgebeeld. Hij was een wijs en zeer vroom man; hij heeft zijn orde op vele manieren geholpen, vooral in materiële zin.'

Er omheen zag ik andere portretten van de familie, maar die keurde Atto nauwelijks een blik waardig. Hij bleef nog even in gedachten, en schudde toen zijn hoofd:

'Nee, we zijn er niet. Het klopt niet.'

'Wat bedoelt u?' vroeg ik zonder te weten waar ik mijn gedachten heen moest leiden.

'Jongen, heb je om je heen gekeken? Waar in 's hemelsnaam bevindt zich de verzameling curiositeiten van Virgilio? Ik zie er hier geen spoor van. We hebben er nog geen stukje van ontdekt. En toch zouden ze goed in het zicht moeten staan, aangezien de familie er dol op is om mensen van aanzien te ontvangen en die haar bezittingen te laten zien.'

'Dus?'

'Dit portret zegt me iets.'

'Wat dan?'

'Dat weet ik niet. Ik moet erover nadenken, nu ben ik te moe. Laten we gaan, Cloridia is misschien klaar.'

Na die woorden begaf de abt zich langzaam naar de deur, gebukt onder de last der jaren en de gefrustreerde onderzoeken.

Terwijl ik hem volgde, bleef ik me gretig laven aan de schitterende en voor mij ondoorgrondelijke decoraties van de katoptrische zonnewijzer.

'Signor Atto, wat zijn al die geschilderde tekens en getallen daarboven?'

'Die tekens zijn de huizen van de Dierenriem met de astrologische tabellen voor het samenstellen van de hemelfiguren, oftewel de planeetstanden bij de geboorte voor de horoscopen, en de andere lijnen die je ziet zijn de bundels van de uren in de verschillende delen van de wereld,' legde Atto uit, terwijl hij met zijn neus in de lucht bleef staan.

'Interesseerde pater Virgilio zich ook voor die dingen?' vroeg ik perplex, omdat ik de dodelijke risico's kende die een geestelijke kon lopen als hij belangstelling had voor horoscopen, vooral een halve eeuw terug.

'O, als het daarom gaat, de Spada's waren grote liefhebbers van de hemelwetenschap. Virgilio en zijn broer Bernardino waren erg in de ban van de astrologie, ook die welke verboden was. Zoals ik al zei, ik was al een jaar in Rome toen Virgilio stierf, in 1662. Er werd gezegd dat hij zelfs boeken bezat die op de Index van het Heilig Officie stonden, plus enkele geschriften die roken naar ketterij, maar...'

De abt staakte zijn monoloog en bleef me aanstaren alsof hij gegrepen werd door een onverhoedse gedachte.

'Jongen, je bent een genie!' riep hij uit.

Ik keek hem vragend aan.

'Ik weet waar we het blad van Capitor kunnen vinden,' antwoordde hij.

Melani legde me met nauw hoorbare stem uit dat Virgilio vooral in de ban was van oordeelsbepalende astrologie, oftewel zich ook bezighield met voorspellingen en horoscopen; hij had zijn eigen hemelfiguur bestudeerd en ook die van zijn vader, naast vele andere. In 1631 was die wetenschap echter officieel veroordeeld door paus Urbanus VIII Barberini.

'Ik weet het nog goed, van de verhalen die ik hoorde toen we elkaar leerden kennen, in De Schildknaap,' kwam ik tussenbeide.

'Dan zul je je ook wel het nare einde van de arme abt Morandi herinneren toen al die astrologieboeken van hem werden ontdekt.'

Ik onderdrukte een huivering bij de herinnering aan wat ik destijds had gehoord.

'Bij die gelegenheid waren er veel prelaten, liefhebbers van die materie, die de schrik van hun leven kregen. En onder hen bevonden zich ook pater Virgilio Spada en zijn broer Bernardino: er werd gezegd dat Virgilio 's nachts een paar gevaarlijke boeken van Palazzo Spada naar het Oratorium had verhuisd, en dat hij ze daar tot aan zijn dood heeft bewaard in een grote afgegrendelde kist.'

'Kortom, we moeten zoeken bij de Congregatie van het Oratorium.'

'Inderdaad. Het zal vrij lastig zijn om de bewaking van de paters philippijnen te ontwijken, en ik denk niet dat jouw Cloridia ons ditmaal kan helpen.'

Eenmaal buiten de galerij van de katoptrische zonnewijzer gingen we weer voor het raam staan om mijn lieve eega te begluren. We troffen haar nog midden in haar preek, terwijl ze samen met onze twee meiskes haar spullen bijeenzocht, schoonmaakte, opruimde; daarbij wendde ze zich met bloedig proza tot de steeds verbijsterder onderhofmeester, die intussen zijn uitgeputte vrouw streelde en troostte om zich een houding te geven.

'Nog erger is het als de moeder, om maar geen min te hoeven betalen of omdat ze het zogen beu is, haar kleintje ertoe bestemt om melk van dieren te drinken. U kunt ervan op aan dat uw kleintje, wanneer het dat gif voor lichaam en ziel dat dierenmelk is, heeft geproefd, die maar moeizaam verteert en dus te verzadigd zal zijn om zich aan de moederborst te hechten, die het geleidelijk aan zal vergeten.'

We zwaaiden met onze armen vanuit het raam om Cloridia te gebaren dat we klaar waren, zij het zonder resultaat, en dat ze rustig een einde kon maken aan de woordenstroom waarmee ze de onderhofmeester tegenhield. Geen beginnen aan: gegrepen door het vuur van haar pleidooi zag mijn vrouw het niet. Bovendien moesten we opletten dat we niet toevallig gezien werden door mijn meiskes, die ons in de onschuld van hun leeftijd zouden kunnen verraden.

'De waarheid is dat geitenmelk geiten maakt, en die van koeien maakt ossen. Welke vader of moeder wil een kind dat net zo dampig is als een kalf of net zo gehoornd als een geit? Of allebei? De geest van het dier wikkelt zich rond het fundamentele vocht van die lichaampjes en laat het tot hun dood niet meer los. Kijkt u maar eens goed naar het gezicht van kinderen die voeding van een koe kregen: een lodderige koeienblik, oogleden op halfelf, een dikke kop, opgezwollen ledematen en een slappe, wittige huid. En de inborst van die kleine stakkers? Als die niet schuw en zwijgzaam is, zoals die van een bok, dan blijkt ze vredig en matig, zoals die van een kalf. En wat zijn hun dwaze moeders trots op ze! Ze kunnen lekker hun gang gaan zonder dat hun bête, verloederde kind hen lastigvalt, en kijken vol afschuw naar de vermoeide moeders die wel zelf voeden en hun best doen voor hun kleine, rappe, onvermoeibare woelwater.'

Eindelijk zag Cloridia ons dan.

'Dus tot besluit, wacht u ervoor om een wezen dat God een ziel geschonken heeft dierenmelk te geven!' sprak ze met een stem die bijna gebroken was door de nadruk, terwijl ze haar instrumenten pakte. 'Tot aan het derde levensjaar zou geen kind ook maar één druppel beestenmelk mogen proeven. Iets wat het overigens ook na die drie jaar nog flink schade berokkent. Dus allen, zowel vaders en moeders als hun zoons en dochters, moeten zich bij hun leven verre van melk van beesten houden, als ze in gezondheid en helderheid van geest willen leven. *Deo gratias*, we zijn klaar.'

Ze sloeg een kruis, zoals ze na iedere bevalling deed, en we hoorden haar de laatste adviezen aan de kraamvrouw geven, terwijl Atto en ik wegglipten naar de stal, op weg naar het muildier dat ons, vermoeid en ontgoocheld als we waren, weer naar Villa Spada zou brengen.

We waren al op de binnenplaats, nog sloom in de nevelen die voorafgaan aan de vroege ochtend, en begaven ons naar de paardenstallen toen we een dof, verontrustend geluid hoorden. Het kwam van links, waar een ellenlange galerij liep van opvallende pracht, verdubbeld door een even lange laan met heggen erlangs die uitkwam in een tuin.

Op dat punt ontwaarden we een geweldige kolos, een viervoeter die langer dan twee mannen was, zo breed als een koets en zo zwart als de nacht, bedekt met een dikke, smerige vacht. Een paar eindeloze seconden (zo kwamen ze mij althans voor) was ik verlamd van schrik en welhaast gehypnotiseerd door dat hellemonster. Ik zag het over de heggen van de laan gaan en onvoorstelbaar snel onze richting uit galopperen, waarbij het opnieuw het donderende dierengeluid voortbracht dat we net hadden gehoord.

Uiteindelijk sloeg ik met een bovenmenselijk snelle beweging op de vlucht, met voorbijgaan aan zelfs abt Melani, en in een oogwenk sloot ik me op in de paardenstallen.

Atto was daar al: in tegenstelling tot mij had hij duidelijk niet geaarzeld van angst en was hij er meteen vandoor gegaan.

'Dat monster... die kolos...' zei ik buiten adem, helemaal van de kaart.

Ik keek naar Melani. Er speelde een fijn lachje om zijn lippen.

'Wat vindt u hier zo leuk?' vroeg ik geërgerd.

'Wat jij zo dadelijk ook zult vinden. Volg mij.'

Een paar minuten later zat Atto bij de ingang van de galerij op het onderstuk van een van de zuilen rustig de kolos te aaien. Want het ging niet om een kolos, maar om een aardig hondje. Het beestje, dat buiten in de tuin achter de galerij sliep, was geschrokken van mijn komst en had eerst met het bekende vijandige hondengegrom gereageerd, waarna het dichterbij kwam om de indringer uit te dagen. Wat mij een monster van grenzeloze afmetingen leek was in werkelijkheid een diertje dat tot mijn knie kwam.

'Heb je het helemaal door?'

'Ik geloof van wel, signor Atto.'

En toch leek het mij nog ongelofelijk. De galerij waaruit het hondje was gekomen was een meesterwerk van de grote Borromini, die door de Spada's heel dikwijls was geëngageerd om hun palazzo te verbeteren en uit te breiden. Ze was zo opgezet dat ze dankzij een heel kundig perspectivisch spel de blik van de waarnemer bedroog, en alleen wie het al kende, kon het ontmaskeren. De galerij werd, naarmate de bezoeker er verder in kwam, kleiner: de tweetallen zuilen aan weerszijden werden lager, de zwartwit geblokte vloer ging omhoog en werd smaller, terwijl de blokken zelf steeds kleiner werden, in navolging van de vlucht naar het oneindige die de schilders met hun vernuft zo goed kunnen voorwenden, wanneer ze wegen, steden en tempels schilderen.

Ook het stucwerk op het halfronde gewelf was in de vorm van een steeds kleiner vierhoekig raster, zodat het opging met het kleiner worden van het gewelf zelf. Achter de uitgang bevond zich in plaats van een ruime, zich tot aan de horizon uitstrekkende tuin in werkelijkheid een zeer bescheiden binnenplaatsje, waar echter heggen van valse buksbomen waren geplaatst, uitgehouwen in steen en bedekt met twee groenkleurige lagen, die in plaats van een regelmatige parallellepipedumvorm steeds lager en smaller werden naarmate de afstand van de galerij en dus van de waarnemer toenam waarmee het op een onweerstaanbare manier het gevoel van opgaan naar de hemel versterkte. Een hemel die ik achter de heggen had menen te zien, maar die in vaardige, chromatische imitatie was geschilderd, een paar passen verderop, op de muur die de hele zinsbegoocheling afsloot.

Ik ging de galerij binnen en streek verlegen over het eerste tweetal zuilen, toen het tweede, toen het derde... steeds smaller, en steeds lager. Het optische spel van Borromini was zo vaardig geconstrueerd en uitgevoerd dat het mij had beetgenomen en zelfs grote schrik had aangejaagd. Vergeleken bij de valse heggen had het kalige hondje me zelfs een reus geleken, en zijn vermeende snelheid was alleen maar een zinsbegoocheling door de uiterste kortheid van de galerij. Zijn gegrom, vervormd en uitvergroot door de echo van het gewelf, was tot mij gekomen als het brullen van een wild dier.

'Men vreest wat men niet begrijpt: hier net zo als in de spiegelgalerij in Het Schip,' zei Melani met vaderlijke berisping, terwijl we op de rug van het muildier naar Villa Spada dribbelden.

'Ik had wel gehoord over de perspectivische galerij van Palazzo Spada en het wonderlijke gezichtsbedrog ervan: de bloem van vorsten en ambassadeurs uit heel de wereld komt die bezoeken. Maar ik wist niet goed waar het om ging en zodoende ben ik overrompeld en geschrokken... Weet u, ik ben erg moe...' trachtte ik me ten prooi aan schaamte te verdedigen.

'Je hebt een immense zuilengalerij gezien die in werkelijkheid maar geringe afmetingen had. In een kleine ruimte heb je een lange weg gezien. Hoe verder af ze staan, hoe groter kleine voorwerpen lijken als ze op hun juiste plaats zijn gezet,' hing Atto de filosoof uit. 'Grootheid is op aarde niet meer dan zinsbegoocheling, en het wonder van de kunst is de verbeelding van een oppervlakkige wereld.'

Ik wist wat hij eigenlijk in zijn hoofd had: Het Schip. Maar niet de spiegelgalerij. Hij peinsde over de geheimzinnige verschijningen waarvan we getuige waren geweest, en over zijn flauwe hoop om vroeg of laat een rationele verklaring te vinden.

Ik zweeg daarom, terwijl de Heilige Stad moeizaam ontwaakte; we kwamen de eerste passanten tegen die nog half in de spiralen van de slaap gewikkeld waren, en de vormeloze schaduwen en nachtelijke overpeinzingen maakten plaats voor het heldere denken.

Terug in Villa Spada hadden we een brief voor abt Melani aangetroffen: de bekende. Atto's reactie bij het openen en lezen was niet afgeweken van de vorige keren: hij had een somber gezicht getrokken en snel afscheid genomen onder het mom dat hij wilde rusten. In werkelijkheid moest hij antwoorden op de brief, waarmee de Connétablesse haar zoveelste vertraging aankondigde.

In de uren daarna was me nog geen minuut rust gegund. Het programma van die dag kende namelijk een zeer veeleisend tijdverdrijf en voor de geslaagde uitkomst daarvan had kardinaal Spada eindeloos een beroep gedaan op don Paschatio; hij had hem aangekondigd dat de werknemers en knechten die zich aan hun taak onttrokken zwaar bestraft zouden worden. Don Paschatio had van zijn kant verzekerd dat niemand zich ditmaal zou durven te drukken: iets wat hij helaas bij alle vorige gelegenheden had gezworen zonder dat de feiten hem ooit in het gelijk stelden. Ook ditmaal hadden een paar bedienden de hofmeester in de steek gelaten en zich ziek gemeld (om in werkelijkheid te gaan vissen op het Tibereiland, zoals ik uit hun gesprekken van de dag daarvoor had vernomen).

Het te verrichten werk was helaas veelomvattend en ingewikkeld. Ter vermaak van de gasten werd er een jachtpartij op vogels georganiseerd. Die vogeljacht werd niet alleen toegankelijk geacht voor de aanwezige heren en cavaliers, maar ook voor de dames, aangezien bij de vogeljacht niet de gevaren maar de vrolijke ontspanning overheersen: een opgewekte jachtpartij, kortom, die op zijn beurt bestond uit verschillende onverwachte jachtpleziertjes, zoals de vorige dag door kardinaal Spada persoonlijk aan de gasten was aangekondigd.

Het terrein van Villa Spada was alleen te beperkt voor de partij, die veel ruimte vergde om je te verstoppen, om hinderlagen te leggen en valstrikken te spannen voor de vogels. Daarom was men met het uitnemende huis Barberini overeengekomen dat het vermaak zou plaatshebben op de aangrenzende lap grond van zijn bezit (dezelfde waar twee dagen terug de valkenier tevergeefs had geprobeerd met zijn valk Caesar Augustus te vangen).

De gasten zouden in groepen worden ingedeeld, naar gelang van de middelen die ze zouden hanteren. Het eerste clubje, van in totaal zo'n tien personen, zou heel speciale vogelvallen krijgen: namaakstruiken waarin een houten stok in de vorm van een Y was opgericht. Die stak aan de bovenkant uit, en aan de twee divergerende uiteinden ervan waren parallel evenzovele ijzers geplaatst die, als de bladen van een schaar, door een via lang stevig koord op afstand bestuurbaar mechanisme konden dichtklappen en zo de klauwen van de vogel ertussen vastgrijpen.

De tweede groep jagers zou enkele namaakboompjes krijgen die je in de grond kon zetten door middel van een ijzeren punt in de stam. Aan de bovenkant van de boompjes zat een horizontaal stokje dat zeer uitnodigend was voor vogels die wilden neerstrijken. Onder aan de stam zat een grote kruisboog verstopt, verticaal omhoog gericht, waarop een soort dikke hark met veel scherpe punten was gezet. Op het juiste moment afgeschoten (ook in dit geval van een afstand door via een stevige bruine draad aan het haakje van de boog te trekken) zou het wonderlijke projectiel van beneden naar boven de argeloze vogel op de top van het boompje doorboren.

Voor andere kandidaten waren er verder speciale haakbussen om in de grond te steken (door middel van een speciaal handvat met ijzeren punt) en op een goed zichtbare tak te richten op het moment dat er een niets vermoedende vogel op doortocht zou neerstrijken; de haakbussen zouden ook in dit geval van een afstand via een onzichtbare draad in werking worden gesteld.

Voor de cavaliers met een scherper gezichtsvermogen waren er echter kruisbogen van uitstekende soort en kwaliteit beschikbaar om de gevederde vrienden te verrassen.

Maar voor de sterkere heren waren er heuse draagbare bomen georganiseerd, die in staat waren een man met haakbus in zijn geheel aan het oog te onttrekken. Ze waren gemaakt van papier-maché, met stukken schors bekleed en op een ijzeren geraamte gezet; ze waren tevens voorzien van namaaktakken en volop bedekt met twijgjes. Vanbinnen waren ze uitgerust met leren riemen waardoor je het schijnbeeld van de boom op je schouders kon dragen en ermee kon lopen, zonder je armen te gebruiken. De gast kon door twee kijkgaatjes kijken, naar believen het slachtoffer benaderen, mikken met de haakbus, de loop langzaam door een daarvoor bestemde gleuf naar buiten laten gaan, en ten slotte met geheid succes vuren. De vondst, ontleend aan de jachtadviezen van de Bolognese cavalier Gioseffo Maria Mitelli, de zoon van een (fresco)schilder die veel in Palazzo Spada had gewerkt, wekte zo veel bewondering dat ik hieronder een tekening ervan weergeef:

Weer anderen, die avontuurlijker waren, zouden ten slotte de zogeheten jacht met de Os beproeven, ofwel gebruikmaken van een imposante namaakkoe, met grote gelijkenis in olieverf geschilderd op doeken die door houten baleinen rechtgehouden werden en die ze ook zouden gebruiken als scherm om de prooi te benaderen zonder hem af te schrikken en hem dan te raken met de haakbus: om het met een hoogstaand voorbeeld te omschrijven, een ware Koe van Troje. Ook van deze manier heb ik een tekening genomen, maar dan om andere redenen:

Toen de koe in het veld gezet was, schrikte ze alle dieren van het landgoed Barberini en ook een paar dames af. Dit omdat de koeienfiguur, die met olieverf was geschilderd in plaats van met tempera, zoals had gemoeten, met een flikkerend licht vlamde in de zon en wel een brandspiegel leek. Ze moest daarom fluks teruggetrokken worden, anders zouden alle vogels van angst wegvliegen.

Natuurlijk moest, om een ruim aantal slachtoffers bedrieglijk aan te kunnen lokken, het vrolijke jachtgebied welvoorzien zijn van zangvogeltjes, die met hun gekwinkeleer soortgenoten zouden oproepen. Voor dit doel waren talrijke kooien aangeschaft vol vinkjes en putters. Gezien mijn gelegenheidsberoep van meester vogelaar had ik van don Paschatio de belangrijke taak gekregen om de kooitjes strategisch over het terrein van huize Barberini te verspreiden, waarbij ik er vooral op lette dat elke groep jagers hetzelfde aantal lokazen ter beschikking had en dat de laatste gelijkelijk over het jachtterrein waren verdeeld. Om het effect te vergroten zou ik ook andere zangvogeltjes aan de stammen van planten en bomen bevestigen door ze met een touw aan hun pootjes vast te binden.

Terwijl ik de kooitjes verzamelde en twee aan twee over het terrein van de Barberini's droeg, kwam don Tibaldutio me tegemoet. Zoals soms wel gebeurde, had hij zin om zich even met ondergetekende te onderhouden. Naar ik al zei leefde hij afgezonderd van de rest van de villa in een vertrekje achter de kapel, en vaak voelde hij zich alleen.

Ik stelde hem dus voor mij gezelschap te houden terwijl ik de kooitjes met de lokazen op de grond, in de bomen en midden in de struiken zette.

De kapelaan was net over koetjes en kalfjes begonnen toen zijn rechtschapen, kuise aanwezigheid als een onzichtbare vlam de brandende herinnering aan de vorige nacht verlevendigde.

Atto's memorie, bedacht ik, zou 'naar Albanum' leiden: aan het eind van die louche zaken stond dus regelrecht een kardinaal! Welke boosaardige kracht, welke infernale soeplepel was in staat in de ketel van de Heilige Stad een hoge purperdrager, de rechterhand van Zijne Heiligheid, te mengen met de duivelse sekten van de cerretanen? En sinds hoelang gebeurde dat? Ik herinnerde me verder dat Sfasciamonti erop had gezinspeeld dat de cerretanen oorspronkelijk ex-priesters waren. Hoe was dat mogelijk geweest? Alleen een geestelijke zou daar antwoord op kunnen geven.

Als een goede herder hoorde don Tibaldutio zonder een spier te vertrekken mijn problemen aan. Ik schetste hem dat ik op straat geruchten had gehoord over de godsdienstige oorsprong van de bedelaarssekten.

'Ver terug gaat de plaag, en haar oorsprong is gehuld in mysterie,' begon de karmeliet ernstig.

Alles was begonnen na de invallen van de barbaren, die een eind hadden gemaakt aan negen eeuwen Romeinse wereldheerschappij. In die donkere tijden waren de mensen voor het merendeel arme boeren die geïsoleerd in landelijke gemeenschapjes woonden. De wegen waren onzeker, de bandieten talrijk en de soldaten ontspoord, als wolven en beren op jacht naar een prooi. Broeders en monniken zaten veilig in hun kloosters, dikwijls op ontoegankelijke hoogten. Behalve de kooplieden, die voor hun handel gedwongen waren te reizen, woonden alle mensen in de dorpen, waren boer en baden tot God voor de volgende oogst. Maar ze waren niet alleen: met vaste regelmaat kwamen er bezoekers.

Ze waren gehuld in lompen, bleek en smerig, en vroegen om een aalmoes. Ze kwamen van duistere plaatsen aan de rand van de dorpen, verlaten lazaretten, kleine allegaartjes van hutten, als het ware een parallelle beschaving die gewijd was aan vuiligheid. Het waren landlopers, schandknapen, boeven, oplichters of bedriegers zo je wil. Maar ze waren niet arm: ze zagen er alleen zo uit. Ze wisten te profiteren van de woorden van de evangelist: *date elemosynam et omnia munda sunt vobis*, die een goed christen voorschrijven aalmoezen te geven.

'Sommigen waren misschien priester geweest,' preciseerde don Tibaldutio, 'maar in plaats van de Heer te eren met gebeden hadden ze hun ziel aan het Kwaad gewijd.'

Onder de boeren kozen ze de eenvoudigsten die onbekend waren met de wereld en haar verlokkingen, en dienden zich in ongebruikelijke kledij bij hen aan, de ogen bezeten van iets halverwege gekte en wijsheid. Ze verklaarden zich genezers, tovenaars en profeten tegelijk, redders van lichaam en ziel. Ze verkochten amuletten, relikwieën, wonderbaarlijke gebeden, toverformules ter bezwering, smeersels en panacees, ze kondigden wonderen of straffen Gods aan, legden dromen uit, vonden op wonderbaarlijke wijze schatten en rijke verborgen erfenissen terug, ze dreven de duivel uit en spraken vervloekingen uit, waarbij ze tekeergingen tegen de zondaren en de weg naar de Hemel beloofden aan de rechtvaardigen. Voor dat alles vroegen en kregen ze zonder mankeren financiële bijdragen.

Met hun vragen om een aalmoes (dat dus tegelijkertijd doel en middel was) genoten ze van het beïnvloeden, wijsmaken en bedriegen, zoals de geleerde

Gnesio Basapopi vertelt. Wanneer ze zich kastijdden met de zweep, lieten ze namaakbloed van een kip of een kat uit hun wonden stromen. Maar altijd weer ontfutselden ze de gelovige, simpele zielen, en dat waren er legio, aalmoezen en bijdragen bij de vleet. Hadden trouwens ook de sofisten niet de naam van duizendkunstenaars en kwakzalvers, tot zelfs Socrates en Plato aan toe? Niemand van die boeren kon zich de bisschop van Hippo herinneren, die maande alleen geld aan armen te geven en niet aan komedianten.

'Werden ze dan nooit ontmaskerd?' wierp ik tegen, terwijl ik een putter uit de kooi haalde, zijn poot aan een touw bond en hem vastmaakte aan een spijker in de stam van een jonge acacia.

'Natuurlijk, af en toe reageerde er wel een slachtoffer. Maar het kwam zelden voor, en hoe dan ook, wanneer het gebeurde, wierpen die schurken met het gemak van een slang hun oude huid af en namen ze weer hun vroegere werk van kwakzalver, rebecspeler of zelfs tandentrekker op want, zoals de versregel van Theocritus luidt, *paupertas sola est artes quae suscitat omnes*: alleen armoede scherpt ieder vernuft.'

Vervolgens zong hij zachtjes:

'Met leugens en bedrog
Zit je een halfjaar goed;
Met bedrog en leugens
Breng je d' and're helft zoet.'

'Wat is dat?' vroeg ik, terwijl we ons naar het terrein begaven waar de haakbussen klaargelegd waren.

'Een oud rijmpje van zogenaamde bedelaars. Dit alleen om je duidelijk te maken wat voor een doortrapte lieden het zijn.'

Maar er was meer. Volgens geruchten die aanhoudend rondgingen, waren de cerretanen vroeger allemaal in maar één sekte verenigd. Vervolgens zou hun hoogste priester de verschillende subgroepen hebben gesticht, niet zozeer om ze onder te verdelen naar de specialisaties, maar vooral vanwege een satanisch doel: de navolging van de religieuze orden van de Katholieke Kerk.

Het was een niet te onderschatten hypothese want Bernardino van Siena had al gerapporteerd hoe Lucifer op een dag alle demonen om zich heen had verzameld en hun de wens te kennen had gegeven om een kerk te beginnen die zich tegenover die van Christus stelde, een *Ecclesia malignantium* die de doeltreffendheid van de andere, de hemelse, zou tenietdoen of op zijn minst temperen, maar die wel naar het voorbeeld van de laatste zou worden gemodelleerd. Zelfs Agrippa von Nettesheim, die weinig geloof hechtte aan de toverijen van heksen, was zo zeker van de kwade eigenschappen van de cerretanen dat hij ze van het bedrijven van zwarte kunst beschuldigde.

'*Et quaecumque ille ordinavit in ecclesia sua in bonum, ego deordinabo in ecclesia mea in malum*,' dreunde don Tibaldutio met een ernstig gezicht Bernardino's woorden op.

Mettertijd liepen de dingen uit de hand, legde de kapelaan uit, terwijl ik een van de haakbussen die in de grond stonden controleerde om er zeker van te zijn dat het vizier goed gericht was. In de kloosters ging het verhaal van de vrijheden die ze in de wereld genoten: je hoefde onschuldige mensen maar wat onnozels voor te zetten. Toen kreeg het lichaam overhand op de geest, het eten en drinken op het gebed, ledigheid op de aan de Heer gewijde werken.

'Gehuld in zwarte klederen, zoals Libanius in *Pro templis* schrijft, aten de monniken meer dan olifanten. Het waren uiterlijk mannen, maar ze leefden als varkens, en in het openbaar duldden en deden ze schunnige, onbeschrijfelijke dingen. Zoals de heilige Augustinus wel wist waren monniken in de clausuur verworden tot een verachtelijk, modderig Gehenna,' sprak hij, terwijl hij een blik vol deernis wierp op een roodborstje dat ik dood in een van de kooitjes had aangetroffen, misschien door te veel spanning.

Monniken en pseudomonniken, door hun eigen bisschop in de ban gedaan, verlieten de clausuur en begonnen straffeloos rond te zwerven, waarmee ze de rust van de Kerk verstoorden en nieuwe verdorvenheid onder de rechtschapen mensen brachten. Ze verenigden zich met de bende van ware en valse bedelaars, schooiers, leeglopers, leprozen, zigeuners, zwervers, mankepoten en kreupelen die voor de poorten van de kerk liggen, en maakten die tot hun onreine kudde.

Alle deuren stonden open voor hun uitgeslapenheid. Maar niemand kon iets tegen ze beginnen, want ze waren arm of leken dat althans, en men moet, zoals Domingo de Soto leert in zijn *Deliberatio in causa pauperum*, hun in geval van twijfel toch een kleine gift verstrekken: *in dubio pro paupere*.

'Het beoefenen van de naastenliefde doet niet alleen de zonde teniet, maar, zoals de heilige Johannes Chrysostomus zegt, zij die *pro foribus ecclesiae sedent, stipem a nobis mendicantes, medicos vulnerum nostrorum*: de ellendige bedelaars die elkaar verdringen bij de ingang van de kerken, zijn de artsen van de ziel. Sterker nog, zoals Petrus Crisologus predikt, *manus pauperis est gazo-*

philacium Christi; quia quicquid pauper accipit, Christus acceptat: wanneer de arme zijn hand ophoudt om een aalmoes te vragen, is het Christus zelf die dat doet.'

'Maar als het is zoals u zegt, dan is schurkachtigheid de dochter van het mededogen, en dus indirect van de Kerk zelf,' concludeerde ik verbaasd, terwijl ik wat kruimeltjes brood in een kooitje deed.

'Eh, nou ja...' aarzelde don Tibaldutio, 'dat bedoelde ik niet echt.'

Toch was er, gaf hij toe, iets zeer verontrustends aan. De Hospitaalbroeders van Altopascio, bijvoorbeeld, die als wilden bedelden onder kastelen en dorpen, vormden zelfs een groep die officieel toestemming had van de Kerk van Rome. In hun preken joegen ze het volk schrik aan door te dreigen met de ban en vervolgens aflaten te beloven. En in ruil voor geld verleenden ze iedereen absolutie.

Waren uiteindelijk zelfs de pausen niet gezwicht voor de dubbelzinnige bekoring van bijgeloof en kwakzalverij? Bonifatius VIII droeg altijd een amulet tegen nierstenen op zijn lijf, terwijl Clemens V en Benedictus XII nooit scheidden van het *cornu serpentinum*, een slangvormige amulet dat Johannes XXII zelfs op zijn tafel hield, in het brood gestoken en omringd met zout.

'Maar volgens sommigen,' vervolgde hij, terwijl hij zijn stem een octaaf liet zakken, 'zouden zelfs de cerretanen de eerste tijd officieel toestemming hebben gehad.'

'Echt waar? Wat voor soort dan?'

'Het is een verhaal dat me is verteld door een medebroeder van mij die uit die buurt komt. Naar het schijnt – maar pas op, niemand heeft de bewijzen – hadden de cerretanen eind veertiende eeuw een reguliere toestemming om te bedelen in Cerreto, ten behoeve van de hospitalen van de Orde van de Zalige Antonius. Een toestemming die dus door de kerkelijke autoriteiten afgegeven was.'

'Maar dan werden de cerretanen bewust getolereerd! Misschien worden ze dat tegenwoordig nog wel.'

'Als zo'n toestemming heeft bestaan,' antwoordde hij alleen maar, 'zou dat geregistreerd moeten staan in de Statuten van de stad Cerreto.'

'En is het dat?'

'De bladzijden over het bedelen zijn er door iemand uit gescheurd,' zei hij met toonloze stem.

En als je, ging hij in één adem door, echt aan de praatjes gehoor wilde geven, dan werd er zelfs gezegd dat iemand in het Vaticaan hun vriend was.

'In het Vaticaan? Wie dan?' riep ik om mijn ongelovigheid te uiten.

Ik las spijt op zijn gezicht dat hij een woord te veel had gezegd, en spijt dat hij niet meer terug kon.

'Eh, nou ja... sommigen hebben het over iemand uit de Marche. Maar misschien is het alleen maar jaloezie omdat hij een belangrijke post heeft bij de bouw van de Sint-Pieter, en kletsen ze daarom achter zijn rug om.'

Dus, verbaasde ik me inwendig, iemand van de bouw van de Sint-Pieter (de eeuwige bouwplaats om de belangrijkste kerk van de christenheid te restaureren) stond in contact met de cerretanen. Het was duidelijk iets om uit te diepen, maar niet met de kapelaan, die zich verraden had en mij zeker niet meer details zou verschaffen.

Het was tijd om uiteen te gaan. Ik was klaar met mijn werk om de lokazen te plaatsen, alsmede om de haakbussen te controleren; en don Tibaldutio had volledig antwoord gegeven op mijn vraag over de oude banden tussen Kerk en cerretanendom.

Wat leek het op het handige, sluwe bedrijf van schurken dat er decennium na decennium steeds meer Heilige Jaren werden uitgeroepen, die onder de ogen van de gelovigen van een vroom eeuwfeest in een ordinaire geldmachine waren veranderd! Was dat soms het gevolg, hoe vaag ook, van de fouten en misstappen die gemaakt of geduld zijn toen de cerretanen hun intrede deden, nog voor het ontstaan van het Jubeljaar, geboren uit de rib van de heilige Moederkerk en gevoed door de heilige melk van Barmhartigheid en Naastenliefde? Sfasciamonti had gelijk, zei ik angstig bij mezelf: we werden omringd. De zetel van het pausdom was een vesting waar het paard van Troje allang binnen was gekomen.

Don Tibaldutio snoot bij wijze van conclusie zijn neus, me tussen de plooien van zijn zakdoek door peinzend beglurend. Hij begreep dat ik iets in mijn hoofd had dat ik hem niet wilde onthullen.

Ik bedankte hem en beloofde dat ik, als ik meer opheldering dienaangaande nodig had, beslist mijn toevlucht tot zijn leer zou nemen.

Een moment voor ik de kapelaan gedag wilde zeggen, schoot me een vraag te binnen die ik al lang had gekoesterd:

'Neemt u me niet kwalijk, don Tibaldutio,' zei ik met gemaakte nonchalance, 'hebt u ooit gehoord van de broederschap van de heilige Elisabeth?'

'Allicht, die kent iedereen,' antwoordde hij, verrast door de onschuld van mijn vraag. 'Die geeft geld aan de smerissen. Waarom vraag je dat?'

'Ik was erbij toen ze een paar dagen geleden langskwamen en... Het was voor het eerst dat ik ze zag passeren. Dat is alles,' zei ik, onhandig bagatelliserend.

Ik kon niet helder zien in de twijfel die geleidelijk van onderaf aan mij knaagde, en die nog niet bij mijn hoofd was aangekomen.

De hemel zij dank was de vrolijke jacht daarna op de beste en meest geslaagde manier verlopen. Na een paar uur observeren en hinderlagen leggen hadden de dames en heren hun jachtinstincten de vrije loop gelaten en halflege jagerstassen mee naar het Zomerverblijf teruggebracht, met magere of miezerige prooien (patrijzen, mussen, kraaien, een paar padden, twee mollen en zelfs een vleermuis), maar niettemin met uitzinnig plezier. Nadat ze de kooitjes met de lokazen hadden ingeleverd, kon ik uiteindelijk berekenen dat die laatste veel talrijker waren dan de gevangen prooien.

Maar een paar ongelukjes (gelukkig snel opgelost door het personeel, dat massaal was toegestroomd) hadden kortstondig het plezier verstoord en de arme don Paschatio hevige hartkloppingen bezorgd. Prins Vaini, die altijd al losgeslagen was, had het leuk gevonden om voor de grap de kruisboog te richten op de hoed van Giovan Battista Marini, hoofd van politie van het Capitool, totdat hij per ongeluk was afgegaan. De pijl had Marini's hoofd geschampt en was met zijn hoofddeksel in de boom erachter beland. Kardinaal Spada had, gesteund door de hofmeester en talrijke lakeien, langdurig zijn best moeten doen om te voorkomen dat Vaini en zijn slachtoffer met elkaar op de vuist gingen. De uitdaging voor een duel, die ze meerdere malen op verhitte toon hadden uitgewisseld, was uiteindelijk gelukkig op niets uitgelopen.

Intussen hadden monseigneur Borghese en graaf Vidaschi bij gebrek aan betere prooien hun haakbus op een dikke raaf gericht. De zwarte vogel (waarvan het vlees notoir onverteerbaar is) was op de grond gevallen en leek ernstig getroffen; toen de twee belagers echter naar voren waren gelopen om hem te vangen, was hij weer opgestegen, was zo'n beetje tussen de andere spelers gefladderd en had zich ten slotte vastgegrepen aan de fraaie, golvende haardos van markiezin Crescenzi, die in een gil van paniek en pijn was uitgebarsten. Toen de vogel eindelijk had losgelaten, had de hele groep hem met haakbussen en kruisbogen onder schot genomen. De stakker, die aan een vleugel gewond was, was er niet in geslaagd op te stijgen. Ten slotte op de grond beland was hij roemloos door een knecht met een bezem afgemaakt.

Het derde ongeluk was echter niet het gevolg van overmatige driestheid geweest, zoals in het geval van prins Vaini, maar van de uiterste onervarenheid. Markies Scipione Lancellotti Ginnetti, bekend om zijn geringe gevoel voor humor maar vooral om zijn verregaande kippigheid, had in de waan dat hij op de hoogste tak van een dikke den een prooi zag, fluks zijn kruisboog laten afgaan. Uit de twijgen was een wittig balletje gevallen dat op de grond was gebroken. Twee cavaliers waren erop af gelopen:

'Een ei!' riep de eerste uit.

'Niet op nesten schieten, dat is zinloos en wreed,' vervolgde de tweede tegen markies Lancellotti Ginnetti.

Anderen waren toegesneld om de aandacht te vestigen op de fout van de markies, die in die dagen zijn best deed om benoemd te worden tot kolonel van het Romeinse Volk (een oud, nobel ambt bij de stedelijke overheid), terwijl velen hoopten dat hij zou falen. Het was wel zo goed om de aandacht af te leiden van de echte jacht, die zulke povere resultaten opleverde. De markies probeerde zich vrij te pleiten en beweerde dat hij op een grote vogel had gemikt, terwijl iedereen in zijn vuistje lachte omdat men wel wist dat Lancellotti Ginnetti niet verder kon kijken dan zijn neus lang was.

Met hun gezicht opwaarts gericht probeerden talloze gasten, zogenaamde jachtexperts, uit te vinden bij welk soort vogel het op de grond gevallen ei hoorde.

'Oeverzwaluw.'

'Fazant, volgens mij,' opperde monseigneur Gozzadini, secretaris van de Memories van Zijne Heiligheid.

'Maar excellentie, boven in een boom...'

'Ach ja, dat is waar ook.'

'Een patrijs of een veldhoen,' meende een ander.

'Veldhoen? Veel te klein.'

'Neemt u mij niet kwalijk: het gaat om een tortel, of op zijn hoogst een rotsduif, dat is toch duidelijk!'

'Maar wel een witte tortel...'

'Misschien is het een Vlaamse gaai,' waagde markies Lancellotti Ginnetti, die het onwaardig leek om geen duit in het zakje te doen over het ei dat hij zelf op de grond had laten vallen.

'Nou ja, markies!' kwam prins Vaini met zijn bekende onbeschaamde toon in opstand. 'Ziet u niet dat het ei wit is, terwijl de eieren van een Vlaamse gaai gespikkeld zijn? Dat weet zelfs mijn zakdoek nog!'

De hele groep ging tegen de arme Lancellotti Ginnetti tekeer en onderstreepte de ernst van de fout met een reeks 'ja hoor!' 'Wat bezielt u?' 'Gekkenwerk' enzovoort, gekruid met veelbetekenende kuchjes.

Plotseling klonk het oorverdovende gedaver van een haakbus. Iedereen, ook Lancellotti Ginnetti, dook onmiddellijk op de grond om verdere schoten te ontwijken.

'Wie was dat?' vroeg prins Vaini, verloren om zich heen kijkend.

Gelukkig waren er geen doden of gewonden gevallen. Bij een snelle controle bleek zelfs dat niemand van de aldaar verzamelde heren een haakbus had. Wat verder weg gaf niemand van degenen die ze in de aanslag hadden toe dat hij in de laatste minuten geschoten had. Sommige aanwezigen hadden nog kippenvel en liepen weg om de jachtpartij weer te hervatten.

Het incident, waarvan ik toevallig getuige was geweest, toen ik een kooi lokazen op een gunstiger plek zette, had iets van ongerustheid bij me achtergelaten. Van dichtbij kon een haakbusschot alleen maar dodelijk zijn.

Plichtmatig meldde ik het voorval onmiddellijk aan don Paschatio; op zijn gezicht was evenzeer angst als ontzetting te lezen. Het ontbrak er maar aan dat op het feest waar hij toezicht op hield een dode zou vallen, wellicht van hoge geboorte. En hij begon te jammeren over het idee van de jachtpartij, dat het niet te doen was, zei hij, in die dagen van een spoedig verwacht conclaaf waarin iedereen een hekel aan elkaar had. Iemand kon zich laten verleiden om oude rekeningen te vereffenen.

Bij mij was de angst evenwel geleidelijk aan bekoeld. Ik had een vermoeden: ik kon nog niet bedenken hoe gegrond het was en hoe verstandig het zou blijken te zijn. Maar dringender zaken hielden me nu bezig en zetten me tot handelen aan.

Handelen als spion, om precies te zijn.

Den 13den juli 1700, zesde avond

Ik trof Atto in zijn vertrekken aan. Hij had niet meegedaan aan de vrolijke jacht: de jacht op Caesar Augustus was voor hem wel genoeg geweest, had hij gezegd. In werkelijkheid was hij te druk met zijn antwoord op de brief van de Connétablesse. Nu die verplichting was afgehandeld was hij zover om met Buvat naar het diner in de tuinen van Villa Spada te gaan. Ik berichtte hem wat ik van don Tibaldutio had gehoord: de cerretanen hadden zelfs een vriend in de Sint-Pieter, alleen had de kapelaan zijn naam niet onthuld.

'O ja? Wel, wel,' had hij gecommentarieerd, 'ik zal Sfasciamonti meteen vragen om informatie in te winnen.'

Een halfuurtje later begroef ik dus, nadat ik me ervan had vergewist dat de abt en zijn secretaris op weg waren naar de dis, wederom mijn handen in zijn vuile ondergoed en lichtte het bundeltje van de geheime correspondentie eruit.

Ik haalde het boekje van *Il pastor fido* dat ik uit de boekerij van Het Schip had geleend uit mijn zak: ik was gereed om de brieven van Maria in het licht van die verzen te lezen. Evenals de vorige keer vond ik in het bundeltje niet de brief van de Connétablesse, noch het antwoord dat de abt haar net had geschreven. Ik zocht tussen de persoonlijke bezittingen van Buvat in de hoop wat intessante papieren te ontdekken, zoals tijdens de vorige inspectie was gebeurd, maar ditmaal vond ik niets.

Ik rommelde overal, tevergeefs. Ik maakte me zorgen. Misschien begon Melani wel lucht te krijgen van mijn uitstapjes. Helaas moest Atto de brieven meegenomen hebben.

Er zat niets anders op dan me in te stellen op het lezen van het derde en laatste verslag van Maria Mancini over het Spaanse hof, het enige dat ik nog niet had bekeken.

Wie weet, zei ik bij mezelf; nu ik de waarheid over de correspondentie tussen

Atto en Maria had ontdekt, nu ik er de ware teneur van had begrepen, dat het niet om politiek of spionage ging maar om de liefde, zou ik in die verslagen misschien zinspelingen en citaten kunnen opsporen die me op het eerste gezicht waren ontgaan. Terwijl ik een blik uit het raam wierp om er zeker van te zijn dat Atto ver weg zat en elders bezig was, maakte ik de envelop open.

Bij het verslag zat een begeleidende brief van Maria. Hij was twee maanden eerder vanuit Madrid verstuurd. De Connétablesse antwoordde op een brief van Atto en bevestigde dat ze naar Rome zou komen voor het huwelijk Spada-Rocci.

Mijn vriend, ik begrijp Uw standpunt en dat van Lidio, maar ik zeg U nogmaals wat ik denk: het is allemaal zinloos. Meer nog, wat vandaag een goed lijkt, verandert morgen in ongeluk.

Maar ik zal komen. Ik zal de wensen van Lidio gehoorzamen. We zullen elkaar derhalve weerzien in Villa Spada. Dat beloof ik U.

Alweer een Herodotus-zinspeling op Lidio dus, dat wil zeggen Croesus, de koning van Lydia, met wiens naam, zoals ik de vorige dag had ontdekt, Atto en Maria de allerchristelijkste koning aanduidden.

Ik verzamelde mijn ideeën. Dan had Lidio, de allerchristelijkste koning in eigen persoon, Maria dus verzocht de uitnodiging van kardinaal Spada aan te nemen! En waarom eigenlijk?

Ik las en herlas, totdat ik het aanvoelde: de vorst wilde Maria overtuigen om naar Frankrijk terug te keren. Dat was abt Melani's missie. En het toneel van alles was de echtverbintenis in Villa Spada.

De Franse koning had heimwee naar de Connétablesse. Had Atto me dat de vorige dag niet zelf duidelijk gemaakt tijdens ons laatste uitstapje naar Het Schip? Hij had me zelfs onthuld dat Madame de Maintenon wilde dat de koning Maria terugzag nu ze oud was, in de hoop dat dat de herinnering die de koning aan de jaren van hun jeugd bewaarde onuitwisbaar zou bezoedelen.

De vorst, bedacht ik, liet via Atto niets onbenut om Maria te overtuigen hem weer te zien; misschien door in te gaan op de officiële uitnodiging aan het hof die la Maintenon zo voorstond, of wellicht in een geheime ontmoeting, ver weg van onderzoekende blikken.

Maar de Connétablesse had, afgaande op de brief die ik voor me had, geen enkele bedoeling om daarmee in te stemmen. Ze vond inmiddels dat het 'allemaal zinloos' was; sterker nog, 'wat vandaag een goed lijkt, verandert morgen in ongeluk'. Ze verwees waarschijnlijk naar een eventuele ontmoeting met de allerchristelijkste koning: na de vreugde dat ze elkaar weer omhelsd hadden, zou de bittere confrontatie met de werkelijkheid komen: het verlept zijn van de lichamen, de verwelkte trekken, de ineenschrompeling van iedere bekoorlijkheid.

Tja, redeneerde ik, tegenover de liefde van haar leven zou de Connétablesse zich nooit als oude vrouw vertonen.

Onwrikbaar verankerd aan die zekerheden ging ik verder met lezen. Ik fronste mijn wenkbrauwen; de Connétablesse leek plompverloren op een ander onderwerp overgestapt te zijn. Ze had het over de lotgevallen van Spanje:

U weet welk gezegde de ronde doet in Madrid? Karel v was keizer, Filips II was koning, Filips IV alleen een man en Karel II niet eens dat.

Mijn vriend, hoe zijn we tot zo'n puinhoop gekomen? Talloze houtwormen knagen aan de oude stam van de monarchie, maar vergis u niet: vele, te vele komen van over de Pyreneeën. Wie heeft Spanje het gif van de spionnen, de provocateurs, de sluwe terreur, de verkeerde informatie, de corruptie in de vermoeide ledematen gespoten? Wie wil dat Spanje wordt leeggehaald, vervuild, bedwelmd, wie wil dat men het net zo laat rotten als het wandelende lijk van de koning?

Ik ben Italiaanse van geboorte, opgegroeid in Frankrijk, en ik heb Spanje als mijn nieuwe vaderland gekozen: ik herken het wanneer de schaduwen van de Grote Aasgieren zich uitstrekken over Madrid.

Ik onderbrak even de lectuur: wie waren die Grote Aasgieren? Waarschijnlijk de andere Europese mogendheden. Het verslag ging verder met de lijst nederlagen van de laatste halve eeuw. Te beginnen bij de bloedige slag bij Rocroy, waar de Spaanse troepen die aanvankelijk aan de winnende hand waren uiteindelijk door de Fransen werden afgeslacht. Het hoofd van de Spaanse troepen, Francisco de Melo, die zich de overwinning had laten ontgaan, kreeg twaalfduizend dukaten beloning in plaats van straf. Wat was een betere zet, vroeg de Connétablesse zich af, om het verval en de omverwerping van iedere waarde te laten triomferen?

Sindsdien was alles mislukt: de vernederingen in Vlaanderen, de nederlagen van Balaguer, Elvas en Estremoz, de verpletterende nederlaag bij Lens en de schandelijke aftocht van Castel Rodrigo, het verlies van Portugal na vierentwintig jaar oorlog en de opstand van Napels (dat zelfs de republiek had uitgeroepen) die maar met grote moeite werd bedwongen. En waarom zou je je over de voortdurende militaire tegenslagen verbazen, als het Spaanse leger zich teneinde het tekort aan middelen goed te maken had moeten voorzien (zoals bij de expeditie tegen Fuentarrabía) van oude wapens uit de verzameling van de hertog van Albuquerque, wat op het laatste moment nog door de koning in eigen persoon voorkomen werd? Waarom zou je je verbazen, als al Karels vader, Filips IV, als voornaamste vertrouweling een slotzuster had die niet op de hoogte was van wat er in de wereld speelt?

Wanneer je van de veldslagen overstapte op de diplomatie was het nog erger. De Vrede van Westfalen had Spanje vernederd, die van de Pyreneeën had het voor heel Europa te kijk gezet.

Intussen waren de leden van de dynastie gevallen als vliegen: de eerste vrouw van Filips IV, Isabella, op pas eenenveertigjarige leeftijd overleden en twee jaar later gevolgd door haar oudste zoon Balthasar Karel; het prinsje Filip Prosper, voor zijn vijfde jaar gestorven; de eerste vrouw van Karel II, nog geen dertig en ontslapen door vermoedelijk vergiftiging.

Nu, op het toppunt van deze lange lijdensweg, zijn we hier in de hoofdstad allemaal verscheurd. Geheime agenten van beide partijen laten, omgekocht of afgeperst, geruchten circuleren over een nederlaag, moedigen opstanden aan, maken iedere regering voor de onderdanen onzichtbaar.

Mijn vriend, denkt U dat U het niet hebt begrepen? Het bevel duldt geen tegenspraak: laat de minister corrupt, de magistraat arbitrair zijn, laat de priester zonde begaan.

De Grandes van het koninkrijk zijn tegen elkaar opgezet opdat geen enkele gewone actie mogelijk is. Laat iedere regering maar kort duren, om de onzekerheid te doen toenemen. Laat de stelende ministers mild gestraft worden, of helemaal niet, om de oprechte burgers ervan te overtuigen dat het Kwade loont. Laat de bestuurders opgehouden worden in ceremoniëlen en feesten, onverschillig voor het vaderland dat de ondergang tegemoet gaat. Men dient de hoop op de toekomst, op gerechtigheid, op medemenselijkheid te verdrijven.

Pas dan zal onder de krachtige prikkel van het verkeerde voorbeeld het plan van de Grote Aasgieren zijn voltooiing vinden: ook de smeris zal stelen, de koopman zal oplichten, de soldaat zal deserteren, de oprechte moeder zal hoer worden. De kinderen zullen zonder liefde en illusies moeten opgroeien om chaos en ongeluk te zaaien onder de toekomstige generaties. Laat men de poging van Herodes overdoen, laat ieder zaad van liefde worden gesmoord; laat de waanzin zich verspreiden.

Men dient de aanspraak van iedere Spaanse onderdaan op rechten, respect en waardigheid te vernietigen. Laat hij zich ervan overtuigen dat zijn lot er voor niemand toe doet, en dat hij daarom geen bijstand kan verwachten. Hij zal zich door alles en iedereen verraden voelen, en haten.

Tegenover zijn schrik, zijn honger, zijn angst zal het paleisprotocol schitterend, zullen de voorrechten der rijken schaamteloos dienen te blijven. Elke dag zal voor de Spaanse onderdaan de kleur van de ontgoocheling, de geur van het verraad, de bittere smaak van de woede dienen te hebben. Totdat hij op een dag, op een ochtend zal opstaan en zijn bestuurders zal vervloeken, maar met gelatenheid. Op die dag is de tijd rijp.

De ondergang of voorspoed van rijken verloopt niet via de financiën, niet via de legers, maar via het hart van het volk. Zelfs de bloedigste tiran vermag op den duur niets tegen de vijandschap en het wantrouwen van zijn stadgenoten. Die zijn machtiger dan kanonnen, sneller dan de cavalerie, onontbeerlijker dan geld, omdat de ware macht (iedere minister weet dat) stamt van de Geest en niet van het Lichaam.

De minachting van de man uit het volk is een warme wind die geen muur kan tegenhouden. Ten langen leste doet ze zelfs de hardste steen, het degelijkste bolwerk, het scherpste zwaard wegsmelten.

Daarom willen de tirannen van elke tijd het volk verpletteren, maar niet voordat ze zijn toestemming hebben gekregen.

Voor dat doel is echter de leugen wezenlijk, de moeder en zuster aller despoten. Dezen roepen gevaren over zich af die door henzelf heimelijk zijn gecreëerd, opgeblazen door de couranten, en waarvoor ze beweren de oplossing te hebben. Om die te bereiken zullen ze volmachten vragen en krijgen. Daarmee zullen ze ten slotte het volk tot wanhoop brengen.

Wat zal er dan gebeuren? De Grote Aasgieren zullen juichen. O, dwazen! Want het zal ook hun einde betekenen: het zal de oorlog van iedereen tegen iedereen ontketenen, om het stoffelijk overschot van het dode Spanje onder elkaar te verdelen. Een grote broederstrijd, een nieuwe Peloponnesische oorlog, waarna er geen vrede meer zal zijn, maar alleen nog meer oorlogen, dochters van deze.

Omdat ik de politieke lotgevallen van Spanje niet kende, begreep ik de toespelingen van de Connétablesse niet goed. Ik ging dus zonder meer over op het lezen van het verslag en vernam zo waar zo veel moedeloosheid, met goed recht, vandaan kwam:

Opmerkingen
om de Spaanse zaak te dienen

Bij de dood van koning Filips IV is Karel II nog maar een kind. Het regentschap komt dus toe aan zijn moeder, Maria Anna. Niet in staat de lotgevallen van het rijk alleen te sturen benoemt de weduwe van Filips IV een jezuïet, pater Nidhard, haar biechtvader, tot hoofd van de regering. Weldra echter wordt hij uitgestoten door een samenzwering van don Juan de Bastaard. Een paar jaar later neemt Valenzuela zijn plaats in, een gewetenloze avonturier die door koning Karel, nu een jongeman, is benoemd tot Grande van Spanje als goedmakertje voor een jachtongeluk (tijdens een drijfjacht had hij hem in een bil geraakt). Maar de Bastaard bevordert een tweede complot, hij verbant de koningin en laat ook Valenzuela arresteren. De vrouw van de laatste wordt aangehouden, gevangengezet en verkracht; ze eindigt haar dagen als bedelares en sterft waanzinnig. Dan sterft echter ook de Bastaard, de koningin-moeder keert terug en benoemt een nieuwe eerste minister, graaf de Medinaceli.

Medinaceli werkt de hele dag, ogenschijnlijk doet hij zijn best, maar in feite brengt hij nooit iets tot stand. Desondanks legt hij vanwege de zware inspanningen zijn functie neer. Er verstrijken drie jaar voordat er een opvolger wordt gevonden. Eindelijk neemt de graaf de Oropesa de teugels in handen. Hij heeft een zwakke gezondheid, wordt gekweld door chronische aanvallen van belroos, brengt bijna meer tijd in dan buiten zijn bed door. Na ternauwernood drie jaar wordt hij door een paleiscomplot met een simpel briefje ontslagen en verbannen. Koning Karel benoemt dan een nieuw kabinet zonder eerste minister, dat weldra echter tot 'oplichtersregering' wordt gedoopt. Dan gaat men over op een quadrumviraat van drie edelen en een kardinaal. Dit kan niets goeds tot stand brengen, er wordt weer gewisseld: aan de regering komt de hertog de Montalto, die op zijn beurt snel met pensioen wordt gestuurd. De koning roept dan opnieuw Oropesa, voor wie hij een bijzondere sympathie had. Maar een volksopstand vaagt hem weg: bij de komst van de opstandelingen weet hij als door een wonder verkleed als monnik met vrouw en kinderen te ontvluchten.

De publieke rekeningen zijn zo rampzalig en chaotisch dat niemand de balans van de staat kan reconstrueren. De belastingen worden door de ambtenaren hoog gehouden om er hun zakken mee te kunnen vullen door stilletjes inkomsten aan de schatkist te onttrekken of door zich te laten corrumperen. De koninklijke financiën zijn er zo slecht aan toe dat zelfs het personeel van het Alcázar zonder loon zit. Tegelijkertijd echter worden drie weken lang de belastingen op vlees en olie verhoogd om de acteurs die de verjaardag van de koning vieren te betalen.

De Fransen vallen Catalonië binnen, het Spaanse leger wordt verpletterend verslagen aan de rivier de Ter; Palamós en Gerona worden bezet.

El Rey, die de regeringsactiviteiten beziet zoals de duivel het wijwater, brengt de dagen in de tuin van Buen Retiro door met het plukken van mandjes aardbeien.

In de straten is het leger arme drommels, bedelaars, kruimeldieven, asocialen bovenmatig gegroeid. Het volk ligt op zijn knieën. De kleinste levensmiddelen worden in goud betaald; diefstallen, moorden, roofovervallen zijn aan de orde van de dag. De accijnzen op ovenproducten gaan omhoog, de bakkers staken. Madrid, dat al uitgehongerd is, zit zonder brood. Meel is onvindbaar. Om wat te bemachtigen moet de Engelse ambassadeur in Madrid een tot de tanden gewapende divisie sturen, anders worden zijn bedienden onmiddellijk overvallen. Bakker zijn betekent iedere dag gevaar lopen om te worden beroofd en vermoord.

Alles wat het uitgehongerde volk als antwoord krijgt is de zoveelste aankondiging: de koningin is zwanger, Spanje zal een troonopvolger krijgen. Maar niemand gelooft meer in de leugens van het koninklijk paleis.

De donkerste dag is 28 april 1699, een jaar geleden, wanneer de woedende menigte bij het Alcázar komt, tot onder de koninklijke ramen. De vorst moet in eigen persoon over het balkon naar buiten en alleen door een wonder weet hij de rebellen te kalmeren. Aan het hof hangt de catastrofe in de lucht.

De koning is verlamd door angst, bereid om alles te doen wat men zegt. Maar niemand wil of kan hem advies geven. De partijen waarin het hof is verdeeld zijn wespennesten waar iedereen, ook goede vrienden, niets anders verwachten dan elkaars ondergang. Frankrijk en Oostenrijk wakkeren heimelijk het vuur van de woede aan door ambitie en naijver te kweken.

Ik onderbrak het lezen: het geluid van voetstappen in de gang leek naderbij te komen. In een flits legde ik alles terug en sprong naar de deur, gereed om weg te glippen. Helaas was het te laat: Atto Melani kwam terug. Het geluk wilde dat hij alleen was.

Ik trok me terug in Buvats kamertje, biddend dat de secretaris niet te snel terug zou keren, en vandaaruit zag ik hem door de halfdichte deur. De abt zette als eerste zijn zware izabelkleurige pruik af, hetgeen hem – gezien de weinige koelte van dat toch late tijdstip – een gegrom van voldoening ontlokte. Hij deed hem op de daarvoor bestemde paspop en zette hem op de kast naast het bed. Vervolgens kleedde hij zich kreunend van vermoeidheid snel uit. De volle, net verstreken dag had de krachten van de abt verzwakt: hij had zich in zijn vertrekken teruggetrokken zonder het einde van het diner af te wachten, en nu riep hij niet eens een kamerpage om zijn schoenen te laten uittrekken.

Verscholen in het kamertje moest ik mijns ondanks getuige zijn van Atto's ontkleden. En tot mijn verrassing zag ik een lichaam van weliswaar uiterste rijpheid, maar in uitstekende vorm.

De huid hing en vormde op meerdere plaatsen massa's plooien; de schouders echter waren goed recht, de benen nerveus en snel, en ze leken wel twintig jaar jonger. Op geen enkel punt waren de onderste ledematen getekend door de blauwige vlekken die de ouderdom onvermijdelijk met zich meebrengt. Ja natuurlijk: als dat niet zo was geweest, peinsde ik, zou abt Melani niet het gewicht van die intense dagen vol actie hebben kunnen dragen.

'De abt is bang om vergeten te sterven. Maar als hij zo doorgaat, zal hij nog lang en veel leven. Hij heeft vast de tijd om geschiedenis te maken,' concludeerde ik grinnikend bij mezelf.

Atto doofde de kaars en uitsluitend bij het licht van de maneschijn stapte hij in bed zonder ook maar het witte poeder van zijn gezicht, de mouches en het karmijnrood van zijn wangen te halen. Weldra lag hij diep te snurken.

Ik wilde net weglopen toen ik me herinnerde dat ik het belangrijkste nog niet had kunnen vinden: de twee laatste brieven van Atto en Maria. De abt moest alles op zijn lichaam gedragen hebben. Dit was de beste gelegenheid om ze te ontdekken.

Ik kamde zijn kleren van onder tot boven uit, hakken inbegrepen, maar vond niets. Melani's onderwijzingen evenwel, alsmede de talrijke opmerkelijke ervaringen die ik aan zijn zijde had opgedaan, hadden mijn zintuigen en verstand verfijnd. Toen ik dus aandachtig om me heen had gekeken, viel me een curieus detail op. Atto had zijn opzichtige pruik niet teruggezet op de toilettafel, zoals had gemoeten, maar op het nachtkastje bij zijn bed. Alsof hij hem zelfs tijdens zijn slaap goed in de gaten moest houden...

Na veel inspanningen om niet het geringste geluid te maken, die me het nodige zweet kostten, slaagde ik in de onderneming: de brieven bevonden zich in een onvoorstelbaar geheim vakje van de pruik, in het gesteven doekje waaraan de gekrulde lokken van de valse haardos waren bevestigd. De lastige keuze van de schuilplaats liet geen twijfel bestaan: de abt was als de dood dat iemand ze zich zou toe-eigenen. Hoe kon je hem ook ongelijk geven, zei ik bij mezelf, na alle wederwaardigheden met de cerretanen? Maar al die ijver kon ook betekenen dat de inhoud van die brieven gevoeliger en misschien pikanter was dan de eerdere epistels.

Tot mijn verbazing ging het niet om slechts twee brieven, maar om wel vijf. Met de traagheid van een schildpadje, en de krakende houten vloer vervloekend liep ik eindelijk van het bed waarop abt Melani rustte vandaan.

Drie brieven leken eigenlijk heel oud. Nieuwsgierig geworden maakte ik er een open. Het was het slotstuk van een brief in het Spaans, door een onvaste hand geschreven. Hoe verbaasd was ik toen ik de handtekening las:

Yo el Rey

Het was een brief van de Spaanse koning, de arme Karel II. Hij was gedateerd in 1685, maar liefst vijftien jaar geleden. Ondanks de extreme gelijkenis tussen de Spaanse en de Italiaanse taal kon ik door het verwrongen, lijdende handschrift van de vorst geen touw aan het geschrevene vastknopen. Ik opende de andere twee vellen, op zoek naar het begindeel van de brief, om er ten minste achter te komen aan wie hij was gericht. Tot mijn verbazing zag ik dat deze ook elk alleen maar het slotstuk van een brief van jaren daarvoor bevatten. Alle waren getekend door de Spaanse koning, en ook hiervan was het me niet gegeven de inhoud te begrijpen.

Wat betekenden die incomplete bladzijden? En waarom had abt Melani ze? Ze moesten wel belangrijk zijn als hij ze in zijn pruik bewaarde.

Helaas had ik maar weinig tijd om na te denken. Er was iets dringenders: de twee brieven van Atto en Maria door lopen, en ze voor Buvats terugkeer weer op hun plaats leggen.

Mijn ogen waren nog niet op de eerste regels gevallen of ik schrok al op.

Mijn dierbare vriend,

Ik heb een allerverrassendst bericht vernomen waarvan ik zeker weet dat het U evenzeer als mij zal boeien en verbazen. Zijne Heiligheid Innocentius XII *heeft voor de Spaanse kwestie een speciaal adviesorgaan in het leven geroepen. Naar het schijnt is de paus na lang aarzelen gisteren, 12 juli, gezwicht voor de klemmende verzoeken van de Spaanse ambassadeur Uzeda om zich uit te spreken over het verzoek van el Rey, en heeft hij de kardinaal-staatssecretaris, onze welwillende Fabrizio Spada, alsmede de kanselier voor de breven, kardinaal Albani, en de kardinaal-camerarius, kardinaal Spinola van San Cesareo, opgedragen de situatie te bestuderen teneinde het pauselijk antwoord voor te bereiden.*

Mijn hart bonsde luid. Spada, Albani en Spinola: dezelfde drie eminenties die al dagen en dagen heimelijk bijeenkwamen in Het Schip en naar wier sporen Atto en ik tevergeefs probeerden onderzoek te doen. Was de Spaanse troonopvolging dan de ware reden waarom zij elkaar ontmoetten en niet het conclaaf?

Ik sloeg mijn ogen op van de brief en fronste peinzend mijn wenkbrauwen. Waarom had Atto het niet meteen verteld toen hij het nieuws uit Maria's brief had vernomen?

Ik liep gejaagd de brief door. Iets verderop hield ik stil:

Zijne Heiligheid is dus gezwicht voor vasthoudender lieden dan hijzelf. Zal hij daarom de nodige helderheid van geest hebben om zich doeltreffend in te zetten voor el Rey? Daar ga ik dus weer twijfelen, mijn vriend: wat bedoelt de Heilige Vader wanneer men hem hoort kreunen, zoals ik U reeds schreef: 'Men onttrekt zich aan het gezag dat de Stedehouder van Christus toekomt en bekommert zich niet om ons'?

Ik ging snel over op Atto's antwoord, dat me nog meer te denken gaf:

Genadige vrouwe,

Ik weet al lang van het orgaan van de drie kardinalen dat de opdracht heeft advies uit te brengen over de Spaanse kwestie. De zaak is hier in Rome algemeen bekend, althans in de beter ingelichte kringen. Als U hier onder ons was, op het feest, zou U het reeds beseffen...

Ik twijfelde aan die woorden. Wilde Atto Maria soms doen geloven dat hij op het juiste moment over alles was ingelicht, om geen figuur te slaan? Melani's brief ging verder:

Aanvankelijk had Zijne Heiligheid eigenlijk kardinaal Panciatici in de plaats van Spinola gekozen, en dat zou beter voor Frankrijk zijn geweest, omdat Spinola duidelijk keizerlijk gezind is; maar toen heeft de eerste om gezondheidsredenen moeten weigeren, zodat hij ook niet aanwezig heeft kunnen zijn op de verrukkelijke bruiloft in Villa Spada.

Hoe dan ook, U bent zeer tijdig ingelicht: officieel zal de opdracht pas morgen, 14 juli, door de paus worden verstrekt.

Nee, Atto huichelde niet bij de Connétablesse. Hij sprak de waarheid: maar tegen mij had hij gelogen. Door al die details, die hij zo zelfverzekerd uitstalde, was het duidelijk dat Atto allang zeer goed op de hoogte was van de diplomatieke manoeuvres van de drie kardinalen rond de hulp die door Karel van Spanje aan de paus was gevraagd. Maar hij had mij dat bewust verzwegen, en lange tijd ook.

Vervolgens vroeg ik me ineens af: wat had ik de avond tevoren in afwachting van het blijspel ook alweer van die drie toeschouwers gehoord? De ambassadeur van Spanje, hertog d'Uzeda, had met hulp van anderen paus Innocentius XII eindelijk overtuigd. Waarvan hadden ze er alleen niet bij gezegd. Noch hadden ze de namen genoemd van degenen die Uzeda met hun invloed op Zijne Heiligheid hadden bijgestaan: ze hadden alleen gezinspeeld op 'vier sluwe vossen'.

Maar nu verduidelijkte de brief van de Connétablesse alles: Innocentius XII wilde blijkbaar niet bij de kwestie van de Spaanse troonopvolging betrokken raken, maar was uiteindelijk gezwicht voor de druk van de ambassadeur uit Madrid. En wie waren de andere 'sluwe vossen' zoals hij, als het niet Albani, Spada en Spinola zelf waren? Daarom had een van die drie gasten die ik de avond tevoren had afgeluisterd de andere twee tot zwijgen gebracht met de woorden *lupus in fabula* toen hij kardinaal Spada eraan had zien komen.

Enfin, de drie eminenties hadden bij de stervende paus niets onbenut gelaten opdat deze hun de taak toewees om zich met de Spaanse troonopvolging bezig te houden. Maar het ergste van al was wel dat toen paus Pignatelli de dag daarvoor, de twaalfde, zich had laten overtuigen om het orgaan in te stellen, de drie kardinalen al een week heimelijk bijeenkwamen in Het Schip! Misschien bepaalden ze bij iedere ontmoeting de te volgen tactiek bij de Heilige Vader, wie zal het zeggen.

Wat was een betere gelegenheid om hun vergaderingen te verhullen dan de bruiloft in Villa Spada? Niemand zou argwaan hebben als ze samen gezien werden, aangezien Spada de heer des huizes was en zowel Albani als Spinola tot de gasten behoorde. Nog daargelaten dat ze in hun uitstapjes naar Het Schip zo handig waren dat het de abt en mij nooit was gelukt ze daar tijdens een van hun bijeenkomsten op heterdaad te betrappen.

Het leek kortom of die arme oude paus niet meer meetelde, precies zoals de drie gasten van de avond tevoren hadden geconstateerd.

Ik raakte erdoor verbitterd: helaas betekende dat dat Spada als staatssecretaris naar alle waarschijnlijkheid een van degenen was (samen met de kanselier van de breven, Albani, en de kardinaal-camerarius, Spinola van San Cesareo) tegen wie de paus kreunde 'men onttrekt zich aan het gezag dat de Stedehouder van Christus toekomt en bekommert zich niet om ons', zoals de Connétablesse wel twee keer in haar brieven aan Atto had gerapporteerd.

Wat was de rol van de abt bij dit alles? Dat was duidelijk: Melani wilde de drie bespioneren, niet voor het conclaaf, maar om te weten of ze voor de Spaanse troonopvolging ten gunste van Frankrijk besloten of niet. En zich eventueel gereed houden om voor zijn koning op te treden. Als ik zijn correspondentie met Maria niet had gelezen, zou ik van dat alles niet op de hoogte geweest zijn.

Ontmoedigd en terneergeslagen ging ik verder met lezen:

... maar U moet niet denken dat Zijne Heiligheid in slechte handen is. Uit wat ik heb kunnen opmaken wordt hij volkomen belangeloos bijgestaan door de staatssecretaris en de kanselier van de breven, alsmede door de kardinaal-camerarius, die iedere staatsaangelegenheid met de grootste zorg en ijver behartigen. Zoals ik U reeds heb kunnen schrijven, hebben zij Zijne Heiligheid geenszins de bisschopsstaf uit de hand getrokken, maar geven ze trouw gevolg aan de moeilijke taak waarmee de paus hen heeft willen belasten, een gewicht dat ze ootmoedig en met vreugde hebben aanvaard. Vrees niet.

Van spanning klemde ik de brief tussen mijn vingers, zodat ik bijna gevaar liep sporen van mijn stiekeme lezen na te laten. Wat een schaamteloze man! Niet alleen wist Atto heel goed wat die drie kardinalen op hun geheime ontmoetingen in Het Schip uispookten (ook al had hij ze nooit kunnen betrappen), maar hij sprak er in gedweeë en honingzoete bewoordingen over. En dat terwijl zich onder die drie uitgerekend kardinaal Albani bevond, oftewel een van Atto's aartsvijanden: degene van wie wij de avond tevoren dankzij Ugonio's inlichtingen hadden ontdekt dat hij onder één hoedje speelde met Lamberg. Het was wel raar: wat hield abt Melani voor mij verborgen?

Toen ik verder ging met lezen, merkte ik echter dat het onderwerp plotseling veranderde:

Maar afgelopen nu met die beuzelpraat. U weet hoe graag ik mij in de wereldse ijdelheid stort en in de nesten van de politiek, als ik door erover te spreken (of schrijven) de lieflijkste, nobelste en betoverendste der vorstinnen kan dienen. Al onderhield U mij met de lichtzinnigste der listen, dan nog zou U mij moeiteloos voor de gek houden, aangezien alles wat uit Uw mond komt, evenals uit Uw pen, subliem, betoverend en liefde waardig is.

Het wordt echter tijd om op serieuzere zaken over te stappen. Genadige en geliefde vrouwe, hoe lang nog zult U zich de geneugten van Villa Spada ontzeggen? Nog twee dagen slechts en de festiviteiten zijn voorbij, en ik heb nog niet het genoegen gesmaakt aan Uw voeten te knielen. En U Zegt mij nu ook niet meer of Uw gezondheid hersteld is en wanneer U komt. Wilt u mijn dood?

Als met het mededogen in U niet de
bevalligheid en de deugd zijn gedoofd, die bij U ontstonden,
ontzeg mij dan niet, als het U belieft,
wrede, ja, maar wel schone ziel,
ontzeg mij dan niet bij de laatste zucht
één enkele zucht van U naast mij.

Welke naijverige god laat U Lidio de rug toekeren en neerkijken op zijn verzoeken? U weet het: als ik hier ben, is dat alleen omdat U Lidio had beloofd te komen.

Ziedaar de waarheid. Hoe had ik kunnen twijfelen? Hij hield van haar, en zijn liefde ging op in die van zijn koning, van wie Atto slechts de oude boodschapper was. En door terug te komen op het onderwerp van de liefde, onthulde de abt dat elk ander ding duidelijk een voorwendsel was geweest om zich, zij het ook alleen op papier, met het voorwerp van zijn gevoelens te kunnen onderhouden.

Nee, er school geen enkel ander mysterie in dan de oude liefde die drie verheven bejaarden onderling verbond. De abt was tegenover mij weliswaar terughoudend geweest over de kwestie van de Spaanse troonopvolging en had me in de waan gelaten dat de drie kardinalen bijeenkwamen met het oog op het komende conclaaf. Maar het was ook waar dat de zaak uiterst gevoelig lag en Atto me liever onwetend had gelaten. Uit de tijd dat we elkaar in herberg De Schildknaap hadden leren kennen, wist ik nog goed hoe kwistig de abt verbluffende onthullingen over gebeurtenissen van lang geleden rondstrooide, terwijl hij me de waarheid over zijn manoeuvres en zijn plannen van het moment zorgvuldig verzweeg. Wat kon ik ook anders verwachten van een langetermijnspion? Ik moest me erbij neerleggen: abt Melani zou altijd iets voor me verborgen houden, al was het maar vanwege zijn natuurlijke achterdocht en gekunsteldheid.

Met nieuwe ogen dacht ik terug aan Melani's brief die ik zojuist had gelezen en hij leek me niet meer zo verdacht: kon Atto's onderdanige toon als hij het over Albani had, om maar iets te noemen, niet worden toegeschreven aan de angst van de abt dat iemand zijn brieven zou kunnen lezen en zou begrijpen dat hij de drie kardinalen voor de allerchristelijkste koning bespioneerde?

Het werd tijd om te verdwijnen. Ik liet die laatste brief achter waar ik hem had gevonden, in de pruik van de abt. De liefdesversregels gingen door hun rebelse aard tegenover de menselijke wil echter verder met me mee. De roerloze dans van de dichtregels zette zich voort op de weg die me nog scheidde van mijn bed, waar ik voor de laatste keer het boekje van *Il pastor fido* van cavalier Guarini te voorschijn haalde en die dichtregels opzocht. Toen ik ze had gevonden, zwevend op de mond van Silvio en Dorinda, moest ik glimlachen bij die laatste bevestiging van de waarheid, die voor één keer beter was dan mijn angsten. Atto, Atto,

een wrede, ja, maar wel schone ziel,

herhaalde ik in het verwarde piekeren dat aan de slaap voorafgaat, en ten slotte in het mysterie van de nachtelijke uren, wanneer de ziel zich voedt met schimmen en ijdele beelden, en zich graag als onsterfelijk ontpopt.

Den 14den juli 1700, achtste dag

'En wat bedoelt u daar eigenlijk mee? Dat ik een domoor ben?'
De arme Buvat zweeg op slag, bestookt door de zure toon van Atto.
Die ochtend was abt Melani buiten zichzelf. Buvat was net terug van een ronde in de stad en had ons in alle vroegte aangetroffen, druk in gesprek over een manier om in de Broederschap van het Oratorium door te dringen en de bewaking van de paters philippijnen te ontwijken. Zodra hij had geprobeerd aan de discussie bij te dragen, was Atto tegen hem uitgevaren.

'Ik zou nooit durven, mijnheer de abt,' verweerde de secretaris zich toen aarzelend, 'alleen...'

'Alleen wat?'

'Nou, er is geen reden om de bewaking van de paters philippijnen te ontwijken, zoals ik zei, omdat ze hoegenaamd niet bewaken.'

Abt Melani en ik keken elkaar ontsteld aan.

'Met name,' ging Buvat verder, 'als het om de verzameling van Virgilio Spada gaat: die is door hemzelf op een toegankelijke plaats ingericht en vormt juist een waar museum, gemaakt om de nieuwsgierigheid van vele bezoekers te bevredigen.'

Buvat legde zelfs uit dat Virgilio Spada in zijn jeugd dan wel onder Spaanse vlag het soldatentenue had gedragen, maar later een diep gelovig, zeer ontwikkeld, belezen man was geworden; hij was een goede vriend van de grote architect Borromini, die hij een halve eeuw eerder ook aan het hof van paus Innocentius x had geïntroduceerd; daarna was hij door de paus opgeroepen om het grote hospitaal van de Heilige Geest in Saxia op te knappen, en hij had de benoeming van Geheime Aalmoezenier van Zijne Heiligheid verworven. Behalve dat was hij dankzij zijn geestelijke gaven broederlijk ontvangen in de vrome Broederschap van het Oratorium, zo geheten omdat de stichter ervan, de heilige Philippus Neri, was begonnen de eerste geestelijke bijeenkomsten te houden in het Oratorium van de heilige Hiëronymus van de Naastenliefde, en daarna in dat van de Santa Maria in Vallicella, waar zich dus nu de zetel van de Broederschap van het Oratorium bevond en in de ruimten daarvan ook de verzameling van Virgilio.

'Hoe kunt u dat in 's hemelsnaam weten?' vroeg Melani.

'U zult vast nog wel weten dat ik de afgelopen dagen bij mijn gang langs de bibliotheken op zoek naar informatie over de cerretanen ook naar de Biblioteca Vallicelliana ben geweest, die zich dus bij het Oratorium van de paters philippijnen bevindt, met wie ik lang en plezierig heb gesproken. Ik had al een blik op de verzameling van Virgilio Spada kunnen werpen, als u mij maar had gezegd dat u daar ook die voorwerpen dacht te vinden die u zo bezighouden.'

Melani sloeg zijn ogen neer en mompelde woedend bij zichzelf een paar platvloerse woorden.

'Goed, Buvat,' zei hij toen, 'breng ons naar uw vrienden Oratorianen.'

'En dit moet zijn wat u zoekt,' zei de jonge geestelijke, terwijl hij de sleutel omdraaide in het slot van een grote ladekast met twee deurtjes.

Het vertrek was vrolijk en licht, maar werd streng door de vitrines, de laden en de notenhouten stellingen vol voorwerpen langs de wanden waardoor het bijna op een sacristie leek.

'Niemand weet dat die voorwerpen, de voorwerpen die u zoekt, hier zijn. Misschien weet alleen iemand van de familie Spada dat nog,' vervolgde de geestelijke met een blik waaruit het verlangen sprak te weten waarom wij er ook van op de hoogte waren.

'Precies, dat klopt volgens mij,' antwoordde Atto zonder in te gaan op de opmerking van de Oratoriaan, die zodoende gespeend bleef van informatie.

We bevonden ons in de zaal van het Oratorium van de philippijnen die gewijd was aan het museum: een hoekkamer op de tweede verdieping tussen het plein van de Nieuwe Kerk, die naast het Oratorium zelf stond, en een smal straatje dat Via de' Filippini heette.

Aanvankelijk hadden we ons een gedetailleerd bezoek aan heel de verzameling van Virgilio Spada laten welgevallen: Romeinse munten, penningen uit ieder tijdperk, oude en moderne bustes, zonnewijzers, holle spiegels, edelstenen, zonnesponzen, tanden en botten van geheimzinnig versteende dieren, inhalige onderkaken van onbekende wezens, olifantenwervels, reusachtige schelpen en mosselen, zeepaardjes, opgezette vogels en roofvogels, neushoornhoorns en hertengeweien, schilden van schildpadden, struisvogeleieren, scharen van schaaldieren; en verder exemplaren van olielampen van de eerste christenen uit de catacomben, tabernakels, potten en Romeinse, Griekse en Perzische amforen, schalen, kruiken, kannetjes, zalfpotjes, benen kroezen, Chineze munten, albasten bollen en talloze andere duivelse apparaten, waarvan we de toelichting half verbaasd, half ongeduldig aanhoorden.

Na meer dan een halfuur rondleiding (vermoeiend maar noodzakelijk, aangezien het te veel was opgevallen als we meteen hadden gevraagd naar wat ons interesseerde) had Atto de hamvraag gesteld: waren er toevallig ook drie voorwerpen die de goede Virgilio Spada niet in zijn collectie had opgenomen, maar waaraan hij toch hechtte en die er zus en zo uitzagen?

De Oratoriaan had ons toen naar een belendende zaal geleid, waar we dan eindelijk voor de triomfantelijk ronde globe van Capitor kwamen te staan. De abt en ik hadden onze geestdrift onderdrukt en hem met gewone belangstelling bekeken, alsof het een willekeurig fraai voortbrengsel van mensenkunst was.

'We zijn er jongen, we zijn er,' had abt Melani me toegefluisterd, terwijl hij met moeite zijn vreugde beheerste en onze gids ons naar het tweede voorwerp leidde: de beker met de centaur. Wederom lieten we onze belangstelling niet blijken.

'Het is echt die van het schilderij, signor Atto, dat lijdt geen twijfel,' had ik hem nog net in het oor kunnen smoezen.

Maar het cruciale moment was pas op het einde gekomen, toen de dikke zwartige sleutel in het slot draaide en het mechanisme dat wie weet hoe lang al het derde geschenk apart hield, eindelijk openklapte. De Oratoriaan zwaaide beide deurtjes open en haalde er een voorwerp uit dat ongeveer één bij twee el lang was, heel zwaar en in een grijze doek gewikkeld.

'Dit is het,' zei hij, terwijl hij het voorzichtig op een tafeltje zette en het uit zijn omhulsel haalde, 'we moeten het achter slot en grendel houden want het is bijzonder kostbaar. Weliswaar gaat hier bij ons niemand naar binnen zonder aankondiging vooraf, maar je weet nooit.'

We hoorden de woorden van de toch beleefde pater Oratoriaan al bijna niet meer; het bloed klopte heftig in onze slapen en onze ogen verlangden zijn handen te vervangen om vlugger het voorwerp van onze begeerte te ontdekken: de Tetràchion.

Ten slotte zagen we hem.

‘Hij is... hij is prachtig,’ liet Buvat zich ontvallen.

‘Het is het werk van een Hollandse meester, zo wil de overlevering tenminste, van wie alleen niet de naam bekend is,’ voegde de priester er enkel aan toe.

Na de eerste momenten van opwinding kon ik eindelijk de verfijnde vormen van het blad, de elegante decoraties van de rand, de exotische schelpen en de grillige tierelantijnen waarderen, bovendien het schitterende zeetafereel in het midden, waarin een tweespan tritons de golven doorkliefde met een wagen waarop een tweetal godheden naast elkaar zat met de schaamdelen amper bedekt door een vergulde sluier: een man in de gedaante van Neptunus die een drietand in de hand hield, en de waternimf Amphitrite die in een omhelzing met haar bruidegom de teugels vasthield. De twee waren uitgevoerd in zilver en vielen erg op omdat het vrijstaande beeldjes waren in het vergulde bed van het blad. Een gouden tongetje verhief zich van het blad en bedekte bij wijze van laken de schaamdelen van beiden.

Net toen ik bij het goddelijk tweetal stilstond, bracht Atto zijn gezicht er naartoe om een minuscule inscriptie te onderzoeken.

Ik kwam ook dichterbij en las op mijn beurt. Het kleine opschrift was aan de voeten van de twee godheden ingegraveerd:

MONSTRUM TETRÀCHION

‘Wilt u nog meer zien?’ vroeg de Oratoriaan, terwijl Atto, zonder dat hij om toestemming had gevraagd, het blad in handen nam en met hulp van Buvat aandachtig de twee zilveren beeldjes inspecteerde.

‘Nee, dank u, vader, zo is het goed,’ antwoordde de abt. ‘Nu nemen we afscheid. We wilden alleen onze nieuwsgierigheid bevredigen.’

‘De correctere betekenis van *monstrum* is “wonder”, “iets wonderbaarlijks”. Maar wat voor zin heeft het om *monstrum tetràchion* te schrijven, oftewel “viervoudig wonder”?’

Zodra we buiten stonden en van het Oratorium van de Philippijnen in de richting van de Tiber liepen, probeerde Atto te begrijpen wat die tekst betekende. We moesten ons haasten naar Het Schip; het was bijna twaalf uur, en zoals Cloridia ons twee dagen eerder had aangekondigd, ging daar de nieuwe ontmoeting tussen de drie kardinalen plaatshebben: misschien de laatste die we konden bespioneren, of proberen te bespioneren, aangezien we tot dan toe steeds jammerlijk hadden gefaald.

'Staat u mij toe, mijnheer de abt,' onderbrak Buvat hem.

'Wat is er nu weer?' reageerde Melani gespannen.

'Eigenlijk betekent *monstrum tetràchion* helemaal niet "viervoudig wonder".

Overrompeld keek Atto zijn secretaris met lichtelijk grote ogen aan en stootte een protestgebrom uit.

'*Tetràchion* zoals u uiteraard weet, is een oorspronkelijk Grieks woord, maar in het Grieks noem je "viervoudig" *tetraplàsios*, niet *tetràchion. Tetràchion* moet anderzijds ook niet worden verward met *tetràchin*, een bijwoord dat "vier keer" betekent,' legde de secretaris uit, terwijl de vernedering zich in donkere tinten op Atto's voorhoofd aftekende.

'En wat betekent *tetràchion* dan?' vroeg ik, aangezien de abt adem te kort kwam om dat te doen.

'Het is een adjectief, en het wordt vertaald als "met vier zuilen".'

'Vier zuilen?' herhaalden Melani en ik ongelovig in koor.

'Ik weet wat ik zeg, je kunt het trouwens in elk goed Grieks woordenboek nakijken.'

'Vier zuilen, vier zuilen...' zong Atto, 'hebben jullie niets merkwaardigs gezien aan die twee beeldjes, die zeegoden?'

Buvat en ik dachten even na.

'Nou, inderdaad,' verbrak ik toen de stilte, 'ze hadden een vrij merkwaardige houding. Ze zaten naast elkaar op de wagen, en Neptunus houdt zijn linkerbeen tussen de benen van Amphitrite, als ik me niet vergis.'

'Niet alleen dat,' corrigeerde Buvat mij. 'Het is ook niet duidelijk wat het rechterbeen van de god is en wat het linker van de nimf. Het is net alsof de twee beeldjes gewoon... aaneengesmolten waren. Ja, ze zijn verbonden met een heup, of een dij, ik weet het niet, dus toen ik ze zag, dacht ik: wat gek, het lijkt wel één wezen.'

'Eén wezen,' herhaalde Atto peinzend. 'Het is net alsof ze, hoe zeg je dat? met zijn tweeën vier benen hadden,' vervolgde hij zachtjes.

'Dan zijn de vier zuilen de benen,' concludeerde ik.

'Dat kan, o ja, vanuit de taal gezien kan dat zeker, dat kan ik bevestigen,' stelde Buvat vast, die wat intellect betrof misschien mank ging aan durf, maar wanneer hij de koe van de eruditie bij de hoorns vatte, liet hij niet meer los.

'Dus, Buvat,' zei de abt, 'als ik van uw wonderbaarlijke wetenschap misbruik mag maken, vraag ik u of ik nu *monstrum tetràchion* in plaats van "viervoudig wonder" kan vertalen met "monster op vier benen" of wellicht "op vier poten".'

Buvat dacht even na, toen oordeelde hij: 'Ja, beslist. *Monstrum* betekent in het Latijn zowel "wonder" als "monster", dat is bekend. Maar ik begrijp niet waartoe dat alles ons kan leiden...'

'Goed, genoeg zo,' commentarieerde Atto.

'Enfin, wat is deze Tetràchion? Als het echt om de troonopvolger van Spanje gaat, zou je haast denken dat het een dier is, signor Atto,' onderbrak ik hem.

'Wat de Tetràchion is, weet ik niet. Sterker nog, om eerlijk te zijn weet ik nog minder dan eerst. Maar ik voel dat het antwoord nabij is als we nog een stap voorwaarts doen. Zo gaat het altijd: vlak voor de oplossing van een staatswaarheid lijkt alles confuus. Hoe dichter je er bij komt, hoe meer je in het duister tast. En dan ineens wordt alles helder.'

Terwijl hij zo onze voortgang becommentarieerde, waren we inmiddels de brug over de Tiber overgestoken en bestegen we al de Janiculus-heuvel; met grote passen naderden we ons doel.

'Er ontbreekt maar één steentje in het mozaïek,' hervatte Melani, 'en misschien zijn we dan waar we wezen willen. Wat ik weten wil is: waar komt in 's hemelsnaam dat woord, Tetràchion, vandaan? We moeten iemand een paar vraagjes gaan stellen. Laten we hopen dat hij al in Villa Spada is. We hebben weinig tijd voordat Spada, Albani en Spinola naar Het Schip terugkeren. Laten we snel voortmaken.'

De eerste verkenning in de tuin van Villa Spada had een negatief resultaat. Romaùli, hadden de andere knechten gezegd, was op pad, maar niemand wist precies waarheen: omdat hij bijna altijd gebukt was, ging hij gemakkelijk tussen heggen en perken schuil.

'Ik begrijp het, vervloekt nog aan toe,' verwenste Atto, 'we hebben hulp nodig.'

Hij leidde ons drietal naar zijn vertrekken. Eenmaal binnen schoot hij naar de tafel en pakte een inmiddels bekend voorwerp: de kijker. Hij richtte hem uit het raam, maar zonder succes.

We gingen toen naar buiten en liepen naar de overkant van de villa. Na een snelle verkenning siste Melani ditmaal voldaan:

'Ik heb je, vervloekte tuinman.'

Nu wisten we waar hij was.

Tranquillo Romaùli, even punctueel met zijn bezigheden als het opkomen van zon en maan, kon zich natuurlijk niet onttrekken aan het begieten van de Sint-Antoniuslelies, die hij nog maar kort tevoren in de tuin van Villa Spada had geplant en die voortdurend intensieve zorg vereisten. Hij was bezig voorzichtig de delicate lancetvormige kelken, bijeen in fraaie trossen, te besproeien toen we naar voren kwamen en hem gedag zeiden met de hoogste wellevendheid waartoe we door de haast en de opwindig in staat waren.

'Ziet u wel? Bij lelies moet de grond rijkelijk begoten worden, maar nooit doordrenkt,' begon hij bijna zonder op onze groet te reageren. 'In deze periode zouden ze eigenlijk moeten gaan rusten, maar ik ben erin geslaagd een kruising te ontwikkelen die...'

'Meester tuinman, staat u mij één vraag toe,' viel ik hem beminnelijk in de rede, 'één vraag over de Tetràchion.'

'Over de Tetràchion? Mijn Tetràchion?' zei hij terwijl zijn gezicht alleen al bij de naam van zijn schepping oplichtte.

'Ja, meester tuinman, de Tetràchion. Waar hebt u die naam vandaan?'

'O, dat is een beetje een treurig verhaal,' zei hij, terwijl hij de gieter neerzette, zijn gelaat getekend door een verre herinnering.

Gelukkig duurde de uitleg niet te lang. Jaren geleden wijdde Romaùli zich niet alleen aan bloemen: hij was getrouwd. Zoals ik wel wist, was zijn vrouw zaliger een grote verloskundige geweest; ze had Cloridia nog het vak geleerd en had onze twee meiskes ter wereld geholpen. Uit het verhaal voelde je dat het voortijdige verlies van zijn vrouw hem ertoe had aangezet zich met lichaam en ziel aan het tuinieren te wijden, in een vergeefse poging om de onuitwisbare schaduwen van de rouw te verjagen. Korte tijd na de trieste gebeurtenis hadden de verwanten van de stakker Tranquillo gevraagd of hij hun als herinnering een persoonlijk voorwerp van de overledene kon nalaten.

'Ik heb hun een paar juwelen, twee schilderijtjes, een heiligenbeeldje en een paar werkboeken geschonken.'

'En die boeken waren dus boeken voor vroedvrouwen...' moedigde Atto hem aan.

'Ze zijn bedoeld om de ongelukken van moeilijke bevallingen te leren kennen, of om te instrueren over de soorten moederschoot en zo meer,' antwoordde hij.

'En uit welk boek hebt u de term Tetràchion?'

'O, nou, dat weet ik niet goed meer; ik heb die dingen jaren geleden weggegeven. De details herinner ik me niet meer: het gebruik van de naam is eigenlijk niet meer dan een herinnering, een herinnering aan mijn arme vrouw.'

We wisten genoeg.

'Dank u wel, dank u wel voor uw geduld en neemt u het ons niet kwalijk als we u hebben opgehouden,' bedankte ik hem, terwijl Atto zonder te hebben gegroet wegliep naar het hek van de villa. Romaùli keek ons verbaasd na.

Met een snelle spurt voegde ik me weer naast Atto, die net in stormpas het terrein van Villa Spada had verlaten zonder een tweetal eminenties, die naar hem toegewend stonden om hem te groeten, een blik waardig te keuren. Buvat echter was op bevel van zijn baas in de villa gebleven en naar het Zomerverblijf gegaan.

'Ik heb hem erop uitgestuurd om je vrouw te zoeken,' verklaarde Atto, 'we moeten het boek vinden waaruit de meester tuinman die naam heeft gehaald. Ik wil de auteur, de titel, het aantal pagina's, alles.'

Hij en ik verlieten Villa Spada. Het Schip wachtte ons.

'Die nare Tranquillo Romaùli met zijn praatjes. Ik wist het: ze zijn weer verdwenen.'

Het was twaalf uur. We waren de villa van Benedetti in gegaan, maar evenals de vorige keren, was er van de drie kardinalen geen spoor te bekennen.

'Het is twaalf uur. De afspraak stond voor nu,' merkte ik op nadat we de bekende omzichtige blik in het rond geworpen hadden.

We waren op de tweede verdieping. Op korte afstand van ons stond het schilderij van Pieter Boel tegen de muur.

'Het lijkt haast wel een grove fout in de uitvoering,' commentarieerde Atto.

Gebogen over het doek was de abt bezig het portret van het blad van Capitor te vergelijken met het origineel dat we net gretig hadden bekeken bij de paters oratorianen.

'Het is precies zoals ik al had gezien: wat op het eerste gezicht het rechterbeen van Amphitrite lijkt, loopt naar de linkerheup van Neptunus,' vervolgde de abt. 'Evenzo gaat het ogenschijnlijke linkerbeen van de god in de richting van de nimf.'

'Dan is het zoals ik zei,' kwam ik tussenbeide. 'Ze hebben onderling gewoon elk een been over de ander geslagen.'

'Dat had ik eerst ook zo bedacht,' wierp hij tegen, 'maar kijk eens goed naar de tenen.'

Ik boog om te kijken.

'Het is waar, de grote tenen...' riep ik ten prooi aan verbazing uit. 'Maar hoe kan dat nou?'

'Vanuit hun positie leid je duidelijk af dat de twee benen niet over elkaar geslagen kunnen zijn: het rechterbeen van de nimf is daadwerkelijk het hare en zo ook behoort het linkerbeen van Neptunus echt aan hem toe.'

'Het is net of ze dus door de onervarenheid van de goudsmid slecht aan de heupen van de beeldjes zijn vastgemaakt.'

'Precies. Nogal vreemd voor een kunstenaar die in staat is een meesterwerk als dit te maken, vind je niet?'

'We moeten terug naar het Oratorium van de paters philippijnen en het blad opnieuw te zien krijgen.'

'Helaas, ik denk niet dat dat veel zal uithalen. Jammer genoeg is het niet mogelijk te controleren aan welk beeldje die benen echt vastzitten. Ik had al geprobeerd op het origineel te kijken, maar zie je dit streepje goud dat horizontaal over de heupen van de twee goden loopt om hun schaamdelen te bedekken?'

'Ja, dat had ik al ontdekt.'

'Wel, de goudsmid heeft het op de beeldjes gesoldeerd zodat je het niet meer kunt optillen om het mysterie te ontdekken. Alleen vraag ik me af waarom...'

Melani onderbrak zichzelf met een grimas van boos misnoegen.

'Hij weer, die Hollandse gek. Wanneer houdt hij eens op?'

Zoals gewoonlijk Joost mag weten waarvandaan opgedoken, was Albicastro weer begonnen: wederom weerklonk het motief van de folía, trots en ontembaar, door de zalen van Het Schip. Kort daarop kwam hij de ruimte binnen waar wij ons bevonden.

'Bedankt voor het compliment, mijnheer abt Melani,' begon de violist bedaard, waarmee hij aantoonde dat hij Atto's commentaar had gehoord. 'Telemachus, de zoon van Odysseus, overwon juist dankzij zijn dwaasheid de vrijers.'

Melani snoof.

'Ik zal niet langer storen,' verontschuldigde Albicastro zich tegenover Atto's onbeleefde gebaar, 'maar houd Telemachus in gedachten, het zal u van pas komen!'

Het was de tweede keer dat die Hollander over Telemachus begon. Maar geen van beide keren had ik de betekenis van zijn woorden goed begrepen. Ik kende Homerus en de *Odyssee* alleen in grote trekken, omdat ik de intrige jaren geleden in een boek met Griekse verhalen had gelezen, en ik wist nog dat Telemachus zich dwaas had voorgedaan bij de vergadering van de vrijers die het paleis van zijn vader Odysseus waren binnengedrongen, en hen zo had uitgeleverd, zonder dat ze zich bewust waren van de dood waartoe Odysseus hen veroordeelde. Maar de betekenis van Albicastro's advies schoot me niet te binnen.

'Signor Atto, wat zal hij bedoeld hebben?' vroeg ik toen hij weg was.

'Niets: hij is gewoon gek,' oordeelde Melani plompverloren, terwijl hij de deur van de zaal schaamteloos achter de rug van de Hollander dichtsloeg.

We keerden terug naar het portret. Na een paar seconden hoorden we echter opnieuw het doordringende geluid van Albicastro's viool en zijn folía. Melani sperde zijn ogen open van ergernis.

'Van de tekst op het blad is hier op het schilderij geen spoor,' zei ik, om zijn aandacht weer op de afbeelding van de Tetràchion te brengen. 'Te klein om hem goed te schilderen.'

'Inderdaad,' beaamde Atto na een paar seconden. 'Of Boel heeft hem niet *willen* schilderen. Of misschien heeft iemand hem opgedragen dat niet te doen.'

'Waarom?'

'Wie zal het zeggen? De goudsmid-maker van het blad heeft ook opzettelijk die warboel met de benen kunnen maken, misschien wel in opdracht.'

'Waarom dan?'

'Allemachtig, jongen!' tierde Atto. 'Ik doe alleen maar veronderstellingen. Gebruik je verstand en vind zelf ook eens een antwoord! En zeg vooral tegen die Hollander dat hij eens moet ophouden: ik wil in stilte nadenken!'

Waarna hij zijn handen voor zijn oren hield en zich naar de trap begaf.

Het kwam maar zelden voor dat abt Melani kwaad werd. De muziek van Albicastro was zeker niet zo luid dat dat overlast en ergernis veroorzaakte. Ik kreeg de indruk dat eerder die muziek zelf, die folía, Atto op de zenuwen werkte dan het volume. Of misschien, zei ik bij mezelf, vond hij die Albicastro, die eigenaardige soldaat-violist met zijn wonderlijke hoogdravende taal, nog irritanter. Maar zelden noemde Atto een tegenstander dwaas. Bij Albicastro, die toch zijn vijand niet was, had hij dat gedaan: alsof de woorden van de ander in diepste wezen een grote woede bij hem teweegbrachten.

'Goed, signor Atto, ik ga wel naar beneden om hem te zeggen...'

Maar de abt was al verdwenen.

'Laat maar zitten, ik zoek wel een betere plek,' hoorde ik hem vanuit een belendende ruimte zeggen.

Meteen ging ik hem achterna. Ik meende hem te vinden in het centrale salonnetje van de tweede verdieping, in het midden van de vier appartementen. Maar toen ik daar kwam, was ik alleen. Atto was echter niet naar de benedenverdiepingen gegaan: ik luisterde even op de hoofdtrap, en van beneden kwam geen enkel geluid. Toen ging ik naar de diensttrap en hoorde daar eindelijk zijn voetstappen. Maar hij ging niet naar beneden: hij ging naar boven.

'Het is niet meer uit te houden,' ging hij tekeer, terwijl hij naar de bovenverdieping liep.

Toen ik ook de trap op ging, begreep ik waarom. Zoals de vorige keer dat we Albicastro waren tegengekomen al was gebeurd, werd het vioolgeluid op de wenteltrap buitensporig versterkt en verrijkt met echo's die de aangename melodie veranderden in een soort helse wirwar. Door de sonore weerkaatsing van de spiraalvormige holte van de trap leek er niet één viool aan het werk te zijn, maar wel vijftig of honderd, die allemaal hetzelfde motief speelden maar met één noot ernaast, zodat het eenvoudige, lineaire thema van de folía veranderde in een wervelende, draaiende canon die de luisteraar in duizelingwekkende en steeds nauwere spiralen wikkelde, zoals die van het wenteltrapje dat Atto en ik nu op een paar passen van elkaar op gingen: hij op de vlucht voor de muziek en ik achter hem aan.

'Waar gaat u heen?' brulde ik hem toe om met mijn stem boven het oorverdovende orkest van de talloze Albicastro's uit te komen die als onrustige geesten in het trappenhuis kronkelden.

'Lucht, ik wil lucht!' antwoordde hij. 'Het is hier om te stikken.'

Terwijl de trap omhoogwentelde, hoorde ik hem één keer hoesten, toen twee keer, en ten slotte een lang, vreselijk salvo van gehoest uitstoten, een hese, pijnlijke uitbarsting die klonk naar constipatie, verstikking, een dikke keel en branderige longen. In Het Schip had je veel stof, dat was waar, maar die koortsachtige uitbarsting, die hevige, kwaadaardige uitval deed denken aan een ernstige humeursaantasting. Atto's gemoed werd gekweld, zijn lichaam trachtte de last te verlichten door de folía te ontvluchten.

'Signor Atto, misschien als u een raam opendoet...' riep ik hem toe.

Geen reactie; misschien had hij me niet eens gehoord. Ik merkte tot mijn verbazing dat de muziek naarmate je hoger kwam inderdaad harder werd, ofschoon het geluid van Albicastro's viool ons in eerste instantie van beneden leek te komen.

'Boven is alleen de verdieping van het personeel, en die staat leeg,' riep ik opnieuw, terwijl ik hem probeerde in te halen.

Al snel was ik er; maar Atto was nog hoger gegaan.

Deze verdieping, de derde, hadden we twee dagen eerder al bereikt, maar toen waren we er gekomen via de eretrap, die niet verder ging. Zo stonden we nu voor een verrassing. In tegenstelling tot de hoofdtrap kwam de trap voor het personeel tot bovenin, op de top van Het Schip: het terras.

Eindelijk klauterde ik dan ook die laatste smalle treden op en als een ziel verwelkomd in het Paradijs wist ik aan het donker van de trap en het onnatuurlijke kabaal van de folía te ontsnappen door het weidse, gelukzalige licht van het terras binnen te vallen.

Ik trof Melani half ineengedoken aan, zo'n beetje op de grond gezeten; hij hoestte nog, alsof hij aan de verstikkingsdood was ontsnapt.

'Rampzalige Hollander,' mompelde hij, 'naar de hel met hem en zijn muziek.'

'U hebt een hoestaanval gekregen,' merkte ik op, terwijl ik hem hielp overeind te komen.

Hij gaf niet eens antwoord; hij had zijn ogen opgeslagen en was stomverbaasd door de schoonheid van de open ruimte waar wij ons bevonden, alleen begrensd door een muur met fraaie stenen potten met bloemmotieven erop. In de muur zaten enkele ovale wijde openingen, waardoor je van een weids panorama kon genieten en je blik over alle villa's in de omgeving kon laten gaan. Op de vier hoeken vielen de koepeltjes op die boven Het Schip uit kwamen en het ook van verre kenmerkten; de vier kleine kappen waren bedekt met tegels in diverse kleuren en er stonden windwijzers op, waarvan elk op zijn beurt eindigde in een kruis, hetgeen een fraaie afwerking van het terras vormde.

'Met al het zoeken hierbinnen hebben we nooit deze belvedère ontdekt. Bewonder maar, jongen, wat een pracht en wat een rust.'

Zijn stok trilde. De hoestaanval, hoe kort ook, had hem stevig aangepakt. Hij leek me weer Atto het versleten oudje van de eerste dag.

Hij keerde me de rug toe en begaf zich naar de korte zijde van het terras, naar het zuiden gericht met uitzicht op de Via San Pancrazio, de weg vanwaar je Het Schip binnen ging.

Tegen een ijzeren reling met bladmotieven geleund vergunden we ons enkele minuten om te kijken naar het schitterende panorama met de pijnbomen en de wijngaarden rond Het Schip, de statige muren van de Heilige Stad, de Sint-Pancratiuspoort en ten slotte, ver weg en verborgen, de zilverige weerkaatsing van de zon in de golven van de zee.

We begaven ons vervolgens naar het andere eind van het terras, noordwaarts. Hier stond een klein bekoorlijk bouwsel, een soort torentje met een vertrekje dat op de hoeken versierd was met de Franse lelie, en waar je via twee ijzeren trappen aan weerszijden kon komen.

We gingen het trapje links op, en het zicht verbreedde zich nog. We werden meegesleept door de pracht van het overzicht dat zowel naar links als naar rechts de triomfantelijke grandeur van de Eeuwige Stad aan je ogen openbaarde: in een triomf van geloofssymbolen ontrolde zich voor je blik een menigte gewijde koepels, een woud van heilige kruisen, vermetele spitsen, eerbiedwaardige klokkentorens en rozige daken van verheven paleizen, omkranst door de heuvels die de bakermat van de christenheid sinds het begin beschermen. Er schoot me te binnen wat monseigneur Virgilio Spada aan Benedetti had voorgesteld en wat Atto me een paar dagen geleden had verteld: de villa te bouwen als een vesting van wijsheid die degene die hem bezocht tot diepe geloofsoverpeinzingen en gedachten zou stemmen.

Toen keerden mijn ogen zich weer naar de tuinen van Het Schip, naar de grote wijnpergola van de oprit: zoals de abt had opgemerkt, ontving Benedetti zijn gasten dus met wijn, het christelijke symbool van de wedergeboorte.

'We zijn op de voorsteven,' zei Atto.

In de scheepsbouw van Het Schip was dat hangende hokje inderdaad de metafoor voor het dek.

Als twee admiraals op de brug aanschouwden we voor ons de Vaticaanse heuvel, de bewaker van de dingen die nooit verloren gaan. Het Schip durfde de voorsteven uitgerekend op de pauselijke paleizen te richten, alsof het zei: Ook ik bewaak een stukje Eeuwigheid. Ja natuurlijk, zei ik bij mezelf, was Het Schip niet de plaats van de wedergeboorte, waar de gebroken draden van Verleden en Heden weer aaneengeknoopt werden? Was het niet zo gegaan toen ik getuige had kunnen zijn van de verschijningen van de jonge Lodewijk en zijn geliefde Maria, in hun minnestrijd? En zo was het ook gegaan toen we in de tuin het beeld van minister Fouquet in het oog hadden gekregen, vredig, vrij, ongeschonden door de laster en de ongenade. Die verschijningen hadden voor ons in de tuin van Het Schip herschapen wat de Geschiedenis hun had ontzegd.

Het theater van wat had moeten zijn, maar niet was: dat was Het Schip.

En het was op grond van die verheven taak dat dat zeilschip zijn plaats naast de Vaticaanse heuvel opeiste. De Sint-Pieter, de rots van het Geloof, en daarnaast die andere wachter van eeuwige zaken: Het Schip, de vesting van de Rechtvaardigheid die door het spoor van de Geschiedenis was verdreven.

En zo, terwijl de wind de veters van mijn hemd opwaaide op dat kleine terras dat boven het oneindige zweefde, voelde ik me een onverschrokken zeeman op het dek van een nieuwe Ark, het wonderbaarlijke schip dat in staat was het rechtvaardige Lot te redden en het in een andere Tijd te bewaken.

Maar terwijl mijn fantasie zo afdwaalde, haalde Atto me direct weer terug naar de huidige stand van zaken:

'Misschien heb jij je er een duidelijke voorstelling van gemaakt.'

Ik begreep meteen waar hij op doelde.

'Nee,' antwoordde ik, 'het is een monster; alleen dat heb ik begrepen. Als de voorspelling klopt, gaat een monster met vier benen de Spaanse troon bestijgen. Maar het lijkt me niet veel betekenis te hebben.'

'Ik weet het. Ik heb er onophoudelijk over nagedacht. Maar ik kom op niets anders. Zolang jouw vrouw ons niet het boek levert dat Romaùli heeft gezien, vrees ik dat we er niet achter komen.'

'Ik hoop dat Cloridia zoals altijd snel is.'

'Laten we naar beneden gaan,' zei Atto ten slotte, 'ik wil nog een blik op het schilderij werpen.'

En toen kwam de ontdekking.

'Kijk!' zei Atto. 'Daar gaan ze dus langs.'

Alleen van daaruit, vanuit die speciale hoek, kon je het zien. Ieder ander gezichtspunt in heel Het Schip was niet hoog genoeg en niet genoeg naar het noordwesten gericht zoals het trapje waarop wij stonden: dankzij dat trapje konden we in de muur om de tuin een deurtje zien, waardoor je onopgemerkt een weg naast Het Schip kon inschieten. De deur was in de tuin handig aan het oog onttrokken door een planten- en struikenbarrière. Het was onmogelijk om hem te lokaliseren, behalve als je er het bestaan al van kende. Waar ging je heen als je eenmaal buiten was? We konden het zelf zien: een steels groepje, misschien het geleide van een van de drie kardinalen, kwam door een soortgelijk deurtje in de muur van een villa aan de overkant van de weg, het eigendom van een Genuese edelman, Torre genaamd.

Al turend ontwaarde ik verder weg de drie bekende kardinalen, die ongestoord in de tuinen van Torre wandelden.

'Daarom spreken Spada, Spinola en Albani dus altijd af in Het Schip,' zei Atto, 'ze misleiden iedereen die hen volgen wil, ook ons, door hier naar binnen te gaan en dan geheimzinnig te verdwijnen. In werkelijkheid komen ze in de villa van Torre bijeen. Voor jouw baas Spada is dat een optimale oplossing: op korte afstand van zijn landgoed beschikt hij over een betrouwbare schuilplaats voor de geheime bijeenkomsten, de villa van Torre dus, en een plaats om verwarring te zaaien, Het Schip. Niet toevallig heeft hij ons tot vandaag steeds van zich af geschud.'

Onder het spreken wendde abt Melani geen moment zijn blik van het drietal af. Ik zag hem ineens zijn hals rekken en met zijn ogen knijpen alsof hij beter probeerde te zien wat er gebeurde. Maar de afstand was inmiddels te groot. Ons weliswaar uitzonderlijke observatiepunt zou zinloos worden. En toen sloeg de abt zich op zijn voorhoofd:

'Wat een sufferd! De fortuin staat me bij en ik veronachtzaam haar.'

Hij stak een hand in zijn jas en haalde er een lange, smalle cilinder uit: de kijker. Die had hij sinds we Romaùli in de tuin van Villa Spada hadden gelokaliseerd bij zich, want we waren vandaar regelrecht naar Het Schip gegaan.

Hij tuurde maar even, en stond het optische apparaat vervolgens aan mij af:

'Kijk jij ook maar; daar doe je ervaring mee op.'

Ik bracht de kijker naar mijn oog, en ik zag het.

Kardinaal Spinola schudde lichtjes zijn hoofd, alsof hij aarzelde, terwijl Spada en vooral Albani druk op hem inpraatten. Het duurde niet echt lang; met een paar woorden van Albani stemde Spinola wat lusteloos knikkend in, of zo leek het me althans van die afstand; vervolgens nam Albani hem met zichtbare tevredenheid bij de arm en de drie vervolgden hun weg. Waarna Atto de kijker weer van mij terugpakte en opnieuw tot de observatie overging.

In het licht van wat ik de avond tevoren had opgestoken toen ik de brieven van Melani en de Connétablesse las, had dit gebeuren ook voor mij geen geheimen meer. De drie kardinalen moesten Zijne Heiligheid Innocentius XII advies uitbrengen over de kwestie rond de Spaanse troonopvolging, opdat de paus op de best mogelijke wijze kon antwoorden op het verzoek om hulp van de Spaanse koning, Karel II. De drie eminenties moesten dus op één lijn komen te staan: een daad van enorm politiek belang, gezien het spoedig verwachte conclaaf, dat het geluk van de drie of hun ondergang zou kunnen uitmaken. Blijkbaar was Spinola niet helemaal dezelfde mening toegedaan als de andere twee prelaten.

Ik keek wederom naar Atto, terwijl hij gretig de vergadering van de drie purperdragers begluurde. Hij was bezorgd, en ik wist waarom. Waren die vergaderingen, waarin bijna zeker over de verkiezing van de toekomstige paus werd besloten, wel onpartijdig? Nog geen twee dagen eerder hadden we van Ugonio gehoord dat Albani onder één hoedje speelde met de ambassadeur van de keizer, graaf Lamberg. Spada was bovendien de staatssecretaris van een Napolitaanse en dus Spaans gezinde paus. Spinola was, zoals ik in de laatste brief van de abt had gelezen, keizerlijk gezind. Naar het zich liet aanzien werden de Franse belangen niet door iemand vertegenwoordigd. Dat zou Atto zeker geen genoegen doen. Alsof dat nog niet genoeg was, hadden Lamberg en Albani zich meester gemaakt van het traktaat over de Geheimen van de Conclaven, en wilden ze dat waarschijnlijk tegen Atto gebruiken.

'En wat gaan we nu doen?' vroeg ik.

'Het heeft geen zin om daar rond te gaan struinen en gesnapt te worden door de wachters van Torre.'

'Dus?'

'Ik verklaar me verslagen: het feest in Villa Spada loopt inmiddels ten einde, morgen vertrekken alle gasten. We zullen nooit weten wat die drie zo te smoezen hadden.'

De vredige berusting waarmee Atto antwoord had gegeven bevestigde mijn idee. Ik wist al dat, advies of niet, afgezien van conclaaf of troonopvolging, er iets anders achter zijn aanwezigheid in Villa Spada school: de liefdesmissie die de allerchristelijkste koning hem had opgedragen bij Maria Mancini om haar ervan te overtuigen hem weer te zien.

'Laten we nog een laatste blik op het schilderij werpen,' zei hij ten slotte, 'ook al heb ik inmiddels de hoop opgegeven om er nog iets uit te halen; daarna gaan we kijken of Buvat Cloridia heeft opgespoord.'

We liepen het ijzeren trapje af, maar juist toen we weer de diensttrap wilden nemen naar de tweede verdieping, hoorden we de stem:

'Een *narrenspiegel* noem ik die waarin
Eenieder zich herkent als nar, zottin;
En wie eenieder is wordt recht verklaard
Wanneer men in de narrenspiegel staart.'

Het was het onmiskenbare geluid van Albicastro, zij het lichtelijk ingehouden. Het kwam vanuit het vertrekje waarboven het kleine terras zich bevond.

'Alweer die Hollandse gek,' kreunde abt Melani, 'de viool was niet genoeg: nu begint hij ook nog met zijn vervloekte Sebastian Brant. Wat doet Albicastro daar eigenlijk en hoe is hij binnengekomen?' vroeg hij geërgerd.

'Het is gek; als hij ook hier op het terras was gekomen hadden we het wel in de gaten gehad,' merkte ik op.

'O, in Godsnaam,' zei Atto, terwijl hij de deur van het huisje opendeed die we eerst niet eens hadden gezien. En daar gebeurde het.

Het vertrekje was leeg. Albicastro was er niet. Merkwaardig genoeg was er maar weinig licht. Het kwam binnen door twee tegenoverliggende ramen aan de Sint-Pieter-kant. De ruiten waren gedeeltelijk enigszins geblakerd, zodat het licht drastisch werd beperkt en (zo vermoedde ik) de bewegingen van de bezoeker vaag werden. De ruimte was vierhoekig met twee pilaren in het midden, misschien om het terrasje te stutten. We stonden dicht naast elkaar en het was een troostend gevoel om op die zo vreemde plaats Atto's heup tegen de mijne te hebben. Toen hoorden we opnieuw de Hollander:

'Wie zich goed spiegelt, die leert weldra goed
Dat hij zich niet als wijs beschouwen moet,
Zich niet moet houden voor wat hij niet is –
Geen sterveling is er die niet wat mist.'

Een onstoffelijke stem, zonder plaats of doel. Die versregels waren dan wel een van Albicastro's bekende dwaasheden, maar het was alsof ze om bij ons te komen door een vreemde dimensie waren gegaan, waarin de geluidsmaterie werd leeggemaakt, van zijn eigenschappen ontdaan. Het was de stem (die gaf het wel aan) van Albicastro's fantoom. Hij leek van links te komen.

We draaiden derhalve naar links, en zagen hem.

Daar stond hij, ja, daar stonden ze *allebei* naar ons te kijken. Wat een wrede grap in die verduidelijking, bedacht ik in een dwaze flits van humor, terwijl ik naar het een- en tweeledige wezen keek, en hij naar ons keek. Na de fantoomstem van Albicastro sleepte de Tetràchion ons mee in dat zo lichamelijke, zo dwaas dierlijke beeld.

Ze keken ons eensgezind aan, beiden met die domme uitdrukking die, de onderkaak monsterlijk naar voren, alleen de kinnebak van de Habsburgers een mensengezicht kan verlenen. En dan die ongelijke ogen, het een naar buiten, het ander naar binnen, de kromme hals, de afwijkende lichamen: het een tenger, zoals vaak bij door de natuur gemaltraiteerde wezens, het ander bol. De samengesmolten heupen, de golvende en gruwelijk gedraaide benen, het een boven het ander, als de tentakels van een zeemonster, gaven dat wezen het ongelukkige lot van tweelingen die één lichaam delen.

Niet in staat een mond open te doen hief ik een hand op alsof ik het gezicht wilde afweren, en ik zag dat het arme wezen (of een van de twee, maar welk?) me een teken gaf, misschien was het een groet, misschien een verzoek om met rust gelaten te worden. Vervolgens vervormden hun trekken nog meer, alsof ze van kwikzilver waren, en lieten absurd genoeg toe dat de kin van de een terugweek, terwijl het voorhoofd van de ander uitstak, dat een borst zich kronkelde in een gruwelijke kramp, terwijl de opgeheven hand van de ander een poot, een hoef, een stompje werd. Welke weerzinwekkende, afschuwelijke kracht heerste er over die lichamen, die huid, die beenderen, en vervormde ze met hetzelfde wrede machtsvertoon dat de opzetter uitoefent op de lege kadavers van zijn dieren?

Zonder enig respect voor het treurige schouwspel van het *monstrum tetràchion* en voor de afschuw die het ons inboezemde, liet Albicastro's stem zich voor de laatste maal horen, spottend en meedogenloos zingend, zoals bij die groteske schilderijen waarop de Dood, een wandelend skelet met de zeis over zijn schouders, rustig tussen opgedirkte dames en heren wandelt en zich gereedmaakt om te oogsten:

'Ik bleef maar roeren in de narrenpap,
Want mij beviel zowaar het spiegelglas
Hans Ezelsoor die toen mijn broeder was.'

Vervolgens resteerde er niets meer. Alleen maar afschuw, dwaasheid en wanhoop, mijn schreeuw, onze chaotische vlucht de trap af en toen over straat, elk zonder op de ander te letten, en ten slotte de pijn dat we in de geheimzinnige afgrond van Het Schip een tweede afgrond hadden gevonden die bevolkt werd door monsters, treurige morbiditeit, incest, dood.

'Weet u wie Ulisse Aldrovandi is?'

'Nee, dat weet ik niet,' hoorde ik het antwoord van mijn stem, die even leeg en bleek was als mijn gezicht.

We waren in Atto's vertrekken, in Villa Spada, waar Buvat Cloridia naartoe had laten komen. Mijn benen trilden nog na, maar ik was weer voldoende tot mezelf gekomen om andermans stem aan te horen, of maar te doen alsof.

'Wat heb je toch, lieve man?'

'Niets, niets,' antwoordde ik, terwijl ik haar met mijn ogen op de schitterende frons van Atto wees en beduidde dat ik het haar pas later zou kunnen zeggen. 'Vertel het ons maar.'

Cloridia had het meteen gevonden. Alleen niet het boek, maar iets beters: ze kon ons uitleggen wat de Tetràchion was.

'Het is me wel een curieuze kwestie waarover uw secretaris me heeft gevraagd u verslag uit te brengen, mijnheer abt Melani,' begon ze.

'Waarom curieus?'

'Het is een materie voor een heel select gezelschap, iets bijna duisters, zou ik zeggen. Het zijn dingen die vroedvrouwen eigenlijk niet hoeven te weten. Ook al beheersen we uiteindelijk zo'n beetje van alles: heelkunde, anatomie, natuurfilosofie...' zei ze met een pienter grijnsje.

'En wat is die zo ongewone materie?'

'Het is de wetenschap van de abnormale foetussen en van het voortbrengen van wonderbaarlijkheden. De wetenschap van monsters.'

'Monsters?' vroeg Atto, op wiens gelaat ik even dezelfde angstige uitdrukking ontwaarde als het ten overstaan van de Tetràchion had aangenomen.

Cloridia legde toen uit dat er dienaangaande een zeer uitgebreide literatuur bestond, waarvan als de uitputtendste voorbeelden genoemd moesten worden de meer dan een halve eeuw geleden gepubliceerde *Deux livres de chirurgie* van Ambroise Paré, de eerste chirurg van de Franse koning, of het recentere *Monstrum historia* van de hooggeleerde Bolognese Ulisse Aldrovandi, die dus een lijst van de befaamdste gevallen van monsterbevalling en gedrochtelijke vormen bevatte.

'Bijvoorbeeld het beroemde geval van een Ethiopiër die werd geboren met vier ogen naast elkaar, dat van een man die ter wereld kwam met de hals en de kop van een kraanvogel, weer een ander met een hondenkop...' zei Cloridia met een gezicht alsof ze onze reacties op de proef wilde stellen.

De lijst van monsterbevallingen, in de dierenwereld of bij de mens, ging verder met harige meisjes, zuigelingen met paardenbenen, baby's in de vorm van een vis met een monnikspij aan, kinderen in de vorm van een schorpioen, met twee handen aan één arm en grote ezelsoren, met een wolfssnuit; of anders met de trekken van een tweepotige bok, de klauwen van een roofvogel, hangtieten, duivelsvlerken, adelaarsklauwen en het bovenlijf van een hond; met de trekken van een meerman en een duivelskop, horens, geitenoren, grote dierenmuilen, een flitsende tong, handen met een duim maar zonder andere vingers, vinnen op armen en rug, een zeehondenstaart; of dan weer wezens met een vrouwenbuik, een varkenspoot en een kippenpoot, een mensenhand en de andere in de vorm van een hoef, een ezelskop, op de plaats van de staart een kippenkop, heel het lijf bedekt met veren; of zelfs ijzingwekkende entiteiten in de vorm van een haai, met klauwende zwemvinnen, mensenogen die opdoken uit de schubben van de flanken en een bek met slagtanden; en ten slotte een zeldzaam voorbeeld van *Monstrum cornutum & alatum*: een berensnuit, geen armen, een enorme spoelvormige in een punt uitlopende penis, een been bedekt met veren, arendsvleugels, een oog op de knie en een linkervoet met vinnen.

'Hou op, hou op, hier heb ik wel genoeg aan,' protesteerde Atto uiteindelijk, door de beschrijving even onpasselijk geworden als ik. 'Wat is nou de Tetràchion?'

'De Tetràchion, mijnheer abt Melani,' antwoordde Cloridia met fijn sarcasme, 'zou u wellicht onverteerbaar kunnen blijken, net als sommige van de arme wezens, bijna allemaal misgeboorten of doodgeboren, die u net hebt gehoord.'

'Hoezo?'

'Het is een ander soort onfortuinlijke natuur. In het taalgebruik van de specialisten gaat het om het beroemde geval uit 1546 in Parijs: een zes maanden zwangere vrouw bracht een kind met twee hoofden, vier armen en vier benen ter wereld. Dokter Paré, die het geval beschrijft, pleegde autopsie op de kleine en trof in het lijk maar één hart aan. Zodat hij, de bekende bewering van Aristoteles volgend, concludeerde dat het in feite om één kind ging en niet om twee. De misvorming was waarschijnlijk veroorzaakt door gebrek aan materie of door een tekortkoming van de moederschoot, die te klein was, want als de natuur twee kinderen wil scheppen maar de moederschoot te nauw aantreft, ziet ze zich belemmerd, zodat het zaad te zeer bekneld en afgesloten raakte en stolde in een bol, waardoor het twee kinderen voortbracht die aan elkaar vastzaten.'

'En die twee wezens, of dat wezen, had... vier benen?' vroeg Atto.

‘Twee hoofden, vier armen en evenzoveel benen.’

Atto sloeg zijn ogen neer en fronste zijn voorhoofd, terwijl hij in gedachten terugkeerde naar het helse visioen dat hij met mij had gedeeld.

‘Maar er bestaan ook Tetràchion-voorbeelden, zeg maar, die minder ernstig zijn,’ hervatte Cloridia.

‘Dat wil zeggen?’

‘Dat zijn gevallen van tweelingen, in alle opzichten volmaakt, maar aan één kant van het lichaam verbonden door alleen de hand. Of alleen aan elkaar vast door een ledemaat, een arm of een been, dat daardoor misvormd blijkt. Beide gevallen zijn helaas bij de geboorte niet te onderscheiden van de ernstiger gevallen, en kunnen daarom niet worden gescheiden, want dan bestaat het gevaar dat je ze doodt. Je moet ze laten opgroeien: als ze de volwassen leeftijd halen, kunnen ze met weinig schade worden geopereerd: in het ergste geval blijven ze kreupel.’

Ik zou niet met zekerheid kunnen zeggen of het wezen (of de wezens) waar we in het torentje tegenover hadden gestaan tot in de details beantwoordde aan het beeld dat mijn verstandige eega schetste: te groot was de gruwel die me bij die aanblik had aangegrepen. Ten minste één detail kwam wel overeen: het getal vier. De vier van de Tetràchion, het wezen dat op vier zuilen staat. Zoals bij de afbeelding (uiteraard gestileerd en verfraaid) van de twee zeegoden op Capitors blad.

‘Toch zijn er wel ergere dingen,’ luidde Cloridia’s commentaar.

‘Ergere dingen...’ herhaalde Atto een beetje versuft, ‘wat bedoelt u?’

Cloridia legde uit dat ze doelde op ongehoorde entiteiten als het *Monstrum triceps capite Vulpis, Draconis & Aquilae*, dat een tijd bij de oevers van de Nijl rondzwierf en dat niet alleen een arm en een adelaarspoot, een paardenstaart, donzige benen die in twee voeten eindigden, een vin en een hondenpoot, maar ook drie koppen had. Of als het *Monstrum bifrons*, dat in 1555 bij een Française in Genua geboren werd: het had twee gezichten, zoals de god Janus, met hoofd, armen en benen zowel van voren als van achteren. Of anders als het *Monstrum biceps caudatum* dat op 26 oktober 1598 werd geboren in een stadje tussen Augeria en Tortona: twee kinderen met evenzovele ruggengraten, maar met de rechterheup aan elkaar vast, zodat ze per persoon één arm en één been hadden, maar in het midden, op de plaats van de andere twee benen, een enorme gruwelijke vlezige uitwas.

‘Zeg mij nog één ding, monna Cloridia,’ viel Atto haar in de rede, ‘waardoor ontstaan die monsterlijkheden?’

Mijn eega legde uit dat een bevalling aan vijf voorwaarden moet voldoen om volmaakt te zijn: de geboorte moet zich voltrekken op de geëigende plaats, op de juiste tijd, gemakkelijk, met onvoorziene gebeurtenissen die zijn tegen te gaan met de bekende purgeermiddelen, en met alles erop en eraan. Een bevalling die een van die voorwaarden mist, zal gebrekkig zijn, en wel heel gebrekkig als ze allemaal ontbreken. Als het kind deels onvolmaakt is, wordt het een monster genoemd; als het dat in alle opzichten is, is het een stuk vormeloos vlees en wordt het een vleesboom genoemd.

Maar de voornaamste oorzaak berust bij de verbeeldingskracht van de moeder. Als de vrouw het kinderlichaam de afdruk van het begeerde meegeeft, gebeurt dit omdat ze het erg heeft verlangd. Maar welke vrouw zal zo dom zijn om zulke gruwelijke dingen te verlangen dat ze monsterlijke kinderen baart? Het antwoord is dat er bij het voortbrengen van monsters geen verlangen nodig is: de kraamvrouw hoeft alleen maar iets monsterlijks te zien, zonder dat ze het verlangt.

'Dit is iets natuurlijks dat je bijna dagelijks kunt meemaken. Want: als je iemand ziet gapen, zul jij ook gapen; als je wijn uit het vat ziet lopen, zul je aandrang voelen om te plassen; als je een rode lap ziet, zal er bloed uit je neus komen; als je anderen een medicijn ziet drinken of ziet bereiden in de apotheek, zal je lichaam opspelen en zul je je drie of wel vier keren ontlasten. En om dezelfde reden zal, als een moordenaar bij het vermoorde lichaam opduikt, uit de wonden van het laatste opnieuw bloed vloeien.'

Atto ging niet tegen Cloridia's woorden in. Hij had aan een soortgelijke theorie (die van de vliegende deeltjes) de verschijning van Fouquet, Maria en Lodewijk in Het Schip toegeschreven. Waarom zou je dan ook niet erkennen dat de verbeeldingskracht van de moeder, die zo nauw met de vrucht in haar schoot verbonden is, dat soort vervormingen bij de foetus teweeg kan brengen?

'De vroedvrouw moet,' vervolgde Cloridia, 'een monster hoe dan ook meteen dopen, omdat ze in de regel maar heel kort leven. Om precies te zijn moet ze een monster met twee hoofden of twee bovenlijven tweemaal dopen; maar slechts één keer als het vier armen of vier benen heeft.'

Als je bij het monster één duidelijk lichaam zou onderscheiden, rondde ze haar uitleg af, maar het andere niet goed kon waarnemen, moest eerst dat lichaam gedoopt worden dat je absoluut herkende als een mens, en daarna het andere, maar *sub condicione*: wat betekende dat de doop geldig was als God zou erkennen dat ook het tweede een ziel had, hetgeen alleen Hij, onder de schijn van misvormdheid, kon zien.

'Zoals u hebt gezien, loog ik niet toen ik zei dat de monsterlijkheden van foetussen een zeer curieuze materie vormen,' stelde Cloridia. 'Het is bovendien heel aangenaam om erover te vertellen aan een vrouw die net een welgeschapen kind heeft gebaard. Als omlijsting van de geleden inspanningen bij het baren zullen de verhalen en de reeksen monsters haar sterk opbeuren, terwijl ze uitrust in afwachting van de nageboorte en de purgeermiddelen.'

'Haar opbeuren?' prevelde Atto, wiens groenige bleekheid inmiddels een maagaanval deed vrezen.

'Natuurlijk,' kwinkeleerde mijn vrouwtje. 'In de waarneming doen zich monsterlijke wezens voor die heel aangenaam zijn om te beschrijven, met de kop van een hond, een kalf, olifant, hert, schaap of hamel, of met geitenpoten of met een ander ledemaat wat lijkt op dat van een dier. Of soms hebben ze meer ledematen dan normaal, zoals twee hoofden of vier armen, zoals uw Tetràchion. Of je hebt de monsters die van twee verschillende soorten blijken, zoals de hippocentaurs, half mens en half paard, de minotaurus, half mens en half stier, of de onocentaurs, half mens en half ezel. Bovendien heb je de legende van Geryon, de koning van Spanje met drie hoofden die...'

'Wat?' viel Melani haar opnieuw in de rede. 'Een koning van Spanje met drie hoofden?'

'Precies,' bevestigde zij, die Atto's belangstelling in de gaten had, 'men zegt dat er drie kinderen geboren waren die aan elkaar vastzaten, en het schijnt dat ze in grote eendracht hebben geregeerd.'

'Vertelt u mij nog meer van die Geryon, monna Cloridia,' vroeg Atto, zich met een zakdoek het klamme zweet van zijn voorhoofd wissend.

'Het is weinig opzienbarend,' zei mijn vrouw. 'Hebben de koningen van Spanje soms geen dubbelkoppige adelaar in hun wapen? Dat is alleen maar de herinnering aan zo'n gebrekkige tweelingbevalling die in de nacht der tijden bij de Habsburgers is opgetreden.'

Ik hield mijn adem in. Dit zou het moment zijn om te praten, om Cloridia te vertellen wat ons was overkomen.

Maar Atto zweeg. Ik begreep dat er bij Melani schaamte leefde, en ook wantrouwen tegenover het vooruitzicht om Cloridia een zo ongelofelijke gebeurtenis uit de doeken te doen. En hoe dan ook zou de abt, om zich duidelijk te maken, onze schandelijke aftocht moeten toegeven. Ik van mijn kant wilde zijn stilzwijgen niet doorbreken: het geheim behoorde ons beiden toe.

Niet toevallig was Spanje, ging Cloridia verder, het land waar elk soort buitengewone, abnormale zwangerschap grondig werd bestudeerd. De Iberiër Antonio Torquemada schrijft in zijn boek *De tuin met curieuze bloemen* bijvoorbeeld dat er als je beren of bavianen met vrouwen mengt, welgeschapen, verstandige mensen uit geboren kunnen worden. En hij vertelt van een Zweedse die zich verenigde met een beer, en van een Portugese die, terdoodveroordeeld en midden in een woestijn achtergelaten, bezwangerd werd door een baviaan: beiden brachten volmaakte mensen voort. Net als in het geval van een vrouw en een hond, die de enige overlevenden waren in een schipbreuk van een schip dat naar Oost-Indië voer. Aangespoeld in een verlaten oord dat wemelde van de wilde dieren, Tartarije geheten, verdedigde de hond de vrouw tegen de aanvallen van die dieren, en er ontstond liefde tussen hen. Zij werd zwanger en baarde een welgeschapen mens. Deze verenigde zich met zijn moeder en ze brachten vele verstandige, welgeschapen mannen en vrouwen voort, die heel het rijk bevolkten. De afstammelingen van de hond bewaren nog de herinnering aan hun stamvader en nog steeds kunnen ze hun keizer geen voornamere titel verlenen dan hem 'de Grote Khan'* te noemen.

'Als het zo lag,' stelde mijn bruid, die door Atto's en mijn verwarring steeds geamuseerder raakte, 'zouden ook de Scaligeri, de heren van Verona, die veel leden in de familie hebben met de naam Cane della Scala, en zelfs Cangrande della Scala, van het hondenras zijn.'

Weldra deed abt Melani ons allen uitgeleide. Ik keek hem onderzoekend aan: hij was aan het eind van zijn krachten gekomen. Het verschrikkelijke visioen dat we in Het Schip hadden moeten ondergaan had hem grondig verzwakt en nu had hij dringend behoefte aan rust. Die avond zou bovendien de laatste festiviteit plaatshebben. En ook Albani zou er zijn.

Toen ik met Cloridia alleen was overgebleven, had ik de gelegenheid om haar over de laatste schokkende gebeurtenissen bij te praten. Ze was in gedachten, en toen ik haar vroeg wat haar mening dienaangaande was, zei ze enkel:

'Jullie onderzoeken te veel: sommige dingen moet je laten rusten. Zorg liever dat je van abt Melani de bruidsschat voor de meiskes in de wacht sleept.'

*Woordspeling: Cane betekent hond (vert.)

In afwachting van de slotvoorstelling, die pas zou aanvangen wanneer de duisternis volledig was, werd de middag gewijd aan allerhande vermakelijke tijdspasseringen.

Er was een pallacorda-baan* in gereedheid gebracht. Voor de spelers waren bij Horatio op de Piazza del Fico, een heel bekende pallacorda-specialist, de volmaaktste rackets en de beste 'grilli' (anders gezegd vliegende ballen) aangeschaft. Niet ver daarvandaan was een andere baan ingericht voor een ander balspel, of jeu de boules zoals sommigen zeggen.

Alleen waren er maar weinig deelnemers. Veel gasten spaarden liever hun krachten voor de lange nacht met amusement en braspartijen die hun wachtte. Kardinaal Spada had in de tuinen gazen Turkse paviljoens van ragfijne, vederlichte, opaliserende zijde laten inrichten, die speciaal uit Armenië schenen te zijn gehaald (nog nooit vertoond in Rome), allemaal in felle kleuren, rijk versierd en een lust voor het oog. Wie wilde, kon het dak naar de sterrenhemel open laten doen en er zouden nachtelijke vuurpotten ontstoken worden die geurige dampen zouden verspreiden; hier zouden de gasten die zich niet aan de slaap wilden overgeven, op geriefelijke divans kunnen zitten en tot aan de ochtendstond discreet bediend worden met allerhande heerlijkheden door lakeien in opzichtige Saraceense livrei, tegelijkertijd genietend van het exotisme van de aankleding alsmede van een zeldzaam, eigenzinnig comfort.

Gezien de weinige deelnemers aan het pallacorda-spel en het jeu de boules had don Paschatio me algauw vrijgesteld van het bedienen van die edele heren en me aangewezen voor het gereedmaken van de Turkse paviljoens: gobelins en tapijten uitrollen, vuurpotten neerzetten, koperen bakjes oppoetsen en met geparfumeerd water vullen om de handen te wassen, elk paviljoen voorzien van volop servetten en handdoeken, et cetera et cetera.

Terwijl ik zo in de weer was, dacht ik aan abt Melani. Zoals we uit Ugonio's mond vernomen hadden, zou zijn traktaat over de Geheimen van de Conclaven de volgende dag, donderdag, overgaan van de cerretanen naar kardinaal Albani. De kanselier van de breven, die met Atto zulke scherpe woordenwisselingen had gehad: wat zou hij ermee doen? Misschien zou hij de abt diezelfde avond al benaderen om hem een smerige ruil voor te stellen, om hem nog

* De voorloper van tennis (vert.)

meer te compromitteren: ik bezorg jou niet de ondergang, als jij mij deze gunst bewijst...

Of de volgende dag zou hij er, misschien tijdens het bezoek van de gasten aan Palazzo Spada, misbruik van maken en tegenover iedereen een schandaal veroorzaken door Atto's manuscript voor de voeten van de andere ministers van de paus te werpen, te beginnen bij kardinaal Spada. En iedereen zou er de geheimste informatie in kunnen lezen over de conclaven, de heimelijkste plannen van Frankrijk, de ware mening van de abt over tien- en tientallen kardinalen, van wie Atto in dat geheime verslag (dat alleen voor de ogen van de allerchristelijkste koning was bestemd) wie weet welke zonden had ontsluierd...

Abt Melani's leven, een heel bestaan waarin hij tussen valstrikken, beledigingen, dreigementen en veinzerijen door was geglipt, liep ten einde. Zijn roeping als acrobaat van de politiek, evenwichtskunstenaar tussen spionage en diplomatie, stond op het punt te mislukken: over een paar uur of op zijn laatst de volgende dag zou alle discretie die hij decennia lang had gehanteerd, al zijn voorzichtigheid, alle dekmantels... Wel, alles zou onder het gewicht van vuigheid en verklikking ineenstorten, en mogelijk niet in het geheim, maar ten overstaan van de hoge hiërarchieën van de Kerk van Rome: die waarvan hij pochte dat hij ze kende als zijn broekzak. Kon je je een ergere epiloog voorstellen?

Den 14den juli 1700, achtste avond

Na veel gefeest en gefuif was nu het einde gekomen. We hadden de laatste avond van vermaak bereikt, die volgens de instructies van kardinaal Spada het hoogtepunt zou moeten vormen van vrolijkheid en verbazing. Voor het plechtige afscheid was een grote pyrotechnische voorstelling of, zoals anderen zeggen, een groot vuurwerk voorbereid. Kunstige machines, vuurpijlen en verblindende vuurraderen zouden de Romeinse nacht verlichten en in alle hoeken van de Heilige Stad bewondering en verbazing wekken. Als hij gezond was geweest, had zelfs de Heilige Vader vanuit zijn raam de betovering kunnen bewonderen die de door don Paschatio ingehuurde vuurwerkmakers (behalve degenen die op het laatste moment niet kwamen opdagen natuurlijk) voorbereidden op de gazons van de villa. De adellijke gasten bevonden zich al van alle gemakken voorzien op de gazons, waar meer stoelen, fauteuils en divans waren neergezet dan nodig met het oog op de laatkomers.

Ondanks de elke dag beleefde avonturen met Atto, de vele vragen op zoek naar een antwoord, de nog te ontwarren knopen en de opwinding die daaruit voortvloeide, was ik ineens lamzalig en weemoedig. De vermoeidheid door de vele inspanningen trok door mijn ledematen en mijn overpeinzingen werden gekleurd door de bittere inkt van melancholisch vocht.

De volgende middag zouden de gasten hun bagage pakken, bedacht ik, en naar hun huizen of hun bezigheden terugkeren, sommigen aan het ene eind van Rome, anderen buiten de stad, weer anderen zelfs over de grenzen van de Kerkelijke Staat. De grote gebeurtenis van het huwelijk tussen Clemente Spada en Maria Pulcheria Rocci lag inmiddels achter ons. Twee zielen sloten hun jeugd af en begonnen door te trouwen aan een nieuw leven. Hoe vreugdevol ook, het was enkel een hoofdstuk dat plaatsmaakt voor het volgende. Zo ging alles in de wereld, roemrijk of miezerig, voorbij, en liet niet meer na dan het vluchtige spoor van de menselijke herinnering. Als de lichten van het feest waren gedoofd, keerde het duister weer over mijn bescheiden leven als landman en knecht.

'*Tenebrae factae sunt...*' mompelde ik bij mezelf, ter begroeting van de komst van de avond, toen ik ineens opschrok van een grote knal.

De vuurwerkmakers hadden de oorverdovende wirwar aan vuurwerk ontstoken. Op een teken van kardinaal Spada was een reeks kanonsalvo's begonnen waarvan het hele gezelschap opsprong, tot groot maar heimelijk plezier van de heer des huizes.

Na de serie kanonslagen kwam de eerste toneelverschijning. In die dagen was een in de stad nooit vertoond wezen uit de oosterse landstreken naar Rome gehaald, groter en angstwekkender dan ieder ander dier dat door iemand uit zijn hoofd was beschreven: een olifant. Hij werd door zijn bewakers over de wegen van de binnenstad geleid, wat de verbazing van de kinderen, de geïnteresseerde studie van de wijzen, de schrik van de oude besjes wekte.

Wel, iedereen draaide zich verbluft om terwijl net zo'n zelfde kolos de ingang van Villa Spada binnen liep. Het was een ander exemplaar van hetzelfde ras, niet minder indrukwekkend dan zijn tweelingbroer, en begeleid door vier janitsaren begaf het zich woest door zijn muil ademend naar de toeschouwers.

'Zijne Edelheid de olifant!' kondigde de hofmeester trots aan, terwijl enkele dames zich kreetjes van ontzetting lieten ontvallen en sommigen zelfs opstonden om zich uit de voeten te maken. Een moment eerder dan dat de angst de overhand kreeg op de beminnelijke groep gasten, gebeurde het ondenkbare. Op de rug van het dier verscheen een witte, rode en gelige steekvlam; daarna begon op de punt van zijn gekromde slagtanden een reeks vlammetjes te gloeien; vervolgens barstte er uit het gat van de slurf, alsof die in een haakbus veranderd was, een ratelsalvo aan rotjes los. Toen begreep iedereen het: het was een kunstmatige olifant, nagemaakt van hout en papier-maché en voorzien van vuurwerk. Als je goed keek, bewoog hij voort op een karretje, waarachter, halfverscholen, de vuurwerkmakers duwden. Men ontspande zich; terwijl het beest steeds naderbij kwam op de hoofdlaan, namen zelfs de bangsten hun plaats weer in. Zijn grote gesnuif (nu was het te zien) werd veroorzaakt door een jongen die aan de achterkant van de pop een blaasbalg hanteerde en de samengeperste lucht in een buis loosde die er bij de bek weer uit kwam. Het publiek, vooral de dames, bleef toch eerder bang dan geamuseerd.

'Arme dames, wat een schrik. Zoals cavalier Bernini al zei, pyrotechnische machines zijn er om je over te verbazen, niet om te lachen.'

Het was abt Melani die discreet naast me was komen staan, terwijl ik een monseigneur die gevallen was toen hij wilde vluchten, overeind hielp. Atto zag er opgewonden en gespannen uit als een renpaard voor de ren.

'Ik heb het gevraagd. Albani is er niet. Hij komt misschien later,' klapte hij haastig uit de school.

Juist toen hij bij ons in de buurt kwam, doofde de lichtende olifant als een opgebrande kaars uit. Met perfecte timing begon nu de wirwar van vuurpijlen. Eerst werd er een groene staartster afgeschoten, daarna drie gele draden trekkende sterren, toen volgden drie rode en toen weer een groene, daarna weer andere van een speciaal soort die uiteenvielen in een stroom van vonken, in stralen die licht regenden, in een flits van talloze gloeiende staartsterren.

'Bevalt de voorstelling, eminentie?' vroeg prins Cesarini tussen de ene en de andere knal door aan kardinaal Ottoboni, die die avond voor het eerst bij de festiviteiten aanwezig was.

'O, dat gaat best. Maar ik ben geen man voor zulk kabaal. Om u maar wat te noemen, ik herinner me met meer genoegen de stille lichtzee die precies tien jaar geleden met fakkels werd gehouden op de koepel van de Sint-Pieter, toen de heilige Giovanni di Dio werd gecanoniseerd,' antwoordde de kardinaal op licht weemoedige toon, misschien ook omdat tien jaar geleden zijn oom, Alexander VIII, paus was.

Dergelijke vriendelijke praatjes werden onderbroken door de komst van een andere wagen, waarop niemand minder dan Lucifer zelf gezeten was. De gasten lachten: inmiddels was het duidelijk dat iedere verschijning, hoe angstaanjagend ook, voor hun ontspanning was bedoeld. De gemechaniseerde pop van de Duivel ging met hoorns, helse grijns en al half verscholen in een rietkraag en hield de boosaardige slang uit het bijbelverhaal in zijn armen. Plotseling kwam uit de bek van het reptiel een flitsende tong van echt vuur. Vervolgens ontplofte met een enorme klap het hoofd van de Boze, en het lichaam vloog snel in brand, iets wat luide bijval oogstte, zelfs bij de beverigste dametjes. Onder de onthutste blik van de gasten zagen we, toen de rook van de knal oploste, op de plaats van Satan een nobele Engel met sneeuwwitte vleugels en een smetteloos kleed verschijnen, terwijl op de vier hoeken van de wagen vrolijke vlammetjes dansten om de overwinning van het Licht op de Duisternis, en van het Goede op het Kwade te illustreren; iets wat iedereen voldaan met veel bijval becommentarieerde.

In iedere uithoek van de tuin, ook de verste, gingen toen de vuurraderen van start: spiralen van gele, roze, paarsige en bliksemkleurige vlammen, die opgehangen waren aan bomen, heggen en muren, en naar alle kanten vuur spuwden en de tuin (behalve de punten die voor de gasten waren gereserveerd) in een infernaal woud veranderden dat door de bliksems van Hephaestus aan stukken werd gereten. Hamerende salvo's rotjes verdoofden heel het gezelschap de oren en vulden de lucht met bijtende, branderige dampen, zodat veler ogen volstroomden met tranen, en tegelijkertijd verlichtten de vuurpijlen de omgeving weer met veelkleurige schijnsels, zodat alles om ons heen een hellecirkel leek, aan de klauwen waarvan Atto en ik, naast elkaar als een nieuwe Dante en Vergilius, wonderbaarlijk genoeg ontsnapten naar de wil van de Schepper die ons daarginds had opgeëist.

De stroom van vuur en bliksems was verbluffend maar bleef niet zonder gevolgen. Bij graaf Antonio Maria Fede, de permanente vertegenwoordiger van de groothertog van Toscane, vloog door de vonken van een vuurrad de pruik in brand. We waren getuige van de daaropvolgende schreeuw van geërgerde verrassing van de graaf, en van zijn trillend gejammer bij don Paschatio; de hofmeester liet meteen het hoofd van de vuurwerkmakers opsporen, dat echter (zo werd door zijn helpers gemeld) wegens eerdere verplichtingen verstek had moeten laten gaan.

'De graaf van Kontgezanik vloog bijna in brand,' commentarieerde Atto met een lachje, dat alleen door het wachten op Albani's komst wat bitter was geworden.

'Pardon?'

'Dat is de bijnaam van graaf Fede, want het verhaal gaat dat hij carrière heeft gemaakt door eerst de kont van de groothertog van Toscane te likken, en toen die van Zijne Heiligheid. Hij is me niet gedag komen zeggen omdat hij weet dat de Republiek Venetië mij in april het patriciaat heeft verleend, en nu zijn we allebei van adel. Alleen is hij geboren als loopjongen en ik niet, ha ha.'

Er viel weinig te lachen, wierp ik bij mezelf tegen, ook Atto was arm geboren: hij was de zoon van een nederige klokkenluider van de dom van Pistoia, zoals ik me herinnerde jaren geleden ten tijde van onze kennismaking te hebben gehoord. Niet toevallig waren vier van de zeven zoons door hun vader voor castratie bestemd in de hoop daarmee de kas van de familie te spekken.

'O!' riep de abt op dat moment uit. 'Wat een aardige verrassing.'

Een elegante, fiere heer liep op Atto af, vergezeld van zijn knappe dame en een bediende.

'Dit is Niccolò Erizzo, de ambassadeur van de Republiek Venetië,' fluisterde Melani me toe alvorens hij de groet beantwoordde.

'Ze hebben prins Vaini pijlsnel uit het bosje zien vluchten,' begon Erizzo knipogend na het begroetingsritueel, 'hij was zich tussen het struweel aan het onderhouden met een knappe dame, getrouwd met een markies van wie ik helaas de naam niet weet.'

'O ja? En waar hadden die twee het over tussen dat stralende struweel?'

'Dat laat ik aan uw verbeelding over. Onverwachts ging er een reusachtig vuurrad aan en van angst is Vaini bijna as geworden.'

'Vaini as of... vainille?' antwoordde Atto, waarmee hij bij alledrie een lachsalvo ontketende. 'O, neem me vooral niet kwalijk, er is hier een oude vriend...'

Ik begreep meteen zijn truc. Door net te doen of hij een ander invloedrijk personage had gezien, maakte hij zich los van het tweetal, dat zich al weer bij anderen voegde. Vanachter een struik had Sfasciamonti hem met gebaren geroepen. Ze smoesden kort, totdat Atto weer terugging en mij kwam ophalen.

'Sfasciamonti heeft die informatie gekregen,' zei hij, terwijl hij me een stukje papier gaf.

Ik maakte het onmiddellijk open en las.

Nicola Zabaglia
Bouwplaats van de Sint-Pieter. Hoofd van de school

'Geen sprake van, signor Atto. Ik zeg het nog één keer.'

Abt Melani zweeg.

'Kent u de Sint-Pieter? Bent u er geweest?'

'Natuurlijk ben ik er geweest, maar...'

'Dan weet u dat de onderneming die u voorstelt totaal krankzinnig is!' riep ik buiten mezelf uit.

We hadden elkaar op een laat uur weer getroffen in Atto's vertrekken toen de rook van het vuurwerk was opgetrokken en de gasten zaten te slempen in de Turkse paviljoens.

'Albani heeft zich niet laten zien,' begon de abt met een wat frisser gezicht. Daarna hadden we over de informatie van de smeris gesproken.

'Aandringen is zinloos, signor Atto, u zult me nooit kunnen overtuigen.'

Tot dan toe had ik zijn aandrang goed weerstaan. Maar toen kwam de argumentatie die ik duchtte.

'Ik zou het in jouw plaats doen voor je dochters.'

‘Voor mijn dochters?’ vroeg ik, alsof ik hem niet begreep.

‘Voor hun toekomst, bedoel ik. Als je wilt dat anderen zich aan hun verplichtingen houden, moet je wel het voorbeeld geven.’

‘Onze afspraak behelsde expliciet dat ik niet mijn leven zou hoeven te wagen!’

‘Maar wel dat je al het *mogelijke* zou doen om mijn belangen te behartigen.’

‘Maar,’ wierp ik tegen, ‘de festiviteiten zijn afgelopen: vertelt u mij liever wanneer u van plan bent uw beloften na te komen. Waar is de bruidsschat voor mijn dochters? Nou?’

‘Ik heb al een notaris in Rome opdracht gegeven,’ antwoordde abt Melani droog. ‘Hij is de stukken aan het opmaken. Overmorgen gaan we naar hem toe.’

Een glimlach van gêne en opluchting ontsnapte me.

‘Indien je je aan de afspraken houdt,’ vervolgde hij ijzig.

Ik voelde me in de hoek gedreven. Hij dreigde me in bedekte termen de bruidsschat niet te betalen, als ik weigerde aan zijn verzoek gehoor te geven.

‘Ik begrijp niet,’ merkte ik moedeloos op, ‘waarom u denkt dat het daar is. Alleen omdat we nu weten dat de vriend van de cerretanen, die Zabaglia, op de bouwplaats van de Sint-Pieter werkt?’

Atto legde het uit. Het idee, dat moest ik toegeven, was terecht. Dat bestreed ik niet; maar het betekende dat ik door de knieën ging.

‘In elk geval kan ik helaas niet mee,’ besloot Atto.

‘Waarom niet? Het traktaat over de Geheimen van de Conclaven is van u, en juist u...’

‘Je moet rappe benen en snelle reflexen hebben om je vlot te kunnen verstoppen,’ zei hij met een wat schorre stem.

Zonder het te zeggen had hij het toch gezegd: voor zo’n onderneming als hij nu voorstelde, was Atto te oud.

‘Dan ga ik met Sfasciamonti,’ zei ik gelaten.

Atto dacht er even over na.

‘Neem Buvat ook mee. En neem vooral ook deze mee.’

‘Daar had ik al aan gedacht, signor Atto,’ zei ik, terwijl ik Ugonio’s zware, tinkelende ring met sleutels uit zijn handen pakte.

Het vertrek had niet veel eerder dan tegen de ochtend plaatsgehad, om zo min mogelijk risico te lopen dat we door allerlei wachters en smerissen werden tegengehouden. Abt Melani had tegen Sfasciamonti en Buvat gezegd dat we omhoog moesten, maar zonder te specificeren *hoe* hoog.

De Heilige Bol: terwijl we Villa Spada verlieten, moest ik grinniken om die wat lompe naam die de lijkenpikkers en de cerretanen gebruikten. Een naam die toch, als je wist waar het om ging, vrij goed gekozen bleek. Er gingen veel verhalen over die bol en ik had er ook gehoord, want hij stond erom bekend dat hij vrijwel onbereikbaar was, en wie er kwam ging voor dapper door.

De onderneming was absurd; maar juist daarom, zei ik bij mezelf, moest ik al mijn moed te hulp roepen. Ik moest me niet gewoon vermetel en waaghalzig betonen, zoals Atto, maar ook voelen dat ik het was. Ik had net als Sint Joris een te doden draak tegenover me. Maar de angst die me dat kon verhinderen zat in me. De meest geduchte tegenstander sluimert tussen onze oren.

Ik hoorde mijn schone Cloridia me al, als ik haar van de onderneming zou vertellen, naar het gebeurde vragen en me met haar ijzeren logica verpletteren; ze zou me zover krijgen dat ik alle moeilijkheden, gevaren en dwaasheden die door Atto in het vooruitzicht gesteld maar door mij uitgevoerd waren, opbiechtte.

Eerst zou ze vergaan van medelijden; ze zou me volop omhelzen en kussen bij de gedachte dat ik zo veel gevaar had gelopen. Maar algauw zou haar onoverwinnelijke lucidIteit de overhand krijgen; ze zou met ogen uit haar kassen en met te berge gerezen haren als een nieuwe Medusa met toenemend misprijzen mijn verslag becommentariëren. Ten slotte zou ze haar fatale woede bedwingen en me onverantwoordelijk noemen, een slechte vader en echtgenoot, iemand met grootheidswaan en wat nog het ergste was, een idioot. De toekomst van onze meiskes mocht dan op het spel staan en ik mocht dan een royale beloning voor mijn diensten zijn overeengekomen, maar voor de dood bestaat geen vergoeding.

Tijdens Cloridia's geschreeuw zouden onze meiskes met een streng gezichtje knikken en achter mijn rug om giechelen. Misschien zou mijn bruid me voor een paar dagen uit het gezinsnest verstoten om de verleiding te weerstaan me met een pollepel op mijn kop te slaan of me met een van haar stompe, massieve instrumenten uit de verloskunde af te ranselen.

Het gevaar bestond, dat viel niet te ontkennen. Maar als de onderneming slaagde, zou ik van Atto een meerprijs mogen vragen, en een pittige ook. Alleen was het nog te vroeg om daaraan te denken; nu moest ik vooral mijn vertrouwen stellen in de machtige schouders van Sfasciamonti en de barmhartige hand van de Verlosser, die ik smeekte om over mijn veiligheid te waken.

De lijkenpikker Ugonio had gezegd: tot donderdag blijft het traktaat in de Heilige Bol. Don Tibaldutio had eraan toegevoegd: men zegt dat de cerretanen een vriend in de Sint-Pieter hebben. Sfasciamonti's informatie completeerde het plaatje toen hij de vriend van die schurkenschooiers een naam gaf.

Nicola Zabaglia was lid van de eerbiedwaardige Bouwplaats van de Sint-Pieter, het eeuwenoude instituut dat de bouw, het onderhoud en de restauratie verzorgt van de basiliek die op het graf van de eerste paus is gebouwd. Hij had zelfs een alleszins respectabele positie: hij werd beschouwd als een genie in de bouw van machines voor het vervoer van grote voorwerpen (stenen, zuilen) en was benoemd tot directeur van de school voor toekomstige leden van de Bouwplaats, die *sampietrini* werden genoemd.

Alleen de *sampietrini* hadden toegang tot de geheimste plaatsen van de basiliek: van de geheimzinnige onderaardse gangen (waar het graf van Petrus ligt) tot de hoogste pinakels van de koepel.

Dat alles had Atto gesuggereerd waar we zijn traktaat over de Geheimen van de Conclaven zouden kunnen vinden. Het probleem was alleen om erbij te komen, vooral op dat tijdstip.

Het traject van Villa Spada naar de Sint-Pieter via de noordkant van de Janiculus verliep snel en moeiteloos. Toen we het smalle stuk van de buurt die uitkomt op het plein eenmaal achter ons hadden, glipten we onder de grote zuilenrij in twee spiegelbeeldige halve cirkels, die gedecoreerd is met wel honderdveertig beelden van heiligen en zich over het grote Sint-Pietersplein uitstrekt, het getrouwe beeld van de barmhartige armen waarmee de heilige Moederkerk haar geliefde kinderen bescherming en troost biedt.

Het plein werd tamelijk streng gecontroleerd door de wachters, die we uiteraard vroeg of laat zouden tegenkomen, maar het was het beste als dat zo laat mogelijk gebeurde. In het grote complex van de basiliek waren we toen doorgedrongen via een boog uiterst rechts van de voorgevel, waarbij we de grote ingang en daarnaast de Deur van de Dood links lieten liggen. Vervolgens kwamen we op een binnenplaatsje dat via een smalle gang in de openlucht naar een andere kleine binnenplaats voerde, aan de noordkant van het heilige gebouw tegen de Vaticaanse tuinen gelegen.

Vandaar gingen we via een poort door de Heilige Muren van de basiliek. We bevonden ons in een kleine, donkere hal. Rechts liep een brede wenteltrap. Aan de voet ervan werden we echter tegengehouden door een wachter. Gelukkig wist Sfasciamonti raad. Door een vlotte, haastige manier van doen had hij onze ondervrager zand in de ogen gestrooid met de banale smoes dat hij een van de *sampietrini* zocht; iets wat nog bijna waar was ook (want de naam Zabaglia had ons daar gebracht). Onder het oog van de wachter trokken we luchtig voorbij en verdwenen de trap op.

Zo begonnen we aan de grote spiraal omhoog. Het ronde gewelf van de opwaartse gang werd zwak verlicht door toortsen en onderbroken door grote ramen, die afgesloten waren met stevige ijzeren traliewerken. Behoedzaam liepen we verder, als het ware aan de dunne leuning vastgeklemd; nu en dan passeerden we in de buitenmuur van de trap deurtjes met voor ons duistere opschriften als 'Eerste gang', Tweede gang', 'Achtsten van Sint-Basilius en Sint-Hiëronymus', die waarschijnlijk naar geheime doorgangen voerden die door *sampietrini* gebruikt werden om de ontoegankelijkste krochten van de enorme constructie te bereiken.

Een paar minuten later kwamen we weer iemand tegen die eveneens vroeg wat wij daar op dat tijdstip moesten. Ditmaal kwam Sfasciamonti met zijn functie van smeris voor de dag en gaf helder te verstaan dat hij zich niet verplicht voelde te antwoorden. De ander knikte en legde ons geen strobreed in de weg. We herademden.

Na een aardig stuk kwamen we hijgend van de klim en de spanning bij een vlakke gang en toen bij een kort trapje met haken in de muur. We gingen omhoog.

Aan het eind wachtte de verrassing. Het trapje had ons naar een terras geleid, het enige echte terras van de Sint-Pieter: het grote vlakke gedeelte achter de beelden van de Verlosser en de andere twaalf Heiligen die de voorgevel domineren en verfraaien. Voor ons hadden we de kolos: de grote tamboer en verder de monumentale kruisboog van de koepel.

Ik keek achter me. We waren op het terras gekomen vanuit een koepel op een achthoekig grondvlak, die vergeleken met zijn grotere broer minuscuul leek. Omdat de plattegrond van de basiliek een groot kruis vormde, bedekte het terras het oppervlak van de grootste arm tot aan de kruising met de kleinste arm. De open ruimte was bezaaid met koepels waarin de grote dakramen eindigden die de zijkapellen van de basiliek verlichtten, en werd halverwege verdeeld door een lange loods met een schuin dak.

Boven onze hoofden had de nacht haar ravenzwarte sluier uitgespreid. De maan vergunde ons slechts het uiterst vage schijnsel van een dun sikkeltje, net genoeg, bedacht ik, om ons het gigantische silhouet van de basiliek te laten onderscheiden en ons te herinneren aan de terechte vreze Gods, waarmee ons bezoek niet helemaal nutteloos werd. Maar terwijl die overpeinzingen bij me opkwamen, namen de gebeurtenissen de wending die ik had gevreesd.

'Daar heb je ze,' hoorden we duidelijk in het donker. Ik begreep het direct: de tweede wachter die we waren tegengekomen had het niet vertrouwd. Er was iemand gestuurd om ons tegen te houden.

Ik zag een klein groepje mensen, minstens twee en niet meer dan vier, naar voren komen vanaf het deel van het terras dat uitkeek op het plein, waar het beeld van Onze-Lieve-Heer bij iedere morgenstond Zijn heilige aanschijn tot de menigte gelovigen wendt.

'Wat doen we?' vroeg Buvat.

'Ik zou ze met geld tot rede kunnen brengen,' kondigde Sfasciamonti aan, 'ook al denk ik niet echt dat...'

Maar ik had al geen oren meer om het aan te horen en geen geduld om het af te wachten. Ik had mijn berekeningen gemaakt; als ik snel genoeg was, had ik goede kansen om het te redden.

'Hé jongen, maar...' hoorde ik Sfasciamonti zeggen, terwijl ik me uit de voeten maakte en tegenover ons een tweedelige trap op rende die aan de buitenkant van de tamboer van de koepel omhoogliep en hogerop naar een ingang leidde.

Toen werd er niet meer gesproken: op mijn snel vluchtende voetstappen reageerden die van Buvat en Sfasciamonti, en verrast en woedend die van onze achtervolgers.

'Lieve Cloridia,' fluisterde ik hortend van het hijgen, 'ik hoop dat je me zult vergeven als ik het vertel.'

Het nadeel was mijn geringe of totaal afwezige kennis van de locatie. Het voordeel was de verrassing en de voorsprong die ik in aanzet had. Mijn kleine postuur leek me in eerste instantie een zwak punt, maar later zou ik merken dat het dat toch niet was.

Ik rende de longen uit mijn lijf, maar met innerlijk de (onbezonnen) hoop dat ik geen uitzonderlijke risico's zou lopen: het ergste dat me kon overkomen was dat ik uiteindelijk door de wachters van de Sint-Pieter zou worden tegengehouden; maar ik zou alles nog op jeugdige overmoed kunnen gooien. Ik stal niets en maakte niets kapot. Om gerechtelijke consequenties te voorkomen zou Sfasciamonti een van zijn talrijke kennissen inschakelen, en Buvat zou zich tot Atto wenden, die onder zijn talrijke ingangen de juiste weg zou vinden om me uit de nesten te halen. Een verhaal met veel 'zou' dat ik werktuiglijk bij mezelf herhaalde om mezelf moed in te spreken.

Aan het einde van de spiltrap stond ik op een tweesprong; ik koos lukraak en ging linksaf. Ik ging over een drempel zonder deur en plotseling zag ik me boven het Oneindige.

Ik was binnen in de koepel, tegenover een peilloze afgrond. Naar rechts en naar links strekte zich een ringvormige gang uit die helemaal langs de basis van de enorme tamboer onder aan de koepel liep. Die ringvormige doorloop opende aan mijn voeten het schouwspel van een afgrond boven het interieur van de basiliek. Onder mijn ogen strekte zich het kolossale middenschip van de Sint-Pieter uit, precies op het punt waar het het transept kruist. Daar, maar dan vele roeden lager, wist ik dat de grootse omvang van de altaarhemel van cavalier Bernini stond, de glorie van de basiliek en heel de christenheid. Boven mij maakte de buitensporige kap van de koepel, een afgrond boven de afgrond, me gelijk aan een stofdeeltje in het immense heelal.

Op ooghoogte stonden op de wanden van de grote tamboer die de koepel steunde kolossale mozaïeken met tedere engeltjes van vijf man hoog, gezeten op hoornen des overvloeds met de omvang van twee koetsen.

Maar dat alles kon ik bijna alleen met de ogen van mijn verbeelding zien: een handvol fakkels verlichtte te zwak het interieur van de kerk, een eindeloze spelonkachtige krocht waar alleen het wanhopig ritme van mijn voetstappen weergalmde.

De drempel vanwaar ik in dat duizelingwekkende observatorium was gekomen, was een van de vier toegangen tot de ringvormige gang, diametraal tegenover elkaar gelegen als de vier windstreken.

Rechts of links. Opnieuw links. De drempel had ditmaal een deur. Ik duwde: open. De voetstappen achter me kwamen naderbij. Wederom links: klap met mijn neus tegen de klink van een deur, dicht. Er was geen enkele verlichting meer, de nacht was inmiddels maanloos. Dan maar weer naar links.

Een trap. Treden die recht omhooggaan, dan opnieuw een wenteltrap, maar op een heel breed vlak. Vanaf de linkermuur wat licht, heel zwak, bijna niets. Het was een groot raam dat uitkeek naar buiten. Buiten waren de daken van de basiliek te zien, rustig en zich niet van mijn wanhopige opwinding bewust. De wenteltrap ging verder omhoog, ging weer over in een recht stuk. Ik stootte wederom mijn snufferd: voor me was een steil, verstikkend wenteltrapje dat verticaal omhoogliep. Ik ging het op. Ook de anderen moesten wat problemen hebben; ik hoorde een kreet. Misschien deed ik het wel goed: nu waren hun geluiden wat minder dichtbij. Maar waar was ik? Ik bad dat mijn berekeningen niet in strijd waren met de feiten. Nog belangrijker dan aankomen was weten te vluchten. Het was een gevoelig mechanisme, Atto had het me tot in de finesses laten zien. Gelukkig had hij in de bibliotheek van Villa Spada gevonden wat wij nodig hadden, en we hadden de nachtelijke uren voor mijn vertrek gebruikt om de wapens te scherpen. Het was *De Vaticaanse tempel en zijn oorsprong*, een werk dat te danken was aan de geleerde Carlo Fontana, vol tabellen en illustraties, en zes jaar terug, in 1694, gedrukt in Rome. Het bevatte kaartjes, afdelingen, overzichten van de basiliek en wat belangrijker was, van de koepel. Binnen een paar uur had ik de grafische weergaven van plaats en ligging van de binnengangen in het hoge deel van de basiliek uit mijn hoofd geleerd. Hoewel bij benadering had mijn geheugen me efficiënt geleid.

De trap hervatte het wentelgedeelte. Vreemd: beide muren, buiten en binnen, waren griezelig hellend, er was ternauwernood de ruimte om verder te gaan. Ik vroeg me af hoe Sfasciamonti door die absurde darm moest: dikke lucht, zeer muf, niet in te ademen. Af en toe gaf een raam wat verlichting en minder hete lucht, maar er was geen tijd om te blijven staan ademhalen.

Pas toen begreep ik het: ik was op weg in de tussenruimte tussen twee lagen van de koepel. De wenteltrap was parallel tussen het buitenoppervlak en het binnenoppervlak gebouwd, zichtbaar vanuit de basiliek. Maar meteen moest de duizelingwekkende gewaarwording in een zwevend lichaam te lopen verlaten worden: de wenteltrap ging niet meer omhoog, er was een kort vlak stuk. Van beneden klonk weer geschreeuw.

'Sfasciamonti, Buvat, waar zijn jullie?' riep ik.

Bij wijze van antwoord waren er alleen maar vage stemmen en geluiden te horen. Mijn benen trilden een beetje, en niet alleen van de inspanning. Ik probeerde te versnellen, maar gleed lelijk uit. Ik viel een paar treden naar beneden, waarbij ik mijn knieën en dijen behoorlijk bezeerde. Ik kwam weer overeind en was nog heel. Ik keerde terug naar de horizontale gang zonder te weten hoe lang ik strompelde. Geen trap, geen uitwegen, niets.

Toen voelde ik het: er ontbrak iets vóór me, twee of drie passen verder: de vloer. Ik hield in, verloor mijn evenwicht, ik hield me met mijn rechterarm aan de binnenmuur vast. En ik voelde het.

Het was een stenen trede, enorm, bijna tot aan mijn nek zo hoog. Ik stak mijn armen uit en tastte. Ja, er was er nog een boven, en daarna nog een. Het was min of meer zoals ik het me had voorgesteld en ik durfde het aan: vandaar ging je steeds hoger. Het was een van de vier trappen met grote treden, voor elke windstreek één, die in de lege tussenruimte, tussen de binnen- en buitenzijde tot het hoogste punt van de koepel liepen. De trap begon weer, terwijl ik tot mijn vreugde eindelijk voelde dat klein zijn weinig wegen betekent, en iemand die weinig weegt gaat snel.

In het begin waren de blokken van de treden eerder hoog dan breed; daarna, naarmate de top van de koepel naderbij kwam, keerden de verhoudingen om. Uiteindelijk moest ik nog drie treden, nog twee, één. Uitgeput, maar weer op de been hees ik me op een horizontaal vlak, terwijl er van bovenaf een zwak schijnsel kwam, of gewoon een minder ondoordringbare duisternis. Ik tastte naar rechts, naar links, alle richtingen uit, en vond eerst een muur, toen een opening. Ik struikelde, misschien over een tree, mijn rechterhand stuitte op een leuning. Ik wist niet meer waar ik heen ging, maar ik kwam er in een oogwenk en eindelijk voelde ik op mijn huid de buitenlucht, de lucht: ik was buiten.

Mijn voeten stapten in de gang die helemaal rondom en boven de koepel loopt. Aan de binnenkant van de gang liep een dubbele rij zuilen met boogjes, waar je onderdoor kon. Aan de buitenkant helde de vloer van de gang af om de afvoer van het regenwater te bevorderen, wat de bezoeker echter de indruk gaf dat hij voortdurend naar de afgrond werd getrokken. De enige bescherming vormde een leuning, waar voorbij je ogen dronken werden door het onzichtbare panorama over het nachtelijke, slapende, weerloze Rome. In iedere richting weerstond mijn blik een dodelijke sprong.

'Mijn lieve bruid, van nu af aan zal ik je niets vertellen,' lispelde ik, terwijl mijn ledematen verstijfden van angst en opwinding.

Ik hoorde opnieuw het hijgen van de wachters. De mensen die me achtervolgden, waren niet ver meer.

Een paar seconden had ik ter beschikking. Ik zocht het, want door het boek dat ik die nacht met Atto in Villa Spada had geraadpleegd wist ik van zijn bestaan. Na bijna een halve ronde van de gang vond ik het. Een donker hoekje, een traliewerk, twee scharnieren: daar was het. Een deurtje dat bijna met de nagels in het harde steen van de koepel was uitgehouwen. Ik trok mijn van zweet doorweekte hemd uit en haalde uit mijn broek Ugonio's tinkelende ring sleutels te voorschijn. Ik zocht de juiste sleutel. Een grote, een wat kleinere, misschien een andere met de juiste vorm. De seconden verstreken, ik was mijn voorsprong aan het verspelen. Ik stak hem in het slot; allemaal voor niks, het slot was open! Het deurtje ging moeiteloos open. Er was geen tijd om te vloeken; een paar snelle sprongen en ik was boven.

Eenmaal het valluik door bevond ik me op een soortgelijke cirkelvormige gang als de vorige maar dan kleiner, afgesloten door een leuning met tussendoor grote steunen in paddestoelvormig steen, en nog gedurfder aan de top van de koepel vast. Als ik er de tijd voor had gehad, zou ik verrukt zijn bij het zien van de lichtstralen die de sterren in het zwarte hemelgewelf sprenkelden, en fantaseren dat ik ze met mijn vingertoppen kon aanraken.

In het midden van die soort schijf, die de bovenste gang was, stond een hokje, eveneens op een rond vlak. Ik liep er direct omheen; er was geen deur. Ik werd al bijna wanhopig, want talloze malen had ik horen zeggen dat je erin kon, en toen zag ik het: een soort laag raampje dat vanaf de vloer ter hoogte van mijn maag kwam. Ik bukte en ging naar binnen, terwijl ik voetstappen op de gang beneden hoorde.

Verrassend genoeg was het niet volstrekt donker in het hokje: een zwak schijnsel drong door het raampje van de ingang naar binnen.

Een lichte weerkaatsing kwam echter van boven mijn hoofd. Een trap in haken strekte zich uit naar boven toe, naar het doel: de bronzen Bol die zich op het hoogste punt van de Sint-Pieter verheft, meteen onder het grote Kruis waarmee de basiliek de top bereikt.

Met een sprongetje klampte ik me aan een haak vast en trok me op, me met mijn voeten afzettend tegen de muur om het gemakkelijker te maken. Terwijl ik naar boven klom, zag ik het vage schijnsel toenemen.

Men zegt dat de bol van de Sint-Pieter wel zestien mensen kan herbergen, in de juiste opstelling tenminste. Hoe talrijk mijn achtervolgers ook mochten zijn, ik zou, zei ik bij mezelf, dat praatje niet kunnen controleren.

Eindelijk stak ik mijn hoofd in de bol, toen mijn schouders, en ten slotte steunde ik met mijn elleboog in de grote bronzen holle ruimte. Pas toen ontdekten mijn ogen dat ik niet alleen was.

Met zijn grote achterwerk tegen de holronde muur van de bol stond daar Sfasciamonti, zwetend als een otter en hijgend als een postpaard. Hij was eerder dan ik gearriveerd, waarschijnlijk omdat hij een andere van de vier trappen met hoge treden had genomen die via de binnenkant van de holle tussenwand tot het hoogste punt van de koepel kwamen. In de ene hand hield hij een bandje: het traktaat over de Geheimen van de Conclaven. In de andere een pistool.

Midden in de holle ruimte waarin we ons bevonden stond vlak naast het gat waardoor je in en uit ging een kruk. Het boekje moest daar bovenop gelegd zijn, de smeris was er sneller bij geweest dan ik om het te pakken. Plotseling reikte hij het me aan:

'Stop in je broek, ze komen eraan!'

Ik hoorde van beneden rumoer komen. Sfasciamonti legde zijn vinger aan de trekker. Het zag ernaar uit dat we geen vluchtwegen meer hadden.

'We mogen niet schieten, we zijn hier in een kerk... Bovendien zullen ze ons arresteren,' merkte ik op, eveneens hijgend en buiten adem.

'Eventueel zijn we *boven op* een kerk,' grijnsde de smeris.

Het had ook geen zin om te proberen uit de bol af te dalen en te vluchten: iemand was het hokje in gegaan en kon elk moment naar boven komen. Sfasciamonti en ik keken elkaar aan, onzeker over wat we moesten doen.

Toen gebeurde het: het punt waar onze blikken elkaar kruisten werd doorboord door een verblindend schijnsel dat als een zweep op ons gezicht sloeg en ons deed ineenkrimpen van schrik.

Plotseling begreep ik waarom ik daarvoor, toen ik eerst het hokje en daarna de bol in ging, een diffuus schijnsel had waargenomen dat steeds helderder werd. Jaren terug had ik een bejaarde vleeshouwer leren kennen van wie de zoon een *sampietrino* was, en die me had beschreven wat er nu gebeurde. De bol die ons herbergde had vier gaten, manshoog in de richting van de vier windstreken: door zich als een vurig mes door het oostelijk gat te boren en de hele bol met zijn licht te vullen had de zon zijn feestelijke intocht bij ons gemaakt.

Het was ochtend.

Den 15den juli 1700, negende dag

Bijna als een teken van het Lot viel de straal midden op Atto's boekje, dat de lichtstroom in honderdduizend wittige straaltjes uiteenwierp.

Onverschillig voor die curieuze gebeurtenis richtte Sfasciamonti zijn pistool naar omlaag.

'Halt of ik schiet, ik ben een agent van de Gouverneur!' schreeuwde hij.

Vervolgens (zo leek mij) struikelde hij over de kruk, die met groot kabaal in het gat van de bol viel. Misschien viel de smeris ook. Misschien sleurde hij mij wel mee in zijn val.

Tijd bestond niet meer. Van licht werd het donker, de Wereld en de bol maakten eenstemmig een bedwelmde omwenteling, en ik was in een onverwacht elders.

Terwijl ik als een zak lege, ingesluimerde ledematen werd weggedragen, wilden mijn ogen nog een laatste flard van die heilige spitsen, van dat aan de Heer gewijde arendsnest opvangen.

Ik had mijn hoofd omlaag; maar door een van die eigenaardige algoritmen van het bewustzijn waardoor sommige mensen perfect van rechts naar links kunnen lezen of voor de vuist weg anagrammen kunnen maken zag ik het, voordat ik mijn bewustzijn verloor, opdoemen en ik herkende het.

Fier en raadselachtig, verankerd op de hoogte van de Janiculus-heuvel sloeg Het Schip ons gade.

'Achter iedere merkwaardige of onverklaarbare dood gaat een complot van de staat, of van zijn geheime diensten schuil,' oordeelde abt Melani.

Mijn hoofd deed pijn. Ook mijn nek deed pijn. Eigenlijk deed alles pijn.

‘Maar ook de gevallen van verdwenen of ontvoerde mensen, of slachtoffers van ongelofelijke ongelukken die later wonderbaarlijk heelhuids weer uit het niets opduiken, vormen een duidelijk symptoom van subversieve intriges. Niemand redt zich van de dood dan met hulp van iemand die hem hardnekkig in de praktijk brengt.’

Atto’s stem zweefde in een kale, kristallijne leegte. Ik had mijn ogen nog dicht en ze opendoen leek me niet dringend noodzakelijk.

Ik werd geholpen door enkele vage herinneringen: de gewaarwording van mijn lichaam, dat zwaar werd neergelegd en vervoerd op een karretje; de kilte van de ochtend; vervolgens de binnenkomst in een behaaglijke, vertrouwde ruimte.

Er verstreken nog een paar uren (of waren het minuten?) voordat de geluiden van de open- en dichtgaande deurklink en van voetstappen in de gang me wekten. Mijn oogleden besloten eindelijk dat het tijd werd om open te gaan.

Ik was met kleren en al op het bed van abt Melani gelegd in het Zomerverblijf van Villa Spada. Atto zat ernaast in een fauteuil, met zijn blik in Joost mag weten welke overdenkingen verdiept. Hij had niet gemerkt dat ik wakker was. Pas na een paar minuten wendde hij zijn ogen af van het denkbeeldige punt in de lucht waarop hij ze gericht hield en vestigde ze op mij.

‘Welkom terug in het land der levenden,’ zei hij met een half voldane, half ironische glimlach. ‘Je vrouw was erg bezorgd, ze heeft de hele nacht opgezeten. Ik heb haar, ook al was het inmiddels ochtend, laten weten dat je heelhuids terug was.’

‘Waar is Sfasciamonti?’ vroeg ik angstig.

‘Naar bed.’

‘En Buvat?’

‘Op zijn kamertje. Hij ligt ook te ronken.’

‘Ik begrijp het niet,’ zei ik, terwijl ik voor het eerst ging zitten, ‘waarom zijn we niet gearresteerd?’

‘Naar wat onze vriend de smeris vertelde, hebben jullie aardig wat geluk gehad. Sfasciamonti is boven op de *sampietrino* gevallen die bij jullie in de bol wilde komen, en heeft jou ook meegetrokken. Daarna heeft hij de man ontwapend en hem met wat trappen en stompen half bewusteloos geslagen. Ten slotte heeft hij je op zijn schouder geladen en gezien zijn omvang zonder veel moeite teruggebracht. Toen hij beneden aankwam, heeft niemand hem gezien. Het was ’s ochtends vroeg, er was geen kip te bekennen. Waarschijnlijk waren de wachters allemaal achter Buvat aan gegaan.'

'Achter Buvat aan?'

'Nou ja. Zodra jullie op het terras achtervolgd werden, heeft hij het op een lopen gezet.'

'Wát?' riep ik verbluft uit. 'Ik dacht dat hij met ons naar boven was geklommen naar...'

'Zijns ondanks was hij geniaal. In plaats van achter je aan te gaan, terwijl jij de trap op vluchtte naar de koepel, heeft hij rechtsomkeert gemaakt en is de trap af gegaan waar jullie vandaan kwamen. Een van de twee *sampietrini* die jullie hadden tegengehouden, een kleintje – o, *pardon* –, heeft hem gevolgd,' legde de abt uit, zich verontschuldigend voor de zinspeling op mijn lengte. 'Maar Buvat heeft lange benen en heeft hem in het stof laten bijten. Hij is als de bliksem de Sint-Pieter uit gegaan zonder dat iemand ook maar zijn gezicht had gezien, hij heeft iedereen van zich af geschud. Maar toen is hij onderweg van de Sint-Pieter hiernaartoe de weg kwijtgeraakt en maar kort voor jullie gearriveerd.'

Ik was verbijsterd. Ik dacht dat ik twee bondgenoten had in de gevaarlijke beklimming van de bol van de Sint-Pieter; maar één had schaamteloos verstek laten gaan en de ander was op het cruciale moment boven op me gestort.

'Ik weet dat je dapper bent geweest, je had het gered.'

'Uw manuscript, het traktaat over de Geheimen van de Conclaven!' stoof ik op. 'Heeft Sfasciamonti het u gegeven?'

Atto's gelaat kreeg een zacht mismoedige uitdrukking:

'Dat was niet mogelijk. Terwijl hij je vervoerde, is het bandje uit je broek gevallen. Als ik het goed begrepen heb, is het op een punt van het terras beland waar het te ver is om je te wagen. Hij moest kiezen tussen zijn behoud en mijn traktaat. Hij kon niet anders, denk ik.'

'Ik begrijp het niet... Alles was goed gegaan, bovendien... Het is kranzinnig,' merkte ik verloren op. 'Waarom heeft hij me trouwens hier gebracht en niet naar mijn huis?'

'Simpel: hij weet niet waar je woont.'

Nog een beetje te versuft om geheel en al mijn krachten te hervinden moest ik wachten tot het gordijn van verbazing en ontgoocheling neerviel tot op de bodem van mijn ziel. De gelopen gevaren, de inspanning, de angst... alles was voor niets geweest. We hadden Atto's boekje verloren. Vervolgens kreeg ik een nevelige herinnering.

'Signor Atto, terwijl ik sliep hoorde ik u praten.'

'Misschien dacht ik hardop na.'

‘U zei iets over onverklaarbare doden, complotten van de staat... of iets dergelijks.’

‘Echt waar? Ik weet het niet meer. Maar ga nog maar even rusten, jongen, als je wilt,’ zei hij, terwijl hij overeind kwam en naar de deur liep.

‘Gaat u naar de stad om met de andere gasten een bezoek te brengen aan Palazzo Spada?’

‘Nee.’

‘Gaat u er echt niet heen?’ vroeg ik; ik stelde me voor dat Atto bang was om Albani tegen te komen. Op dat punt had een of andere *sampietrino* op bevel van Zabaglia Atto’s boek misschien al opgehaald en overhandigde hij het aan de cerretanen, die het aan de Groot Legator zouden geven, oftewel Lamberg, en deze aan de kanselier van de breven.

‘Het is niet het moment,’ antwoordde Atto. ‘Ik zou met genoegen bij daglicht de pracht van Palazzo Spada bewonderen, maar we hebben dringender zaken te doen.’

Het weer werd een beetje grijs. Een onverwachte warme windvlaag striemde ons gezicht, zodra we van de wenteltrap op het terras van Het Schip kwamen.

De voorbereidselen voor het uitstapje hadden even geduurd. Onder de vele mogelijkheden hadden we ten slotte de belangrijkste zaken gekozen: het pistool van de abt; een lange dolk, die ik in mijn broek had verstopt; ten slotte een net, van het soort dat gebruikt werd bij de vrolijke jacht van drie dagen eerder. Op die manier waren we in staat het wezen op afstand te houden, het in een eventueel (en gruwelijk) man-tegen-man-gevecht te raken, of zelfs te handelen als een ervaren gladiator door het te verstrikken met een warwinkel van stevig touw.

We gingen tegenover de deur van het vertrekje op de loer liggen, met bijna verstijfde benen van de spanning.

We wisselden een bemoedigende blik. Atto ging als eerste naar voren, greep de klink van het voordeurtje van het torentje en duwde het open. Binnen heerste alleen maar schemer en stilte.

We wachtten bijna een minuut zonder iets te zeggen of te bewegen.

‘Ik ga wel verder,’ zei uiteindelijk Melani, terwijl hij zijn pistool trok en controleerde of het schietklaar was.

Ik antwoordde door met mijn dolk te zwaaien, en nadat ik het net over mijn linkerschouder had losgeschud, maakte ik me gereed om het bij de eerste de beste gelegenheid te werpen.

Atto ging naar binnen.

Eenmaal over de drempel drukte hij zich onmiddellijk met zijn rug achter de linkerdeurpost om het aantal richtingen van waaruit hij aangevallen kon worden te verkleinen. Met een arm wenkte hij me naar voren te komen. Ik gehoorzaamde.

Zo was ik opnieuw in het hol van het monster, schouder aan schouder tegen het hijgende bovenlijf van Atto die, zonder acht te slaan op zijn gevorderde leeftijd, zijn bepaald niet meer katachtige bewegingen, zijn inmiddels zeker vermoeide blik, moedig als een leeuw bleef en zich gedroeg (en voelde) als de eerste van de musketiers van de allerchristelijkste koning.

Het licht, door de beslagen ruiten al zwak, was door de verschuivende wolken nog zwakker dan de vorige keer. In het midden van het vertrekje stonden, zoals ik me herinnerde, twee zuiltjes.

Als het er was, moest het zich goed verstopt hebben.

Door een pijnscheut schrok ik op. Om mijn aandacht te trekken had Atto een elleboog in mijn ribbenkast geplant.

En toen zag ik het.

In de tegenoverliggende hoek van het torentje had zich achter de twee zuiltjes en bij het rechterraam iets in de muur bewogen. Een gruwelijk misvormde arm, bedekt door een soort schubbige slangenhuid, stak in de muur en had op Atto's stap op de vloer gereageerd. Daar was het beest.

Het zicht werd gedeeltelijk belemmerd door de twee zuiltjes; we zouden naderbij moeten komen om uit te vinden welk deel van het monster zich had bewogen en vooral hoe het in 's hemelsnaam zo bizar in de muur gevoegd kon zijn.

'Ho. Niets doen,' fluisterde abt Melani me bijna onhoorbaar toe.

Er verstreek één, misschien twee minuten van totale roerloosheid. De arm van de Tetràchion was weer bewegingloos geworden, zijn monsterlijke hand eveneens. De deur stond open. Zowel wij als het wezen hadden het veld kunnen ruimen en op de vlucht kunnen slaan. Maar geen van beide partijen had uit moed of angst de beslissing durven nemen. De lucht van het vertrekje, die vochtig was door het binnensijpelen van vocht door het plafond en de lagen salpeter die op een goed deel van de minuscule ruimte gekoekt zaten, was nog benauwder geworden door onze ingehouden adem, door de alles doordringende marmeren stilte, door de stevige, vlezige angst.

Terwijl dat allemaal gebeurde (in werkelijkheid niets, behalve de storm van onze harten), streed ik een andere strijd: een uitdaging van mezelf aan mezelf.

Ik zette alles op alles, maar ondanks de ernst van het moment wist ik dat ik vroeg of laat zou bezwijken. Ik moest absoluut, maar mocht niet. Uiteindelijk gaf ik me gewonnen. Ik moest absoluut mijn neus krabben, wilde ik grotere ellende (een nies) voorkomen. En dat deed ik.

Nooit zal een uitdrukking uit de mensentaal het gevoel van wanhopige verbazing kunnen weergeven toen ik zag dat de hand van het monster mij met weergaloze gelijktijdigheid nadeed en naar zijn gruwelijk gelaat ging, al was dat aan het zicht onttrokken door de zuiltjes. Ik werd bekropen door een verschrikkelijke twijfel.

'Hebt u het gezien?' fluisterde ik naar Atto.

'Hij heeft zich bewogen,' antwoordde hij gealarmeerd.

Ik wilde een tweede proef doen. Ik maakte de vingers van dezelfde hand los en liet ze vrolijk fladderen. Vervolgens bewoog ik mijn been ritmisch op en neer. Uiteindelijk ontsnapte ik aan mijn opstelling en liep naar de twee zuiltjes om een blik zonder materiële of geestelijke obstakels te werpen op het raadsel dat ons zo wreed in de ban had gehouden.

'Het is waanzinnig. Jongen, ik verbied je om dit verhaal aan wie dan ook te vertellen,' zei Atto zonder zijn ogen van de spiegel af te wenden. 'Ik bedoel natuurlijk zolang we niet alles wat nog duister is hebben opgehelderd,' verbeterde hij zichzelf voorzichtig om het motief (de schaamte) voor zijn uitdrukkelijke bevel te verhelen.

Hij voelde nog een keer aan het knobbelige oppervlak van de lachspiegel en bewonderde hoe van tijd tot tijd zijn vingers, knokkels, handpalm en pols erin opzwollen, uitholden, verbogen of recht gingen staan.

'Lang geleden heb ik iets soortgelijks gezien in Frankfurt, toen kardinaal Mazarin me op een geheime onderhandeling had uitgestuurd. Maar het had niet zo'n... schrikwekkend effect als dit.'

We hadden niet de Tetràchion gezien. Zo leek het althans. Die kostelijke Benedetti, de geniale ontwerper van Het Schip, had tot meerder vermaak van zijn gasten een paar lachspiegels aan de wanden van het torentje aangebracht, die dankzij de donkere, mistroostige sfeer van de kleine ruimte, alsmede door het feit dat de ene de andere weerkaatste, het beeld van de bezoeker in dat van een monsterlijk wezen veranderden.

Terwijl ik mijn neus krabde, had ik gezien dat de vermeende Tetràchion met ongewone snelheid mijn gebaar nadeed. En ook mijn andere kleine bewegingen waren met ongelofelijke timing door het monster nagedaan: het kon niets anders zijn dan mijn beeld dat weerspiegeld werd op een of ander onbekend vervormend oppervlak.

Tijdens ons eerste uitstapje naar het torentje hadden we, beïnvloed door de afbeelding van het blad van Capitor, door Albicastro's stem die wie weet hoe tot daar was gekomen, alsmede door Atto's verhalen over Capitor, tegenover de absurde trekken van een wezen met vier poten en twee koppen (in werkelijkheid waren dat Atto en ik dicht naast elkaar) gedacht dat we de Tetràchion zagen. Maar we werden omringd door gebogen spiegels. Ik hoorde Atto herhalen:

'Een *narrenspiegel* noem ik die waarin
Eenieder zich herkent als nar, zottin;
En wie eenieder is wordt recht verklaard
Wanneer men in de narrenspiegel staart.'

'Dat zijn de regels die we uit Albicastro's mond hebben gehoord,' zei ik.

'Precies: hij wist al dat hier lachspiegels zijn en heeft ons voor de gek gehouden,' antwoordde Melani en hij citeerde verder:

'Wie zich goed spiegelt, die leert weldra goed
Dat hij zich niet als wijs beschouwen moet,
Zich niet moet houden voor wat hij niet is –
Geen sterveling is er die niet wat mist.'

'Maar waar kwam zijn stem vandaan?' vroeg ik twijfelend.

Bij wijze van antwoord begon Atto de wanden af te tasten op de punten waar geen spiegels waren geïnstalleerd.

'Wat zoekt u?'

'Hij zou hier kunnen zitten... of wat verderop... Kijk!'

Met een opgeklaard gezicht door de hervonden wijsheid liet hij me een koperen buis zien die verticaal langs de muur liep en toen naar ons toe boog met aan het eind een toeter.

'Wat een idioten dat we daar niet eerder aan hebben gedacht,' riep hij, terwijl hij zich verwijtend op het voorhoofd sloeg. 'Albicastro's stem die we de vorige keer hebben gehoord en die op die van een spook leek, kwam hiervandaan: de bekende oude buis die dient om het personeel op de andere verdiepingen opdrachten te sturen en die ik je op de begane grond al had laten zien. Die Hollandse gek moest zich op de lagere verdiepingen bevinden, vlak bij een van de mondstukken van de buis. Toen hij begreep dat we op dit plekje vol lachspiegels konden zijn, begon hij de regels van die vervloekte Sebastian Brant en zijn *Narrenschip* te neuriën en joeg ons de stuipen op het lijf,' concludeerde Atto, die zo de angst onthulde die hij de vorige keer had gevoeld en kundig verborgen had gehouden.

Atto's conclusies waren onbetwistbaar. De 'narrenspiegel', geciteerd door de wonderlijke Albicastro, paste uitstekend bij het ontaarde spel waarin de Tetràchion, zoals de zottin Capitor die had opgeroepen, herleefde in de spiegels van Het Schip. Waarschuwde het liedje van de Hollander ook niet dat wat een spiegel te zien geeft niet altijd betrouwbaar is? Op dat moment citeerde Atto:

'Ik bleef maar roeren in de narrenpap,
Want mij beviel zowaar het spiegelglas;
Hans Ezelsoor die toen mijn broeder was.'

'Begrijp je die regels nu?' zei hij. 'Albicastro heeft ons in de maling genomen, en wel met groot genoegen. Ik wil die Hollander met zijn stalen gezicht wel eens zien, en hem tot excuses dwingen,' vervolgde hij met een strijdlustig gezicht, terwijl hij me gebaarde hem te volgen naar de lagere verdiepingen.

Tot de tanden gewapend waren we verslagen door een spiegel en door onze eigen verbeeldingskracht. Nu wilde abt Melani zijn woede en gêne afreageren op de enige andere bewoner van Het Schip. De enige van vlees en bloed tenminste.

Natuurlijk vonden we hem niet. Albicastro behoorde tot die zeldzame soort mensen die onverwachts opduiken ('om aan je kop te zeuren,' aldus Atto), en nooit wanneer je ze nodig hebt.

Atto was vastbesloten om alle badkamers, vertrekjes en afscheidingen uit te kammen, maar het was vrij snel duidelijk dat er in heel Het Schip geen spoor van de Hollander te vinden was.

'Men vreest wat men niet begrijpt,' citeerde ik, de abt zijn eigen filosofeem van twee dagen terug in herinnering brengend, toen ik in de perspectivische galerij van Borromini een hondje voor een kolos had aangezien.

'Hou je mond, we gaan terug naar Villa Spada,' bromde hij met een donker gezicht.

Zonder een woord te wisselen legden we het korte traject af. Ik dacht na. Alle raadsels waar we op gestuit waren en die abt Melani of mij (of allebei) angst ingeboezemd hadden, waren uiteindelijk ontsluierd: de Vliegende Hollander liep in werkelijkheid op een aan het zicht onttrokken daklijst; de bloemen van de mythische tuinen van Adonis waren gewone plantjes zoals knoflook of eeltverlichters; de galerij van Het Schip, dat zich eindeloos leek uit te strekken tot aan de Vaticaanse heuvel, was alleen maar een handig spel met spiegels; de hellevlammetjes en de gezichten van overleden zielen die we in Ugonio's hol in de Thermen van Agrippina hadden gezien en die mij ervan overtuigd hadden dat ik zelf dood was, waren het ordinaire voortbrengsel van kamferdampen; de bulderende kolos, die me tot mijn grote vrees zou verscheuren, was in werkelijkheid een hondje, waarvan de afmetingen me reusachtig waren voorgekomen door het valse perspectief van de galerij van Borromini; en ten slotte hadden we nu onze eigen weerspiegeling in lachspiegels aangezien voor de monsterlijke Tetràchion. Alleen voor één ding had ik nog geen verklaring gevonden: de verschijningen van Maria, Lodewijk en Fouquet in de tuinen van Het Schip. De abt had de theorie van de deeltjes aangehaald en hallucinogene uitwasemingen verondersteld, maar meer niet: in tegenstelling tot alle andere gevallen had zich geen enkele concrete oplossing voor onze ogen aangediend.

Terwijl ik zo aan het nadenken was, bleef abt Melani maar zwijgen. Wie weet stelde hij zich dezelfde vragen, bedacht ik met een steelse blik op hem.

Hier moesten mijn gedachten zich bruusk onderbreken. Ik zag abt Melani wit wegtrekken, nog bleker dan het poeder op zijn gezicht. We waren inmiddels bij de hekken van Villa Spada aangekomen en Atto keek naar iets in de verte.

In de geur van de bloemperken bij de oprit heerste een grote drukte van pages, loopjongens, secretarissen, koffers die op de koetsen gehesen moesten worden, reismanden met levensmiddelen en heen en weer geloop van eminenties en cavaliers die minzaam afscheid namen van de heer des huizes en de andere gasten, afsprekend op een doctoraatceremonie op de Sapienza-universiteit, op een consistorie, op een zielenmis.

Ik vroeg me af wat de stemming van abt Melani zo had veranderd, toen ik zag hoe een van de smerissen van Sfasciamonti een onbekende op ons wees. Mijn hart sloeg over. Ik zag me al aangeklaagd door de pastoor van de Sint-Pieter wegens het onbevoegd betreden van de basiliek, herkend door de mannen van de Bargello, berecht en voor twintig jaar in de bak gegooid. Doodsbenauwd keek ik naar Atto. Ik probeerde niet eens te vluchten: in Villa Spada wist iedereen waar ik woonde. De onbekende had een gespannen, vermoeid, ongeduldig gezicht. Weldra stond hij tegenover ons:

'Een dringende boodschap voor abt Melani.'

'Die staat hier voor u, zegt u het maar,' zei ik opgelucht, aangezien de abt zweeg. Zijn gezicht stond gespannen en zijn blik was strak, alsof hij de boodschap die de man ging overbrengen al kende – en vreesde.

'De Connétablesse, Madame de Connétablesse Colonna: haar koets staat hier niet ver vandaan. Zij verzoekt u niet weg te gaan: over een uur zult u elkaar ontmoeten.'

Verlamd wachtte ik op een reactie van Atto, een vrije, opbeurende kwinkslag, een onvervalste favoriete uitdrukking.

Maar de oude abt deed geen mond open. Hij versnelde niet eens zijn pas, die me juist trager en onzekerder leek te worden.

Zonder een woord bereikten we zijn vertrekken. Daar zette hij zijn pruik af, streelde langzaam zijn voorhoofd en ging, plotseling doodmoe, voor de toilettafel zitten.

Hij begon een onbekende aria te fluiten. Het onzekere, haperende gefluit brak bijna in zijn keel, terwijl hij somber zijn naakte, bijna kale hoofd met wit haar in de spiegel aanschouwde.

'Dit is een motief uit *Ballet des Plaisirs* van maestro Lully,' zei hij, terwijl hij zijn gelaat bleef verkennen; toen stond hij op en trok zijn kamerjas aan.

Ik was met stomheid geslagen. Die bode had ons net de ophanden zijnde komst van de Connétablesse aangekondigd en Atto bereidde zich niet voor? Geloofde Melani soms niet meer in haar komst? Hij had niet helemaal ongelijk: al te vaak had hij tevergeefs gewacht. Maar ditmaal leken er geen twijfels meer over te bestaan: Maria stond bijna voor de deur van Villa Spada, er waren geen beletsels meer. Het was alleen de vraag wat ze nog kwam doen nu het feest afgelopen was. Misschien kwam ze kardinaal Spada haar weliswaar verlate hulde en haar verontschuldigingen aanbieden.

'Iedereen aan het hof keek ervan op toen men Zijne Majesteit een paar maanden geleden onverwachts uit het hoofd diezelfde muziek hoorde zingen. Een aria die Maria en hij een seizoen lang samen hadden aangeheven tijdens hun liefdeswandelingen van veertig jaar geleden. Iedereen was verbaasd, behalve ik.'

Ik begreep het. Ik wist wel met welk doel Maria Mancini kwam: ze gaf gevolg aan de wens van de allerchristelijkste koning, zoals ze zelf aan Atto had geschreven; en ze bereidde zich erop voor bij monde van de abt de koninklijke smeekbeden te vernemen en het aanbod om terug te keren naar Frankrijk. Om zijn woorden te laten gehoorzamen, om te ontroeren en uiteindelijk te overtuigen moest de abt dus een beroep doen op zijn herinnering: hij moest zich blikken, momenten, woorden van de koning herinneren, die zij niet kon kennen en die de abt tot elke prijs voor haar ogen en hart moest doen herleven, en vervolgens aan de Connétablesse overbrengen.

'Vanaf de tijd van de gifaffaire, toen hij dacht dat de wereld boven hem instortte, begon Zijne Majesteit steeds vaker mijn diensten bij zijn ministers te verlangen,' vertelde Melani intussen, 'en in die ogenschijnlijk formele brieven noemde hij uiteindelijk steeds vaker Madame la Connétablesse Colonna: Hoe maakt ze het? Wat doet ze? Enzovoort.'

Maria, ging hij op bittere toon verder, had toen al een tijd haar heil in Spanje gezocht, achtervolgd door haar man, de Connétable Colonna, die ze had verlaten door uit Rome weg te vluchten; de stakker ging alleen maar kloosters en gevangenissen in en uit.

'In al die jaren heb ik niet verzuimd haar berichten aan de allerchristelijkste koning door te spelen.'

Ik hield mijn adem in: Melani begon eindelijk met de bekentenis dat hij de bemiddelingspersoon tussen de koning en de Connétablesse was. Misschien zou hij even later met de hele waarheid komen, die ik heimelijk al kende.

'Totdat ik dus op een dag,' vervolgde Atto, 'nadat de koning, verslagen en ontgoocheld, de gifaffaire in de doofpot had moeten stoppen, zijn gelaat nog levendiger dan vroeger heimelijk zag oplichten bij de naam Colonna.'

Colonna: die familienaam, onthulde de abt, striemde Lodewijk XIV meer dan haar eigen naam Maria. Elke keer, alsof het voor het eerst was, brandde de naam Colonna met vuur in het hele koninklijke lichaam de afgrond die hen voorgoed scheidde: het feit dat zij toebehoorde aan een andere man, en bovendien de drie kinderen bij die prins, de Groot Connétable Lorenzo Onofrio Colonna, die Maria had ontvangen en gebaard.

'En een wrede gesel was vooral de wetenschap dat zij hem nooit was vergeten, dat zij het juk van de man aan wie ze toch met een heftige passie van de zinnen gebonden was ontvluchtte, zoals ik niet verzuimd had de koning te berichten,' besloot Atto met het water in de mond van iemand die altijd gedwongen is geweest die hartstochten als toeschouwer te beleven, met zijn neus tegen het tralievenster gedrukt dat zijn ongelukkige soort scheidt van die van mannen en vrouwen.

'Signor Atto, u hebt me helemaal niets verteld over prins Colonna, de enige echtgenoot van Maria.'

'Er valt weinig over te vertellen,' kapte de abt geërgerd af.

Ook Atto, bedacht ik met een lachje, had er een hekel aan te spreken over iemand die zo niet het hart, dan toch het fraaie lichaam van zijn Maria had bevrucht en laten sidderen. Maar het tienjarige gerucht over het stormachtige, stukgelopen huwelijk van Connétable Colonna en zijn ongetemde eega had mij evengoed bereikt.

'Was u niet bang voor de toorn van de koning toen u hem berichten doorgaf die hem konden kwetsen?'

'Ik heb je al uitentreuren verteld hoe Lodewijk leefde in de twintig jaar die volgden op zijn huwelijk met Maria Theresia: zijn gemoed was in een diepe, troebele slaap gehuld. Ik wierp alleen maar behendige steentjes licht, flonkerende stukjes kristal, die die sluimering met de dolk van de jaloezie doorkliefden en het hart en de aderen van de koning even deden bliksemen van de verblindende herinnering aan Maria, verblindender dan alle brokaat en juwelen waarmee hij zijn maîtresses tooide, dan alle ongelofelijke machinerieën die zijn feesten en komedies en balletten vulden, dan alle orkesten waarmee hij zich bedwelmde. Dromen, momenten, snel meegesleept door het luisterrijke rumoer van het hof, te kort om ze echt te kunnen beleven; toch bleven ze daar, in een hoekje van zijn hart, in nachten tussen waken en slapen in fluisteren dat zij bestond.'

Ik was ontroerd door de trouw waarmee abt Melani zijn onmogelijke liefde voor Maria Mancini onderdanig had weten om te buigen. Twintig jaar lang had hij er stiekem in zijn eentje voor gezorgd de dunne zilverige draad die die twee ongelukkige harten nog met elkaar verbond heel te houden, zonder dat ze het merkten. Wie weet, bedacht ik, zou de abt me nu ook wel zijn huidige taak van koerier tussen de twee ontsluieren. Maar hij zweeg, overmand door de herinneringen.

Vervolgens haalde hij uit zijn zak een doosje in de vorm van een rijk versierde gouden en zilveren schelp. Hij maakte het open en haalde er enkele cedraatpastilles uit, die hij in de karaf water gooide om er een verfrissende drank van te maken. Toen de pillen opgelost waren, dronk Atto er het nodige van.

'Dat cedraat is werkelijk verrukkelijk,' verzuchtte hij, terwijl hij zijn lippen afveegde. 'Markies Salviati doet me het regelmatig ten geschenke. Mooi, die schelp van mij, hè?' vervolgde hij, doelend op het doosje van de pastilles, dat ik inderdaad bewonderde. 'Hij komt uit Indië, en is hoogst fraai en galant, vind je niet? Ik kreeg hem als geschenk opgestuurd van Maria... jaren geleden.'

De stem van de abt klonk aangeslagen van emotie.

Er werd geklopt. Een page vroeg aan de abt of hij nog iets nodig had.

'Ja, graag,' antwoordde Atto, zijn keel schrapend. 'Breng me wat te eten. En jij, jongen?'

Ik ging er graag op in, want mijn maag knorde en het was al even na etenstijd.

'Bedenk eens hoe anders Frankrijk en heel Europa eruit zouden hebben gezien,' hervatte Atto, 'als Maria Mancini gelukkig aan de zijde van Lodewijk had geregeerd. De invasies in Vlaanderen en de Duitse vorstendommen, de gruwelijke vernietiging van de Palts, de honger en armoede binnen de Franse grenzen om al die oorlogen te bekostigen, en wie weet hoeveel andere dingen nog zouden ons bespaard zijn gebleven.'

'Wel, in dat geval, dat u zo betreurt, zou Frankrijk niets te eisen hebben van de Spaanse troonopvolging,' kon ik niet nalaten hem te plagen.

Dat was tegen het zere been van de abt.

'Het is helemaal niet in tegenspraak met elkaar,' weerlegde hij kwaad wordend, 'het verleden is verleden, en je kunt het verloop alleen veranderen in je verbeelding, zoals ons is gebeurd in Het Schip. Je kunt alleen zorgen dat de gebeurtenissen van weleer niet tevergeefs zijn gebeurd.'

'Wat bedoelt u?'

'Mocht de losscheuring van Zijne Majesteit van Maria Mancini het Bourbonse bloed nu de troon van Spanje opleveren,' declameerde Atto pompeus met een geheven wijsvinger, 'dan zou de blinde, vruchteloze kwelling van hun leed zoals het veertig jaar geleden werd beleefd en was, zich nu sublimeren in een ultiem offer tot heil van het Koninklijk Huis van Frankrijk en uiteraard tot de glorie van de Heer God van Wie de vorst altijd afhankelijk is.'

In eerste instantie moest ik mijn best doen om de kern van die warrige retoriek te vatten. Maar één ding was me duidelijk: voor het eerst sinds zijn aankomst in Villa Spada sneed Atto met mij het onderwerp van de Spaanse troonopvolging aan.

'Alleen zo zullen ze niet vergeefs uit elkaar gehaald zijn,' vervolgde hij.

De oorlog in Vlaanderen bijvoorbeeld, ging Melani verder, had de allerchristelijkste koning alleen kunnen voeren als gemaal van Maria Theresia, aangezien hij met dat conflict de bruidsschat van zijn vrouw van de Spanjaarden opeiste.

'Kortom, net als toen is de allerchristelijkste koning nu ook in staat om met geweld alles af te dwingen wat er aan goeds kan voortkomen uit de harde ingreep van vroeger. De geleden en later toegebrachte schade waarvan ik je sprak, weet je nog?' herinnerde de abt mij.

'Ja. Uit de verhalen die u me hebt gedaan meen ik te begrijpen dat zijn geliefde doelen van wraak altijd vrouwen en oorlog vormen,' vatte ik samen.

'Koninginnen en de staatsraison: precies wat hem op een dag voorgoed van Maria Mancini gescheiden heeft.'

Daarom, ging Atto bitter verder, trok Lodewijk XIV zich nooit terug wanneer het erom ging vrouwen verdriet te doen; nog beter was het als hij er politiek in kon mengen. Zoals in het geval van de prinses van de Palts en de Grande Dauphine.

'Dat waren twee vrouwen die de koning erg bewonderde. Ze waren niet vol verlangen en breekbaar zoals Louise de Vallière, of strebers zoals Athénais de Montespan. Erger nog: het waren onafhankelijke geesten die uit alle macht streden voor hun idealen, net zoals hij vroeger zelf had proberen te doen bij zijn moeder en zijn peetvader.'

Lodewijk herkende zichzelf zeer in die twee masculiene, idealistische jongedames. Maar hij had destijds de strijd verloren: hij kon nu niet toestaan dat zij zouden winnen. De koning is ongelukkig: aan het hof mag niemand zich de luxe veroorloven om gelukkig te zijn, of onbezorgd. De koning is klein: niemand mag het wagen hakken te dragen die hem langer maken dan hij, of indrukwekkender pruiken.

'De koning klein? Maar u zei dat hij lang en knap en...'

'Wat doet dat ertoe: ik zei je wat iedereen zegt en altijd zal zeggen, en wat altijd wordt en zal worden geschilderd op de hofportretten. Bovendien, vind met die rode hakken en die torenhoge pruiken in heel Europa maar eens één vorst die langer is dan hij. Maar vind ook maar eens een schilder die de moed heeft om die rode hakken zo hoog te schilderen als ze echt zijn. De allerchristelijkste koning, jongen – en hier zeg ik iets in vertrouwen –, is wanneer hij 's avonds zijn schoenen uittrekt en zijn pruik afzet, niet veel langer dan jij.'

Er werd een blad gebracht met twee paar gebraden frankolijnen gegarneerd met groene boontjes, artisjokken en wrange druiven, met wijn en sesambroodjes. Atto begon met de groenten; maar ik zette mijn tanden meteen in de borstjes van de frankolijnen.

Wee dus degene die de koning al te lang rustig waant, al was het maar uit berusting. En de prinses van de Palts (zo geheten omdat ze afkomstig was uit de Palts) was rustig: jong, bewust lelijk, was de Duitse schoonzuster van de koning de tweede vrouw van Monsieur, dat wil zeggen zijn jongere broer Filips, en had in tegenstelling tot de onrustige en ongelukkige Henriëtte van Engeland, die haar in dat huwelijksbed was voorgegaan, een vredige modus vivendi gevonden met haar eigenaardige echtgenoot. Hij hield niet van vrouwen, maar zij was masculien genoeg om hem niet tegen te staan. En naar het schijnt met wonderbaarlijke hulp van een heiligenbeeldje dat op het juiste moment op de juiste plaats werd gewreven, wist hij haar zelfs te bezwangeren en het nageslacht de jongen te garanderen die zijn eerste vrouw zaliger niet had weten te leveren. Waarna de twee in goede harmonie en met wederzijds goedvinden hun bedden splitsten, alleen nog verenigd door de liefde voor het kind. Maar de onbezorgde berusting van de prinses zou maar kort duren.

'De lelijke streek die haar zo'n tien jaar geleden is geleverd, is een van de gruwelijkste misdaden uit de Franse krijgsgeschiedenis,' oordeelde Atto ronduit, gegrepen door de draad van het verhaal: 'de systematische, wrede plundering van haar land, de Palts, en van haar eigen geboortekasteel, die in haar naam maar zonder haar instemming werd gepleegd. Het was een meesterwerk van duivelse slechtheid.'

Zoals Lodewijk al eerder had gedaan bij Maria Theresia en zijn vermeende recht om de Spaanse Nederlanden als bruidsschat te krijgen, neemt hij in naam van zijn schoonzuster en tegen haar wil wraak op de Palts. Intussen beveelt hij de Franse troepen alles met de grond gelijk te maken: maar dan in de steden in plaats van op het platteland zoals tot dan toe de militaire gewoonte was. Dus in plaats van een paar boerenhutten laat hij hele steden platbranden:

Mannheim en vooral Heidelberg, waar het schitterende paleis van roze zandsteen in de stromen van de Neckar verdwijnt.

'Het is jaren geleden, maar het feit was zo ongehoord dat de Franse officieren die eraan meededen zich nog schamen. Het is alleen aan het spontane medelijden van maarschalk de Tessé te danken dat in de oprukkende branden op het laatste moment nog de galerij met portretten van familie van de prinses in veiligheid werd gebracht om aan haar ten geschenke te geven en te proberen de wanhoop te bedaren waarvan men wist dat die haar bevangen had bij het horen van het treurige verslag van de ramp.'

Tevergeefs probeert Lodewijks biechtvader hem in de schaduw van de biechtstoel uitdrukkingen in het oor te fluisteren als 'liefde voor de naaste': de koning komt geërgerd overeind, mompelt 'Hersenschimmen!' en haalt zijn schouders op, alvorens zijn biechtvader zonder te groeten plompverloren de rug toe te keren.

De vorst gaat onverstoorbaar op de oude voet voort. Hij legt dezelfde kwellingen op aan de andere Duitse in de familie: de Grande Dauphine, zijn schoondochter.

'Zij had het in zich om op een dag koningin te worden, de ware koningin die Frankrijk al zo lang ontbeert: ze had de kwaliteiten en talenten om op een dag de last van de regering te kunnen dragen. Ik herinner me nog de blikken van heimelijke bewondering van de koning als zij aan het woord was.'

Maar toen liet Lodewijk XIV haar totaal onverwachts weten dat ze zich niet meer op de hoogte mocht stellen van de staatszaken, en kort daarop achtte hij het niet beneden zijn waardigheid om in conflict te komen met Beieren, het geboorteland van de Grande Dauphine, en daarbij iedere bemiddelingspoging van de jonge vrouw met fijn genoegen af te wijzen. Voor haar was het de genadeklap. Melancholie ondermijnde haar geest en doortrok haar lichaam: vanaf haar middel zwol ze helemaal op en binnen een paar dagen stierf ze tijdens een stuipaanval.

'Ze was een wrekende gerechtigheid voor het koninkrijk,' kreunde abt Melani. 'Met de dood van de Grande Dauphine was Frankrijk ontdaan van een koninginnenfiguur: er is geen koningin-moeder, geen regerende koningin, geen Dauphine. Verleden, heden en toekomst van de koninklijke familie zijn vrouwloos, en de man daarachter is goeddeels de koning. En hij lijkt geen berouw te hebben. Niet alleen dat, door met la Maintenon te trouwen heeft hij het koninkrijk iedere hoop ontnomen om een nieuwe vorstin op de troon te zien, maar hij heeft zelfs zijn zoon, de Grand Dauphin, nu ook weduwnaar, aangespoord tot hetzelfde soort huwelijk met een oude maîtresse, een actrice,' zei Atto, terwijl hij lusteloos wat restjes artisjok van het bord viste.

'Kortom, de koningin is... afgeschaft,' riep ik uit, terwijl ik het goed afgekloven karkas van de frankolijn op het blad legde en er nog een pakte.

'Alleen de oude man tegenover je weet waar die excessen uit voortkomen, die stammen van die langvervlogen, bittere dagen van veertig jaar geleden. Ze stammen van die vroege ochtend in Brouage, toen het opperste verdriet om het afscheid van Maria plotseling door de imperatief van hardheid heen brak; het masker dat de allerchristelijkste koning zich toen oplegde heeft hij nooit meer afgezet. Pas de laatste jaren, met het ouder worden, weet Zijne Majesteit de sporen van dat oude, nooit verzachte leed niet meer volledig te verbergen. Daar weet de biechtvader van la Maintenon, tegenover wie zij elke ochtend haar nood klaagt, alles van.'

'En wat weet u ervan?'

'De biechtvader klaagt weer tegen mij,' grijnsde de abt. 'Wat iedereen ziet is dat de koning la Maintenon drie keer per dag gaat opzoeken: voor de mis, na het diner en 's avonds als hij terug is van de jacht. Wat maar weinigen weten is echter de geheimzinnige huilbui die hij regelmatig aan het einde van de dag heeft, wanneer hij zijn bruid welterusten gaat wensen: hij wordt somber, stuift dan op en huilt ten slotte zonder zich te kunnen beheersen; soms is hij zelfs het slachtoffer van een pijnaanval. En dat alles zonder dat de twee ook maar een woord wisselen.'

'Madame de Maintenon zal toch wel geraden hebben wat hem kwelt?'

'Daar zit hem nu net de kneep: "Ik krijg hem nooit aan het praten!" zegt ze steeds wanneer ze er niet meer tegen kan. Voor la Maintenon is de koning een sfinx.'

Om die redenen, vervolgde abt Melani, was het raadselachtige welterusten dat de koning zijn bruid elke avond kwam wensen, voor haar een reden tot woede en zelfs afkeer geworden. De koning hield er namelijk van om die gevoelsstromen vol tranen te beëindigen met korte uitlaatkleppen van een andere, plattere aard die haar, gezien de leeftijd, inmiddels tegenstaan: 'Pijnlijke momenten!' vertrouwt ze haar biechtvader toe. Pas nadat de koning zich lichamelijk heeft bevredigd, gaat hij met nog betraande wangen weg, uiteraard zonder een woord gesproken te hebben.

'Maar de volgende ochtend is hij weer de oude tiran. Ja, zijn tirannie wordt met de jaren steeds erger. Inmiddels is wonen in Versailles een ware kwelling voor de vrouwen uit zijn gezin. Zijne Majesteit wil voor elke peulenschil, al was het maar om naar Fontainebleau te gaan, alle dochters en kleindochters in dezelfde koets meenemen, zoals hij vroeger het groepje maîtresses meesleepte. Hij behandelt ze met dezelfde hardheid, doof voor hun klachten, blind voor hun vermoeidheid; hij laat ze op commando eten, converseren en vrolijk zijn. Zwangerschappen geven geen vrijstelling van de tochten in het gevolg van de koning, en als er een “verwonding” op volgt is het jammer. Niemand durft de trieste stand bij te houden van de nooit voldragen zwangerschappen door die onbezonnen tochten per koets.’

Ik huiverde.

‘En wat te zeggen,’ vervolgde de abt met een glimlachje, ‘van de martelingen waaraan hij la Maintenon onderwerpt? Hij heeft haar reizen laten maken in omstandigheden die je een dienstmeid nog zou besparen. Ik herinner me er een naar Fontainebleau, waarbij we vreesden dat ze onderweg zou sterven. Heeft la Maintenon koorts of hoofdpijn? Hij nodigt haar poeslief uit voor het theater, waar allerlei tocht en het vonken van talloze kaarsen haar belagen. Ligt ze ziek op bed, goed ingestopt tegen de bekende tocht? Hij gaat haar opzoeken en laat alle ramen wijdopen gooien, al vriest het buiten dat het kraakt.’

‘Je zou niet zeggen dat hij al veertig jaar de machtigste koning ter wereld is,’ luidde na een moment van stilte mijn onthutste commentaar.

‘De allerchristelijkste koning strijdt nog altijd tegen de oude nederlaag die hem door zijn moeder, koningin Anna, is opgelegd; terwijl hij alle vrouwen uit zijn familie kwelt, wil hij van háár gewonnen hebben. Maar het is een verloren strijd die de koning voert. De doden, jongen, hebben dit onoverwinnelijke: ze staan geen weerwoord toe.’

De woordenstroom die Atto’s lange verhaal had gevormd, viel stil. Hij was begonnen te vertellen om de liefde die Lodewijk XIV nog voor Maria voelde te herbeleven en zo aan haar over te brengen. Alleen was hij weldra in een schildering van de wandaden van de oude vorst beland. Maar de kern veranderde niet: vrouwen, maîtresses, wrok en wraak van de allerchristelijkste koning, alles reikte naar haar: Maria. In die naam lagen veertig jaar Europese geschiedenis besloten. Voor die tevergeefs en te laat opgeroepen vrouw had *le plus grand Roi du monde* Europa te vuur en te zwaard bestreden, als een scherpe koude diamantpunt die zelfs door het stromen van onschuldig bloed niet wordt verwarmd. Een verscheurd hart had zich te goed gedaan aan de harten van hele volkeren, en zelfs van zijn eigen verwanten. En nu zou zij, de onschuldige oorzaak van alles, bij ons komen.

Er werd geklopt. Het was Buvat. La Connétablesse was gearriveerd.

❦

'Ze is in de tuin aan het wandelen,' zei de secretaris met slecht verholen verlegenheid.

'Ah, goed,' antwoordde Atto, die zijn secretaris heenzond zonder nadere details te vragen, alsof het ging om de komst van een gewone bezoeker.

Maar veinzen ging hem gemakkelijk af. Hij had de wat verstikte stem van iemand die geen zin heeft om toe te geven dat hij ontdaan is en tot iedere prijs evenwichtig probeert te lijken.

'Het is drukkend vandaag,' merkte hij op, toen de deur weer dicht was. 'In Rome is het 's zomers altijd te heet. Bovendien is het zo vochtig. Ik weet nog dat ik er ook de eerste jaren dat ik hier was vreselijk last van had. Heb jij het niet warm?'

'Ik... ja, ik heb het ook warm,' antwoordde ik werktuiglijk.

Hij ging voor het raam staan en richtte zijn blik op de verte, alsof hij wilde nadenken.

Ik was verbijsterd. Maria was daar buiten; hij kon zich elk moment bij haar voegen. Het was ongetwijfeld aan Atto om zijn vriendin op te zoeken. En toch deed hij het niet. Na alle verhalen die ik van hem had gehoord, nadat hij alle etappes van de liefde tussen Maria en de allerchristelijkste koning met me doorgelopen had, alsmede zijn eigen kreupele castratenliefde voor diezelfde vrouw, na dagen en dagen op haar te hebben gewacht, na die brieven vol hartstocht, na dertig jaar scheiding... Na dat alles zette Atto geen stap. Hij blikte uit het raam, nog in kamerjas, en sprak geen woord meer. Ik keek naar zijn bord: het smakelijke vlees van de frankolijnen was nog onaangeroerd; hij had alleen wat groente gegeten. Hij zat duidelijk met andere dingen in zijn maag.

Ik stond op en ging naast hem staan. Het was zoals ik dacht. Ik liep geen gevaar me in de persoon te vergissen, want alle gasten van het feest waren inmiddels verdwenen.

Ze werd vergezeld door een lakei en een gezelschapsdame. Met bevallige tred dwaalde ze in de tuin rond en bekeek met geamuseerde verbazing de bloemperken van Tranquillo Romaùli, waarbij ze nu en dan een plantje bevoelde; voldaan bekeek ze de fiere verfijnde omgeving van Villa Spada, ofschoon het feest was afgelopen en er rondom veel troep lag. Ze leek niet geërgerd door het heen en weer geloop van bedienden en loopjongens die podia afbraken en zakken afval wegsleepten. Ze moest erg moe zijn van de reis, maar liet dat niet merken.

'Als je alleen al afgaat op de hoeveelheid mensen die er nu aan het werk zijn, moet dit feest je baas de kardinaal een rib uit zijn lijf gekost hebben,' zei Atto met een vleugje ironie.

'Misschien zouden we, of misschien *moeten* we...' hakkelde ik.

Maar abt Melani pikte het niet op. Hij begaf zich vermoeid naar de kast, maakte hem open en begon lusteloos zijn weelderige kledij te inspecteren. Daarna opende hij een laatje met medicijnen en monsterde met sceptische blik, zoals ik nooit eerder van hem had gezien, de rij balsems, wit blanketsel en doosjes met mouches. Vervolgens wendde hij zich opnieuw naar de kast en uit het donker van de stipo bracht hij met een misprijzende beweging van zijn voet een paar schoenen aan het licht met strikken of gespen, die door elkaar over de vloer rolden. Atto bestudeerde ze machteloos, alsof hij wel wist dat hij daaruit niet de vervulling van zijn wensen kon putten. Vervolgens begon hij node de kleren eruit te halen.

'Bij de doden is er geen tijd meer om tegen ze te roepen: "Jullie hadden ongelijk!"' zei hij plotseling.

Terwijl hij die rijke stoffen bekeek, wendde Atto in gedachten zijn blik weer naar de spoken van het verleden. Maria wachtte op hem in de tuin, maar hij zat nog aan de herinneringen vast als een schelp aan de rots die (het beeld was van hem) geen zin heeft om los te laten.

'De koningin-moeder zat ernaast met haar voorspellingen, maar het grootste ongelijk had Mazarin,' vervolgde hij, terwijl hij verstrooid een in de kast hangend tabijnen hemd streelde. 'Als de kardinaal er niet was geweest, zou Lodewijk zeker het verzet van zijn moeder hebben weten te overwinnen en met Maria getrouwd zijn, dan was het collier van de koningin van Engeland haar verlovingsgeschenk geweest en niet het afscheidsgeschenk.'

'Het grootste ongelijk, zei u?'

'Ja. Een ongelijk dat de kardinaal met zijn leven moest bekopen.'

'Waar doelt u op?'

'Weet je nog dat ik je vertelde van Capitor en haar raadselachtige waarschuwingen aan Zijne Eminentie?' vroeg hij, terwijl zijn belangstelling werd gewekt door een borststuk met jabot in Venetië-steek met bladermotief.

'Ja, als ik het wel heb, zei Capitor: "Maagd die de Kroon huwt brengt de dood".'

'Je herinnert je niet alles. De gekkin vervolgde dat de dood zou intreden "wanneer de Manen de Zonnen van de bruiloft bereiken",' citeerde hij, terwijl hij met zijn vingertoppen broeken, manchetten, hongrelines, kragen en jassen de revue liet passeren.

'Ja,' schoot me te binnen, 'maar eerlijk gezegd hebt u me dat laatste raadsel nooit opgehelderd.'

'Op dat moment werd het niet begrepen, en dus werd er weinig aandacht aan besteed. Iedereen was geconcentreerd op de "maagd" van Maria en op de "kroon" van Lodewijk, die waarschijnlijk zouden leiden tot de dood van degene aan wie Capitors profetie gericht was, oftewel Mazarin. We vroegen ons allemaal af hoe hij op die noodlottige voorspelling zou reageren.'

'Daarom haalde Mazarin Maria en de allerchristelijkste koning uit elkaar,' herinnerde ik me.

'Precies. Lodewijk trouwde met de Spaanse infante, Maria Theresia, op *negen* juni. Maar, als een bliksemslag bij heldere hemel sterft Mazarin *negen* maanden later op *negen* maart. De profetie van Capitor was uitgekomen.'

'Ik snap het niet.'

'Jongen, met de jaren ben je nog trager van geest geworden,' gekscheerde de abt, die oog in oog met zijn kostbare kledingschatten zijn goede humeur hervond: 'Negen, negen en negen.'

Ik keek hem verbijsterd aan.

'Enfin, begrijp je het niet?' werd Melani ongeduldig. 'Het aantal "Manen" oftewel maanden had dat van de "Zonnen" oftewel de dagen van het huwelijk geëvenaard: het aantal Zonnen van het huwelijk is negen, het huwelijk van Zijne Majesteit en Maria Theresia werd op *negen* juni voltrokken. Na *negen* Manen, oftewel negen maanden, is de kardinaal gestorven, precies op *negen* maart, de dag dus waarop de negende Maan viel.'

Terwijl op mijn gezicht de ontsteltenis te lezen was, probeerde de abt de combinatie van een parelkleurige sjerp en een paar lange karmozijnen kousen uit.

'Capitors profetie is alleen niet bewaarheid geworden,' wierp ik tegen. 'De gekkin had gezegd dat Mazarin zou sterven als de "maagd" de "kroon" had gehuwd, maar dat is niet gebeurd.'

'Toch wel,' wierp Atto tegen: 'de maagd was niet Maria maar de koning zelf, en weet je waarom?'

'De maagd... de koning?'

'Zeg eens, op welke dag is Zijne Majesteit geboren?'

'In september, als ik het wel heb; u vertelde dat hij Fouquet had laten arresteren op de dag van zijn verjaardag... ja, dus op 5 september.'

'En onder welk sterrenbeeld valt 5 september?'

'Maagd?'

'Goed zo, je bent er. De koning is de Maagd. Maar de "Kroon" is de Spaanse kroon die de infante Maria Theresia als bruidsschat meebracht en waardoor Frankrijk nu aanspraak kan maken op de Spaanse troon.'

'Hoe hebt u dat begrepen?'

'Dat begreep ik niet alleen,' weerlegde Melani, terwijl hij een moorkleurige Brandenburger kazak paste en toen een parelmoerkleurige Bohemer en een *gris castor* pelerinemantel, waarin hij, omdat hij ze te lang aan hield voor de spiegel, stikte van de hitte. 'Het ergste is nog wel dat ook de kardinaal begreep dat hij door Maria en Lodewijk te scheiden en de laatste tot een huwelijk met de infante te dwingen, zijn eigen doodvonnis had getekend. Maar inmiddels was het te laat: hij lag al op zijn sterfbed. Met de weinige krachten die hem restten schreeuwde en woelde hij, de onthulling greep hem bij de keel en hij trachtte zijn bezwete kleren van zijn lijf te rukken, alsof hij zo ook het fatale huwelijk waarvoor hij zo geijverd had in de war kon sturen. Met mijn eigen ogen zag ik hem wanhopen. Ik weet nog dat hij op een gegeven moment zijn inmiddels doffe ogen fel op mij richtte en ik in zijn blik doodsbenauwd de herinnering las aan de inspanningen die hij en ik ons tijdens de onderhandelingen op Fazanteneiland zij aan zij hadden getroost om Maria Theresia's hand voor keizer Leopold weg te kapen. Tegen deze laatste flits was hij niet bestand: zijn arme lichaam schokte alsof het getroffen was door de bliksem en kardinaal Jules Mazarin, Italiaan van geboorte, Siciliaan van den bloede en later Fransman geworden, gaf de geest.'

'Uit hoe u spreekt lijkt het of u alle geloof hecht aan Capitors woorden,' merkte ik met iets van sarcasme op, terwijl de afschuw voor dat lugubere verhaal zich mengde met ironie jegens de abt, die even sceptisch was tegenover de verschijningen in Het Schip als overtuigd van de profetische kwaliteiten van die Spaanse zottin.

'Wacht even, wacht even,' haastte Atto zich me te corrigeren, terwijl hij zo'n beetje op een paar hooggehakte schoenen stond waar zijn dikke voeten niet helemaal in pasten, 'ik heb nooit gezegd dat ik in de toverij van Capitor geloof.'

'Maar als nu...'

'Nee,' viel hij me hautain in de rede. 'Luister goed: weet je waarom Mazarin precies op negen maart is gestorven? Omdat hij had gemerkt dat op die dag de negende Maan na negen juni viel, de dag van het huwelijk van de allerchristelijkste koning.'

'Ik begrijp het niet.'

'Hij was al erg ziek, dat is waar; maar die ontdekking op die noodlottige dag bezorgde hem een nieraanval die hem al in de eerste uren wegrukte. De profetie van Capitor was dus wel de oorzaak van de kardinaal zijn dood, maar dan vanwege zijn bijgeloof, niet vanwege haar krachten,' oordeelde abt Melani met een enorme blonde pruik schuin op het hoofd en een andere, kastanjebruin, in de hand, onzeker over de keuze. 'Alleen van dat waarin we geloven ondergaan we de gevolgen, jongen, of ze nu goed zijn of slecht.'

Met die exegese dacht Atto me het zwijgen te hebben opgelegd. Hij wilde tot iedere prijs ontkomen aan het gevaarlijke contact met occulte verschijnselen dat hem zo had geërgerd en in verwarring gebracht bij onze uitstapjes naar Het Schip.

In werkelijkheid was het niet zo: ik herinnerde me nog goed met welke betrokkenheid Melani me in zijn eerste verhaal over Capitor de profetische talenten had beschreven van de Spaanse gekkin, die in het gevolg van don Juan de Bastaard op bezoek was aan het hof. Maar ik hield me in en wilde hem er liever niet opmerkzaam op maken.

'Ofschoon ik moet bekennen,' gaf hij na een moment stilte toe, zonder evenwel de menuet van het pruiken passen te staken, 'dat iets anders in Capitors woorden wel heel dicht bij een profetie kwam.'

Het ging, legde Melani uit, om het sonnet over de wereldbol als rad van fortuin, dat we ook op een van de deuren van Het Schip hadden gelezen. Atto citeerde de twee eindstrofen:

En zie, de een is al ten top gestegen,
Et alter est expositus ruinae;
De derde kan er aan de grond niet tegen.
Quartus ascendet iam, nec quisquam sine
Gezien hij loon naar werken heeft gekregen.
Secundum legis ordinem divinae.

'Het gebeurde na de dood van de kardinaal,' zei Atto, terwijl hij een pruikenparfum pakte en snel een ceintuur en twee horlogewijzerplaten kritisch bekeek. 'Het opklimmen van Colbert moest wel doen denken aan de regel "de een is al ten top gestegen"; terwijl de storm die voorafging aan de val van minister Fouquet leek op de vervulling van de regel *et alter est expositus ruinae* oftewel "de ander wordt blootgesteld aan de ondergang". In de vierde ten slotte werd de komst van de allerchristelijkste koning in eigen persoon geschilderd, die *ascendat iam*, "reeds stijgt": de jonge koning stroopte meteen na de dood van Zijne Eminentie de mouwen op en nam persoonlijk de regering van de staat op zich, zoals het sonnet zegt *nec quisquam sine*, "gezien hij loon naar werken heeft gekregen", dus door zijn eigen toedoen, maar ook *secundum legis ordinem divinae*, dat wil zeggen "volgens de orde van de wet Gods", die de koning bekleedt met macht.'

'In onze uitleg van dat sonnet ontbreekt alleen het derde personage, degene waarvan de regel luidt "De derde kan er aan de grond niet tegen".'

'Goed zo. Ik constateer met genoegen dat je traag denken niet paart aan onachtzaamheid. De derde is Mazarin zelf.'

'Is hij dan arm gestorven?' vroeg ik verbaasd. 'Toen we elkaar leerden kennen zei u, als ik me goed herinner, dat hij een schitterende erfenis had nagelaten.'

'Dat herinner je je heel goed. Alleen koos hij zijn erfgenaam verkeerd. Armand de la Meilleraye, de man van Ortensia Mancini, was gek,' sprak hij nadrukkelijk, terwijl hij kappen en kapjes in alle soorten, stoffen en kleuren paste, van jujubekleurige armoisin tot ferrandine en karmozijn bombazijn, voerkatoen, changeant geglaceerd satijn, en eveneens iemand leek die zijn verstand verloren had.

Armand de la Meilleraye: bijna onverschillig voor het twijfelachtige schouwspel dat de abt inmiddels halfnaakt van zichzelf bood, dacht ik na. Ik had al van Buvat gehoord dat Atto, toen Maria uit Parijs was vertrokken, op de hielen gezeten werd door Ortensia, tot grote woede van haar dwaze man, die jacht op hem had laten maken om hem af te ranselen en hem ten slotte uit Frankrijk had laten verwijderen. Daar had Melani van geprofiteerd door naar Rome te gaan en met de instemming en de financiële middelen van de koning Maria weer op te zoeken, de kersverse bruid van Connétable Colonna.

'Het is haast om te lachen,' vervolgde de abt, inmiddels opgegaan in de dans van het kleren passen, die van bevallige menuet was veranderd in een slonzige sarabande: 'Mazarin had erg lang gezocht naar de beste partij voor zijn knapste, gewildste nichtje, die de kardinaal besloten had tot zijn universeel erfgenaam te benoemen. De keuze viel op een neef van Richelieu, de hertog de la Meilleraye dus, die zo de eigenaar werd van het grenzeloze dievenfortuin van de kardinaal. Ze trouwden amper tien dagen na de dood van Mazarin, die dus heenging zonder enig idee van het boosaardige individu in wiens handen hij zijn fortuin had gelaten.'

Armand de la Meilleraye, vertelde Atto met zuur sarcasme over zijn vijand van weleer, was volkomen gestoord. Hij schaamde zich dat hij de erfgenaam was van Mazarin, die in zijn ogen een diefachtige ziel was die de hel verdiende. Zijn vreugde was van dien aard dat hij de erfenis aanvaardde met het heimelijke doel die te teniet te doen en te verkwisten. Hij zocht de slachtoffers van diefstallen van de kardinaal op en spoorde hen aan om een zaak tegen zijn erfenis, dus tegen hemzelf, aan te spannen. Hij verzamelde zo meer dan driehonderd processen en deed van alles om die te verliezen, en zo het ontvreemde terug te geven. Met dat doel hoorde hij de mening van de voornaamste en duurste advocaten, om dan precies het tegenovergestelde te doen. Op een ochtend had hij bovendien een paar bedienden van verf en hamers voorzien en ze naar de galerij geleid waar Zijne Eminentie liefdevol buitengewone kunstwerken had verzameld: en daar was hij zich gaan uitleven op de Griekse en Romeinse beelden omdat ze naakt waren, en hij beval zijn bedienden, die in tranen waren door zo'n schending, om de naaktschilderijen, de Titiaans, de Correggio's en wat al niet met zwarte verf te bedekken. Toen minister Colbert ontdaan arriveerde om die meesterwerken te redden, trof hij de gek uitgeput en inmiddels gekalmeerd aan te midden van de net aangerichte ravage: het had net middernacht geslagen, het was zondag, de aan rust gewijde dag. De vernietiging was gestaakt, maar bijna niets had het overleefd.

'En te bedenken dat Mazarin in zijn laatste levensdagen nog gezien is in zijn galerij, waar hij die schitterende beelden en schilderijen streelde en tussen zijn snikken door almaar zei: "En te bedenken dat ik dit allemaal moet achterlaten! En te bedenken dat ik dit allemaal moet achterlaten!"'

'Het lijkt haast of hij door een vloek getroffen is,' merkte ik op.

'De plannen waarmee grote lieden proberen hun nagedachtenis te vereeuwigen om zich beter voor te doen dan ze zijn geweest, zijn belachelijk,' oordeelde Atto bij wijze van antwoord.

Hij zweeg. Die zin, die hij zelf had uitgesproken, striemde hem onverwachts.

'Belachelijk...' herhaalde hij werktuiglijk, terwijl zijn lippen zich zijns ondanks in een tragisch masker plooiden.

De oude castraat sloeg zijn ogen neer naar zijn borst. Hij bekeek de broek, de sjerp, de laarsjes, de jabot in Venetië-steek en waar hij zich al niet mee behangen had, alsof hij de paspop van een kleermaker was. Hij liep langzaam naar het raam en gluurde naar de tuinen, waar, zo veronderstelde ik, nog steeds de Connétablesse wachtte.

En toen zag ik kappen en kapjes, sjerpen en jabot, de Bohemer, de manchetten, de pelerinemantels opvliegen. De kostbare zijde, het glanzende satijn, het amberkleurige leer, de voerkatoen, het geglaceerde satijn, het Milanese satijn en de Genuese zijde bevrijdden zich in de lucht onder Atto's maaiende handen. En als een betoverd leger van lege harnassen trokken het tabijn, het zijden ottoman, het gestreepte linnen, de armoisins, de ferrandines en de bombazijn dreigend en vol lucht voorbij. Mijn ogen bewogen zich verloren tussen de kleur van parels, vuur, muskus, verwelkte rozen, en de tint van karmozijn, roet, duiven, jujubes, as, parelmoer, taan, melk, changeant en *gris castor*, terwijl ik verblind werd door het geplette zilver en goud, dat Atto in stille wanhoop heftig op de grond smeet.

Ademloos was ik getuige van Melani's drift ten aanzien van zijn kledingtopstukken; hij die ik zelf jaren geleden in de onderaardse gangen van Rome telkens verwensingen had horen slaken als ook maar het geringste modderspatje zijn kant of zijn geliefde rode abtkousen had bezoedeld.

Toen het curieuze leger kleren weer levenloos neerlag en de hele garderobe overal verspreid was, lag Atto's oude lichaam, als een halfnaakte sater, inmiddels neergezegen op de chaise longue aan de voet van het bed. Maar dat duurde maar even. Ik was de schrik die mijn leden hadden bevangen nog maar net te boven en wilde op de abt af gaan, toen hij onverwachts zijn gezicht ophief van de handen waarin hij het begraven had, opstond en bij mij vandaan liep om opnieuw zijn kamerjas aan te trekken.

'Begrijp je nu de regel van het sonet over de Fortuin dat Capitor voordroeg?' vroeg hij alsof er niets was gebeurd.

Hij liep op de console toe en schonk twee glazen gezoete rode wijn in. Hij reikte er een aan.

'"De derde kan er *aan de grond* niet tegen",' zei hij, aangezien ik geen woord kon uitbrengen: 'kardinaal Mazarin was nog niet dood of hij raakte alles kwijt waarvoor hij had geïntrigeerd.'

'Ja,' was alles wat ik kon zeggen.

Ik sloeg de wijn in één teug achterover. Mijn handen trilden. Atto schonk me nog een glas in. Hij ontweek mijn blik. Gelukkig verdreven de alcoholdampen weldra de emotie en vond ik mijn kalmte terug.

'Dat is wel een echte profetie,' riep ik uit toen ik de onthullingen van de abt omtrent Capitors woorden had verwerkt.

'O, een duivelse samenloop,' antwoordde hij.

Ik glimlachte. De oude castraat was onverzettelijk; hij wilde zich tegenover mij niet overgeven aan het onverklaarbare van sommige verschijnselen: ik zou hem dat kleine genoegen laten.

'Eén zogenaamde profetie van Capitor is zeker niet uitgekomen,' hield de abt aan om zijn overtuigingen te staven: 'die welke de gekkin uitsprak bij het blad met de Tetràchion: "Wie de kroon van Spanje zal beroven van zijn kinderen, zal hem beroven van zijn kinderen." Wat betekent dat? Wie heeft Spanje zijn erfgenamen afgenomen? Koning Karel II heeft nooit kinderen gekregen, niemand heeft ze van hem afgenomen. Capitor praatte in het wilde weg, dat is de waarheid.'

'Maar als ik me goed herinner,' wierp ik tegen, 'heeft Capitor toen ze het blad presenteerde eerst gezegd: "Twee in één". En tegelijkertijd wees ze eerst naar Neptunus en Amphitrite, en toen naar de scepter in de vorm van een drietand, nietwaar?'

'Nou en?' snoof Melani als iemand die het onderwerp voorgoed wil afsluiten.

'Vindt u niet dat dat misschien heel wonderlijk aansluit bij het monster Tetràchion waar Cloridia het over had?'

'Ik zie niet hoe,' wierp de abt droogjes tegen.

'Misschien is de Tetràchion een tweeling die met de heupen aan elkaar vastzit, zoals de twee zeegoden van het dienblad en zoals het beeld dat we in de spiegels weerspiegeld hebben gezien,' lichtte ik toe, zelf verbaasd over de mogelijkheid die zomaar bij me opgekomen was. 'Capitor zei ook: "Twee in één".'

'Ja, maar ze doelde alleen op de figuren van het blad; dat is de enige Tetràchion uit dit verhaal, jongen, want wat we in het torentje van Het Schip dachten te zien was gezichtsbedrog; of ben je dat vergeten?'

Hij keerde me de rug toe om te kennen te geven dat het gesprek voorbij was, en liep weer op het raam af.

'Is ze er nog?' vroeg ik.

'Ja. Ze heeft altijd van tuinen gehouden, de mens die de schoonheid van de natuur naar zijn hand zet en overwint,' zei hij, en zijn stem beefde.

'Misschien wordt het tijd dat u naar beneden gaat...'

'Nee. Niet nu,' wierp hij gelijk tegen, waarbij hij liet zien welke gedachten uiteindelijk hadden gezegevierd in de innerlijke, hardvochtige strijd die zich voor mijn ogen had afgespeeld. 'Ik zie haar morgen wel.'

'Maar misschien zou u kunnen...'

'Dat is mijn besluit. Laat me nu alsjeblieft alleen. Ik heb nog het nodige af te handelen.'

Den 15den juli 1700, negende avond

'Een ogenblik, allemaal, een ogenblik. Laten we de kaken stilhouden, de tong bedwingen, het verhemelte beteugelen. Laat niemand rusten op de lauweren van een slecht veroverd hapje tussendoor. En laat niemand de goede Heer vergeten zijn Die in het verstrekken van alle goede gaven Gods vrijgevig is zonder aan morgen te denken en met wijze gulheid Zijn schitterende grootmoedigheid van hart toont. Laat mij derhalve de beker heffen en deze heildronk opdragen aan de gezondheid van onze Meester, de uitnemende, milddadige en eerwaardige kardinaal Spada, en hem de kracht van de vooruitgang wensen!'

Terwijl een vrolijk handgeklap, jubelkreten en het geluid van klinkende glazen de korte toespraak afsloot, zakte degene die hem had uitgesproken, de secretaris van het ontvangstcomité van huize Spada, Carl'Antonio Filippi, onderuit op een van de divans in de tuin, hij stroopte zijn mouwen op en begon zich vol te stoppen met gebakken forellen, overdekt met lelies en gevuld met abrikokken op sap met kandij, suker en kaneel, alsmede rijkelijk voorzien van schijfjes citroen.

De wijn zakte fris door mijn keel omlaag, maar ik wilde ook mijn lippen vochtig houden en ik drukte ze tegen die van Cloridia: terwijl de twee meiskes, de vrucht van onze verbintenis, aan onze voeten speelden, omhelsde ik haar teder onder het fluisteren van zoete woordjes, liefdeskwinkslagen en andere geheime dingen.

Om ons heen speelde zich vrij en vrolijk het feestmaal van het personeel af: kardinaal Spada had de bedienden toegestaan om feest te vieren en plezier te maken in de voorname tuinen van de villa en zelfs om gestreeld door Armeense zijde te overnachten in de Turkse paviljoens die tot een paar uur eerder de hoogadellijke gasten van de huwelijksfestiviteiten hadden geherbergd. De royale beslissing had secretaris Filippi, de schrijver van de toespraken die bij belangrijke gelegenheden in huize Spada werden gehouden, de kans gegeven om bij deze gelegenheidsbijeenkomsten zijn meesterschap te uiten, en het hele gezelschap om zich voor één keer te goed te doen aan de deftige spijzen.

Ik had mijn verstandige vrouwtje nog niet de waarheid verteld over de dwaze nacht in de Sint-Pieter: ik probeerde de gevaren waaraan ik me had blootgesteld te verzwijgen en had een onwaarschijnlijk verhaal vol hiaten in elkaar geflanst, waarvan zij uit pure welwillendheid door de feestelijke sfeer net had gedaan of ze het geloofde; af en toe stelde ze een strikvraag, waarop ik geheid door de mand viel. Maar haar vreugde om me naast haar te hebben was zo groot dat ze zelf misschien niet eens de feiten wilde uitdiepen: die avond was het haar veel liever dat de tong een liefkozing werd en geen zweep.

De correspondentiesecretaris van de familie Spada, abt Giuliano Borghi, zat aan een rijk aangerichte tafel met don Tibaldutio, don Paschatio, de eerbiedwaardige personeelsoudste Giovanni Griffi, de meester schenker Germano Hondadei, de accountant Giovanni Gamba en de kameradjudant Ottavio Valletti, die druk bezig waren met een bord in buter gebakken schollen gevuld met kuit, marsepein, platschelpen, wrange druiven en amandelgebak. Het waren wel kliekjes, maar soms kunnen restjes, die in de saus en in hun goede substantie gerijpt zijn, zelfs fijner van smaak worden.

Staffiers, lakeien, souschefs, koetsiers, tweede koetsiers en ruiters, die rond een eenvoudiger tafel zaten, nipten met verbaasd genot van een soep van kreeften, kwetsen, bidsprinkhaankreeften, citroensap, muskadel en kruiderijen, daarbij geroosterd brood met daarop een halve kreeft gevuld met foie gras, en pasteitjes à la Mazarin met een deksel van pimpernoten.

Een nog bescheidener groep van boodschappenjongens, garderobebedienden, tuinpersoneel, knechten en helpers zat feestelijk rond een soufflé gevuld met kuit van zeebaars, zeelt en paling, spek, kappertjes, spargelpunten, kwetsen, heel gekookte eidooiers en stukjes sukade.

Het voltallige personeel, zelfs koks en onderkoks, zat onder de sterren of in de beschutting van de Turkse paviljoens in alle vrijheid de verrichte inspanningen van die dagen te becommentariëren.

Alsof de wereld op zijn kop stond waren de bedienden de heren en waren de heren van alle gemakken verstoken: de illustere gasten van het feest waren vertrokken of stonden op het punt om afscheid te nemen, en waren niet meer geïnteresseerd in wat er gebeurde in de villa. Kardinaal Spada was naar zijn zware staatszaken teruggekeerd.

Na een week aanpoten praatten de bescheiden disgenoten nu van zich af en becommentarieerden de belangrijke dan wel frivole feiten die zich die dag in de stad hadden voorgedaan: in het pauselijk paleis van het Quirinaal was de pauselijke kapel gehouden en kardinaal Moriggia had er de mis gelezen (nu kende iedereen in Villa Spada hem wel: vooral Caesar Augustus, die hem behoorlijk had geschoffeerd); tijdens de vesper was in de kerk van de Madonna di Monte Santo een balk ingestort waardoor een koorlid was omgekomen; Zijne Heiligheid had ter gelegenheid van negen jaar pausschap het Heilige Kardinalencollege en de ambassadeurs ontvangen, die hem allen (in de wetenschap dat het nooit zou gebeuren) hadden toegewenst dat hij nog lang zou regeren.

Die beuzelpraatjes wezen op de terugkeer naar de dingen van alledag. Alles, niet alleen het feest, leek me afgelopen. Maria was gearriveerd: maar door de bijgelovige angsten van abt Melani hadden we haar alleen van ver kunnen zien. Zou het niet op hetzelfde neergekomen zijn als ze nooit was gearriveerd? Atto's traktaat over de Geheimen van de Conclaven was in handen van de cerretanen gebleven en was misschien al overhandigd aan Lamberg, zo niet rechtstreeks aan Albani; Atto was zo in onzekerheid gelaten over mogelijke afpersing. Bovendien waren de drie kardinalen die we zo zorgvuldig hadden geschaduwd ons steeds ontglipt, en pas de laatste keer hadden we begrepen waarom: maar te laat.

We meenden dan wel te begrijpen wat de Tetràchion was, maar de geheimzinnige sfeer van Het Schip en de verschijningen die zich daar hadden voorgedaan, hadden ons teleurgesteld: in plaats van het door de volkse voorspellingen en het wonderlijke blad van Capitor aangekondigde monster hadden we onze eigen konterfeitsels gezien in de lachspiegel. Alles was geprobeerd, en niets was gelukt. We waren door de vijandige omstandigheden, door pech, door ons onvermogen, door menselijke zwakheid verslagen.

En wat nog het ergste was, de abt had de waarheid over de drie kardinalen en over wat ze deden toen we hen vergeefs waren gevolgd, voor me verborgen gehouden: de stervende koning van Spanje had de paus om hulp gevraagd om het vraagstuk van de troonopvolging op te lossen, en de paus had de drie purperdragers opgedragen een antwoord voor te bereiden. Ik had me aan een jacht gewijd waarvan ik de prooi niet kende.

Ik begreep wel dat Atto door zijn voorzichtigheid en natuurlijk wantrouwen niet altijd kon onthullen wat hij bekokstoofde; zeker niet dat de voornaamste reden van zijn komst naar Villa Spada een heel andere was: de geheime correspondentie tussen de Connétablesse en de allerchristelijkste koning.

Toch had ik me door zijn halsstarrig zwijgen over de Spaanse kwestie een sul gevoeld, iemand die geen geheimen kan bewaren. Het ergste was dat ik hem zijn gedrag niet eens kon verwijten: ik had zelf stiekem zijn brieven aan Maria gelezen; en daarom moest ik mijn mond wel houden.

We hadden ons intussen rijkelijk gevoed en gelaafd aan de dis van de dames en heren. Cloridia was even weg om de meiskes te slapen te leggen bij de kinderen van de andere bedienden in de personeelsruimte. Toen ze weer terug was, pakte ze me bij de hand en leidde me naar de paviljoens. Daar had met het late uur en de scherpe kruidengeuren die de vuurpotten verspreidden – en niet in de laatste plaats de zinnen die bedwelmd waren door zoete likeuren – de drukte van de kruiperige praatjes plaatsgemaakt voor samenzweerderig gefluister en koket gesmoes. Mijn bruid en ik baanden ons een weg tussen kousen en schoenen op het gazon en blote voeten die opflitsten op de drempels van die tenten van pure zijde.

We gingen wat achteraf zitten, aan de rand van die eigenaardig stille, bezige nederzetting, onder een wapperende tent van vluchtig Armeens gaas geweven in een naar amarant zwemend patroon. Daar, met het wandtapijt voorzichtig uitgerold voor de deur en buiten het bereik van indiscrete blikken, zonken mijn ledematen weg in de veren kussens en mijn herinnering loste helemaal op in de ronde, zachte warmte van mijn Dame, terwijl de prikkelende lucht van de vuurpotten opging in andere geheime, onuitsprekelijke geuren.

'Gegroet,' zei Cloridia doodgemoedereerd glimlachend tegen iemand achter ons.

Ik sprong op en draaide me met een ruk om, terwijl een hand zich op mijn schouder plantte.

'Ik heb nieuws,' zei abt Melani zonder het geringste spoor van verlegenheid. 'Kleed je aan: ik wacht bij het hek. Mijn diep respect en mijn welgemeende verontschuldigingen, monna Cloridia,' vervolgde hij alvorens het wandtapijt van de deur weer achter zich te laten zakken, 'alsmede mijn complimenten...'

'Hoe durft u?' riep ik buiten mezelf toen ik me weer in de kleren bij hem had gevoegd.

'Rustig maar. Ik heb je van buiten de tent geroepen, maar je was te druk met andere dingen bezig om me te horen...'

‘Wat wilt u?’ kapte ik, rood van verontwaardiging, af.

‘Ik heb Lamberg gesproken.’

Plotseling wist ik het weer: tijdens de chocoladeschenkerij had de ambassadeur van de keizer ermee ingestemd Atto te ontvangen.

‘En?’ drong ik aan, hopend dat er in elk geval wat licht zou vallen op het op Atto toegepaste geweld.

Na lang wachten had abt Melani eindelijk oog in oog gestaan met de machtige graaf von Lamberg, de telg van een der roemrijkste ambassadeursfamilies van het keizerrijk.

Uit voorzichtigheid had hij zich samen met Buvat aangediend. Maar de duistere Lamberg had de bedienden gevraagd hem en zijn gast alleen te laten; Atto’s secretaris was dus ook in de antichambre gebleven.

‘Ik heb van u gehoord, mijnheer abt Melani,’ was Lamberg begonnen.

Atto was meteen gealarmeerd: was dit een zinspeling op zijn traktaat over de Geheimen van de Conclaven? Had hij het soms via slinkse wegen in bezit gekregen, misschien wel van kardinaal Albani zelf, en het al van voor naar achteren gelezen?

‘Toen de keizer me vanuit Wenen hiernaartoe stuurde,’ vervolgde de ambassadeur, ‘dacht ik gunstige invloeden aan te treffen in deze Heilige Stad waar zich het Jubeljaar afspeelt. Maar ik trof er een Babylonië aan.’

‘Babylonië?’ herhaalde Atto, nog meer op zijn hoede.

‘Ik bevond me in een zee van verwarring, gruwelijke oorlogen, partijdigheid,’ vervolgde de ander met een bars gezicht.

‘Eh... ja, ik begrijp het, de moeilijke internationale situatie...’ probeerde Atto te temperen.

‘Vervloekt!’ schreeuwde Lamberg onverwachts, terwijl hij met zijn vuist op tafel sloeg.

Er was een stilte in het vertrek neergedaald. Ontelbare zweetdruppeltjes parelden op abt Melani’s slapen. Zulk dreigend, heftig gedrag kon zelfs geweld aankondigen. Atto was, al liet hij het niet merken, om zich heen gaan kijken: hij vreesde dat er onverwachts huurmoordenaars zouden opduiken met de opdracht hem te doden. Vervloekt, dacht hij, hoe had ik daar niet eerder aan kunnen denken? Al te lang was hij niet met een opdracht in het keizerrijk geweest en hij was vergeten hoezeer de Duitsers van de Fransen verschilden. Vervloekte, krankzinnige, bloedige Habsburgers: sinds Johanna de Waanzinnige allemaal hetzelfde, van Spanje tot Oostenrijk, had hij gedacht. Voor de ontmoeting had hij zich voorgenomen om niets, nog geen glaasje water, uit handen van Lamberg aan te nemen; maar aan een hinderlaag had hij niet gedacht.

'Niemand kon mij vinden. Alleen jij wist dat ik naar Lamberg was gegaan, maar niemand zou je geloofd hebben,' merkte de abt op.

Het was een vervloekte vergissing geweest om Buvat mee te nemen, had hij op die momenten bij zichzelf gejammerd: ze zouden hem eveneens uit de weg ruimen en beiden zouden ze in het niets verdwijnen.

Op dat punt van het verhaal herinnerde ik me de bezoarsteen, die – zoals ik dagen terug stiekem in zijn correspondentie had gelezen – de Connétablesse hem had gestuurd om zijn antigifeigenschappen en die Atto had beloofd tijdens de audiëntie in zijn zak te houden: hij zou er maar weinig aan hebben in het geval van een hinderlaag...

Toen die gedachten door het hoofd van de abt geflitst waren, zweeg Lamberg nog steeds en keek hem recht in de ogen. Melani keek terug en begreep niet of de ambassadeur het gesprek wilde voortzetten of tot actie zou overgaan.

Eén gedachte troostte hem: te veel mensen hadden hem Palazzo Medici, dat Romeins eigendom was van de groothertog van Toscane, zijn beschermheer, in zien gaan. Atto was welbekend: als hij doodgestoken werd, zou het moeilijk zijn om hem lang verborgen te houden.

Het zwijgen van Lamberg duurde maar voort. Atto durfde geen vin te verroeren. In de tussentijd schoot hem een oud verhaal te binnen, wie weet echt gebeurd of niet: een minister van de keizer, ogenschijnlijk overleden aan een hartkwaal, was met een onzichtbaar prikje achter zijn oren gedood. Vergiften die een natuurlijke dood simuleerden waren er bij de vleet: gif om op kleding te sprenkelen, om in het haar te strijken, om in de lucht te verstuiven, om in het oor te gieten, om in het water van badkuipen en voetbaden op te lossen... Atto wist het maar al te goed. De slang van de angst liep weer over zijn rug.

'Vervloekt...' siste Lamberg opnieuw, met een trillende stem die een aan waanzin grenzende woede verried.

Angst of niet, Atto kon zich niet zo laten beledigen. Een beroep doend op alle driestheid waar hij op dat moment toe in staat was, antwoordde hij zoals zijn eer verlangde:

'Pardon?'

Lambergs ogen, die even naar elders gericht waren, staarden hem weer ondraaglijk fel aan. De ambassadeur stond op. Ook Atto kwam onverwachts overeind, het ergste vrezend. Hij knelde de wandelstok in zijn hand: hij was gereed om zich te verdedigen. Lamberg liep echter naar het raam, dat half open stond. Hij zwaaide het helemaal open.

‘Bevalt het u in Rome, abt Melani?’ vroeg hij, het ineens over een andere boeg gooiend.

Dat is een oude tactiek, bedacht Atto, voortdurend van onderwerp veranderen om je gesprekspartner zand in de ogen te strooien. Ik moet op mijn hoede zijn.

Intussen was Lamberg voor het raam gaan staan, met zijn rug naar hem toe. Een onbekende en ook vrij gênante situatie. Atto had even gewacht, en omdat de ambassadeur hem de rug bleef toekeren, iets wat eigenlijk niet volgens de diplomatieke procedures was, had hij zich gerechtigd gevoeld wat op te schuiven om beter te zien en te horen. Maar zodra hij een stap had gezet, merkte hij dat het bovenlijf van de Oostenrijker ritmisch schokte, alsof hij een krachtige, pijnlijke kramp probeerde te onderdrukken. Atto kon zijn ogen niet geloven en toch was het onmiskenbaar.

Lamberg huilde.

‘Vervloekt,’ herhaalde hij toen voor de derde keer, ‘hij heeft nog geen stukje papier voor me achtergelaten. Maar de keizer zal het hem betaald zetten, o ja! Hij zal hem ervoor laten boeten,’ zei hij, terwijl hij zich omdraaide en dreigend zijn wijsvinger op Melani richtte. ‘Die vervloekte hond van een Martinitz,’ mompelde hij met een razend gezicht.

Graaf Martinitz, legde Atto uit, was de voorganger van Lamberg. Een paar maanden terug was hij uit zijn ambassadeursfunctie ontheven en onmiddellijk vervangen omdat hij in Rome te veel vijanden had gemaakt. In de stad kende iedereen het verhaal.

Wat niemand echter wist, en dat legde Lamberg nu woedend aan Atto uit, was de wraak van Martinitz. Bij zijn aankomst in Rome had de arme Lamberg, zoals hij zelf bekende, het ambassadearchief aangetroffen zonder één stukje papier: zijn voorganger had de hele officiële diplomatieke correspondentie meegenomen.

De nieuwe ambassadeur (die de stad noch het pauselijk hof kende) was daarom niet op de hoogte van alle informatie die voor zijn taak noodzakelijk was: de contacten waarop hij kon rekenen, de lijst van corrupte verklikkers, de kardinalen met wie de betrekkingen goed verliepen en die waarvoor hij moest uitkijken, het karakter van de paus, zijn voorkeuren, de details van het pauselijk ceremonieel enzovoort. Op het moment van zijn benoeming had hij wel volgens de regels de instructies van de keizer ontvangen. Maar de uiteindelijke situatie van de ambassade in Rome kon hij alleen van Martinitz vernemen, en die had hem die afschuwelijke kool gestoofd.

'Ik begrijp het, excellentie, het is heel ernstig,' had Melani op begrijpende toon gefluisterd.

Atto wist wel: de keizerlijken waren zeer halsstarrig en stug, en niet in staat tot het geringste greintje fantasie. Zonder een opzet op papier was Lamberg volstrekt niet bij machte om een eigen netwerk van kennissen en informanten in Rome op te bouwen.

De uitbarsting van de ambassadeur was doorgegaan als een overlopende woordenstroom. Toen hij voet in Rome zette, had hij verteld, had hij vrijwel meteen beseft (terwijl niemand van zijn mensen hem dat had verteld) dat de pro-keizerlijke partij in Rome zeer zwak was, terwijl de Fransen de dienst uitmaakten en van de paus alles gedaan kregen wat ze maar wilden.

'Echt waar?' riep ik verbaasd uit.

'Hij zei zelfs dat hij geen audiëntie bij de paus voor elkaar kon krijgen, terwijl Uzeda en de andere ambassadeurs elke dag vrolijk de vertrekken van het Vaticaan in en uit lopen.'

De lang verwachte ontmoeting met de vermeende opdrachtgever van Atto's verwonding, alsmede van de diefstal van zijn gebonden boek en wellicht ook van de dodelijke aanval op boekbinder Haver, was kortom in een klaagzang uitgemond. Uiteindelijk was Lamberg weer naar Atto toe gekomen en had hij hem gewaarschuwd tegen de boosaardige krachten die in de stad werkzaam waren, en hem vooral aangespoord uit te kijken voor het Heilige Kardinalencollege, de poel van iedere ondeugd en verdorvenheid.

'Ik had gedacht hier de regering der rechtvaardigen aan te treffen, maar ik heb mijn mening alras moeten bijstellen,' had hij op lugubere toon gezegd. 'In Rome telt vooral de staatsraison, en aan het pauselijk hof wordt over wereldse zaken beslist zonder respect voor de rede en het recht en zelfs voor de wet. De godsdienst doet er al helemaal niet toe!'

'Het was of ik de muziek hoorde van die landgenoot van hem, hoe heet hij... Muffat, ja: een ernstige, trage, strenge, haast treurige symfonie,' zei de abt bij wie de verwarring op het gezicht te lezen stond.

Tegenover die uitbarsting had Atto, weer wat zekerder van zichzelf, naar voren gebracht: 'Wat had u hier dan verwacht, mijnheer de ambassadeur? Dit is de stad van het bedrog, de huichelarij, de eeuwige verdagingen, de nooit gehouden beloften. De ministers van de paus zijn er meesters in om je iets wijs te maken, om iets te zeggen en niet te zeggen, meesters in het manipuleren, in het heimelijk iemand treffen.'

De abt was vervolgens vrijuit de verdorvenheden van het Romeinse hof gaan opsommen, terwijl Lamberg mismoedig knikte; totdat de ambassadeur, vermoedelijk vanwege een ander bezoek, warm afscheid van hem had genomen en hem zelfs de eer van een oprechte handdruk had betoond.

Oprecht? Eenmaal weer buiten met Buvat had Atto het betreurd dat hij zich weer zo snel had laten wegsturen. Hij besefte dat Lambergs gedrag aan het onwaarschijnlijke had gegrensd. En als het nu een wassen neus was? Als hij nu (zoals het tot op dat moment had geleken) achter de aanval op de abt, alsmede achter de diefstal van zijn traktaat over de Geheimen van de Conclaven had gezeten? Dan ging het om een boosaardige, doortrapte geest. Als hij zo was, zou hij dan ook niet in staat zijn de rol van sufferd behoorlijk te spelen? Maar de emoties van de ambassadeur waren zo hevig en onverwacht geweest dat iedereen overrompeld zou zijn.

'Kortom, we zijn weer terug bij af,' luidde mijn commentaar.

'Helaas wel. Die Lamberg is ofwel een vrome die zijn ware roeping veel meer in de rust van de Oostenrijkse kloosters zou vinden, ofwel een doorgewinterde acteur.'

'Als ik het wel heb, heeft hij u lang aan de praat gehouden over het hof van Rome, maar heeft hij zelf weinig nuttigs gezegd.'

'Wat denk je nou? Ik heb hem natuurlijk alleen maar overbekende anekdotes aan de hand gedaan; niets belangrijks. Ik ben geen groentje,' wierp de Melani gepikeerd tegen.

'Dat trek ik niet in twijfel, signor Atto; maar als Lamberg echt alsof heeft gedaan tegenover u en u hebt niet alsof gedaan tegenover hem...'

'Nou?' vroeg hij gespannen.

'Hij kent nu uw karakter, maar u kent het zijne niet.'

'Ja, maar ik denk niet dat... Buvat, wat is er aan de hand?'

Atto's secretaris was buiten adem aan komen rennen; het ging duidelijk om iets dringends.

'Sfasciamonti heeft de tweede cerretaan, de vriend van de Rooie, in de kraag gegrepen.'

'Zou het de Rotte zijn, degene die we in de Thermen van Diocletianus hebben achtervolgd en die toen ontsnapt is?'

'Die, ja. Het was een gelukkig toeval, hij deed een verkeerde zet: hij was aan het bedelen in de kerk, de Sint-Pieter nog wel. Gezien de bescherming die de cerretanen daar genieten, dacht hij dat hem daar niets kon gebeuren. Maar Sfasciamonti was in de buurt en heeft hem gepakt. Hij heeft hem met de methode van de vorige keer verhoord: echte gevangenis, valse notaris. Hij heeft hulp gehad van een paar collega's.'

'Dat zijn mensen die niets uit vriendschap doen,' commentarieerde Atto. 'Ik denk dat ik een flinke fooi zal moeten schokken. En wat zei de cerretaan?'

'Sfasciamonti wacht om ons het vervolg te vertellen.'

'Laten we dan voortmaken,' spoorde Atto ons aan, terwijl ik me er al bij neerlegde die avond niet meer van Cloridia's gezelschap te kunnen genieten.

De smeris zat op zijn hurken achter het hokje met het tuingereedschap. Hij was opgewonden, en je kon hem geen ongelijk geven. Het was de tweede keer binnen een paar dagen dat hij een cerretaan de duimschroeven aandraaide: als de sekte van de schurken echt zo machtig was, liep Sfasciamonti het gevaar om er zijn hachje bij in te schieten. Terwijl hij zijn verhaal deed, was hij kortademig van opwinding, alsof hij lang gerend had.

'Ze doen het vannacht, alle ponjaarden nog an toe!'

'Wat?'

De nieuwe Grote Baas. De leider van de oplichters. De vorige is dood. Ze komen allemaal bij elkaar, ook die van ver komen, en wijzen zijn opvolger aan.'

'Waar?'

'In Albano.'

'Kun je dat herhalen?'

'In Albano.'

Ik zag Atto Melani zijn oogleden neerlaten als na een rouwbericht, alsof hem werd aangekondigd dat de allerchristelijkste koning hem beval nooit meer terug te keren naar Frankrijk.

'Dat kan niet... Albano, op een steenworp afstand van Rome...' hoorde ik hem kreunen, 'waarom heb ik daar niet aan gedacht?'

Albano. En niet Albani. Toen we van Ugonio hadden gehoord dat de cerretanen Atto's papieren *naar Albanum* wilden brengen, hadden we begrepen dat ze die aan kardinaal Albani wilden overhandigen. Maar de lijkenpikker bedoelde dat ze naar Albano zouden worden overgebracht, het kleine stadje bij het gelijknamige meer, het sinds de tijd van Cicero beroemde vakantieoord.

Ik zag Atto's gezicht wat opklaren: dus kardinaal Albani was er niet op uit hem te blameren zoals hij nog had gevreesd.

Bleef alleen nog het raadsel van Lamberg, de Groot Legator: waarom zouden de cerretanen naar Albano gaan om hem het traktaat over de Geheimen van de Conclaven te overhandigen?

'Wat gaan ze in Albano met mijn manuscript doen?'

'Dat schooiertje weet er niets van.'

'Wat heeft hij nog meer gezegd?'

'Behalve de Grote Baas kiezen moeten de cerretanen hun manier van praten veranderen. Maar er is één probleem: het schijnt dat de nieuwe geheime taal is gestolen.'

'Door wie dan wel?'

'Het schooiertje weet het niet. Als u wilt laat ik u het verbaal lezen. Net als bij de Rooie heb ik hier ook een paar namen en data veranderd, weet u, om geen risico's te lopen; maar voor de rest is het precies wat hij heeft gezegd.'

'Niet nu. Onderweg.'

'Onderweg?' vroeg ik niet-begrijpend.

Geronimo. Dat was de ware naam van de Rotte, de cerretaan die door Sfasciamonti was opgepakt. Nu had ik zijn woorden onder ogen, beschenen door de flakkerende vlam van een lantaarn, en geschreven in een minuscuul, haastig handschrift door een hand waarachter je met enige intuïtie algauw leugenachtigheid vermoedde: de hand van een smeris die gewend is verbalen te vervalsen, te verdraaien, kreupel te maken.

Zoals door de smeris aangekondigd was om redenen van veiligheid de datum van het verhoor veranderd, zoals ook gebeurd was in het verbaal van de Rooie. Sfasciamonti had het meer dan een eeuw geantedateerd om het in de archieven van de gouverneur te kunnen terugleggen, maar tegelijkertijd om het onopgemerkt te kunnen laten passeren. Ook dit tweede verbaal was dus onjuist gedateerd: 18 maart 1595, eveneens in de Sixtusbrug-gevangenis.

Het lezen viel niet mee. Ondanks het zomerseizoen zat de weg naar Albano vol kuilen en het was een doorlopend gehossebos. Het rijtuig wiebelde en kraakte door de weg, en nu eens dreigde het gevaarlijk naar de ene en dan weer naar de andere kant over te hellen (ofschoon het een voertuig van goede kwaliteit was, op het laatste moment voor een duizelingwekkend bedrag opgeknapt); maar het reed. Atto, die links van mij zat, had het verbaal van Geronimo al verslonden. Nu zat hij stilletjes te peinzen, zijn blik strak op het landschap gericht, alsof hij de weinige lichtjes van de boerderijen bekeek, terwijl hij inwendig onverbiddelijk zijn angsten bezag.

Rechts van mij zat de trouwe Buvat, stokstijf, ondanks een vluchtige aanval van slaap. Voor het instappen in de koets hadden we hem zien praten met don

Paschatio. Van het gesprek waren alleen een paar slotaanbevelingen tot ons gekomen, die de hofmeester hem had verstrekt terwijl Buvat al op de koets af liep: 'Pas op: geen vocht, geen strapatsen, altijd recht houden!' Ik had geen idee waar het om ging, maar toen Buvat was ingestapt, had Atto hem niets gevraagd, en daarom had ik me ook maar van vragen onthouden.

Op de bank tegenover zat Sfasciamonti met zijn schommelende omvang lelijk onderuitgezakt en als het ware in de krappe cabine geperst, eveneens in een ondoorgrondelijk stilzwijgen gehuld. Kort voor vertrek had hij lang met Atto gesproken, waarschijnlijk om de prijs van zijn volgende diensten af te spreken. De nachtelijke reis naar Albano was geen grapje. Nog minder geruststellend was de plaats waarnaar we op weg waren; de bedongen prijs moest hoog geweest zijn. Naast de smeris zat echter de passagier die op het moment van vertrek het meest de verbijstering van de koetsier had gewekt.

Toen de koets er was, had Atto bevolen naar de Thermen van Agrippina te rijden. Doel: Ugonio ophalen. Het was ondenkbaar om zonder gids bij de bijeenkomst van de cerretanen binnen te dringen. Bij zijn schuilplaats aangekomen hadden we hem naar buiten laten komen door gewoon luidkeels zijn naam te schreeuwen. Om niet de aandacht van de buurt te trekken (voor Ugonio was het fundamenteel om een discreet, voor iedereen onbekend hol te hebben) was de lijkenpikker snel naar buiten geglipt en had hij het onderhoud geaccepteerd. Aanvankelijk werd hij echter door Atto duidelijk met nijd bejegend. Voorheen, toen hij had verteld dat Atto's traktaat over de Geheimen van de Conclaven *naar Albanum* gebracht zou worden, wist Ugonio namelijk dondersgoed dat het om het stadje ging waarnaar we nu op weg waren; toch had hij geen nadere verklaring gegeven omdat het hem totaal voor de hand liggend leek. Hij had geen flauw benul dat er in de zaken van abt Melani een kardinaal Albani betrokken was, en dat dat mij en Melani zo in de war zou brengen. Een laakbaar verzuim waardoor we veel kostbare tijd hadden verloren. Als het ware om Atto nog ongeduldiger te maken had Ugonio onvermoeibaar verzet geboden toen hij hoorde met welk doel we hem wilden rekruteren: ons naar de cerretanenbijeenkomst leiden. Uiteindelijk was hij onder druk van dreigementen en ruime aanbiedingen van geld bezweken en met de nodige spullen bij ons ingestapt. Vlak voordat de lijkenpikker zich in de cabine hees had zich echter een laatste onderhandeling afgespeeld. Atto had zich met de nieuwe passagier teruggetrokken en druk gesmoesd. Uiteindelijk had hij in het beursje van Ugonio een ongewoon lange reeks gouden munten laten glijden, of zo leek het me tenminste in het donker; ten slotte had hij hem een boek gegeven. Ik had de abt een paar vragen proberen te stellen, maar hij had me niet doel en aard van al dat onderhandelen willen onthullen.

Ik ging in gedachten terug naar de curieuze ontmoeting tussen Atto en Lamberg. Tot dan toe hadden we verondersteld dat de ambassadeur van de keizer het brein achter de diefstal en de aanval op Atto was. Maar nu tastten we in het duister: ofwel Lamberg was een doortrapte huichelaar, ofwel hij was echt een vroom en vurig katholiek, over wiens onberispelijke moraal de hardvochtige zweep van het bedrog was neergekomen. Als die tweede mogelijkheid de juiste was, werd de dienstreis naar Albano met nog meer raadsels beladen: de vijand naar wie we oprukten was gezichtloos.

Maar ik raakte afgeleid: ik onderbrak die korte samenvatting van de allerlaatste gebeurtenissen en begon weer te lezen.

Het verbaal van de cerretaan, dat ik toen bijna volledig in mijn aantekeningen kon overnemen, werd voorafgegaan door de officiële formule van de misdaadnotaris, waarop de verklaringen van de cerretaan volgden:

DIE 18 MARTIJ

Examinatus fuit in carceribus Pontis Sixti coram Magnifico et Excell. ti Dño N... per me notarium infra scriptum Hieronymus quondam Antonij Furnarij Romani annorum 22 in circa, cui delato iuramento etc.

Interrogatus de nomine, patria, aetate et causa suae carcerationis, respondit:

'Ik ben geboren in Rome als zoon van wijlen Antonio Fornaro in de wijk Colonna in de buurt van de Trevifontein. Ik heet Geronimo, ben tweeëntwintig jaar oud en oefen geen vak uit, behalve als ik vier maanden per jaar op de Saline werk, daarna keer ik terug naar Rome en ga bedelen. Zoals u ziet ben ik straatarm en ziek, en al tien jaar heb ik geen vader en moeder meer, ik ben een in de steek gelaten wees en doe mijn best om me door het leven te slaan, en ik ben afgelopen vrijdag in de Sint-Pieter opgepakt omdat ik in de kerk probeerde te bedelen.'

Vervolgens was Geronimo gevraagd wat hij wist van de geheime bedelaarssekten. Hier had de ondervraagde alle achttien sekten herhaald die al door zijn voorganger waren opgebiecht, en had er vervolgens nog andere aan toegevoegd: Slepers, Aanprijzers, Marktsnaaiers, Lammen, Alruinen, Abécés, Zuigers, Overtuigers, Krabbers, Valken, Marmotten, Tegenstellingen, Aftroggelaars, Halfvasten, Lopertjes en Schreyelincken:

'De Slepers *bronzen* oftewel slapen 's nachts en bedelen overdag; de Aanprijzers verkopen valse ringen en stukken grond van de Genade van de heilige Paulus en flessen de boeren geweldig; de Marktsnaaiers zijn de ergste mooipraters, ze hebben altijd wel *gewroesem* bij zich oftewel jongere kameraden; ze gaan naar de markt en terwijl zij mooipraten en boodschappen doen, gaat het gewroesem stelen en beurzen snijden, en 's avonds verdelen ze de buit, en ze hebben altijd *dasken* oftewel jongens in hun gezelschap want het zijn allemaal sodomieten. De Lammen zijn mensen die aan alle vier de ledematen verlamd zijn, die ook geen hand of geen voet meer hebben en bedelen. De Alruinen zijn kreupelen en verlamden die zich door een ander laten trekken in een karretje of op de rug laten dragen, en bedelen. De Abécés zijn arme blinden die ook bedelen. De Zuigers zijn mensen die stilstaan in een wijk en heiligenverhalen verkopen en gebeden zingen en tegelijk om een aalmoes vragen. De Overtuigers zijn mensen in goeie kleren die zeggen dat ze deftige lui of ambachtslieden zijn geweest, en met een heel ingetogen, ernstige houding bedelen zij ook.

De Krabbers zijn schurftig, lepreus, melaats en dergelijke, en bedelen eveneens. De Valken zijn degenen die een snee in hun hand of voet laten maken en kreupel lijken terwijl er niets aan de hand is; of ze laten een valse wond in een arm of been maken met wat bebloede lever en bedelen. De Marmotten doen net alsof ze stom zijn of geen tong hebben, en bedelen. De Tegenstellingen zijn mensen die in de bontjassen van bergbewoners uit bedelen gaan. De Aftroggelaars spelen in herbergen en kroegen met valse kaarten en valse dobbelstenen, ze zijn heel doortrapt. De Halfvasten bedelen in het pelgrimstenue van mensen van over de Alpen. De Lopertjes zijn mensen die zeggen dat ze jood zijn, een gezin hebben en christen geworden zijn, en dat bezorgt ze enorme aalmoezen. Wat betreft de Sondenwegherinnen en Bultdragherinnen ten slotte, dat zijn vrouwen die op verschillende manieren bedelen; bekend is dat de eersten langs de weg zwerven met het praatje dat ze openlijk een hoerenleven geleid hebben, maar dat ze nu hun zondig bestaan willen beteren. De Bultdragherinnen zijn vrouwen die onder hun kleren oude wambuizen of kussens voor hun buik binden. Je zou denken dat ze hoogzwanger zijn, maar ze hebben al in geen twintig jaar of meer een kind gekregen.'

Ik keek snel door tot aan de belangrijke informatie over Albano:

'Ik heb horen verluiden dat er in deze meimaand grote aantallen bedelaars willen vertrekken naar de grotten van Albano omdat ze de Grote Baas willen kiezen en het nieuwe spreekjargon willen meedelen, maar omdat ik gehoord heb dat dit gestolen is, willen ze onderling orde op zaken stellen en een straf zetten op verraad: wie verraad pleegt, wordt *om het gers gebracht* oftewel doodgestoken. En ik weet van de Gedallesten dat die Pompeo richting Pescheria is gevonden en dat ze hem zijn gaan afranselen, en als hij niet de kerk van de priesters in was gevlucht, zouden ze hem doodgeslagen hebben, zo woedend was iedereen dat hij over ze uit de school had geklapt.'

Dus de cerretanen zouden bijeenkomen in Albano, zoals Sfasciamonti had verteld (voor de zekerheid was in het verbaal 'mei' in plaats van 'juli' genoteerd). Ze beweerden dat iemand hun nieuwe geheimtaal had gestolen en wilden 'orde op zaken stellen' oftewel (maar Geronimo zei er niet bij hoe) de zaak oplossen. Bovendien wilden ze Pompeo, alias de Rooie, lynchen, omdat ze hadden gehoord dat hij was doorgeslagen. Maar van wie?

De misdaadnotaris had ten slotte gevraagd waarom de bedelaar, die een volledige bekentenis had afgelegd, die naargeestige groep en die lage praktijken niet achter zich liet en niet probeerde een werkkring te vinden, zoals zovelen in Rome.

'Mijnheer, ik zeg u de waarheid. Deze manier van leven in vrijheid, nu eens hier dan weer daar, op andermans zak en zonder enige moeite, bevalt ons allemaal te veel, en om het in één woord te zeggen, wie eenmaal van de Schurkerij geniet, kan niet zo eenvoudig meer terug; dat geldt zowel voor mannen als voor vrouwen. Ik hoop wel met Gods hulp een ander leven te krijgen als ik uit de gevangenis mag, want ik wil bij de broeders van de heilige Bartholomeus op het Tibereiland wonen en voor hun ezeltje zorgen.'

'Uiteindelijk hebben we hem maar laten gaan,' grinnikte Sfasciamonti, die, zoals ook bij de Rooie was gebeurd, iemand die illegaal gearresteerd en verhoord was niet in de gevangenis kon zetten. 'Hij zal wel voor dat ezeltje gaan zorgen, maar alleen als zijn makkers hem niet eerst bij de kladden grijpen en hem om het gers brengen, zoals dat heet,' grinnikte Sfasciamonti.

'Maar hoe kunnen ze erachter komen dat hij is verhoord?' vroeg ik, ongerust door de mogelijkheid van een nieuwe informatievlucht.

Sfasciamonti's gezicht betrok:

'Op dezelfde manier als bij het verhoor van de Rooie.'

'Namelijk?'

'Ik weet het niet.'

'Wat bedoelt u?'

'Die cerretanen zijn duivels. Een van hen zegt wat, en ineens weten alle anderen het ook.'

'Dat is waar, vervloekt,' echode Atto krachtig na een moment stilte. 'Het zijn echt duivels.'

'Ditmaal was Buvat er niet,' zei ik. 'Wie heeft de rol van misdaadnotaris gespeeld?'

'Een echte notaris,' antwoordde de smeris.

'Hoe dan?'

'Er bestaat geen volmaaktere vervalsing dan een authentiek voorwerp,' kwam Atto tussenbeide.

'Dat begrijp ik niet,' zei ik.

'Een goed teken. Dat betekent dat de oude wet werkt, en dat over drie eeuwen nog zal doen,' antwoordde de abt.

'Nu weet ik het weer, u zinspeelde erop toen we elkaar leerden kennen: bedoelt u soms valse documenten die ware dingen bevatten?'

'Nee, ditmaal is het precies omgekeerd, en ik heb het niet alleen over papieren, maar over veel meer. Ik geef je een voorbeeld: wie slaat munt in een staat?' vroeg Melani.

'De vorst.'

'Precies. De munten die uit zijn Munt komen, de staatsmunt, moeten dus wel echt zijn.'

'Ja.'

'Toch niet, niet altijd tenminste. De vorst kan, als hij wil, in grote hoeveelheden valse munten slaan, bijvoorbeeld om een oorlog te bekostigen. Hij hoeft maar munten te slaan met een lagere goudwaarde dan de nominale waarde. Simpel gezegd: munten die minder goud bevatten dan naar het heet. Zijn die munten nu echt of vals?'

'Vals!' antwoordde ik, mijn antwoord van zo-even tegensprekend.

'Maar de koning heeft ze geslagen: ze zijn dus echt en tegelijkertijd vals. Ze zijn dus authentiek maar onbetrouwbaar. De truc is zo oud als de wereld. Om zijn oorlog tegen de Vlamingen te bekostigen halveerde de koning van Frankrijk Filips de Schone al vierhonderd jaar geleden het Tournooise pond, dat in het begin elfenhalf once waard was; en hetzelfde deed hij met het goud door het van drieëntwintig karaat terug te brengen tot minder dan twintig; zodat er elke dag meer dan zesduizend pond Parijs geld "zwart" in de zakken van de koning verdween. Zodoende bracht hij het land wel aan de bedelstaf.'

'Gebeurt dat nu ook?'

'Meer dan ooit. Willem van Oranje heeft het meermalen gedaan door zogenaamde Venetiaanse dukaten te slaan die passend "lichter gemaakt" waren.'

'Wat een zootje! Valse dingen die het ware onthullen en echte dingen die voor vals doorgaan,' verzuchtte ik.

'Het is het zootje van het menselijk bedrijf, jongen. Die zeurpiet van een Albicastro zei ten minste één keer iets terecht: "De menselijke aangelegenheden hebben, gelijk de Silenen van Alcibiades, altijd twee kanten, en de ene staat haaks op de andere." De regel van de wereld is altijd als volgt: als je een Sileen openmaakt vind je elk ding in zijn tegendeel veranderd,' concludeerde Atto, die totaal onverwachts de Hollander citeerde aan wie hij zo'n hekel had.

De abt had zich de Silenen herinnerd waar de violist ons van gesproken had, die groteske beeldjes met beelden van goden binnenin.

'Om op ons te komen,' vervolgde Melani, 'vriend Sfasciamonti heeft Geronimo laten verhoren door een echte notaris, die het verbaal netjes tot in de kleinste details heeft genoteerd, zoals Buvat niet eens zou kunnen. Het is geen vervalsing: het bevat gegevens die... enigszins onnauwkeurig zijn, zo je wil, evenals sommige data; toch is het opgesteld door een authentieke notaris, met echte smerissen aan zijn zij. Het is een onbetrouwbaar, maar authentiek, heel authentiek, document. Zeg ik het goed?' vroeg Atto aan onze reisgenoot.

De smeris zweeg. Hij was er niet blij mee dat met die trucs te koop werd gelopen; maar hij kon het niet ontkennen. Bij wijze van antwoord wendde hij zijn blik van ons tweeën af en stemde zo stilzwijgend in.

'Bedenk, jongen,' zei Atto, 'grote vervalsingen vergen grote middelen. En alleen de staat heeft die.'

Op basis van Ugonio's aanwijzingen droegen we de voerman van de koets, een ingehuurd persoon die aan allerlei opdrachten (nachtelijke vluchten, overspel, illegale bijeenkomsten) gewend was, op om ons naar een rustige plaats in het dorp te brengen. De bebouwde kom was in duister gehuld; alleen door een paar ramen filterde zwakjes nog wat licht, terwijl er alleen steels en wantrouwend katten door de straatjes zwierven met hun vaste slachtoffers.

De koetsier maande ons tot voorzichtigheid, maar vermeed het zorgvuldig om ons te vragen wat we in 's hemelsnaam op dat tijdstip op die godvergeten plek gingen doen.

De straten waren opvallend levenloos. Het ging nog altijd om een warme, drukkende zomeravond, de vreugde van onvermoeibare geesten, heimelijke geliefden en avontuurlijke kinderen; afgaande op de dooie boel om ons heen was het net of je midden in een sneeuwstorm zat in de donkere landstreken van het noorden, die zo goed beschreven zijn door Olaus Magnus.

De lijkenpikker had een grote vettige stoffen zak bij zich. We sloegen een steegje in dat midden op de akkers uitkwam, het liep door naar een tweesprong en verloor zich toen in een vlakte met braamstruiken. De tocht was vrij lang en kronkelig; we gingen door moestuinen en toen door een wild grasveld. Alleen het tjilpen van de krekels en het brutale gezoem van de muggen contrasteerden met het ritmische geschuifel van onze voetstappen.

We moesten eigenlijk heel voorzichtig rijden om te vermijden dat we niet ergens in een zompig stuk terechtkwamen.

'Is het nog ver?' vroeg Atto wat ongeduldig.

'Het is een bijzonderlijke, geheimelijke locatie,' rechtvaardigde de lijkenpikker zich, 'het moet onverkend blijven.'

Plotseling bleef Ugonio staan en haalde uit de zak drie smerige, stinkende overjassen.

'Drie maar?' vroeg ik.

De lijkenpikker verduidelijkte dat Sfasciamonti niet mee zou gaan.

'Die klederen zitteren hem te krap,' verklaarde hij, wijzend op de jassen, 'hij heeft een overmaat aan lijverigheid. Hij kan beter hier tot onze wederkeer onderuitzakken, om bezwaren eerder te bezweren en niet te bezwaren, weltever-staan.'

De smeris gromde een ontevreden commentaar, maar protesteerde niet. Een merkwaardig lot, dat van Sfasciamonti, bedacht ik: hij had zo lang zijn best gedaan om te speuren naar de cerretanen, maar was daarbij op het verzet van collega's en meerderen gestuit. Daarom was hij gaan speuren namens abt Melani, oftewel voor geld. Nu, na die hele bij nacht afgelegde weg tot aan Albano, moest hij er toch van afzien om met ons mee te gaan.

Ik trok de kleinste overjas aan. Onnodig te vermelden welke weerzin die smerige stinkkleren me inboezemden: jaren en jaren lang waren ze gedragen door wezens die wars waren van iedere reinheid: ze roken naar verschaalde urine, bedorven voedsel en zurig zweet. Ik hoorde Atto zachtjes vloeken tegen Ugonio's kameraden en hun smerigheid. Buvat onderging de kleding zonder een kik te geven, trouwe secretaris die hij was.

Een onmiskenbaar voordeel van die kleren was anderzijds de buitensporig grote capuchon die bijna helemaal over het gelaat viel, en de ellenlange mouwen die de handen verborgen, en ten slotte een soort sleep waardoor je kon lopen zonder dat je voeten en schoenen zichtbaar waren. Een braakneiging onderdrukkend stak ik mijn handen in de mouwen. Ik was een soort cocon van stinkende stof geworden, lomp en onherkenbaar. Alleen dankzij hun grote lengte waren abt Melani en Buvat wat minder houterig.

'Waaaaat? Zonder lantaarn?' steigerde Atto opnieuw toen hij van Ugonio hoorde dat we in het donker moesten lopen. De lijkenpikker was onvermurwbaar: vanaf dat moment riskeerden we door de cerretanen gesnapt en ontmaskerd te worden. Ik herinnerde me ook dat de lijkenpikkers altijd zonder licht liepen, zowel in het duister van de nacht als in dat van de onderaardse gangen van Rome.

Als drie gezichtloze spoken sloten Buvat, Atto en ik ons bij Ugonio aan, die ons leidde over een pad dat alleen voor hem zichtbaar was. Sfasciamonti wenste ons zachtjes een goede afloop toe.

Onder het lopen ontzegde de stank van de kaftan mijn neusgaten de zachte uitwaseming van het nachtelijke platteland. Ik sloeg inwendig een kruis en bad de Allerhoogste om niet te streng te oordelen over de onvoorzichtigheden die we ongetwijfeld zouden begaan. Alleen de toekomstige bruidsschat van mijn dochtertjes, bedacht ik moed vattend, kon de onverschrokkenheid die ik over me liet komen betekenis geven.

Na een lang, recht, vlak stuk beschreef het tracé een grote bocht en vervolgens helde het geleidelijk af naar een vochtige kloof, waar de lucht wat sinistere, veranderlijke schijnsels weerkaatste.

Plotseling doken er vlak bij ons, bijna wonderlijk afgescheiden door de duisternis, een paar figuren op. Een oude mankepoot, ondersteund door twee makkers, kwam onze richting uit. Achter hen verschenen nog meer van dergelijke wezens in de nachtelijke nevel.

Vóór ons zagen we grote muren in de rots, die een reusachtig gebouw leken af te bakenen. Door een nauwe gang in een ommuring gingen we naar binnen; een paar toortsen aan de muren vormden een opluchting en onze ogen konden bijkomen. Maar onverwachts sloten rots, mos en kale grond zich en vormden ze een ondoordringbaar bolwerk. De gang was al afgelopen. Ugonio draaide zich om, liet met een gluiperig lachje zijn zwarte stompjes van tanden zien en genoot van onze ontreddering.

Buvat en ik wisselden een gealarmeerde blik. Waren we erin geluisd? De lijkenpikker gebaarde de capuchon goed over ons hoofd te laten zakken, zodat ons gezicht niet te zien was. Vervolgens leunde hij links tegen de wand. De rots slokte hem op: Ugonio was erin gegaan als water in een spons.

Alsof hij weer opdook uit een andere dimensie deed hij een stap terug en beduidde ons hem te volgen.

Om binnen te komen was Ugonio uiteraard niet in de rotsachtige materie doorgedrongen. Wat ik niet had gehoord was het scherpe geluid van geschilderd hout waaruit de deur in de rots bestond: een geheime doorgang die voor indringers onmogelijk waar te nemen was, maar die Ugonio wie weet hoe vaak had gebruikt.

Binnen gingen er een paar seconden voorbij voordat onze blikken gewend waren. We keken om ons heen. Eeuwenlang verwaarloosd ontvouwde zich voor ons enorm en indrukwekkend het Romeinse amfitheater van Albano, dat nu wemelde van de cerretanen.

'We zijn dus door een geheime doorgang binnengekomen,' siste ik in het oor van de lijkenpikker.

'Om beter dan slechter uit te vallen,' stemde hij in, 'de gewone ingangeren zijn hermeterisch afgesloteren. Vannacht mogen er geen vreemden en nieuwersgierigen instekeren.'

'Maar niemand heeft ons tegengehouden.'

'Dat is niet noderig. Er zijn veel loerkijkers, iemand die binnenglippert wordt gezien, ingemaakt en afgemaakt.'

Het amfitheater werd dus beschermd door een systeem van wachters, die moesten toezien op indringers en hen uitschakelen. Dankzij de vermommingen van Ugonio had niemand ons verdacht.

Langs de omtrek aan de binnenkant van het bouwwerk bescheen een lange reeks fakkels het toneel. In die eindeloze open maar toch omsloten ruimte voelde ik me verloren en tegelijk gevangen. Boven onze hoofden waarschuwde de zwarte deken van de nacht de ongevederden om niet roekeloos de vlucht te beproeven. Golvend gemurmel, afkomstig van het midden van het amfitheater, prikkelde boosaardig de zinnen en de geest. De lucht was zoetig, vochtig en beladen met zonde.

'Welja, natuurlijk, het amfitheater,' zei Atto zachtjes, 'waar zou het anders zijn...'

'Kent u deze plek?' vroeg ik.

'Allicht,' antwoordde hij, 'al ten tijde van Cicero...'

Ugonio legde ons met een bruusk gebaar het zwijgen op. Een paar passen achter ons stond nog de oude mankepoot met zijn twee vrienden die we buiten hadden gezien. We voelden de dierlijke voorzichtigheid waarmee de lijkenpikker ons meenam; en we voelden de donkere sfeer van een geheime boevenbijeenkomst al als een inhalig spook op onze schouders.

Vanuit het midden van de arena verspreidde zich het licht van meerdere fakkels, die zo te horen en te zien een samenscholing beschenen, vergezeld van onduidelijk gepraat. We kwamen dichterbij, steeds voorzichtig in het kielzog van Ugonio. Nadat we een berg brandend hout gepasseerd waren, konden we eindelijk een blik werpen.

Een paar passen verder reikte een grote manshoge vuurpot met een ruimhartig brandende vlam met zijn vonken begerig naar de hemel. Eromheen hadden zich her en der groepjes cerretanen geïnstalleerd; sommigen aten traag een pover tussendoortje, anderen dronken wijn uit de fles, anderen waren aan het kaarten en weer anderen ontvingen met opgeheven armen bij wijze van groet de nieuwkomers. Het hele gezelschap was één zee van smerige, haveloze, smoezelige, riekende mensen.

'We zijn op het aangepaste moment gekomeren,' fluisterde Ugonio, en hij gebaarde ons om ons gedeisd te houden.

Van de andere kant van het amfitheater zagen we een soort processie naderbij komen, waarop de mensen die bij de vuurpot bivakkeerden vlot gingen staan.

'De verkiezering is net geweest. De Bazen komeren binnen met de Groot Legator,' sprak Ugonio, wijzend op de stoet en ons manend om ons bij hem aan te sluiten. 'De eerste is de baas van de groep van de Overtuigers. Daarachter heb je de aanvullende bijkomstigheden van de andere groepen: Loseneren, Baronnen, Gedallesten, Molveren, Grantneren...'

'Zijn dat dan de hoofden van de groepen cerretanen?' vroeg Atto met grote ogen, terwijl we ons opmaakten om in de processie mee te lopen.

Ik liet mijn blik op die onverkwikkelijke bende rusten. Op grond van wat de Rooie ons had verteld, herkende ik de Baas van de Loseneren. Hij droeg om zijn hals een dikke ijzeren keten en mompelde onophoudelijk 'Bran bran bran'; zoals ik nog wist was bedrog de specialiteit van zijn groep; ze deden net of ze door de Turken gevangen waren genomen en dus de Turkse taal spraken. Die avond was er dan wel geen oen om beet te nemen, maar de Loseneren waren evenals alle andere cerretanen in dienstuniform naar de algemene vergadering, als je dat zo kon zeggen, getogen.

'En waar is de Groot Legator?' vroeg hij, rondom zoekend naar (hoe absurd het idee ook was) Lambergs gezicht.

Bij wijze van antwoord begaf Ugonio zich naar de kop van de stoet van de Bazen. Hij liep op het hoofd van de Overtuigers af, een individu met een golvende grijzige baard en lang haar onder een opzichtige veren hoed; volgens het kenmerk van zijn sekte droeg hij de kleding van een deftig heerschap, maar vuil en tot op de draad versleten. De Overtuigers, zo had ik net in het verbaal van Geronimo gelezen, zeiden als ze bedelden dat ze deftige lieden of ambachtslui waren geweest en aan lager wal waren geraakt.

Ugonio knielde kruiperig en serviel neer en liet de kleine stoet Bazen kortstondig de pas inhouden. Onmiddellijk deden we onze capuchon nog lager, bang om in het gezicht gekeken te worden. Gelukkig werden we geholpen door het fonkelende, flakkerende licht van de toortsen dat de ruimte zeer onregelmatig bescheen. Ik keek nog eens om me heen: overal was het gewemel van mankepoten, leprozen, verminkten, blinden, broodmagere en halfnaakte lijven die verstijfden, strompelden, sporen van flagellatie, ketenen en martelingen droegen. Het was de staalkaart van alle misleiding van de cerretanen: die ogenschijnlijke wonden, die puisten, dat moeizame vooruitkomen was het werkgereedschap: het was geen lijden, maar een vak waarvan de cerretanen zelfs de sporen bewaarden wanneer ze niet met hun oplichterspraktijken bezig waren. Bij nadere beschouwing merkte ik ook dat ze rustig her en der wandelden, wijn achteroversloegen, lachten en grappen maakten alsof er niets aan de hand was. Ik balanceerde tussen afschuw, angst en verbazing, maar ik kon geen bespiegeling met Atto uitwisselen: na een kort mompelgesprek waarvan we niets hadden kunnen opvangen, keerde Ugonio naar ons terug en ging de stoet weer verder.

'Beschouwert de Overtuiger achter de Baas,' siste de lijkenpikker.

Het was een kaal, half gebocheld oudje met de gescheurde kazak van een ambachtsman en een paar half afgetrapte schoenen aan. Ook hij bedelde dus volgens de regels van zijn sekte door net te doen of hij rechtschapen was geweest en aan lager wal was geraakt. Over zijn schouder droeg hij een oud zakje waaruit het wit van de pagina's van een boekje zichtbaar was.

'Dat is de Groot Legator,' kondigde Ugonio aan.

'Waaaat?' siste Atto, met ogen die uit hun kassen rolden van verbazing.

'Het is een Hollandse broeder. Hij heet Drehmannius. Hij is een beetje kindig, hij kan niet eens lezeren, maar hij is een buitengemene binder. Daarom is hij een Overtuiger. Hij heeft het trakkertaat,' vervolgde Ugonio, die met een nauw merkbaar knikje op de inhoud van de zak wees.

Ik zag Atto zijn kaken op elkaar doen. Hoezo Lamberg, hoezo complot van het keizerrijk? Nu was alles duidelijk: de Groot Legator was geen *legatus*, oftewel een ambassadeur, maar een *legator*, volgens het onwaarschijnlijke Latijn dat die cerretanen spraken een doodgewone boekbinder! Het traktaat over de Geheimen van de Conclaven, de sleutel van Atto's lot, was in handen van dat luizige, onbeduidende Hollandse oudje.

'Wat moet die Hollandse boekbinder, Drehmannius of hoe hij ook heten mag, met mijn traktaat?' vroeg Atto in spanning.

'Het binderwerk uithaleren. Dat heeft de Baas me geheimd.'

'Het bindwerk losmaken?' herhaalde Melani ontsteld. 'Wat bedoel je in 's hemelsnaam?'

Maar hij moest zijn mond houden. Er was een lange, imposante cerretaan naderbij gekomen met grove, smerige handen en een zwarte lap voor zijn rechteroog. Hij riep Ugonio even apart, die hem meteen volgde.

We zaten zo ineens zonder gids midden in die krankzinnige, tumultueuze massa, in een stoet waarvan we doel noch richting kenden. Midden in de processie was een groep haveloze oudjes elkaar een fles wijn aan het bevechten; een van hen, die duidelijk dronken was, stond even oog in oog met Atto en liet een harde boer. Melani wendde vol afschuw zijn gezicht af, rommelde instinctief in de overjas op zoek naar zijn kanten zakdoekje en kwam er vervolgens op terug: dit was niet het moment om voor kieskeurig door te gaan.

Plotseling hief de stoet cerretanen, allemaal behoorlijk boven hun theewater, een bizar deuntje aan:

'Het allermooiste vak dat er is,
Ja, dat is dat van de schurkerij,

En ’s winters in de zon liggen,
En ’s zomers aan de schaduwzij,
En een takje in de hand houden
En een vlieg verjagen, joechhei,
En het vette vlees opvreten
En het magere gaat opzij...’

Een schooier met naakt bovenlijf en helemaal onder de blauwe plekken, een smerige pelgrimsstaf over zijn schouder en voeten met lange zwarte nagels, begon aangemoedigd door het koortje krachtig te zingen, onverschillig of hij het koor zou overstemmen:

‘Met leugens en bedrog zit je een halfjaar goed
Met bedrog en leugens breng ik d’ and’re helft zoet!’

Ik herkende het: het was hetzelfde cerretanenrijmpje als don Tibaldutio mij had geleerd.

Plotseling glipte er iets kouds en kronkeligs tussen mijn overjas en hals. Met een ruk draaide ik me om.

Het scheelde weinig of ik was buiten zinnen geraakt. Een glibberige slang, vastgehouden door een walgelijke ellendeling met een dikke, ruige, vettige kop, had het weerloze vlees van mijn nek gelikt. De cerretaan barstte in een vette lach uit en gaf me een klap op de schouder waardoor ik bijna omviel. Het was een grap. Daarna deed hij de slang in een rieten mand die hij over zijn schouder hield en begon samen met drie of vier kameraden eveneens te zingen:

‘Neppers zijn we want we neppen van nature,
Dames, en we gaan op zoek naar avonturen.
Uit het huis van Sint Paulus stammen wij,
Ver van deze dorpen uit de contrei...
We worden geboren met een teken van onderen,
En wie hem het grootste heeft, die verricht wonderen...’

Het was dus een sintpaulaar, een genezer en houder van slangen, zoals ik er dagen geleden een aan het werk had gezien. Om de betekenis van het rijmpje duidelijk te maken legde hij zijn hand in zijn kruis en begeleidde het laatste distichon met ritmisch, obsceen heupwiegen. Waren hij en zijn kameraden niet dronken van de wijn, dan waren ze het wel van dierlijke vreugde. Een bedelaar van middelbare leeftijd had intussen de viool opgepakt en liet hem kreunen, waarbij hij de strijkstok onbehouwen en ordinair vurig heen en weer liet zwaaien.

Maar er was geen tijd om erbij stil te staan. Steeds meer nieuwe deelnemers kwamen het amfitheater binnen, stromen cerretanen namen de arena in beslag; gezang, rommelige rondedansjes, geschreeuw en gelach namen toe. Toen we waren aangekomen, was het een massabijeenkomst, nu was het een infernale heksenketel. De stoet was enorm geworden, telde honderden schooiers, bijna allemaal voorzien van een fakkel, en was begonnen om zijn as te draaien, de gevangene van het amfitheater als een mol met een te krap hol. De ogen van sommigen richtten zich al nieuwsgierig op ons. We waren dan wel goed afgedekt door de overjassen van Ugonio, maar hadden niet de soepele, dierlijke bewegingen van de lijkenpikkers en leken evenmin veel mee te doen aan de braspartijen. Maar we hadden geen tijd om ons zorgen te maken; onze aandacht werd meteen afgeleid door een nieuwe gebeurtenis. Andere horden bedelaars hadden zich rond de kleine stoet van de Bazen verzameld en overstroomden tot in het onwaarschijnlijke de kant van het amfitheater waar wij waren. Ellebogen, ruggen en benen streden als gladiatoren in de strijd; ik moest uitkijken om me niet door de meute te laten meeslepen en Atto en Buvat kwijt te raken.

De drukte was inmiddels zodanig dat niemand gelukkig nog op zijn buurman leek te letten, dus ook niet op ons. Op de achtergrond vermengde het gejammer van de viool zich met het getierelier van een groep boerenfluiten en het nasale geklaag van een doedelzak.

'Die daar, moet je die daar zien,' zei Atto, wijzend op een uitgeteerde jongen met een onverzorgde baard en ingevallen ogen.

Toen ik op mijn tenen ging staan kon ik de betrokkene in het gezicht kijken.

'Lijkt jou dat ook geen bekend gezicht?'

'Nou, inderdaad... Volgens mij heb ik hem al eens gezien. Maar ik weet niet meer waar. Misschien hebben we hem ergens zien bedelen.'

Vlak naast de jongen, bijna in het midden van het gedrang, torenden onverwachts drie Bazen. Ze waren op een podium of misschien een ander opstapje geklommen dat haastig door een groep smerige, halfnaakte jongetjes klaargezet was. De Baas in het midden was het hoofd van de Overtuigers. De andere twee hieven de arm naar hem omhoog, en de menigte brulde. Er was geen tolk voor nodig om te begrijpen dat hij de nieuwe Grote Baas was.

Naast de drie verscheen de Groot Legator. Hij hield een boekje in zijn hand. Atto en ik herkenden het: het was zijn traktaat over de Geheimen van de Conclaven.

'Nou, weer een Hollander, wat een toeval.'

'Wat bedoelt u?' vroeg ik.

'De ene Hollander verdrijft de andere,' antwoordde hij met een sluw lachje.

Terwijl ik de raadselachtige woorden van de abt probeerde te begrijpen, besteeg een vijfde wezen het podium: Ugonio.

'Kijk uit dat je je niet laat wegdrukken, we moeten dicht bij het podium blijven,' waarschuwde Atto.

Vervolgens werd het stil, of bijna stil.

'Simmeriken, sluweriken, hoofden en hielen, zet je lappen klaar, doe je trechters open!' stak de Baas van de Overtuigers met een stentorstem van wal. Hij begon, naar het zich liet aanzien, zijn installatietoespraak als nieuwe Grote Baas. Een toespraak in boeventaal waarvan wij de helft niet dreigden te verstaan.

Buvat, die in de smerige overjas gewikkeld op zijn knieën zat om zich niet te laten zien, begon bliksemsnel het boeventaalwoordenboekje door te bladeren. Atto en ik probeerden hem zoveel mogelijk van eventuele blikken af te schermen.

De Grote Baas liet zich door de Groot Legator Atto's boekje aangeven.

'Dit is een drukkerik van een vreemde lijmelaar,' hervatte de Baas, zwaaiend met het boekje. 'Een visser en zijn valk met het harnas wilden een seibel plegen: het Burgoens afgrissen en knooien.'

Een verontwaardigd, vijandig gegons steeg op uit de menigte.

'Volgens mij heeft hij gezegd dat het boek dat hij in de hand heeft van een buitenlandse geestelijke is die bedrog wilde plegen, een taal ontdekken,' fluisterde Buvat tegen Atto, terwijl hij weer verwoed in het woordenboek begon te bladeren.

'Een taal ontdekken?' herhaalde Atto. 'Vervloekt, ik begrijp het! Ik begrijp alles! Stomme idiote ezels, God vervloeke ze...'

Op dat moment merkte ik gealarmeerd dat een jonge cerretaan op blote voeten en broodmager, bijna helemaal kaal en zijn gezicht verwoest door gruwelijke littekens, met naakt bovenlijf en de rest van het lichaam alleen bedekt door een oude deken om zijn middel, verbijsterd naar Buvat en zijn boekje staarde. Ook Atto kreeg het in de gaten en zweeg abrupt.

'Kiecht de lijmelaar, kiecht de lijmelaar,' kraste in de menigte een afgrijselijk oudje, zijn gezicht helemaal onder de puisten.

'Siwus! Si-wus, si-wus!' antwoordde de menigte, golvend van geestdrift. Er kwam weer een applaus, terwijl de vele flessen die door de massa cerretanen waren geleegd de lucht in gegooid werden ten teken van grote vreugde.

'Kiecht de lijmelaar betekent... Ze zeggen dat die geestelijke gestraft moet worden, gedood dus,' fluisterde Buvat met bezorgde stem, terwijl hij nog steeds gejaagd de bladzijden van het woordenboek nakeek. 'Siwus betekent ja.'

'Geniale truc,' meende Atto ironisch, en hij trok de smerige capuchon dieper over zijn hoofd, erop lettend dat hij alleen zijn vingertoppen liet zien.

De halfnaakte cerretaan trok de aandacht van een kameraad. Het was puur geluk dat op dat moment een beweging van de massa hun het uitzicht belemmerde. Zouden ze dichterbij gekomen zijn?

De Baas van de Overtuigers wachtte intussen tot het rumoer wat zou bedaren.. Vanuit een soort oerinstinct controleerde ik hoe ver we van de ingang waren, die ook wel de uitgang zou zijn. Hij was nog heel dichtbij.

'En nu, beste hielen,' zei de spreker, 'gelet op het feit dat Wij, Heilige Majesteit, de roemrijke en grote Keizer, zijn gekozen tot Keizer, Koning, Hoofd, Generaal, Vorst, Rector en Leider der schurken; en gelet op het feit hoeveel autoriteit niet alleen jullie schurkerige Majesteit, maar zelfs de geringste schurk van onze gekozen Schurkerigheid heeft, ben ik door mijn schurkendom gedwongen jullie met deze toespraak van mij te laten voelen hoeveel superioriteit en waarde de Schurkerigheid zelf en wie haar volgt heeft.'

Een ovatie weergalmde in het amfitheater.

Op dit punt kon Buvat gelukkig het woordenboekje laten zitten. De toespraak ging in gangbare taal verder: geen vreemde kon meeluisteren (behalve wij natuurlijk): de introductie van de boeventaal had vooral gediend om de gemoederen te verhitten. Iemand reikte de Grote Baas een fles aan; hij greep er platweg naar, nam ettelijke grote slokken en liet hem aan zijn voeten vallen.

'Om te beginnen,' hervatte hij, 'is de Schurkerigheid veel ouder dan de familie Baronci waar Boccaccio het over heeft, ja, ouder dan de Toren van Nembrotto en ook die van Babel. Omdat ze oud is, moet ze uitzonderlijk en volmaakt zijn, en bijgevolg is iedere schurk uitzonderlijk en volmaakt, en derhalve zal haar vorst hoogst uitzonderlijk en volmaakt en vrijwel onsterfelijk zijn!'

Een daverend applaus becommentarieerde de verdediging die de nieuwe Grote Baas tevreden grinnikend van zichzelf en zijn onderdanen had gehouden. Atto en ik wisselden een bezorgde blik. We zaten midden in een leger dwazen.

'En laten we beginnen bij het begin van deze grote wereld,' vervolgde de Baas, 'toen men in het Gouden Rijk leefde en messer Saturnus koning over de mensen was. Wat een schurkerig leven was dat toen! Iedereen leefde in vrede, beschouwde de vorst als een goede vader, en hij behandelde iedereen als goede kinderen; ze leefden allemaal in vrijheid en veiligheid te midden van allerlei vreugden en genoegens, ze aten, dronken en kleedden zich als schurken, ze wisten niet wat rijkdom en bezit was, zodat die tijd door de autoriteiten van de Schurkerij de Gouden Eeuw werd genoemd. Er waren alleen ingoede mannetjes, gauwdieven, zonder enige kwaadaardigheid; alles was gemeenschappelijk, er was geen verdeling van grond, geen verdeling van spullen, er waren geen aparte huizen, geen grenzen van wijngaarden. Je hoefde niet per se met iemand te maken te hebben, er was geen ruzie, er werden geen kippen gestolen, er werd niet om de oogst gevochten. Iedereen mocht de grond die hem beviel bewerken, er zaaien en de wijnranken stutten op zijn eigen manier. Iedere vrouw was ieders echtgenote, en iedere man ieders echtgenoot, en van elk ding sloegen de degelijke schurken een partij in. Wat zou onze schurk Biello het in die Gouden Eeuw goed gedaan hebben als dekhengst!'

De Grote Baas had deze laatste woorden uitgesproken tegenover een cerretaan in de buurt van het podium, en wees hem de menigte aan, die lang voor hem klapte.

'Maar toen kwam die kuttennaaier van een Jupiter die vergat dat hij ook een schurk was, want hij was gevoed als een dier, gezoogd door de geiten. Regeerbelust en zonder eerbied voor de Heilige Schurkerij verjoeg Jupiter de oude Saturnus, zijn vader, uit het Gouden Rijk. Zodoende veranderde iedereen zijn leven en situatie, de vrijheid ging verloren, en onder de mensen ontstonden vijandschap, woede, verontwaardiging, razernij, wreedheid, branden en overvallen. Ze begonnen de bezittingen en alle goederen te verdelen, de wijngaarden, de tuinen en de huizen op te splitsen, de hekken, deuren en poorten te sluiten; de mannen begonnen jaloers op de vrouwen te worden, onderling ruzie te maken en met elkaar te vechten tot de dood erop volgde, en nog veel andere ellende, te veel om op te noemen.'

Een cerretaan vlakbij liet een grote luidruchtige wind gaan waarmee hij iedereen om hem heen aan het grinniken kreeg.

'Jupiter heeft wel wat schade aangericht,' mompelde Atto vol afkeer bij zichzelf.

'Toch had de tiran Jupiter niet zo veel macht om de gelukzalige Schurkerij teniet te doen en uit te doven,' ging de Grote Baas verder, 'dewelke als iets goddelijks en onsterfelijks ook in deze staatsommekeer dat kwastje duidelijk maakte dat hij, ook al was hij dan monarch, helemaal niets was zonder haar. Want niet alleen Jupiter, maar al zijn verwanten (hij had er een hoop) leefden alleen vrij en blij omdat ze aten en dronken wat ze bietsten van de schurkachtige...'

'Siwus, Si-wus!' vielen enkele tientallen cerretanen in koor bij.

Atto beduidde me hem te volgen: we schoven op naar links om aan de onderzoekende blik van de halfnaakte cerretaan te ontkomen. Het haalde niets uit: ik draaide me om en hij keek nog steeds naar ons.

'... En alles waar de goden behagen in schepten,' ging de vergadering verder, 'deden ze met schurkerige manieren en trucs: ze veinsden wie ze waren, belazerden en beroofden de hele wereld. Te beginnen bij Jupiter zelf, die zich, toen hij wou vreemdgaan met Europa, de koeienhoedster van koning Agenor, moest laten helpen door de Schurkerij om zich als aasgier te verkleden. Nooit zou hij Europa gekregen hebben als hij haar niet in die gedaante had bedrogen! En toen hij Leda wilde berijden verkleedde hij zich als kippenhandelaar, en daarom kwamen er uit die zwangerschap twee eieren te voorschijn, ha ha!'

Op de grijns van de Baas echode de menigte navolgelingen in koor met een grote schaterlach.

'Om te rommelen met Antiope doste Jupiter zich uit als geitenhoeder; toen hij Alcmene wou belichamen, als schipper, om op haar man te lijken die dat beroep had. Toen hij zich verenigde met de pisbak van Danaë trok hij het goed van een metselaar aan, en met de troffel in de hand sloeg hij een gat in haar dak en eenmaal in haar huis naaide hij haar met een schurkeneerbied. Toen hij bij Egeria piste deed hij de kleren van een schoorsteenveger aan. En om Callisto te schande te maken moest hij zich verkleden als wasvrouw, wat hem gemakkelijk afging, want hij was nog zo baardeloos als een schandknaapje, of zoals mijn dierbare schurk Blasius, die hier voor me zit.'

Blasius was de bijnaam van een baardeloze dikkerd met een glimmende kale kop, die op de oproep van de Baas reageerde met een vette, hese lach, waarop nog meer ongecontroleerd gebrul van het cerretanentuig volgde.

'Ofschoon de verwanten van Jupiter voordelen genoten omdat ze zijn neefjes en nichtjes waren, kozen ze uiteindelijk allemaal voor de Schurkerij om hun geintjes uit te halen. Wat? Het waren goden, zegt u? Maar iedereen weet dat Vulcanus als smid mislukter was dan Bratti de Schroothandelaar.'

Die Bratti was een tandeloos oudje vlak bij ons, dat zijn naam te danken had aan de beroemde populaire Toscaanse toneelfiguur. Ik zag hem trots grinniken, aangewezen als hij was als voorbeeld voor de rest van de bende.

Het betoog van de Grote Baas was wel heel doeltreffend en zeer passend voor zo'n gezelschap: door ze mythische voorbeelden van verdorvenheid voor te zetten, aangepast aan de eisen van de cerretanen, zweepte hij de aanwezigen tot het uiterste op. Ik keek nog eens: de naakte cerretaan was niet meer te zien.

'Ik ben hem uit het oog verloren,' deelde ik Atto mee.

'Slecht teken. Laten we hopen dat hij niet is gaan spioneren.'

'En Apollo? Hij was een jagertje dat overal zijn neus in stak, nog erger dan mijn aartsschurk Olgiato,' zei de redenaar intussen, knipogend naar een andere kameraad in de menigte. 'Mars was in zijn jeugd een grote deugniet die talloze moorden pleegde. Mercurius was een bode, gezant, heraut, hardloper oftewel boodschappenjongen of schildknaap of aanhaler; enfin, zijn werk was afpersen. Pluto was bakker, maar de oven deed zijn Proserpina voor hem. Neptunus was visser, Bacchus wijnhandelaar, Cupido een koppelaartje. Als het over hun vrouwen gaat: de een was kippenhoudster, zoals Juno, de ander was wasvrouw, zoals monna Diana. Van Venus weet iedereen dat ze een grotere lichtekooi was dan die hoer van een Pullica uit Florence, en haar akkertje door alles wat man was liet bewerken.'

De afzichtelijke massa cerretanen lachte uitbundig, geprikkeld door de obsceniteiten van hun nieuwe leider.

'Plato, de vader der geletterden, was een schurk en stierf als een nog grotere schurk. Aristoteles werd geboren uit de zoon van een gewoon doktertje en wilde de Schurkerij nooit opgeven. Pythagoras kwam uit de gulp van een failliete koopman; dat schurkje van een Diogenes sliep in een ton zonder stro erin. Maar als we de Griekse en barbaarse rijken even laten liggen en het over de Latijnen gaan hebben, was dan niet Romulus, de roemrijke stichter van Rome, de miserabele zoon van een simpele soldaat die het loon stal van de rijken? Zijn moeder was, zoals iedereen weet, een eruit geknikkerde non en hij was zelf niet meer dan een goedkope metselaar die wat hanneste aan de muren van Rome. Zolang hij in de Schurkerij leefde was hij een groot man van aanzien; toen hij die verliet liep het, het is bekend, slecht met hem af. Uiteindelijk werden, lange tijd na Romulus, het Romeinse volk en zijn legers heer en meester over de wereld. Maar wat betekent volk? Volk zijn de schurken, het grauw en het rapaille. En wie waren de kapiteins van die Romeinse legers?'

'De schurken!' donderde de vergadering.

'En wie bevocht, wie brak, wie onderwierp de hele wereld?'

'De schurken!'

Triomfantelijke bijval en applaus volgde op de laatste uitroep. Even later keerde de rust weer. De Baas koos wijselijk het juiste moment om verder te gaan:

'Vergilius, de na-aper van Homerus, werd geboren in een hutje in het Mantuaanse bij de verfijndste schurken die er in Piëmont ooit geweest zijn; toen hij naar Rome kwam omdat hij tot zijn dood schurk wilde zijn, begon hij in de keizerlijke stallen te werken, waar hij pas uit werd gehaald door keizer Augustus, die gek op hem was vanwege zijn kwaliteiten als grote boef. Cicero leefde als schurk, hij had altijd veel op met de Schurkerij en had een hekel gehad aan adel en hoogwaardigheid. Mucius Scaevola was bakker, maar hij brandde niet zijn hand als held om Rome te redden, zoals nu wordt verteld: die werd door het gerecht afgehakt omdat hij tijdens de belegering van de stad meel van bonen mengde met dat van graan zodat het brood dat hij verkocht zwaarder ging wegen. Marcus Marcellus was een luizige slager, en de man die hem van zijn leven en zijn macht beroofde was Scipio, een kippenboer.'

'Wat een erudiet betoog,' meende Atto ironisch. 'Echt een afgezakte heer waardig. Niet toevallig is het een Overtuiger.'

De woorden van de nieuwe Grote Baas deden inderdaad vermoeden dat hij betere tijden had gekend. Intussen ging hij door:

'En de voorname families? De familie Fabius verkocht bonen, Lentulus linzen, Piso erwten, de familie Papius is genoemd naar de lonten waar ze mee op de markt stonden. Zelfs Caesar, wel zo dat hij evenals zijn andere gelijken volhardde in de Schurkerij, geacht en gevreesd. Maar zodra hij dat leven verliet om tiran te worden en de anderen te commanderen, werd hij als een hond vermoord. Augustus, geboren uit een bakker uit Velletri, volgde, zoals de profeet Vergilius hem zei, de heilige Schurkerij, en hoe gewoner en gezelliger hij was, hoe meer hij zich verhief. Zijn stiefzoon was Tiberius en zolang hij de gewoonten van zijn stiefvader maar volgde, ging alles hem goed af, want wie de Schurkerij volgt slaagt in alles en kan niet slecht eindigen. Maar wie er zijn neus voor ophaalt en zich eraan onttrekt wordt verwend, ondankbaar, zonderling en door de hele wereld gehaat, en na zijn dood gaat hij naar de Grootste Hel!'

Er stegen opnieuw applaus, gefluit, een paar lipscheten en een boer op. Ik zag Atto zijn hals rekken en iets boven het roerige woud van cerretanen uit steken.

'Het is tijd,' zei hij tegen Buvat, terwijl het tumult van toejuichingen bleef woeden. 'Pas op dat je niet in de gaten loopt, anders zijn we verloren.'

De secretaris liep naar het midden van het amfitheater, dat zoals ik had gezien goeddeels werd ingenomen door oud timmerhout en andere obstakels en op dat moment bijna verlaten was, omdat alle deelnemers aan de vergadering naar de verkiezing van de nieuwe Grote Baas waren gedromd. Het scheen me toe dat Buvat onder zijn jas een soort bolling had en ik besefte dat ik in de koets ook iets dergelijks onder zijn kostuum had gezien.

'Caligula was meer een deugniet dan een schurk,' vervolgde de Baas onverstoorbaar, 'en daarom ging hij te gronde. Nero was die grote schurk die iedereen kent, maar omdat hij vooral een lekkerbek was is hij minder interessant. Onnodig te zeggen dat ook al die andere grote namen van keizers, die Titussen, Vespasianussen, Otto's, Trajanussen, tot aan onze tijd allemaal geboren schurken waren; en hoe meer ze uitblonken in het schurken, hoe meer het waardige, bekwame keizers waren. Wie geen schurk was, is, zal zijn, was, is en zal niet machtig, rijk of waardig zijn. Je kan niet deugdzaam zijn of uitblinken in enige wetenschap dan alleen door de Schurkerij. Die is heilig, want in haar schuilt geloof, liefde en liefdadigheid; die is goddelijk want ze maakt de mensen onsterfelijk; die is zalig want ze maakt de mensen rijk en machtig. Van haar zijn alle geneugten, vertroostingen en pleziertjes afkomstig, tot en met het tarotspel en het kansspel. Denk daaraan! De ware schurk wordt door iedereen geliefd, geacht, geëerd en begeerd, al willen ze het niet tonen. Laat iedereen dus de Schurkerij aanhangen, zich op haar verlaten en haar tot kapitaal maken; laat eenieder haar uitoefenen en zich verfijnen zoals de schurk Lucazzo doet, die hier vlakbij onderuitgezakt zit en met dezelfde vaardigheid oplicht, dieft en bedelt als cavalier Bernini zijn beelden maakte: door de Schurkerij kunnen we ons naar believen veranderen in dichters, redenaars, filosofen, vorsten, hoge heren, koningen en keizers. Leve de Schurkerij! En jullie zullen zien dat het lot ons spoedig het teken van zijn gunsten zal sturen!'

'Wees gerust, dat komt direct,' zei Atto, terwijl een oorverdovend, tomeloos gejubel van geschreeuw, handgeklap en gefluit de slotsom van de toespraak beantwoordde.

'Wat is Buvat gaan doen?' fluisterde ik.

'Telemachus.'

Ik begreep te laat wat er ging gebeuren, en dat was niet erg: anders was het wachten me misschien ondraaglijk gevallen.

Alles gebeurde in een paar seconden. Eerst hoorde je een angstwekkend hard geraas, bijna het gedreun van een aardbeving.

De blik van Ugonio, die nog op het podium stond, kruiste de mijne boven de menigte cerretanen, die door de net beëindigde openingsrede opgezweept, maar plotseling verlamd waren. Toen kwam er een volgende uitbarsting die nog erger was.

De grauwe, stinkende massa cerretanen verdween naar alle mogelijke kanten: de een sprong van schrik in de lucht, een tweede wierp zich op de grond, anderen verspreidden zich in de vier windrichtingen.

Daar kwam de derde klap, die de smerige bende verhinderde om alles weer op een rijtje te krijgen. Maar afgezien van het kabaal ontvouwde zich ditmaal boven onze hoofden een fantastische purperen bloem die de cerretanenbende verlichtte met schijnsels van karmijn en vermiljoen, al waren ze zo veel oogverblindende schoonheid niet waard. De roodachtige bollen die zich onmiddellijk boven het amfitheater verspreidden ontvouwden zich weer in evenzovele lichtende bloemkronen, die uiteindelijk zachtjes neerdaalden op de grond en weemoedig uitdoofden.

De naam waaronder de twee eerste bommen bij kenners bekend waren verklaarde alles: Aardbeving. Voor vertrek had Atto Buvat naar don Paschatio gestuurd om te vragen of er toevallig in de kelders van Villa Spada nog vuurwerk over was van de avond tevoren. Hij had het juist gezien. Buvat had zich uitentreuren door de hofmeester laten voorlichten over de ontstekingswijzen (gelukkig ontbrak er geen vuur in de cerretanenvergadering) en de manier om de staven goed te houden voor gebruik: geen vocht, geen strapatsen, altijd recht houden (woorden die ik don Paschatio inderdaad had horen zeggen toen we op punt van vertrek stonden). In de regel werd Aardbeving gebruikt om een vuurwerkspektakel triomfantelijk mee af te sluiten, wanneer de oren inmiddels gewend waren aan het grote kabaal van de knallen; maar Buvat had de trommelvliezen van de vergadering verraderlijk geteisterd zonder waarschuwing vooraf, mede geholpen door de trechtervorm van het amfitheater, die de klap aanzienlijk had versterkt. Na de twee Aardbevingen had Buvat een waar veelkleurig vuurwerk van start laten gaan.

De techniek van abt Melani was, zoals hij me zelf net had aangekondigd, die van Telemachus geweest, de zoon van Odysseus die – zoals Albicastro ons de vorige dag in herinnering had gebracht – tegenover de vergadering van de vrijers spel en dwaasheid had geveinsd zodat ze onvoorbereid en weerloos waren tegen de wraak van zijn vader.

Atto's berekeningen waren juist. De cerretanen gedroegen zich precies zoals de vrijers homerischer gedachtenis: ondanks de algehele verwarring was niemand van het podium gestapt, de Grote Baas niet, noch zijn twee collega's, noch Drehmannius, de Hollandse boekbinder. Tegenover het vuurwerk waren ze duidelijk onzeker of het om een grap, een aangename verrassingsvoorstelling of een bedreiging ging. Ugonio was uiteraard nog aan hun zij en hij was even snel als nauwkeurig. Toen de rode vuurpijl de lucht in ging en bijna alle neuzen van het amfitheater naar zich toe trok, waren de klauwhanden van de lijkenpikker al lang en breed in de tas over de schouder van de Hollandse boekbinder gedoken, hadden het boek gepakt en wat Melani hem in de koets gegeven had ervoor in de plaats gelegd. De twee bandjes waren identiek: het hoefde voor Atto of Buvat niet moeilijk te zijn om een boek met dezelfde afmetingen en een perkamenten bandje zonder opschriften te vinden, precies zoals de abt de arme Haver had opgedragen zijn traktaat in te binden.

'De ene Hollander verdrijft de andere,' had abt Melani kort tevoren raadselachtig gezegd. Nu begreep ik het: dankzij Albicastro's woorden hadden we het traktaat over de Geheimen van de Conclaven uit de tas van Drehmannius teruggepakt.

In de feestende maar nog wat verdoofde menigte cerretanen vroeg ieder aan zijn buurman wie het aardige idee had gehad om vuurwerk af te steken.

'Laten we weggaan, signor Atto.'

'Dat kan niet. We moeten wachten tot... Buvat! Daar bent u, vervloekt, laten we hem smeren.'

'En Ugonio?' vroeg ik.

Ik keek naar het podium. De lijkenpikker had zich naar de andere kant omgedraaid, met zijn rug naar ons toe. De boodschap was duidelijk. We moesten het amfitheater alleen verlaten; hij zou andere wegen volgen.

We haastten ons naar de geheime deur.

'Niet zo, niet zo,' fluisterde Atto, 'kijk naar mij.'

In plaats van tegen de stroom in te gaan, waarmee hij de vluchtrichting zou verraden, liep abt Melani met zijn hoofd naar het podium toe achteruit, om op te gaan in de mensen om hem heen.

Te laat: de halfnaakte cerretaan die ons tevoren in het oog had gehouden had

Buvat en mij in de smiezen, en nu probeerde hij onze positie aan te wijzen aan een paar grote woestelingen. De twee keken fel rond in de krioelende horde op zoek naar ons drietal. Uiteindelijk ontwaarden ze ons, en ik zag ze vastberaden de achtervolging inzetten.

'Signor Atto, ze hebben twee kerels gestuurd om ons tegen te houden,' kondigde ik aan, terwijl we volhardden in de lastige onderneming om ons door de menigte te wringen zonder te laten zien dat we haast hadden.

De afstand tussen ons en de twee achtervolgers werd snel kleiner. Veertig passen. Vijftien. De deur die naar de geheime doorgang in de rots leidde was in zicht. Tien passen van de achtervolgers vandaan. Acht.

Een felle, onverwachte beweging trok mijn blik. Het gebeurde achter de rug van de twee achtervolgers, wat meer naar rechts. Het silhouet van Ugonio die moeizaam naar voren gaat, van achteren vastgehouden, dan de lijkenpikker die zich omdraait om zich te bevrijden, een hand die Atto's boekje van hem afpakt, hij die verzet biedt en het terugpakt, hij begint de vlucht, andere handen die opnieuw het boekje grijpen, de band die scheurt...

'Buvat!' beval Atto, alsof hij verwees naar eerder gemaakte afspraken.

Ik begreep niet wat hij bedoelde. Intussen waren we nog maar zes roeden van de woestelingen verwijderd. Nu zag ik ze beter. Ze waren net als alle andere cerretanen vuil, maar heel gespierd en bonkig. Instinctief voelde ik dat ze iemand heel goed pijn wisten te doen.

'Maar waar vind ik... Daar!' riep Buvat uit, terwijl hij zich bijna op een cerretaan met een fakkel in de hand wierp.

De vlam was fel: rood, wit en geel, plus wat schakeringen lichtblauw, voordat het vuurrad aanschoot en in een dolle vaart met zijn draaiingen op Ugonio en zijn achtervolgers af vloog. De richting was vrij juist. Buvat was met grote deskundigheid in de weer geweest: hij had de lont onmiddellijk op het juiste punt aangestoken en had goed gemikt bij het gooien. De menigte week in twee hagen uiteen zoals de Rode Zee bij de doortocht van het volk Israëls.

Na de ceremonies en de rede was het moment van Bacchus gekomen: een enorme kuip werd in de richting van het spreekgestoelte gedragen om de feestvierders aan hun lage instincten te laten beginnen. Het vat, dat even zwaar was als een kudde buffels en door een groep reeds aangeschoten cerretanen werd vervoerd, bevond zich juist op de baan van de twee die achter ons aan zaten.

Terwijl we ertussen uit knepen in de geheime doorgang ving ik nog net een glimp op van de eerste van de twee woestelingen met zijn gezicht vertrokken van pijn en zijn been gebroken onder de kolossale kuip, terwijl de ander tekeerging tegen de dragers, die zich te pletter geschrokken waren van onze vuurpijl, en probeerde hen met vereende krachten zijn kompaan uit de ellende te laten trekken. De rook van het vuurrad, dat wie weet waar beland was, bezorgde degenen die er het dichtst bij stonden tranende ogen en schiep verwarring: de chaos was totaal, de paniek van de cerretanen eveneens.

Meer zag ik niet. Terwijl de laatste kier van de deur weer sloot, sloeg voor het laatst, als de adem van een in slaap gevallen draak, de scherpe, liederlijke geur van de cerretanenbijeenkomst in mijn gezicht.

De volgende indruk van mijn zintuigen was de opbeurende streling van de nachtelijke bries, terwijl we de terugweg in sloegen: een lange tocht door de velden, over het naakte gras, daar het pad vermeden moest worden om onaangename confrontaties af te wenden. We spanden onophoudelijk oog en oor in om te ontdekken of Ugonio er ook in geslaagd was de uitgang te halen. Een zeer flauwe hoop, omdat hij was ontdekt. We hoorden of zagen dan ook niets.

Atto vloekte. Zijn traktaat over de Geheimen van de Conclaven, dat misschien Havers dood had veroorzaakt, was in de handen van Ugonio gebleven, en Ugonio weer in die van de cerretanen. De lijkenpikker had hen verraden voor Atto's geld. Ze zouden het geld nog bij hem aantreffen en hem in mootjes hakken.

Inmiddels uitgeput kwamen we bij het rijtuig aan, op van de zenuwen door het grote gevaar, mismoedig door de nederlaag. In de laatste minuten was Atto achtergebleven, met iets in de weer dat hij in zijn gilet had, zodat Buvat en ik hem hadden moeten aansporen om geen terrein te verliezen.

Sfasciamonti kwam ons tegemoet.

'Opschieten, zo dadelijk is het ochtend,' maande hij ons.

'Kijk! Achter je!' schreeuwde Atto naar hem.

De smeris draaide zich met een ruk om in de vrees voor een hinderlaag achter zijn rug.

Atto kwam dichterbij, haalde iets uit zijn gilet. Het schot van zijn kleine pistool was snijdend scherp, bijna schril.

Sfasciamonti viel voorover, met zijn gezicht naar de grond, in een blinde brul van pijn.

'Kom mee,' zei abt Melani enkel.

Ik had niet de moed om om te kijken en de trieste, zwaarlijvige figuur van de smeris, tot aan zijn enkels onder het bloed, in het gras van de velden te zien verdwijnen.

We waren met zijn vijven vertrokken, we keerden met zijn drieën terug. Ugonio werd op dat moment waarschijnlijk gelyncht in het amfitheater. Sfasciamonti was zich aan het voortslepen op zoek naar hulp, in een wanhopige poging het te overleven.

Eindelijk stapten we in de koets, die nog steeds achter de hooischuur op ons stond te wachten, en we vertrokken.

Op de vragen de blik van de voerman, die de afwezigheid had opgemerkt van Sfasciamonti (die hem had ingehuurd) en van Ugonio, antwoordde Atto laconiek:

'Ze wilden de nacht overblijven.'

Woorden die vergezeld gingen van gouden munten, die Atto de koetsier in de hand stopte om verdere vragen de kop in te drukken.

Wederom monsterde ik, net als zeventien jaar geleden, steels het gezicht van abt Atto Melani, de voorheen beroemde castraat, de vertrouwenspersoon van de Medici uit Florence, van Mazarin, van talloze vorsten uit heel Europa, de vriend van kardinalen, pausen, koningen, de geheim agent van de allerchristelijkste koning van Frankrijk, en ik vroeg me af of ik eigenlijk niet naar een gewone schurk of erger nog, een huurmoordenaar zat te kijken.

Met meedogenloze, bloedige kilheid had hij op de arme Sfasciamonti geschoten. Tegenover zo veel vastberadenheid had niemand in verzet durven komen. Als ik had geprotesteerd, zou het met mij misschien net zo zijn afgelopen als met de smeris.

Nu, tegenover de abt in de koets, voelden mijn ledematen koud en stijf aan, alsof ze van marmer waren. Buvat had zich, overmand door de emotie, weldra uit de moeilijke situatie gered door toe te geven aan een kinderlijke, doffe slaap.

Atto bevrijdde me van het ongemak om vragen te stellen. Het was alsof hij mijn gedachten had horen zoemen en ze het zwijgen wilde opleggen.

'Jij hebt me de elementen verschaft,' zei hij plotseling. 'Ten eerste: het gemak waarmee de dief in mijn vertrekken kwam. Daar heb jij me op gewezen, toen we ze meteen na de diefstal hebben geïnspecteerd. Per slot van rekening zat Villa Spada vol bewaking, zei je. En toen heb ik het gevraagd.'

'Aan wie?' vroeg ik zonder goed te begrijpen waar Atto heen wilde.

'Aan de dief natuurlijk: Ugonio. En hij vertelde dat de cerretanen hem natuurlijk hadden laten weten dat zijn werk vanuit Villa Spada, om zo te zeggen, vergemakkelijkt zou worden.'

'Sfasciamonti heeft ons verraden...' mompelde ik.

Ik kon me er niet bij neerleggen. Hadden Ugonio en de zijnen de diefstal op Atto voorbereid dankzij Sfasciamonti's medeplichtigheid?

'Misschien dat Ugonio alleen maar zei dat hij door Sfasciamonti was geholpen om hem te belasteren,' wierp ik tegen, 'uiteindelijk zijn smerissen de vijand van de lijkenpikkers.'

'Dat is waar. Maar ik heb hem allereerst gezegd dat ik don Paschatio verdacht, tegen wie de lijkenpikkers niets hebben. Daarmee heb ik het risico van een weinig oprecht antwoord vermeden.'

'En toen?'

'Toen heb jij me weer een interessant element aan de hand gedaan: de hervorming van het smerissenkorps waar je op het feest over had gehoord. Als die gelanceerd wordt, kunnen velen hun baan verliezen. Ook Sfasciamonti. Onze smeris is bang, hij wil geld, de toekomst is ongewis. Bovendien heb je het ongelofelijke verhaal van de bol.'

'Bedoelt u van toen we naar de Sint-Pieter zijn gegaan?'

'Het was duidelijk dat hij verhinderd heeft dat je mijn traktaat uit de bol mee kon nemen, dat daar boven was verstopt – een bizar, maar suggestief idee, ik geef het toe – door Zabaglia, de bouwopzichter van de Sint-Pieter die een vriend van de cerretanen is, of waarschijnlijker van een van hen, die hem een smerige dienst bewezen zal hebben. Ik heb net gedaan of ik hem geloofde toen hij me vertelde dat hij in zijn eentje je bezwijmde lichaam had opgeraapt en op zijn rug naar Villa Spada had teruggedragen. Het geheel natuurlijk met verlies van mijn traktaat.'

'Wat is er dan volgens u gebeurd?'

'Hij heeft alles op alles gezet om eerder dan jij in de bol te komen, omdat hij wilde voorkomen dat je de hand op de prooi legde. In plaats van toevallig te vallen, zoals het bij jou overgekomen is, zal hij zich expres met heel zijn grote gewicht voorover hebben gegooid, waarmee hij jou meesleepte en je een lekkere knal voor je kop verkocht om je naar dromenland te sturen. Vervolgens heeft hij je met behulp van de bewaking weggedragen, uiteraard in overleg met Zabaglia.'

Ik herinnerde me toen dat Atto, toen mijn slapende lichaam wakker werd nadat Sfasciamonti mij van de mislukte onderneming in de bol van de Sint-Pieter had teruggedragen, een paar duistere zinnen had uitgesproken. Nu werd de betekenis daarvan ten volle duidelijk.

'Daarom zei u dus als ik het wel heb: "Niemand redt zich van de dood dan met hulp van iemand die hem hardnekkig in de praktijk brengt." U bedoelde dat Sfasciamonti me van de dood of van de gevangenneming had gered.'

'Precies.'

'U zei ook: "Achter iedere merkwaardige of onverklaarbare dood gaat een complot van de staat, of van zijn geheime diensten schuil."'

'Inderdaad. En dat geldt niet alleen voor moorden, maar voor iedere diefstal, ieder onrecht, ieder bloedbad, ieder schandaal waarover het hele volk zich beklaagt, maar dat vreemd genoeg niemand weet te onderdrukken. De staat kan alles, als hij wil: het maakt niet uit of de Franse koning, de paus of de keizer aan het bewind is. Het veel te gemakkelijke leven dat de cerretanen hier in Rome hebben is een duidelijk voorbeeld: dat is alleen mogelijk doordat de afzonderlijke smerissen of hun superieuren, de Bargello en de gouverneurs, corrupt zijn. Of doordat de staat als geheel de cerretanen handig voor zijn doeleinden manipuleert. Of dat wil kunnen wanneer het nodig is. Bedenk jongen: gelukkig de misdadiger die namens de staat terreur zaait: hij zal zeker aan de gevangenis ontkomen. Maar alleen tot de dag dat hij te veel schandelijke geheimen zal kennen: dan loopt het ook met hem slecht af.'

'Juist dezer dagen is me ook verteld dat de blinden en mankepoten van de broederschap van de heilige Elisabeth de smerissen corrumperen om rustig te kunnen bedelen.'

'Dat weet ik heel goed. Dan hoeft het je toch niet te verbazen dat de cerretanen Sfasciamonti betalen?'

Daar was de argwaan die me kwelde sinds ik had gehoord van de broederschap van de heilige Elisabeth, bedacht ik, en die ik nooit in het juiste licht had weten te plaatsen!

'Maar waarom heeft hij ons geholpen om achter de identiteit van Zabaglia te komen, en dus om te begrijpen dat uw traktaat in de bol was?'

'Omdat ik, toen ik hem vroeg uit te vinden wie de persoon was over wie don Tibaldutio je sprak, hem niet heb gezegd waar die informatie toe diende. Hij was zelfs nieuwsgierig wat we ermee wilden doen.'

Ik zweeg, inwendig mijn wonden likkend.

'Sfasciamonti is niet gek,' vervolgde de abt. 'Hij is een van de vele smerissen die krap bij kas zitten en zich op de grens tussen recht en misdaad bewegen. Ze zoeken altijd een slimme vogel om te grazen te nemen: voortvluchtige moordenaars, illegaal wonende hoeren, stelende belastingambtenaren enzovoort. Allemaal om lekker af te persen. Als het slachtoffer eruit gepikt is, zet de smeris een hard gezicht op: hij doet net of hij een onderzoek wil instellen, wil arresteren of in beslag nemen. Zo slaat hij een goed figuur bij zijn superieuren, terwijl hij eigenlijk steeds een pas voor de eindstreep blijft staan: wanneer hij moet arresteren komt hij twee minuten te laat, wanneer hij verhoort, vergeet hij de juiste vraag te stellen, wanneer hij doorzoekt, kijkt hij niet in de kamer met de buit. Daar staat uiteraard tegenover dat het slachtoffer aardig wat dokt. Schurken hebben altijd wat achter de hand voor dit soort gevallen.'

'Maar de cerretanen zijn met te veel om bang te zijn voor...'

'... een dwarshoofd als Sfasciamonti? Voor iemand die vuile zaakjes doet, is iedere smeris net een mug: kun je hem niet doodmeppen, dan probeer je hem door het raam naar buiten te laten. Met geld lukt dat, en je loopt geen onnodig risico. Je hebt hem juist voorgoed te vriend, want sinds hij zich liet corrumperen heeft hij er alle belang bij om alles bij het oude te laten. Je kent het spreekwoord wel: roer je in de drek, dan komt de stank naar buiten.'

Ik zweeg verward. De onbehouwen maar oprechte smeris die ik had gedacht te kennen was alleen maar een uitgekookte, corrupte schavuit.

'Wie weet hoe lang Sfasciamonti de cerretanen al op de hielen zit,' vervolgde Atto. 'Als hij te dicht bij het doel komt en grote heibel dreigt te schoppen, geven ze hem een zoethoudertje. En wordt hij weer gezeggelijk. Zoals bij de verhoren van de Rooie en Geronimo: hij heeft de datum vervalst om ze onvindbaar en onbruikbaar te maken. Wat heeft een rechter aan een verbaal van een eeuw geleden? Maar de informatie in de verbalen is sensationeel, het zijn dingen van nu: een doorn in het vlees van de cerretanen, die hun sekten geheim willen houden en dus bereid zijn om goed te betalen opdat die boel niet rondgaat. Zo blijft hij maar afpersen, en zij maar betalen. Het salaris van een smeris is minnetjes, dat weet jij ook: je hebt van die twee prelaten op het feest gehoord waarom het smerissenkorps van Rome zo corrupt is.'

'Maar is Sfasciamonti niet bang dat de cerretanen het vroeg of laat beu worden en hem uit de weg ruimen?'

'Hem vermoorden? Geen sprake van. Een dode smeris kan een hoop narigheid opleveren. Als je hem met geld koopt, wordt alles snel en goed, met discretie opgelost. Bovendien, wie krijg je ervoor terug als je hem opruimt? Misschien wel een harde, iemand die geen geld accepteert en zijn werk tot het uiterste doet.'

'Wanneer wist u het zeker van het verraad?'

'Na jullie tocht naar de bol van de Sint-Pieter. Maar vanavond heb ik de definitieve bevestiging gekregen: hoe wisten de cerretanen, zoals Geronimo meldde, dat de Rooie had gepraat?'

'Door Sfasciamonti,' concludeerde ik zachtjes en mistroostig.

De smeris had ons dus terzijde gestaan bij het onderzoek, bedacht ik verbitterd, en zelfs een beetje hulp verleend, maar alleen om ons te bespioneren en te controleren.

'De grap is dat ik hem ook heb moeten betalen om hem dezer dagen tot mijn beschikking te krijgen. Zo heeft hij van beide partijen geld gevangen: van abt Melani en van de cerretanen,' zei hij met een bitter lachje.

'Had u ook voorzien om dat vuurwerk te gebruiken?'

'Alleen in geval van nood, om chaos te scheppen en die uit te buiten; het idee van je baas Spada om de festiviteiten met vuurwerk af te sluiten heeft ons gered. Zoals je hebt gezien, ben jij ook pas op het laatste moment gewaarschuwd voor wat er in het amfitheater ging gebeuren: ik kon niet riskeren dat je je iets zou laten ontvallen tegenover Sfasciamonti.'

Ik voelde me rood worden. Ondanks al zijn aangedragen achting en vriendschap had Atto me op het beslissende moment behandeld als een spelbreker die je zo min mogelijk geheimen moet toevertrouwen. Hoe kon het ook anders, bedacht ik: een spion blijft altijd een spion, een vreemde voor iedereen en wars van vertrouwen.

'Waarom hebt u hem met ons meegenomen?'

'Om hem te controleren. Hij dacht ons in het oog te houden, maar het was omgekeerd. Ik heb Ugonio laten zeggen dat Sfasciamonti niet met ons mee kon naar het amfitheater. Zo kon hij geen obstakel voor ons vormen. Hij kon zeker geen verzet tonen: hij wist dat hij dan te veel argwaan zou wekken, want ik heb hem betaald om te doen wat ik zeg. Hij zal misschien geprobeerd hebben stiekem binnen te komen om ons te verraden, maar hij weet niet waar de geheime doorgang is.'

Ik staarde wat voor me uit. Wat nou: begreep ik dan helemaal niets van de mensen om me heen? Was Sfasciamonti echt zo schijnheilig en immoreel? En ik moest denken aan de eerste keer dat ik die onbehouwen maar moedige smeris had gezien, die zei dat hij de gouverneur wilde overtuigen om die geheimzinnige cerretanen aan te pakken: de smeris die zich alleen uit de strijd van alledag terugtrok om zijn moeder te gaan opzoeken...

'Tussen twee haakjes,' vervolgde Atto, 'ik heb Buvat er tussen twee bibliotheken door op uitgestuurd om zijn licht op te steken bij de pastoor van de buurt waar Sfasciamonti woont. Hij heeft iets grappigs ontdekt.'

'Namelijk?'

'Sfasciamonti's moeder is al zestien jaar dood.'

Ik zweeg, treurig gestemd door mijn onbeduidendheid. Atto had het verraad van Sfasciamonti uit opmerkingen en informatie opgemaakt die ik zelf goeddeels had verzameld, maar niet logisch had kunnen ordenen.

'Eén ding begrijp ik niet,' wierp ik tegen, 'waarom hebt u hem niet eerder willen ontmaskeren?'

'Dat is een van de domste vragen die je me ooit hebt gesteld. Denk aan Telemachus.'

'Alweer?' riep ik ongeduldig uit. 'Ik heb al begrepen dat u door het verhaal van Telemachus het idee hebt gekregen om de cerretanen met vuurwerk af te leiden. Maar hier zie ik eerlijk gezegd niet...'

'Homerus noemt Telemachus "verstandig", viel Atto me in de rede, "godegelijk" en ook "met de kracht van de goden gezegend": hij prijst hem bijna in iedere versregel. Maar wat zegt de goede Eumaeus, de zwijnenhoeder die zo veel van hem hield, van hem? Dat een onsterfelijke god hem van zijn zinnen heeft beroofd. En zelfs zijn moeder, de trouwe Penelope? Zij roept hem toe: "Waar zijn, Telemachos, toch je verstand en je inzicht gebleven?" Zo beoordeelden degenen die het meest van hem hielden zijn gedrag. Ze herkenden niet de fijnzinnige wijsheid en de uiterste voorzichtigheid in zijn ogenschijnlijk dwaze handelen. En weet je waarom?'

'Hij deed net of hij gek was om geen argwaan te wekken bij de vrijers die het paleis van Odysseus hadden bezet,' antwoordde ik, 'maar, nogmaals, ik zie niet wat dit...'

'Wacht en luister. Telemachus maskeerde ook de sluwste daad om de vrijers in de fatale val te lokken, de wedstrijd met de boog van Odysseus, als waanzin: Hij zei: "Ach, wat erg, nu heeft Zeus, de Kronide, mijn zinnen verbijsterd! Ik zit hier maar te lachen en mij als een dwaas te vermaken." En begint hij, als oproep voor de vrijers, niet zelf als eerste die boog te spannen waarvan men zei dat alleen zijn vader dat kon? Hij verraadt nooit zijn veinzerij, behalve wanneer het geschikte moment gekomen is en Odysseus de boog opneemt om een bloedbad onder de vrijers aan te richten.'

'Ik begrijp het,' zei ik ten slotte, 'u hebt net gedaan alsof u in Sfasciamonti geloofde totdat we op hem voor lagen.'

'Precies. Als ik hem eerder had ontmaskerd, zouden we nooit iets uit de mond van de Rooie gehoord hebben, nog minder zouden we bij de Duitser, oftewel Ugonio, uitgekomen zijn enzovoort.'

'U bent handig en roekeloos: u wist dat u een adder aan uw borst hield zonder hem te laten bijten,' commentarieerde ik verbaasd, op dat moment niet bedenkend dat de abt mij in het gezelschap van een verrader mooi aan gevaar had blootgesteld.

'Bovendien,' concludeerde Atto met een lachje, 'zou het ingewikkeld zijn geweest om ons eerder van Sfasciamonti te ontdoen: ik kon hem niet midden in de festiviteiten van Villa Spada in zijn achterwerk schieten!'

In het eerste ochtendlicht vervolgde de koets intussen zijn weg. De vermoeidheid daalde onverbiddelijk over onze oogleden neer, maar te veel vragen drongen zich nog aan me op.

'Signor Atto,' vroeg ik, 'waarom vloekte u toen de Grote Baas zei dat het boek van een buitenlandse geestelijke is die een taal wilde ontdekken?'

'Eindelijk vraag je het dan. Dat is nou het hele eieren eten.'

'Welk eieren eten?'

Het was een kwestie van valse doelwitten. Wanneer je op het verkeerde doel mikt, zei Atto, komt daar ongeluk van.

Het eerste valse doelwit was kardinaal Albani geweest. Zoals we al hadden begrepen, had hij niets te maken met de diefstal van Atto's traktaat over de Geheimen van de Conclaven.

Het tweede valse doelwit was Lamberg. We hadden gedacht dat de ambassadeur van de keizer opdracht tot de diefstal had gegeven, omdat hij uit was op de analyses en de geheime aantekeningen die Atto op die pagina's aan de Zonnekoning zou toevertrouwen. Ook dat was mis.

'Lamberg is gewoon een vrome gelovige die in plaats van ambassadeurtje spelen beter het hofleven in Wenen kan leiden, zich kan volstoppen met hertendijen en strudel met hüttenkäse zoals al zijn landgenoten doen, en zorgdragen voor zijn rustige Oostenrijkse leengoederen. Hij heeft geen opdracht gegeven om mijn traktaat te ontvreemden.'

'Hoe kunt u daar zo zeker van zijn?'

'Ik ben daar zeker van omdat niemand de cerretanen heeft opgedragen de diefstal te plegen. Ze hebben het zelf gedaan.'

'Zij? Waarom?'

'Weet je nog wat Ugonio zei toen we zijn hol in de Thermen van Agrippina in gingen? De cerretanen zijn gespannen, mompelde hij, want iemand heeft hun nieuwe taal gestolen. Dat werd ook bevestigd door Geronimo, de cerretaan die vandaag door Sfasciamonti is verhoord. Op dat moment had Ugonio's antwoord geen betekenis. Maar later bleef die zin maar rondzoemen in mijn hoofd. De nieuwe taal: is het niet zo dat de cerretanen een geheimtaal hebben, het Bargoens of de dieventaal zo je wilt? Zoals we weten is die serieuzer dan dat belachelijke taaltje dat jij hebt gehoord toen je van het terras op de Campo di Fiore kukelde.'

'U bedoelt... vergelovergen.'

'Precies. Hun geheimtaal was tot dan toe het jargon dat we goeddeels hebben kunnen begrijpen dankzij het woordenboekje van Ugonio. Maar nu, misschien wel omdat het te bekend begon te worden, hebben ze besloten dat taaltje te vernieuwen. Weet je nog wat Buvat zei? De dieventaal is een eeuwenoude taal; en wanneer ze niet meer zo ondoorgrondelijk is, veranderen ze er met kleine foefjes zoveel aan, dat het weer onbegrijpelijk wordt. Maar ditmaal heeft iemand de sleutel van de nieuwe code gestolen, de regel van hoe de taal werkt of zoiets; precies zoals Geronimo tegen Sfasciamonti en zijn waardige kompanen zei. Dit iets zou een simpel vel papier kunnen zijn met de instructies om de zo bijgewerkte dieventaal te spreken en te verstaan.'

'Ja, ik volg u,' zei ik, terwijl ik het begon te begrijpen.

'Nou, na die diefstal zouden de cerretanen uiteraard alles doen om weer in het bezit van dat magische vel papier te komen, denk je niet?'

'Natuurlijk.'

'Juist. En wat hebben ze tot vanavond toe uit alle macht geprobeerd van me af te nemen en zelf te houden?'

'Uw traktaat! Bedoelt u soms dat de geheimtaal van de cerretanen vervat ligt...'

'O, niet in wat ik geschreven heb. Ik weet niets van de taal der cerretanen. Het vel papier ligt om precies te zijn daarin, in het boek, *verscholen*.'

'Op wat voor manier?'

'Weet je hoe ze de perkamenten omslagen maken, zoals dat waarin ik mijn traktaat heb laten inbinden door de arme Haver?'

'Door het lijmen van... gebruikte vellen! Ik begrijp het: de instructies voor de geheimtaal waren in de omslag gelijmd! Ugonio zei ook dat die maffe cerretaan, die Hollandse boekbinder, het boek moest *losmaken*...'

'Natuurlijk. Hij moest het vel dat de nieuwe regels van de geheimtaal beschrijft van mijn omslag scheiden. De vellen die gebruikt worden voor het inbinden worden doorgaans met de beschreven kant op de omslag geplakt.'

'Daarom hebben ze dus een expert uit Holland laten komen om het los te maken. Maar één ding begrijp ik nog niet: hoe is het daar terechtgekomen?'

'Wat een vragen. Een binder heeft het erin verwerkt: Haver. Uiteraard zonder het te weten.'

'Daarom hebben de cerretanen een inval gedaan bij Haver en hebben ze alles meegenomen: ze zochten uw boek!'

'En die stakker heeft er van angst het loodje bij gelegd,' vervolgde Atto somber. 'Alleen toen ze bij Haver kwamen had ik het al laten ophalen, zoals je nog zult weten, en zij stonden met lege handen. Dat hebben ze pas gemerkt nadat ze de buit hadden doorgevlooid: bergen papier.'

'Toen hebben ze Ugonio opgedragen om uw traktaat te stelen.'

'Precies. De lijkenpikker is recht op zijn doel af gegaan: er waren geen andere gebonden boeken in mijn verblijf. Anders zou het voor hem niet zo eenvoudig zijn geweest om het juiste boek te herkennen, want noch hij noch de cerretanen kennen de inhoud ervan.'

'Akkoord. Maar hoe is het vel papier in Havers werkplaats gekomen? En hoe zijn de cerretanen bij hem beland?'

'Je moet je geheugen pijnigen. Je zult je misschien herinneren dat er vanavond, vlak bij het podium van de Bazen, een jongeman was die we meenden eerder ergens te hebben gezien.'

'Ja, maar ik kom er nog niet achter waar we hem zijn tegengekomen. Misschien hebben we hem ergens in de stad zien bedelen. Of misschien was hij bij de andere bedelaars in Termine, die avond dat we achter de Rooie en Geronimo aan zaten.'

'Mis. Maar dat is niet zo verwonderlijk. We hebben hem maar een paar seconden gezien; toch heb ik hem beter gezien dan jij, want hij heeft mijn arm in repen gesneden.'

'De cerretaan die door Sfasciamonti achtervolgd werd aan de voorkant van Villa Spada!'

'Hij ja. Het is geen toeval dat hij vanavond vlak bij de Bazen, bij Ugonio en dat monstertje stond, hoe heet-ie ook al weer... Drehmannius. Die magere jongen, helemaal vel over been, mijn belager, was het papier met de geheimtaal ergens naartoe aan het brengen. Hij botste tegen ons op, het vel vloog in de lucht en is bij de andere papieren terechtgekomen. En het is in mijn bindwerk geëindigd. Voor de cerretanen, die op het spoor werden gezet door Sfasciamonti, was het een koud kunstje om de werkplaats van Haver te vinden.'

'Maar hoezo heeft die magere cerretaan u voor Villa Spada neergestoken?'

'Hij heeft me niet neergestoken. Het was een ongeluk. Sfasciamonti had hem in de buurt gezien en had begrepen dat hij in een louche zaakje betrokken was. Nadat hij geprobeerd had hem aan te houden, ging hij hem achterna. De smeris had een fijne intuïtie: de cerretaan had de nieuwe code van hun geheimtaal bij zich. Waarschijnlijk speelde hij voor bode: de vergadering van de cerretanen stond eraan te komen, zoals we nu weten, en de voorbereidingen waren zeker aan de gang. Tijdens de vlucht heeft de jongen het mes gepakt om zich te verdedigen als ze bij hem waren. Op dat moment knalde hij tegen mij op, waarmee hij de wond veroorzaakte die nog steeds pijn doet en zijn wapen verloor. Niet toevallig pakte Sfasciamonti het mes: waarschijnlijk om er zeker van te zijn dat niemand hem het onderzoek kon afnemen.'

'Maar konden de cerretanen niet rechtstreeks aan een ander exemplaar van de code komen in plaats van moeilijk te doen en uw traktaat te stelen?'

'Dat bestaat niet eens, denk ik.'

'Hoe weet u dat?'

'Je hoeft maar even na te denken. Buvat vertelde ons dat traditioneel alleen de Grote Baas de nieuwe regels mag voorschrijven. Hij stelt ze eigenhandig op en de tekst wordt geopend en voorgelezen op een algemene vergadering met vertegenwoordigers van alle sekten, die er dan voor zorgen dat de nieuwe code overal verspreid wordt. Maar van Ugonio weten we dat er een nieuwe Baas benoemd moest worden omdat de vorige dood was. De enige die de inhoud van dat vel papier kende is dus heengegaan: de schrijver ervan.'

'En op dat punt was de algemene vergadering misschien al maanden bijeengeroepen,' vervolgde ik de redenering. 'Horden cerretanen stroomden vanuit heel Italië samen en men kon geen nieuwe code opzetten, omdat er geen tijd meer voor was.'

'Uiteraard: al hadden ze, gezien de noodsituatie, in de plaats van wijlen de Grote Baas een nieuwe geheimtaal in elkaar willen flansen. Hoe moet dat voddenvolk dat in nog geen week klaarspelen?'

'Het is ongelofelijk,' merkte ik na een korte pauze op. 'Ik had nooit gedacht dat Sfasciamonti zo hard achter iemand aan zou zitten om het dan meteen met hem op een akkoordje te gooien.'

'Dat is toch duidelijk. Corrupte smerissen zijn er het eerst bij waar een misdaad wordt gepleegd of waar maar een verdenking als eerste bij valt: ze verheugen zich al op het geld dat ze af zullen persen.'

Hij zweeg even en wiste zich met een van zijn fijn kanten zakdoekjes het zweet van zijn voorhoofd.

'Denkt u dat hij het zal redden?'

'Wees niet bang. Voor ik schoot heb ik hem om twee redenen laten omdraaien: omdat hij een verrader is, en verraders schiet je alleen in de rug; verder omdat ik op zijn achterwerk mikte, het enige lichaamsdeel waar je niets kunt breken en de kans op een infectie praktisch nihil is.'

De bekendheid van abt Melani met infecties door vuurwapens deed me veronderstellen dat hij er in het verleden nogal wat mee te maken had gehad. Zoals iedere ware spion.

We kwamen aan toen het inmiddels volop dag was. We lieten ons niet te dicht bij Villa Spada afzetten om niet door het personeel van de villa bij het uitstappen gezien te worden.

Atto was uitgeput. Om in zijn vertrekken te komen moest hij zich laten ondersteunen door Buvat en mij. De bedienden van de villa, die het inmiddels gewend waren ons op de gekste tijden te zien komen en gaan, deden net of ze het niet zagen.

Nadat we hem voor lijk op zijn bed hadden gelegd, sloot abt Melani zijn ogen ter voorbereiding op een lange slaap. Ik wilde de deur al uit glippen toen ik Atto zijn neus zag optrekken zoals hij altijd doet bij een onaangename geur. Tegelijkertijd vingen mijn ogen, die niet minder moe waren dan Atto's ledematen, een beweging achter het gordijn bij het raam op. Meer onderaan, op de grond, verborgen de zomen van het gordijn nauwelijks een paar vieze laarzen.

'Het houdt ook nooit op,' zei ik bij mezelf, balancerend tussen angst en ergernis. De indringer bewoog zich niet, misschien uit angst voor onze reactie. Buvat, Atto en ik verstijfden op onze beurt in afwachting van een initiatief van hem.

'Kom eruit, wie je ook bent,' zei de abt, naar zijn pistool grijpend.

Het was even stil.

'Om eerder arts dan aards te wezen wens ik deze bescheiden afgebruik van mijn ploeterige verdiensten te onderwerperen aan uwer ondoorgrondige besluit,' fluisterde een verlegen mompelstem.

Vanachter het gordijn strekte zich de arm van een overjas uit en reikte een gehavend boek aan dat door de wielen van honderd rijtuigen leek te zijn vermorzeld.

'Mijn traktaat!' zei Atto, terwijl hij het aanpakte en met een ruk de gordijnen openschoof.

Ugonio, die er nog ellendiger uitzag dan anders, verloor zich niet in geklets. Hij verklaarde dat hij alleen dankzij het vuurrad dat Buvat kort voordat wij het handgemeen verlieten had afgestoken, kans had gezien om aan de wurggreep van de cerretanen te ontsnappen. Eenmaal buiten had hij ook zorgvuldig het hoofdpad vermeden, reden waarom wij hem niet hadden gezien. Om naar Rome terug te keren had hij avontuurlijk een paard gestolen uit een onbewaakte stal, waarmee hij wel het gevaar liep ingehaald en afgemaakt te worden door de eigenaar, die tot de tanden gewapend op de rug van een veulentje de achtervolging had ingezet. Nu was hij gekomen om de beloofde waar te overhandigen en een laatste, welverdiende beloning te incasseren.

Abt Melani besteedde niet veel aandacht aan hem, zo opgewonden was hij dat hij het traktaat weer terug had. Hij sloeg het open, en eindelijk kon ik met eigen ogen het boekje zien waarvoor ik mijn leven had gewaagd:

Memoires Secrets
Contenant
Les Euenemens plus notables
Des quatre derniers Conclaues
Auec plusieurs Remarques
Sur
La Cour de Rome

Atto las me trots de titelpagina voor:

'Geheime Memoires bevattende de meer opmerkelijke Gebeurtenissen van de laatste vier Conclaven, met talrijke Opmerkingen over het Hof van Rome.'

'Ik dringer heel daadwerkelijk op het laatste deel van mijn loning,' verzocht Ugonio, terwijl hij over een schouder wreef. Hij had een hand in het verband en sporen van geronnen bloed op zijn gezicht.

'Wat is er gebeurd?' vroeg Atto, die zich eindelijk liet afleiden van zijn geliefde werkje. Hij kon nog niet geloven dat de zo handige Ugonio op heterdaad betrapt was toen hij namens hem het traktaat over de Geheimen van de Conclaven stal.

'Een niksigheid, een totaal onbelangelijke onvoorziening.'

Het antwoord was te ontwijkend om Atto niet op de zenuwen te werken:

'Wat krijgen we nou? Met al het geld dat je van me gekregen hebt stond je op het punt met mijn traktaat in de hand gegrepen te worden, en dat noem jij "een klein onvoorzien detail"?' gromde de abt.

De lijkenpikker zweeg verlegen. Zijn wonden spraken klare taal: terwijl hij het boek van de cerretanen terugpakte, was er iets misgegaan, hij kon er niet onderuit het gebeurde te verklaren. Hij nam dus de draad ver daarvoor op en legde op zijn manier, dus met zeer kleurrijke, wonderlijke uitdrukkingen, uit dat de Groot Legator Drehmannius een kettinkje om zijn nek droeg met een heel interessante relikwie: een klein houten crucifix waaraan een doosje hing met daarin een snijtand die Ugonio's neus zonder enige twijfel had herkend als zijnde afkomstig uit de heilige kaak van de Hollandse heilige Lebuinus.

'Wie kan dat nou wat schelen! Je was daar toch niet om...' viel Atto hem in de rede, maar meteen legde hij een hand op zijn hand; zijn oogjes werden fel en scherp als twee dolken die graag willen toesteken. 'Ga door.'

Tussen halfslachtigheden en halve woorden door kwam dan de bekentenis. Ugonio had, ofschoon hij met groot persoonlijk risico Atto's traktaat uit de tas van de Groot Legator had ontvreemd, de verleiding niet kunnen weerstaan. Met een katachtige beweging had hij het oor van de Hollandse cerretaan genaderd en hem iets onbenulligs ingefluisterd. De chaos vanwege het vuurwerk was nog in volle gang en had de hele vergadering in een krankzinnige, oorverdovende smeltkroes veranderd. Ugonio had met één hand het kettinkje van het crucifix achter in de nek van de ander losgemaakt, waarbij hij net deed of hij zijn evenwicht verloor en bijna op hem viel ('Heel aanradelijke, profijtige techniek!' merkte hij tevreden op), opdat het slachtoffer de diefstal die hij onderging niet in de gaten had. Het crucifix was op de buik van de Groot Legator gevallen; Ugonio had het gegrepen en het in zijn zak laten glijden.

'Net wat ik dacht,' mompelde Atto, die met moeite zijn woede beheerste.

Zoals Melani en ik wel wisten, stalen, verpatsten en hergebruikten de lijkenpikkers van alles, maar hun oerdrift waren en bleven de heilige relikwieën, of ze nu echt of vals waren (en van die idiote drift hadden we ook in de gebeurtenissen van zeventien jaar geleden bewijs gekregen). Helaas stak die buitensporige begeerte vaak de kop op als er veel meer op het spel stond, en verpestte dan uiteindelijk alles. Ugonio's inhaligheid was dan ook ogenblikkelijk afgestraft, zoals hij verder uitlegde, zijn stem steeds zachter van verlegenheid.

Na een paar minuten had de Groot Legator, toen hij zijn smerige, luizige borst krabde, de diefstal van de tand van de heilige Lebuinus ontdekt, en bijgevolg ook die van het traktaat over de Geheimen van de Conclaven, die anders geheel onopgemerkt zou zijn gebleven. Daarom had Ugonio zich dus in een ommezien uit de voeten gemaakt en was hij er alleen met de moed der wanhoop en de hulp van het vuurrad van Buvat in geslaagd om aan zijn ex-bondgenoten te ontkomen.

'Drehmannius is een sufferige, heel zeer verstrooierige,' besloot de lijkenpikker glunderend, waarbij zijn oprechte, onstuitbare apenplezier doorschemerde.

'Beest, dier, idioot!' barstte Atto toen los. 'Ik heb je een hoop geld uitgekeerd om mijn traktaat terug te halen, niet om op jacht te gaan naar die troep van je!'

De beklaagde zweeg; achter zijn gezicht, dat plotseling weer berouwvol en onderdanig was gaan staan, ging hypocriet (dat wist ik zeker) de ongevoelige, dierlijke hebzucht schuil die primitieve naturen eigen is.

'Eén vraag maar, Ugonio: waar is die heilige relikwie nu?' vroeg ik op mijn beurt, met afschuw vervuld maar tegelijkertijd geamuseerd door de dievengulzigheid van de lijkenpikker.

Bij wijze van antwoord haalde Ugonio, zoals een boer zijn beste konijn uit het hok haalt om het aan de kopers te laten zien, in een flits een doosje uit zijn overjas: de houder van de snijtand van de heilige Lebuinus. Zijn opzet was geslaagd.

'Maar nu zoekeren de cerretanen mij heel geconcentriseerd,' besloot hij met een zweem van angst in zijn stem die ik nooit eerder bij hem had waargenomen. 'Ik moet met ultrazwinde snelligheid weglaffen. Ik denk dat ik retrospectiveer naar Wenen.'

'Ga je terug naar Wenen?' vroeg Atto verbaasd, terwijl hij hem een zakje munten in zijn nog gezonde hand stopte; Ugonio schatte de inhoud, die hij ondanks alles verdiend had, en liet een instemmend gegrom horen.

We wisten dat de lijkenpikker afkomstig was uit de hoofdstad van het keizerrijk, en daarom was zijn Italiaans ook zo wankel; maar we hadden nooit gedacht dat de cerretanen zo verwoed jacht op hem zouden maken dat hij terug moest keren naar zijn vaderland.

'Hoe dan ook denk ik zo dat je na dit Jubeljaar niets te kort komt om je in je land te vestigen,' merkte Atto op.

Ugonio kon een tevreden glimlach niet onderdrukken:

'Om meer arts dan aards te wezen, de jubeljaarinkomstigheden zijn bevrediglijk en ruimtelijk. Ik ga me drukkeren in een veilige, rustige woning en probeer de poet er niet door te jassen.'

Abt Melani, die toch een toonbeeld van cynisme was, leek haast bedroefd: 'Zou je niet tijdelijk in het koninkrijk Napels kunnen schuilen, dat is een paar uur hier vandaan; dan kun je terugkeren wanneer de situatie wat is bedaard.'

'De cerretaneren zijn ongedogenloos, afslachtelijk en zeer geslachtelijk,' antwoordde de lijkenpikker, terwijl hij zich opmaakte om uit het raam te stappen waardoor hij waarschijnlijk ook binnengekomen was. 'Gelukkigerwijze hebben ze in de zak gedaan wat ze te lustelijk opheilde.'

Alvorens de plaat te poetsen wees hij op het traktaat, dat Atto eindelijk in zijn handen hield.

Terwijl de lijkenpikker uit het zicht verdween (zou ik hem nog terugzien?) merkte ik dat de omslag was losgetrokken. En ik herinnerde me dat ik in het amfitheater had gezien dat het boek ernstig werd beschadigd toen Ugonio zich probeerde te ontworstelen aan de greep van zijn achtervolgers.

De cerretanen hadden het hem geflikt: de code van hun geheimtaal was in hun handen gebleven.

Den 16den juli 1700, tiende dag

De volgende dag liet abt Melani me door Buvat bij zich roepen. Ik had me een slaap van luttele uren vergund, waarin ik vooral de ervaring van Albano had herbeleefd en toen in omgekeerde volgorde de komst van de Connétablesse, de chaotische opwinding van Atto Melani, het verhaal van de trieste ouderdom van de allerchristelijkste koning die nooit zijn Maria was vergeten. Maar vooral had ik teruggedacht aan de Tetràchion. En ik had gepeinsd. Veel gepeinsd.

Atto's secretaris bracht me een schitterend kostuum, compleet met gepoetste schoenen. Aan het eind van zijn verblijf in Villa Spada verwezenlijkte de abt dan eindelijk zijn plan van het begin om mij in het nieuw gestoken te zien; en ik wist waarom, of liever gezegd voor *wie*.

Ik waste me, kleedde me aan, kamde netjes mijn haar en bond het samen met de fraaie blauwkatoenen strik die bij het kostuum hoorde.

Terwijl ik de huisdeur door ging, gluurde Cloridia naar me: 'Potverdikkie, wat een luxe! Hij is wel gul, die abt van jou. Hopelijk komt hij ook eens over de brug met die bruidsschat voor de meiskes.'

'We gaan vanmiddag naar de notaris,' lichtte ik haar in.

'Eindelijk. Je hebt het meer dan verdiend, lijkt me zo.'

Toen ik bij Atto kwam, waren hem de spectaculaire wederwaardigheden van die nacht niet aan te zien. Hij verkeerde weer in die gemaakte, gespannen rust waarin ik hem de vorige middag had achtergelaten. Met één verschil: hij had zich eindelijk mooi aangekleed. Hij droeg onverwachts de grijslinnen soutane en het abtenmanteltje waarin ik hem zeventien jaar geleden had leren kennen, en waarin hij in Villa Spada opnieuw voor me verschenen was.

Kleding die, al was ze schoon en gestreken, wat uit de mode was en sprak van langvervlogen tijden.

Maar goed ook, bedacht ik. Hij verwachtte toch ook een ontmoeting met het verleden? Ik voelde een golf van dankbaarheid: uiteindelijk had hij besloten in het sobere pak waarin hij ook voor mij verschenen was naar de afspraak met de Connétablesse te gaan.

Het enige dat wees op ijdelheid: een Frans aandoend parfum dat de hele ruimte vulde met een iets te uitgesproken geur.

Atto zat aan zijn schrijftafel. Hij was bezig zegellak aan te brengen op het rode lint dat om een opgerolde brief zat. Zijn oude hand beefde en won het niet van het bolle oppervlak van het vel papier.

Het was al warm en heel drukkend. Door het raam kwam het gezang van een processie: in de naburige straten van Trastevere trok een grote stoet aartsbroederschappen, opgeroepen naar de kerk van Onze-Lieve-Vrouwe van de Karmel.

Melani zag me en zuchtte, al uitgeput voordat hij vertrokken was, zoals altijd gebeurt wanneer we ons niet opgewassen voelen tegen de taak die ons wacht, of tegen andermans verwachtingen ten opzichte van ons. Hij groette niet eens.

'Vanmorgen heb ik me laten aandienen. We moeten er over een halfuur zijn,' begon hij laconiek.

'Waar?'

'In het nonnenklooster van de Campo Marzio.'

'Waarom is ze niet hier in de villa blijven slapen?'

'Naar ze liet weten, leek haar dat niet gepast. Het feest is afgelopen, kardinaal Spada heeft nu wel wat anders aan zijn hoofd.'

Bij de ingang stond een koets op ons te wachten. We vertrokken en Atto's blik ging op in het turen naar de zich verwijderende Villa Spada.

Ik vermoedde, of meende althans aan te voelen, wat er bij die aanblik door zijn gedachten ging: het feest was afgelopen, de cerretanen behoorden nu tot het verleden, we keerden terug naar de werkelijkheid. Na de Connétablesse zou hij terugkeren naar zijn persoonlijke strijd: het verlangen om bij het volgende conclaaf zijn stempel op de loop der dingen te drukken. Maar tegelijkertijd verontrustte hem de pijnlijke constatering dat de Tijd onverbiddelijk is en het gevoel dat de vering van het rijtuig hem harder viel, ai, hoeveel harder, dan de vorige keer, decennia geleden, toen de jonge castraat, die alleen beschikte over zijn talenten en de protectie van de groothertog van Toscane, vanuit een andere koets over dezelfde stad had uitgekeken met verleidelijke blik en vurig hart om te gaan aanzitten aan het grote gastmaal van de muziek, de politiek, de intrige en misschien, op een dag, de roem.

Over een paar maanden zou hij bij het nieuwe conclaaf zien of een heel leven voldoende was om die verlangens te verwezenlijken.

Maar over een paar minuten zou hij zien of een heel leven in staat was geweest een grote liefde uit te wissen.

Toen de paarden Het Schip passeerden, rekte Atto instinctief zijn hals. Hij keek omhoog. Ik wist waar hij aan dacht: de Tetràchion.

Het werd tijd om te praten.

'Waarom wees Capitor toen ze "Twee in één" zei, met haar vinger ook naar de scepter van Neptunus, oftewel de drietand?' vroeg ik plompverloren.

De abt draaide zich verbaasd naar me toe.

'Waar wil je heen?' vroeg hij fronsend.

'Misschien bedoelde Capitor dat die twee figuren verenigd waren in de scepter: "Twee in één" dus.'

'Maar wat voor zin zou dat hebben?' vroeg Atto, die ongeduld verried omdat hij voor het eerst niet even snel redeneerde als ik. Hij wist nog niet dat ik daar een paar uur eerder talloze malen op bed over had nagedacht:

'Weet u nog wat de dienstbode van de Spaanse ambassade tegen Cloridia zei? Dat de Tetràchion de erfgenaam van de Spaanse kroon was. En wat wees die drietandige scepter in Neptunus' hand aan, zoals uzelf me hebt verteld? De kroon van Spanje, de heerseres van de oceaan en de twee continenten. Ja, misschien bedoelde Capitor dat wel.'

'Ik blijf het niet volgen.'

'Kortom,' vatte ik samen, terwijl de gedachten over elkaar heen buitelden en het woord ze maar met moeite bijhield, 'volgens mij bedoelde de gekkin dat een tweeling als die van de Tetràchion de wettige opvolger voor de Spaanse troon was, en heeft ze Mazarin een vermaning naar het hoofd geslingerd.'

'Mazarin?' riep Melani ongelovig en ongeduldig uit. 'Wat is er met je, jongen? Zie je ze vliegen?'

Zonder op hem te letten ging ik door.

'Capitor zei ook dat wie de kroon van Spanje zijn kinderen had afgenomen gestraft zou worden. Misschien...' en op dit punt aarzelde ik, 'zijn die kinderen de Tetràchion en, daar we ze hier in Het Schip gezien zouden kunnen hebben, heeft kardinaal Mazarin ze misschien wel laten ontvoeren uit Spanje...'

Toen barstte de abt in lachen uit.

'Zijne Eminentie die die soort poliep laat ontvoeren die we boven in het torentje van Het Schip meenden te zien... het is als idee niet gek, goed voor een aardig schelmendrama. Ben je gek geworden? En waarom zou hij dat dan wel gedaan hebben? Om hem te koken en er een salade van te maken met worteltjes en olijven? Misschien wel met een snufje verse oregano, want Mazarin was een Siciliaan...'

'Hij deed het omdat de Tetràchion de opvolger voor de Spaanse troon is.'

'Heb je soms een zonnesteek opgelopen? Of heeft het tochtje naar Albano je van je zinnen beroofd?' hield de abt aan; maar hij was serieus geworden.

'Signor Atto, denkt u niet dat ik er niet over heb nagedacht. U zei het me zelf: Mazarin leek vóór de voorspellingen van Capitor heel andere plannen te koesteren dan dat huwelijk om Filips IV tot een vrede te bewegen die helemaal in Frankrijks voordeel was. Maar kunt u uitleggen waarom? U vertelde ook dat de kardinaal helemaal niet de bedoeling had om de allerchristelijkste koning te laten trouwen met de infante, hij liet gewoon toe dat de affaire tussen Zijne Majesteit en Maria ongestoord doorging en verder groeide.'

Atto luisterde nu zonder een vin te verroeren.

'Misschien had Mazarin een troef in handen, een huiveringwekkend geheim, gebaard door het inmiddels bedorven bloed van de Spaanse Habsburgers: de Tetràchion. Alle wettige kinderen van Filips IV stierven, die tweeling heeft het tegen iedere voorspelling in overleefd.'

'Bedoel je dat Filips IV vóór Karel II een tweeling van het soort Tetràchion zou hebben gehad?' vroeg hij met toonloze stem.

'Misschien een van de minder ernstige gevallen, zoals Cloridia zei, die met maar één been aan elkaar vastzaten,' vervolgde ik. 'Toen ze klein waren kon je ze niet scheiden, maar als ze de volwassenheid gehaald hadden, zou dat wel kunnen. De opvolger, of opvolgers, voor de Spaanse troon waren er wel. Mazarin had ze laten ontvoeren om ze te gebruiken als handelswaar in de vredesonderhandelingen. Maar dan komt Capitor met haar profetie over de Maagd en de Kroon, de kardinaal wordt bang en wil zijn nichtje en de koning tot iedere prijs uit elkaar halen. Met de Tetràchion weet hij niet meer wat hij aan moet en die stuurt hij dus naar Elpidio Benedetti, die...'

'Ho. Ernstige denkfout,' hield de abt me met een hand tegen. 'Als Capitor, zoals jij beweert, tegen Mazarin wilde zeggen dat hij gestraft zou worden omdat hij Spanje van de Tetràchion had beroofd, zou de kardinaal het van angst in zijn broek doen en de tweeling zo snel mogelijk aan Filips IV teruggeven; maar hij stuurt ze regelrecht naar Rome, naar Benedetti. Waarom?'

'Omdat hij het niet begrepen heeft.'

'Wat bedoel je?'

'Dat hebt u me zelf verteld: Mazarin was zeer gevleid door het geschenk van het blad met Neptunus en Amphitrite. In de twee soevereine zeegoden had hij zichzelf en koningin Anna herkend, en in de drietandige scepter van Neptunus de kroon van Frankrijk, goed stevig in zijn hand, of zelfs die van Spanje, de heerseres van de oceaan en de twee continenten, die was uitgeput door de oorlog en inmiddels in handen van Mazarin was. Deze laatste mogelijkheid had hem letterlijk in extase gebracht. Daarnaast had de kardinaal, zoals u me zei, de vermaning van de helderziende gekkin tegen iemand die "de Kroon van Spanje van zijn kinderen" zou beroven, opgevat als zijnde gericht tegen Filips IV. Kortom, hij begreep niet dat Capitors woorden een dreigement tegen hem verhulden.'

'Complimenten voor je fantasie, al is die een pietsje gekunsteld,' spotte Melani.

'Als Mazarin die tweeling niet had laten ontvoeren,' ging ik onverstoorbaar verder, 'zou Frankrijk nu niets van de Spaanse troonopvolging kunnen eisen. Met een misvormd been zouden ze wel kreupel zijn, maar misschien zouden ze zich in tegenstelling tot Karel II wel kunnen voortplanten. Bestaat in Spanje niet de legende van koning Geryon, die drie hoofden had? En wat te zeggen van de dubbelkoppige adelaar in het wapen van de Habsburgers? Cloridia heeft het ons gezegd: dat zou een herinnering kunnen zijn aan de geboorte van een misvormde tweeling, die wie weet wanneer onder de voorouders van Karel II heeft plaatsgehad. Kortom, het lijkt me dat de Tetràchion niet het eerste geval is onder de Spaanse koningen.'

'En uiteraard zou Elpidio Benedetti die ongelukkige kinderen volgens jou ergens hebben ondergebracht en vervolgens hier in Het Schip, toen de villa klaar was,' concludeerde de abt rap.

'Dat niet alleen, Mazarin zou daarna ook de drie geschenken van Capitor, alsmede het schilderij waar ze op staan aan hem toevertrouwen,' zei ik ernstig.

'Dus in die villa hebben we behalve de verschijningen van Maria, de koning en Fouquet, behalve het schilderij met de drie geschenken van Capitor, om niet te spreken van je papegaai, hoe heet hij, Caesar Augustus, misschien ook de Tetràchion gezien. Lekker soepzootje daar in Het Schip, ik kan niet anders zeggen, het had De Pan moeten heten, ha ha!' grijnsde hij.

Atto lachte een aardig tijdje door. Ik keek hem aan zonder me beledigd te voelen; hij wist dat wat ik zei niet zo absurd was als het leek, en ik glunderde dat ik voor een keer de leermeester was en hij de leerling.

'Maar je vergeet één ding,' preciseerde de abt kort daarna: 'de Tetràchion die we daar boven hebben gezien was alleen maar een vervormde weerspiegeling van onszelf.'

'Dat is alleen wat we de laatste keer gezien hebben. En dan zouden wij tweeën, als je op die spiegels af gaat, ook nog eens monsters zijn,' oordeelde ik op zelfverzekerde toon.

Mijn opmerking alarmeerde de abt.

'Bedoel je dat we de keer daarvoor het beeld gezien kunnen hebben van die door de spiegels misvormde tweeling?'

'Weet u zeker dat u dat kunt uitsluiten?' vroeg ik ironisch. 'We hebben het gisteren met onze eigen ogen geconstateerd: die spiegels weerkaatsen elkaar. Ze zouden het beeld van de tweeling naar ons hebben kunnen laten terugkaatsen vanuit wie weet welk ander punt van het torentje, en het misschien kunnen samenvoegen met onze eigen beelden. Wij hebben ons doodsbenauwd uit de voeten gemaakt zonder om ons heen te kijken.'

Abt Melani trommelde ongeduldig op de knop van zijn wandelstok.

'Waarom wilt u het niet toegeven, signor Atto? Hier is niets magisch of onverklaarbaars aan: alleen de natuurkunde van de werking van die spiegels en de geneeskunde van het baren waarin al sinds meer dan een eeuw gevallen van tweelingen worden beschreven die aan elkaar vast geboren zijn op de manier van de Tetràchion. En die tweeling die we misschien hebben gezien had natuurlijk de kinnebak van de Habsburgers.'

'Waar zouden ze dan gebleven moeten zijn? In Het Schip hebben we geen spoor meer van ze gezien.'

'Toen we de lachspiegels hadden ontdekt, hebben we niet meer naar ze gezocht. En dat was verkeerd van ons. U hebt het me zeventien jaar geleden met veelvuldige voorbeelden geleerd: als een detail ongegrond blijkt, hoeft de hele veronderstelling daarom nog niet weggegooid te worden; ofwel: een document kan vals zijn, maar de waarheid spreken. Kortom, pas op dat je het kind niet met het badwater weggooit, zoals dat heet. Maar nu zijn we wel in die fout vervallen.'

'Hoor dan eens hier,' sputterde de abt, tegen het zere been geschopt: 'Gisteren heb ik het er al met je over gehad. Om precies te zijn zei Capitor: "Wie de kroon van Spanje zal beroven van zijn kinderen, zal de kroon van Spanje beroven van zijn kinderen." Dit heeft, als je het weten wilt, volgens mij geen enkele betekenis. Mazarin heeft nooit kinderen gehad en hoe dan ook hebben zijn neven en nichten zo'n talrijk nageslacht voor hem voortgebracht dat de titel van Mazarin niet snel zal uitsterven. Weet je dus wat ik denk? Dat het te ingewikkeld is om waar te zijn. Ik ben blij dat ik je geleerd heb nooit op de schijn af te gaan en klakkeloos met veronderstellingen te komen waar de gegevens ontbreken. Maar rustig, jongen, aan alles zit een grens. Die gekkin kletste er maar op los en laat ons ook ons hoofd verliezen.'

'Maar denkt u eens goed na...'

'Nu is het uit met die grappen, ik ben moe.'

Terwijl we verder reden, keek Atto door het raampje naar de hoogten van de Janiculus: de villas's, het groen van de tuinen, de zachte toppen van de bomen; en verder naar beneden de stad, getorend met de symbolen van de christelijke wereld en de eeuwige macht van de Kerk, de koepel van de Sint-Pieter.

Bij mijn overwegingen had ik graag de steun van de abt gehad. Maar Atto was sceptisch gebleven, had me juist uitgelachen en me uiteindelijk het zwijgen opgelegd, waarmee hij zijn onderwijzingen van weleer in feiten zelfs logenstrafte. Ik wist niet of zijn onvermogen om te begrijpen jaloezie of ouderdom was, of dat hij echt dacht dat ik, ja, voor een keer had geprobeerd zelf conclusies te trekken, maar dat er betekenisloze wartaal uit was gekomen. Wie weet of het alleen maar ruwe, naïeve hersenschimmen waren van een boer die in monsters gelooft. Maar één iemand kon het weten, misschien.

❦

We waren vlak bij het doel; de koetsier zette de paarden stil. Toen ik het rijtuig uit was, liep ik naar de andere kant van de koets en hielp Atto met uitstappen.

Het laatste stuk legden we te voet af, zonder haast. We kwamen bij het klooster en bleven even staan om de voorgevel te bekijken. Met een hand zijn ogen afschermend voor de felle zon keek Atto naar de ramen van de hoogste verdiepingen, die in een klooster traditioneel gereserveerd zijn voor gasten incognito. Misschien stond zij wel achter een van die ruiten.

Melani stond daar roerloos met zijn ogen strak op die ramen gericht, alsof hij alleen daarvoor gekomen was en verder niet.

'Het ziet ernaar uit dat u aardig wat trappen moet nemen,' monkelde ik om hem wakker te schudden.

Hij gaf geen antwoord. Instinctief stak ik mijn arm naar hem uit, ik weet niet of het was om hem aan te sporen op de kloosterdeur te kloppen of om hem troost te bieden. Hij aarzelde. Toen gaf hij me de opgerolde, verzegelde brief.

'Hier. Geef die aan haar zodra je haar ziet.'

'Ik? Wat bedoelt u? Ze wacht op u, bovendien hebt u haar zo veel dingen te vertellen en te vragen, u wilt toch niet...'

Atto richtte zijn ogen naar elders, naar een oude houten bank die Joost mag weten door wie verlaten was.

'Ik denk dat ik daar maar even ga zitten,' zei hij.

'Waarom... voelt u zich niet goed?' riep ik uit.

'O, ik maak het best. Maar ik zou graag zien dat jij naar boven gaat.'

Ik talmde vertwijfeld: 'Bedoelt u dat u helemaal niet naar boven gaat?'

'Ik weet het niet,' zei Atto langzaam.

'Zij zal het niet begrijpen als u niet gaat.'

'Ga jij maar, jongen; misschien kom ik wel achter je aan.'

'Maar wat zal ze zeggen als ze een onbekende ziet verschijnen? Wat moet ík dan zeggen? Ik zal moeten zeggen dat u iemand uit de goeie ouwe tijd bent die liever rustig aan de trap op gaat.'

De abt glimlachte.

'Zeg alleen maar dat ik iemand uit de goeie ouwe tijd ben.'

Ik kon een gebaar van ongeloof niet onderdrukken. Ik sloot mijn vingers om de brief.

'U begaat een dwaasheid,' protesteerde ik zwakjes, 'bovendien...'

Maar Atto draaide zich op zijn hakken om en liep naar de houten bank.

Juist op dat moment (moeilijk te zeggen of het om een samenloop ging of dat de nonnen stiekem naar ons stonden te kijken) ging de deur van het klooster open. Een non stak haar hoofd even om de deur en keek me vragend aan. Ze wachtte tot ik naar voren liep.

Ik keek naar Atto. Hij ging zitten. Hij wendde zich naar me toe en hief een arm op: een gebaar dat een groet en een bevel om door te gaan in zich verenigde. Ik kon hem nog net zien toen het nonnetje de grote deur achter me dichtdeed.

Ik bevond me in een gang, omgeven door die onmiskenbare geur die vrouwenkloosters eigen is en die ruikt naar gebeden, frisse novices en 's ochtends vroeg wakker zijn. Ik volgde mijn gids de trap en een kleinere trap op en gangen door tot we tegenover een deur stonden. Het nonnetje klopte aan, deed vervolgens de klink omlaag en bleef in de deuropening staan. Vanuit de kamer zei een vrouwenstem iets.

‘Wacht u nog even, alstublieft. Ja, gaat u hier maar zitten,’ zei de non, ‘over een poosje klopt u weer aan. Dan mag u naar binnen; ik moet helaas meteen naar moeder-overste.’

Wat stond er in de brief die ik in mijn hand hield? Was het een boodschap van Atto aan de Connétablesse, of eerder een handgeschreven briefje van koning Lodewijk van Frankrijk voor zijn Maria? Misschien wel allebei...

Dagen eerder had Melani haar geschreven dat hij haar, nu ze elkaar zouden terugzien, iets zou overhandigen dat haar idee over het geluk van de koning zou veranderen. Wat betekende dat precies? Het antwoord stond in de brief die ik in mijn hand had.

Ik had maar weinig tijd, maar de beslissing was al genomen. Het zegel van Atto was slecht aangebracht, je kon denken dat het niet goed op het papier gehecht zat.

Ik stond op het punt het gordijn voor het intiemste schouwspel van de harten van die drie oude mensen op te trekken.

Ik rolde de brief af.

Toen ik het las kon ik mijn ogen nauwelijks geloven.

Ik weet niet hoeveel tijd er verstreken was toen ik uiteindelijk aanklopte. Mijn gemoed was kalm, mijn geest helder als nooit tevoren.

‘Kom binnen,’ antwoordde een mooie vrouwenstem, doorleefd, maar sierlijk, zacht en welwillend.

Zo zag ik haar ook voor me. Ik trad naar voren.

Nadat ik me had voorgesteld en haar de brief had overhandigd, draaide ik een vage, rammelende verklaring voor Atto’s afwezigheid in elkaar. Ze was heel vriendelijk en deed net of ze mij geloofde en of ze haar woorden niet wilde kleuren met iets van verwijt, maar alleen met spijt om de gemiste ontmoeting.

Ik boog opnieuw en bereidde me voor om afscheid te nemen toen ik bedacht dat ik alles bij elkaar niets te verliezen had. Ik had haar iets te vragen. Niet over wat ik net had gelezen, nee: daar had ik geen uitleg voor nodig.

De Tetràchion. Misschien zou ze verbaasd zijn; maar ze zou me niet wegjagen. Ze zou denken dat ik in de plaats van mijn opdrachtgever handelde, dat deze bij monde van mij sprak en dat mijn oren ook de zijne waren.

Ik begon zonder veel omschrijvingen, want alleen zij wist misschien de waarheid; en er was maar weinig tijd.

De uitleg had maar een paar minuten gekost. Al die tijd had de Connétablesse geen spier vertrokken. Ze was gewoon uit het raam blijven zitten kijken. Geen moment had ze met haar gezicht, met woorden of met gebaren commentaar geleverd. Ze had gezwegen; maar het was een stilte die veelzeggender was dan duizend preken.

Het was de stilzwijgende bevestiging dat wat ik zei niet aan mijn fantasie ontsproten was. Die stilte zei waarschijnlijk ook dat een paar onderdelen van mijn reconstructie onjuist waren, misschien ruw of naïef. Maar de kern bleef ware, levende werkelijkheid, waarvan Maria beter dan wie ook de vreselijke concreetheid kende. Als het om pure wartaal was gegaan, of als zij niets van dat alles had geweten, had ik in het beste geval de aansporing gekregen om weg te gaan. Maar ze had alles in de meest totale stilte en roerloosheid aangehoord. Ze wist waar ik het over had: het was dat stuk geheime geschiedenis waarop iedere droom van geluk van haar was stukgelopen, dat haar tot een zonderling, ongelukkig leven had veroordeeld. Haar stilte was de beste, meest uitgesproken, maar ook meest voorzichtige manier om in te stemmen, te bevestigen, aan te moedigen.

Ik sloot af. Ik liet de stilte nog een paar seconden de kamer vullen, en de ruimte die tussen ons in lag. Ze bleef uit het raam kijken, alsof ze alweer alleen was.

Er viel niets anders te zeggen. Ik groette haar met een buiging, die ik van dezelfde doordringende afwezigheid van woorden vergezeld liet gaan als waarmee mijn rede was ontvangen: het enige mogelijke afscheid tussen mensen die weten dat er nooit meer een andere ontmoeting zal komen.

Het had de zoveelste verrassing kunnen zijn. Maar ik had het verwacht: buiten stond niemand me op te wachten. Geen Atto, geen koets. Inmiddels had ik het spelletje door.

Terwijl ik naar Villa Spada liep, waren de bitterzoete indrukken van de ontmoeting met Maria Mancini weldra onderworpen aan hevige emotie vanwege de brief die ik haar had gegeven.

Eén vel papier. Wit. In het midden, vrij bovenaan, maar drie woorden, geschreven in een los schuin handschrift:

Yo el Rey

Een idioot zou het nog begrijpen. Omdat de katholieke koning van Spanje zich zeker niet in Rome bevond, was het een valse handtekening. Aangebracht op een wit vel papier, om een vals document mee af te sluiten. En om welk document kon het anders gaan, aangezien Karel II op sterven lag, dan om zijn testament?

Hoe meer ik erover nadacht, hoe meer haat en hilariteit zich in mij mengden. In dat fraaie spelletje had Atto mij gebruikt, zonder me iets te vertellen! En wat een idioot was ik om niets te vermoeden...

Het testament van Karel II: het document waarmee de troonopvolger van het grootste rijk ter wereld zou worden benoemd, de troonopvolger waarop heel Europa zat te wachten.

Onder het mom van het huwelijk van zijn neef nodigt Spada zowel Atto als Maria uit. Atto brengt de juiste persoon mee om de handtekening te vervalsen: een uitnemende vervalsing.

Ja, wat had abt Melani gezegd toen hij Buvat aan me had voorgesteld? 'Buvat is op zijn best met een pen in de hand. Maar niet zoals jij: jij creëert. Hij neemt over. En dat doet hij als geen ander.' Op dat moment had ik gedacht dat Atto verwees naar de taken van zijn secretaris om afschriften te maken. Maar nee. Toen herinnerde ik me in een geheugenflits wat Atto zeventien jaar geleden had gezegd, toen hij me de naam van zijn secretaris had genoemd: 'Telkens als ik stiekem uit Parijs vertrek, wikkelt hij mijn correspondentie af. Het is een klerk met een buitengewoon talent, en hij kan mijn handschrift tot in de perfectie nabootsen.'

Dat had ik dus tussen de goed verstopte papieren van Atto's secretaris gevonden: die merkwaardige proeven van *e*, van *l*, van *R*, van *o*, van *y*, die ik in een eerste moment had aangezien voor slechtgelukte schoonschriftoefeningen: het waren imitatieproeven. Buvat had geoefend om de handtekening van Karel II van Spanje na te maken en meermalen de vijf letters in de handtekening *Yo el Rey* herhaald. Oefeningen die hij had bewaard om ze te vergelijken met de authentieke handtekeningen van de katholieke koning en uiteindelijk de best gelukte imitatie te kiezen.

Ik had die klinkers en die medeklinkers maar op de juiste manier hoeven samen te voegen en ik zou bij de waarheid zijn uitgekomen. Daarom bewaarde Atto die drie onvolledige brieven met de handtekening van de Spaanse koning zorgvuldig in die pruik: ze vormden het oefenmodel voor Buvat. Maar het was te riskant om ze altijd in handen van zijn secretaris te laten, en dus hield Melani ze bij zich.

Ik hervatte mijn reconstructie. Maria wordt dus opgedragen de valse handtekening naar Spanje te brengen, waar die op het juiste moment zal worden aangewend: wanneer Karel voor de dood staat en zijn testament zal moeten opmaken. Er zal een vals testament worden voorbereid, waarvan het laatste vel datgene zal zijn met de door Buvat voorbereide handtekening. De lege ruimte boven de handtekening zal dienen om het laatste deel van het testament op te nemen. Er zal uiteraard een Franse troonopvolger worden benoemd.

Daarom had Atto het dus nooit over de Spaanse troonopvolger en kwam hij maar met het conclaaf aan! De arme idioot die ik ben mocht niet doorhebben voor welke ware inzet hij zo druk bezig was.

Was al dat wachten op Maria dan alleen maar komedie geweest? Wat een minne opzet, die suikerzoete brieven waarin hij ernaar smachtte haar terug te zien!

Het was allemaal tot in de perfectie beraamd, bestand tegen iedere spionagepoging. De Connétablesse zou zo laat mogelijk op het feest komen, net op tijd om van Atto en Buvat de valse handtekening te krijgen. Ze zou helemaal niet deelnemen aan het feest: de aanwezigheid op die plaats van Maria Mancini, de beruchte nicht van Mazarin uit Madrid, zou onmiddellijk vermoedens van een anti-Spaanse samenzwering hebben gewekt.

Wat een gemak om ondergetekende te kunnen gebruiken om aan de Connétablesse het vel papier met de handtekening te overhandigen! Atto had niet eens vuile handen hoeven maken. Hij wist van meet af aan dat hij haar niet zou ontmoeten: hij had me tot op het laatst bedrogen door me in de waan te laten dat hij te zeer van streek was om haar na hun dertigjarige scheiding weer te zien.

De diefstal van Attto's traktaat was alleen maar een verwikkeling geweest waarvan hij geschrokken was en die hem in de weg had gestaan, maar hem slechts gedeeltelijk van zijn doel had afgehaald. Toen het mysterie was opgelost en het gestolene (wederom dankzij mijn hulp!) van de cerretanen was afgepakt, had Atto rustig zijn louche spionnenzaakjes kunnen afsluiten.

Dankzij mijn woede snelde ik over de weg en toen ik Villa Spada betrad, wist ik al wat me te wachten stond.

Toen ik wilde aankloppen, trof ik de deur open aan. Een paar kledingstukken waren op het bed achtergebleven, op de divan lagen een paar volgekrabbelde vellen en een inmiddels lege inktpot, het getrouwe zinnebeeld van mijn arme, confuse, ontstelde geest.

Atto en Buvat waren er vandoor.

Om mijn woede en ontgoocheling te verhelen stelde ik een kort onderzoek in onder de bedienden van de villa. Ik vernam dat de twee in allerijl waren vertrokken. Bestemming: Parijs. Ze hadden wat proviand meegenomen; Atto had een lange bedankbrief achtergelaten voor kardinaal Spada die via don Paschatio moest worden doorgegeven.

Nu begreep ik waarom hij die ochtend die grijslinnen soutane en het abtenmanteltje dat ik zo goed kende had aangetrokken: het was zijn reiskleding!

Ze waren inmiddels al een aardig tijdje vertrokken. Ze moesten bijna in paniek hun bagage gepakt hebben, als vluchtelingen die wanhopig aan de dreigende oorlog ontsnappen. Het was geen vertrek; het was een vlucht.

Waarvoor? Nee, zeker niet uit angst voor verdere dreigementen van de cerretanen. Het was niets voor Atto om bang te zijn voor iets wat hij van nabij had meegemaakt en waarvan hij inmiddels de aard kende. En het was evenmin een vlucht voor vermeende politieke dreigingen, zoals hij aanvankelijk had gevreest. Nee, het was iets anders. Het was een vlucht voor mij.

Niet dat hij concreet angst voor ondergetekende koesterde, stel je voor. Maar op het laatste moment, toen erop zat wat hem bezighield en hij vreesde dat ik de waarheid had aangevoeld, had hij geen zin gehad om tegenover mij te moeten reageren op zijn leugens en smoesjes.

Na zeventien jaar had hij zich weer bij me aangediend met de vraag of ik de chroniqueur van zijn doen en laten wilde zijn met het oog op het komende conclaaf. Maar daarna had hij er zich niet om bekreund me nadere aanwijzingen te geven en evenmin nog belangstelling voor het onderwerp getoond.

Een verslag van die dagen in Villa Spada was duidelijk een voorwendsel: het ging hem er alleen maar om dat ik alles zag, hoorde en hem overbriefde wat hem van pas kon komen. Of ik het daarna al dan niet opschreef liet hem koud. Wat had hij in het begin gezegd? 'Jij stelt voor mij een kroniek op waarin je met overleg verslag zult doen van alles wat je de komende dagen gaat zien en horen, en je zult eraan toevoegen wat ik je aan wenselijks en noodzakelijks aan de hand zal doen. Vervolgens geef je mij het manuscript.' Hij had me doen geloven dat ik journaalschrijver was geworden. Maar ik had voor hem gespioneerd. Hij was in een vloek en een zucht vertrokken, zonder afspraken te maken over het inleveren van mijn werk.

Ook het conclaaf, waar hij het in het begin zoveel over had gehad, kon hem niets schelen. We hadden van alles gezien, besproken en gedaan: van de wederwaardigheden met Caesar Augustus, de dwaze beklimming van de bol van de Sint-Pieter en de onuitsprekelijke ervaringen in Het Schip tot de eindnachtmerrie waarin de cerretanen op het punt stonden ons in mootjes te hakken. Maar over het conclaaf hadden we het bijna nooit gehad.

'Onnozele, naïeve imbeciel die ik was!' zei ik half lachend, half huilend. Hij had me precies zoals zeventien jaar geleden tot zijn beschikking gehad en zonder enig respect gemanipuleerd: hij had me de ene weg gewezen, en terwijl hij me aanspoorde, sloeg hij zelf de andere in.

Maar ditmaal was het erger dan toen. Nu had ik met de toekomst van mijn meiskes gespeeld: toen ik me aan zijn gevaarlijke spelletjes wilde onttrekken, had Atto me beetgenomen met de belofte van een bruidsschat en ik was erin getuind en had mijn leven gewaagd voor hem. Juist die middag zouden we naar de notaris gaan voor de schenking. Maar wacht even: ik had het vel papier met zijn belofte zwart op wit.

Als door duizend schorpioenen gestoken vloog ik naar huis, pakte het papier en joeg op mijn muildier naar de stad.

Ik doolde van advocaat naar advocaat, van notaris naar notaris op zoek naar iemand die me tenminste hoop gaf. Maar nee. Het waren steeds dezelfde vragen: 'Weet u toevallig of die abt goederen bezit in de Kerkelijke Staat?' Op mijn hoofdschudden was het oordeel unaniem: 'Al spande u een zaak aan en u won, dan hebben we niets waarop we een hypotheek zouden kunnen afsluiten om uw krediet in te lossen.' Dus? 'U zou moeten vragen of u ook in Frankrijk een zaak kunt aanspannen. Dat is een langdurige, kostbare kwestie, beste meneer, en dan ook nog een uiterst onzekere.'

Kortom, ik had geen verwachtingen: nu Atto op weg was naar Parijs was dat papier met zijn belofte een waardeloos vodje.

Op de terugweg naar Villa Spada was ik bijna zover om me met mijn eigen zweepje te slaan. Ik had moeten eisen dat we meteen naar de notaris gingen of op zijn minst niet tot het eind moeten wachten. De waarheid is dat ik me door de gebeurtenissen had laten meeslepen, ik had me als een slaaf naar de bevelen van de abt geplooid en had geen enkele aandacht voor mijn gezin gehad. Wat was er gebeurd als ik was gestorven of levenslang gebrekkig gebleven? Cloridia kon niet alleen voor het huishouden opdraaien. Wie had er dan voor het levensonderhoud van mijn dochters gezorgd? Weg vroedvrouwenleertijd! Vaarwel avondjes van vroeger, waarop ik hun leerde lezen en schrijven, en hun grote ogen de fraaie boeken liet zien die me door mijn schoonvader zaliger waren nagelaten. De meisjes zouden meteen de mouwen moeten opstropen om borden te gaan wassen in een of andere morsige taveerne, als don Paschatio's grootmoedigheid ze niet op de een of andere manier bij de Spada's zou weten onder te brengen.

Ik kookte van verontwaardiging. Abt Melani had me bedrogen, hij was hem gesmeerd en van de beloofde bruidsschat was geen spoor. Ik had zin om zelf ook te vluchten, om die plek te verlaten, ja, die wrede, bedrieglijke Aarde te verlaten: als mijn plichten als echtgenoot en vader me niet hadden weerhouden, had ik als een nieuwe Daedalus willen opstijgen en vervolgens Icarus willen worden, maar dan omgekeerd, om omhoog te vallen, voorgoed opgeslokt in de lichtblauwe afgrond van de hemelgewelven.

Terwijl ik voor me uit vloekte, kwam de zoveelste ergernis.

'Meester Vogelaar! Hebt u gezien wat een succes het feest heeft gehad? En hebt u de geestdriftige commentaren gehoord van kardinaal Spada, onze meester?'

Don Paschatio had me bij de ingang onderschept. Hij had zin om commentaar te geven op het succes van de festiviteiten; hij wilde me vast ook onder de neus wrijven dat als abt Melani me niet zo dikwijls had afgeleid en ik beschikbaarder was geweest, de triomf nog groter zou zijn geweest.

Het was niet het moment; alles was goed om maar niet aan zijn praatzucht blootgesteld te zijn:

'Meneer de hofmeester,' reageerde ik met een hard gezicht, 'aangezien ik de laatste dagen met meerdere tussenpozen ben weggebleven, weet ik zeker dat het u niet zal verbazen als ik dit gesprek onderbreek en u verzoek mij een nuttige taak toe te vertrouwen, zodat ik mijn eerdere verzuimen kan herstellen en voorkom dat ik tijd verlies!'

Don Paschatio wankelde bijna, overvallen als hij was door mijn bruuske reactie.

'Ehm, nou...' aarzelde hij. 'Ja, u zou de volières wel kunnen schoonmaken en van voer voorzien, zoals ik u net wilde opdragen.'

'Prima!' besloot ik, terwijl ik me geërgerd op mijn hakken omdraaide. 'Het zal meteen gebeuren, meneer de hofmeester.'

Verbijsterd zijn voorhoofd krabbend keek don Paschatio me na. Ik begaf me met nerveuze, gezwinde pas naar de keuken om voer en gereedschap voor het schoonmaken van de volières te pakken.

Ik kon het nog niet weten, maar ik zou dat klusje niet doen. Toen ik de kooi van de grote volière openmaakte, trok een onbekend geluid, een soort steels geritsel, mijn aandacht. Ik keek naar boven naar de kooi van Caesar Augustus, die sinds de dag van zijn vlucht leeg was gebleven. En in een flits van verbaasde intuïtie werden de wonderlijke gebeurtenissen van de laatste dagen die de papegaai betroffen me duidelijk.

Zoals ik al kans heb gezien te zeggen was de papegaai de laatste tijd, dus voor hij vertrok met het briefje voor kardinaal Albani, in een bijzonder ongelukkige, onrustige bui. Bovendien droeg hij vaak met onbekende bedoelingen takjes in zijn poten, iets wat hij nooit eerder had gedaan. De nervositeit van de vogel had zijn toppunt bereikt met de diefstal van het briefje en zijn lange afwezigheid. Later was door een mislukt schot met de kruisboog tijdens de vrolijke jacht een niet nader geïdentificeerd ei uit een nest in een pijnboom gevallen. Toen ik me vervolgens bij de noviteit die zich nu aan me voordeed, herinnerde dat er kortelings op het naburige landgoed Barberini een andere papegaai was gekomen van hetzelfde ras als Caesar Augustus, kwam ik tot de onvoorstelbare (maar juiste) oplossing.

'Ontsla hem, ontslaaaa hem!' kraste Caesar Augustus, die me lekker in zijn hoekje, midden in een fraai nest van dons en takjes, zat uit te lachen.

'Maar jij... jij bent... jij hebt...' stamelde ik.

Ik kon het niet eens zeggen. Niemand zou zomaar geloven, zelfs niet na eigen constatering, dat Caesar Augustus in werkelijkheid een vrouwtje was. Met jongen en al.

Bijna gehypnotiseerd staarde ik naar de nieuwe gedaante van dat verrassende wezen, dat niet toevallig oorspronkelijk in bezit was van de dwaze Capitor: als rustige toeschouwer was hij ongedeerd door tien- en tientallen jaren geschiedenis heen gekomen; hij had de ondergang van Mazarin, de komst van de Zonnekoning en daarna een opeenvolging van wel vijf pausen meegemaakt, en nu deed hij met zijn eeuwige onverdraaglijke krassen triomfantelijk zijn intrede in de nieuwe eeuw met de heilige, zoete kenmerken van een moeder.

Ik zag hem kort van de broedplaats opstaan om liefdevol met zijn snavel de eieren die het overleefd hadden goed te leggen. De jagers die het uit de pijnboom gevallen ei hadden bekeken zaten er allemaal naast: het was niet van een oeverzwaluw of een fazant en evenmin van een rotsduif of een patrijs, maar van een papegaai.

'Doiiiinnnng,' bootste Caesar Augustus met een paar beschuldigende oogjes het geluid van een pijl uit een kruisboog na die zich vastzet in een tak en hem laat trillen: dezelfde pijl die tijdens de vrolijke jacht door markies Lancellotti Ginnetti was afgeschoten en de val van Caesar Augustus' ei uit het nest had veroorzaakt, en die hem duidelijk had gedwongen om van de pijnboom van het Barberini-landgoed naar de veiligere, bekende volière van Villa Spada terug te keren.

'Ik weet het, ik weet het, het moet vreselijk voor je zijn geweest,' antwoordde ik.

'Niet op nesten schieten, dat is zinloos en wreed!' herhaalde hij met verontrustende precisie de zin van de cavalier die meteen na het ongeluk het schot van Lancellotti Ginnetti had bespot.

'Lancellotti wilde je geen pijn doen,' trachtte ik hem uit te leggen. 'Het moet wel een heel karwei zijn om een nieuw nest te bouwen en de eieren één voor één te verhuizen; maar in feite was het een ongeluk, je had niet die haakbusknal moeten nadoen waar iedereen van schrok...'

'Ontsla hem!' antwoordde hij droogjes, me de rug toekerend en weer met zijn vleugels liefdevol de kleine witte bollen in het nest afdekkend.

Don Paschatio en de anderen van huize Spada zouden hun ogen niet geloven. Ik zag ze al om strijd een andere verheven Latijnse naam voor de vogel uitzoeken: Livia of Lucretia, Poppaea of Messalina? Ik kende die vogel van al die tijd dat ik hem haast als een gelijke had behandeld, van man tot man. Maar nu bleek ik te maken te hebben met een humeurige, opstandige, onhandelbare dame in een verenpak. Ik voelde me haast schuldig dat ik hem als een kameraad had gezien: de enige verzachtende omstandigheid voor mij was dat het, zoals bekend, schier onmogelijk is om met het oog en op de tast het geslacht van een papegaai vast te stellen. Om dat raadsel op te lossen moet je zien of hij, als hij eenmaal het juiste gezelschap heeft gevonden, eieren zal leggen of juist de mannelijke verdediger van het nest wordt.

Na nog een paar seconden van stomme verbazing herstelde ik:

'Als ik je goed ken, wed ik dat je tegelijk met de eieren nog iets anders hebt meegenomen. Heb je niet een bepaald iets terug te geven, nu je weer rustig bent?'

Hij bleef me de rug toekeren en net doen of hij niets hoorde.

'Je weet heel goed waar ik het over heb,' drong ik met gedecideerde stem aan.

Hij handelde met haastige ongedwongenheid, op het randje van misprijzen. Met een poot krabde hij iets uit het nest los, haalde het eruit en liet het vallen. Mijn verzoek was ingewilligd.

Als een dor blaadje fladderde het briefje van kardinaal Albani slordig naar beneden en maakte een paar charmante wervelingen voor ik het in mijn handen had.

Het was smerig, half gescheurd en stonk naar vogelpoep: dat kon ook niet anders, want nadat hij volop de hoek met chocolade had afgelikt, had de papegaai het voor het nest gebruikt. En koppig als hij was had hij, toen hij het nest in de volière herbouwde, niet verzuimd het mee te nemen.

Met begerige vingers vouwde ik de vergeelde papierflarden open. Slechts drie regels, die mijn toch al verscheurde gemoed nog meer verscheurden:

Mening gereed.
Donderdag 15 in Villa T. op te bevestigen tijd.
Klerk en koerier reeds ontboden.

Mijn armen werden zwaar en vielen langs mijn lichaam. Wat voor ieder ander geheimzinnig zou zijn geweest, was voor mij zonneklaar en stekend als een vurige pijl.

'Villa T.' was natuurlijk de villa van Torre, waar Atto en ik die donderdag de 15de inderdaad vanaf het terras van Het Schip de drie purperdragers hadden zien rondsluipen. Dat 'mening gereed' was natuurlijk het door de klerk te kopiëren en per koerier aan de koning van Spanje te sturen document, waarmee de paus de vorst een troonopvolger aanwees.

Zoals ik al wist uit de gesprekken die ik vlak voor het blijspel in Villa Spada had gehoord, hadden op maandag de 12de de Spaanse ambassadeur Uzeda en de drie kardinalen ('die vier sluwe vossen', zoals ze waren genoemd) de paus overreed om de broederschap te vormen en die toe te vertrouwen aan Albani, Spada en Spinola zelf. De paus had deze twee dagen later, op 14 juli, formeel ingesteld. Maar zij hadden de mening al gereed op de dag dat het briefje door de papegaai was gestolen, dat wil zeggen zondag de 10de!

Het was allemaal één grote komedie. De koning van Spanje was mogelijk een wandelend lijk, maar de paus telde ook niet meer mee. Albani, Spada en Spinola hadden vanuit Villa Spada tussen een kopje chocolade en een jachtpartij door de lotgevallen van de wereld gedicteerd zonder dat iemand er iets van wist. De door de paus bijeengeroepen broederschap was alleen maar in scène gezet. Atto had als wakend oog van de Franse koning van een afstand op hen toegezien. En zonder het te weten had ik hem daarbij bijgestaan.

Albicastro's woorden schoten me weer te binnen en gaven me een wanhopig gevoel van machteloosheid: 'De wereld is één groot gastmaal, jongen, en de wet van gastmalen is: zuipen of wegwezen!'

Had ik dan nooit een andere keuze? Telde het van God gegeven gezag niet meer mee?

Najaar 1700

Er was bijna anderhalve maand verstreken sinds Atto Melani en zijn secretaris me in de steek hadden gelaten. Er waren onafgebroken dagen van haat, woede, onmacht gevolgd. Elke nacht, elke afzonderlijke ademhaling was opgedeeld door de gloeiende klok van de vernedering, de gekwetste eer, de ontgoocheling. Misschien was het geen toeval dat ik werd geteisterd door die lelijke derdendaagse koorts die ik al jaren niet had gehad. Een geringe troost was dat zich ongeveer een maand geleden een notaris in Villa Spada had aangediend die Atto zocht: hij zei dat de abt hem had opgedragen een akte van schenking op te stellen, maar dat hij daarna niet op de afspraak verschenen was om te tekenen. Nu had ik de bevestiging: Melani had niet met voorbedachten rade zijn belofte gebroken; alleen *in extremis* had het vluchtinstinct de overhand gekregen.

Cloridia had met me te doen; ondanks haar woede en mislukking als moeder vanwege de gemiste bruidsschat voor onze meiskes, kon ze er algauw zelfs grappen over maken. Ze zei dat Melani gewoon zijn vak had uitgeoefend: spion en bedrieger.

Uiteraard had ik nooit een begin gemaakt met de memorie waarvoor de abt me had betaald. Daar was hij toch niet in geïnteresseerd. Ik had daarom bedacht dat geld te beschouwen als een gedeeltelijke schadeloosstelling voor de gemiste bruidsschat voor mijn meiskes. Maar die dag, 27 september 1700, nam ik de pen ter hand vanwege een gebeurtenis waarvan de ernst mijn zelfzuchtige leed verreweg te boven ging en hield ik een klein dagboek bij dat ik hieronder weergeef.

De trieste dag is gekomen: Innocentius XII heeft ons verlaten.

Al in de laatste augustusnacht had hij een alarmerende terugval gehad, zodat het consistorie dat voor de dag daarna was belegd, had moeten worden uitgesteld. Op 4 september (zoals ik geleidelijk aan vernam doordat de hofmeester de vlugschriften hardop voorlas aan het personeel) had hij een verbetering doorgemaakt en was de hoop op herstel weer opgeleefd. Maar na drie dagen was hij opnieuw achteruitgegaan, en ernstig ook. Toch was zijn karakter zo sterk dat de ziekte zich nog lange tijd heeft voortgezet. In de nacht van de 22ste op de 23ste heeft hij zich de sacramenten laten toedienen; de 28ste beval hij hem naar de kamer te brengen waar de door hem zo vereerde paus Innocentius XI de laatste adem had uitgeblazen.

De arts Luca Corsi, die niet onderdeed voor zijn illustere voorganger Malpighi, heeft al het mogelijke gedaan; toch was de hulp van mensen tevergeefs. Die van de geest werd zeker gesteld door een kapucijner monnik, bij wie de paus de algemene biecht aflegde.

Ingredimur via universae carnis, laten we het lot van alle stervelingen volgen, zei hij, waarmee hij de mensen die hem in het uiterste lijden bijstonden tot tranen toe bewoog.

Gisternacht was zijn lijden zeer verhevigd door felle pijn in zijn zij; toch kon men hem met een paar lepels bouillon verkwikken. Maar tegen vier uur ’s nachts heeft hij dan de geest gegeven.

Het stoffelijk overschot zal van het Quirinaal naar de Sint-Pieter worden overgebracht in een eenvoudige sarcofaag die door hem persoonlijk is uitgekozen. Hij laat een onbesproken naam achter als vader der armen, belangeloos beheerder van de goederen der Kerk en als vroom, rechtvaardig priester.

Nu beginnen dan echt de spelletjes voor de verkiezing van de volgende paus. De voorspellingen voor deze of gene kardinaal kunnen hardop worden uitgesproken zonder vrees de eer van de Heilige Vader en zijn arme zieke lichaam aan te tasten.

Dit zou het moment van abt Melani zijn: eindelijk zijn netwerk aan kennissen in werking stellen, vrienden worden met de conclavisten, indiscreties opvangen, strategieën voorstellen, valse berichten rondstrooien om de tegenpartij uit het lood te slaan...

Niets van dit al. Geen vaardige uitlegger van politieke manoeuvres, geen tovenaar van de Vaticaanse alchemie zal me ter zijde staan. Ik zal het conclaaf van buitenaf meemaken, met de stomverbaasde ogen en het kloppende hart van de mensen uit het volk.

Den 8sten oktober

De kardinalen gaan morgen in conclaaf. De facties zijn op alles voorbereid, heel Rome houdt zijn adem in. De stad is vol couranten en vlugschriften met de samenstelling van de partijen die elkaar zullen bestrijden. Het regent satires, komedies en sonnetten; Pasquino is volop in bedrijf.

Er worden goddeloze komedies in omloop gebracht die heel het Heilige College ervan langs geven, maar met nog meer smaak kardinaal Ottoboni en zijn aparte neigingen: in *Babylonië* wordt hem de rol toevertrouwd van de serveerster Nina, in *De kroeg* wordt hij Petrina, in *Groeiend Babylonië* madame Fulvia; in *Babylonië veranderd* ten slotte ene Angeletta uit Venetië. Iedereen ligt dubbel.

Laatst kreeg ik een sonnet in handen waarin de arme paus Innocentius XII een Twaalfvingerige darm wordt: uit schaamte schrijf ik het niet over.

Behalve de kwinkslagen is er ook wel serieuze informatie in omloop. De keizerlijke en Spaanse kardinalen zijn er op papier ten minste negen. Evenveel Franse zijn er. De partij van de Kardinalen Zeloten is het talrijkst en telt negentien zielen. Sommigen (Moriggia, Carlo Barberini, Colloredo) heb ik van nabij gezien in Villa Spada. De groep van de Manmoedigen vormt er tien (onder wie de kardinaal-camerarius Spinola van San Cesareo), evenals die van de Dolenden. De ottobonianen en hoogmoedigen (zo genoemd naar de naam van de pausen die hun het purper hebben verleend) zijn er twaalf. Onder hen bevindt zich ook mijn meester, kardinaal Spada, samen met Albani, Marescotti en uiteraard Ottoboni. Verder heb je de ingewanden, zoals ze in Rome zeggen: odescalchianen, pignatellianen, barberinianen...

Volgens de couranten gaan de indelingen verder dan de partijen en zijn ze zelfs oneindig. Er zijn er die rivaliteit en bondgenootschappen zien naar leeftijd, talenten, ambities, grillen, zelfs naar smaak: je hebt de zure kardinalen, dus die met een moeilijk karakter (Panciatici, Buonvisi, Acciaioli, Marescotti), de zoete en gemakkelijke (Moriggia, Radolovich, Barberini, Spinola van Santa Cecilia), van gemiddelde smaak (Carpegna, Noris, Durazzo, Dal Verme) en ten slotte de groenen omdat ze onder de zestig zijn en dus te jong om gekozen te worden (Spada, Albani, Orsini, Spinola van San Cesareo, Mellini en Rubini).

Negroni is eenenzeventig, maar hij heeft al laten weten dat hij niet gekozen wil worden; hij zal stemmen op wie het verdient, heeft hij gezworen, en tegen degenen die het niet verdienen. De laatsten, daar is iedereen van overtuigd, vormen de overweldigende meerderheid.

Ook de rechtschapen zielen zullen een moeilijke weg te gaan hebben: niemand wordt ontzien, zelfs iemand met alle goede papieren niet. Carlo Barberini bijvoorbeeld, die de juiste leeftijd zou hebben, moet opdraaien voor de haat van de Romeinen tegen zijn verwanten (die nu al bijna tachtig jaar voortduurt), de vijandschap van Spinola van San Cesareo en vooral zijn eigen domheid. Acciaioli heeft Toscane en Frankrijk tegen zich. Marescotti wordt in het buitenland alleen gehaat door Frankrijk, maar in Rome ook door Bichi (wat hij trouwens hartelijk beantwoordt). Durazzo wordt benijd om zijn verwantschap met de koningin van Spanje, Moriggia staat te dicht bij Toscane, Radolovich bij Spanje. Carpegna staat bij praktisch alle Europese vorstenhuizen slecht aangeschreven, Colloredo wordt verafschuwd door de Fransen en veracht door Ottoboni. Van Costaguti is algemeen bekend dat hij onbekwaam is. Noris vindt niemand goed omdat hij monnik is. Panciatici vindt niemand gewoon goed.

Verschillende buitenlanders komen niet (naar men zegt de Oostenrijker Kollonitz, de Fransen Sousa en Bonsi, de Spanjaard Portocarrero), omdat ze in beslag genomen worden door dringende zaken thuis. Maar de strijd zal bikkelhard zijn, zo hard dat de eminenties wellicht zin krijgen om een snelle oplossing te vinden teneinde bloedvergieten te voorkomen. Sommigen zeggen dat er al over een paar weken witte rook kan komen, en misschien wel eerder ook.

Den 18den november

Nee hoor. Er is anderhalve maand voorbij sinds het begin van het conclaaf en van de nieuwe paus nog geen spoor. De pausverkiezing lijkt het Heilige Kardinalencollege helemaal niets te kunnen schelen. Er waren alleen vruchteloze manoeuvres waarmee de kandidaten zijn uitgetest, om ze te kwellen. Alles wordt tegengehouden door Frankrijk, Spanje en het keizerrijk, die door middel van elkaar kruisende veto's hun onwelgevallige kandidaten onverbiddelijk de weg versperren. De onafhankelijkheid en het prestige van de Kerk zijn uiteraard aan gort, maar de kardinalen hebben er maling aan.

Heel de maand oktober is met geklets heengegaan, waarbij nu eens deze dan gene kandidaat als ledenpoppen in de strijd werden geworpen: Noris, Moriggia, Spinola van Santa Cecilia, Barbarigo, Durazzo, Medici... Allemaal voorgesteld, soms door zichzelf naar voren te schuiven, en allemaal tegengehouden.

De enige serieuze kandidatuur was misschien die van Marescotti, die bij voorbaat over gegarandeerd twintig stemmen beschikte, maar hij werd erg tegengewerkt door de Fransen. Onverkiesbaar dus. Colloredo is voorgesteld: maar in werkelijkheid is ook hij Frankrijk zeer onwelgevallig en dus niet voor te dragen. Iedereen wist zo zeker dat Colloredo het niet zou halen dat er massaal op hem gestemd is, en hij op een haar na werd gekozen, wat in het Heilige College een half dozijn hartverlammingen heeft veroorzaakt.

Ondanks de magere resultaten is er binnen de heilige muren van het conclaaf wel van alles gebeurd. Eindeloze onenigheid, afgunst en haat onder de eminenties; meer dan eens moesten de ceremoniemeesters de schermutselingen de kop indrukken met de vermaning *Ad cellas, domini*! en hen onder dwang naar hun kardinalencelletjes laten terugkeren. Aan ruzie geen gebrek onder de conclavisten, die elkaar zoals gewoonlijk betrappen bij het luistervinkje spelen aan de deuren van de respectieve kardinalen. Er was zelfs een begin van brand, misschien brandstichting: om de schade te herstellen werden er dringend een architect en vier meester metselaars ontboden.

De sfeer is echter niet krijgszuchtig, maar koppig. Er wordt niet gestreden uit een zucht naar overwinning, maar uit afgunst. In plaats van te wedijveren probeert men de tegenstander lam te leggen: het paard om iemand te laten winnen is er nog niet. Het is alsof ze allemaal op iets zitten te wachten.

Hoe verder het gaat, hoe meer er onder de eminenties een toegeeflijke, milde stemming ontstaat. Op een ochtend is Marescotti, degene die de beste kaarten zou hebben, bij het aantrekken van zijn onderbroek lelijk gevallen en heeft zijn hoofd verwond. Bij het bekend worden ervan wekte het nieuws homerisch gelach bij de andere eminenties.

Op zondag 31 oktober is er een bode van de nuntius in Spanje met een brief gearriveerd voor Innocentius XII: de nuntius wist niet dat hij was overleden. Opnieuw grote hilariteit bij de eminenties.

Monseigneur Paolo Borghese, die als gouverneur van het conclaaf orde en waardigheid in het Heilige College moest bewaren, voorziet in de slapte van het verstand met de macht van de beurs, en organiseert binnen de muren van de clausuur voortdurend feestmalen. De tafels van de dis worden versierd met weelderige pièces de milieu van bloemen en fruit, die om de drie dagen worden ververst.

Intussen wordt het brood in Rome schaars en steeds duurder. De kooplieden verdienen aan de honger van het volk dat uitgeput en verzwakt is. De kardinaal-camerarius Spinola van San Cesareo wordt verdacht van speculatie in de handel. Sinds ik hem heb zien samenzweren met Spada en Albani, kost het me geen moeite om ook dit praatje te geloven.

In de stad zaait prins Vaini paniek door ongedekte cheques te tekenen, waarmee hij vechtpartijen veroorzaakt en een spelletje speelt met de kardinalen in conclaaf, want tussen de ene en de andere paus in moet iedereen de stad samen regeren, maar men heeft niet de moed om de onrust stokende prins te laten arresteren, noch om tegen de hongersnood en de openbare wanorde op te treden. Nadat ik gezien heb hoe Vaini zijn eigen zin deed in Villa Spada, ten huize van de staatssecretaris, sta ik nergens meer van te kijken.

Overal heerst chaos, worden aangevallen en moorden gepleegd. Zoals altijd gebeurt bij een vacante zetel, wordt Rome verduisterd door een grauwe nimbus van agressie en geweld. Het is een moment van pessimisme, zwarte gal, kwade wil.

Alsof dat nog niet genoeg was, volgen zorgwekkende berichten over de gezondheid van de Spaanse koning elkaar op. Zondag 24 oktober zou kardinaal Borgia, het hoofd van de Spaanse factie, vanuit Spanje naar het conclaaf gaan: hij had al een celletje naast dat van de andere eminenties gereed laten maken. Maar hij heeft laten weten dat hij niet meer komt. Het schijnt dat de ziekte van de katholieke koning te ernstig is geworden; naar men zegt heeft hij al op 27 oktober de sacramenten ontvangen en de artsen hebben hem zo langzamerhand opgegeven.

Den 20sten november

Gisteren kwam het nieuws. Koning Karel van Spanje is gestorven. Het is op 1 november gebeurd.

Het bericht ging meteen het conclaaf rond: in de nacht was er eerst een ijlbode aangekomen die door de Fransen naar hun kardinaals was gestuurd, daarna nog een voor kardinaal de' Medici van zijn broer, de groothertog van

Toscane, vervolgens een derde bericht van de Franse ambassadeur aan kardinaal d'Estrées.

Het schijnt dat er nu eindelijk een huivering door de eminenties is gevaren. De kwestie van troonopvolging in Spanje ligt open; de hele wereld verwacht van hen de keuze van een nieuwe, verstandige paus die kan bemiddelen tussen de mogendheden om een lange, bloedige oorlog te voorkomen.

Al vanaf morgen, zegt men nu, zullen we de nieuwe paus hebben. De facties zijn wakker geworden en in werking gesteld om een gemeenschappelijke kandidaat te vinden. In de stad worden opnieuw de wanhopigste voorspellingen gedaan: onder andere valt de naam van Marescotti en zelfs die van Barberini.

Nu begin ik het ook te zien. Daarom had je dus al dat uitstellen, het uittesten van kandidaten, het tijdverlies, de banketten, de grappen en het gelach...

Op deze gebeurtenis zat het Heilige College dus te wachten: dat Karel van Spanje zou sterven, dat de situatie echt ernstig en dringend werd (alsof de verkiezing van een paus dat al niet was...).

Ja, een *noodsituatie*: dat hadden ze nodig. Om zware, impopulaire beslissingen te kunnen nemen heb je kritieke omstandigheden nodig: een situatie waartegenover niemand kan zeggen: 'Wacht even, dat gaat zomaar niet.' Atto had gelijk: moeilijke beslissingen moeten in een noodsituatie genomen worden. En als die er niet is, moet je die creëren of er anders op wachten.

Maar wat willen de eminenties, vraag ik me af, plus de mogendheden die het Heilige College beïnvloeden? Ik denk aan Atto's onderwijzingen, toen hij zeventien jaar geleden in een donkere gang in het binnenste van Rome tegen me zei: In staatskwesties gaat het er niet om wat je denkt maar hóe. Niemand weet alles, zelfs koningen niet. En wanneer je niet weet, moet je leren veronderstellen, zelfs waarheden die op het eerste gezicht allerabsurdst lijken: je zult zonder mankeren ontdekken dat alles dramatisch waar is, hoe absurd het ook moge lijken.

En dan begrijp ik het: ze willen een paus die in normale omstandigheden niet gekozen zou kunnen worden. Bijvoorbeeld een die te aftands is (zoals Spinola van Santa Cecilia) of door deze of gene mogendheid wordt gehaat (massa's). Maar wie?

Het onwaarschijnlijke is gebeurd: Albani.

Ze hebben Albani gekozen. Veertig van de achtenvijftig stemmen.

Iedereen zei dat hij geen pauskandidaat was, dat hij te jong was: amper eenenvijftig. Zelfs kardinaal Spada, die vier jaar ouder is, stond niet op de lijst van verkiesbaren. Bovendien stikt Albani, het is bekend, van de verwanten: iedereen weet dat hij die ten koste van de Kerk met goud zal overladen. En toch hebben ze hem gekozen.

Tot voor kort was hij niet eens priester. Hij heeft in allerijl de wijding ontvangen en heeft op 6 oktober voor het eerst de mis opgedragen, de 9de is hij in conclaaf gegaan. Omdat hij geen priester was, was hij ook geen bisschop: maar de paus is ook bisschop van Rome. Albani zal dus na zijn verkiezing uit handen van een kardinaal de bisschoppelijke investituur ontvangen. Dat is in 108 jaar niet voorgekomen.

Welingelichte kringen melden dat Albani heel goed wist dat hij in de race was, dat het geen toeval is dat hij al bij de eerste stemming van 10 oktober zes stemmen heeft gekregen, ook al zijn die toen geheel onopgemerkt gebleven.

Toen het nieuws van de dood van de katholieke koning kwam, hebben de hoogmoedigen, de ottobonianen, odescalchianen, pignatellianen en barberinianen eenstemmig hun naam uitgebracht. De Fransen hebben net gedaan alsof ze uitstel wilden; maar het was duidelijk dat ze niemand anders in gedachten hadden dan hem.

Ik weet het zeker: het was allemaal georganiseerd. Albani was de paus *in pectore*, die achter de schermen al de tiara paste in afwachting van de dood van de Spaanse koning. De Fransen hebben zijn naam naar voren laten brengen door hun vrienden in de andere facties (die Lodewijk XIV, zegt men, sinds mensenheugenis met massa's goud omkoopt). Intussen had Albani dankzij de ruzies met Atto in Villa Spada het beeld van francofiel van zich af geschud, en zo meenden alle anderen een onafhankelijke paus te kiezen. Maar ze hebben een trouw bondgenoot van de allerchristelijkste koning gekozen. Het spelletje was pas aan het einde duidelijk toen de Franse kardinalen totaal onverwachts massaal op hem hebben gestemd.

Het was geen verkiezing maar een komedie. Ook het geleuter dat Albani heeft bedacht toen hem werd meegedeeld dat hij paus ging worden, heeft iets onwaarschijnlijks. Hij zei dat hij bestormd werd door gewetenstwijfel; dat hij het misschien niet kon aanvaarden, dat hij er niet voor voelde. Eergisteren is hij zelfs door een ongesteldheid bevangen, hij is in bed gaan liggen en schijnt overgegeven te hebben, met sporen van gal in het braaksel. Gisteren is hij opgestaan, maar in tranen heeft hij gezegd dat hij het niet kon aanvaarden. Al van een mijl afstand is duidelijk dat het een toneelstukje is, dat zegt iedereen. Als een oud politiek dier wil hij bezworen worden om paus te worden, zodat hij voor bescheiden door kan gaan en zijn critici het zwijgen op kan leggen. Hij weet heel goed dat overal al zijn portretten in pausgewaad worden vervaardigd en op de voorgevels van kerken en openbare gebouwen zijn familiewapen wordt opgehangen. In de Sint-Pieter is al het podium voor de investituurceremonie gereedgemaakt; het wapen van de Albani's is ook al uitgehouwen op de zetel waarmee de nieuwe paus naar de basiliek zal worden gebracht.

Op dit punt heeft Albani, om een eind te maken aan zijn hypocriete weigering, vier theologen geraadpleegd, die hem geduldig de *ratio praecipua* hebben toegelicht die hem verplichtte de tiara te aanvaarden, en nu is de verkiezing publiekelijk bekend.

Den 25sten november

Om zes uur 's ochtends is er een bode van de Spaanse ambassade aangekomen met het tweede grote nieuws.

Een paar uur na de dood van de katholieke koning van Spanje is zijn testament geopend en gelezen: hij wijst als troonopvolger van Spanje Filips van Anjou, de tweede zoon van de Dauphin van Frankrijk en kleinzoon van de allerchristelijkste koning aan. Het nieuws is tot de 10de geheim gehouden, toen Lodewijk XIV in Versailles het testament officieel heeft aanvaard. Het schijnt dat hij tevreden heeft uitgeroepen: *Il n'y a plus de Pyrénées!* Het is waar: nu vormen de Pyreneeën geen belemmering meer voor de weg naar Madrid: de hele Spaanse monarchie zal in Franse handen overgaan.

De ambassadeur van Spanje, hertog d'Uzeda, is onmiddellijk met het nieuws naar de paus gegaan, en liet hem zelfs wakker maken. Uit voldoening heeft de paus Uzeda's kamerling het beneficium van het kanunnikschap van Valladolid verleend.

Maar alle kwaad wordt eens gestraft. Men zegt al dat het keizerrijk het verdict niet aanvaardt en dreigt zijn legers naar Italië te sturen om zich meester te maken van de Spaanse bezittingen op het schiereiland. Frankrijk kan niet straffeloos toezien. De lont van de oorlog brandt.

Als enige in de stad zie ik tussen de feiten verborgen verbanden die schandelijk zijn. De ruil was duidelijk: Lodewijk XIV had Albani het pausschap beloofd. In ruil daarvoor wilde hij zijn kleinzoon op de Spaanse troon.

Atto, Buvat en Maria hadden gezorgd voor de handtekening van de katholieke koning voor een vals testament. Maar in de maanden daaraan voorafgaand had Karel Innocentius XII om bemiddeling gevraagd, en uit zijn verzoek werd duidelijk dat hij geenszins van plan was een Fransman tot opvolger te benoemen. Hij moest dus een antwoord krijgen dat niet het vorm aannemende complot zou verraden; maar dat juist, zo mogelijk, de complotteurs zou helpen. Daarvoor hadden Spada, Spinola en Albani gezorgd. Ze hadden een adequaat antwoord voorbereid, waarmee ze – in plaats van te reageren op het verzoek om bemiddeling – Karel II adviseerden als opvolger onverwijld een kleinzoon van de allerchristelijkste koning te benoemen: zo zou niemand in Spanje op het moment dat het valse testament werd geopend ervan staan te kijken dat Karel een Fransman had gekozen: zelfs de paus had het hem geadviseerd... De twee vervalsingen, mening en testament, moesten elkaar dus bevestigen. Toen de mening gereed was hadden de drie purperdragers de paus gemakkelijk hun wil opgelegd en zich de taak laten toevertrouwen om op het verzoek van de Spaanse monarch te antwoorden.

Het was maar al te simpel om de brief van de paus te vervalsen: de brieven aan vorsten en koningen ondertekende of schreef hij nooit persoonlijk; ze werden door hem gedicteerd aan een secretaris en vervolgens door een kardinaal verzegeld. Niet toevallig heeft Albani, nu hij paus is geworden, een einde aan die gewoonte gemaakt: hij heeft al aangekondigd dat hij, onder het mom dat hij nederig en bij de tijd wil blijven, persoonlijk alle belangrijkere documenten zal opstellen en tekenen...

En ik? In Atto's gevolg was ik een pion in die spelletjes geweest. Al was ik dan geen kardinaal, ook ik had de nieuwe paus gemaakt.

Maar vooral had abt Melani hem gemaakt. Dankzij zijn twistgesprekken met Albani tijdens het feest in Villa Spada was Atto erin geslaagd de enige schaduw die op de persoon van die kardinaal rustte weg te vagen: het gerucht dat hij Fransgezind was.

Daarom had Atto dus niet geantwoord toen ik hem vroeg waarom hij op het feest aanstoot had durven geven met zijn onbezonnen woorden. De waarheid was dat hij moest opvallen als fanatieke Fransgezinde en dat Albani door ruzie met hem te maken het imago moest krijgen van iemand die boven de partijen stond. Zo was het gegaan. En uit die komedie was de nieuwe Heilige Vader voortgekomen.

Atto had het dus gered. Zoals hij aan het begin had aangekondigd, was hij erin geslaagd zijn beslissende stempel op de lotgevallen van het pausdom achter te laten. En hij was er zelfs in geslaagd dat te doen nog voor het conclaaf begon.

Misschien heeft Albani niet toevallig voor zijn pausschap de naam Clemens XI gekozen: was Clemens IX niet de paus van wie Atto zich erop beroemde dat hij hem dertig jaar geleden tot paus had laten kiezen?

Abt Melani had dus niet tegen me gelogen: hij was ook naar Rome gekomen voor de verkiezing van de nieuwe paus. Wat hij in het begin had aangekondigd had later een smoesje geleken, maar werd nu weer waar. Niemand zou echter in zijn plaats in staat zijn geweest tegelijkertijd te intrigeren voor de Spaanse troonopvolging en voor het conclaaf, laverend tussen de koning van Frankrijk, Maria Mancini en de talloze gevaren die we samen hadden getrotseerd. Maar hij, dat vermagerde oudje, had het gered.

Maart 1702

Maria Mancini had gelijk: het was allemaal zinloos.

Nu ik deze regels schrijf, is het al een jaar dat de oorlog Italië met bloed bevlekt, en spoedig zal hij zich overal uitbreiden. De conjunctie van Mars en Jupiter in deze maand, hebben de astrologen gezegd, voorspelt veel veldslagen en rampen.

Vorig voorjaar zijn de keizerlijken het noordoosten binnen gevallen en opgerukt naar het hertogdom Milaan. In juli zijn de Fransen van Catinat, de middelmatige veldheer, in Carpi verslagen en hebben ze de posities tussen de Adige en de Mincio moeten verlaten. De Oostenrijkers zijn toen de Po overgestoken en hebben zich meester gemaakt van het fort Mirandola. Ze konden ook niet worden tegengehouden door de oorlogsdeelname van Piëmont en door de Franse eskadrons van maarschalk de Villeroy, die in Verona krijgsgevangen is gemaakt. Een en ander is pas veranderd met de komst van Vendôme. Hij heeft tachtigduizend verse, goed uitgeruste manschappen meegebracht, Modena heroverd en Mantua en Milaan veilig gesteld, terwijl de keizerlijken uitgeput zijn geraakt en door hun reserves heen zijn. Het is op dit punt mogelijk dat hij zich, als de weg door het gebergte van Tirol naar Beieren vrij komt, verenigt met het Franse leger van de Rijn om regelrecht op te rukken naar Wenen en te proberen het keizerrijk de doodklap toe te dienen.

Maar ook dit zal niet de oorlog kunnen beëindigen. Frankrijk staat op het punt te worden aangevallen door Engeland en Holland, die popelen om het in het stof te laten bijten: de allerchristelijkste koning heeft ze bedrogen. Hij had met hen een verdrag gesloten voor de verdeling van de immense Spaanse monarchie; maar daarna heeft hij gesteund door het testament van Karel II alles ingepikt, met maling aan de afspraken. Het conflict zal zich dus wel snel naar iedere uithoek van het continent uitbreiden.

De held van dit eerste oorlogsjaar heeft curieus genoeg Italiaans bloed in zijn aderen. Het is prins Eugenius van Savoye, de zoon van een hertog van Savoye en een vrouw die ik onderhand wel ken uit Atto's verhalen: Olimpia Mancini, de vreselijke zus van Maria.

Prins Eugenius zou Frans geworden zijn, maar toen Lodewijk XIV nog heel jong was, heeft hij hem verwaarloosd en vernederd, en hem gemaand zijn rijk te verlaten. Toen is hij in dienst van de keizer getreden en de grootste generaal aller tijden geworden. Ten koste van Frankrijk. Ach Silvio, Silvio...

De Connétablesse bevestigt zo dat ze de vrouw van het lot is: Eugène, haar neef, is de overheerser van het conflict dat over het lot van de wereld zal beslissen. Haar meedogenloze zus, Olimpia, vindt eindelijk een uitweg voor haar kwaadaardigheid: haar zoon is het militaire genie dat overal terreur zaait.

Zoals op ieder ander beslissend moment van de geschiedenis komen de voorspellingen uit. De vader van Maria Mancini had in de horoscoop van zijn dochter gelezen dat zij tumult, opstanden en zelfs een oorlog zou ontketenen. Hij had het goed gezien: als de jonge allerchristelijkste koning met haar en niet met de Spaanse infante was getrouwd, had hij niet naar de opvolging van Karel II kunnen dingen. En had deze oorlog nooit plaatsgehad.

Twee jaar lang heb ik mijn gedachten gepijnigd over het complot waarin ik misschien de kostbare, doorslaggevende pion ben geweest. Een jaar geleden heb ik eindelijk de knoop doorgehakt en het verhaal van de gebeurtenissen opgeschreven. Ik heb zelfs een titelpagina laten drukken, met decoraties en al, die ik aan het begin van deze pagina's heb gezet. Ik zal het hele werk aan abt Melani sturen, want hij heeft me betaald, en zal dan tegelijkertijd de bruidsschat voor mijn meiskes opeisen. Nu zijn ze twaalf en acht: ik heb nog even de tijd voordat het te laat is om een goede man voor hen te vinden.

Zal hij antwoord geven? Soms word ik overmand door rancune tegen die meester in intrige en leugenachtigheid. Maar dan heb ik weer de scapulier van de Madonna van de Karmel in handen met de drie pareltjes die hij zeventien jaar lang als herinnering aan mij had bewaard en die hij me in het hol van Ugonio heeft teruggegeven. En dan zeg ik bij mezelf dat ik bij abt Melani misschien alleen aan dat liefdevolle gebaar zou moeten denken.

Ik vrees dat er geen tijd meer is voor wraak. Atto Melani, de adviseur van de allerchristelijkste koning en abt van Beaubec, is (misschien?) tegenwoordig zesenzeventig jaar oud. Ik kijk om me heen en zie dat maar weinigen, maar heel weinigen op zijn leeftijd nog op de been, gezond en kwiek zijn; of zelfs maar in leven. Het gevaarlijke leven dat hij heeft geleid moet wel sporen hebben achtergelaten in zijn vermoeide leden. Er valt alleen maar te hopen.

Maar het heden kwelt me nog meer dan de toekomst. Goed dat Maria Mancini haar Lodewijk waarschuwde dat het valse testament niets zou oplossen. Nu de kanonnen bulderen weet ik ook dat heel die intrige, al die inspanningen om de Spaanse troonopvolging op te lossen door bedrog, maar met vermijding van oorlog, tevergeefs zijn geweest. Filips van Anjou heeft de troon van Spanje bestegen, zoals de Zonnekoning wilde, maar Frankrijk is meegesleept in een conflict tegen de andere mogendheden waar de hele wereld nooit meer bovenuit zal kunnen komen. 'Een grote broederstrijd, een nieuwe Peloponnesische oorlog', had de Connétablesse voorspeld.

In die julidagen in Villa Spada dacht ik nuttig te zijn voor mijn meiskes. Maar ik werkte mee aan een complot dat Europa naar de vernietiging leidde.

Is dit de beloning dat ik me zo druk heb gemaakt, dat ik in het donker de koepel van de Sint-Pieter ben op gegaan?

Twee dagen geleden ben ik het antwoord gaan zoeken op de plaats die me in het verleden de meeste antwoorden heeft gegeven, Het Schip.

Ik moest me even afzonderen en tegelijkertijd een gesprekspartner vinden. Cloridia was buitenshuis om een kraamvrouw bij te staan. Melani en Buvat waren in Parijs, en de duivel mocht ze halen.

Maar wie weet of hij, die merkwaardige vent, nog daar was waar we hem hadden achtergelaten? Er waren twee jaren voorbij, maar in sommige gevallen is niets onmogelijk.

'Koning Salomo zei: Hoe groter de kennis, hoe groter de smart.'

Alsof er nog geen dag voorbij was, had ik hem, amper gearriveerd, op de gebruikelijke plaats aangetroffen, terwijl hij wiegde op de daklijst van Het Schip en uiteraard op zijn viool de folía speelde.

Hij had me meteen met dat bijbelcitaat verwelkomd alsof hij in de flits van mijn ogen had gelezen wat ik zocht. Kon ik hem ongelijk geven? Naar Het Schip ging je niet, behalve om te zoeken.

'En hij zei ook dat veel wijsheid veel verdriet brengt,' vulde de Hollander aan.

Het was waar, ja, meer dan waar. Nu ik wist, had ik het moeilijk. Net als negentien jaar geleden, toen ik abt Melani had leren kennen en mijn kinderillusies de een na de ander waren gesneuveld onder de nietsontziende klappen van de werkelijkheid.

'Juist daarvoor bestaat de folía,' vervolgde de violist luid om beter verstaanbaar te zijn, terwijl hij de strijkstok hanteerde en een brede glimlach ontvouwde. 'De folía verblijdt het gemoed en, zoals Hildegard von Bingen predikte, zet de *tristitia saeculi* om in *coeleste gaudium*, oftewel het wereldleed in de vreugde des hemels!'

Na twee jaar hoorde ik de folía weer. De gearpeggieerde noten sleepten zelfs Albicastro's woorden en ledematen mee en hervormden ze tot de fiere accenten van die dans; in contrapunt met zijn woorden werden de begrippen onbekende, geweldige muziek.

Een paar minuten lang leek hij alleen bezig te zijn met spelen, en ik besloot wat afstand te nemen. Wederom sloeg ik de tuinen van Het Schip in om op mijn gemak te wandelen; maar weldra gingen mijn gedachten in galop en draaiden rond op het vurige ritme van de folía.

Belicht door de welluidende flitsen van die muziek boden de gebeurtenissen die ik had beleefd vele, vele gezichten, ze blikten me aan en lieten zich najagen en plotseling viel dat gezoem van hen stil, zodat ik dacht 'Daar heb ik ze', maar algauw begonnen ze weer op een andere manier te wervelen en nadat ze mijn prille zekerheden hadden ondermijnd, leken ze weer andere wegen van kennis te suggereren.

Buiten mij bestonden er zo talloze werelden van de folía. Binnen in mij, in mijn gedachten, waren echter twee werelden. In de ene waren Atto en Maria de verachtelijke spionnen in dienst van de Franse koning, die om verwarring te stichten in hun brieven deden of ze een minnestrijd voerden. Maar in de andere wereld was abt Melani de trouwe, galante liefdesbode tussen de Connétablesse en de allerchristelijkste koning, die gebruikmaakten van de politiek om elkaar net als veertig jaar geleden het hof te maken en dezelfde alter ego's, Silvio en Dorinda, aanwendden als uit hun oude liefdesbrieven.

Welke van die twee werelden was werkelijkheid en welke illusie? Had ik alleen maskers gezien of mannen en vrouwen van vlees en bloed?

Terwijl de muziek de ruimte om me heen vulde, wette ik mijn verstand. Wat had Atto de dag voor hij vluchtte gezegd? 'Mocht de losscheuring van Zijne Majesteit van Maria Mancini het Bourbonse bloed nu de troon van Spanje opleveren, dan zullen ze niet vergeefs uit elkaar gehaald zijn.'

En toen begreep ik het. Die twee werelden, de wereld van de spionnen en die van de geliefden, sloten elkaar niet uit. Ze bestonden naast elkaar en voedden elkaar juist.

Maria en Lodewijk waren losgescheurd vanwege Spanje. Na veertig jaar schreven ze elkaar weer, nog steeds vanwege Spanje. Hun hartstocht had moeten wijken voor de staatsraison, maar was er onlosmakelijk mee verweven. Maria spioneerde voor Lodewijk, maar dan uit liefde. De geheime code was *Il pastor fido*, hun lievelingslectuur van vroeger. En Atto trad als tussenpersoon op, nu net als toen.

Had Maria niet van Lodewijk gehouden, dan zou ze zijn bevelen misschien niet gehoorzaamd hebben. Dat zag je aan haar brieven: 'Ik begrijp het standpunt van Lidio, maar ik zeg U nogmaals wat ik denk: het is allemaal zinloos'. Zij had de valse handtekening van Karel II nooit mee naar Madrid willen nemen; een zinloze streek, dacht ze, die zich tegen zijn bedenker zou keren.

Net zoals Croesus, de koning van Lydia, van Solon wilde horen dat hij de gelukkigste mens was, zo wilde de allerchristelijkste koning de Connétablesse met die handtekening, die hem op een gouden presenteerblaadje de Spaanse kroon zou overhandigen, aantonen dat hij de machtigste koning was, en dus de gelukkigste van de stervelingen. Atto had het Maria aangekondigd: 'Wat u zult ontvangen, wanneer wij elkaar zien, zal U overtuigen. U weet hoezeer hij behagen schept in Uw oordeel.'

Maar zij had evenals Solon haar hoofd geschud. Had ze het ook niet duidelijk geschreven? 'Wat vandaag een goed lijkt, verandert morgen in ongeluk. God heeft velen het geluk getoond, en vervolgens heeft Hij hen ten val gebracht en vernietigd.'

Ze dacht niet dat dat valse testament, dat de machtshonger van de allerchristelijkste koning moest stillen, ook zijn geluk als mens zou worden. Maar in naam van hun oude liefde was ze door de knieën gegaan: 'Ik zal komen. Ik zal de wensen van Lidio gehoorzamen. We zullen elkaar derhalve in Villa Spada weerzien. Dat beloof ik U.' Lodewijk verwachtte van haar een dubbele gehoorzaamheid: wat betreft de liefde en de staat.

Het was dus wel wat anders dan een liefdespand, zei ik met een bitter lachje bij mezelf, wat de abt haar moest geven. Dat velletje papier met maar drie woorden, *Yo el Rey*, zou de geschiedenis van de wereld veranderen.

Toch had Atto het aan mij, eenvoudige boer en knecht van huize Spada, toevertrouwd; hij had het niet persoonlijk aan Maria gegeven. Waarom?

Om geen vuile handen te maken en een onbekende tussenpersoon de vervalste handtekening te laten bezorgen die gloeiender was dan talloze vuren: dit had ik twee jaar geleden nog in mijn woede bedacht. Maar de abt had me tot aan het klooster vergezeld: een weinig voorzichtige stap voor iemand die alles van tevoren heeft uitgedacht.

Nee, de wet van de twee werelden die naast elkaar bestonden, die van de gevoelens en die van de smerige politiek, gold ook voor Atto. Op het laatste moment, dat begreep ik nu pas, was zijn hart gezwicht. De moed om zich aan te dienen bij de vrouw van wie hij al dertig jaar hield zonder haar weergezien te hebben, had hem ontbroken. Hij had zich niet aan haar willen vertonen met te veel winters op zijn rug; maar misschien haar ook niet willen weerzien zoals zij nu was. Waren Atto's ogen niet de ogen van de allerchristelijkste koning zelf? Als Maria zich niet aan de koning wilde vertonen, was het misschien goed dat ook Melani haar niet zag: hij wilde haar niet verraden en evenmin liegen tegen Lodewijk. Vroeg of laat zou de dag komen waarop de vorst hem de onvermijdelijke vraag zou stellen: 'Zegt u eens, is ze nog knap?'

Ik, die haar had gezien, had de abt wel kunnen vertellen dat ze misschien nog nooit zo knap was geweest, dat de herinnering aan haar, aan het blanke licht van haar gezicht en handen, aan het vurige kastanjebruin van haar grote ogen die de mijne kruisten, aan de scharlaken linten die kundig in de volle bos krullen geweven waren, me nooit zou verlaten.

Maar dat was niet mogelijk geweest. Atto was weggegaan.

De folía ging intussen onverbiddelijk door, en mijn overpeinzingen deden hetzelfde. Atto had de noodlottige brief voor Maria slecht verzegeld, een te ernstige onoplettendheid (dat begreep ik pas nu mijn woede was bedaard) om niet met opzet te zijn begaan. Hij had niet de kracht gehad om tot het einde toe tegen me te liegen; hij had me het hele bedrog willen opbiechten, maar dan op zijn manier. En toen het onvermijdelijke gevolg, de overijlde vlucht. Zelf verdroeg hij de waarheid niet.

En Maria's brieven? Was het toeval dat ik die in Atto's vertrekken had ontdekt en stiekem gelezen? O nee, bij Atto was niets toevallig. Wat zou die handtekening, *yo el Rey*, me hebben gezegd, als ik niet de brieven van Atto en Maria had gelezen? Weinig of niets, onbekend als ik in het begin was met de Spaanse troonopvolging en het testament van Karel II.

Dit kon maar één ding betekenen. Hij wist dat ik de brieven had gelezen. Sterker nog: hij had *gewild* dat ik zijn correspondentie met de Connétablesse las. En ik was in de val gelopen.

Hoe naïef! En wat had ik me uitgekookt gewaand toen ik die papieren in het vuile ondergoed van de abt had gevonden. Atto had ze er expres in gedaan, in de zekerheid dat ik snel terug zou denken aan toen hij en ik, zeventien jaar eerder, het antwoord op onze onderzoeken hadden gevonden in een vuile onderbroek.

Om goed profijt van mij te hebben als informant en gebruik te kunnen maken van mijn hulp moest ik op de hoogte zijn van de kwestie rond de Spaanse troonopvolging. Iemand die niet weet is als iemand die niet ziet, en ik moest weten om te kunnen opmerken en vervolgens door te geven. Maar Atto kon me niet openlijk instrueren: ik zou hem te veel vragen hebben gesteld waarop hij geen antwoord wilde geven. Dus had hij deze truc uitgedacht. En toen hij niet meer wilde dat ik de brieven las (de laatste bevatten te veel lastige waarheden), had hij ze zorgvuldig ergens anders verborgen, tot in zijn pruik aan toe.

Maar hij had niet voorzien dat ik de hindernis zou overwinnen. Uiteindelijk zou ik ze evengoed lezen en zo heel dicht bij de waarheid komen: ik had ontdekt dat Atto tegen me gelogen had over de drie kardinalen. Maar daarna hadden de poëtische smeekbeden tot Maria, die alweer niet in Villa Spada arriveerde, me in de war gebracht.

Terwijl hij die liefdesregels schreef, wist de abt al dat zij nooit aan de festiviteiten zou kunnen meedoen! Wat hem die droeve versregels had gedicteerd was dus niet zozeer de verbazing om haar uitblijven, als wel de kwelling haar dichtbij, heel dichtbij, te weten, maar onbereikbaar vanwege dezelfde missie die hen beiden naar Villa Spada had gevoerd. De twee werelden bleven naast elkaar bestaan.

Ik had liever niets van dat al ontdekt, zei ik bij mezelf, terwijl het middaglicht inmiddels aan kracht verloor. Als de abt niet was gezwicht voor rijkelijk late, nodeloze gewetensbezwaren jegens mij (nadat hij mijn leven meer- en meermalen in gevaar had gebracht!), had hij niet hoeven vluchten en zouden we, zoals hij had beloofd, samen naar de notaris zijn gegaan voor de bruidsschat van mijn meiskes.

Ik had zin om hem te gaan opsporen in Parijs, die valsaard. Onwillekeurig maakte ik een gebaar, mijn vuist schoot weg op zoek naar Atto's kaak.

'Je wilt je graag wreken, hè, jongen?' vroeg Albicastro, die weer opdook terwijl hij op zijn viool een staccato van zijn folía moduleerde.

'Ik wil graag rustig leven.'

'Wie houdt je tegen? Doe zoals de jonge Telemachus.'

'Alweer die Telemachus,' barstte ik uit, 'u en abt Melani...'

'Als je leeft zoals Telemachus, van wie de naam niet toevallig "hij die vecht op afstand" betekent, zul je rustig leven,' sprak de Hollander nadrukkelijk met de lettergrepen op het ritme van de noten.

'Een knappe jongen die u begrijpt...' mompelde ik als antwoord op de overdenkingen van dat wonderlijke individu.

'Telemachus spande het koord van de boog, maar zijn vader Odysseus, die verkleed was, gebaarde van nee, hield hem tegen,' vertelde Albicastro, terwijl hij overging op een nieuwe variatie op het thema van de folía; 'en toen zei Telemachus tegen de vrijers: "Ik ben [misschien] nog te jong. Maar komaan – nu jullie, die heel wat sterker dan ik zijn, neemt de proef met de boog en laat ons de wedstrijd beslissen." Weet je wat dat betekent? De jonge Telemachus had de boog van zijn vader kunnen spannen, nou en of. Maar hem kwam niet de wraak toe. Wapen jij je zo ook met geduld en laat de Heer begaan. Zie je, jongen,' hervatte hij op zachtere toon, 'die wereld van ons, die al vanaf Homerus en misschien nog veel eerder duurt, is de wereld van de zotheid, van de "strijd op afstand": de Jongste Dag is nog niet gekomen, die waarop lachend en gekheid makend de fatale boog van Odysseus zal worden gespannen. Maar laten we ons niet afvragen hoe ver die dag nog verwijderd is,' waarschuwde hij en hij reciteerde toen:

'De stad Jeruzalem viel, ging te gronde,
Toen God het lange wachten had gestaakt;
De Ninevieten leken zeer geraakt
Omdat ze boetten, en werden vergeven,
Doch dat duurde in feite ook maar even;
Ze zondigden nog meer en onomwonden,
Maar Jona werd er niet meer heen gezonden.
Alle dingen hebben hun doel en tijd
En gaan hun weg, naar Gods voorzienigheid.'

Daar hoorde ik na twee jaar weer de rijmen van dat poëem, *Het narrenschip*. Het leek voor iedere ervaring die ik had meegemaakt de juiste versregel klaar te hebben: van Het Schip tot de cerretanen.

'Vroeg of laat zal ik dat boek van uw geliefde Brant gaan lezen,' dacht ik hardop.

'Laten we, in afwachting van de voleinding der Tijden,' vervolgde intussen Albicastro onverstoorbaar, 'leven en beminnen! En laten de dreigementen van de vrijers voor ons nog geen halve duit waard zijn. Ga naar huis, jongen, omhels je gezin en denk niet meer. De zotheid van iemand die bemint, zei Plato, is de allergelukkigste.'

Ik vroeg me af of Albicastro met al die duistere praatjes niet bij een of andere ketterse sekte hoorde. Maar één juist ding had hij wel gezegd: het verleden begraven en teruggaan naar huis. Ieder commentaar vermijdend liep ik met een gebaar ten afscheid weg.

'Vaarwel, jongen, we zullen elkaar niet meer zien,' reageerde hij, terwijl hij voor het eerst in Het Schip een ander motief begon dan de folía.

Ik hoorde ervan op en bleef staan; het was een gekwelde, nerveuze muziek die een gevoel van directe dreiging gaf. Met scherpe, herhaalde streken ontlokte Albicastro zijn instrument heel de tragedie die een kleine houten kast en vier darmsnaren soms kunnen verspreiden, waarmee ze hun lachwekkende afmetingen ongedaan maken.

'Gaat u terug naar huis?' vroeg ik.

'Ik ga de oorlog in. Ik ga dienst nemen in het Hollandse leger,' antwoordde hij, terwijl hij op me toeliep en het ritmische beuken van dat harde en bijna obsessieve motief sprak van kanonnen, tamboeren, geforceerde marsen in de modder.

'En uw "strijd op afstand" dan?' vroeg ik na een moment van verbazing.

'Ik benoem je tot mijn opvolger,' zei hij plechtig, de uitvoering onderbrekend en de strijkstok op mijn schouder leggend bij wijze van investituur. 'Bovendien...' lachte hij voordat hij me de rug toekeerde en naar het hek liep, 'kun je in het Hollandse leger goed geld verdienen!'

Ik zag ervan af te begrijpen wat hij gekscherend had gezegd. Hij liep met zijn viool aan zijn schouder weg en begon weer een ander motief: een weemoedig adagio, een heel zuivere zanglijn waarop de strijkstok van de Vliegende Hollander trillers en roulades, voorslagen en mordenten improviseerde, delicate bloemlezingen van een melodie die beter dan ieder aards afscheid (muziek is niet helemaal menselijk) tegelijkertijd mij, Het Schip, de vrede en de tijden achter ons vaarwel zei.

Nu kon ik ook gaan. Ik maakte een laatste rondje in de tuinen van Het Schip. Nog éénmaal stak de wind op, waardoor het gloeiende gelaat van de zon zichtbaar werd. Het weer was onverwachts bijna voorjaarsachtig geworden en het leek of iemand de wijzers van de klok een paar uur had teruggezet. Ik begaf me ten slotte naar de uitgang, toen een geritsel van kleren en een lachje mijn aandacht trokken.

Toen zag ik ze. Achter een dichte haag, zoals toen we haar voor het eerst hadden gezien: een delicate zweetdoek waardoor je kon zien en niet zien, weten en niet weten.

Ditmaal waren ze oud. Niet op leeftijd: oud. De gezichten gerimpeld, de stemmen hees, de oogleden geloken. Desondanks leken ze net zo vrolijk als toen Atto en ik ze vanuit de ramen van de eerste verdieping hadden gezien als twintigjarigen. Ze liepen gebogen en glimlachend naast elkaar en becommentarieerden iets onbelangrijks; zij gaf hem een arm.

Ik hield mijn adem in. Ik wilde er dichter naartoe, erachter komen of ik het goed had gezien. Ik zocht een gat in de haag, probeerde eromheen te lopen, veranderde van gedachte, keerde terug en keek opnieuw.

Te laat. Als ze al daar waren geweest, waren ze nu ergens anders.

Ik wachtte niet tot ze terugkeerden. Ik wist uit ervaring dat dat zinloos was.

Ik dacht een laatste keer aan Albicastro. Hij verliet die verlaten villa, die in werkelijkheid vol geheimzinnig leven was, om zich in het gedruis van de wereld te storten, waarin nu alleen maar oorlog en verwoesting heersten. Ik herinnerde me wat hij twee jaar geleden had gezegd: net als de Silenen van Alcibiades, de lompe beeldjes die beelden van goden in zich bergen, lijkt wat dood is leven en is andersom wat leven lijkt dood.

Terwijl ik Het Schip verliet, merkte ik dat de lucht weer was betrokken; het licht was onverwachts dof en avondlijk geworden.

Ik voelde de huid van mijn armen ruw worden van de onrust. Ik wist dat het Weer op die plaats een werveling kon worden en dan weer op zijn schreden kon terugkeren. Waarom zou je er dan van opkijken, zei ik bij mezelf, als de wind en de bladeren, de wolken en de zon het met dezelfde danspas vergezelden?

'Wat is er met je gebeurd? Ik zoek je al uren!'

Ik zag zo bleek als een doek. Met een verbaasde, ongeruste blik ontving Cloridia me in haar liefdevolle armen. Ze was me op weg naar huis tegemoetgekomen.

Ik legde haar alles achter elkaar uit wat ik net had gezien; ze lachte.

'Jouw abt zou het over fantasieën hebben, hallucinogene dampen of zelfs een truc, en hij zou misschien een van de vele traktaatjes over occulte natuurkunde citeren die nu zo in de mode zijn.'

'Maar?' vroeg ik, terugdenkend aan de truc met de kamfer waardoor ik in het hol van Ugonio dacht dood te zijn.

'Maar ik zou je kunnen zeggen dat je hebt gezien of je verbeeld wat er was gebeurd als de koning van Frankrijk en Maria Mancini niet uit elkaar gehaald waren: ze zouden samen oud geworden zijn.'

'Dus hier in Het Schip is weer aan me verschenen wat er voor goeds had moeten gebeuren en niet is gebeurd,' zei ik. 'Maar waarom heb ik nooit gezien wat er voor slechts kon gebeuren?'

'Ik zou als volgt kunnen antwoorden. Eerste reden: in deze villa vindt alleen een onderkomen wat *rechtvaardig* geweest zou zijn als het gebeurde en wat geen... "onjuistheid", laten we het zo maar noemen, van de geschiedenis gebleken is. Een afwijking van de natuurlijke orde der dingen.'

'En de tweede reden?' vroeg ik, omdat Cloridia haar gedachtegang had onderbroken.

'Ik zou, nogmaals ik *zou*, grote woorden kunnen gebruiken en je kunnen uitleggen dat het Goede, wat goed en rechtvaardig is, er alleen gewoonweg *is*. Het is een afgeleide van God de Vader en Schepper, dus het bestaat, in de hoogste zin des woords. En het blijft ook bestaan wanneer het in de arena van de aardse zaken het veld ruimt voor overheersende kwade krachten. Dit omdat het Goede zuiver een onaantastbare Bewering is en wel moet bestaan. Het wordt dus nooit tenietgedaan. En wees er ook maar zeker van dat het in andere tijden in andere vormen weer opduikt.'

'Maar het Kwade?'

'Je weet best dat ik de pest aan filosofie heb. Maar ook hier zou ik je de heilige Augustinus van Hippo kunnen citeren: het Kwade is Ontkenning. In tegenstelling tot het Goede bestaat het niet op zichzelf, maar alleen als vernietiging van wat goed en rechtvaardig is. Daarom gaat het voorbedachte Kwade wanneer het door het Goede wordt overwonnen nergens heen, maar verdwijnt het helemaal, ofwel zijn leugenachtige verschijning verdwijnt, de lege schil die de mensen zand in de ogen strooide. Daarom zul je nooit een Schip vinden dat slechte bedoelingen verzamelt, de kwade plannen waarvan verhinderd werd dat ze doorgingen.'

Ik keek haar verbijsterd aan: ze praatte alsof het allemaal de natuurlijkste zaak van de wereld was. Zwijgend legden we de rest van het traject af.

'Voor jullie vrouwen is alles altijd zo vanzelfsprekend!' verzuchtte ik toen we op het erf van ons huis gekomen waren. Ik deed de mooie schoenen die ik van Atto gekregen had uit, trok mijn boerenklompen aan en vervolgde: 'Jullie zouden nog een ezel kunnen zien vliegen zonder ervan op te kijken.'

'Misschien omdat wij, zoals jullie mannen zeggen, minder hersens hebben dan jullie,' zei mijn bruid, terwijl ze me van mijn kostuum en blauwe haarlint ontdeed.

'Nee, ik bedoelde dat jullie veel wijzer zijn.'

'Niet toevallig was het een vrouw en niet een man die de kop van de slang met haar blote voet verpletterde,' knikte Cloridia, 'maar let wel, ik zei dat ik dat allemaal *zou* kunnen zeggen...'

'Maar?'

'Maar ik zeg gewoon dat je een hallucinatie hebt gehad. Een product van je fantasie. Een roman waardig, zou ik zeggen.'

Waarde Alessio,

Staat U mij een kort afscheid toe nu U aan het einde van het werk van mijn twee vrienden bent gekomen.

Ditmaal heb ik geen naspeuringen hoeven doen om de authenticiteit van de verhaalde gebeurtenissen na te trekken: bij het geschrift heb ik ook een schijfje ontvangen met alle muziekstukken erop die in het werk genoemd worden, en een aanhangsel met documentatie. Een gelukkige bijkomstigheid: vanuit de plaats waar ik me bevind zou ik geen enkel onderzoek kunnen instellen, noch een opname van de even onbekende als fascinerende folía van Albicastro of van een aria uit *Il pastor fido* kunnen opsporen.

Ik laat U nu het genoegen om te controleren of hetgeen in de tekst beweerd wordt en wat U net gelezen hebt, ook waar is. Het werk is minder zwaar dan U denkt. Bovendien zult U in goed gezelschap zijn van de onbekende uitvoerenden van de stukken op de plaat, die ik voor U bijvoeg.

Zoals U op de volgende pagina's zult lezen, hebben Rita en Francesco twee grafologen gevraagd de handtekening van het testament van Karel II van Spanje te analyseren. Het resultaat is onmiskenbaar: de handtekening is vals.

Genoeg, ik maak U niet meer voortijdig bekend. Veeleer komt U nog een antwoord toe: waarom heb ik U dit geschrift toegestuurd? Simpel: in Rome, zo dicht bij de Heilige Vader, zal het stellig meer geluk hebben dan hier in het verre Tomi, in de handen van een arme bisschop die gedegradeerd is tot priester. Maar spant U zich niet te veel in om Uw pij van kostbare stof te laten ronddraaien in de gangen en geheimste vertrekken: dat zal niets uithalen. Staat U mij wat dat betreft toe de vermaning van Ovidius, de Latijnse dichter die mij voorging in het ongeluk, tot U te richten, zoals geciteerd door Atto Melani: 'Je bent een mens, Phaëton, maar wat jij wenst is niet meer menselijk.'

Ik heb er vertrouwen in dat Uw persoon mijn twee vrienden uiteindelijk geluk zal brengen. 'Hoe dan?' zult U zich sarcastisch, maar ook – dat weet ik – verontrust afvragen.

Het antwoord ligt in de geest Gods, *quem nullum latet secretum.*

Documentatie

De handtekening van Karel II van Spanje

Als het waar is dat het testament van Karel II is vervalst, rijst de vraag: wat zou er zijn gebeurd als dat bedrog niet had plaatsgevonden?

De Spaanse Successieoorlog zou niet zijn uitgebroken; of misschien zouden de bij het conflict betrokken bondgenootschappen anders zijn geweest, dus ook de uitkomst ervan. Misschien zou het Spaanse rijk op vreedzame wijze over de verschillende mogendheden zijn verdeeld, zoals in het Verdelingsverdrag was bedoeld. Frankrijk, gespaard gebleven voor een afschuwelijk conflict, zou op het continent een dominante positie hebben behouden, en wellicht hadden zelfs de gebeurtenissen die tot de revolutie van 1789 leidden een ander karakter gekregen en was die pas later uitgebroken, of minder gewelddadig geweest. Europa zou, na het beëindigen van de militaire strijd, waarschijnlijk volstrekt anders zijn ingedeeld. Het verloop van de daaropvolgende eeuwen zou mogelijk radicaal anders zijn geweest.

Hoe kom je erachter of een handtekening is vervalst? Door er een grafoloog bij te halen natuurlijk. Of liever twee.

Authentieke handtekeningen van Karel II zijn te vinden in de archieven van talloze grote Europese steden, waar de diplomatieke correspondentie van de koningen van Spanje met hun ambassadeurs of andere heersers worden bewaard. Zie hieronder vijf handtekeningen van Karel II uit verschillende perioden van zijn korte leven:

1677

1679

1687

1689

1700

En ziehier de handtekening onder het testament, bewaard in Spanje, in het archief van Simancas:

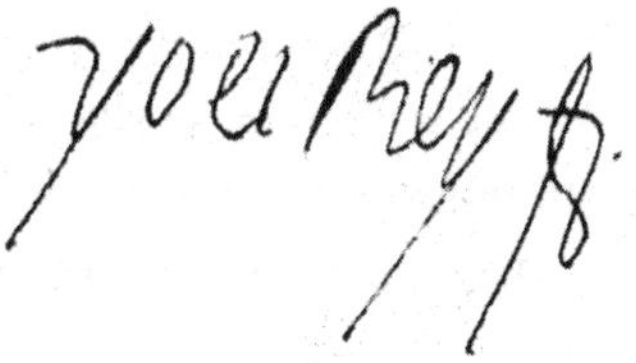

Ook voor de ogen van een leek is het duidelijk dat die kloeke, zelfbewuste, daadkrachtige handtekening niet die van een chronisch zieke als Karel II kan zijn, iemand die de laatste maanden (het testament zou nog geen maand voor zijn dood door de koning zijn ondertekend) volledig verzwakt door zijn ziekte vrijwel voortdurend het bed moest houden. De andere handtekeningen zijn onzeker, onregelmatig, soms beverig. Hoe dichter het uur van zijn dood naderde, hoe beveriger ze werden. Merkwaardig genoeg is juist de laatste, onder het testament, toen Karel nog maar één stap van zijn einde verwijderd was, geplaatst met de zwier en de zorgeloosheid van een jongeman.

Een leek kan zich echter vergissen. Daarom zijn er twee befaamde grafologen bij geroepen, beiden als consulent werkzaam voor de juridische autoriteiten: de een in de buurt van Verona, de ander in Napels. Een vrouw uit Noord-Italië, een man uit het Zuiden, onderling zo verschillend als maar kan. Over elkaars identiteit zijn ze uiteraard in het ongewisse gelaten.

Het eerste antwoord kwam uit het Noorden. Marina Tonini schreef dat

... de vergelijking van onderhavige handtekening x, gedateerd 3 oktober 1700, met die van april 1700, noopt tot het stellen van een aantal vragen betreffende de authenticiteit van x. Daarnaast dient te worden opgemerkt dat aan de ondertekening gedateerd april 1700 de positionering van de 'l' in 'el', in 'Yo el Rey', volledig ontbreekt. Genoemd verschijnsel is overigens geheel in overeenstemming met het ernstig verstoorde schrijfproces zoals blijkt uit de tekst van A5. Wat dat betreft lijkt de vraag gewettigd of het subject in staat was tot een over het geheel genomen vloeiende en ongedwongen handbeweging zoals we zien bij x.

Daarom lijkt het, op basis van alle tot nu toe aangevoerde bemerkingen, zij het met inachtneming van de beperkingen die voortvloeien uit het feit dat er alleen fotokopieën beschikbaar waren, gerechtvaardigd u mee te delen dat ondertekening x naar alle waarschijnlijkheid niet afkomstig is van dezelfde hand die ook ondertekeningen A heeft gezet.

De uitdrukking 'naar alle waarschijnlijkheid' geeft aan dat drs. Tonini in vaktechnische zin een minimale marge van onzekerheid moest openlaten, zoals algemeen gebruikelijk onder grafologen, omdat ze geen enkel origineel van de handtekeningen onder ogen heeft gehad, maar alleen foto's en fotokopieën. Een obstakel dat overigens onmogelijk te omzeilen is, aangezien de brieven waaruit ze afkomstig zijn zich in Spanje en Oostenrijk bevinden.

Er ontbrak dus nog steeds iets. Uiteindelijk werd dat aangevuld door een ander onderzoek, van advocaat én juridisch grafoloog Andrea Faiello uit Napels. Een schot in de roos: advocaat Faiello kent, uit de tijd van zijn universitaire opleiding, de geschiedenis van de Spaanse troonopvolging en is vertrouwd met de historische archieven van zijn stad. In vervolg op het onderzoek van drs. Tonini, hoe accuraat ook, boekt de kwestie aanzienlijke vooruitgang: Faiello is persoonlijk naar het staatsarchief in Napels gegaan om rechtstreeks, op originele documenten, andere handtekeningen van Karel II te bekijken. Dat bood hem de mogelijkheid om het geheel nog beter te kunnen beoordelen. En het resultaat was ernaar.

In de ondertekening van het testament, aldus Faiello's verklaring

... ontbreken volledig de kenmerken van 'het handschrift in bed', zoals frequent door elkaar schrijven, beven, in elkaar schuiven, overslaan, en meer in het algemeen tekens die wijzen op toenemende vermoeidheid van de schrijvende hand [...] (een vermoeidheid die, gezien de gezondheidstoestand van Karel II in de periode van de vermeende ondertekening, des te evidenter had moeten zijn...).

Het handschrift ziet er echter vloeiend uit (grafologisch kenmerk: 'vloeiend handschrift' – karakteristiek voor dat type handschrift dat onmiskenbaar naar rechts helt, waarbij de grafische lijn eerder geneigd is in horizontale dan in verticale richting te bewegen, ongeacht de haast of de rust, het respect of de minachting voor de letters waarmee die beweging wordt gemaakt – motorische tendens: ongeremd en dynamisch qua gevoelsleven en wilskracht).

Let bovendien op de aanwezigheid van het grafologische kenmerk 'dansend schrift', karakteristiek voor het handschrift waarin letters of gedeelten van letters niet op de reële of imaginaire regel staan maar erboven- of eronderuit steken [...]. Vergeleken met bewezen authentieke handschriften valt eveneens een onmiskenbare afwijking in de vormgeving van de 'keerhaal' op, (de ruimte tussen het steeltje – de neerhaal – en de lus, de ophaal) tussen eerstgenoemde versie van de eindhaal (=de bezegeling) van de handtekening en het element dat daar in de andere vergeleken handschriften mee overeenkomt. De keerhaal in kwestie toont dan ook een verwijding die zonder meer geringer (nauwer) is dan de altijd eendere verwijdingen in de handtekeningen die Karel zette op de verschillende momenten van zijn leven en tijdens de verschillende stadia van het geheel aan kwalen die hem zodanig verzwakten dat ze tot zijn dood leidden. Bovendien zien we in genoemde paraaf dat de op- en neerhalen een andere hellingshoek vertonen.

Het schrift als geheel vertoont daarnaast over het algemeen geen onvolkomenheden, verbeteringen, vlekkerigheid, verdikkingen, aarzelingen of doorhalingen. Zowel het begin- als het eindaccent van de letters is op papier gezet met een soepelheid die zonder enige twijfel te danken is aan een fysieke toestand welke verschilt van de toestand waarin de vorst zich bevond, en aan een bedrevenheid in het hanteren van de morfologische afwikkeling van de letters zelf.

Conclusies

Ondergetekende concludeert naar eer en geweten als volgt:
- de handtekening die onder aan de testamentaire beschikkingen van 3 oktober 1700 is gezet, vertoont geen van de eigenschappen van de bewezen door Karel II van Habsburg zelf geschreven handtekeningen.
- De onderhavige handtekening is derhalve APOCRIEF.

Het is dus waar. Het testament van Karel II, waarin Filips van Anjou, kleinzoon van Lodewijk XIV, tot troonopvolger werd benoemd, is nooit door Karel ondertekend. Misschien ondertekende hij wel een ander, naderhand vernietigd exemplaar, waarin hij de nalatenschap aan een Oostenrijkse Habsburger overdroeg. Maar één ding is zeker: het koningshuis Bourbon is wederrechtelijk op de Spaanse troon beland, en de huidige vertegenwoordiger ervan zit daar dankzij een vervalst testament. Daar kan tegenin worden gebracht dat het Francisco Franco was die, na de Tweede Wereldoorlog, de terugkeer van koning Juan Carlos van Bourbon op de troon organiseerde. Maar Franco koos uitgerekend een troonopvolger die in rechte lijn van Filips V afstamde, dus een Bourbon die nog steeds profiteerde van de gevolgen van die vervalste handtekening.

Beide deskundigenverklaringen zijn gedeponeerd bij een notaris:

Dr. Stefan Prayer
Notariat Dr. Wiedermann und Dr. Prayer
Vivenotgasse 1/7
A – 1120 Wenen (Oostenrijk)
Tel. +43-1-813 13 56
Fax: 43-1-813 13 56 23

Iedereen kan genoemde twee deskundigenverklaringen raadplegen door er persoonlijk heen te gaan of, op eigen kosten, te verzoeken om toezending van een gewaarmerkte fotokopie. Zo kan men bij wijze van spreken eigenhandig die zoveelste schaamteloze manipulatie van het menselijk lot vaststellen.

De authentieke, door de twee grafologen onderzochte handtekeningen zijn afkomstig uit:
1677: Wenen, Haus-, Hof- und Staatsarchiv, Spanien, Hofkorrespondenz 7 [Fasz.10], c. 1.
1679: *Ibidem*, c. 12
1687: publicatie van L. Pfandl, *Karl II – Das Ende der spanischen Machtstellung in Europa*, München 1940, blz. 176
1689: Wenen, Haus-, Hof- und Staatsarchiv, Spanien, Diplomatische Korrespondenz 59, c. 503
1700: publicatie van L. Pfandl, blz. 448.

Deskundige Faiello heeft bovendien de originele handtekeningen van Karel II, die in het staatsarchief van Napels worden bewaard, zelf onder ogen gehad.

Het testament van Karel II is gedeponeerd in Spanje, in het archief van Simancas, Estado K., envelop 1684, n. 12.

Mening of logische gevolgtrekking?

Alleen een overzichtelijke, duidelijke beschrijving van de feiten kan helderheid verschaffen over het complot waarmee Albani, Spada en Spinola Innocentius XII buitenspel zetten en de koning van Spanje het advies deden toekomen een Franse troonopvolger te benoemen. Dat was de stap die als eerste moest worden gezet om vervolgens in Spanje het testament van Karel te kunnen vervalsen, die een Habsburger als opvolger wilde. Beide vervalsingen zouden elkaar bevestigen: het vervalste advies van de paus, het vervalste testament van Karel. Een perfecte misdaad, waar iedereen in trapte. Tot nu toe.

Het begint allemaal in de lente van 1700, als het gerucht gaat dat Karel II een testament heeft opgesteld waarin hij een lid van het huis Habsburg begunstigt: de aartshertog van Oostenrijk, de vijftienjarige zoon van de keizer in Wenen, Leopold I.

Op 27 maart schrijft de pauselijke nuntius in Madrid dan ook aan Rome: 'Waarschijnlijk kiest de koning als opvolger een prins van zijn eigen bloed, van het huis van Oostenrijk, en geen Fransman.' Karel was dus, naar het schijnt, nog steeds vast van plan een opvolger uit het huis Habsburg aan te wijzen (M. Landau, *Wien, Rom und Neapel. Zur Geschichte des Kampfes zwischen Papsttum und Kaisertum*, Leipzig 1884, blz. 455, n. 1).

Zoals Maria in haar brieven aan Atto vertelt (cf. O. Klopp, *Der Fall des Hauses Stuart*, VIII, Wenen 1879, blz. 496 e.v.), vraagt Karel II, als dat punt ter sprake komt, zijn neef Leopold I om zijn tweede zoon, de vijftienjarige aartshertog van Oostenrijk, uit Wenen naar Madrid te sturen. Hij laat in de haven van Cadiz zelfs een scheepseskader bewapenen, klaar om het anker te lichten en de aartshertog op te halen. Het is zonneklaar dat Karel hem tot zijn opvolger wil benoemen. De allerchristelijkste koning steekt daar echter een stokje voor: zodra hij er lucht van krijgt, laat hij Karel II via zijn ambassadeur weten dat hij een dergelijke beslissing als een formele breuk zal beschouwen. Hij laat in Toulon meteen een vloot optuigen, heel wat degelijker dan de Spaanse, klaar om de oorlogsbodem te bestoken die de aartshertog van Oostenrijk naar Spanje vervoert. Leopold durft zijn zoon niet aan een dergelijk risico bloot te stellen. Dan stelt Karel II voor de jonge aartshertog naar de Spaanse gebieden in Italië te sturen. Maar Leopold aarzelt: het keizerrijk voelt er, na een jarenlange strijd in het oosten, tegen de Turk, niets voor de eigen onderdanen het vel over de oren te halen om zich te verdedigen. En de koning van Frankrijk weet dat. Lodewijk heeft zelfs begrepen dat het moment is gekomen om de genadeslag toe te dienen: om de Spanjaarden helemaal de stuipen op het lijf te jagen, maakt hij het geheime Verdelingsverdrag openbaar dat bijna twee jaar geleden met Holland en Engeland is getekend. Karel II, dodelijk geschrokken, vertrekt halsoverkop uit het Escoriaal naar Madrid. Het hof is in rep en roer: de Raad van State is beducht voor Frankrijk en verklaart zich bereid een kleinzoon van de allerchristelijkste koning als troonopvolger te verwelkomen teneinde een Franse invasie te voorkomen.

Op zondag 6 juni besluit de Spaanse Raad van State dan ook Lodewijk xiv om de naam van een kleinzoon te vragen aan wie de heerschappij kan worden overgedragen (Landau, *ibidem*).

Op 13 juni roept Karel ii ten slotte de paus te hulp (cf. Galland, *Die Papstwahl des Jahres 1700 in Zusammenhang mit den damaligen kirchlichen und politischen Verhältnissen*, in: Historisches Jahrbuch der Görres-Gesellschaft, iii (1882), blz. 226, en L. Pfandl, *Karl ii – Das Ende der spanischen Machtstellung in Europa*, cit., blz. 442). Tegelijkertijd schrijft Karel ii zijn neef, keizer Leopold in Wenen, om hem mee te delen dat hij de paus om bemiddeling heeft gevraagd en stuurt hij een kopie van de aan de pontifex verzonden brief mee.

Op de ministersconferentie die in Wenen bijeenkomt om de zaak te bespreken, wordt het doel van dat verzoek als volgt omschreven: 'Over de brief van de koning van Spanje: hij schrijft dat hij een beroep heeft gedaan op bemiddeling door de paus' (het origineel zegt *remissio ad mediationem*: cf. het protocol van de conferentie van de keizerlijke raad van 6 juli 1700 in Wenen, Haus-, Hof- und Staatsarchiv, *Geheime Conferenzprotokolle*, Conferentia vom 6. Juli 1700. Cf. ook A. Gaedeke *Die Politik Österreichs in der spanischen Erbfolgefrage*, Leipzig 1877, ii, blz. 188-189).

De brief waarin het verzoek om *bemiddeling* had moeten staan, was op die conferentie van de keizerlijke raad van 6 juli fysiek aanwezig en werd bij de akten gevoegd, maar aan het eind van de negentiende eeuw was hij al verdwenen: Klopp zocht er vergeefs naar in het Staatsarchief te Wenen, waar hij zich had moeten bevinden (O. Klopp, *Der Fall des Hauses Stuart*, cit., viii, blz. 504, noot 1).

Maar niet alleen dat. In Rome krijgt Lamberg, na lang wachten, op 24 juni eindelijk audiëntie bij de paus. Over de Spaanse troonopvolging is de Heilige Vader kort: volgens de berichten van Lamberg zei de pontifex dat hij, 'aangezien hij niet kon onderhandelen met de prins van Oranje [dus de Engelse koning Willem iii, een protestant], ook zijn *bemiddeling* niet kon aanbieden' (cf. L. v. Lamberg, *Relazione istorica umiliata alla maestà dell'augustissimo imperatore Leopoldo i*, Wenen, Nationalbibliothek, blz. 30). Lamberg zelf herinnert de paus eraan dat de Engelsen en de Hollanders slechts indirect bij de kwestie betrokken zijn. Het voornaamste probleem was dan ook Frankrijk. De paus antwoordt: 'Het is een heilloze zaak. Maar wat kunnen we eraan doen? *Men onttrekt zich aan het gezag dat de Stedehouder van Christus toekomt en bekommert zich niet om ons.*'

Op wie zinspeelt de paus hier? Naar alle waarschijnlijkheid op de mannen die hem het naast staan: allereerst Spada, zijn staatssecretaris, maar ook de kanselier van de breven, Albani, en zijn kamerheer, Spinola van San Cesareo, degenen die beter dan wie ook in staat waren hem van zijn gezag te beroven en eigenmachtig op te treden. Op dat moment was zijn vervalste advies in elk geval al onderweg naar Spanje.

Bij aankomst in Madrid echter brengt het advies van de paus koning Karel II niet op andere gedachten. Volgens de protocollen van de Weense ministersconferenties van 23 en 24 augustus 1700 (Wenen, Haus-, Hof- und Staatsarchiv, *Geheime Conferenzprotokolle* van 23 en 24 augustus. Cf. ook O. Redlich, *Geschichte Österreichs*, Gotha 1921, VI, blz. 503) zou Karel II de keizer via de keizerlijke gezant te Madrid, Ludwig Harrach, op de hoogte hebben gebracht van zijn eigen ongewijzigde bedoeling om de Spaanse monarchie onverlet voor het huis Habsburg te bestemmen. Op 10 september zou Karel zelfs opnieuw, ten overstaan van de Raad van State, blijk hebben gegeven van zijn afkeuring van de druk die de raad zelf op hem uitoefende om een Franse prins te benoemen. Karel II van Spanje was ernstig ziek, welhaast gehandicapt, maar tot de schaarse heldere ideeën die hij erop na hield behoorde ongetwijfeld de opvatting waarmee hij was grootgebracht: de eigen heerschappij overdragen aan een andere Habsburger omdat, zoals hij zei, 'alleen een Habsburger een Habsburger waardig is'.

Dat is nog niet alles. Karel schreef ook aan zijn ambassadeur in Wenen, hertog Moles (F.M. Ottieri, *Istoria delle guerre avvenute in Europa per la successione alla Monarchia delle Spagne*, Rome 1728, I, blz. 391), die hij opdroeg de keizer ervan te verzekeren dat de troonopvolger een Habsburger zou zijn.

Het was voor iedereen duidelijk dat de Spaanse koning, hoe verzwakt en ziek ook, nooit een testament ten gunste van Frankrijk zou tekenen. Er was maar één oplossing: dat een dergelijk testament wel werd ondertekend, maar door een ander. Aldus geschiedde.

Snelheidsrecord

Ook de wereld waarin het pauselijke advies werd bekokstoofd verdient aandacht.

Op 3 juli krijgt de Spaanse ambassadeur, hertog d'Uzeda, audiëntie bij Innocentius XII. Dat wekt verbazing, omdat Uzeda daar ook de vorige dag al is geweest. Hij heeft een brief bij zich, die is ondertekend door de koning van Spanje, gedateerd 13 juni, die hem even tevoren is overhandigd door een ijlbode: het verzoek van de Spaanse vorst aan de paus.

Maarschalk Tessé (R. de Fralay, *Mémoires*, Parijs 1806, I, blz. 178) vermeldt wat Uzeda hem naderhand, in 1708, over die audiëntie zal vertellen: aanvankelijk had de paus bezwaren gemaakt, hij had geweigerd over zo'n delicate kwestie een standpunt in te nemen en zou pas zijn bezweken na de dringende smeekbeden van Uzeda, die verklaringen van juristen en theologen voor hem had meegebracht (Landau, blz. 452 e.v.). Uzeda was destijds al overgelopen naar de Fransen, maar deed net of hij nog steeds een vriend van het keizerrijk en Lamberg was, zoals laatstgenoemde te laat zou ontdekken (cf. *Relazione*, blz. 8). Om de paus over te halen een antwoord aan de koning van Spanje op papier te zetten, laat Uzeda zich steunen door de drie mannen die het dichtst bij de paus staan: staatssecretaris Spada, de kanselier van de breven Albani en kamerheer Spinola van San Cesareo (Landau blz. 453, citaat Tessé).

Op de 12de geeft de bejaarde paus toe. Lamberg (*Relazione, ibidem*) zal naderhand dan ook noteren dat Uzeda die dag 'op het voornaamste punt tekortschoot en [...] tegen het geloof dat *sanctissimum humani pectoris bonum est*' in handelde. Op 14 juli benoemt de pontifex de drie kardinalen officieel tot leden van de congregatie die is belast met het opstellen van een advies (*ibidem*, blz. 23).

Op 16 juli vertrekt het antwoord van de paus aan Karel II (Voltaire, *Le siècle de Louis XIV*, Lyon 1791, II, blz. 180).

De drie kardinalen hebben dus genoeg aan twee dagen, van 14 tot 16 juli, om over de troonopvolging in Spanje te beslissen. Normaal gesproken zou je denken dat de drie kardinalen, omdat er zo'n heikele kwestie aan de orde is, op hun beurt juristen, historici, experts in het dynastiek recht enzovoort, bijeenroepen of minstens raadplegen. Normaal gesproken zou je denken dat er een paar dagen, om niet te zeggen een week, of twee, nodig zijn om te luisteren, tot een oordeel te komen en ten slotte het besluit op te stellen. Maar niets daarvan: Albani, Spada en Spinola wassen dat varkentje in nauwelijks achtenveertig uur: 'Het advies, resultaat van langdurige, ampele overwegingen [sic!], is aanvaard door de paus, en zijn antwoord is door kardinaal Albani aan een geheimschrijver gedicteerd en per ijlbode naar Madrid verzonden' (Galland, blz. 226, citaat uit Ottieri en P. Polidor, *Vita Clementis XI*, Urbino 1727, blz. 40).

Het standpunt van de Heilige Stoel dat het lot van de wereld bepaalt, is in een vloek en een zucht bekokstoofd. Een bejaarde, zieke paus, die zeer binnenkort zal sterven, en een van de minst efficiënte bureaucratieën van Europa hebben, merkwaardig genoeg, alle snelheidsrecords gebroken. Vreemd? Toch hebben de historici dat tot op de dag van vandaag geslikt.

Een doodenkele schuchtere stem heeft het vermoeden durven opperen dat het pauselijke standpunt was gemanipuleerd. Tot die uitzonderingen behoort de Spaanse historicus Dominguez Ortiz: 'Hoe het oorspronkelijke pauselijke antwoord luidt is niet bekend, en het vermoeden bestaat dat het advies (ten gunste van de Franse troonopvolging), opgesteld door drie kardinalen, is vervalst' (A. Dominguez Ortiz, 'Regalismo e relaciones Iglesia-Estado en siglo XVII', in: *Historia de la Iglesia en la España de los siglos XVII y XVIII*, deel IV van de *Historia de la Iglesia en España*, Madrid 1994, XVIII, blz. 155).

Het antwoord van de paus manipuleren of vervalsen was overigens niet moeilijk: Innocentius XII ondertekende de documenten niet persoonlijk. Het is interessant te zien hoe anders Albani, zijn opvolger, zich gedroeg toen hij eenmaal onder de naam Clemens XI tot paus was gekozen: 'het aantal door Clemens XI persoonlijk opgestelde of gecorrigeerde documenten [...] is verbazingwekkend hoog. Weinig pausen hebben zoveel geschreven, en daarom zijn er van geen enkele paus zo veel handtekeningen bewaard gebleven' (L. v. Pastor, *Geschichte der Päpste*, Freiburg 1930, XV, blz. 10). Was Albani soms bang dat de een of andere al te pientere kardinaal zíjn geschriften zou bewerken, zoals hij bij zijn voorganger had gedaan?

De bewijzen verdwijnen

Als we het verzoek van Karel en het antwoord van de paus in handen hadden, zou het natuurlijk makkelijk zijn om rechtstreeks, eens en voorgoed, te bewijzen dat Karel de paus om bemiddeling vroeg, en niet om een advies. Maar ondanks het belang van genoemde missive is er geen regel van overgebleven. Toch getuigen aanvankelijk minstens drie kopieën van Karels verzoek, en twee van het antwoord van Innocentius XII: allemaal in het niets verdwenen. Zo'n coïncidentie wekt onherroepelijk ernstige verdenkingen ten aanzien van deze geschiedenis. Hier volgt de lijst van verdwijningen.

Uit het geheime archief van het Vaticaan te Rome is het origineel van het verzoek van Karel II om een advies verdwenen, plus de kopie van het antwoord van Innocentius XII, die volgens de Vaticaanse archivarissen echter op hun plaats hadden moeten liggen (de verdwijning werd al in de negentiende eeuw vastgesteld: cf. Galland, blz. 228, noot 5).

In Spanje, in het archief van Simancas, ontbreekt zowel het origineel van de missive van Karel II als de kopie van het antwoord van Innocentius XII (in 1882 deed de directeur van het Spaanse archief al aangifte van die verdwijning: cf. Galland, *ibidem*).

Zoals gezegd, ontbreekt in Wenen, in het Staatsarchief, de kopie van de brief van Karel II aan de paus, die Karel zelf aan keizer Leopold I zou hebben gestuurd (ook die ontbrak al halverwege de negentiende eeuw: cf. Galland, *ibidem*, die dat persoonlijk heeft vastgesteld. Ook Klopp heeft er geen spoor van teruggevonden: cf. *Der Fall des Hauses Stuart*, cit., VIII, blz. 504, noot 1).

Ten slotte is er in Parijs, in het archief van het ministerie van Buitenlandse Zaken, geen spoor meer van de twee apocriefe versies van de brieven, gevonden en gepubliceerd door C. Hippeau (*Avénement des Bourbons au trone de l'Espagne*, Parijs 1875, II, blz. 229-230 en 233-234). Ook die twee apocriefe versies verdwenen al snel en afgezien van Hippeau kan geen enkele historicus zich erop beroemen ze te hebben gezien.

Er is praktisch geen enkele Europese hoofdstad waar niet een of andere vreemde verdwijning heeft plaatsgevonden.

Een korte opmerking over de twee apocriefe brieven die door Hippeau zijn gepubliceerd. In 1702 circuleerde in Italië een vlugschrift met de zogenaamde brief van Karel II en zelfs een antwoord van Innocentius XII, waaruit viel op te maken dat de paus Karel had geadviseerd een Franse troonopvolger te benoemen. Lamberg (Klopp, *ibidem*) haastte zich naar Albani, inmiddels paus Clemens XI, en vroeg hem hoe het zat, aangezien Albani zelf de fameuze bijeenkomst over de Spaanse troonopvolging had voorgezeten.

Albani antwoordde dat in die brieven '... een minimum aan waarheid schuilt, maar een maximum aan valsheid... en we hoeven alleen naar waarheid te zeggen dat noch het verzoek van Karel II, noch het antwoord van Innocentius XII geheel en al waren zoals in genoemd document wordt gezegd'.

Vervolgens machtigde de paus Lamberg om zijn woorden te drukken en te verspreiden (Klopp, *ibidem*; Galland, blz. 229, noot 5).

Ondanks de openlijke ontkenning van de paus werden de twee apocriefe brieven (misschien bij gebrek aan beter) door verscheidene historici uit de achttiende eeuw voor zoete koek aangenomen. Er stond, onder andere, als verzenddatum van het advies 6 juli in plaats van 16 juli boven. Dat gaf in de volgende eeuwen aanleiding tot een ellenlange nasleep van fouten in de chronologische reconstructie van de feiten, waarvan de gevolgen tot vandaag de dag in allerlei geschiedenishandboeken merkbaar zijn.

Paus Albani en Atto Melani

De pas verkozen paus Albani toont Atto meteen zijn erkentelijkheid: nauwelijks twee maanden na het bestijgen van de pauselijke troon geeft hij kardinaal Paolucci, staatssecretaris, opdracht de pauselijke nuntius in Frankrijk, monseigneur Gualtieri, een brief te schrijven die overloopt van dankbaarheid jegens Melani, met de belofte de hem bewezen gunsten zo snel mogelijk te belonen (Florence, Biblioteca Marucelliana, Manoscritti Melani, 3, k. 280):

Onze Heer is zeer wel op de hoogte van de voortreffelijke reputatie welke abt Melani aan Uw hof geniet, en van het wijze gebruik dat hij daar op het juiste moment van maakt, in dienst van de Heilige Stoel en de eraan verbonden ministers, waar Zijne Heiligheid bij diverse gelegenheden getuige van heeft mogen zijn en waaraan Hij nog steeds een dankbare herinnering bewaart, en dat niet alleen, Hij is ook nog steeds van harte bereid het werk van voornoemde abt, zodra zich een gunstige gelegenheid voordoet, in vaderlijke welwillendheid met passende wederdiensten tegenover diens huis te belonen.

In het staatsarchief te Florence (Fondo Mediceo del Principato, bundel 4807) bevinden zich nog talloze andere getuigenissen van de onafgebroken aandacht waarmee abt Melani in de maanden voordat hij naar Villa Spada vertrekt, de gezondheidstoestand van de stervende paus volgt en de manoeuvres van de verschillende kardinalen met oog op het komende conclaaf. Op 4 en 8 januari 1700 schrijft hij aan Gondi, secretaris van de groothertog van Toscane, dat Lodewijk XIV heeft bevolen dat alle Franse kardinalen met het oog op het conclaaf rond 20 januari naar Rome moeten vertrekken. Vervolgens, op de 25ste van diezelfde maand, vermeldt hij dat veel kardinalen niet naar Rome zijn vertrokken, gezien het bericht dat de gezondheid van de paus 'steeds verder verbeterde', maar allerlei andere Franse purperdragers waren al vóór dit bericht op reis gegaan.

Bovendien wist Atto al maandenlang heel goed dat de bejaarde paus Innocentius XII door de kardinalen die zijn naaste medewerkers waren buitenspel was gezet, al ontkent hij die geruchten in zijn antwoord aan de Connétablesse in alle toonaarden. Op 1 februari 1700 schrijft hij dan ook aan Gondi:

Ofschoon de heren kardinalen in het palazzo de waarheid pogen te verbloemen, zijn er berichten dat zijn geestelijke vermogen [van paus Innocentius XII] *zeer wisselend is en dat de verdeling van de taken over de diverse prelaten door hen zodanig is gestuurd dat de wereld gelooft dat Zijne Heiligheid nog handelingsbekwaam is.*

Natuurlijk, ook de rest is waar...

Maria en Lodewijk

Het staat buiten kijf dat Maria in Spanje als spion voor Frankrijk optrad. En het staat buiten kijf dat ze tot het allerlaatst, in het grootste geheim, contact onderhield met Lodewijk XIV. Haar tussenpersoon was Atto Melani. De eerder geciteerde, door de auteurs teruggevonden documenten, bevestigen dat.

Atto Melani was inderdaad een intieme vriend van Maria Mancini, en bovendien een bewonderaar van haar beroemde zusters. Een van hen, Ortensia, vertelt dan ook in haar memoires (*Mémoires d'Hortense et de Marie Mancini*, ed. Doscot, Mercure de France, Parijs 1965, blz. 33) dat '*un eunuque italien musicien de M. le Cardinal, homme de beaucoup d'esprit*', zich uitputte in attenties, '*également pour mes soeurs et pour moi*'. Ze voegt eraan toe dat '*...l'eunuque, son confident* [dus van Maria Mancini] *qui demeurait sans crédit par son absence, et par la mort de M. le Cardinal, entreprit de se rendre necessaire auprès de moi; [...] Cet homme avait conservé un accès assez libre auprès du Roi depuis le temps qu'il était confident de ma soeur* [dus, nog steeds, Maria]'. (Cit. in R.L. Weaver, *Materiali per le biografie dei fratelli Melani*, in: *Rivista Italiana di Musicologia*, XII (1977), blz. 252 e.v.).

De brieven van Maria aan Atto, waarin de Connétablesse zich via abt Melani ook tot de Zonnekoning richt, onder diens bijnamen 'Silvio' en 'Lidio', bestaan echt. Ze zijn door de auteurs ontdekt in Parijs, bij de verslagen die Maria uit Spanje aan Atto schreef toen de Spaanse Successieoorlog op uitbreken stond.

Die verslagen leveren een gedetailleerd bewijs van Maria's werkzaamheden als informante. Haar Franse contact was altijd Atto, die de rapporten van zijn vriendin doorspeelde aan Lodewijks ministers, en ze uitlegde en becommentarieerde (Maria's brieven en Atto's begeleidende teksten staan in C.P. Rome Suppl. 10, *Lettres de l'abbé Melani*, kc. 120, 185, 187, 206, 222, 259, 281, 282, 285).

Hoewel ze een bijzonder gevaarlijke taak heeft, lijkt Maria Lodewijks beeld altijd duidelijk voor ogen te hebben, en wanneer ze op 9 augustus 1701 vanuit Toledo aan Atto schrijft (k. 85 e.v.), bekent ze, als ze Filips V gadeslaat: '*Je suis attendrie quand je le voie, me souvenant de son grand Pere quand il étoit de son age.*'

Tot nu toe wist niemand van die veertigjarige correspondentie tussen Atto Melani en Maria Mancini, en al helemaal niet van de tot Lodewijk XIV gerichte toespelingen in geheimtaal die erin zijn verwerkt.

Daarom legt geen van de toch talrijke uitvoerige en gedocumenteerde biografieën van Maria Mancini (van L. Perey [L. Herpin], *Une princesse Romaine au XVIIe siècle*, Parijs 1896, tot en met C. Dulong, *Maria Mancini*, Parijs 1980) de vinger op haar werkelijke, doorslaggevende rol in het leven van de vorst.

Tot nu toe onbekend en door de auteurs ontdekt in de Biblioteca Marucelliana te Florence (Manoscritti Melani, 9, kc. 157-158) is ook de afscheidsbrief die Maria de koning schrijft en die Atto Melani hem in het geheim overhandigt, zoals de abt zelf op de vierde avond vertelt. In werkelijkheid deed Atto heel wat meer dan een vluchtige blik op die brief werpen: alvorens hem aan zijn koning te overhandigen, kopieerde hij hem zorgvuldig. En dat was een geluk, want nu is het de enige tekst die is overgebleven van de amoureuze correspondentie tussen Maria Mancini en Lodewijk XIV. Die brief, oorspronkelijk geschreven in het Frans, door Atto gekopieerd en bij zijn eigen correspondentie bewaard, waarbij hij voorzichtigheidshalve data, afzender en geadresseerde wegliet, is simpel maar veelzeggend getiteld '*Lettre tendre*', tedere brief, en de identiteit van de infante van Spanje, Maria Theresia, de toekomstige bruid van de koning, gaat schuil achter het pseudoniem Eleonor.

Ik neem afscheid van U, mijn Heer, en schrijf U vanuit het paleis waar we nog steeds beiden verblijven, en vanwaaruit we beiden op het punt staan te vertrekken. De wegen die we in slaan zijn geheel verschillend: U staat op het punt om in Frankrijk weer vreugde en liefde in de harten van al Uw onderdanen te brengen; U zult een trouwring schenken aan Uw koningin, aan wie U vervolgens Uzelf zult schenken. Ach, mijn Heer! Hebt U zich ooit voorgesteld dat ik getuige zou moeten zijn van een zo treurig schouwspel! Door Uw hand aan Eleonor te geven, brengt U mijn leven de genadeslag toe. Mijn God, kan ik nog leven? En U in de armen van een ander zien? Misschien zult U mij zeggen, mijn Heer, dat ikzelf U dit treurige huwelijk heb aangeraden. Ach, mijn Heer, weet U niet dat ik altijd zonder dralen doe wat mijn eer van mij vraagt? Maar daarom heb ik er niet minder onder geleden. Ik mag zeggen dat ik U teruggeef aan Uw vrijheid, aan Uw vaderland, aan Uw volk en, het wreedst van al, dat ik U een bruid schenk. Ik heb die eer niet opgeëist: misschien had ik gewild dat die niemand toekwam. Ik heb me daar geen illusies over gemaakt, maar desondanks gingen mijn fantasieën met me op de loop. Ik wenste dat U een eenvoudig edelman was. In dat geval zou ik meer voor U hebben gedaan dan wat U in Uw huidige situatie voor mij hebt gedaan. Mijn hemel, wat een gedachte! Ze speelt nog steeds door mijn hoofd, en in mijn andere gedachten vind ik niets dan gruwel en wanhoop. Als ik ten tijde van Uw huwelijksplechtigheid nog in leven ben, zal dat alleen zijn om de rest van mijn leven in een naargeestig oord te slijten. Afschrikwekkende, dicht opeengepakte metalen punten zullen tussen U en mij worden opgericht. Mijn tranen en mijn snikken doen mijn hand beven. Mijn verbeeldingskracht begeeft het, ik kan niet meer schrijven. Ik weet niet meer wat ik zeg. Vaarwel, mijn Heer, het beetje leven dat mij rest zal slechts op herinneringen teren. O, verrukkelijke herinneringen! Wat zal ik met jullie doen, wat zullen jullie met mij doen? Ik verlies mijn verstand, Vaarwel, mijn Heer, voor het laatst.

Talloze aanwijzingen rechtvaardigen de gedachte dat de Zonnekoning ook in de laatste jaren van zijn leven nog vaak en intens aan zijn eerste liefde terugdacht. Een paar voorbeelden zijn al genoeg om een idee te geven. Op zekere dag geeft hij Philidor, een van de hofmusici, opdracht een inventaris op te maken van alle werken die tijdens zijn heerschappij zijn uitgevoerd. Ze hebben het er vaak over met hun tweeën: Philidor bekent echter dat het hem niet lukt het verhaal van Pan, uit het *Ballet des Plaisirs*, op te schrijven. Dan zingt de Zonnekoning hem meteen, uit het hoofd, de coupletten voor. 'Hij herinnert zich nog steeds een melodie waarop hij bijna zestig jaar geleden in het Louvre had gedanst en die hij waarschijnlijk een heel seizoen lang had lopen fluiten, zoals zijn gewoonte was als hij met zijn geliefde Maria over het terras van de Tuilerieën wandelde, of nog verder weg, naar de Renardtuin' (Combescot, *Les petites Mazarines*, Parijs 1999, blz. 402).

In 1702 wordt iemand die zegt dat hij een pater kapucijn is verdacht van spionage, gearresteerd en naar de Bastille overgebracht. Zijn gevangenbewaarder, luitenant d'Argenson, vindt op zijn lichaam brieven met haarlokken van zijn talrijke minnaressen, waaronder dames uit de hoogste kringen. Dan valt de naam van Maria, die inderdaad, betoverd door de dubieuze charme van de avonturier, een relatie met hem had gehad en hem zelfs had voorgesteld aan de nieuwe koning van Spanje, Filips v.

Het gerucht bereikt de Zonnekoning. En ja hoor, zodra hij er lucht van krijgt dat ook zijn vroegere geliefde tot de minnaressen van de kapucijn behoort, geeft hij opdracht bij de verhoren tot het uiterste te gaan (de zogenaamde kapucijn zal dan ook heel wat tijd in de gevangenis doorbrengen). Maria, die zich op dat moment te Avignon bevindt, hoort van het voorval en maakt zich ongerust: wie weet hangt haar een beschuldiging van anti-Franse spionage boven het hoofd. Maar ze informeert vooral met angst en beven of hij, de koning, ook heeft gehoord over haar relatie met de louche avonturier. Maar zelfs geconfronteerd met die heel wat urgentere spionagekwestie en het juridisch gekrakeel, voert voor beiden de spijt om wat zij anderen van zichzelf heeft gegeven en wat hij daarvan heeft geweten, de boventoon.

In 1705 keert Maria, na meer dan veertig jaar, terug naar Parijs. Via hertog d'Harcourt doet de koning in Versailles haar een uitnodiging toekomen, plus een aanbod voor financiële bijstand. Ze weigert het een én het ander. Ze is veel te verstandig om te bezwijken en haar voormalige geliefde de tekenen des tijds op haar eigen gezicht te laten zien. Ze ontmoeten elkaar niet en zullen elkaar nooit meer zien.

Maria wilde begraven worden op de plek waar de dood haar overviel. Zo gebeurt het: ze sterft op 8 mei 1715 te Pisa, slachtoffer van een plotselinge pijnaanval. Op haar wens luidt het grafschrift *pulvis et cinis*, stof en as. De grafsteen is nog steeds te bezichtigen, voor het hoofdaltaar van de San Sepolcro.

Het duurt precies een maand voordat het bericht van haar dood Rome bereikt, waar haar kinderen zijn, en vandaar heel Europa, tot Parijs en de Zonnekoning toe. Misschien is het toeval, maar zodra hij het bericht heeft gehoord, wordt Lodewijk XIV ziek. Enkele dagen later verlaat de koning Versailles en neemt hij zijn intrek in zijn verblijf te Marly. Met Pinksteren het bericht: chirurgijn Mareschal meldt Madame de Maintenon dat ook de vorst onherroepelijk de weg naar de dood is ingeslagen. Zijn echtgenote raakt in paniek, legt hem het zwijgen op. Maar Lodewijk gaat zienderogen achteruit, tot in augustus niemand het nog langer kan ontkennen: kanker. Hij zal op 1 september sterven.

Als abt Melani het jaar daarvoor, stokoud inmiddels, niet was gestorven, had hij misschien aangedaan opgemerkt: 'Lodewijk en Maria hebben niet aan elkaars zijde mogen leven, maar het is hun wel gelukt samen heen te gaan.'

Il Pastor fido van Giambattista Guarini, die Lodewijk en Maria samen lazen en waar verscheidene citaten in hun brieven uit afkomstig zijn, was een van de grootste successen van de voorbije eeuwen. Sinds de opvoering ervan aan het hof van Ferrara (1598) werd het werk tot het eind van de achttiende eeuw op ongehoorde schaal over heel Europa verspreid.

Aan het Franse hof waren gobelins met scènes uit Guarini's dichtwerk niet zeldzaam, met name die van François de la Planche, *alias* van der Plancken, die in de roman door Atto worden genoemd, en van diens zoon Raphaël (cf. *L'objet d'art* van mei 2001, met de recensie van de gobelintentoonstelling *Délices et Tourments* in galerie Blondeel-Deroyan te Parijs).

IL PASTOR FIDO

IL
PASTOR FIDO,
Tragicomedia Paſtorale,
DEL
Signor Cavalier
BATTISTA GUARINI;
Con una nuova aggiunta.

In Amſterdam, nella Stamperia del S. D. ELSEVIER.
Et in PARIGI ſi vende
Appreſſo THOMASO JOLLY,
Nel Palazzo. M. DC. LX.

Ook de dankwoorden die Maria in de tuinen van Het Schip tot Fouquet richt, zijn authentiek. De brief waar Atto Melani het over heeft, en die deze zelfde woorden bevat, wordt bewaard in Parijs (Bibliothèque National, Ms. Baluze 150, k. 237; cf. ook C. Dulong, *op. cit.*, blz. 101).

De beschrijving van Maria Mancini zoals ze er bij haar eerste verschijnen in Het Schip uitziet, is eveneens waarheidsgetrouw (cf. de beschrijving die een anonieme tijdgenoot van haar maakte in een pamflet: de laatste *Brief* die is opgenomen in de *Memorie della S.P.M.M. Colonna, connestabilessa del Regno di Napoli*, Keulen 1678). En ook alle verhalen en anekdotes over de maîtresses van de Zonnekoning berusten op waarheid (cf. de talloze toenmalige schrijvers van memoires en ook het uitvoerig gedocumenteerde boek van Simone Bertière, *Les femmes du Roi soleil*, Parijs 1998).

Alle verhalen van Maria over Karel II en het Spaanse hof zijn historisch onderbouwd (cf. Ludwig Pfandl, *Karl II. – Das Ende der spanischen Machtstellung in Europa*, München 1940).

De voorspelling van Solon die Maria Mancini in haar brief aan Atto aanhaalt ('Vele mensen kregen immers eerst een glimp van het geluk te zien om daarna door de godheid in de diepste ellende gestort te worden') is uitgekomen: tussen 1711 en 1712 sterven vrijwel alle nakomelingen van de allerchristelijkste koning. De Grand Dauphin, vader van de Dauphin en zoon van Zijne Allerchristelijkste Majesteit, sterft in 1711. Het volgende jaar is het laatste uur geslagen van Maria Adelheid van Bourgondië, echtgenote van de Dauphin van Frankrijk, de kleinzoon van Zijne Majesteit, moeder van twee kinderen: de laatste erfgenamen van de troon. Maria Adelheid overlijdt, amper zesentwintig jaar oud, op de avond van 12 februari 1712 aan de mazelen. Haar man, de Dauphin, radeloos van verdriet en op zijn beurt besmet, sterft zes dagen na zijn vrouw. Dan zijn hun zoontjes aan de beurt: eerst de kleine Lodewijk, hertog van Bretagne, een knap jongetje van vijf, dat de daaropvolgende 8 maart aan de gevolgen van aderlatingen overlijdt. Ook zijn jongere broertje wordt ziek, maar hij komt er weer bovenop. Hij is pas twee, nog niet eens van de borst, en begint net te praten.

Zo neemt het lot wraak op de mens. De allerchristelijkste koning beeft: hij is oud en kan de gedachte zonder erfgenaam te sterven niet verdragen. Dus wendt hij zich tot de hertog van Anjou, die onder de naam Filips V koning van Spanje is geworden: hij is nog altijd Lodewijks kleinzoon, en heeft de kroon zelfs aan hem te danken. Maar Filips weigert, hij geeft zelfs openlijk te kennen dat hij zijn grootvader niet wenst op te volgen en liever als vorst van zijn nieuwe vaderland in Madrid blijft.

Verscheurd door verdriet om de doden, opgesloten in ontroostbaar zwijgen, bevindt de allerchristelijkste koning zich door een grillige speling van de geschiedenis in dezelfde situatie als Karel II van Spanje twaalf jaar eerder: aan het hoofd van het machtigste rijk van Europa, maar zonder erfgenamen. Onmogelijk kon hij voor het voortzetten van het geslacht en het behoud van het Rijk rekenen op zijn kleinzoontje, nauwelijks twee jaar oud en kwetsbaar voor wie weet hoeveel andere ziekten.

Lodewijk had geluk, al was het *post mortem*: de kleine jongen overleefde het en volgde hem op onder de naam Lodewijk XV. Maar op dit moment is zijn dynastie, de Bourbons van Frankrijk, uitgestorven (de dynastieke rechten worden inmiddels opgeëist door de d'Orléans). De dynastie van de Spaanse Bourbons, die afstammen van de Franse Filips V, is tegenwoordig echter vruchtbaarder dan ooit en vertakt zich steeds verder (Juan Carlos heeft verscheidene broers en zusters en kinderen).

Daarmee is ook de laatste voorspelling van Capitor uitgekomen: Lodewijk XIV had door het vervalste testament van Karel II de Spaanse troon van zijn wettige erfgenaam beroofd; hij had niet voorzien dat de Spaanse troon ten gevolge van datzelfde testament vervolgens Frankrijk van zijn troonopvolgers zou beroven.

Op 29 juli wordt een grote angst van abt Melani werkelijkheid: Lodewijk XIV vaardigt een edict uit waarmee hij de troonopvolging voor bastaards openstelt. Vanaf dat moment kan, zoals Atto zegt, niet langer alleen degene die zoon van de koningin is, maar iedereen, werkelijk iedereen, koning worden. En elke man uit het volk zal zich afvragen: Waarom ik niet? Om die kwestie op te lossen zal op zekere dag de guillotine eraan te pas komen.

Atto en Maria

Abt Melani was ook op hoge leeftijd nog steeds verliefd op Maria Mancini, en bleef dat tot zijn dood. Hij was altijd in een intensieve correspondentie met haar verwikkeld, al is het hem nooit meer gelukt haar terug te zien. Ze stuurden elkaar vaak ook kostbare geschenken, zoals de bezoarsteen en de schelp uit Indië, van goud en zilver, en Maria was meermalen te gast op Atto's bezittingen te Pistoia; ze ging er zelfs op bezoek bij zijn familie.

Dat gegeven, tot nu toe onbekend, is door de auteurs ontdekt in de Biblioteca Marucelliana te Florence, die van de minister van Cultuur onlangs negen delen correspondentie van Atto Melani ten geschenke heeft gekregen, waar de

Italiaanse staat door tussenkomst van een antiquaar de hand op had weten te leggen. De vele biografen van Maria Mancini wisten tot nu toe evenmin waar ze de laatste jaren van haar leven zou hebben doorgebracht: de brieven van Atto Melani brengen ook dat aspect aan het licht door aan te tonen dat de Connétablesse zeer lange perioden in Pistoia verbleef, in Atto's palazzo, en 's zomers in zijn buitenverblijf.

Die liefde, die een heel leven lang heeft geduurd, spreekt ook uit talloze missives van Atto, eerst aan zijn broer Jacinto en naderhand aan diens zoon Luigi, erfgenaam en stamhouder van de familie Melani.

Nog in de laatste brief, die de bejaarde castraat op 27 november 1713 aan zijn familie schrijft, nauwelijks een maand voordat hij overlijdt, doet zijn nooit verflauwde liefde voor Maria hem verzuchten (Biblioteca Marucelliana, Manoscritti Melani, 3, kc. 423-424):

Toen ik Uw brief van de 4de van deze maand las, meende ik te dromen toen ik hoorde dat Mevrouw la Connétablesse toch (ofwel nog) in Pistoia verbleef...

'Meende ik te dromen...' roerende, onverwachte woorden van de lippen van een bijna negentigjarige grijsaard die de laatste dagen van zijn leven doorbracht; Maria doet hem tot het allerlaatst dromen. Dan wordt hij overvallen door de vrees dat zijn geliefde zich gedurende haar verblijf in zijn palazzo te Pistoia heeft verveeld:

Ik weet niet welk vermaak U haar hebt kunnen bieden, behalve als ze heeft ingestemd met een bezoek van de dames [de vrouwen van huize Melani] *voor een partijtje ombra* [het spel van *el hombre*].

Maria zwerft al jaren door Italië, met name door Toscane, vaak in het huis van Atto, terwijl hij in Frankrijk is, gedwongen door de Zonnekoning die de verzoeken van de bejaarde abt om een tijdje terug te mogen naar Pistoia herhaaldelijk afwijst. Atto kan het gemis niet langer verdragen en wordt besprongen door het onweerstaanbare verlangen om zijn Connétablesse terug te zien. Dus besluit hij, al is hij inmiddels aan het eind van zijn krachten, zodra de winter voorbij is de reis naar Versailles te ondernemen om de koning persoonlijk om toestemming te smeken:

Bid God dat ik de komende maand april in staat zal zijn naar Versailles te gaan, want ik wil beslist bij de koning worden toegelaten, omdat ik hem een vrijstelling van twee jaar wil vragen.

Het lot is hem echter vijandig gezind en Atto zal de winter niet overleven. Hij sterft in zijn woning in Parijs, in de vroege uren van 4 januari 1714.

Al twee jaar eerder, in een brief van 27 juni 1712 (Biblioteca Marucelliana, Manoscritti Melani, 3, kc. 407-408), treffen we Maria in het huis van Atto, in het buitenhuis te Castel Nuovo in de buurt van Pistoia. Ook in dit geval slaagt de tachtigjarige abt er niet in de opwinding die dat bericht teweegbrengt helemaal te verbergen, en hij kondigt de verzending aan van een kostbare kamerjas, een geschenk voor zijn vriendin:

Het treft mij zeer [ofwel het ontroert mij diep] *te hebben begrepen dat Mevrouw de Connétablesse zich heeft verwaardigd naar Pistoia terug te keren en ik hoop dat ze tijdens de grote hitte die U daar naar mijn weten heeft getroffen genoten heeft van de frisse lucht in Castel Nuovo. De hitte was in deze streken zo buitensporig dat ze boven de 33 graden op de thermometer kwam… Zodra de gelegenheid zich voordoet zal ik Mevrouw de Connétablesse een kamerjas toezenden van gewone tafzijde, mij door mevrouw de hertogin van Nevers op eigen initiatief toegezonden, zodat U hem naar Uw goeddunken kunt laten vermaken als het ontwerp U aanstaat.*

De Connétablesse moest zich inmiddels wel thuis voelen in het huis van Atto's neven: in een brief van 3 mei 1712 schrijft Cosimo III, groothertog van Toscane, Melani dat ze zelfs het pasgeboren achterneefje van de abt heeft bezocht (Staatsarchief te Florence, Mediceo del Principato), bundel 4813a):

Ik kan U zeggen dat Mevrouw de Connétablesse, die zich in deze stad [dus Florence] *bevindt, Uw fraaie woning uitbundig heeft geprezen, en ook de villa die U te Pistoia bezit, maar nog veel uitbundiger het beeldschone neefje dat God Uwe Excellentie heeft geschonken, en ze zei dat het wel een kleine Jezus van Lucca leek.*

In diezelfde correspondentie (Biblioteca Marucelliana, Manoscritti Melani, 3, kc. respectievelijk 148-149, 156-157, 192-193) duiken ten slotte ook de bezoarsteen, werkzaam tegen gif, en het schelpvormige gouden en zilveren pillendoosje op: de twee geschenken van Maria die Atto in Villa Spada bij zich heeft.

Parijs, 27 december 1694

Madame Colonna heeft mij op mijn verzoek een schitterende oosterse bezoarsteen toegezonden, met het oog op de petechieën die hier de afgelopen maanden rondwaarden.

Parijs, 14 februari 1695

Madame Colonna heeft mij een steen toegestuurd die aan de koningin-moeder was geschonken, bijna zo groot als een kippenei, en onbetaalbaar, omdat het een echte oosterse steen is, en alle pauselijke gezanten die uit Spanje komen zorgen dat ze er een hebben, en ook hier wordt hij zeer gewaardeerd tegen de kwade koortsen, omdat hij het zweet doet uitbreken en tegen gif werkzaam is. Deze steen wordt gevonden in het lichaam van een dier, en er is mij een uiteenzetting over de eigenschappen ervan beloofd.

Parijs, 14 januari 1696

[...] pillen op basis van cedraat. Markies Salviati gaf me er de afgelopen dagen een paar om te bewaren in een kleine, uit Indië afkomstige goud met zilveren schelp, prachtig en bijzonder elegant, mij toegezonden door Madame Colonna.

Ze hebben elkaar nooit meer gezien, al lijken ze op het laatst wel een bejaard, aan elkaar verknocht echtpaar. Een fraaie wandelstok, schitterend gemaakt, zeer kostbaar, schrijft Atto trots op 11 februari 1697, is hem 'geschonken door Madame Colonna, die er tachtig franc voor betaalde'. Hij vertrouwt haar als geen ander: als Maria hem medicijnen aanraadt, gelooft de abt daar zo heilig in dat hij tegen zijn eigen neven ingaat (7 december 1711).

Capitor, Portret met papegaai, Virgilio Spada

De Bastaard ging inderdaad in maart 1659 op bezoek in Parijs, en nam de dwaze Capitor mee. En het is ook waar dat Mazarin meteen daarna een volstrekt andere houding aannam tegenover Lodewijk en Maria, en alles in het werk stelde om hen te scheiden; niemand heeft ooit begrepen waarom.

Het liedje dat Atto samen met Capitor in aanwezigheid van Mazarin zingt, is *Passacalli della vita*, van een onbekende auteur, gepubliceerd in *Canzonette spirituali e morali*, Milaan 1677.

Het *Stilleven met wereldbol en papegaai* van de Vlaamse schilder Pieter Boel, dat de drie geschenken van Capitor afbeeldt, is te bezichtigen in Wenen, in de Gemäldegalerie der Akademie für bildende Künste (inv. nr. 757). Boel had zich nog maar pas in Parijs gevestigd toen Capitor langskwam, en het hoeft geen verbazing te wekken dat hij de voor Mazarin bestemde *Cadeaux* heeft kunnen schilderen. De beschrijving in de roman, van de twee zeegoden die op het dienblad zijn afgebeeld, en van hun merkwaardig om elkaar geslagen benen, die noch bij het ene, noch bij het andere lichaam lijken te horen, klopt volkomen met het schilderij (te zien op internet, bijvoorbeeld op www.kgi.ruhr-uni-bochum.de/stilleben/data/html/c/3/1.htm, of op www.idw.online.de/public/zeige_bild.html?imgid=5144).

De andere afbeelding van de geschenken van Capitor (in opdracht van de Bastaard, volgens Atto's verhaal voordat hij afstand deed van zijn bezittingen) is een schilderij van Jan Davidszoon de Heem, voorheen collectie Koetser en tegenwoordig te bezichtigen in het Kunsthaus te Zürich. Het is interessant te zien dat op dit tweede schilderij wel de hemelglobe ('broer' van de aan Mazarin geschonken aardbol) en de kelk met de voet in de vorm van een centaur duidelijk zichtbaar zijn, maar het voornaamste onderwerp niet: het gouden dienblad gaat voor de helft schuil onder een doek, zodat alleen de zeepaarden die de kar met Neptunus en Amphitrite voorttrekken onbedekt zijn, terwijl de twee godheden, dus het fraaiste en interessantste gedeelte van het dienblad, aan het oog zijn onttrokken. Moest het geheim van de Tetràchion soms verborgen blijven voor indiscrete blikken?

De personages

Ook de persoonlijke banden tussen Elpidio Benedetti en abt Melani zijn onomstotelijk aangetoond. Benedetti is wekelijks naar Frankrijk gegaan om Vaux-le-Vicomte te bezoeken, het kasteel van Nicolas Fouquet (cf. D. Di Castro Moscati, 'L'abate Elpidio Benedetti', in '*Antologia di Belle Arti*', N.S. nrs. 33-34, 1988, blz. 78-95), zoals Atto in de roman beweert. In zijn testament liet Benedetti de abt inderdaad 'vier grote ovale schilderijen na, zeegezichten, in hun met notenhout en goud ingelegde lijsten, en twee ronde, het ene een Galatea en het andere een Europa, in hun volledig vergulde lijsten, en bovendien een klein schilderij van een denkbeeldige kroning van de huidige koning van Frankrijk toen hij nog een jongen was, evenals de twee bovengenoemde van de hand van Romanelli, en bovendien een schrijn van kostbaar gesteente [...] met de smeekbede ze welwillend te aanvaarden als bescheiden tekens van mijn dankbaarheid voor de vele gunsten die hij mij tijdens mijn langdurige verblijf te Parijs heeft verleend' (Staatsarchief te Rome, Trenta Notai Capitolini, kantoor 30, notaris Thomas Octavianus, deel 305, k. 479).

Benedetti moet met de hele familie Melani banden hebben onderhouden, aangezien hij in zijn testament ook twee broers van Atto begunstigt. Aan Filippo laat hij 'twee kleine perspectiefschilderijen na van wijlen Salvucci, in met zwarte en gouden arabesken versierde lijsten'. Naar Alessandro Melani gaan objecten die het vermoeden rechtvaardigen dat hij er kind aan huis was: behalve vier 'zeer fraai door Angelini vervaardigde kopjes', is er dan ook een reeks kostbare instrumenten om wijn koel te houden, plus 'glazen en bekertjes voor chocolademelk'.

Atto en Buvat waren ook in werkelijkheid bevriende collega's. In zijn memoires bevestigt Buvat dat Atto de meerderen van de schrijver probeerde over te halen diens schamele loontje te verhogen. Die poging liep helaas, zoals we uit de klaaglijke toon van Buvats aantekeningen kunnen opmaken, op niets uit ('Mémoire-Journal de Jean Buvat', in *Revue des bibliothèques*, oktober-december 1900, blz. 235-236).

De Bibliothèque National te Parijs bezit bovendien (Mss. Fr. N.a. 11220-11222) een verzameling *Nouvelles à la main* van 1700 tot 1721: berichten over de binnenlandse en buitenlandse politiek, verzameld door Atto (maar ook door anderen, aangezien hij in 1714 overleed) en grotendeels, zoals de catalogus van de bibliotheek vermeldt, door de hand van Jean Buvat op papier gezet.

Ten slotte figureert Jean Buvat in de roman van Dumas senior, *Le chevalier d'Harmental*, als een van de hoofdpersonen.

Ook Sfasciamonti is een personage van vlees en bloed. Francesco Valesio, de Romeinse dagboekschrijver uit de achttiende eeuw (*Diario di Roma*, Milaan 1977, II, [1702-1703], blz. 272-273), vermeldt de aanwezigheid van deze wetsdienaar een paar jaar na de gebeurtenissen in de roman, 6 september 1702, terwijl hij een disciplinaire maatregel wil toepassen die hem op het lijf geschreven is:

het in onderpand nemen van de kleren van een prostituee. Die maatregel wordt niet uitgevoerd: Sfasciamonti en nog een andere diender worden op de vlucht gejaagd door de lijfwacht van graaf von Lamberg, die het recht tot kwijtschelding opeiste (en dientengevolge de politie het toegangsrecht ontzegde) op de plek waar de inbeslagname plaatsvond. Atto's pistool moet, hoewel hij op het achterste van de bejaarde wetsdienaar mikte, een zenuw hebben geraakt: volgens de vermelding van Valesio is Sfasciamonti kreupel.

De hervorming van de pauselijke politie die werd voorgesteld door een zekere monseigneur Retti, zoals de twee prelaten fluisteren die door de hoofdpersoon eerst bij het chocola schenken worden bespioneerd, en later tijdens het blindemannetje spelen, werd in werkelijkheid al ten tijde van paus Innocentius XI in overweging genomen (cf. G. Pisano, 'I "birri" a Roma nel "600 ed un progetto di riforma del loro ordinamento sotto il pontificato d'Innocenzo XI", in: *Roma – Rivista di studi e di vita romana*, X [1932], blz. 543-556).

Net als talloze andere verstandige hervormingen werd ze nooit doorgevoerd.

Slotenmakertje, alias Giuseppe Perti, is eveneens een historisch personage (cf. Valesio, I, 434). Zijn korte, veelbewogen leven eindigt op 8 juli 1701 om twee uur 's middags: schuldig bevonden aan diefstal en moord, wordt hij opgehangen aan de Sant'Angelobrug. Oog in oog met de dood wordt hij vroom: op het laatste moment krijgt hij spijt en bidt hij de akte van berouw. Eenmaal op het schavot smeekt hij de omstanders een *Salve Regina* voor zijn zielenheil te zeggen. Hij was tweeëntwintig jaar oud.

Echt (ook qua morele en fysieke connotaties) zijn ook personages als Corelli, Nicola Zabaglia of Lamberg (het heetgebakerde, naïeve karakter van laatstgenoemde blijkt duidelijk uit het citaat uit zijn *Relazioni*, net als uit zijn eigenhandig geschreven overwegingen over de Romeinse curie, bewaard in Wenen, in het Haus-, Hof- und Staatsarchiv, Botschaft Rom-Vatikan I, Nachlass Gallas; cf. ook G. Rill, 'Die Staatsräson der Kurie im Urteil eines Neustoizisten' (1706), in *Mitteilungen des Österreichischen Staatsarchivs*, XIV (1961), blz. 317 e.v.).

De Vliegende Hollander, Giovanni Henrico Albicastro, moest wel erg verknocht zijn aan Italië, aangezien hij ervoor koos bekend te worden onder de

Italiaanse vertaling van zijn naam (hij heette eigenlijk Johann Heinrich von Weissenburg). Zijn bizarre gestalte van violist, componist en militair is, hoewel zorgvuldig bestudeerd door professor Rudolf Rasch van de Universiteit Utrecht (naar wie de dank van de auteurs uitgaat voor de verstrekte inlichtingen), nog steeds grotendeels in nevelen gehuld. Hij leefde bij benadering tussen 1660 en 1730; afkomstig uit Beieren (wat mogelijk zijn uitstekende kennis van Sebastian Brant verklaart) kwam hij als opgroeiende jongen naar Leiden en vocht mee in de Spaanse Successieoorlog, zoals hij zelf aan het eind van de roman meedeelt. Hij liet talloze composities na (sonates voor strijkerstrio, vioolsonates, concerten en cantates) waar pas de laatste decennia de aandacht aan is besteed die ze verdienen. Zijn *Folía* is opgenomen door Ensemble 415 onder leiding van Chiara Banchini (CD Harmonia Mundi HMA 1905208).

Het narrenschip van Sebastian Brant is wellicht het Duitse boek dat door de eeuwen heen het meeste succes heeft gehad. Het is in 1494 uitgebracht in Bazel, ter gelegenheid van het carnaval, en door Albrecht Dürer met houtsneden geïllustreerd. De eerste en enige Italiaanse vertaling, waar de auteurs gebruik van hebben gemaakt, is die van F. Saba Sardi (*La Nave dei Folli*, Milaan 1984-2002).

Het personeel van huize Spada: don Paschatio, don Tibaldutio, voorsnijders, stalknechten, koksmaatjes... ze zijn allemaal, met naam en toenaam, terug te vinden in de familiedocumenten die in het Spada-Veralli fonds van het staatsarchief te Rome worden bewaard.

De Geheimen van de Conclaven

Het traktaat dat Atto in de roman voor de Zonnekoning had geschreven en dat later wordt gestolen door de cerretanen, bestaat echt. De auteurs hebben het manuscript in een Parijs archief gevonden en zijn van plan het binnenkort te laten drukken: de titel luidt *Mémoires secrets contenant les événements plus notables des quatre derniers conclaves, avec plusieurs remarques sur la cour de Rome* (Bibliothèque du Sénat, ms. 221). Het is een smakelijk boekwerk, barstensvol anekdotes en opmerkingen over het Romeinse hof, over de kunst van het, met meer of minder legitieme middelen, beïnvloeden van de pauskeuze teneinde de kandidaat die het gunstigst was voor Frankrijk en de allerchristelijkste koning te laten winnen.

Ook waargebeurd zijn de bijeenkomsten van Albani, Spada en Spinola in de villa del Torre, de huidige villa Abamelek, residentie van de Russische ambassadeur (cf. *Diario di Roma* van Valesio, I, 26).

De cerretanen, de pelgrims, de vroedvrouwen

De verbalen van de twee cerretanen die in de roman op niet bepaald orthodoxe wijze door Sfasciamonti worden ondervraagd, zijn echt: de onderzoekers die het geluk hadden ze onder ogen te krijgen, hebben ze gepubliceerd (wat het verbaal van de Rooie betreft, cf. A. Massoni, 'Gli accatoni in Londra nel secolo XIX e in Roma nel secolo XVI', in *La Rassegna Italiana*, Rome 1882, blz. 20 e.v.; voor beide verbalen, van de Rooie én van Geronimo, cf. M. Löpelmann, 'Il dilettevole esamine de' Guidoni, Furfanti o Calchi, altramente detti Guitti, nelle carceri di Ponte Sisto di Roma nel 1598. Con la cognitione della lingua furbesca o zerga comune a tutti loro. Ein Beitrag zur Kenntniss der italienischen Gaunersprache im 16. Jahrhundert', in *Romanische Forschungen*, XXXIV (1913), blz. 653-664).

Het eerste verbaal bevond zich volgens Massoni in het geheime Vaticaanse archief, waar het echter niet meer te vinden is, aangezien de auteur naliet het katernmerk van het archief te vermelden. Een kopie van beide verbalen bevond zich, volgens Löpelmann althans, in de koninklijke bibliotheek te Berlijn, onder katernmerk *ital. Fol. 17. Fo. 646r-659v* (in elk geval tot de door de geallieerde bombardementen van 1945 bewerkstelligde *tabula rasa* van de stad).

De dieventaal (of Bargoens, als je het zo wilt noemen) heeft niet alleen echt bestaan, maar kent een lange traditie in alle Europese talen. Zelfs het elementaire 'ververs' (het idioom dat ontstaat door andere lettergrepen met 'ver' af te wisselen, waar het 'vergeverlovergen' vandaan komt dat de 'ik' hoort voordat hij op de mestkar valt), wordt tot vandaag de dag in Rome nog steeds even rad gesproken op de grote markt bij de Porta Portese, door handelaren die onderling willen communiceren zonder dat hun klanten er iets van begrijpen. Het anonieme woordenboek van de dieventaal dat door Buvat is geraadpleegd, is *Modo nuovo di intendere la lingua zerga*, Ferrara 1545.

Het laatste betoog van de Grote Baas van de cerretanen is op schrift gesteld en wordt nog steeds bewaard in de Biblioteca Ambrosiana te Milaan (manuscript A13 inf., toegeschreven aan Jacopo Bonfadio).

De oorsprong van de cerretanen en hun banden met het kerkelijk gezag zijn tot op heden omgeven door een merkwaardig mysterie. Zoals don Tibaldutio de hoofdpersoon toevertrouwt, hadden de cerretanen aan het eind van de veertiende eeuw een reguliere vergunning om in Cerreto te collecteren voor de hospitalen van de orde van de heilige Antonius. Dus een vergunning die was verleend door de kerkelijke autoriteiten, wat hun daadwerkelijke tolerantie ten opzichte van de cerretaanse beweging *ab origine* zou bevestigen.

Als dat bericht klopt, zouden daar in de statuten van de stad Cerreto, opgesteld in 1380, nog sporen van te vinden moeten zijn, maar die zijn verdwenen. Er bestaat een kopie uit de zestiende eeuw, maar – zoals don Tibaldutio al vermeldde – juist het gedeelte met betrekking tot het collecteren is er door onbekende handen uit gescheurd: je hoeft maar naar het gemeentearchief van Cerreto te gaan om dat ook nu nog persoonlijk te kunnen vaststellen.

Alle tradities, ceremonies, gewoonten en ondeugden van de cerretanen en van andere groepen bedelaars die in de roman worden genoemd, zijn tot in de kleinste details authentiek (cf. onder meer het onvolprezen essay van P. Camporesi, *Il libro dei vagabondi*, Turijn 1973). Voor de broederschap van de heilige Elisabeth cf. C.J. Ribton-Turner, *A History of Vagrants and Vagrancy and Beggars and Begging*, (repr.) Montclair, New Jersey 1972.

De middeltjes met kamfer die door Ugonio en de lijkenpikkers worden gebruikt om degene die zich in hun schuilplaats waagt af te schrikken, evenals de theorie van de deeltjes waarmee Atto de verschijningen in Het Schip probeert te verklaren, staan te lezen in M.L.L. De Vallemont, *La phisique occulte*, Parijs 1693, dat dan ook wordt geciteerd door Melani. De auteurs moeten echter bekennen dat ze nog niet hebben durven uitproberen of genoemde experimenten met kamfer echt werken.

Alle anekdotes over het Heilige Jaar zijn volstrekt authentiek, inclusief de wederwaardigheden van de pelgrims die werden ontvoerd en tot dwangarbeid op het land gedwongen. Hetzelfde geldt voor de breedsprakige betogen van don Tibaldutio over de geldigheid van de volle aflaat ter gelegenheid van het Heilige Jaar (cf. B.v. F.A. Zaccharia, *Dell'Anno Santo. Trattato storico, cerimoniale e polemico*, Rome 1824).

In haar betogen over verloskunde en kindergeneeskunde geeft Cloridia blijk van haar grondige kennis van het fameuze traktaat *La commare* (De vroedvrouw) van Scipione Mercuri (Venetië 1676), waarin we ook de legende over Geryon kunnen vinden, de driehoofdige koning van Spanje. De gevallen van monsters in de trant van de Tetràchion, wonderbaarlijke geboorten en misvormingen, zijn allemaal echt en kunnen worden gevonden in U. Aldrovandi, *Mostrorum historia cum paralipomenis historiae omnium animalium*, Bologna 1642 en A. Paré, *Deux livres de chirurgie* (boek II, *Des monstres tant terrestres que marins avec leurs portraits*), Parijs 1573.

Het mysterie van Het Schip

Wat dit onderwerp betreft hoeft de lezer zich niet eens af te vragen of Het Schip werkelijk heeft bestaan. De ruïnes van de Villa Benedetta (zoals de opdrachtgever hem noemde), waarvan de bouw in opdracht van Elpidio Benedetti in 1663 begon, zijn nog steeds te bezichtigen op de Janiculus, niet ver van de Sint-Pancratiuspoort. De hele beschrijving van de villa en de tuin tijdens de bezoeken van Atto, met inbegrip van de wanden vol motto's en van de lachspiegels in het torentje op het terras, waar Atto en zijn vriend de Tetràchion zien (of menen te zien), volgt trouw de historische getuigenissen, om te beginnen die in het boekwerkje met de beschrijving van Het Schip en de minutieuze lijst met de gezegden die Benedetti zelf onder pseudoniem publiceerde (M. Mayer, *Villa Benedetta*, it., tweede druk, met een paar kleine aanvullingen van P. Erico, Augusta 1694). Alle andere details die met Het Schip of met Benedetti te maken hebben, kunnen worden nagetrokken in de voortreffelijk gedocumenteerde studie van Carla Benocci, *Villa Il Vascello*, Rome 2003.

Benedetti liet de villa werkelijk, zoals Atto vertelt, na aan Filippo Giuliano Mancini, de hertog van Nevers, broer van Maria en neef van Mazarin; die heeft er echter nooit gewoond, heeft hem zelfs nooit gezien, omdat hij niet meer naar Rome is teruggekeerd. Of er in 1700 bewoners waren of dat de villa echt leegstond, was niet te achterhalen: van het doopregister van de Sant'Angelo alle Fornaci, de kerk waar Het Schip onder viel, is juist het gedeelte uit die jaren verloren gegaan.

In de geschiedenis van het gebouw wordt melding gemaakt (cf. het interview van A. Chiarle met Carla Benocci, 'Villa del Vascello', *Hiram* 3/2002) van het bestaan van 'anomalieën' en 'verontrustende bijzonderheden', zoals met name het model van een schip, waaraan de christelijke symboliek zo gehecht is, maar waarvan Benedetti's exemplaar de voorsteven naar het Vaticaan heeft gewend. Bovendien: de verbluffende overdaad aan symbolische verwijzingen naar het Franse hof klinkt 'vals, als een soort dekmantel waarachter een vernieuwende en door en door ethische visie op de wereld schuilgaat'. Daarnaast vormen de lachspiegels in het torentje op het terras, 'een verontrustend element, bedoeld om verwondering te wekken, maar ook om te suggereren dat de tastbare realiteit eigenlijk een soort bedrog is dat een heel andere realiteit verbergt'.

De uitspraken en vonnissen die met zo veel gretigheid door Atto en zijn jongere vriend werden gelezen, zijn ontleend aan teksten van verschillende herkomst, met name aan *Il Principe Buono, ovvero le obbligazioni del Principato* (Rome 1661), de Italiaanse versie van een werk van Armand de Bourbon, prins van Conty, door Benedetti zelf vertaald en gepubliceerd in Rome, waarin het religieuze grondbeginsel achter elke handeling van de prins wordt onderstreept, alsook de noodzaak om zich aan de goddelijke en kardinale deugden te houden. Een vernieuwende kijk, zeker, radicaal nieuw zelfs: maar nooit buiten de bedding van de christelijke moraal.

Een complex geheel dus, van buitengewone originaliteit, een bolwerk van diepzinnige morele rijkdom: dat is de suggestieve kracht die Het Schip de hele achttiende eeuw lang op de vele reizigers die Rome bezochten uitoefende. De villa was een verplichte pleisterplaats en wordt in de toenmalige reisgidsen aangeduid als een regelrecht juweel, dat de vergelijking met de meest weelderige onderkomens glansrijk doorstaat.

Maar aan alles komt een eind. In juni 1849, tijdens de gevechten in de Romeinse Republiek, was Giuseppe Garibaldi met zijn troepen ingekwartierd in Het Schip, terwijl het Casino Corsini ai Quattro Venti ertegenover de basis was van de Franse milities, die waren gekomen om Rome te bezetten en het terug te geven aan de paus. In Benedetti's villa streden de grootste namen van het Italiaanse Risorgimento: Bixio, Mazzini, Saffi en Armellini, om er maar een paar te noemen, nog afgezien van Garibaldi zelf. Velen sneuvelden, maar niet zonder de religieuze bijstand van broeder Ugo Bassi. Daaronder was ook de drieëntwintigjarige Goffredo Mameli, de schrijver van het volkslied van het toekomstige verenigde Italië, gestorven in de armen van de beroemde vaderlandslievende prinses van België. Het kanongebulder duurde zevenentwintig dagen lang en het hele gebied van de Janiculus werd verwoest, inclusief de villa del Torre en Villa Spada zelf. Het spreekt echter vanzelf dat de twee villa's die de pech hadden te zijn uitverkoren tot hoofdkwartier het ernstigst werden beschadigd: Het Schip werd vrijwel volledig met de grond gelijkgemaakt.

Alle villa's worden vroeg of laat gerestaureerd, herbouwd of gerenoveerd, nooit verlaten of gesloopt. Maar nu komt de verrassing: Het Schip wordt aan zijn lot overgelaten.

De restanten zien er tamelijk merkwaardig uit, zo vlak na de kanonschoten. De begane grond is nog intact, inclusief het half cirkelvormige risaliet, plus de imposante oostflank, die tot de tweede verdieping overeind is gebleven. Op de hoogte waar zich Benedetti's majestueuze villa verhief, prijkt dus tegenwoordig een scherpgetande, hoog oprijzende ruïne, op kilometers afstand zichtbaar. Overal op de heuvel fonkelen de kleurige resten van fresco's en wanddecoraties. De ruïne wordt al snel een van de meest geliefde onderwerpen van de toenmalige landschapschilders.

Als de voorstanders van een verenigd Italië zijn verjaagd en Rome aan de paus is teruggegeven, nemen de Fransen de schade op: de strooptochten van de soldaten, geven ze toe, hebben alles vernietigd wat er na het kanonvuur was overgebleven. Geraamde kosten voor de herbouw: twintigduizend scudo's, waarvan de Fransen zelf, heel eerlijk, twee derde voor hun rekening nemen. Maar om mysterieuze redenen onderneemt vervolgens niemand iets. Hoewel verschillende eigenaren elkaar opvolgen, blijft de politiek ongewijzigd en wordt de villa aangehouden als een simpele wijngaard.

Als Rome in 1870 weer bij Italië wordt gevoegd, wordt Het Schip geroemd als 'heldenoord': in 1876 verleent koning Victor Emanuel II generaal Giacomo Medici (zijn eerste adjudant tijdens de gevechten van 1849) de titel Markies del Vascello (van Het Schip). Het jaar daarop koopt de generaal de villa, maar hij legt geen steen op de andere; het lijkt zelfs of hij alles laat slopen wat nog van de eerste en de tweede verdieping over was.

In 1897 komen koning Umberto I en koningin Margherita op bezoek; Het Schip wordt geprezen als een historisch gedenkteken van het Italiaanse Risogimento, maar er wordt met geen woord gerept over restauratiewerkzaamheden.

Dat is des te merkwaardiger als we bedenken dat, zoals Benocci in haar boek zegt, het culturele debat over de wederopbouw inmiddels internationaal werd gevoerd en dat velen hun stem lieten horen: van de Engelse dichter John Ruskin tot de architecten Eugène Viollet-Le-Duc en Camillo Boito aan toe.

En dat niet alleen. Tegenover Het Schip, echt vlakbij, had van 1857 tot 1859 de zorgvuldige restauratie van het voormalige Franse hoofdkwartier plaatsgevonden: het Casino Corsini ai Quattro Venti. Een schitterende villa, maar in belang en originaliteit veruit de mindere van Benedetti's schepping.

In 1897 vergroot Medici het park van Het Schip door een aangrenzend eigendom op te kopen, en hij laat er zelfs nieuwe dienstgebouwen neerzetten. Het geld is er dus, maar het wordt niet aan het zeventiende-eeuwse bouwwerk besteed, dat aan zijn lot wordt overgelaten en zelfs stukje bij beetje gesloopt. Was het niet het 'heldenoord' dat de eer te beurt was gevallen Garibaldi en Mazzini zelf onderdak te verlenen?

De soldaat en patriot Medici (die de ruïne van Het Schip zelfs in zijn eigen familiewapen heeft laten opnemen) schijnt zich daar niet bepaald druk om te maken.

Tegenwoordig is er van dat hele grandioze gebouw alleen nog een gedeelte van de muren op de begane grond over, omgebouwd tot een huurwoning. Eigenaars zijn de markiezen Pallavicini Medici del Vascello, erfgenamen van Giacomo Medici.

Het eeuwenlang onafgebroken leegstaan van Het Schip (hoewel het kon bogen op fresco's van onschatbare waarde, zoals de *Aurora* van Pietro da Cortona) en het uitblijven van een herrijzenis, vragen nog steeds om een verklaring. 'Het lijkt een *damnatio memoriae*,' zegt Benocci. Gedoemd tot vergetelheid, maar waarom? Misschien omdat de verontrustende reputatie van Het Schip, dat 'in de zeventiende eeuw een broeinest van ketterijen en in de negentiende eeuw een toevluchtsoord voor Garibaldi's opstandelingen' was en bovendien, zoals genoemde onderzoeker zegt, 'zelfs na twee eeuwen nog angst aanjaagt'?

Is Het Schip een esoterische plek? Je kunt je afvragen of het toneel waar de lotgevallen van Atto en zijn vriend zich afspelen niet dé voedingsbodem bij uitstek bood voor spoken uit het verleden, voor beelden van wat had moeten zijn en er nooit was...

Misschien dat de bewoners daar iets van weten. De woning op de begane grond staat echter al tijdenlang leeg; de laatste huurder, een alom bekende manager, is overleden. Het Schip lijkt voorbestemd om onbewoond te blijven.

De tuin is in tweeën gedeeld. Een gedeelte hoort nog steeds bij de overblijfselen van het gebouw. De andere helft echter, inclusief de oorspronkelijke ingang van de villa, behoort tot het kleine negentiende-eeuwse palazzo dat generaal Medici na de verwoesting van Het Schip heeft laten bouwen. Tegen-

woordig zetelt er (toeval?) een bekende organisatie met een enigszins ingewikkelde naam, die wat esoterisme betreft van de hoed en de rand weet: de vrijmetselaarsafdeling van het Grootoosten van Italië van palazzo Giustiniani (via di Porta San Pancrazio n. 8), die de auteurs bedanken omdat de leden zo vriendelijk waren hen rond te leiden in de villa en hun het uitzicht op het Vaticaan te tonen zoals dat ooit vanuit Het Schip te genieten viel.

Villa Spada

Villa Spada bestaat nog steeds: ook deze is verwoest tijdens de strubbelingen van 1849, maar daarna gerestaureerd. Tegenwoordig zetelt er de Ierse ambassade bij de Heilige Stoel (via G. Medici n. 1). De ambassadrice, Fiamma Davenport, heeft de auteurs met haar onvolprezen hulpvaardigheid persoonlijk een middag lang in de villa en het park rondgeleid. Dat laatste is tegenwoordig helaas drastisch teruggebracht, ten gevolge van de verbeten strijd die in de onbesuisde jaren zestig en tachtig (en in sommige oorden ook nu nog) in Europa een zeer groot gedeelte heeft weggevaagd van wat op wonderbaarlijke wijze aan de bombardementen van de Tweede Wereldoorlog was ontsnapt.

Ook van de beschrijving van Palazzo Spada aan de Piazza Capodiferro en het inwendige ervan (met name de beroemde perspectivische zuilengalerij van Borromini en de spiegelzaal met de zonnewijzer) is niets verzonnen. Kardinaal Fabrizio Spada liet inderdaad ter gelegenheid van het huwelijk restauratiewerkzaamheden verrichten. Tegenwoordig is het palazzo zetel van de Raad van State en gedeeltelijk te bezichtigen.

De rariteitenverzameling van Virgilio Spada wordt nog steeds bewaard in de Biblioteca Vallicelliana te Rome, bij het Oratorium van de paters philippijnen. Helaas is ze in de negentiende eeuw door de napoleontische troepen geplunderd: van de oorspronkelijke collectie is slechts een minimaal, weinig waardevol gedeelte over. Wat er ooit was is niet bekend: tijdens die strooptocht zijn ook de inventarislijsten verloren gegaan.

Het huwelijk van Clemente Spada met Maria Pulcheria Rocci is inderdaad op 9 juli 1700 gesloten. De beschrijving van de gelegenheidsversiering en de bloemstukken waarmee Villa Spada werd opgeluisterd, de menu's van de banketten, de taferelen tijdens de huwelijksvoltrekking, de bruiloftspreek van don

Tibaldutio tot en met die van Tranquillo Romaùli (grootvader en naamgenoot van de meester tuinman van Villa Spada): het is allemaal te vinden in de talloze traktaten en dagboeken uit die tijd. Een voorbeeld: F. Posterla, *Memorie istoriche del presente anno di Giubileo MDCC*, Rome 1700-1701.

De roddelverhalen, kletspraatjes en meningsverschillen die ter tafel kwamen tijdens de diners en de middagmalen in Villa Spada, worden gestaafd door dagboeken en documenten uit die tijd; authentiek zijn ook de kardinalen, edellieden en ambassadeurs (zowel de bevriende als de vijandige) in hun uiterlijk, obsessies en tics. Atto, bijvoorbeeld, liegt niet als hij pocht dat hij bevriend is met kardinaal Delfino, kardinaal Buonvisi of de Venetiaanse ambassadeur Erizzo.

Delfino correspondeerde druk met Atto en was een waardevolle informatiebron: in een Romeinse privé-collectie wordt een hele stapel brieven bewaard, jarenlang door Delfino aan abt Melani gezonden. In Parijs vinden we sporen van de betrekkingen tussen Atto en Delfino in de Archives des Affaires Etrangères, Correspondance politique, Rome, suppl. 10, Lettres de l'abbé Melani, c. 70 sgg. (brief van Delfino uit Rome van 3 april 1700, waarin hij onder meer verwijst naar zijn eigen pogingen om kardinaal Ottoboni met het oog op het conclaaf voor Frankrijk te winnen).

Ook Gerolamo Buonvisi en zijn neef Francesco, beiden kardinaal, schreef Atto wekelijks, veertig jaar lang, terwijl de gunsten die Frankrijk de republiek Venetië op voorspraak van Erizzo verleende Atto, zoals hij zelf memoreert, de titel van Venetiaans patriciër opleverden.

De spelletjes en de tijdspasseringen die voor het feest in Villa Spada werden georganiseerd vinden we allemaal terug in de talloze handboeken uit die tijd, net als de flarden van gesprekken over het inzetten van brakken of over vogeleieren, tot en met de valkenjacht. Een willekeurig voorbeeld: de kunstgrepen en de genoegens van de jacht, beschreven door de Bolognese Giuseppe Maria Mitelli: *La caccia giocosa*, Bologna 1684.

De klucht van Epifanio Gizzi *Amore premio della costanza*, die de genodigden op het feest in Villa Spada te zien krijgen, is in 1699 in Rome gedrukt.

De heilige bol

Naar het hoogste punt van de Sint-Pieter klimmen kan vandaag de dag helaas niet meer op dezelfde manier als in de roman. Aan het eind is namelijk een ijzeren trap ingevoegd, die het mogelijk maakt de treden in het laatste gedeelte van de ruimte tussen de beide cirkels van de koepel, die voor iemand zonder bergbeklimmerstalent een geweldige hindernis vormden, te 'overbruggen'. Sinds de jaren vijftig van de vorige eeuw is de toegang tot de bol bovendien volledig afgesloten: alleen de *sampietrini* kunnen er nog bij komen. Voor gewone stervelingen maakt dat hoe dan ook niets uit: de laatste jaren kregen alleen leden van de allerhoogste aristocratie toestemming om de bol te bezoeken.

We kunnen het leed verzachten door te voet (laat de lift voor wat hij is, het is de moeite waard) naar het vlak eronder gelegen terras te gaan: het panorama is nog steeds adembenemend. Dankzij een artikel van Rodolfo di Mattei (Ascesa alla 'palla', in *Ecclesia*, n. 3, maart 1957, blz. 130-135), dat illustere bezoekers uit het verleden opsomt (onder meer Goethe en Chateaubriand), en verscheidene details van de constructie, kunnen we de bol in onze fantasie bereiken. Als je een van de *sampietrini* ernaar vraagt, kun je nog steeds een beschrijving krijgen van de grote bronzen bol met zijn vier spleten op ooghoogte, één voor elke windstreek, waar bij het aanbreken van de dag de eerste zonnestraal doorheen schijnt. Die *sampietrini* komen wel nog steeds helemaal tot bij de bol, of zelfs nog hoger. Voorzien van klimtouwen en haken klauteren ze eerst met levensgevaar de bol op, en vervolgens het grote kruis dat er bovenop is gemonteerd, om op gezette tijden een kleine metalen staaf te vervangen, het echte hoogtepunt van de basiliek: de bliksemafleider.

Inhoud

Verantwoording van de vertaler

Voor de vertaling van allerlei citaten in *Secretum* is geput uit de volgende werken:

De Bijbel: Willibrordvertaling, Katholieke Bijbelstichting, 's-Hertogenbosch, 1995.
Dante Alighieri, *De goddelijke komedie*, vert. Ike Cialona en Peter Verstegen, Athenaeum-Polak & Van Gennep, Amsterdam, 2000.
Herodotos, *Historiën*, vert. Dr. Onno Damsté, De Haan, Houten, 1987.
Homerus, *Odyssee*, vert. H.J. de Roy van Zuydewijn, De Arbeiderspers, Amsterdam, 2004.
Giacomo Leopardi, *Zangen*, vert. Frans van Dooren, Ambo, Baarn, 1991.
Ovidius, *Metamorphosen*, vert. M. D'Hane-Scheltema, Athenaeum-Polak & Van Gennep, 2000.

Bij de vertaling van de citaten uit *Das Narrenschiff* is de volgende editie gehanteerd:
Sebastian Brant, *Das Narrenschiff*, übertragen von H.A. Junghans, durchgesehen und mit Anmerkungen sowie einem Nachwort neu herausgegeben von Hans-Joachim Mähl, Philipp Reclam Jun., Stuttgart, 1964.

Voor de taal van de cerretanen heb ik me gebaseerd op:
J.G.M. Moormann, *De geheimtalen, Het Bargoense standaardwerk, met een nieuw nagelaten deel.* Bezorgd door Nicoline van der Sijs, met een inleiding van Enno Endt, Veen, Amsterdam/Antwerpen, 2002.

Voor de benaming van diverse sekten van de cerretanen heb ik geput uit:
Herman Pleij (samenstelling), *Van schelmen en schavuiten, Laatmiddeleeuwse vagebondteksten*, Querido, Amsterdam, 1991.